taalk	taalkunde
techn	techniek
telec	telecommunicatie
telw	telwoord
tegenst	tegenstelling
theat	theater
tr	transitief (werkwoord)
tw	tussenwerpsel
typ	typografie
vd	van de
vergr	vergrotend(e)
verk	verkorting
vh	van het
vnl.	voornamelijk
vnw	voornaamwoord
vrl	vrouwelijk
vw	voegwoord
vz	voorzetsel
weerk	weerkunde
wielersp	wielersport
wisk	wiskunde
wtsch	wetenschap
ww	werkwoord
zelfst	zelfstandig
zn	zelfstandig naamwoord

Wegwijzer

De gebruikte afkortingen worden verklaard in de
Lijst van afkortingen op de voorgaande pagina's.

De trefwoorden zijn blauw gedrukt

aandenken keepsake, memento: *iets bewaren als* ~ keep sth as a keepsake

Wanneer de klemtoon van een trefwoord verwarring kan opleveren, staat er een streepje onder de beklemtoonde klinker

kartel cartel, trust

Trefwoorden die gelijk geschreven worden, maar verder niets met elkaar te maken hebben, worden voor aan de regel genummerd met 1, 2 enz.

¹**aas** bait: *levend* ~ live bait; *van* ~ *voorzien* bait (the hook, trap)
²**aas** *(kaartspel)* ace

Een indeling met Romeinse cijfers wordt gegeven bij trefwoorden die tot meer dan één grammaticale categorie gerekend kunnen worden. De grammaticale gegevens (meestal de woordsoort) staan dan vermeld achter het Romeinse cijfer

achteruit I *bw* back(wards); **II** *zn* reverse (gear): *een auto in zijn* ~ *zetten* put a car into reverse (gear)

Vertalingen die zeer dicht bij elkaar liggen, worden gescheiden door een komma

aardbol earth, world, globe

Is het verschil wat groter, dan wordt tussen de vertalingen een puntkomma gezet; vaak wordt dan ook tussen haakjes een verklaring van dit kleine verschil in betekenis gegeven

aap monkey; *(mensaap)* ape

Wanneer het trefwoord duidelijk verschillende betekenissen heeft, worden de vertalingen genummerd met 1, 2 enz.

aanschieten 1 hit: *een aangeschoten hert* a wounded deer; **2** *(aanspreken)* buttonhole, accost: *een voorbijganger* ~ buttonhole a passer-by

Soms is bij de vertaling een toelichting nodig, een beperking van het gebruik van een woord, een vakgebied, een korte verklaring. Deze toelichting staat cursief tussen haakjes

aanmaken 1 *(bereiden)* mix *(verf, deeg)*; prepare *(groenten)*: *sla* ~ dress a salad; **2** light: *een vuur* (of: *de kachel*) ~ light a fire (of: the stove)

De vertaling kan worden gevolgd door voorbeelden en uitdrukkingen. Deze staan cursief. In voorbeelden vervangt het teken ~ het trefwoord. Voorbeelden en uitdrukkingen worden altijd gevolgd door een vertaling

aanbellen ring (at the door): *bij iem* ~ ring s.o.'s doorbell

Soms wordt een trefwoord alleen in één of meer uitdrukkingen gegeven, zonder dat het zelf vertaald wordt. De uitdrukking volgt dan direct na een dubbelepunt

apegapen: *op* ~ *liggen* be at one's last gasp

Uitdrukkingen die niet duidelijk aansluiten bij een van de verschillende betekenissen van een trefwoord, worden achteraan behandeld en van de (genummerde) betekenissen gescheiden door het teken ‖

balk beam ‖ *het geld over de* ~ *gooien* spend money like water

Van Dale pocketwoordenboek **Nederlands-Engels**

Van Dale pocketwoordenboeken

Nederlands
Nederlands voor de basisschool

Frans-Nederlands
Nederlands-Frans

Duits-Nederlands
Nederlands-Duits

Spaans-Nederlands
Nederlands-Spaans

Engels-Nederlands

Nederlands-Engels

Van Dale pocketwoordenboek
Nederlands–Engels

Derde druk

Onder redactie van N. Osselton en R. Hempelman

Utrecht – Antwerpen

Aan deze druk werkten mee: M.C.G.M. Jansen (uitgever), F.K. Gildemacher
(projectleider), R.J.H.M. Ermers, J.L. Bol (bureauredactie), H.W.E. Luijten, H.
Slooten en M.A.J. Vollering (productiecoördinatie).
Vormgeving: P.M. Noordzij m.m.v. Bas Smidt en Paul van der Laan
Zetwerk: PlantijnCasparie, Heerhugowaard
Druk: Clausen&Bosse, Leck, Duitsland

© 2003 Van Dale Lexicografie bv

Bibliografische gegevens

Van Dale pocketwoordenboek Nederlands-Engels
Derde druk, onder redactie van N.E. Osselton en R. Hempelman
Utrecht – Antwerpen; Van Dale Lexicografie
Vorige druk: Wolters' Ster Woordenboek Nederlands-Engels, tweede druk in
de nieuwe spelling [etc.]
ISBN 90 6648 712 7 (Nederland)
ISBN 90 6648 734 8 (België)
NUR 627
Depotnr. D/2003/0108/707

Voorwoord

Dit is het deel Nederlands-Engels van de serie Van Dale pocketwoordenboeken. Deze serie is in het bijzonder bedoeld voor leerlingen in de eerste leerjaren van het voortgezet onderwijs in Nederland en het secundair onderwijs in België.
De Van Dale pocketwoordenboeken Engels zijn opgezet op basis van een didactisch concept dat is ontwikkeld door de bewerkers van de vorige drukken, H. de Boer en E.G. de Bood.

In deze nieuwe druk is de keuze van de trefwoorden met name op jonge mensen afgestemd: opgenomen zijn díé woorden waarvan een leerling de kans loopt om ze tegen te komen. Dat betekent dat veel aandacht is besteed aan onderwijstermen, zoals *vwo*, *Citotoets* en *schooladvies*, terwijl onder *som* is te vinden hoe een aantal sommen en wiskundige notaties in het Engels wordt uitgesproken. Daarnaast zijn veel begrippen uit de wereld buiten school opgenomen, zoals bijvoorbeeld *rokade, gameboy, frietje oorlog* en *f-sleutel*. Veel Belgisch-Nederlandse woorden en uitdrukkingen zijn nu ook direct op te slaan. Zo zijn nu bijvoorbeeld *appelsien, inkom* en *melk in brik* opgenomen.
Bij de behandeling van de trefwoorden is simplificatie vermeden; de Van Dale pocketwoordenboeken willen volwassen woordenboeken zijn. Ze zijn zeker ook zeer geschikt voor anderen dan leerlingen in het voortgezet onderwijs.

Voor het Engels volgen de Van Dale pocketwoordenboeken de Brits-Engelse spelling. Deze keuze ligt voor de hand, omdat de meeste lesmethoden nog steeds uitgaan van het Brits-Engels. De Brits-Engelse spelling is ook in andere Engelstalige landen gangbaar, zoals bijvoorbeeld in Australië, Nieuw-Zeeland en Zuid-Afrika, terwijl de Amerikaanse spelling alleen officieel gebruikt wordt in de VS en Canada. En verder kan het gebruik van twee spellingen in één woordenboek natuurlijk gemakkelijk tot verwarring leiden.
Als rekening gehouden wordt met een paar kleine verschillen tussen de Britse en Amerikaanse spelling, zijn veel Amerikaanse woorden toch gemakkelijk af te leiden. Bijvoorbeeld woorden die in de Britse spelling eindigen op *-our* (*humour*) en *-tre* (*cen-*

tre) worden in de Amerikaanse spelling meestal als *-or* (*humor*) en *-ter* (*center*) geschreven. En in de Amerikaanse spelling worden soms medeklinkers niet verdubbeld waar dat in de Britse spelling wel het geval is. In de VS wordt bijvoorbeeld "traveler" en "jeweler" geschreven in plaats van "travel*ler*" en "jewel*ler*".
Wel geven we in het woordenboek meer dan voorheen Amerikaans-Engelse vertalingen (bijvoorbeeld bij de trefwoorden *apotheek, baden, bagageruimte, grappig* en *hemd*).

Het woordenboek bevat achterin een bijlage, waarin nog een aantal woorden per rubriek gegroepeerd is en de grammaticale hoofdlijnen van het Engels kort behandeld worden. En natuurlijk is er een handige lijst van onregelmatige werkwoorden en hun vervoegingen. Meer informatie over de inrichting van het woordenboek kunt u vinden in de Wegwijzer.

Een zeer opvallende verandering ten slotte betreft de typografie. In de vorige druk stonden soms meerdere trefwoorden in één alinea waarbij bovendien veel trefwoorden verkort werden weergegeven. Nu begint elk trefwoord op een nieuwe regel en zijn ze alle voluit gegeven.

Het Ster Woordenboek van Van Dale is vernieuwd. Niet alleen de naam is veranderd in Van Dale pocketwoordenboek, ook is de gebruikersvriendelijkheid verder vergroot door het gebruik van minder doorschijnend papier en door het gebruik van kleur. Aan de vertrouwde en gewaardeerde inhoud van dit woordenboek is echter niets gewijzigd.

Utrecht – Antwerpen
De uitgever

Lijst van afkortingen

aanw	aanwijzend	*iron*	ironisch
aardr	aardrijkskunde		
abstr	abstract	*jur*	juridisch
afk	afkorting		
algem	algemeen	*koppelww*	koppelwerkwoord
Am	Amerikaans, in de Verenigde Staten		
anat	anatomisch	*landb*	landbouw
astrol	astrologie	*lett*	letterlijk
		luchtv	luchtvaart
Belg	Belgisch, in België	*lw*	lidwoord
bep	bepaald		
betr	betrekkelijk	*mbt*	met betrekking tot
bez	bezittelijk	*med*	medisch
bijv.	bijvoorbeeld	*meetk*	meetkunde
biol	biologie	*mil*	militair
bn	bijvoeglijk naamwoord	*min*	minachtend
bouwk	bouwkunde	*muz*	muziek
bw	bijwoord	*mv*	meervoud
chem	chemie, scheikunde	*nat*	natuurkunde
comp	computer	*Ned*	Nederlands, in Nederland
concr	concreet		
cul	culinair	*onbep*	onbepaald
		ond	onderwijs
dierk	dierkunde	*ongev*	ongeveer
		onpers	onpersoonlijk
econ	economie	*overtr*	overtreffend(e)
elektr	elektriciteit, elektrisch	*ovt*	onvoltooid verleden tijd
euf	eufemisme		
ev	enkelvoud	*pers*	persoon, persoonlijk
		plantk	plantkunde
fig	figuurlijk	*pol*	politiek
fin	financiën	*prot*	protestants(e)
form	formeel	*psych*	psychologie
foto	fotografie		
		rangtelw	rangtelwoord
geol	geologie	*r-k*	rooms-katholiek(e)
godsd	godsdienst(ig)	*ruimtev*	ruimtevaart
hist	historisch	*sam*	samenstelling
hoofdtelw	hoofdtelwoord	*scheepv*	scheepvaart
hulpww	hulpwerkwoord	*scheldw*	scheldwoord
		s.o.	someone
iem	iemand	*spoorw*	spoorwegen
inform	informeel	*sterrenk*	sterrenkunde
intr	intransitief (werkwoord)		

Alternatieve vormen die een afzonderlijke vertaling hebben, worden tussen haakjes gezet en ingeleid met *of*. Dikwijls wordt ook de vertaling ingeleid met *of*. Hier wordt *nieuwe aanplant* vertaald met *new plantings* en *jonge aanplant* met *young plantings*

Vertalingen die voornamelijk in het Amerikaans-Engels worden gebruikt, zijn aangegeven met *Am.*
Deze aanduiding wordt ook gegeven in samenstellingen. Het voorbeeld hiernaast betekent dat in het Amerikaans-Engels doorgaans *second floor* gebruikt wordt

Van trefwoorden die afkortingen zijn wordt eerst de (Nederlandse) verklaring gegeven

De Van Dale pocketwoordenboeken gebruiken de nieuwe Nederlandse spelling volgens de regels uit 1995. In enkele gevallen wijkt de spelling van een trefwoord af van die in de Woordenlijst Nederlandse taal van 1995 (Wdl). Voorzover zulke verschillen betrekking hebben op de ministeriële besluiten aangaande de spelling (en niet binnen de marges vallen waarbinnen die besluiten variatie toelaten) zijn de desbetreffende trefwoorden gemarkeerd met een sterretje

aanplant plantings, plants: *nieuwe* (of: *jonge*) ~ new (*of:* young) plantings

appartement flat, *(Am)* apartment: *een driekamerappartement* a 2-bedroom flat

etage floor, storey: *op de eerste* ~ on the first *(Am:* second) floor

a.s. *afk van aanstaande* next: ~ *maandag* next Monday

*zielepiet *(Wdl: zielenpiet)* poor soul

a

a a, A: *van ~ tot z kennen* know from A to Z (*of:* from beginning to end); *wie ~ zegt, moet ook b zeggen* in for a penny, in for a pound

à 1 (*ongev*) (from ...) to, or: *2 ~ 3 maal* 2 or 3 times; *er waren zo'n 10 ~ 15 personen* there were some 10 to 15 people; **2** (*per eenheid*) at (the rate of): *5 meter ~ 6 euro, is 30 euro* 5 metres at 6 euros is 30 euros

A4 1 A4; **2** side

AA *afk van Anonieme Alcoholisten* Alcoholics Anonymous

aaien stroke, (*romantisch*) caress

aak barge

aal eel

aalbes currant: *rode* (of: *witte*) *~sen* red (*of:* white) currants

aalmoes alms

aalscholver cormorant

aambeeld anvil

aambeien piles

aan I *vz* **1** on, at, by: *vruchten ~ de bomen* fruit on the trees; *~ een verslag werken* work on a report; *~ zee* (of: *de kust*) *wonen* live by the sea (*of:* on the coast); **2** (*mbt een fig. verbondenheid*) by, with: *dag ~ dag* day by day; *doen ~* do, go in for; *twee ~ twee* two by two; **3** (*bij ww die een beweging aanduiden*) to: *hij geeft les ~ de universiteit* he lectures at the university; *~ wal gaan* go ashore; *hoe kom je ~ dat spul?* how did you get hold of that stuff?; **4** (*tengevolge van*) of, from: *sterven ~ een ziekte* die of a disease; **5** (*wat betreft*) of: *een tekort ~ kennis* a lack of knowledge; **6** (*in de macht van*) up to: *het is ~ mij ervoor te zorgen dat ...* it is up to me to see that ...; *dat ligt ~ haar (haar fout)* that's her fault; *hij heeft het ~ zijn hart* he has got heart trouble; *hij is ~ het joggen* he's out jogging; *hij is ~ het strijken* he's (busy) ironing; *ze zijn ~ vakantie toe* they could do with (*of:* are badly in need of) a holiday; **II** *bn* on: *een vrouw met een groene jurk ~* a woman in (*of:* wearing) a green dress; *de kachel is ~* the stove is on; *het is weer dik ~ tussen hen* it's on again between them; *daar is niets ~: a) (gemakkelijk)* there's nothing to it, it's dead easy; *b) (saai)* it's a waste of time; **III** *bw* (met *wat*) about, around, away: *ik rotzooi maar wat ~* I'm just messing about; *stel je niet zo ~!* stop carrying on like that!; *daar heeft zij niets ~* that's no use to her; *daar zijn we nog*

niet ~ toe we haven't got that far yet; (*fig*) *zij weet niet waar zij ~ toe is* she doesn't know where she stands; *rustig ~!* calm down!, take it easy!; *van nu af ~* from now on; *van voren af ~* from the beginning; *van jongs af ~* from childhood; *jij kunt ervan op ~ dat ...* you can count on it that ...

aanbakken burn, get burnt

aanbellen ring (at the door): *bij iem ~* ring s.o.'s doorbell

aanbesteding tender, (*aan iem*) contract: *inschrijven op een ~* (submit a) tender for a contract

aanbetaling down payment, (*mbt huurverkoop ook*) deposit: *een ~ doen van 200 euro* make a down payment of 200 euros

aanbevelen recommend: *dat kan ik je warm ~* I can recommend it warmly to you

aanbeveling recommendation

aanbidden 1 worship, (*van heilige*) venerate; **2** (*fig*) worship, (*romantisch ook*) adore: *Jan aanbad zijn vrouw* Jan worshipped (*of:* adored) his wife

aanbidder 1 worshipper; **2** (*bewonderaar*) admirer: *een stille ~* a secret admirer

aanbieden 1 offer, give: *iem een geschenk ~* present a gift to s.o.; *hulp* (of: *diensten*) *~* offer help (*of:* services); *zijn ontslag ~* tender one's resignation; *zijn verontschuldigingen ~* offer one's apologies; **2** (*verkrijgbaar stellen*) offer: *iets te koop* (of: *huur*) *~* put sth up for sale (*of:* rent)

aanbieding special offer, bargain: *goedkope* (*speciale*) *~* special offer, bargain; *koffie is in de ~ deze week* coffee is on special offer this week, coffee's reduced this week

aanblijven stay on: *zij blijft aan als minister* she is staying on as minister

aanblik 1 sight, glance: *bij de eerste ~* at first sight (*of:* glance); **2** sight, (*persoon*) appearance: *een troosteloze ~ opleveren* be a sorry sight, make a sorry spectacle

aanbod 1 offer: *iem een ~ doen* make s.o. an offer; *zij nam het ~ aan* she accepted (*of:* took up) the offer; *zij sloeg het ~ af* she rejected the offer; **2** supply: *vraag en ~* supply and demand

aanbouw 1 building, construction (*gebouw, schip*): *dit huis is in ~* this house is under construction; **2** extension, annexe: *een ~ aan een huis* an extension (*of:* annexe) to a house

aanbouwen build on, add: *een aangebouwde keuken* a built-on kitchen

aanbranden burn (on): *laat de aardappelen niet ~* mind the potatoes don't boil dry (*of:* get burnt)

aanbreken I *intr* come, break, dawn (*dag*), fall (*nacht*): *het moment was aangebroken om afscheid te nemen* the moment had come to say goodbye; **II** *tr* (*aanspreken*) break into (*voorraad*), break (into) (*geld*), open (up) (*fles*): *er staat nog een aangebroken fles* there's a bottle that's already been opened

aanbrengen 1 (*in-, toevoegen*) put in, put on, install, introduce (*veranderingen enz.*), apply (*lijm e.d.*): *verbeteringen ~* make improvements; *een gat* *in de muur* ~ make a hole in the wall; **2** *(aangeven)* inform on *(misdadiger); report (misdaad): een zaak* ~ report a matter

aandacht attention, notice: *(persoonlijke)* ~ *besteden aan* give *(of:* pay) (personal) attention to; *aan de* ~ *ontsnappen* escape notice; *al zijn* ~ *richten op* … focus all one's attention on …; *iemands* ~ *trekken* attract s.o.'s attention, catch s.o.'s eye; *de* ~ *vestigen op* draw attention to; *onder de* ~ *komen (of: brengen) van* come *(of:* bring) to the attention of

aandachtig attentive, intent: ~ *luisteren* listen attentively *(of:* intently)

aandeel 1 share, portion: ~ *hebben in een zaak* (of: *de winst)* have a share in a business *(of:* the profits); **2** *(bijdrage)* contribution, part: *een actief* ~ *hebben in iets* take an active part in sth; **3** *(bewijs van aandeel)* share (certificate), *(Am)* stock (certificate): ~ *op naam* nominative share, registered share

aandeelhouder shareholder

aandenken keepsake, memento: *iets bewaren als* ~ keep sth as a keepsake

aandoen 1 *(aantrekken)* put on; **2** *(berokkenen)* do to, cause: *iem een proces* ~ take s.o. to court; *iem verdriet, onrecht* ~ cause s.o. grief, do s.o. an injustice; *dat kun je haar niet* ~! you can't do that to her!; **3** *(in werking stellen)* turn on, switch on

aandoening disorder, complaint: *een lichte* ~ *van de luchtwegen* a touch of bronchitis

aandoenlijk moving, touching

aandraaien *(vastdraaien)* tighten, screw tighter

aandragen carry, bring (up, along, to)

aandrang insistence, instigation: ~ *uitoefenen op* exert pressure on; *op* ~ *van mijn vader doe ik het* I'm doing it at my father's insistence

aandrijven drive: *door een elektromotor aangedreven* driven by an electric motor

aandringen 1 urge: *niet verder* ~ not press the point, not insist; *bij iem op hulp* ~ urge s.o. to help; **2** insist: *er sterk op* ~ *dat* strongly insist that; ~ *op iets* insist on sth

aanduiden indicate: *niet nader aangeduid* unspecified; *iem* ~ *als X* refer to s.o. as X

aandurven dare to (do); feel up to: *een taak* ~ feel up to a task; *het* ~ *om* dare *(of:* presume) to

aaneengesloten unbroken, connected, continuous, *(fig)* united

aaneenschakelen link up *(of:* together), connect, join together, *(treinen)* couple

aaneenschakeling chain, succession, sequence: *een* ~ *van ongelukken* a series *(of:* sequence) of accidents

aaneensluiten, zich join together, *(firma, vakbond ook)* merge, *(fig ook)* join forces, *(fig ook)* unite: *zich* ~ *tot* join together in

aanfluiting mockery

aangaan I *intr* **1** go (towards), head (for, towards): *achter iem (iets)* ~: *a) (lett)* chase s.o. (sth) (up); *b) (fig)* go after s.o., go for sth; **2** go on, *(verwarming, licht ook)* switch on, light *(vuur, lucifer); II tr* **1** enter

into, *(schulden, huwelijk ook)* contract: *een lening* ~ contract a loan; **2** *(betreffen)* concern: *dat gaat hem niets aan* that's none of his business; *wat mij aangaat* as far as I'm concerned

aangapen gape (at), gawp at, gawk at: *sta me niet zo dom aan te gapen!* stop gaping at me like an idiot!

aangeboren innate, inborn, *(med)* congenital

aangedaan 1 moved, touched; **2** *(door ziekte)* affected

aangeklaagde accused; defendant

aangelegd -minded: *artistiek* ~ *zijn* have an artistic bent

aangelegenheid affair, business, matter

aangenaam pleasant, *(stem, beeld)* pleasing, *(omgeving ook)* congenial: *ze was* ~ *verrast* she was pleasantly surprised; ~ *(met u kennis te maken)* pleased to meet you; *het was me* ~ it was nice *(of:* a pleasure) meeting you

aangenomen: *een* ~ *kind* an adopted child; ~ *werk* contract work

aangepast (specially) adapted; *(geestelijk ook)* adjusted: *een* ~*e versie* an adapted version; *goed* ~ *zijn* be well-adapted *(of:* well-adjusted); *slecht* ~ *zijn* be poorly adapted *(of:* adjusted)

aangeschoten 1 *(beetje dronken)* under the influence, tipsy; **2** *(sport)* unintentional: ~ *hands* unintentional hands

aangeslagen affected, *(sterker)* shaken: *de bokser maakte een* ~ *indruk* the boxer looked unsteady

aangetekend registered: *je moet die stukken* ~ *versturen* you must send those items by registered mail

aangetrouwd related by marriage: ~*e familie* in-laws

aangeven 1 hand, pass; **2** *(bekendmaken)* indicate, declare: *de trein vertrok op de aangegeven tijd* the train left on time; *tenzij anders aangegeven* except where otherwise specified, unless stated otherwise; **3** *(bij overheid)* report, notify, *(douane)* declare: *een diefstal* ~ report a theft (to the police); *een geboorte* (of: *huwelijk)* ~ register a birth *(of:* marriage); *hebt u nog iets aan te geven?* do you have anything (else) to declare?; **4** *(met tekens)* indicate, mark: *de thermometer geeft 30 graden aan* the thermometer is registering 30 degrees; *de maat* ~ beat time; **5** *(voetbal)* feed; *(volleybal)* set

aangewezen: *de* ~ *persoon* the obvious *(of:* right) person (for the job); *op iets* ~ *zijn* rely on sth; *op zichzelf* ~ *zijn* be left to one's own devices

aangezicht countenance, face

aangezien since, as, seeing (that)

aangifte declaration *(waarde, belasting, douane); report (misdaad);* registration *(bevolkingsregister):* ~ *inkomstenbelasting* income tax return; ~ *doen van een misdrijf* report a crime; *(belasting)* ~ *doen* make a declaration; ~ *doen van geboorte* register a birth; *bij diefstal wordt altijd* ~ *gedaan* shoplifters will be prosecuted

aangifteformulier tax form; *(douane)* declaration;

(geboorte, overlijden) registration form

aangrenzend adjoining, *(huis, vertrek)* adjacent, *(naburig: land)* neighbouring

aangrijpen 1 grip; *(emotioneel ook)* move, make a deep impression on: *dit boek heeft me zeer aangegrepen* this book has made a deep impression on me; **2** *(beetpakken)* seize (at, upon), grip: *een gelegenheid met beide handen ~* seize (at, upon) an opportunity with both hands

aangrijpend moving, touching, poignant

aanhalen 1 caress, fondle; **2** *(noemen)* quote: *als voorbeeld* (of: *bewijs*) ~ quote as an example (of: as evidence); **3** pull in; *(touw)* haul in: *de teugels ~* tighten the reins

aanhalig affectionate: *hij kon zeer ~ doen* he could be very affectionate

aanhaling quotation, *(inform)* quote

aanhalingsteken quotation mark, *(inform)* quote, inverted comma: *tussen ~s* in quotation marks, in inverted commas

aanhang following; *(partij)* supporters: *over een grote ~ beschikken* have a large following; *veel ~ vinden onder* find considerable support among, have a large following among

aanhangen adhere to, be attached to, support: *een geloof ~* adhere to a faith; *een partij ~* support a party

aanhanger follower; *(partij)* supporter: *een vurig* (of: *trouw*) *~ van* an ardent (of: a faithful) supporter of

aanhangig pending, before the courts: *een kwestie ~ maken bij de autoriteiten* take a matter up with the authorities

aanhangsel appendix: *een ~ bij een polis* an appendix to a policy

aanhangwagen trailer

aanhankelijk affectionate, devoted

aanhebben 1 *(dragen)* have on, be wearing; **1** attach, *(met draad)* fasten on, *(plakken)* affix

aanhechting attachment

aanhef opening words, *(brief)* salutation

aanheffen start, begin, break into *(lied)*, raise *(gejuich)*

aanhoren listen to, hear: *iemands relaas geduldig ~* listen patiently to s.o.'s story

aanhouden I *tr* **1** stop, *(door politie)* arrest, hold *(vasthouden)*: *een verdachte ~* take a suspect into custody; **2** *(bij zich houden)* hold on to, keep, continue *(abonnement)*, stick to *(methode)*; **3** *(aan het lijf houden)* keep on; **4** *(aan de gang houden)* keep on, keep up, leave on *(radio, licht)*, keep going *(vuur)*: *als je het recept aanhoudt, kan er niets misgaan* if you stick to the recipe, nothing can go wrong; **II** *intr* **1** *(niet ophouden te doen)* keep on, go on, persist *(in)*: *blijven ~* persevere, insist; *je moet niet zo ~* you shouldn't keep going on about it (like that); **2** *(voortduren)* go on, continue; hold, last, keep up *(ook van weer)*; **3** (met *op*) keep *(links of rechts)*; make (for), head (for) *(bepaald doel)*: *links*

(of: *rechts*) ~ keep to the left (of: right), *(van richting veranderen)* bear left (of: right)

aanhoudend 1 continuous, persistent, constant, all the time: *een ~e droogte* a prolonged period of drought; **2** *(met tussenpozen)* continual, repeated, time and again, always

aanhouding arrest

aankijken look at: *elkaar veelbetekenend ~* give each other a meaningful look; *het ~ niet waard* not worth looking at

aanklacht charge, *(officieel)* indictment, complaint: *een ~ indienen tegen iem (bij)* lodge a complaint against s.o. (with); *de ~ werd ingetrokken* the charge was dropped

aanklagen *(officieel)* bring charges against, lodge a complaint against: *iem ~ wegens diefstal* (of: *moord*) charge s.o. with theft (of: murder)

aanklager accuser; *(eiser in zaak)* complainant; *(jurist)* plaintiff, prosecutor: *openbare ~* public prosecutor, Crown Prosecutor

aankleden dress, get dressed, *(van kleren voorzien)* clothe, *(van kleren voorzien)* fit out: *je moet die jongen warm ~* you must wrap the boy up well; *zich ~* get dressed

aankleding furnishing; *(ve kamer)* decor, furnishings; *(toneel)* decor, set(ting)

aanklikken click (on)

aankloppen knock (at the door), *(fig)* come with a request, appeal (to): *tevergeefs bij iem ~ om hulp* appeal to s.o. for help in vain

aanknopen 1 tie on: *(fig)* we hebben er nog maar een dagje aangeknoopt we're staying on another day (of: a day extra); **2** enter into: *betrekkingen ~ met* establish relations with; *onderhandelingen ~ met* enter into negotiations with

aanknopingspunt clue, lead; *(als uitgangspunt)* starting point

aankomen I *intr* **1** arrive, reach, *(trein, boot ook)* come in, pull in, *(sport)* finish: *de trein kan elk ogenblik ~* the train is due at any moment; *daar komt iem aan* s.o. is coming; *als derde ~* come in third; **2** *(treffen)* hit hard: *de klap is hard aangekomen: a)* it was a heavy blow; *b) (fig)* it was a great blow to him; **3** *(komen aanzetten)* come (with): *en daar kom je nu pas mee aan?* and now you tell me!; *je hoeft met dat plan bij hem niet aan te komen* it's no use going to him with that plan; **4** *(naderen)* come (along), approach: *ik zag het ~* I could see it coming; **5** *(bij toeval aanraken)* touch, hit, come up (against): *niet (nergens) ~!* don't touch!, hands off!; **6** *(in gewicht toenemen)* put on weight; **II** *onpers ww* come (down) (to): *als het op betalen aankomt* when it comes to paying; *waar het op aankomt* what really matters; *als het erop aan komt* when it comes to the crunch

aankomend prospective, future; *(onbedreven)* budding; *(leerjongen)* apprentice, trainee: *een ~ actrice* a starlet, an up-and-coming actress; *een ~ schrijver* a budding author

aankomst arrival, coming (in), *(sport)* finish(ing), *(vliegtuig)* landing: *(sport) in volgorde van ~* in (the) order of finishing; *bij ~* on arrival

aankomsttijd time of arrival

aankondigen announce: *de volgende plaat ~* announce *(of:* introduce) the next record; *~ iets te zullen doen* announce that one will do sth

aankondiging announcement, notice, *(teken)* signal, *(inluiding)* foreboding, *(plechtig)* proclamation: *tot nadere ~* until further notice

aankopen buy, purchase, acquire

aankrijgen get going: *ik krijg de kachel niet aan* I can't get the stove to burn *(of:* light)

aankruisen tick: *~ wat van toepassing is* tick where appropriate

aankunnen 1 be a match for, (be able to) hold one's own against: *het alleen ~* hold one's own; **2** be equal *(of:* up) to, be able to manage *(of:* cope with): *zij kon het werk niet aan* she couldn't cope (with the work); *kan ik ervan op aan, dat je komt?* can I rely on your coming?

aanlanden land (up), arrive at: *waar zijn we nu aangeland?* where have we got to now?

aanleg 1 construction, building, *(weg ook)* laying, *(kanaal)* digging, *(stad, tuin)* layout: *in ~* under construction; *~ van elektriciteit* installation of electricity; **2** *(kunstzinnig)* talent; *(zaken)* aptitude: *~ tonen voor talen* show an aptitude for languages; *~ voor muziek* a talent for music; **3** tendency, predisposition, inclination: *~ voor griep hebben* be susceptible to flu; *(Belg) rechtbank van eerste ~ (ongev)* county court

aanleggen I *tr* **1** construct, build, *(straat ook)* lay, dig *(kanaal)*, lay out *(park, tuin)*, install *(voorzieningen)*, build up *(voorraad):* *een spoorweg (of: weg) ~* construct a railway *(of:* road); *een nieuwe wijk ~* build a new estate *(Am:* development); **2** aim: *leg aan!* take aim!; **II** *intr (scheepv)* moor, tie up; *(aandoen)* touch (at), berth

aanlegplaats landing stage *(of:* place), mooring (place), berth *(vast)*

aanleiding occasion, reason, cause: *er bestaat geen ~ om (of: tot)* there is no reason to *(of:* for); *iem (geen) ~ geven* give s.o. (no) cause; *~ geven tot klachten* give cause for complaints; *~ zijn (geven) tot* give rise to; *naar ~ van* as a result of; *naar ~ van uw schrijven* in reply *(of:* with reference) to your letter

aanlengen dilute

aanleren 1 learn, acquire: *slechte manieren ~* acquire bad manners; **2** *(onderwijzen)* teach: *een hond kunstjes ~* teach a dog tricks

aanlijnen leash: *aangelijnd houden* keep on the leash *(of:* lead)

aanlokkelijk tempting, alluring, attractive

aanloop 1 run-up: *een ~ nemen* take a run-up; *een sprong met (of: zonder) ~* a running *(of:* standing) jump; **2** visitors, callers, *(klanten)* customers: *zij hebben altijd veel ~* they always have lots of visitors

aanlopen 1 walk (towards), come (towards); *(bezoeken)* drop in, drop by: *tegen iets ~: a)* walk into sth; *b) (fig)* chance *(of:* stumble) on sth; **2** *(in zijn loop gehinderd worden) (rem)* rub, drag; **3** *(een kleur krijgen)* turn ... (in the face): *rood ~* turn red in the face

aanmaken 1 *(bereiden)* mix *(verf, deeg);* prepare *(groenten):* *sla ~* dress a salad; **2** light: *een vuur (of: de kachel) ~* light a fire *(of:* the stove)

aanmanen 1 urge: *tot voorzichtigheid ~* urge caution; **2** *(sommeren)* order: *iem tot betaling ~* demand payment from s.o.

aanmaning 1 reminder: *een vriendelijke ~* a gentle reminder; **2** request for payment, notice to pay

aanmelden 1 announce, report; **2** *(opgeven)* present, enter forward (s.o.'s name), put forward (s.o.'s name)

aanmelding entry; *(baan)* application; *(toetreding)* enlistment, enrolment: *de ~ is gesloten* applications will no longer be accepted

aanmeren moor, tie up

aanmerkelijk considerable; *(merkbaar)* appreciable, marked, noticeable: *een ~ verschil met vroeger* a considerable change from the past; *het gaat ~ beter* things have improved noticeably

aanmerken comment, criticize: *op zijn gedrag valt niets aan te merken* his conduct is beyond reproach

aanmerking comment, criticism, remark: *~en maken (hebben op)* find fault with, criticize; *in ~ nemen* consider; *in ~ komen voor* qualify for *(bijv. van kosten, voor vergoeding)*

aanmodderen muddle on: *maar wat ~* mess around

aanmoedigen encourage, *(vnl. sport)* cheer on: *iem tot iets ~* encourage s.o. to do sth

aanmoediging encouragement, *(vnl. sport)* cheers: *onder ~ van het publiek* while the spectators cheered him *(of:* her, them) on

aanmonsteren sign on

aannemelijk 1 plausible: *een ~e verklaring geven voor iets* give a plausible explanation for sth; **2** *(aanvaardbaar)* acceptable, reasonable: *tegen elk ~ bod* any reasonable offer accepted

aannemen 1 take, accept, *(telefoon)* pick up, *(telefoon)* answer: *kan ik een boodschap ~?* can I take a message?; **2** *(accepteren)* accept, take (on), *(wet)* pass, carry: *een aanbod met beide handen ~* jump at an offer; *een opdracht (of: voorstel) ~* accept a commission *(of:* proposal); *met algemene stemmen ~* carry unanimously; **3** *(geloven)* accept, believe: *stilzwijgend ~* tacitly accept; *u kunt het van mij ~* you can take it from me; **4** assume, suppose: *algemeen werd aangenomen dat ...* it was generally assumed that ...; *als vaststaand (vanzelfsprekend) ~* take for granted; **5** *(via een contract)* undertake, contract for: *de bouw van een blok woningen ~* contract for (the building of) a block of houses; **6** *(in dienst nemen)* engage, take on: *iem op proef ~* appoint s.o. for a trial period

aannemer (building) contractor, builder

aanpak approach: *de ~ van dit probleem* the way to deal with *(of:* tackle) this problem

aanpakken 1 take, take, catch, get hold of; **2** *(behandelen)* go *(of:* set) about (it), deal with *(probleem)*, handle *(probleem)*, tackle *(probleem)*, seize *(gelegenheid)*, take *(gelegenheid): een probleem ~* tackle a problem; *hoe zullen we dat ~?* how shall we set about it?; *een zaak goed* (of: *verkeerd) ~* go the right *(of:* wrong) way about a matter; *hij weet van ~* he's a tremendous worker; **3** *((persoon) onder handen nemen)* deal with, *(aanvallen)* attack, *(jur)* proceed against: *iem flink ~* take a firm line with s.o., be tough on s.o.

aanpappen chum *(of:* pal) up (with)

aanpassen I *tr* **1** try on, fit on: *een nieuwe jas ~* try on a new coat; **2** *(passend maken)* adapt (to), adjust (to), fit (to): *de lonen zullen opnieuw aangepast worden* wages will be readjusted; **II** *zich ~ (zich schikken)* adapt oneself (to)

aanpassing adaptation (to), adjustment (to)

aanplakbiljet poster, bill

aanplakbord notice board; *(reclame)* boarding, *(Am)* billboard

aanplakken affix, paste (up), post (up) *(aanplakbiljet): verboden aan te plakken* no billposting

aanplant plantings, plants: *nieuwe* (of: *jonge) ~* new *(of:* young) plantings

aanplanten plant (out), cultivate, grow, afforest *(bos)*

aanpoten hurry (up), slog away

aanpraten palm off on, talk into: *iem iets ~* talk s.o. into (doing) sth, palm sth off on s.o.

aanprijzen recommend, praise

aanraakscherm *(comp)* touchscreen

aanraden advise, recommend *(product)*, suggest *(plan): de dokter ried hem rust aan* the doctor advised him to take rest; *iem dringend ~ iets te doen* advise s.o. urgently to do sth

aanraken touch: *verboden aan te raken* (please) do not touch; *met geen vinger ~* not lay a finger on

aanranden assault

aanrander assailant

aanranding (criminal, indecent) assault

aanrecht kitchen (sink) unit

aanrechtblad worktop, working top

aanrichten cause, bring about: *een bloedbad ~ (onder)* bring about a massacre (among); *grote verwoestingen ~ (bij)* create *(of:* wreak) havoc (on)

aanrijden collide (with), crash (into), run into: *hij heeft een hond aangereden* he hit a dog; *tegen een muur ~* run *(of:* crash) into a wall

aanrijding collision, crash: *een ~ hebben* be involved in a collision *(of:* crash)

aanroeren 1 touch: *het eten was nauwelijks aangeroerd* the food had hardly been touched; **2** *(behandelen)* touch upon

aanrommelen mess around

aanschaf purchase, buy, acquisition

aanschaffen purchase, acquire

aanscherpen 1 sharpen; **2** *(fig)* accentuate, highlight

aanschieten 1 hit: *een aangeschoten hert* a wounded deer; **2** *(aanspreken)* buttonhole, accost: *een voorbijganger ~* buttonhole a passer-by

aanschouwen behold, see: *het levenslicht ~* (first) see the light

aanschuiven draw up, pull up

aanslaan I *tr* **1** touch, strike, hit: *een toets ~* strike a key; *een snaar ~* touch a string; **2** *(van waarde)* estimate, assess *(onroerend goed e.d.)*, tax *(belasting e.d.): iem hoog ~ (waarderen)* think highly of s.o.; **II** *intr* **1** *(mbt een motor)* start; **2** *(mbt verkoop, ideeen)* catch on, be successful: *dat plan is bij hen goed aangeslagen* that plan has caught on (well) with them

aanslag 1 *(muz)* touch: *een lichte* (of: *zware) ~* a light *(of:* heavy) touch; **2** *(mbt een vuurwapen)* ready: *met het geweer in de ~* with one's rifle at the ready; **3** *(aanval)* attempt, attack, assault: *een ~ op iemands leven plegen* make an attempt on s.o.'s life; **4** *(aangekoekte laag)* deposit; moisture *(op ruit): een vieze ~ op het plafond* a filthy (smoke) deposit on the ceiling; **5** *(mbt belasting)* assessment: *een ~ van €1000,- ontvangen* get assessed €1000.00

aanslagbiljet assessment (notice) *(onroerendgoedbelasting)*; (income) tax return *(of:* form) *(inkomstenbelasting)*

aanslibben form a deposit: *aangeslibd land* alluvium, alluvial land

aansluiten I *tr (verbinden)* connect, join, link: *een nieuwe abonnee ~* connect a new subscriber *(telefoon); wilt u daar ~?* will you queue up there, please?; **II** *zich ~* join (in), become a member of: *zich bij de vorige spreker ~* agree with the preceding speaker; *zich bij een partij ~* join a party; *daar sluit ik me graag bij aan* I would like to second that

aansluiting 1 joining, association (with): *~ vinden bij iem (iets)* join in with s.o. (sth); *(fig) ~ zoeken bij* seek contact with; **2** *(verkeer)* connection: *de ~ missen* miss the connection; **3** connection: *~ op het gasnet* connection to the gas mains

aansmeren palm off (on): *iem een veel te dure auto ~* cajole s.o. into buying far too expensive a car

aansnijden 1 cut (into); **2** *(fig)* broach, bring up

aanspannen institute: *een proces (tegen iem) ~* institute (legal) proceedings (against s.o.)

aanspoelen wash ashore, be washed ashore: *er is een fles met een briefje erin aangespoeld* a bottle containing a letter has been washed ashore

aansporen urge (on), spur (on) *(dieren): iem ~ tot grotere inspanning* incite s.o. to greater efforts

aansporing incentive: *die beloning was een echte ~ voor hem* that reward was a real incentive to him

aanspraak 1 claim: *geen ~ kunnen doen gelden (op iets)* not be able to lay any claim (to sth); *~ maken op iets* lay claim to sth; **2** contacts: *weinig ~ hebben* have few contacts

aansprakelijk responsible (for), *(jur)* liable (for): *zich voor iets ~ stellen* take responsibility for sth; *iem ~ stellen voor iets* hold s.o. responsible for sth

aansprakelijkheid liability (for); responsibility: *wettelijke ~, (Belg) burgerlijke ~* (legal) liability, liability in law; *~ tegenover derden* third-party liability

aanspreken 1 draw on, break into: *zijn kapitaal ~* break into one's capital; *een spaarrekening ~* remove *(of:* withdraw) money from a savings account; **2** *(toespreken)* speak to, talk to, address: *iem (op straat) ~* approach s.o. (in the street); *ik voel mij niet aangesproken* it doesn't concern me; *iem met mevrouw* (of: *meneer) ~* address s.o. as madam *(of:* sir); *iem over zijn gedrag ~* talk to s.o. about his conduct; **3** *(in de smaak vallen)* appeal to

aanstaan 1 please: *zijn gezicht staat mij niet aan* I do not like the look of him; **2** *(motor e.d.)* be running; be (turned) on *(radio enz.)*

aanstaande I *bn* **1** next *(in de volgende week);* this *(deze week):* ~ *vrijdag* this Friday; **2** *(toekomstig)* (forth)coming; *(komend)* approaching: *een ~ moeder* an expectant mother, a mother-to-be; **II** *zn* fiancé, *(vrl)* fiancée

aanstalten: *~ maken om te vertrekken* get ready to leave; *geen ~ maken (om)* show no sign *(of:* intention) (of)

aanstaren stare at, gaze at: *iem met open mond ~* stare open-mouthed at s.o., gape at s.o.; *iem vol bewondering ~* gaze at s.o. admiringly

aanstekelijk infectious, contagious, catching

aansteken 1 light, *(vuur ook)* kindle, *(elektriciteit)* turn on, switch on: *die brand is aangestoken* that fire was started deliberately; *een kaars ~* light a candle; **2** *(besmetten)* infect, contaminate: *(fig) ze steken elkaar aan* they are a bad *(of:* good) influence on one another

aansteker (cigarette) lighter

aanstellen I *tr* appoint: *iem vast ~* appoint s.o. permanently; **II** *zich ~* show off, put on airs, act: *zich belachelijk ~* make a fool of oneself; *stel je niet aan!* be your age!, stop behaving like a child!

aansteller poseur; *(mbt kinderachtig gedrag)* baby

aanstellerig affected, theatrical

aanstellerij affectation, pose, showing off || *is het nu uit met die ~?* are you quite finished?

aanstelling appointment: *een vaste* (of: *tijdelijke) ~ hebben* have a permanent *(of:* temporary) appointment

aansterken get stronger, recuperate, regain one's strength

aanstichten instigate

aanstippen 1 *(terloops vermelden)* mention briefly, touch on; **2** *(med)* dab

aanstoken stir up, incite

aanstoot offence: *~ geven* give offence; *~ nemen aan* take offence at

aanstootgevend offensive, objectionable, *(sterker)* scandalous, *(sterker)* shocking: *~e passages in een boek* offensive passages in a book

aanstoten I *intr (botsen)* knock (against), bump (into): *hij stootte tegen de tafel aan* he bumped into the table; **II** *tr* nudge: *zijn buurman ~* nudge one's neighbour

aanstrepen mark, check (off), tick (off): *een plaats in een boek ~* mark a place in a book

aansturen (met *op) (trachten te bereiken, verkrijgen)* aim for, aim at, steer towards, *(bedoelen)* drive at: *ik zou niet weten waar hij op aanstuurt* I don't know what he is driving at

aantal number: *een ~ jaren lang* for a number of years; *een ~ gasten kwam te laat* a number of guests were late; *een flink ~ boeken* quite a few books; *het totale ~ werkende kinderen* the total number of working children

aantasten 1 affect *(negatief, schadelijk)*, harm, attack: *dit zuur tast metalen aan* this acid corrodes metals; *die roddels tasten onze goede naam aan* those rumours damage *(of:* harm) our reputation; **2** *(aanvallen)* attack: *door een ziekte aangetast worden* be stricken with a disease

aantekenen 1 take *(of:* make) a note of, note down, write down, record, *(bijv. in register)* register: *brieven laten ~* have letters registered; **2** *(vermelden)* comment, note, remark: *daarbij tekende hij aan, dat ...* he further observed that ...

aantekening note: *~en maken* take notes

aantocht: *in ~ zijn* be on the way

aantonen demonstrate, prove, show: *er werd ruimschoots aangetoond dat ...* ample evidence was given to show that ...

aantreffen 1 *(mbt personen)* meet, encounter, find: *iem in bed ~* find s.o. in bed; *iem niet thuis ~* find s.o. out; **2** *(mbt zaken)* find, come across

aantrekkelijk attractive, inviting *(bijv. aanbod):* *ik vind ze erg ~* I find them very attractive

aantrekken I *tr* **1** attract, draw: *de aarde wordt door de zon aangetrokken* the earth gravitates towards the sun; **2** *(vaster trekken)* tighten: *een knoop ~* tighten a knot; **3** *(aantrekkelijk zijn)* draw, attract: *zich aangetrokken voelen door/tot iem (iets)* feel attracted to s.o. (sth); *dat trekt mij wel aan* that appeals to me; **4** *(bij zich verzamelen, werven)* attract, draw *(een menigte):* *nieuwe medewerkers ~* take on *(of:* recruit) new staff; **5** *(aandoen)* put on: *andere kleren ~* change one's clothes; *ik heb niets om aan te trekken* I have nothing to wear; **II** *zich ~* be concerned about, take seriously: *zich iemands lot ~* be concerned about s.o.('s fate); *trek het je niet aan* don't let that worry you; *zich alles persoonlijk ~* take everything personally

aantrekkingskracht 1 attraction, appeal: *een grote ~ bezitten voor iem* hold (a) great attraction for s.o.; *~ uitoefenen op iem* attract s.o.; **2** (force of) attraction, gravitational force *(mbt planeet)*

aanvaardbaar acceptable: *~ voor* acceptable to

aanvaarden 1 accept, agree to, take *(tegenslag):* *ik aanvaard uw aanbod* I accept your offer; *de conse-*

quenties ~ take (*of:* accept) the consequences; *een voorstel* ~ accept a proposal; **2** (*op zich nemen*) accept, assume: *de verantwoordelijkheid* ~ assume the responsibility

aanval 1 attack, assault, offensive: *een* ~ *ondernemen* (of: *afslaan*) launch (*of:* beat off) an attack; *tot de* ~ *overgaan* take the offensive; *in de* ~ *gaan* go on the offensive; *de* ~ *is de beste verdediging* attack is the best form of defence; **2** (*med*) attack, fit: *een* ~ *van koorts* an attack of fever; *een* ~ *van woede* an attack of anger

aanvallen attack, assail, assault: *de vijand in de rug* ~ attack (*of:* take) the enemy from the rear

aanvallend offensive, aggressive

aanvaller 1 assailant, attacker; **2** (*sport*) attacker, (*voetbal*) forward, striker

aanvangen begin, start, commence: *met die jongen is niets aan te vangen* that boy is hopeless

aanvankelijk initially, at first, in (*of:* at) the beginning

aanvaren run into, collide with: *een ander schip* ~ collide with another ship

aanvaring collision, crash: *in* ~ *komen met* collide with

aanvechtbaar contestable, disputable: *een* ~ *standpunt* a debatable point of view

aanvechten (*betwisten*) dispute: *een beslissing* ~ challenge a decision

aanvechting (*fig*) temptation, impulse: *een* ~ *van (de) slaap* an attack of sleepiness

aanvegen sweep, sweep out

aanverwant related; allied: *de geneeskunde en* ~*e vakken* medicine and related professions

aanvliegen I *tr* fly at, attack: *de hond vloog de postbode aan* the dog flew at the postman; **II** *intr* fly (towards): *tegen iets* ~ fly (towards) against sth, (*auto ook*) crash into sth

aanvoelen feel, sense: *iem* ~ understand s.o., (*sterker*) empathize with s.o.; *een stemming* ~ sense an atmosphere; *elkaar goed* ~ speak the same language; *het voelt koud aan* it feels cold

aanvoer supply, delivery: *de* ~ *van levensmiddelen* food supplies

aanvoerder leader, captain

aanvoeren 1 lead, command, captain: *een leger* ~ command an army; **2** (*brengen*) supply, import (*uit buitenland*): *hulpgoederen werden per vliegtuig aangevoerd* relief supplies were flown in; **3** (*als bewijs*) bring forward, advance, produce (*reden*), argue: *hij voerde aan dat* ... he argued that ...

aanvoering command, leadership, captaincy: *onder* ~ *van* under the command (*of:* leadership) of

aanvraag 1 application, request, inquiry (*om inlichtingen*): *een* ~ *indienen* submit an application; *op* ~ *te vertonen* to be shown on demand; ~ *voor een uitkering* application for social welfare payment; **2** (*bestelling*) request, demand, order: *wij konden niet aan alle aanvragen voldoen* we couldn't meet the demand; *op* ~ *verkrijgbaar* available on request

aanvragen 1 apply for, request: *ontslag* ~ apply for permission to make redundant; *een vergunning* ~ apply for a licence; **2** (*verzoeken*) request, order: *vraag een gratis folder aan* send for free brochure; *informatie* ~ *over treinen in Engeland* inquire about trains in England

aanvrager applicant

aanvullen complete, finish, fill (up): *de voorraad* ~ replenish stocks; *zij vullen elkaar goed aan* they complement each other well

aanvullend supplementary, additional: *een* ~*e cursus* a follow-up course; *een* ~ *pensioen* a supplementary pension

aanvulling supplement, addition

aanvuren fire; (*mbt personen*) rouse, incite: *iemands ijver* ~ fire s.o.'s zeal; *de troepen* ~ rouse the troops

aanwaaien come naturally to: *alles waait hem zo maar aan* everything just falls into his lap

aanwakkeren 1 stir up: *het vuur* ~ fan the fire; **2** stimulate, stir up: *de kooplust* ~ stimulate buying

aanwas growth, accretion

aanwenden apply, use: *zijn gezag* ~ use one's authority; *zijn invloed* ~ exert one's influence

aanwennen, zich get into the habit of: *zich slechte gewoonten* ~ fall into (*of:* acquire) bad habits

aanwezig present: *Trudie is vandaag niet* ~ Trudie is not in (*of:* here) today; ~ *zijn bij* be present at; *niet* ~ absent

aanwezigheid presence, (*vergadering, school ook*) attendance: *uw* ~ *is niet noodzakelijk* your presence is not necessary (*of:* required); *in* ~ *van* in the presence of

aanwijzen 1 point to, point out, indicate, show: *een fout* ~ point out a mistake; *gasten hun plaats* ~ show guests to their seats; **2** (*toewijzen*) designate, assign, allocate: *een acteur* ~ *voor een rol* cast an actor for a part; *een erfgenaam* ~ designate an heir; **3** (*aangeven*) indicate, point to, show: *de klok wijst de tijd aan* the clock shows the time

aanwijzing 1 indication, sign, clue: *er bestaat geen enkele* ~ *dat* ... there is no indication whatever that ...; **2** (*inlichting*) instruction, direction: *hij gaf nauwkeurige* ~*en* he gave precise instructions; *de* ~*en opvolgen* follow the directions; ~*en voor het gebruik* directions for use

aanwinst 1 acquisition, addition: *een mooie* ~ *voor het museum* a beautiful acquisition for the museum; **2** (*verbetering*) gain, improvement, asset: *de computer is een* ~ *voor ieder bedrijf* the computer is an asset in every business

aanzet start, initiative: *de (eerste)* ~ *geven tot iets* initiate sth, give the initial impetus to sth

aanzetten 1 put on, sew on, stitch on: *een mouw* ~ sew on (*of:* set in) a sleeve; **2** (*in werking stellen*) start up, turn on: *de radio* ~ turn on the radio; **3** (*aansporen*) spur on, urge, incite: *iem tot diefstal* ~ incite s.o. to steal; *ergens laat komen* ~ turn up late somewhere; *met iets komen* ~ turn up with sth, *(idee)* come up with sth

aanzicht aspect, look, view: *nu krijgt de zaak een ander ~* that puts a different light on the matter

aanzien I *tr* **1** look at, watch, see: *die film is niet om aan te zien* it's an awful film; *ik kon het niet langer ~* I couldn't bear to watch it any longer; **2** *(beschouwen)* consider, regard: *waar zie je mij voor aan?* what do you take me for?; *iem voor een ander ~* (mis)take s.o. for s.o. else; *ik zie haar er best voor aan* I think she's quite capable of it; **II** *zn* **1** looking (at), watching: *dat is het ~ waard* that is worth watching *(of:* looking at*)*; *ten ~ van* with regard *(of:* respect*)* to; **2** *(aanblik)* look, aspect, appearance: *iets een ander ~ geven* put a different complexion on sth; **3** *(achting)* standing, regard: *een man van ~* a man of distinction; *hij is sterk in ~ gestegen* his prestige has risen sharply

aanzienlijk considerable, substantial: *~e schade* serious damage; *een ~e verbetering* a substantial improvement

aanzoek proposal: *de knappe prins deed het meisje een ~* the handsome prince proposed to the girl

aanzwellen swell (up, out), rise

aap monkey; *(mensaap)* ape

aapmens apeman

aar ear

aard 1 *(mbt personen)* nature, disposition, character: *zijn ware ~ tonen* show one's true character; **2** *(mbt dingen)* nature, sort, kind: *schilderijen van allerlei ~* various kinds *(of:* all kinds*)* of paintings

aardappel potato: *gekookte (of: gebakken) ~s* boiled *(of:* fried*)* potatoes

aardappelmesje potato peeler

aardappelpuree mashed potato(es)

aardas axis of the earth

aardbei strawberry

aardbeving earthquake

aardbodem surface *(of:* face*)* of the earth: *honderden huizen werden van de ~ weggevaagd* hundreds of houses were wiped off the face of the earth

aardbol earth, world, globe

aarde 1 earth, world: *in een baan om de ~* in orbit round the earth; *op ~* on earth, under the sun; **2** *(bodem)* ground, earth *(ook elektr)*; **3** *(grond)* earth, soil: *dat zal bij haar niet in goede ~ vallen* she is not going to like that; *het plan viel in goede ~* the plan was well received

aarden I *bn* earthen, clay: *~ potten* earthenware pots; **II** *intr (groeien, wennen)* thrive: *zij kan hier niet ~* she can't settle in here, she can't find her niche; *ik aard hier best* I fit in here, I feel at home here; *dit diertje aardt hier goed* this animal thrives here; **III** *tr (techn)* earth

aardewerk earthenware, pottery: *een ~ schotel* an earthenware dish

aardgas natural gas

aardig I *bn* **1** nice, friendly: *(iron) wat doe je ~* (how) charming (you are)!; *dat is ~ van je!, wat ~ van je!* how nice of you; **2** *(aantrekkelijk)* nice, pretty: *het*

is een ~e meid she's a nice girl; *een ~ tuintje* a nice *(of:* pretty*)* garden; **3** *(vrij groot)* fair, nice: *een ~ inkomen* a nice income; **II** *bw (behoorlijk)* nicely, pretty, fairly: *dat komt ~ in de richting* that's more like it; *~ wat mensen* quite a few people; *hij is ~ op weg om ... te worden* he is well on his way to becoming ...

aardigheid small present: *ik heb een ~je meegebracht* I have brought a little something

aardolie petroleum

aardrijkskunde geography

aardrijkskundig geographic(al)

aards earthly, worldly: *~e machten* earthly powers; *een ~ paradijs* paradise on earth; *~e genoegens* worldly pleasures

aardworm (earth)worm

aars arse

aartsbisschop archbishop

aartsengel archangel

aartshertog archduke

aartsvijand arch-enemy

aarzelen hesitate: *~ iets te doen* hesitate about doing sth; *ik aarzel nog* I am still in doubt

aarzeling hesitancy *(vnl. weifelachtigheid)*, hesitation *(vnl. weifeling)*; *(geaarzel)* shilly-shallying, *(twijfel)* doubt: *na enige ~* after some hesitation

¹aas bait: *levend ~* live bait; *van ~ voorzien* bait (the hook, trap)

²aas *(kaartspel)* ace

aasgier vulture

abattoir abattoir, slaughterhouse

abc ABC

abdij abbey

ABN *afk van Algemeen Beschaafd Nederlands* (received) standard Dutch

abnormaal abnormal; *(mbt gedrag)* deviant, aberrant; *(mbt vorm)* deformed: *een ~ groot hoofd* an abnormally large head

abonnee subscriber (to)

abonneenummer subscriber('s) number

abonnement 1 subscription (to) *(krant)*; taking *(of:* buying*)* a season ticket *(trein, concertzaal)*: *een ~ nemen op ... (krant enz.)* subscribe to ...; *een ~ opzeggen (of:* vernieuwen*) (krant enz.)* cancel *(of:* renew*)* a subscription; **2** *(kaart)* season ticket

abonneren, zich subscribe (to), take out a subscription (to)

abortus abortion; *(miskraam ook)* miscarriage

abrikoos apricot

abrupt abrupt, sudden: *~ halt houden* stop abruptly *(of:* suddenly*)*

absent absent

absentie absence

absoluut absolute, perfect: *~ gehoor* perfect pitch; *dat is ~ onmogelijk* that's absolutely impossible; *~ niet* definitely *(of:* absolutely*)* not; *ik heb ~ geen tijd* I simply have no time; *weet je het zeker? ~!* are you sure? absolutely!

absorberen absorb: *~d middel* absorbent, absorbing agent

abstract abstract: *~e denkbeelden* abstract *(of:* theoretical) ideas; *~ schilderen* paint abstractly

absurd absurd, ridiculous, ludicrous: *~ toneel* theatre of the absurd

abt abbot

abuis I *zn* mistake: *per (bij) ~* by mistake; **II** *bn* mistaken: *u bent ~* you are mistaken

abusievelijk mistakenly, erroneously

acacia locust (tree), (false) acacia

academie university, college: *pedagogische ~* college of education; *sociale ~* college of social studies

academisch academic, university: *een ~e graad* a university degree; *~ ziekenhuis* university *(of:* teaching) hospital

acceleratie acceleration

accelereren accelerate

accent accent, stress *(ook fig): een sterk* (of: *licht) noordelijk ~* a strong *(of:* slight) northern accent; *het ~ hebben op de eerste lettergreep* have the accent on the first syllable; *het ~ leggen op* stress

accentueren stress, emphasize, accentuate

acceptabel acceptable

accepteren accept, take: *een wissel ~* accept a bill (of exchange); *zijn gedrag kan ik niet ~* I can't accept *(of:* condone) his behaviour

accessoire accessory

accijns excise (duty, tax): *accijnzen heffen (op)* charge excise (on)

acclimatiseren acclimatize, become acclimatized

accolade brace, bracket

accommodatie accommodation; *(voorzieningen)* facilities: *er is ~ voor tien passagiers* there are facilities for ten passengers

accordeon accordion

accordeonist accordionist

accountant accountant, *(controleur)* auditor

accu battery: *de ~ is leeg* the battery is dead

accuraat accurate, precise, meticulous: *~ werken* work accurately

accuratesse accuracy, precision, meticulousness

ace *(tennis)* ace

ach oh, ah: *~ wat, ik doe het gewoon!* oh who cares, I'll just do it!; *~, je kunt niet alles hebben!* oh well, you can't have everything!

achillespees Achilles tendon

¹acht attention, consideration: *~ slaan op: a) (aandacht)* pay attention to; *b) (zorg)* take notice of; *de regels in ~ nemen* comply with *(of:* observe) the rules; *voorzichtigheid in ~ nemen* take due care

²acht eight: *nog ~ dagen* another eight days, eight more days; *iets in ~en breken* break sth into eight pieces; *zij kwamen met hun ~en* eight of them came; *zij zijn met hun ~en* there are eight of them

achtbaan roller coaster

achteloos *(gedachteloos)* careless, negligent; *(onbedachtzaam)* inconsiderate

achten 1 esteem, respect; 2 *(menen)* consider, think

achter I *vz* 1 behind, at the back *(of:* rear) of: *~ het*

huis behind *(of:* at the back of) the house; *~ haar ouders' rug om* behind her parents' back; *zet een kruisje ~ je naam* put a tick against your name; *~ zijn computer* at his computer; 2 *(mbt tijd)* after: *~ elkaar* one after the other, in succession, in a row; *~ iets komen* find out about sth, *(mbt een raadsel)* get to the bottom of sth; *~ iem staan* stand behind s.o.; *~ iets staan* approve of sth, back sth; *er zit (steekt) meer ~* there is more to it; **II** *bw* 1 behind, at the rear *(of:* back): *~ in de tuin* at the bottom of the garden; 2 *(mbt tijd)* slow, behind(hand): *jouw horloge loopt ~* your watch is slow; *ik ben ~ met mijn werk* I am behind(hand) with my work; *(sport) ~ staan* be behind *(of:* trailing); *(sport) vier punten ~ staan* be four points down

achteraan at the back, at *(of:* in) the rear: *wij wandelden ~* we were walking at the back; *~ in de zaal* at the back of the hall

achteraangaan go after: *ik zou er maar eens ~* you'd better look into that, I'd do sth about it if I were you

achteraankomen come last: *wij komen wel achteraan* we'll follow on after

achteraanlopen walk on behind

achteraanzicht rear view

achteraf 1 at the back, in *(of:* at) the rear, *(afgelegen)* out of the way: *~ wonen* live out in the sticks, live in the middle of nowhere; 2 *(later)* afterwards, later (on), now, as it is: *~ bekeken zou ik zeggen dat …* looking back I would say that …; *~ is het makkelijk praten* it is easy to be wise after the event; *~ ben ik blij dat …* now I'm glad that …

achterbak boot

achterbaks underhand, sneaky

achterban supporters, backing, *(mbt politieke partij)* grassroots (support)

achterblijven 1 stay behind, remain (behind); 2 *(achtergelaten worden)* be *(of:* get) left (behind); 3 *(blijven leven)* be left: *zij bleef achter met drie kinderen* she was left with three children

achterbuurt slum

achterdeur back door, rear door *(auto)*

achterdocht suspicion (of, about): *hij begon ~ te krijgen* he began to get suspicious

achterdochtig suspicious

achtereenvolgend successive, consecutive

achtereenvolgens successively

achtereind rear end; *(dier)* hindquarters

achteren (the) back: *verder naar ~* further back(wards); *van ~* from behind

achtergebleven backward, underdeveloped: *~ gebieden* backward *(of:* underdeveloped) areas

achtergrond background: *de ~en van een conflict* the background to *(of:* of) a dispute; *zich op de ~ houden* keep in the background

achterhaald out of date, irrelevant

achterhalen 1 overtake; *(bereiken)* catch up with: *de politie heeft de dief kunnen ~* the police were able to run down the thief; 2 *(terugvinden)* retrieve: *die* *gegevens zijn niet meer te* ~ those data can no longer be accessed (*of:* retrieved); *die gegevens zijn al lang achterhaald* that information is totally out of date

achterhoede *(sport)* defence

achterhoedespeler defender, back

achterhoofd back of the head: *iets in zijn* ~ *hebben* have sth at the back of one's mind

achterhouden 1 *(verduisteren)* keep back, withhold; **2** *(nog niet geven, mededelen)* hold back

achterin in the back (*of:* rear), *(achteraan in)* at the back (*of:* rear)

achterkant back, rear (side), reverse (side): *op de* ~ *van het papier* on the back of the paper

achterkleindochter great-granddaughter

achterkleinkind great-grandchild

achterkleinzoon great-grandson

achterklep lid of the boot *(auto met koffer);* hatchback, liftback

achterlaten leave (behind): *een bericht* (of: *boodschap)* ~ leave (behind) a note (*of:* message)

achterliggen lie behind, *(fig)* lag (behind): *drie ronden* ~ be three laps behind, be trailing by three laps

achterlijf 1 rump; *(van insecten e.d.)* abdomen; **2** *(van kleren)* back

achterlijk I *bn* backward, (mentally) retarded: *hij is niet* ~ he's no fool; **II** *bw* like a moron, like an idiot: *doe niet zo* ~ don't be such a moron

achterlopen 1 be slow, lose time, *(van werkzaamheden e.d.)* be behind, lag behind; **2** *(mbt personen)* be behind the times

achterna 1 *(iem, iets volgend)* after, behind; **2** *(naderhand)* afterwards, after the event

achternaam surname, last name, family name

achternagaan go after, follow (behind)

achternazitten chase: *de politie zit ons achterna* the police are after us (*of:* on our heels, on our tail)

achterneef second cousin; great-nephew *(kind van oom-, tantezegger)*

achternicht second cousin; great-niece *(kind van oom-, tantezegger)*

achterom round the back: *een blik* ~ a backward glance

achterop 1 at (*of:* on) the back: *spring maar* ~*!* jump on behind me!; **2** *(mbt werk, mode)* behind: ~ *raken: a)* *(school, lopen)* drop behind; *b)* *(werk, betaling)* fall (*of:* get) behind

achterover back(wards): *hij viel* ~ *op de stenen* he fell back(wards) onto the stones

achteroverdrukken pinch

achteroverhellen tilt, slope backwards

achterplaats courtyard, backyard

achterpoot hind leg

achterruit rear window, back window

achterruitverwarming (rear window) demister

achterspeler back

achterst back, rear, hind(most): *de* ~*e rijen* the back rows

achterstallig back, overdue, in arrears: ~*e huur*

rent arrears, back rent; ~ *onderhoud* overdue maintenance

achterstand arrears: *(sport) een grote* ~ *hebben* be well down (*of:* behind); *de* ~ *inlopen* make up arrears; *een* ~ *oplopen (ook sport)* fall behind; *(sport) de ploeg probeerde de* ~ *weg te werken* the team tried to draw level

achterstandswijk disadvantaged urban area

achterste I *het* **1** back (part); **2** *(zitvlak)* backside, rear (end): *op zijn* ~ *vallen* fall on one's bottom; **II** *het, de (mbt plaats)* back one, hindmost one, rear(most) one

achterstellen slight, neglect: *hij voelde zich achtergesteld* he felt discriminated against

achtersteven stern

achterstevoren back to front

achteruit I *bw* back(wards); **II** *zn* reverse (gear): *een auto in zijn* ~ *zetten* put a car into reverse (gear)

achteruitgaan 1 go back(wards), go astern *(schip)*, reverse *(auto)*, back *(auto): ga eens wat achteruit!* stand back a little!; **2** *(fig) (verminderen)* decline, get worse, grow worse, *(gezondheid ook)* fail: *zijn prestaties gaan achteruit* his performance is on the decline; *haar gezondheid gaat snel achteruit* her health is failing rapidly; *ik ben er per maand honderd euro op achteruitgegaan* I am a hundred euros worse off per month

[1]achteruitgang back exit, rear exit, back door

[2]achteruitgang decline: *de huidige economische* ~ the present economic decline

achteruitkijkspiegel rear-view mirror

achteruitrijden reverse (into), back (into)

achteruitwijken back away; step back, fall back

achtervolgen 1 follow: *die gedachte achtervolgt mij* that thought haunts (*of:* obsesses) me; **2** *(met vijandige bedoelingen)* pursue, *(politie e.d.)* persecute

achtervolging pursuit *(ook wielersport)*, chase, *(vervolging)* persecution: *de* ~ *inzetten* pursue, set off in pursuit (of)

achterwaarts I *bw* back(wards): *een stap* ~ a step back(wards); **II** *bn* backward, rearward: *een* ~*e beweging* a backward movement

achterwand back wall, rear wall

achterwege: *een antwoord bleef* ~ an answer was not forthcoming; ~ *laten* omit, *(niet doen ook)* leave undone

achterwerk backside, rear (end)

achterwiel back wheel, rear wheel

achterzijde back, rear

achthoek octagon

achting regard, esteem: ~ *voor iem hebben* have respect for s.o.; *in (iemands)* ~ *dalen* come down in s.o.'s estimation; *in (iemands)* ~ *stijgen* go up in s.o.'s estimation

achtste eighth: *een* ~ *liter* one eighth of a litre

achttien eighteen

achttiende eighteenth

achttiende-eeuws eighteenth-century

acne acne

acquisitie acquisition

acrobaat acrobat

acrobatisch acrobatic

acryl acrylic (fibre)

acteren act, perform

acteur actor, performer

actie 1 action, activity: *er zit geen ~ in dat toneelstuk* there's no action in that play; *in ~ komen* go into action; **2** *(beweging, campagne)* (protest) campaign: *~ voeren (eenmalig)* hold a demonstration; *~ voeren tegen* campaign against

actief active *(ook fin)*, busy, *(vol energie)* energetic: *in actieve dienst: a)* on active duty; *b) (mil)* on active service; *een actieve handelsbalans* a favourable balance of trade; *iets ~ en passief steunen* support sth (both) directly and indirectly; *actieve handel* export (trade)

actievoerder campaigner, activist

activa assets: *~ en passiva* assets and liabilities; *vaste ~* fixed assets; *vlottende ~* current assets

activeren activate

activiteit activity: *~en ontplooien* undertake activities

actrice actress

actualiteit topical matter *(of:* subject), *(gebeurtenis)* current event, *(mv ook)* news, *(mv ook)* current affairs

actueel current, topical: *een ~ onderwerp* a topical subject, *(mv ook)* current affairs

acupunctuur acupuncture

acuut I *bn* acute, critical: *~ gevaar* acute danger; **II** *bw (onmiddellijk)* immediately, right away, at once

A.D. *afk van anno Domini* AD

adamsappel Adam's apple

adder viper, adder: *(fig) er schuilt een ~(tje) onder het gras* there's a snake in the grass, there's a catch in it somewhere

adel nobility, peerage: *hij is van ~* he is a peer, he belongs to the nobility

adelaar eagle

adellijk noble: *van ~e afkomst* of noble birth; *~ bloed* noble blood

adem breath: *de laatste ~ uitblazen* breathe one's last; *slechte ~* bad breath; *zijn ~ inhouden (ook fig)* hold one's breath; *naar ~ happen* gasp for breath; *buiten ~ zijn* be out of breath; *in één ~* in the same breath; *weer op ~ komen* catch one's breath

adembenemend breathtaking: *een ~ schouwspel* a breathtaking scene

ademen breathe, inhale: *vrij ~ (ook fig)* breathe freely; *de lucht die we hier ademen is verpest* the air we are breathing here is poisoned

ademhalen breathe: *weer adem kunnen halen* be able to breathe again; *haal eens diep adem* take a deep breath

ademhaling breathing, respiration: *kunstmatige ~* artificial respiration; *een onrustige ~* irregular breathing

ademloos breathless: *een ademloze stilte* a breathless hush

ademtest breath test: *iem de ~ afnemen* breathalyse s.o.

adequaat appropriate, effective; *(net voldoende)* adequate: *~ reageren* react appropriately *(of:* effectively)

ader vein, blood vessel, *(slagader)* artery: *een gesprongen ~* a burst blood vessel

aderverkalking arteriosclerosis, hardening of the arteries

adhesie adherence

adjudant 1 *(stafofficier)* adjutant, aide(-de-camp); **2** *(adjudant-onderofficier) (ongev)* warrant officer

adjunct-directeur deputy director *(of:* manager); *(ond)* deputy headmaster

administrateur administrator: *de ~ van een universiteit* the administrative director of a university

administratie 1 *(beheer)* administration, *(bestuur)* management, *(boekhouding)* accounts: *de ~ voeren* do the administrative work, *(boekhouding)* keep the accounts; **2** *(gebouw, vertrek) (afdeling)* administrative department; *(gebouw)* administrative building *(of:* offices): *hij zit op de ~* he's in the administrative *(of:* clerical) department

administratief administrative, *(mbt alg. kantoor-, schrijfwerk)* clerical: *~ personeel* administrative *(of:* clerical) staff; *(Belg) ~ centrum* administrative centre

administratiekosten administrative costs, service charge(s)

admiraal admiral

adopteren adopt

adoptie adoption

adoptiekind adopted child

adoptieouder adoptive parent

adrenaline adrenaline

adres address, (place of) residence: *(fig) je bent aan het juiste ~* you've come to the right place; *hij verhuisde zonder een ~ achter te laten* he moved without leaving a forwarding address; *per ~* care of, *(als afk)* c/o

adresseren address: *een brief vergeten te ~* forget to address a letter

adreswijziging change of address

Adriatisch Adriatic: *~e Zee* Adriatic Sea

adv *afk van arbeidsduurverkorting* shorter working hours

advent Advent

adverteerder advertiser

advertentie advertisement, ad(vert): *een ~ plaatsen* put an advertisement in the paper(s)

adverteren advertise, *(aankondigen)* announce: *er wordt veel geadverteerd voor nieuwe computerspelletjes* new computer games are being heavily advertised

advies advice: *~ geven* give advice; *iemands ~ opvolgen* follow s.o.'s advice; *iem om ~ vragen* ask s.o.'s advice; *een ~* a piece of advice, a recommendation

ad

adviseren 1 recommend, advise (s.o.): *hij adviseerde mij de auto te laten repareren* he advised me to have the car mended; **2** advise, counsel: *ik kan je in deze lastige kwestie niet ~* I can't offer you advice in this complicated matter

adviseur adviser, advisor, counsellor, *(handel, med ook)* consultant: *rechtskundig ~* legal advisor, lawyer, solicitor

advocaat *(alg)* lawyer, *(voor hogere rechtbank)* barrister, *(voor lagere rechtbank)* solicitor: *een ~ nemen* engage a lawyer

aerobics aerobics

af I *bw* **1** off, away: *mensen liepen ~ en aan* people came and went; *~ en toe* (every) now and then; *klaar? ~!* ready, steady, go!, get set! go!; **2** (met *van*) from: *van die dag ~* from that day (on, onwards); *van kind ~ (aan) woon ik in deze straat* since I was a child I have been living in this street; *van de grond ~* from ground level; **3** away, off: *(fig) dat kan er bij ons niet ~* we can't afford that; *de verf is er ~* the paint has come off; *ver ~* a long way off; *hij woont een eindje van de weg ~* he lives a little way away from the road; *van iem ~ zijn* be rid of s.o.; *u bent nog niet van me ~* you haven't seen (*of:* heard) the last of me, I haven't finished with you yet; **4** *(mbt rivier, trap)* down: *de trap ~* down the stairs; **5** to, (met *op*) towards, up to: *ze komen op ons ~* they are coming towards us; *goed* (of: *beter, slecht) ~ zijn* have come off well (*of:* better, badly); *ik weet er niets van ~* I don't know anything about it; *van voren ~ aan beginnen* start from scratch, start all over again; **II** *bn* **1** *(afgewerkt)* finished, done, completed, *(verzorgd)* polished, *(verzorgd)* well-finished: *het werk is ~* the work is done (*of:* finished); **2** *(spel)* out: *je bent ~* you're out; *teruggaan naar ~* go back to square one

afbakenen mark out, stake out *(perceel)*, define *(grens)*, demarcate *(gebied, taak)*, mark off *(met scheidslijn)*

afbeelden depict, portray, picture

afbeelding picture, image, *(in boek)* illustration, *(in boek)* figure

afbellen 1 cancel (by telephone); **2** *(per telefoon langsgaan)* ring round: *hij belde de halve stad af om een taxi* he rang round half the city for a taxi

afbetalen pay off *(persoon, schuld)*; pay for *(goederen)*: *het huis is helemaal afbetaald* the house is completely paid for

afbetaling hire purchase, payment by instalment (*of:* in instalments): *op ~* on hire purchase

afbijten 1 *(met de tanden afsnijden)* bite off; **2** *(van verf)* strip, remove || *van zich ~* stick up for oneself

afbladderen flake (off), peel (off): *de verf bladdert af* the paint is flaking (*of:* peeling) off

afblazen blow off (*of:* away): *stof van de tafel ~* blow the dust off the table; *de scheidsrechter had (de wedstrijd) al afgeblazen* the referee had already blown the final whistle

afblijven keep off, leave alone, let alone, keep (*of:* stay) away (from): *blijf van de koekjes af* leave the biscuits alone

afboeken 1 *(overboeken)* transfer; **2** *(als verlies boeken)* write off

afborstelen brush (down): *zijn kleren ~* give one's clothes a brush

afbouwen 1 *(geleidelijk beëindigen)* cut back (on), down (on), phase out: *we zijn de therapie aan het ~* we're phasing out the therapy; **2** *(van bouwwerk)* complete, finish

afbraak demolition

afbranden burn down

afbreekbaar decomposable, degradable, *(biologisch)* biodegradable: *biologisch afbreekbare wasmiddelen* biodegradable detergents

afbreken I *intr* break off (*of:* away), *(knappend)* snap (off): *de punt brak (van de stok) af* the end broke off (the stick); *een draad ~* break a thread; **II** *tr* **1** *(plotseling doen ophouden)* break off, interrupt, cut short *(ook reis)*: *onderhandelingen ~* break off negotiations; *de wedstrijd werd afgebroken* the game was stopped; **2** *(slopen)* pull down, demolish, break down, tear down *(schutting e.d.)*; *(aan stukken slaan)* break up, *(ontmantelen)* dismantle: *de boel ~* smash the place up; **3** decompose, degrade: *afvalstoffen worden in het lichaam afgebroken* waste-products are broken down in the body

afbrengen put off: *ze zijn er niet van af te brengen* they can't be put off (*of:* deterred); *het er goed ~* do well; *het er levend ~* escape with one's life; *het er heelhuids ~* come out of it unscathed

afbrokkelen crumble (off, away), fragment: *het plafond brokkelt af* the ceiling is crumbling

afbuigen turn off, bear off, branch off: *hier buigt de weg naar naar rechts af* here the road bears (to the) right

afdak lean-to

afdalen go down, come down, descend: *een berg ~* go (*of:* come) down a mountain

afdaling 1 descent; **2** *(skiën)* downhill

afdanken 1 *(buiten gebruik stellen)* discard, cast off *(kleren)*; *(van schip, machine)* (send for) scrap; **2** *(ontslaan)* dismiss, disband *(troepen)*: *personeel ~* pay off staff

afdankertje cast-off, hand-me-down

afdekken cover (over, up)

afdeling department, division, section *(van maatschappij)*, ward *(van patiënten in ziekenhuis)*: *de ~ Utrecht van onze vereniging* the Utrecht branch of our society; *Kees werkt op de ~ financiën* Kees works in the finance department

afdingen bargain (*of:* haggle) (with s.o.)

afdoen 1 take off, remove: *zijn hoed ~* take off one's hat; **2** *(wegnemen)* take off: *iets van de prijs ~* knock a bit off the price, come down a bit (in price)

afdoend *(voldoende)* sufficient, adequate, *(doeltreffend)* effective: *een ~ middel* an effective method

afdraaien twist off: *de dop van een vulpen ~* unscrew the cap of a fountain pen; *hier moet u rechts* *afdraaien* you turn right (*of:* turn off to the right) here

afdragen 1 *(overdragen)* make over, transfer, hand over, turn over; **2** *(afslijten)* wear out: *afgedragen schoenen* worn-out shoes

afdrijven drift off, *(scheepv)* go adrift || *de bui drijft af* the shower is blowing over

afdrogen dry (up), wipe dry *(met doek):* *zijn handen ~* dry one's hands (on a towel); *zich ~* dry oneself (off)

afdroogdoek tea towel

afdruk *(van voet, vinger)* print, imprint; *(afgietsel)* mould, cast: *de wielen lieten een ~ achter* the wheels left an impression

afdrukken print (off), *(kopiëren)* copy, *(kopiëren)* run off

afdwalen stray (off) (from), go astray, *(fig ook)* wander (off): *zijn gedachten dwaalden af naar haar* his thoughts wandered off to her; *van zijn onderwerp ~* stray from one's subject

afdwingen exact (from) *(informatie);* extort (from) *(geld, belofte)*

affaire affair

affiche poster, *(theater)* (play)bill

afgaan 1 go down, descend: *de trap ~* go down the stairs; **2** *(met op) (fig)* rely on, depend on: *~de op wat hij zegt* judging by what he says; *op zijn gevoel ~* play it by ear; **3** *(afgenomen worden ve geheel)* come off, *(van geld ook)* be deducted: *daar gaat 10 % van af* 10 % is taken off that; **4** *(van vuurwapen)* go off: *een geweer doen ~* fire a rifle; **5** *(een gek figuur slaan)* lose face, flop, fail

afgang *(embarrassing)* failure, flop

afgeladen (jam-)packed, crammed

afgelasten cancel, call off *(staking); (sport)* postpone

afgelegen remote, far(-away), far-off: *een ~ dorp* a remote *(of:* an out-of-the-way) village

afgeleid diverted, distracted: *hij is gauw ~* he is easily distracted

afgelopen last, past: *de ~ maanden hadden wij geen woning* for the last few months we haven't had anywhere to live; *de ~ tijd* recently; *de ~ weken* the past weeks, the last few weeks; *~!* stop it!, that's enough!

afgemeten measured (off, out): *met ~ passen* with measured steps

afgepeigerd knackered, exhausted

afgericht (well-)trained

afgerond 1 (well-)rounded: *het vormt een ~ geheel* it forms a complete whole; **2** *(mbt bedragen, getallen)* round

afgesproken agreed, settled || *dat is dan ~* it's a deal!

afgestompt dull(ed), deadened

afgestudeerde graduate

afgetakeld decrepit: *er ~ uitzien* look decrepit

afgevaardigde delegate, representative, *(volksvertegenwoordiger ook)* member (of parliament): *de*

geachte ~ the honourable member

afgeven I *intr* **1** *(mbt kleurstof)* run; **2** (met *op)* run down: *op iem (iets) ~* run s.o. (sth) down; **II** *tr* **1** *(overhandigen)* hand in *(brief),* deliver, leave *(boodschap, krant); (onvrijwillig)* hand over, give up: *hij weigerde zijn geld af te geven* he refused to part with his money; *een pakje bij iem ~* leave a parcel with s.o.; **2** *(licht, warmte)* give off: *de kachel geeft veel warmte af* the stove gives off a lot of heat

afgewerkt used (up), spent; *~e olie* used oil

afgewogen balanced

afgezaagd *(fig)* stale *(grap);* hackneyed *(uitdrukking, onderwerp)*

afgezant envoy, ambassador

afgezien: *~ van* besides, apart from; *~ van de kosten* (of: *moeite)* apart from the cost *(of:* trouble)

afgezonderd isolated, cut off, segregated *(patiënten, gevangenen),* remote *(plaats)*

Afghaan Afghan

Afghaans Afghan

Afghanistan Afghanistan

afgieten pour off, *(door vergiet ook)* strain, drain: *aardappels ~* drain potatoes; *groente} ~* strain vegetables

afgietsel cast, mould

afgifte delivery *(brief);* issue *(kaartjes enz.)*

afgod idol

afgooien throw down, *(met kracht)* fling down: *pas op dat je het er niet afgooit* take care that you don't knock it off

afgraven dig up, dig off, *(vlak maken)* level

afgrendelen *(fig)* seal off, close off; *(lett)* bolt up

afgrijselijk 1 horrible, horrid, atrocious: *een ~e moord* a gruesome murder; **2** *(zeer lelijk)* hideous, ghastly

afgrijzen horror, dread: *met ~ vervullen* horrify

afgrond abyss, chasm

afgunst envy, jealousy

afhaken pull out, drop out

afhakken chop off, cut off

afhalen 1 collect, call for; **2** *((iem) ergens gaan halen)* collect, meet: *ik kom je over een uur ~* I'll pick you up in an hour; *iem van de trein ~* meet s.o. at the station

afhandelen settle, conclude, deal with, dispose of: *de spreker handelde eerst de bezwaren af* the speaker first dealt with the objections

afhandeling settlement, transaction

afhandig: *iem iets ~ maken* trick s.o. out of sth

afhangen depend (on): *hij danste alsof zijn leven ervan afhing* he danced for dear life *(of:* as though his life depended on it); *het hangt van het weer af* it depends on the weather

afhankelijk dependent (on), depending (on): *ik ben van niemand ~* I am quite independent; *de beslissing is ~ van het weer* the decision is dependent on *(of:* depends on) the weather

afhankelijkheid dependence

afhouden 1 *(verwijderd houden)* keep off, keep out:

zij kon haar ogen niet van de taart ~ she couldn't keep her eyes off the cake; *(fig) iem van zijn werk* ~ keep s.o. from his work; **2** *(aftrekken, inhouden)* keep back: *een deel van het loon* ~ withhold a part of the wages

afhuren hire, rent

afijn so, well

afkammen *(bekritiseren)* run down, tear (to pieces), *(boek ook)* slash (to shreds), slate

afkeer aversion (to), dislike (of): *een* ~ *hebben* (of: *tonen)* have *(of:* display) an aversion (to)

afkeren turn away *(of:* aside), avert: *het hoofd* ~ turn one's head away; *zich* ~ *van iem (iets)* turn away from s.o. (sth)

afketsen I *intr* **1** bounce off, glance off; **2** *(fig)* fall through, fail: *het plan is afgeketst op geldgebrek* the plan fell through because of a lack of money; **II** *tr (fig)* reject, defeat *(voorstel)*, frustrate *(plannen)*

afkeuren 1 reject, turn down, declare unfit: *hij is voor 70 % afgekeurd* he has a 70 % disability; **2** *(veroordelen)* disapprove of, condemn: *een doelpunt* ~ disallow a goal

afkeuring disapproval, condemnation: *zijn* ~ *uitspreken over* express one's disapproval of

afkickcentrum drug rehabilitation centre

afkicken kick the habit, dry out *(drank):* *hij is afgekickt* he has kicked the habit

afkijken 1 copy, crib; **2** see out, see to the end: *we hebben die film niet afgekeken* we didn't see the film out; *bij* (of: *van) zijn buurman* ~ copy *(of:* crib) from one's neighbour

afkloppen knock on wood, touch wood: *even* ~! touch wood!

afknappen break down, have a breakdown: ~ *op iem (iets)* get fed up with s.o. (sth)

afknippen cut (off), *(haar ook)* trim

afkoelen cool (off, down), chill *(bijv. wijn)*, refrigerate *(in koelkast):* *iets laten* ~ leave sth to cool

afkomen 1 (met *op)* come up to *(of:* towards): *(dreigend) op iem* ~ approach s.o. (menacingly); *zij zag de auto recht op zich* ~ she saw the car heading straight for her *(of:* coming straight at her); **2** *(ontslagen, bevrijd raken)* get rid of, be done *(of:* finished) with *(iets vervelends); (ontsnappen)* get off *(of:* away), get out of *(uitnodiging, verplichting):* *er gemakkelijk* ~ get off easily *(of:* lightly)

afkomst descent, origin, *(geboorte)* birth, *(woord)* derivation: *Jean is van Franse* ~ Jean is French by birth *(van Franse ouders)*

afkomstig 1 from, coming (from), originating (from): ~ *uit Spanje* of Spanish origin; **2** *(afgeleid)* originating (from), derived (from): *dat woord is* ~ *uit het Turks* that word is derived *(of:* borrowed) from Turkish

afkondigen proclaim, give notice of

afkondiging proclamation *(vrede, noodtoestand)*, declaration *(onafhankelijkheid)*

afkopen buy (from), purchase (from), buy off, redeem *(verplichting); (loskopen)* ransom: *een hypo-*

theek ~ redeem a mortgage; *een polis* ~ surrender a policy

afkoppelen uncouple *(wagon);* disconnect *(machine)*

afkorten shorten, *(woorden ook)* abbreviate

afkorting abbreviation, shortening

afkrabben scratch off, scrape off *(of:* from)

afkraken run down: *de criticus kraakte haar boek volledig af* the reviewer ran her book into the ground

afkrijgen 1 get off, get out: *hij kreeg de vlek er niet af* he couldn't get the stain out; **2** *(kunnen voltooien)* get done *(of:* finished): *het werk op tijd* ~ get the work done *(of:* finished) in time

afleggen 1 take off, lay down *(wapens);* **2** make *(verklaring);* take *(examen, eed):* *een bezoek* ~ pay a visit; *een examen* ~ take an exam(ination), sit (for) an examination; **3** *(van afstand)* cover: *500 mijl per dag* ~ cover 500 miles a day

afleiden 1 lead *(of:* guide) away (from), divert (from) *(weg enz.)*, conduct *(bliksem):* *de stroom* ~ divert the stream; **2** *(ontspanning brengen; storen)* divert, distract: *ik leidde hem af van zijn werk* I kept him from doing his work; **3** *(de oorsprong verklaren)* trace back (to); *(mbt woorden)* derive (from): *'spraak' is afgeleid van 'spreken'* 'spraak' is derived from 'spreken'

afleiding distraction, diversion: *ik heb echt* ~ *nodig* I really need sth to take my mind off it *(of:* things); *voor* ~ *zorgen* take s.o.'s mind off things

afleren 1 unlearn, get out of (a habit): *ik heb het stotteren afgeleerd* I have overcome my stammer; **2** *(een ander)* cure of, break of: *ik zal je dat liegen wel* ~ I'll teach you to tell lies; *nog eentje om het af te leren* one for the road

afleveren deliver: *de bestelling is op tijd afgeleverd* the order was delivered on time

aflevering 1 delivery: *bij* ~ *betalen* cash on delivery; **2** *(radio, tv)* episode

aflezen 1 read out (the whole of): *een lijst* ~ read out a list; **2** *(mbt meetwerktuigen)* read (off)

aflikken lick: *zijn vingers* (of: *een lepel)* ~ lick one's fingers *(of:* a spoon)

afloop 1 end, close: *na* ~ *van de voorstelling* after the performance; **2** result, outcome: *ongeluk met dodelijke* ~ fatal accident

aflopen 1 (come to an) end, finish, expire *(termijn, contract):* *de cursus is afgelopen* the course is finished; *dit jaar loopt het huurcontract af* the lease expires this year; *het verhaal liep goed af* the story had a happy ending; *het loopt af met hem* he is sinking fast *(of:* is near the end); **2** run *(of:* go, walk) down

aflopend: *het is een* ~*e zaak* we're fighting a losing battle

aflossen 1 *(vervangen)* relieve *(wacht):* *laten we elkaar* ~ let's take turns; **2** *(terugbetalen)* pay off: *een bedrag op een lening* ~ pay off an part of a loan

aflossing 1 changing, change: *de* ~ *van de wacht* the changing of the guard; **2** *(het terugbetalen)* (re)pay-

ment; 3 *(termijn; bedrag)* (re)payment (period), instalment: *een maandelijkse* (of: *jaarlijkse*) ~ a monthly (*of:* an annual) payment

afluisteren eavesdrop (on), listen in to (*of:* in on), monitor, (wire-)tap *(telefoongesprek): iem* ~ eavesdrop on s.o., *(door politie)* monitor s.o.; *een telefoongesprek* ~ listen in to a phone call

afmaken I *tr* **1** finish, complete: *een werkje* ~ finish (*of:* complete) a bit of work; **2** *(doden)* kill: *ze hebben de hond moeten laten* ~ they had to have the dog put down; **II** *zich* ~ *van: hij maakte er zich met een grap van af* he brushed it aside with a joke; *zich er wat al te gemakkelijk van af* ~ shrug sth off too lightly

afmatten exhaust, wear out, tire out

afmelden cancel: *zich* ~ check (*of:* sign) (oneself) out

afmeten measure, judge: *de kwaliteit van een opleiding* ~ *aan het aantal geslaagden* judge the quality of a course from (*of:* by) the number of passes

afmeting dimension, proportion, size: *de ~en van de kamer* the dimensions (*of:* size) of the room

afname 1 *(het kopen)* purchase: *bij* ~ *van 25 exemplaren* for quantities of 25, if 25 copies are ordered (*of:* bought); **2** *(het verkocht worden)* sale; **3** *(het minder worden)* decline, decrease: *de* ~ *van de werkloosheid* the reduction in unemployment

afneembaar detachable, removable

afnemen I *tr* **1** *(ve plaats verwijderen)* take off (*of:* away), remove (from): *zijn hoed* ~ take off one's hat, *(als groet)* raise one's hat; *het kleed van de tafel* ~ take (*of:* remove) the cloth from the table; **2** *(wegnemen)* remove: *iem bloed* ~ take blood (*of:* a blood sample); **3** clean: *de tafel met een natte doek* ~ wipe the table with a damp cloth; **4** deprive: *iem zijn rijbewijs* ~ take away s.o.'s driving licence; **5** hold, administer: *iem de biecht* ~ hear s.o.'s confession; *iem een eed* ~ administer an oath to s.o., swear s.o. in *(bijv. getuige, nieuw lid): iem een examen* ~ examine s.o.; **6** buy, purchase; **II** *intr (verminderen)* decrease, decline: *onze belangstelling nam af* our interest faded; *in gewicht* ~ lose weight

afnemer buyer, customer: *Duitsland is onze grootste* ~ *van snijbloemen* Germany is our largest customer for cut flowers

afpakken take (away), snatch (away): *iem een mes* ~ take away a knife from s.o.

afpersen extort (*of:* wring), force: *iem geld* ~ extort money from s.o.

afperser blackmailer

afpersing extortion, *(chantage)* blackmail

afpingelen haggle: *proberen af te pingelen* try to beat down the price

afplakken tape up, cover with tape

afplukken pick, pluck: *de veren van een kip* ~ pluck a chicken

afpoeieren brush off, put off

afprijzen reduce, mark down: *alles is afgeprijsd* everything is reduced (in price)

afraden advise against: *(iem) iets* ~ dissuade (*of:* discourage) s.o. from (doing) sth

afraffelen rush (through): *zijn huiswerk* ~ rush (through) one's homework

aframmeling beating, hiding

afranselen beat (up), flog *(als straf)*, cane

afrastering fencing, fence, railings *(mv; van ijzer)*

afreageren work off (*of:* vent) one's emotions, let off steam: *iets op iem* ~ take sth out on s.o.

afrekenen settle (up), settle (*of:* pay) one's bill, settle one's account(s): *ober, mag ik* ~*!* waiter, the bill please!

afrekening 1 payment; **2** *(geschreven stuk)* receipt, statement *(van bank, giro)*

afremmen 1 slow down, brake, put the brake(s) on: *hij kon niet meer* ~ it was too late for him to brake; *voor een bocht* ~ slow down to take a curve; **2** *(fig)* curb, check: *iem in zijn enthousiasme* ~ curb s.o.'s enthousiasm

africhten train: *valken* ~ *voor de jacht* train falcons for hunting

afrijden I *intr* drive down, ride down *(te paard): een heuvel* ~ ride (*of:* drive) down a hill; **II** *tr* drive to the end of, ride to the end of *(te paard, met de fiets): de hele stad* ~ ride (*of:* drive) all over town

Afrika Africa

Afrikaan African

Afrikaans 1 *(uit, van Afrika)* African; **2** *(Zuid-Afrikaans)* South African

afrikaantje *(plantk)* African marigold

Afrikaner Afrikaner, Boer

afrit exit *(ve autoweg): op- en ~ten* slip roads; *bij de volgende* ~ at the next exit

afroep: *op* ~ *beschikbaar* available on demand, *(mbt persoon, dienst)* on call

afroepen call out, call off *(namen, nummers)*

afrollen 1 unwind; unroll *(een rol)*; **2** roll down

afromen 1 skim; **2** *(fig)* cream off

afronden 1 *(een eind maken aan)* wind up, round off: *wilt u (uw betoog)* ~*?* would you like to wind up (what you have to say)?; *een afgerond geheel vormen* form a complete whole; **2** *(mbt getallen, bedragen)* round off: *naar boven* (of: *beneden)* ~ round up (*of:* down); *een bedrag op hele euro* ~ round off an amount to the nearest euro

afronding winding up, rounding off, completion, conclusion: *als* ~ *van je studie moet je een werkstuk maken* to complete your study, you have to do a project

afruimen clear (away), clear the table

afschaffen abolish, do away with: *de doodstraf* ~ abolish capital punishment

afschaffing abolition: *de* ~ *van de slavernij* the abolition of slavery

afscheid parting, leaving, farewell, departure: *van iem* ~ *nemen* take leave of s.o.; *officieel* ~ *nemen (van)* take formal leave (of); *bij zijn* ~ *kreeg hij een gouden horloge* when he left he received a gold watch

af

afscheiden 1 *(opsplitsen)* divide (off), partition off: *een ruimte met een gordijn ~* curtain off an area; 2 discharge *(pus)*; secrete *(vloeistof): sommige bomen scheiden hars af* some trees secrete *(of:* produce) resin

afscheiding 1 separation, *(van partij ook)* secession, schism *(in kerk); (afbakening)* demarcation; 2 *(scheiding)* partition, *(scheidslijn)* dividing line: *een ~ aanbrengen* put up a partition; 3 *(afgescheiden stof)* discharge, secretion

afschepen (met *met)* palm (sth) off on (s.o.), fob (s.o.) off with (sth): *zij laat zich niet zo gemakkelijk ~* she is not so easily put off; *zich niet laten ~ (met een smoesje)* not be fobbed off (with an excuse)

afscheren shave (off) *(haren);* shear (off) *(wol)*

afschermen screen, *(beschermen ook)* protect (from)

afscheuren tear off

afschieten 1 fire (off), *(vuurwapen ook)* discharge: *een geweer ~* fire a gun; 2 *(doodschieten)* shoot: *wild ~* shoot game

afschilderen 1 paint; 2 portray, depict: *iem ~ als* portray s.o. as, make s.o. out to be

afschrapen scrape off

afschrift copy: *een ~ van een (lopende) rekening* a current account statement

afschrijven 1 debit: *geld van een rekening ~* withdraw money from an account; 2 *(uit het hoofd zetten)* write off: *die auto kun je wel ~* you might as well write that car off; *we hadden haar al afgeschreven* we had already written her off; 3 *(de boekwaarde verlagen)* write down, *(voor waardevermindering)* write off (as depreciation)

afschrijving 1 *(van bankrekening e.d.)* debit; 2 *(op vaste activa)* depreciation, write-off, *(op immateriële activa)* amortization: *voor ~ op de machines* for depreciation of the machines

afschrikken deter, put off, *(wegjagen)* frighten off, scare off: *zo'n benadering schrikt de mensen af* an approach like that scares *(of:* puts) people off; *hij liet zich door niets ~* he was not to be put off *(of:* deterred)

afschrikkingsmiddel deterrent

afschudden shake off, cast off *(belemmeringen): een tegenstander van zich ~* shake off an opponent

afschuiven *(op een ander laten neerkomen)* pass (on to s.o.): *de verantwoordelijkheid op een ander ~* pass the buck; *zijn verantwoordelijkheid van zich ~* shirk one's responsibility

afschuren rub down, sand down *(met schuurpapier)*

afschuw horror, disgust: *een ~ hebben van iets* loathe *(of:* detest) sth; *van ~ vervuld* horrified, appalled

afschuwelijk 1 horrible; 2 *(ontzettend slecht, lelijk)* shocking, awful, appalling: *ik heb een ~e dag gehad* I've had an awful day; *die rok staat je ~* that dress looks awful on you

afslaan I *intr* 1 turn (off) *(persoon, voertuig);*

branch off *(weg);* 2 *(mbt motor e.d.)* cut out, stall ‖ *van zich ~* hit out; II *tr (afwijzen)* turn down *(aanbod);* refuse, decline *(uitnodiging): nou, een kopje koffie sla ik niet af* I won't say no to a cup of coffee; *een thermometer ~* shake down a thermometer

afslachten slaughter, massacre

afslag 1 *(afrit)* turn(ing), *(op autoweg)* exit: *de volgende ~ rechts nemen* take the next turning on the right; 2 *(openbare verkoping)* Dutch auction: *~ van vis* fish auction; *bij ~ veilen* sell by Dutch auction

afslanken slim (down), trim down: *het bedrijf moet aanzienlijk ~* the company has to slim down considerably

afslijten I *tr* wear (off, down); II *intr* wear out, wear off

afsluitdijk dam, causeway: *de ~ (van het IJsselmeer)* the IJsselmeer Dam

afsluiten 1 close (off, up): *een weg ~ voor verkeer* close a road to traffic; 2 *(op slot doen)* lock (up), close *(bus, fles enz.): heb je de voordeur goed afgesloten?* have you locked the front door?; 3 *(van gas, elektriciteit e.d.)* cut off, shut off, turn off, disconnect, *(programma)* exit: *de stroom ~* cut off the electricity; 4 *(van overeenkomst e.d.)* conclude *(bijv. contract),* enter into *(overeenkomst),* negotiate *(hypotheek): een levensverzekering ~* take out a life insurance policy; 5 *(een eind maken aan)* close, conclude: *een (dienst)jaar ~* close a year; *zich ~* cut oneself off

afsluiting 1 closing off, closing up; 2 *(het op slot doen)* locking (up, away); 3 *(van gas, water e.d.)* shut-off, cut-off, disconnection; 4 *(van overeenkomst e.d.)* conclusion; 5 *(closing (rekening),* close *(jaar),* balancing *(boek, jaar);* 6 seclusion, isolation

afsnijden 1 cut off: *bloemen ~* cut flowers; 2 *(afsluiten, versperren)* cut off: *de bocht ~* cut the corner; *een stuk (weg) ~* take a short cut

afspelen I *zich ~* happen, take place, occur: *waar heeft het ongeluk zich afgespeeld?* where did the accident take place *(of:* occur)?; II *tr (afdraaien)* play: *een bandje op een bandrecorder ~* play a tape on a tape recorder

afspiegelen depict, portray: *men spiegelt hem af als een misdadiger* he is represented as a criminal

afspiegeling reflection, mirror image

afspoelen rinse (down, off), wash (down, off): *het stof van zijn handen ~* rinse the dust off one's hands

afspraak appointment *(met arts enz.);* engagement *(bijv. voor zaken, met vrienden); (overeenkomst)* agreement: *een ~ maken (of:* hebben) *bij de tandarts* make *(of:* have) an appointment with the dentist; *een ~ nakomen, zich aan een ~ houden: a) (met iem)* keep an appointment; *b) (overeenkomst)* stick to an agreement

afspraakje date

afspreken I *tr* agree (on), arrange: *een plan ~* agree on a plan; *dat is dus afgesproken* that's a deal, that's settled then; *~ iets te zullen doen* agree to do sth; *zoals afgesproken* as agreed; II *intr* make an appointment

afstaan give up, hand over *(afdragen): zijn plaats ~ (bijv. aan jongere collega)* step down

afstammeling descendant

afstammen descend (from)

afstamming descent: *van Italiaanse ~* of Italian extraction

afstand 1 distance (to, from): *een ~ afleggen* cover a distance; *~ houden (bewaren)* keep one's distance, *(fig ook)* keep aloof; *~ nemen van een onderwerp* distance oneself from a subject; *op een ~: a)* at a distance; *b) (fig)* distant, aloof; *iem op een ~ houden (fig ook)* keep s.o. at arm's length; *erg op een ~ zijn tegen iem* be very standoffish to s.o.; 2 renunciation: *~ doen van* renounce, disclaim, give up; *~ doen van zijn bezit* part with one's possessions

afstandelijk distant, aloof

afstandsbediening remote control (unit)

afstandsonderwijs distance learning

afstapje step: *denk om het ~* mind the step

afstappen step down, come down, come off, dismount, *(mbt fiets)* get off (one's bike)

afsteken I *intr* stand out: *de kerktoren stak (donker) af tegen de hemel* the church tower stood out against the sky; II *tr* 1 *(doen ontbranden, afgaan)* let off: *vuurwerk ~* let off fireworks; 2 deliver: *een speech ~* hold forth, make a speech

afstel cancellation

afstellen adjust (to), set, tune (up) *(motor)*

afstemmen 1 tune; 2 tune (to), *(aanzetten)* tune in (to): *een radio op een zender ~* tune a radio in to a station; 3 tune (to): *alle werkzaamheden zijn op elkaar afgestemd* all activities are geared to one another

afstempelen stamp, cancel, postmark: *een paspoort (of: kaartje) ~* stamp a passport *(of:* ticket)

afsterven die (off), *(plantk ook)* die back

afstevenen *(met op)* make for, head for *(of:* towards)

afstoffen dust (off)

afstompen I *tr* blunt, dull, numb; II *intr* become blunt(ed) *(of:* numb)

afstoten 1 dispose of, reject *(verwerpen),* hive off *(bedrijfstakken): arbeidsplaatsen ~* cut jobs; 2 repel: *zo'n onvriendelijke behandeling stoot af* such unfriendly treatment is off-putting

afstraffen punish *(ook sport)*

afstrijken 1 strike, light; 2 wipe off, level (off): *een afgestreken eetlepel* a level tablespoonful

afstropen 1 strip (off): *een haas de huid ~* skin a hare; 2 *(plunderend aflopen)* pillage, ransack: *enkele benden stroopten het platteland af* a few bands pillaged the countryside

afstudeerrichting main subject

afstuderen graduate (from), complete *(of:* finish) one's studies (at)

afstuiten *(afketsen)* rebound, *(niet doorgaan)* be frustrated: *de bal stuit af tegen de paal* the ball rebounds off the post; *het voorstel stuitte af op haar*

koppigheid the proposal fell through owing to her obstinacy

afstuiven *(met op)* rush, dash

afsturen *(met op)* send (towards): *de hond op iem ~* set the dog on s.o.

aftakelen go *(of:* run) to seed, go downhill: *hij begint al flink af te takelen* he really is starting to go downhill, *(geestelijk)* he is really starting to lose his faculties

aftakeling deterioration, decline

aftands broken down, worn out: *een ~e piano* a worn-out *(of:* dilapidated) piano

aftappen 1 draw off, drain: *als het hard vriest, moet je de waterleiding ~* when it freezes hard you have to drain the pipes; *een telefoonlijn ~* tap a telephone line; 2 tap: *de benzine ~* siphon (off) the petrol

aftasten 1 feel, sense: *een oppervlak ~* explore a surface with one's hands; 2 *(fig)* feel out, sound out

aftekenen I *tr* 1 outline, mark off: *de plattegrond van een plein ~* map out a (town) square; 2 *(aantekenen op een kaart)* register, record: *ik heb mijn gewerkte uren laten ~* I've had my working hours registered; II *zich ~* stand out, become visible: *zich ~ tegen* stand out against

aftellen count (out, off): *de dagen ~* count the days

aftershave aftershave

aftikken *(kindertaal)* tag (out)

aftiteling credit titles, credits

aftocht retreat: *de ~ slaan (of:* blazen) beat a retreat

aftrap kick-off: *de ~ doen* kick off

aftreden resign (one's post)

aftrek 1 deduction: *~ van voorarrest* reduction in sentence for time already served; *na ~ van onkosten* less expenses; 2 *(bedrag)* deduction, *(belasting ook)* allowance

aftrekbaar deductible, tax-deductible *(voor de belasting)*

aftrekken 1 subtract: *als je acht van veertien aftrekt houd je zes over* if you take eight from fourteen you have six left; 2 deduct; 3 *(seksueel bevredigen)* masturbate

aftrekpost deduction, tax-deductible item *(of:* expense)

aftreksom subtraction (sum)

aftroeven score (points) off

aftroggelen wheedle out of: *iem iets weten af te troggelen* succeed in wheedling sth out of s.o.

aftuigen beat up, mug

afvaardigen send *(of:* appoint) as delegate: *hij was naar de leerlingenraad afgevaardigd* he had been appointed as delegate to the students' council

afvaardiging delegation

afval waste (matter), *(vuilnis)* refuse, *(vuilnis)* rubbish: *radioactief ~* radioactive waste

afvalbak litter bin *(of:* basket), *(vuilnisbak)* dustbin, rubbish bin

afvalbedrijf waste-processing firm

afvallen 1 fall off *(of:* down): *de bladeren vallen af* the leaves are falling; 2 *(niet meer meetellen)* drop out: *dat alternatief viel af* that option was dropped (*of:* was no longer available); 3 *(afslanken)* lose weight: *ik ben drie kilo afgevallen* I've lost three kilos

afvalproduct by-product, waste product

afvalrace elimination race

afvalstof waste product, *(mv ook)* waste (matter): *schadelijke ~fen* harmful (*of:* noxious) waste

afvalverwerking processing of waste, waste disposal (*of:* treatment)

afvalwater waste water

afvegen wipe (off), brush away, wipe away: *de tafel ~* wipe (off) the table

afvloeien be made redundant, be laid off, *(ook)* be given early retirement *(via VUT)*

afvloeiing *(mbt personeel)* release, gradual dismissal (*of:* discharge)

afvoer 1 transport, conveyance: *de ~ van goederen* transport (*of:* removal) of goods; 2 *(pijp)* drain(pipe), outlet, exhaust (pipe) *(voor gassen e.d.): de ~ is verstopt* the drain is blocked

afvoeren 1 transport, drain away, drain off *(water)*, lead away *(van zijn voorgenomen route af);* 2 *(naar beneden, afwaarts voeren)* carry off (*of:* down), lead down

afvragen, zich wonder, ask oneself, *(betwijfelen ook)* (be in) doubt (as to): *ik vraag mij af, wie ...* I wonder who ...; *ik vraag mij af of dat juist is* I wonder if (*of:* whether) that is correct

afvuren fire, let off, discharge, launch *(raket)*

afwachten wait (for), await, *(tegemoet zien)* anticipate: *zijn beurt ~* wait (for) one's turn; *we moeten maar ~* we'll have to wait and see

afwachting expectation, *(tegemoet zien)* anticipation: *in ~ van uw antwoord* we look forward to receiving your reply

afwas 1 dishes, washing-up; 2 doing (*of:* washing) the dishes, washing-up: *hij is aan de ~* he is washing up (*of:* doing) the dishes

afwasbaar washable

afwasborstel washing-up brush

afwasmachine dishwasher, washing-up machine

afwasmiddel washing-up liquid; *(Am)* dishwashing liquid

afwassen I *tr* 1 wash (up); 2 wash off (*of:* away): *bloed van zijn handen ~* wash blood from his hands; **II** *intr* do (*of:* wash) the dishes

afwatering 1 drainage; 2 *(inrichting)* drainage, drains

afweer defence

afwegen 1 weigh; 2 *(overwegen)* weigh (up), consider: *de voor- en nadelen (tegen elkaar) ~* weigh the pros and cons (against each other)

afweken I *tr* soak off; **II** *intr* come off, come unstuck (*of:* undone): *de pleister is afgeweekt* the plaster has come off

afwenden 1 turn away (*of:* aside), *(blik, gedachten ook)* avert: *het hoofd* (of: *de ogen) ~* turn one's head (*of:* eyes) away, look away; *de ogen niet ~ van iem*

(iets) not take one's eyes off s.o. (sth); 2 *(afweren)* avert, ward off, stave off, *(aanval ook)* parry

afwennen cure of, break of: *iem het nagelbijten proberen af te wennen* try to get s.o. out of the habit of biting his nails

afwentelen shift, transfer

afweren keep off (*of:* away), hold off, *(fig)* fend off, ward off: *nieuwsgierigen ~* keep bystanders at a distance; *een aanval* (of: *aanvaller) ~* repel an attack (*of:* attacker)

afwerken 1 finish (off): *een opstel* (of: *roman) ~* add the finishing touches to an essay (*of:* a novel); 2 *(volbrengen)* finish (off), complete: *een programma ~* complete a programme

afwerking finish(ing), finishing touch

afweten: *het laten ~* fail, refuse to work, *(niet op komen dagen)* not show up

afwezig 1 absent, *(weg)* away, *(weg)* gone: *Jansen is op het ogenblik ~* Jansen is away at the moment; 2 *(verstrooid)* absent-minded, preoccupied

afwezigheid 1 absence: *tijdens Pauls ~* during Paul's absence; *in (bij) ~ van* in the absence of; 2 *(verstrooidheid)* absent-mindedness: *in een ogenblik van ~* in a forgetful moment, in a momentary fit of absent-mindedness

afwijken 1 deviate (from) *(ook fig)*, depart (from) *(onderwerp)*, diverge (from) *(lijn e.d.): doen ~* divert, turn (away); *(fig) van het rechte pad ~* deviate from the straight and narrow; 2 *(niet overeenkomen)* differ, deviate, vary, disagree (with) *(persoon)*

afwijkend different: *~ gedrag* abnormal behaviour; *~e mening* different opinion

afwijking 1 defect, abnormality, aberration: *een geestelijke ~* a mental abnormality; *een lichamelijke ~* a physical defect; 2 *(verschil)* difference, deviation: *dit horloge vertoont een ~ van één seconde* this watch is accurate to within one second

afwijzen 1 not admit, turn away: *een bezoeker ~* turn away a visitor; *iem als lid (van een vereniging) ~* refuse s.o. membership (of an association); 2 *(weigeren)* refuse, decline, reject, *(verwerpen)* repudiate: *een kopje thee ~* refuse a cup of tea

afwijzing refusal, rejection, *(verwerping)* repudiation

afwikkelen complete, settle: *een contract* (of: *kwestie) ~* settle a contract (*of:* question)

afwisselen 1 alternate with, take turns, *(aflossen)* relieve: *elkaar ~* take turns; 2 *(variëren)* vary: *zijn werk ~ met ontspanning* alternate one's work with relaxation

afwisselend I *bn* 1 alternate; 2 *(gevarieerd)* varied; **II** *bw* alternately, in turn

afwisseling variety, variation, change: *een welkome ~ vormen* make a welcome change; *voor de ~* for a change

afzeggen cancel, call off: *de staking werd afgezegd* the strike was called off

afzender sender, shipper *(goederen): ~ ... (achter-*

op brief) from ...

afzet 1 sale, market; 2 *(verkochte waren)* sales
afzetten 1 switch off, turn off *(radio, motor)*, disconnect *(telefoon, alarm)*; 2 *(van ledematen)* cut off, amputate; 3 *(oplichten)* cheat, swindle, overcharge *(klanten): een klant voor tien euro* ~ cheat a customer out of ten euros; 4 *(van terrein e.d.)* enclose, fence off, fence in, block off, close off *(toegangsweg): een bouwterrein* ~ fence off a building site; 5 *(van, tegen iets afduwen)* push off: *(fig) zich* ~ *tegen (iets, iem)* react against (sth, s.o.); *zich* ~ *voor een sprong* take off; 6 *(ontslaan)* dismiss, remove: *een koning* ~ depose a king; 7 *(laten uitstappen)* drop, set down, put down: *een vriend thuis* ~ drop a friend at his home; *dat moet je van je af (kunnen) zetten* (you should be able to) get that out of your mind
afzetter cheat, swindler
afzetting enclosure, fence, cordon *(politie)*
afzichtelijk ghastly, hideous
afzien 1 (met *van*) abandon, give up, *(afstand doen van)* renounce *(bijv. rechten): naderhand zagen ze toch van samenwerking af* afterwards they decided not to cooperate; 2 have a hard time (of it), sweat it out: *dat wordt* ~ we'd better roll up our sleeves
afzijdig aloof: *zich* ~ *houden van*, ~ *blijven van* keep aloof from
afzonderen, zich separate *(of:* seclude) oneself (from), retire (from), withdraw (from): *zich van de wereld* ~ withdraw from the world
afzondering separation, isolation, seclusion: *in strikte (strenge)* ~ in strict isolation
afzonderlijk separate, individual, single: *de keuze wordt aan ieder* ~ *kind overgelaten* the choice is left to each individual child
afzuigkap (cooker) hood
afzwemmen take a swimming test
afzweren renounce, forswear: *de drank* ~: *a)* give up drink(ing); *b) (inform)* swear off drink(ing); *zijn geloof (of:* beginselen) ~ renounce one's faith *(of:* principles)
agenda 1 *(notitieboekje)* diary; 2 *(van vergadering)* agenda: *op de* ~ *staan* be on the agenda
agent 1 policeman, constable: *een stille* ~, *een* ~ *in burger* a plain-clothes policeman; 2 *(vertegenwoordiger)* agent: *een geheim* ~ a secret agent
agglomeratie conurbation
aggregatietoestand *(nat)* physical state
agrariër farmer
agrarisch agrarian, agricultural, farming: ~*e school* school of agriculture
agressie aggression: *een daad van* ~ an act of aggression; ~ *opwekken* provoke aggression
agressief aggressive: *een agressieve politiek voeren* pursue an aggressive policy
ah ah, oh
ai *(pijn)* ouch, ow; *(verdriet)* ah, oh ‖ ~*!, dat was maar net mis* oops! that was a close shave
aids Aids

air air, look: *met het* ~ *van* with an air of
airconditioning air-conditioning
ajuin *(Belg)* onion
akelig 1 unpleasant, nasty, dismal, *(weer ook)* dreary, *(weer ook)* bleak, *(spookachtig)* ghastly: *een* ~ *gezicht* (of: *beeld)* a nasty sight *(of:* picture); *een* ~ *verhaal* a ghastly story; ~ *weer* nasty weather; 2 *(onwel)* ill, sick: *ik word er* ~ *van* it turns my stomach
akker field
akkerbouw (arable) farming, agriculture
akkoord 1 agreement, arrangement, settlement, *(koop)* bargain: *een* ~ *aangaan* (of: *sluiten)* come to an arrangement; *tot een* ~ *komen* reach an agreement; 2 *(muz)* chord: ~ *gaan (met)* agree (to), be agreeable (to); *niet* ~ *gaan (met)* disagree (with)
akoestiek acoustics *(ww steeds mv)*
akte 1 *(notariële)* deed; *(koop)* contract: ~ *van geboorte* (of: *overlijden, huwelijk)* birth *(of:* death, marriage) certificate; *een* ~ *opmaken* draw up a deed; ~ *opmaken van* make a record of; 2 *(diploma)* certificate, diploma; *(vergunning)* licence; 3 *(theat, film)* act
aktetas briefcase
al I *bw* 1 *(tijd)* yet; *(al)* already: ~ *een hele tijd* for a long time now; ~ *enige tijd*, ~ *vanaf juli* for some time past *(of:* now), (ever) since July; *dat dacht ik* ~ I thought so; *is zij er nu* ~? *(met klemtoon op nu)* is she here already?; *is Jan er* ~? is John here yet?; *ik heb het altijd* ~ *geweten* I've known it all along; *daar heb je het* ~ there you are; 2 *(versterking)* all: *dat alleen* ~ that alone; ~ *te snel* (of: *spoedig)* far too fast *(of:* soon); *ze weten het maar* ~ *te goed* they know only too well; *hij had het toch* ~ *moeilijk* he had enough problems as it was; *het is* ~ *laat* (of: *duur)* genoeg it is late *(of:* expensive) enough as it is; *dat lijkt er* ~ *meer op, dat is* ~ *beter* that's more like it; II *onbep vnw* 1 *(geheel)* all, whole: ~ *de moeite* all our *(of:* their) trouble; *het was één en* ~ *geweld op tv gisteren* there was nothing but violence on TV yesterday; 2 *(mbt elk deel ve verzameling)* all (of); III *hoofdtelw* all (of), *(alle afzonderlijke)* every, each: ~ *zijn gedachten* his every thought; ~ *de kinderen* all (of) the children; IV *vw* though, although, even though, even if: ~ *ben ik arm, ik ben gelukkig* I may be poor, but I'm happy; ~ *zeg ik het zelf* even though I say so myself; ~ *was het alleen maar omdat* if only because; *ook* ~ *is het erg* bad as it is *(of:* may be); *ik deed het niet*, ~ *kreeg ik een miljoen* I wouldn't do it for a million pounds
alarm alarm: *groot* ~ full *(of:* red) alert; *loos (vals)* ~ false alarm; *een stil* ~ a silent alarm; ~ *slaan* (of: *geven)* give *(of:* sound) the alarm
alarmcentrale emergency centre, (general) emergency number
alarmeren 1 alert, call out: *de brandweer* ~ call (out) the fire brigade; 2 *(in opschudding brengen)* alarm: ~*de berichten* disturbing reports
alarmlichten *(van auto)* hazard warning lights

al

alarmnummer emergency number
alarmsignaal alarm, alert
Albanees Albanian
Albanië Albania
albast alabaster
albatros albatross
albino albino
album album
alchemie alchemy
alcohol alcohol: *pure* ~ pure alcohol; *verslaafd aan* ~ addicted to alcohol
alcoholisch alcoholic: *~e dranken* alcoholic drinks; *een niet* ~ *drankje* a non-alcoholic drink
alcoholisme alcoholism
alcoholist alcoholic
alcoholvrij non-alcoholic, soft: *~e dranken* non-alcoholic beverages, soft drinks
aldaar there, at (*of:* of) that place
alert alert: ~ *zijn op spelfouten* be on the alert (*of:* lookout) for spelling mistakes
alfa *(ond) (ongev)* languages, humanities, arts || *zij is een echte* ~ all her talents are on the arts side
alfabet alphabet: *alle letters van het* ~ all the letters in the alphabet; *de boeken staan op* ~ the books are arranged in alphabetical order
alfabetisch alphabetical: *een ~(e) gids* (*of:* ~ *spoorboekje*) an ABC, *(strantengids ook)* an A to Z; *in ~e volgorde* in alphabetical order
alfabetiseren alphabetize
alfanumeriek alphanumeric(al)
algebra algebra
algeheel complete, total: *met algehele steun* with (everyone's) full support; *met mijn algehele instemming* with my wholehearted consent; *tot algehele tevredenheid* to everyone's satisfaction
algemeen **1** public, general, universal, common: *een algemene regel* a general rule; *voor* ~ *gebruik* for general use; *algemene ontwikkeling* general knowledge; *in algemene zin* in a general sense; *algemene middelen* public funds; *het is* ~ *bekend* it is commonly known; ~ *beschouwd worden als* be generally known as; **2** *(onbepaald)* general(ized), broad: *in algemene bewoordingen* in general terms; *in het* ~ *hebt u gelijk* on the whole, you're right; *zij zijn in het* ~ *betrouwbaar* for the most part they are reliable; *in (over) het* ~ in general
algemeenheid generality; *(onnauwkeurigheid)* indefiniteness || *(Belg) met* ~ *van stemmen* unanimously
algen algae
Algerije Algeria
Algerijn Algerian
Algerijns Algerian
alhoewel although
alias alias, also (*of:* otherwise) known as
alibi alibi *(ook jur)*, excuse: *iem een* ~ *bezorgen (geven)* cover up for s.o.
alimentatie maintenance (allowance, money), *(bij scheiding)* alimony

alinea paragraph: *een nieuwe* ~ *beginnen* start a new paragraph
Allah Allah
allang for a long time, a long time ago: *ik ben* ~ *blij dat je er bent* I'm pleased that you're here at all
alle I *onbep vnw* all, every, each: *uit* ~ *macht iets proberen* try one's utmost; *hij had* ~ *reden om* he had every reason to; *boven* ~ *twijfel* beyond all doubt; *voor* ~ *zekerheid* to make quite (*of:* doubly) sure; **II** *hoofdtelw* all, every, each, *(mbt personen, zelfst; ook)* everyone, *(mbt personen, zelfst; ook)* everybody: *van* ~ *kanten* from all sides, from every side; *in* ~ *opzichten* in all respects; *zij gingen met hun ~n naar het zwembad* they went all together to the swimming pool; *geen van ~n wist het* not one of them knew
allebei both; *(de een of de ander)* either: ~ *de kinderen waren bang* both (of the) children were afraid; *het was* ~ *juist geweest* either would have been correct
alledaags daily, everyday: *de ~e beslommeringen* day-to-day worries; *de kleine, ~e dingen van het leven* the little everyday things of life; *dat is niet iets* ~ that's not an everyday occurrence
alleen I *bn, bw* **1** alone, by oneself, on one's own: *hij is graag* ~ he likes to be alone (*of:* by himself); *het* ~ *klaarspelen* manage it alone (*of:* on one's own); *helemaal* ~ all (*of:* completely) alone; *een kamer voor hem* ~ a room (all) to himself; **2** *(uitsluitend)* only, alone: ~ *in het weekeinde geopend* only open at weekends; **II** *bw* only, merely, just: *de gedachte* ~ *al* the mere (*of:* very) thought; *ik wilde u* ~ *maar even spreken* I just wanted to talk to you; ~ *maar aan zichzelf denken* only think of oneself
alleenheerschappij absolute power, *(fig)* monopoly: *de* ~ *voeren (over)* reign supreme (over)
alleenrecht exclusive right(s)
alleenstaand single: *een ~e ouder* a single parent
alleenverdiener sole wage-earner
allegorie allegory
allehens: ~ *aan dek!* all hands on deck!
allemaal I *bw* all, only: *hij zag* ~ *sterretjes* all he saw was little stars; **II** *telw* all, *(mensen)* everybody, everyone, *(dingen)* everything: *beste van* ~ best of all; ~ *onzin* all nonsense; *ik houd van jullie* ~ I love you all; *zoals wij* ~ like all of us; ~ *samen (tegelijk)* all together; *tot ziens* ~ goodbye everybody
allemachtig *(geweldig)* amazingly: *een* ~ *groot huis* an amazingly big house
allerbest very best: *zijn ~e vrienden* his very best friends; *ik wens je het ~e* I wish you all the best
allereerst first of all, very first: *vanaf het ~e begin* from the very beginning
allergie allergy
allergisch allergic (to)
allerhande all sorts (of), all kinds (of)
Allerheiligen All Saints' (Day)
allerhoogst highest of all, very highest *(berg)*; supreme, paramount *(belang)*; maximum *(bedrag)*;

top *(functionaris):* *van het ~e belang* of supreme *(of:* paramount) importance; *het is de ~e tijd* it's high time

allerlaatst last of all, very last, very latest: *de ~e bus* the (very) last bus; *de ~e mode* the very latest style; *op het ~* at the very last moment; *tot op het ~* right up to the (very) end

allerlei all sorts *(of:* kinds) of: *~ speelgoed* all sorts of toys

allerliefst 1 *(zeer lief)* (very) dearest *(of:* sweetest): *een ~ kind* a very dear *(of:* sweet) child; **2** more than anything: *hij wil het ~ acteur worden* he wants to be an actor to be an actor more than anything

allerminst 1 least (of all): *ik heb er niet het ~e op aan te merken* I don't have the slightest objection; **2** *(in aantal)* (very) least, (very) slightest: *op zijn ~* at the very least

Allerzielen All Souls' (Day)

alles everything, all, anything: *hij heeft (van) ~ geprobeerd* he has tried everything; *is dat ~ (in winkel)* will that be all?; *dat is ~* that's it *(of:* everything); *ik weet er ~ van* I know all about it; *(het is) ~ of niets* (it's) all or nothing; *~ op ~ zetten* go all out; *van ~ (en nog wat)* all sorts of things; *~ bij elkaar viel het mee* all in all *(of:* all things considered) it was better than expected; *~ op zijn tijd* all in due course, all in good time

allesbehalve anything but: *het was ~ een succes* it was anything but a success; *~ vriendelijk* anything but friendly

alleseter omnivore

allesomvattend all-embracing, comprehensive, universal

allesoverheersend overpowering: *een ~e smaak van knoflook* an overpowering taste of garlic

allesreiniger all-purpose cleaner

alliantie alliance

allicht most probably *(of:* likely), of course: *ja ~* yes, of course

alligator alligator

allochtoon I *zn* immigrant, foreigner; **II** *bn* foreign

all-risk comprehensive: *~ verzekerd zijn* have a comprehensive policy

allure air, style: *~ hebben* have style; *iem van ~ a* striking personality; *een gebouw met ~* an imposing building

almaar constantly; continuously, all the time: *kinderen die ~ om snoep vragen* children who are always asking for sweets

almachtig almighty, all-powerful: *de Almachtige* the Almighty

almanak almanac

alo *afk van academie voor lichamelijke opvoeding* college of physical education

alom everywhere, on all sides: *~ gevreesd* (of: *bekend)* generally feared *(of:* known)

alp alp

alpino (Basque) beret

als 1 like, as: *zich ~ een dame gedragen* behave like a

lady; *hetzelfde ~ ik* the same as me, just like me; *hij is even groot ~ jij* he is as tall as you; *de brief luidt ~ volgt* the letter reads as follows; *zowel in de stad ~ op het land* both in the city and in the country; **2** as, as if: *~ bij toverslag veranderde alles* as if by magic everything changed; *~ ware het je eigen kind* as if it were your own child; **3** *(hoedanigheid)* for, as: *poppen ~ geschenk* dolls for presents; *ik heb die man nog ~ jongen gekend* I knew that man when he was still a boy; *~ vrienden uit elkaar gaan* part as friends; **4** *(mbt tijd)* when: *telkens ~ wij elkaar tegenkomen keert hij zich af* whenever we meet, he turns away; **5** *(mbt voorwaarde)* if, as long as: *~ zij er niet geweest was ...* if she had not been there ...; *maar wat ~ het regent, ~ het nu eens regent?* but what if it rains?; *~ het mogelijk is* if possible; *~ ze al komen* if they come at all

alsmaar constantly, all the time: *~ praten* talk constantly

alsnog still, yet: *je kunt ~ van studie veranderen* you can still change your course

alsof as if: *je doet maar ~* you're just pretending; *hij keek ~ hij mij niet begreep* he looked as if he didn't understand me

alstublieft I *bw* please: *een ogenblikje ~* just a minute, please; *wees ~ rustig* please be quiet; **II** *tw* please; *(bij het aanreiken van iets)* here you are: *~, dat is dan €6,50* (thank you,) that will be €6.50

alt *(muz)* alto

altaar altar

alternatief alternative: *er is geen enkel ~* there is no alternative; *als ~* as an alternative

altijd always, forever: *ik heb het ~ wel gedacht* I've thought so all along, I've always thought so; *je kunt niet ~ winnen* you can't win them all; *~ weer* again and again; *wat je ook doet, je verliest ~* no matter what you do, you always lose; *bijna ~* nearly always; *wonen ze nog ~ in Almere?* are they still living in Almere?; *voor eens en ~* once and for all; *hetzelfde als ~* the same as always, the usual; *ze ging ~ op woensdag winkelen* she always went shopping on Wednesdays

altsaxofoon alto saxophone

aluin alum

aluminium aluminium

alvast meanwhile, in the meantime: *jullie hadden ~ kunnen beginnen zonder mij* you could have started without me

alvleesklier pancreas

alweer again, once more: *het wordt ~ herfst* autumn has come round again

alzheimer Alzheimer's (disease)

amalgaam amalgam

amandel 1 almond; **2** *(med)* tonsil: *zijn ~en laten knippen* have one's tonsils (taken) out

amanuensis laboratory assistant

amateur amateur

amateuristisch amateur(ish): *~e sportbeoefening* amateur sports; *dat is zeer ~ gedaan* that was done

very amateurishly
amazone horsewoman
Amazone Amazon
ambacht trade, (handi)craft: *het ~ uitoefenen van
... practise the trade of ...
ambassade embassy
ambassadeur ambassador
amber amber
ambiëren aspire to: *een baan ~* aspire to a job
ambitie ambition: *een man van grote ~* a man with
great ambitions
ambitieus ambitious: *ambitieuze plannen* ambitious plans
Ambonees Amboinese, Moluccan
ambt office: *een ~ uitoefenen* carry out one's duties
ambtelijk official: *~e stukken* official documents
ambtenaar official, civil servant, public servant: *~
van de burgerlijke stand* registrar, *(Am)* county
clerk; *burgerlijk ~* civil *(of:* public) servant
ambtenarij bureaucracy, red tape
ambtsperiode term of office: *de ~ van de burgemeester loopt binnenkort af* the mayor's term of office is drawing to a close
ambulance ambulance
amen amen ‖ *(Belg) ~ en uit* that's enough!, stop it!
Amerika America
Amerikaan American: *tot ~ naturaliseren* naturalize as an American
Amerikaans American: *de ~e burgeroorlog* the
American Civil War; *het ~e congres* Congress; *~e
whiskey* bourbon, rye, corn whiskey
Amerikaanse American (woman)
amfetamine amphetamine
amfibie amphibian
aminozuur amino acid
ammonia ammonia (water)
amnestie amnesty: *~ verlenen (aan)* grant an amnesty (to)
amoebe amoeba
amok: *~ maken* run amok
amoreel amoral
amper scarcely, barely, hardly: *hij kon ~ schrijven*
he could barely write
ampère ampere
ampul ampoule
amputatie amputation
amputeren amputate
amulet amulet
amusant amusing: *een ~ verhaal* an amusing story;
iets ~ vinden find sth amusing *(of:* entertaining)
amusement amusement, entertainment
amusementshal amusement arcade
amuseren, zich amuse oneself, entertain oneself,
enjoy oneself: *zich kostelijk (uitstekend) ~* thoroughly enjoy oneself
anaal anal
anabool anabolic: *anabole steroïden* anabolic ster-
oids
anachronisme anachronism

analfabeet illiterate
analfabetisme illiteracy
analist (chemical) analyst, lab(oratory) technician
analoog analogue
analyse analysis: *een kritische ~ van een roman* a
critical analysis of a novel
analyseren analyse: *grondig ~: a)* analyse thoroughly; *b) (fig)* dissect
analytisch analytical: *~ denken* think analytically
ananas pineapple
anarchie anarchy
anarchisme anarchism
anarchist anarchist
anatomie anatomy
anatomisch anatomical
ancien *(Belg)* veteran, ex-serviceman
Andalusië Andalusia
ander I *bn* **1** other, another: *aan de ~e kant (anderzijds)* on the other hand; *een ~e keer misschien!*
maybe some other time; *(de) een of ~e voorbijganger* some passer-by; *met ~e woorden* in other
words; *om de één of ~e reden* for some reason, for
one reason or another; **2** *(zich onderscheidend)* different: *ik voel me nu een ~ mens* I feel a different
man *(of:* woman) now; *dat is een heel ~e zaak* that's
quite a different matter, that's a different matter altogether; II *onbep vnw* **1** another, *(mv)* others: *de
een of ~* somebody, someone; *sommigen wel, ~en
niet* some do *(of:* are), some don't *(of:* aren't); **2** *de
ene of de ~e* (choose) one thing or the other; **2**
(zaak) another matter *(of:* thing), *(mv)* other matters *(of:* things): *je hebt het een en ~ nodig om te ...*
you need a few things in order to ...; *onder ~e*
among other things, including; *of het één, of het ~!*
you can't have it both ways; III *rangtelw* next, other:
om de ~e dag every other day, on alternative days
anderhalf one and a half: *~ maal zoveel* half as
much *(of:* many) again; *~ maal zo hoog* one and a
half times as high; *~ uur* an hour and a half
anders I *bw* **1** normally, differently: *het ~ aanpakken* handle it differently; *~ gezegd, ...* in other
words ...; *in jouw geval liggen de zaken ~* in your
case things are different; *(zo is het) en niet ~* that's
the way it is *(of:* how things are); *net als ~* just as
usual; *niet meer zo vaak als ~* less often than usual;
2 *(voor het overige)* otherwise, else: *wat kon ik ~
(doen) (dan ...)?* what else could I do (but ...); *~
niets? (bijv. in winkel)* will that be all?; *ergens ~*
somewhere else; II *bn* different (from): *niemand ~*
nobody else; *wil u nog iets ~?* do you want anything else?; *over iets ~ beginnen (te praten)* change
the subject; *er zit niets ~ op dan ...* there is nothing
for it but to ...
andersom the other way round
anderstalige non-native speaker
anderzijds on the other hand
andijvie endive
andreaskruis cross of St Andrew
anekdote anecdote

anemoon anemone

anesthesie anaesthesia: *lokale* (of: *totale*) ~ local (of: general) anaesthesia

anesthesIst anaesthetist

angel sting

Angelsaksisch 1 English(-speaking); **2** (vd Angelsaksen) Anglo-Saxon

angina (med) tonsillitis

anglicaan Anglican || *de anglicaanse Kerk* the Church of England

anglist specialist (of: student) of English (language and literature)

Angola Angola

Angolees Angolan

angst fear (of) (vaak mv), dread, terror (of), (psych) anxiety: ~ *aanjagen* frighten, (sterker) terrify; ~ *hebben voor* be afraid (of: scared) of; *uit* ~ *voor straf* for fear of punishment; *verlamd van* ~ numb with fear

angstaanjagend terrifying, frightening

angstig 1 (angst voelend) anxious; (na ww) afraid: *een* ~*e schreeuw* an anxious cry; *dat maakte mij* ~ that frightened me, that made me afraid; **2** (angst verwekkend) fearful, anxious, terrifying: ~*e gedachten* anxious thoughts; *het waren* ~*e tijden* those were anxious times

angstvallig 1 (nauwgezet) scrupulous, meticulous; **2** (bangelijk) anxious, nervous: ~ *keek hij om* he glanced back anxiously

angstzweet cold sweat

anijs aniseed

animatie animation: (Belg) *kinder*~ children's activities (during an event)

animo zest (for): *met* ~ *iets doen* do sth with gusto

anjer carnation

anker anchor: *het* ~ *lichten* raise (the) anchor, (ook fig) get under way

ankerplaats anchorage, berth

annexatie annexation, incorporation (vnl. mbt gemeenten)

annexeren annex, incorporate (vnl. mbt gemeenten)

anno in the year: ~ *1981* in the year 1981

annonce advertisement, announcement

annuleren cancel: *een bestelling* ~ cancel an order

annulering cancellation: ~ *van een reservering* cancellation of a reservation

anoniem anonymous, nameless, incognito

anorak anorak

ANP afk van *Algemeen Nederlands Persbureau* Dutch press agency

ansicht(kaart) (picture) postcard

ansjovis anchovy

Antarctica Antarctica

antecedent antecedent: *iemands* ~*en natrekken* look into s.o.'s past record

antenne aerial; (techn) antenna

antibioticum antibiotic: *ik neem antibiotica* I'm taking antibiotics

anticiperen anticipate

anticlimax anticlimax

anticonceptie contraception, birth control

anticonceptiemiddel contraceptive

antiek I *zn* antiques (mv); **II** *bn* antique, ancient: ~*e meubels* antique furniture

Antillen (the) Antilles: *de Nederlandse* ~ the Netherlands Antilles

Antilliaan Antillean

antilope antelope

antipathie antipathy (towards)

antiquair antique dealer

anti-semitisme anti-Semitism

antiseptisch antiseptic

antistof antibody

antivries antifreeze

antraciet anthracite (coal)

antropologie anthropology: *culturele* ~ cultural anthropology, ethnology

antropoloog anthropologist

Antwerpen Antwerp

antwoord answer, reply: *een afwijzend* (ontkennend) ~ a negative answer; *een bevestigend* ~ an affirmative answer; *een positief* ~ a favourable answer; ~ *geven op* reply to, answer; *een* ~ *geven* give an answer; *in* ~ *op uw brief* (schrijven) in reply to your letter; *dat is geen* ~ *op mijn vraag* that doesn't answer my question

antwoordapparaat answering machine, answerphone

antwoorden answer, reply, respond: *bevestigend* (positief) ~ answer in the affirmative; *ik antwoord niet op zulke vragen* I don't answer such questions

antwoordnummer (ongev) Freepost

anus anus

ANWB afk van *Algemene Nederlandse Wielrijdersbond* (ongev) Dutch A.A. (Am: A.A.A.), Royal Dutch Touring Club

aorta aorta

AOW afk van *Algemene Ouderdomswet* **1** general retirement pensions act; **2** (uitkering) (old-age retirement) pension

AOW'er OAP (old-age pensioner), senior citizen

apart 1 separate, apart: *elk geval* ~ *behandelen* deal with each case individually; *iem* ~ *nemen* (spreken) take s.o. aside; *onderdelen* ~ *verkopen* sell parts separately; **2** (exclusief) special, exclusive: *zij vormen een klasse* ~ they are in a class of their own; **3** (anders, raar) different, unusual: *hij ziet er wat* ~ *uit* he looks a bit unusual

apartheid apartheid

apegapen: *op* ~ *liggen* be at one's last gasp

apenkop monkey, brat

Apennijnen Apennines

apennoot peanut, monkey nut

apenstaartje at sign

aperitief aperitif

APK-keuring motor vehicle test, MOT test

Apocalyps Apocalypse

apostel apostle
apostrof apostrophe
apotheek (dispensing) chemist's, *(Am)* drugstore
apparaat machine, appliance, device: *huishoudelijke apparaten* household appliances
apparatuur apparatus, equipment, machinery, hardware *(ook comp)*
appartement flat, *(Am)* apartment: *een driekamerappartement* a 2-bedroom flat
appartementsgebouw *(Belg)* block of flats
appel apple
appelflap apple turnover
appelgebak *(ongev)* apple tart
appelmoes apple-sauce
appelsien *(Belg)* orange
appelstroop apple spread
appendix appendix
applaudiseren applaud, clap: ~ *voor iem* applaud s.o.
applaus applause, clapping: *de motie werd met ~ begroet* the motion was received with applause; *een ~je voor Marleen!* let's give a big hand to Marleen!
april April: *één ~* April Fools' Day
aprilgrap April Fool's joke
apropos *van zijn ~ raken (zijn)* lose the thread of one's argument
à propos apropos, by the way, incidentally
aquaduct aqueduct
aquarel water colour, aquarelle
aquarium aquarium
Arabië Arabia
Arabier 1 *(burger van Saudi-Arabië)* Saudi (Arabian); 2 *(bewoner van Midden-Oosten)* Arab
Arabisch Arabic *(taal, schrift, cijfers); (mbt Arabië)* Arabian; Arab *(volk, cultuur): de ~e literatuur* Arabic literature; *in het ~* in Arabic
arbeid labour, work: *de Dag van de Arbeid* Labour Day; *de Partij van de Arbeid* the Labour Party; *(on)geschoolde ~* (un)skilled labour *(of:* work); *~ verrichten* labour, work
arbeider worker, workman: *landarbeiders* agricultural labourers; *geschoolde ~s* skilled workers; *ongeschoolde ~s* unskilled workers
arbeiderspartij Labour Party, Socialist Party
arbeidsbureau employment office, jobcentre: *zich inschrijven bij het ~* sign on at the employment office
arbeidsintensief labour-intensive
arbeidsmarkt labour market, job market: *de situatie op de ~* the employment situation
arbeidsongeschikt disabled, unable to work: *gedeeltelijk ~ verklaard worden* be declared partially disabled
arbeidsovereenkomst employment contract: *een collectieve ~* a collective agreement; *een individuele ~* an individual employment contract
arbeidstijdverkorting reduction of working hours, shorter working week
arbeidsvoorwaarde term *(of:* condition) of employment: *secundaire ~n* fringe benefits

arbiter *(sport)* referee, *(vnl. bij tennis e.d.)* umpire
Arbowet (Dutch) occupational health and safety act; Factories Act; *(Am; ongev)* Labor Law
arceren shade: *het gearceerde gedeelte* the shaded area
archaïsch archaic, *(ouderwets)* antiquated
archeologie archaeology
archeologisch archaeological: *~e opgravingen* archaeological excavation(s)
archeoloog archaeologist
archief archives *(mv)*, record office, *(registers, burgerlijke stand)* registry (office), *(bij bedrijf)* files: *iets in het ~ opbergen* file sth (away)
archiefkast filing cabinet
archipel archipelago
architect architect
architectuur architecture, building (style): *voorbeelden van moderne ~* examples of modern architecture
archivaris archivist, keeper of the archives *(of:* records), registrar *(van registers, burgerlijke stand)*
Ardennen (the) Ardennes
are are: *één ~ is honderd vierkante meter* one are is a hundred square metres
arena arena
arend eagle
argeloos unsuspecting, innocent
Argentijn Argentine, Argentinian
Argentinië Argentina
arglistig crafty, cunning
argument argument: *een steekhoudend ~* a watertight argument; *~en aanvoeren voor iets* make out a case for sth; *~en voor en tegen* pros and cons; *dat is geen ~* that's no reason
argumentatie 1 argumentation, reasoning, line of reasoning; 2 argument
argwaan suspicion: *~ koesteren tegen iem (omtrent iets)* be suspicious of s.o. (sth); *~ krijgen* grow suspicious
argwanend suspicious: *een ~e blik* a suspicious look
aria aria
aristocraat aristocrat
aristocratie aristocracy
ark 1 *(woonschip)* houseboat; 2 Ark: *de ~ van Noach* Noah's Ark
¹arm 1 arm: *een gebroken ~* a broken *(of:* fractured) arm; *met open ~en ontvangen* receive *(of:* welcome) with open arms; *hij sloeg zijn ~en om haar heen* he threw his arms around her; *zij liepen ~ in ~* they walked arm in arm; *een advocaat in de ~ nemen* consult a solicitor; 2 *(mouw)* arm, sleeve: *de ~ zit niet goed* the arm doesn't fit well
²arm 1 poor: *de ~e landen* the poor countries; *de ~en en de rijken* the rich and the poor; *(het genoemde niet hebbend)* poor (in), lacking; 3 *(zielig)* poor, wretched: *het ~e schaap* the poor thing *(of:* soul)
armatuur fitting, bracket

armband bracelet

Armeens Armenian

Armenië Armenia

Armeniër Armenian

armetierig miserable, paltry

armleuning arm(rest)

armoe(de) poverty, *(sterker)* destitution: *geestelij-ke ~* intellectual *(of:* spiritual) poverty; *schrijnende (of: bittere) ~* abject *(of:* grinding) poverty

armoedig poor, shabby *(kleding, woning, uiterlijk): ~ gekleed* shabbily dressed; *dat staat zo ~* that looks so shabby

armsgat armhole

armslag elbow room

armzalig poor, paltry, miserable: *een ~ pensioentje* a meagre pension

aroma aroma, flavour

arrangement arrangement, *(vorm)* format, *(rang-schikking)* order: *een ~ voor piano* an arrangement for piano

arrangeren 1 *(rangschikken)* arrange, *(uitstallen)* set out; **2** *(organiseren)* arrange, organize, get up; **3** *(muz)* arrange, score: *voor orkest ~* orchestrate, score

arrenslee horse sleigh

arrest arrest, detention, *(voorarrest)* custody: *u staat onder ~* you are under arrest

arrestant arrested man *(of:* woman), detainee *(ge-detineerde); (gevangene)* prisoner

arrestatie arrest: *een ~ verrichten* make an arrest

arrestatiebevel arrest warrant

arresteren arrest, detain *(vasthouden): iem laten ~* have s.o. arrested, *(in verzekerde bewaring)* place s.o. in charge

arriveren arrive

arrogant arrogant, *(uit de hoogte)* superior: *een ~e houding hebben* have a haughty manner

arrondissement district

arrondissementsrechtbank district court

arsenaal arsenal

arsenicum arsenic

articuleren articulate, enunciate: *goed (of: duide-lijk) ~* articulate well *(of:* distinctly); *slecht ~* artic-ulate badly *(of:* poorly)

artiest artist, entertainer, performer *(vnl. zang en dans)*

artikel 1 *(in nieuwsblad)* article, paper, *(in krant ook)* story: *een redactioneel ~* an editorial; *de krant wijdde er een speciaal ~ aan* the newspaper ran a feature on it; **2** *(voorwerp van handel)* article, item: *huishoudelijke ~en* household goods *(of:* items); **3** *(jur)* article, section, clause: *~ 80 van de Grondwet* section 80 of the constitution

artillerie artillery: *lichte (of: zware) ~* light *(of:* heavy) artillery

artisanaal *(Belg)* **I** *bn* craft-; **II** *bw* by craftsmen, by traditional methods

artisjok artichoke

artistiek artistic: *een ~e zin voor verhoudingen* an

artistic feeling for proportions

arts doctor, physician: *zijn ~ raadplegen* consult one's doctor

Aruba Aruba

¹as 1 axle, *(drijfas)* shaft; **2** *(meetk)* axis: *om zijn ~ draaien* revolve on its axis

²as *(verbrande resten)* ashes, ash *(van sigaret): gloei-ende ~* (glowing) embers

a.s. *afk van aanstaande* next: *~ maandag* next Monday

asbak ashtray

asbest asbestos

asfalt asphalt

asiel 1 asylum, sanctuary: *politiek ~ vragen (of: krij-gen)* seek *(of:* obtain) political asylum; **2** *(voor die-ren)* animal home *(of:* shelter); *(voor zwerfdieren)* pound

asielzoeker asylum seeker

asjemenou oh dear!, my goodness!

a.s.o. *(Belg) afk van algemeen secundair onderwijs* general secondary education

asociaal antisocial, unsociable, asocial *(ook egoïs-tisch): ~ gedrag* antisocial behaviour

aspect aspect: *we moeten alle ~en van de zaak be-studeren* we must consider every aspect of the mat-ter

asperge asparagus

aspirant 1 trainee, student; **2** junior: *hij speelt nog bij de ~en* he is still (playing) in the junior league

assemblage assembly, assembling

assembleren assemble

assenstelsel co-ordinate system

Assepoester Cinderella

assertief assertive: *~ gedrag* assertive behaviour

assertiviteit assertiveness

Assisen *(Belg): Hof van ~ (ongev)* Crown Court

assistent assistant, aid, helper

assistentie assistance, aid, help: *~ verlenen* give as-sistance; *de politie verzocht om ~* the police asked for assistance

assisteren assist, help, aid

associatie association

associëren associate (with) ‖ *zich ~ met* associate with

assortiment assortment, selection: *een ruim (of: beperkt) ~ hebben* have a broad *(of:* limited) assort-ment

assurantie insurance

aster aster

asterisk asterisk

astma asthma: *~ hebben* suffer from *(of:* have) asth-ma

astmatisch asthmatic

astrologie astrology

astroloog astrologer

astronaut astronaut

astronomie astronomy

astronomisch 1 astronomical: *~e kijker* astronom-ical telescope; **2** *(onvoorstelbaar groot)* astronomic(al): *~e bedragen* astronomic amounts

astronoom astronomer

Aswoensdag Ash Wednesday

asymmetrisch asymmetric(al)

atalanta *(dierk)* red admiral

atechnisch untechnical

atelier studio *(van kunstenaar, fotograaf)*; workshop: *werken op een ~* work in a studio

Atheens Athenian

atheïsme atheism

atheïst atheist

Athene Athens

atheneum *(Ned; ongev)* grammar school, *(Am)* high school: *op het ~ zitten (ongev)* be at grammar school

Atlantisch Atlantic: *de ~e Oceaan* the Atlantic (Ocean)

atlas atlas

atleet athlete

atletiek athletics

atletisch athletic

atmosfeer atmosphere, *(omgeving ook)* environment: *de hogere* (of: *lagere*) *~* the upper (of: lower) atmosphere

atmosferisch atmospheric: *~e storing* static interference, atmospheric disturbance

atol atoll

atoom atom

atoombom atom bomb, A-bomb

attaché *(Belg) (adviseur van minister)* ministerial adviser

attenderen point out, draw attention to: *ik attendeer u erop dat …* I draw your attention to (the fact that) …

attent 1 attentive: *iem ~ maken op iets* draw s.o.'s attention to sth; 2 *(beleefd, voorkomend)* considerate, thoughtful: *hij was altijd heel ~ voor hen* he was always very considerate towards them

attentie attention, mark of attention, *(cadeau)* present: *ik heb een kleine ~ meegebracht* I've brought a small present; *ter ~ van* for the attention of

attest certificate

attractie attraction: *zij is de grootste ~ vanavond* she is the main attraction this evening

attractiepark amusement park

attribuut attribute, characteristic

atv *afk van arbeidstijdverkorting* reduction of working hours

au ow, ouch

a.u.b. *afk van alstublieft* please

aubergine aubergine, eggplant

audiëntie audience: *~ geven (verlenen)* grant an audience (to s.o.)

audiovisueel audio-visual

auditie audition, try-out, *(film)* screen test: *een ~ doen* (do an) audition

auditor (student) listener

auditorium auditorium

augurk gherkin

augustus August

aula great hall, auditorium

au pair au pair

ausputzer *(sport)* sweeper

Australië Australia

Australiër Australian

Australisch Australian

auteur author, writer

auteursrecht copyright: *overtreding van het ~* infringement of copyright

authentiek authentic, *(rechtsgeldig ook)* legitimate, *(niet vervalst ook)* genuine: *een ~e tekst* an authentic text; *een ~ kunstwerk* an original (of: authentic) work of art

autistisch autistic

auto car: *in een ~ rijden* drive, go by car; *het is een uur rijden met de ~* it's an hour's drive by car

autobiografie autobiography

autobotsing car crash

autobus bus

autochtoon autochthonous, indigenous, native

autodidact autodidact, self-taught person

autodiefstal car theft

autogas LPG *(afk van liquefied petroleum gas)*

autogordel seat belt, safety belt: *het dragen van ~s is verplicht* the wearing of seat belts is compulsory

autohandelaar car dealer

autokaart road map, road atlas *(in boekvorm)*

autokerkhof junkyard, (used) car dump

automaat 1 automaton, robot; 2 *(werkend op munt)* slot machine, *(Am)* vending machine; ticket machine: *munten in een ~ gooien* feed coins into a slot machine

automatenhal *(ongev)* amusement arcade

automatiek automat

automatisch automatic: *machtiging voor ~e afschrijving* standing order; *een ~e piloot* an automatic pilot, an autopilot; *iets ~ doen* do sth automatically; *~ sluitende deuren* self-closing doors

automatiseren automate, automatize, *(met computers)* computerize: *een administratie ~* computerize an accounting department

automatisering automation, computerization

automobiel (motor) car

automobilist motorist, driver

automonteur car mechanic

auto-ongeluk car crash, (road) accident: *bij het ~ zijn drie mensen gewond geraakt* three people were injured in the car crash

autopapieren car (registration) papers

autopech breakdown, car trouble

autoped scooter

autopsie autopsy: *(een) ~ verrichten op* perform an autopsy on

autorace car race

autorijschool driving school

autorisatie authorization, sanction, authority: *de ~ van de regering verkrijgen om* be authorized by the

government to
autoritair authoritarian
autoriteit authority: *de plaatselijke ~en* the local
government; *een ~ op het gebied van slakken* an authority on snails
autoruit car window, *(voorruit)* windscreen
autosloperij breaker's yard, wrecker's yard
autosnelweg motorway
autostop *(Belg):* ~ *doen* hitch-hike
autostrade *(Belg)* motorway
autoverkeer car traffic
autoweg motorway
avenue avenue
averechts I *bw* 1 back-to-front, inside out, upside
down; 2 *(anders dan gehoopt, bedoeld)* (all) wrong:
het valt ~ uit it goes all wrong; II *bn* 1 *(misplaatst)*
misplaced, wrong: *een ~e uitwerking hebben* have a
contrary effect, be counter-productive; 2 *(onjuist)*
unsound, contrary, wrong
averij damage, *(verzekeringen)* average: *zware ~ oplopen* sustain heavy damage
avocado avocado
avond evening, night: *in de loop van de ~* during the
evening; *de hele ~* all evening, the whole evening;
het is zijn vrije ~ it is his night off; *een ~je tv kijken*
(of: *lezen*) spend the evening watching TV (of: reading); *een ~je uit* a night out, an evening out; *tegen
de ~* towards the evening; *de ~ voor de grote wedstrijd* the eve of the big match; *'s ~s* at night, in the
evening
avondcursus evening classes
avondeten dinner, supper, evening meal: *het ~
klaarmaken* prepare dinner (of: supper)
avondkleding evening dress (of: wear)
avondklok curfew
avondmaal dinner, supper: *het Laatste Avondmaal*
the Last Supper; *het Avondmaal vieren* celebrate
(Holy) Communion
Avondmaal (Holy) Communion
avondschool night school, evening classes *(mv):
op een ~ zitten* go to night school
avondspits evening rush-hour
avonturier adventurer, adventuress
avontuur 1 adventure: *een vreemd ~ beleven* have a
strange adventure; 2 *(riskante onderneming)* venture: *niet van avonturen houden* not like risky ven-
tures; 3 *(geluk, kans)* luck, chance: *het rad van ~* the
wheel of fortune
avontuurlijk 1 *(persoon)* adventurous; 2 *(avonturen
opleverend)* full of adventure, exciting
avontuurtje affair: *een ~ hebben met ...* have an affair with ...
axioma axiom
azalea azalea
Azerbeidzjaan Azerbaijani
Azerbeidzjaans Azerbaijani
Azerbeidzjan Azerbaijan
Aziaat Asian
Aziatisch Asian

Azië Asia
azijn vinegar
Azteken Aztecs
azuur azure

b

baai bay, *(klein)* cove, inlet

baal bag, sack, *(geperst)* bale: *een ~ katoen* a bale of cotton

baaldag off-day

baan 1 job: *een vaste ~ hebben* have a permanent job; **2** *(weg)* path; *(rijstrook)* lane: *iets op de lange ~ schuiven* shelve sth; **3** *(sport)* track; *(tennis)* court; *(ijs)* rink; *(schaatsen)* speed-skating track; *(golf)* course: *starten in ~ drie* start in lane three; **4** orbit: *een ~ om de aarde maken* orbit the earth

baanbrekend pioneering, groundbreaking, path-breaking: *~ werk verrichten* do pioneering work, break new ground

baanvak section (of track)

baar 1 *(draagbaar)* litter, stretcher; **2** ingot, bar: *een ~ goud* a gold bar *(of:* ingot)

baard beard: *hij krijgt de ~ in de keel* his voice is breaking; *zijn ~ laten staan* grow a beard

baarmoeder womb

baars perch, bass

baas 1 boss: *de situatie de ~ zijn* be in control of the situation; **2** *(eigenaar)* boss, owner

baat 1 benefit, advantage; **2** *(geldelijk voordeel)* profit(s), benefit

babbel chat: *hij heeft een vlotte ~* he's a smooth talker

babbelen chatter; chat

babbellijn chatline

baby baby: *een te vroeg geboren ~* a premature baby

babybedje (baby's) cot

babydoll baby-doll (nightdress)

babyfoon baby alarm

babysit babysitter

babysitten babysit

bacil bacillus, bacterium, germ, *(inform)* bug

bacterie bacterium, microbe

bad 1 bath; **2** *(zwembad)* pool

baden I *intr* **1** *(in kuip)* bath, *(Am)* bathe; *(in zee)* (go for a) swim, bathe, *(inform)* take a dip; **2** *(een overvloed bezitten van)* roll (in), wallow (in), swim (in); **II** *tr* *(een bad geven)* bath

badgast seaside visitor; bather

badge (name) badge, (name) tag; *(mil ook)* insignia

badjas (bath)robe, bath(ing) wrap

badjuffrouw female bath attendant

badkamer bathroom

badkleding swimwear, bathing wear *(of:* gear)

badkuip bathtub, bath

badmeester bath superintendent *(of:* attendant), lifeguard

badminton badminton

badpak swimsuit, bathing suit

badplaats *(aan zee)* seaside resort

badstof towelling, terry (cloth) *(of:* towelling)

bagage 1 luggage; **2** *(beschikbare kennis)* intellectual baggage, stock-in-trade

bagagedrager (rear) carrier

bagagekluis (luggage) locker

bagageruimte boot, *(Am)* trunk

bagatel bagatelle, trifle

bagger mud; *(opgehaald)* dredgings

baggeren dredge

bah ugh!, yuck!

Bahama's the Bahamas

bahco adjustable spanner

bajes can, cooler, jug, stir

bajesklant jailbird, lag, con

bajonet bayonet

bak 1 (storage) bin; *(reservoir)* cistern, tank; *(ondiep)* tray; *(trog)* trough; *(etensbak)* dish, bowl; *(kattenbak)* tray; **2** *(grap)* joke: *een goede* (of: *schuine)* ~ a good *(of:* dirty) joke; **3** *(gevangenis)* can, jug, clink; **4** *(kopje koffie)* cup (of coffee)

bakbeest whopper, monster

bakblik baking tin, cake tin

bakboord port

bakeliet bakelite

baken *(scheepv)* beacon

bakermat cradle, origin

bakfiets 1 carrier tricycle; **2** *(fiets)* delivery bicycle, carrier cycle

bakkebaard (side) whiskers, *(inform)* sideboards, *(op wang)* muttonchop, muttonchop whisker

bakken 1 *(mbt deeg, beslag)* bake: *vers gebakken brood* freshly-baked bread; **2** fry, *(frituren)* deep-fry: *friet ~* deep-fry chips

bakker 1 baker; **2** *(winkel)* bakery, baker's shop: *een warme ~* a fresh bakery; *(dat is) voor de ~* that's settled *(of:* fixed)

bakkerij bakery, baker's shop

bakkie *(zendapparatuur)* rig

bakmeel self-raising flour

bakoven oven

baksteen brick: *(bij een examen) zakken als een ~* fail (abysmally)

bakstenen brick

bakvorm baking tin, cake tin

¹**bal 1** *(sport)* ball: *(fig) een ~letje over iets opgooien* put out feelers about sth; *een ~(letje) gehakt* a meatball; *een ~letje slaan* hit a ball; **2** *(persoon)* snob

²**bal** ball: *gekostumeerd ~* fancy-dress ball

balanceren balance: *~ op de rand van de dood* hover between life and death

balans 1 *(evenwicht)* balance, equilibrium; **2** (pair of) scales, *(wet)* balance; 3 *(handel)* balance sheet, audit (report): *de ~ opmaken: a)* draw up the balance sheet; *b)* *(fig)* take stock (of sth)

baldadig rowdy, boisterous

baldakijn canopy, baldachin

balein whalebone, rib

balen be fed up (with), be sick (and tired) (of)

balg bellows

balie 1 counter, desk *(ook receptie): aan de ~ verstrekt men u graag alle informatie* you can obtain all the information you need at the desk; 2 *(advocaten(stand))* bar

baliemedewerker desk cleck, receptionist

balk beam ‖ *het geld over de ~ gooien* spend money like water

Balkan (the) Balkans

balken bray

balkon 1 balcony; 2 *(theater)* balcony, (dress) circle, gallery; 3 *(tram, trein)* platform

ballade ballad

ballast 1 *(scheepv, spoorw)* ballast; 2 *(overbodige last)* lumber, dead weight, *(vnl. mbt mensen)* dead wood

ballen I *intr* play (with a) ball; II *tr* clench: *de vuist(en) ~* clench one's fist(s)

ballerina ballerina

ballet ballet: *op ~ zitten* take ballet lessons

balletdanseres ballet dancer

balletje-balletje shell game

balling exile

ballingschap exile, banishment: *in ~ gaan* go into exile

ballon balloon: *een ~ opblazen* blow up a balloon

ballpoint ballpoint

balpen ballpoint (pen)

balsem balm, balsam, ointment, salve

balsemen *(mbt een lijk)* embalm, mummify

Baltisch Baltic: *~e Zee* Baltic (Sea), the Baltic

balts display, courtship

balustrade balustrade, railing, *(van trap)* banister(s)

balzaal ballroom

bamboe bamboo

bami chow mein: *~ goreng* chow mein, fried noodles

ban 1 excommunication, ban; 2 *(betovering)* spell, fascination: *in de ~ van iets raken* fall under the spell of sth

banaal banal, trite

banaan banana

banaliteit platitude, cliché

bananenschil banana peel *(of:* skin): *uitglijden over een ~* slip on a banana skin

¹band I *de* 1 band, ribbon, tape, *(karate, judo)* belt: *een ~ afspelen* play a tape back; *iets op de ~ opnemen* tape sth; *zwarte ~* black belt; 2 *(om een wiel)* tyre: *een lekke ~* a flat tyre, a puncture; 3 *(transportband)* conveyor (belt): *de lopende ~* the conveyor belt; *aan de ~ staan* work on the assembly line; 4 *(nauwe betrekking)* tie, bond, link, alliance, association: *~en van vriendschap* ties of friendship; 5 *(reclame)* (wave)band, wave: *27 MC-band* citizens band; 6 *(biljart)* cushion, bank: *aan de lopende ~ doelpunten scoren* pile on scores; *uit de ~ springen* get out of hand; II *het* tape, *(breed)* ribbon, *(smal)* string, *(hoed)* band

²band band, orchestra, *(popmuziek ook)* group, *(vnl. jazz, kleine groep)* combo

bandage bandage

bandenlichter tyre lever

bandenpech tyre trouble, *(lekke band)* flat (tyre), puncture

bandiet 1 bandit, *(struikrover)* brigand; 2 *(schavuit)* hooligan

bandje 1 band, strip, ribbon, string; 2 *(cassettebandje)* tape; 3 *(opname)* tape recording; 4 *(schouderbandje)* strap

bandleider bandleader

bandrecorder tape recorder

bang 1 afraid (of); frightened (of), scared (of), *(doodsbang)* terrified (of): *~ maken* scare, frighten; *~ in het donker* afraid of the dark; 2 *(angstig makend)* frightening, anxious, scary; 3 *(gauw angstig)* timid, fearful; 4 *(bezorgd)* afraid, anxious: *ik ben ~ dat het niet lukt* I'm afraid it won't work; *wees daar maar niet ~ voor* don't worry about it

bangerd coward, chicken

banier banner

banjo banjo

bank 1 bench; *(bekleed)* couch, settee, sofa; *(in voertuig)* seat; 2 *(instelling, gebouw, ook in sam)* bank: *geld op de ~ hebben* have money in the bank; 3 *(schoolbank)* desk: *ga in je ~ zitten* sit down at your desk; 4 *(kerkbank)* pew; 5 *(zandbank)* bank, shoal: *door de ~ (genomen)* on average

bankbiljet (bank)note, *(mv ook)* paper currency

bankemployé bank employee

banket 1 banquet, feast; 2 *(gebak) (ongev)* (almond) pastry

banketbakker confectioner, pastry-cook

banketbakkerij confectionery, patisserie, confectioner's (shop)

banketletter (almond) pastry letter

bankier banker

bankkluis bank vault *(of:* strongroom), *(voor cliënt)* safe-deposit box

bankoverval bank hold-up, bank robbery

bankpas bank(er's) card

bankrekening bank account: *een ~ openen bij een bank* open an account with a bank

bankroet I *zn* bankruptcy; II *bn* bankrupt, broke, *(inform)* bust: *~ gaan* go bankrupt, (go) bust

bankroof bank robbery

bankschroef vice

bankspeler *(sport)* reserve, substitute (player)

bankstel lounge suite

banneling exile

bannen exile (from), expel (from), *(vnl. fig)* banish:

ban de bom ban the bomb
bantamgewicht bantam(weight)
¹bar 1 bar: *aan de ~ zitten* sit at the bar; *wie staat er achter de ~?* who's behind the bar?; *hakkenbar* heel bar; **2** *(ballet)* barre; *(gymnastiek)* parallel bar: *oefeningen aan de ~* exercises at the bar
²bar I *bn* **1** *(kaal)* barren; **2** *(koud)* severe: *~ weer* severe weather; **3** *(grof)* rough, gross: *jij maakt het wat al te ~* you are carrying things too far; *~ en boos* really dreadful; **II** *bw* *(erg)* extremely, awfully
barak shed, hut, *(mil)* barracks
barbaar barbarian
barbaars barbarian, barbarous, *(woest)* barbaric, *(woest)* savage
barbecue barbecue (party)
*barbecueën *(Wdl: barbecuen)* barbecue
barbediende barman, barwoman
bareel *(Belg)* barrier
barema *(Belg)* wage scale, salary scale
baren bear, give birth to
baret beret, (academic) cap
Bargoens I *zn* **1** (thieves') slang, argot; **2** *(onverstaanbare taal)* jargon; **II** *bn* slangy
bariton baritone (singer)
barjuffrouw barmaid
barkeeper barman
barmhartig merciful, charitable: *de ~e Samaritaan* the Good Samaritan
barmhartigheid mercy, clemency, *(het weldoen)* charity
barok baroque
barometer barometer: *de ~ staat op mooi weer* (of: *storm):* a) the barometer is set fair *(of:* is pointing to storm); b) *(fig)* things are looking good *(of:* bad)
baron baron: *meneer de ~* his *(of:* your) Lordship
barones baroness
barracuda barracuda
barrage *(sport)* decider, play-off
barricade 1 barricade: *voor iets op de ~ gaan staan (fig)* fight on the barricades for sth; **2** *(fig)* barrier
barricaderen barricade, *(deur ook)* bar
barrière barrier: *een onoverkomelijke ~* an insurmountable barrier
bars stern, grim, forbidding *(uiterlijk),* harsh *(stem)*
barsheid sternness, grimness, harshness, gruffness
barst crack, *(in huid)* chap: *er komen ~en in* it is cracking
barsten 1 crack, split, burst *(ook fig); (huid ook)* chap, get chapped; **2** *(uit elkaar springen)* burst, explode ‖ *het barst hier van de cafés* the place is full of pubs
bas 1 bass (singer, player), *(zanger ook, vnl. opera, solo)* basso; **2** *(contrabas)* double bass, (contra)bass: *~ spelen* play the bass; **3** *(basgitaar)* bass (guitar)
baseballen play baseball
baseren I *tr* base (on), found (on); **II** *zich ~* base oneself on, go on: *we hadden niets om ons op te ~* we had nothing to go on

basgitaar bass (guitar)
basilicum basil
basiliek basilica
basis 1 basis, foundation: *de ~ leggen voor iets* lay the foundation of sth; **2** *(hoofdbestanddeel)* base, basis
basisbeurs basic grant
basiscursus basic course, elementary course
basisonderwijs primary education
basisopstelling *(sport)* (the team's) starting line-up
basisschool primary school
basisvorming basic (secondary school) curriculum
Baskenland the Basque Country
basketbal basketball
Baskisch Basque
bassin 1 (swimming) pool; **2** *(waterbekken, kom)* basin
bassist bass player
bast 1 *(schors)* bark, *(schil, peul)* husk; **2** *(inform) (huid)* skin, hide
basta stop!, enough!: *en daarmee ~!* and there's an end to it!
bastaard 1 bastard; **2** *(rasloos dier)* mongrel; cross-breed; **3** *(nieuwe plantenvorm)* hybrid, cross(-breed)
bastaardhond mongrel
basterdsuiker soft brown sugar
bastion bastion
bataljon battalion
Batavier Batavian
bate: *ten ~ van* for the benefit of
baten avail: *wij zouden erbij gebaat zijn* it would be very helpful to us; *baat het niet, dan schaadt het niet* no harm in trying
batig: *~ saldo* surplus, credit balance
batikken batik: *gebatikte stoffen* batiks
batje bat
batterij battery: *lege ~* dead battery
bauxiet bauxite
baviaan baboon
baxter *(Belg; med)* drip
bazaar *(oosterse marktplaats)* bazaar, *(voor liefdadig doel ook)* (fancy)fair
bazelen drivel (on), waffle
bazig overbearing, domineering, bossy
bazin 1 *(eigenares ve huisdier)* mistress; **2** *(vrouw des huizes)* lady of the house
beademen 1 breathe air into; **2** *(met een beademingstoestel)* apply artificial respiration to
beademing 1 breathing of air into; **2** *(met een beademingstoestel)* artificial respiration
beambte functionary, (junior) official
beamen endorse, *(het eens zijn met)* agree (with): *een bewering ~* endorse a claim
beangstigen *(verontrusten)* alarm; *(bang maken)* frighten
beantwoorden I *intr* answer, meet, comply with:

aan al de vereisten ~ meet all the requirements; *niet* ~ *aan de verwachtingen* fall short of expectations; **II** *tr (antwoord geven op)* answer, *(mbt brief ook)* reply to *(meestal niet mbt vraag)*

beargumenteren substantiate: *zijn standpunt kunnen* ~ be able to substantiate one's point of view

beautycase vanity case

bebloed bloody, blood-stained: *zijn gezicht was geheel* ~ his face was completely covered in blood

beboeten fine: *beboet worden* be fined, incur a fine; *iem* ~ *met 100 euro* fine s.o. 100 euros

bebossen (af)forest: *bebost terrein* woodland

bebouwd built-on: *de ~e kom* the built-up area

bebouwen 1 *(met gebouwen)* build on; 2 *(met gewassen)* cultivate, farm: *de grond* ~ cultivate the land

bebouwing buildings

becijferen calculate, *(schatten)* compute, *(schatten)* estimate: *de schade valt niet te* ~ it is impossible to calculate the damage

becommentariëren comment (on)

beconcurreren compete with: *de banken* ~ *elkaar scherp* there is fierce competition among the banks

bed bed: *het* ~ *(moeten) houden* be confined to bed; *zijn ~je is gespreid* he has got it made; *het* ~ *opmaken* make the bed; *naar* ~ *gaan* go to bed; *naar* ~ *gaan met iem* go to bed with s.o.; *hij gaat ermee naar* ~ *en staat er weer mee op* he can't stop thinking about it; *dat is ver van mijn* ~ that does not concern me; *een* ~ *rozen* a bed of roses

bedaard 1 composed, collected; 2 *(kalm)* calm, quiet: ~ *optreden* act calmly

bedacht prepared (for): *op zoveel verzet waren ze niet* ~ *geweest* they had not bargained for so much resistance

bedachtzaam cautious, circumspect; deliberate: *heel* ~ *te werk gaan* set about sth with great caution

bedankbrief letter of thanks

bedanken **I** *tr* thank: *iem voor iets* ~ thank s.o. for sth; **II** *intr (niet aannemen)* decline, refuse

bedankje thank-you, *(brief)* letter of thanks, *(dankwoord)* word of thanks: *er kon nauwelijks een* ~ *af!* (and) small thanks I got (for it)!

bedankt thanks: *reuze* ~ thanks a lot

bedaren quiet down, calm down: *iem tot* ~ *brengen* calm *(of:* quieten) s.o. down

beddengoed (bed)clothes, bedding

beddensprei bedspread

bedding bed, channel

bedeesd shy, diffident, timid

bedekken cover, *(toedekken)* cover up, *(geheel)* cover over: *geheel* ~ *met iets* cover in sth

bedekking cover(ing)

bedekt 1 covered, overcast *(lucht);* 2 *(niet openlijk)* covert: *in ~e termen* in guarded terms

bedelaar beggar

bedelarij begging

bedelarmband charm bracelet

bedelen beg (for)

bedelven bury, *(fig ook)* swamp: *zij werden door het puin bedolven* they were buried under the rubble

bedenkelijk 1 worrying, *(twijfelachtig)* dubious, *(twijfelachtig)* questionable, *(kritiek)* serious: *een* ~ *geval* a worrying *(of:* serious) case; 2 doubtful, dubious: *een* ~ *gezicht* a doubtful *(of:* serious) face

bedenken I *tr* 1 think (about), consider: *als je bedenkt, dat* ... considering *(of:* bearing in mind) (that) ...; 2 *(uitdenken)* think of, think up, invent, devise; **II** *zich* ~ 1 think (about), consider: *zij zal zich wel tweemaal* ~ *voordat* ... she'll think twice before ...; *zonder zich te* ~ without a moment's thought; 2 *(van gedachten veranderen)* change one's mind, have second thoughts

bedenking objection: *~en hebben tegen iets* have objections to sth

bederf decay, rot

bederfelijk perishable: *~e goederen* perishables

bederven I *intr* decay, rot; **II** *tr* spoil: *die jurk is totaal bedorven* that dress is completely ruined; *iemands plezier* ~ spoil s.o.'s fun

bedevaart pilgrimage: *een* ~ *doen* make *(of:* go) on a pilgrimage

bedevaartganger pilgrim

bedevaartsoord place of pilgrimage

bediende 1 employee, *(kantoor ook)* clerk, *(winkel ook)* assistant, *(lift e.d.)* attendant: *jongste ~: a)* office junior; *b) (inform)* dogsbody; 2 *(in huis)* servant: *eerste* ~ butler; 3 *(Belg)* official

bedienen I *tr* 1 serve: *iem op zijn wenken* ~ wait on s.o. hand and foot; *aan tafel* ~ wait at (the) table; 2 *(van machines)* operate; **II** *zich* ~ *(gebruiken)* use, make use of

bediening 1 service: *al onze prijzen zijn inclusief* ~ all prices include service (charges); 2 *(mbt machines)* operation: *de* ~ *van een apparaat* the operation of a machine

bedieningspaneel control panel, *(in auto, boot, vliegtuig)* dash(board), *(comp)* console

beding condition, stipulation: *onder geen* ~ under no circumstances

bedingen stipulate (for, that), *(eisen)* insist on, require, *(overeenkomen)* agree (on)

bedlampje bedside lamp, bedhead light

bedlegerig ill in bed, *(chronisch)* bedridden

bedoeïen Bedouin

bedoelen mean, intend: *wat bedoel je?* what do you mean?; *het was goed bedoeld* it was meant well *(of:* well meant); ~ *met* mean by

bedoeling 1 intention, aim, purpose, object: *dat was niet de* ~ that was not intended *(of:* the intention); *met de* ~ *om te* ... with a view to (...ing); 2 *(zin, strekking)* meaning, drift *(mbt brief, toespraak)*

bedoening to-do, job, fuss: *het was een hele* ~ it was quite a business

bedolven 1 covered (with); 2 *(overmand door)* snowed under (with), swamped (with): ~ *onder het*

be

werk snowed under with work, up to one's ears in work

bedompt stuffy; *(kamer ook)* close, airless, *(lucht ook)* stale: *een ~e atmosfeer* a stuffy atmosphere

bedorven bad, off, *(fig)* spoilt: *de melk is ~* the milk has gone off

bedotten fool, take in

bedplassen bed-wetting

bedrading wiring, circuit

bedrag 1 amount; 2 *(geldsom)* sum: *een rond ~* a round sum; *een ~ ineens* a lump sum

bedragen amount to, number *(aantal)*; *(geld ook)* come to be

bedreigen threaten: *bedreigde (dier- of planten)soorten* endangered species

bedreiging threat: *onder ~ van een vuurwapen* at gunpoint

bedreven adept (at, in), *(vakkundig)* skilled (in), *(vaardig)* skilful (in), *(goed op de hoogte)* (well-)versed (in): *niet ~ zijn in iets* lack experience in sth

bedrevenheid expertise, proficiency, skill

bedriegen deceive, cheat, *(oplichten)* swindle: *hij bedriegt zijn vrouw* he cheats on his wife

bedrieger cheat, fraud, impostor, *(oplichter)* swindler

bedrieglijk deceptive, false, deceitful *(karakter)*, fraudulent *(praktijken)*: *dit licht is ~* this light is deceptive

bedrijf 1 business, company, enterprise, firm, *(groot)* concern, *(landb)* farm: *gemengd ~* mixed farm; *openbare bedrijven* public services; 2 *(van toneelstuk)* act; 3 *(werking)* operation, (working) order *(mbt apparaat)*: *buiten ~ zijn* be out of order

bedrijfsadministratie business administration, *(boekhouding)* business accountancy, industrial accountancy

bedrijfscultuur corporate culture

bedrijfseconomie business economics, *(aant w)* industrial economics

bedrijfskapitaal working capital

bedrijfskunde business administration, management

bedrijfsleider manager

bedrijfsleiding management, board (of directors)

bedrijfsleven business, trade and industry: *het particuliere ~* private enterprise

bedrijfsrevisor *(Belg)* auditor

bedrijfssluiting shutdown, close-down

bedrijfsvereniging industrial insurance board

bedrijfsvoering management

bedrijven commit, perpetrate

bedrijvend: *de ~e vorm van een werkwoord* the active voice of a verb

bedrijvig active, busy, *(hard werkend)* industrious, *(altijd bezig)* bustling: *een ~ type* an industrious type

bedroefd sad (about), dejected, *(van streek)* upset (about), distressed (about)

bedroefdheid sadness, sorrow, dejection, distress

bedroevend I *bn* 1 sad(dening), depressing; 2 *(armzalig)* pathetic: *~e resultaten* pitiful results; II *bw (zeer)* pathetically, miserably: *zijn werk is ~ slecht* his work is lamentable

bedrog 1 deceit, deception, *(oplichting)* fraud, *(oplichting)* swindle: *~ plegen* cheat, swindle, deceive, commit fraud; 2 *(bedrieglijke voorstelling)* deception, delusion: *optisch ~* optical illusion

bedrukken print, inscribe

bedrukt dejected, depressed

bedrust bedrest

bedtijd bedtime

beduidend significant, considerable: *~ minder* considerably less

beduusd taken aback, flabbergasted

bedwang control, restraint: *iem in ~ houden (ook fig)* keep s.o. in check

bedwelmd 1 stunned, dazed, knocked out *(ook door klap)*: *door alcohol ~* intoxicated; 2 *(onder narcose)* anaesthetized, drugged

bedwelmen stun, stupefy, intoxicate *(door alcohol)*

bedwingen suppress, subdue, *(gevoelens)* restrain: *zijn tranen ~* hold back one's tears

beëdigd sworn, chartered *(accountant, landmeter)*: *~ getuige* sworn witness

beëdigen swear (in), administer an oath to: *een getuige ~* swear (in) a witness

beëdiging 1 swearing, confirmation on oath; 2 *(het afnemen ve eed)* swearing (in), administration of the oath

beëindigen 1 end, finish, *(voltooien)* complete: *een vriendschap ~* break off a friendship; 2 *(d.m.v. een overeenkomst)* end, close *(ook vergadering)*; *(afbreken)* discontinue, terminate

beek brook, stream

beeld 1 statue, sculpture; 2 *(op papier, linnen, beeldscherm e.d.)* picture, image, view *(ook in de geest)*, illustration: *in ~ zijn* be on (the screen); *in ~ brengen* show (a picture, pictures of); 3 *(beschrijving)* picture, description

beeldbuis 1 cathode ray tube; 2 *(televisietoestel)* screen, *(inform)* box: *elke avond voor de ~ zitten* sit in front of the box every evening

beeldenstorm 1 *(fig)* image breaking; 2 *(het vernielen van kunstwerken)* iconoclasm

beeldhouwen sculpture, sculpt, carve *(hout, ivoor enz.)*

beeldhouwer sculptor, sculptress, woodcarver *(hout)*

beeldhouwkunst sculpture

beeldhouwwerk sculpture, *(in hout)* carving

beeldmerk logo(type)

beeldpunt pixel

beeldscherm (TV, television) screen, *(comp)* display

beeldschrift pictography, picture writing

beeldspraak metaphor, imagery, metaphorical language, figurative language

beeldtelefoon videophone

beeldverhaal comic strip

been 1 leg, *(in uitdrukkingen vaak)* foot: *op eigen benen staan* stand on one's own (two) feet; *hij is met het verkeerde ~ uit bed gestapt* he got out of bed on the wrong side; *de benen nemen* run for it; *met beide benen op de grond staan (fig)* have one's feet firmly on the ground; **2** *(mbt een dier)* leg; **3** *(bot)* bone; **4** *(gebeente)* bones *(mv)*; **5** *(wisk)* side, leg: *de benen van een driehoek* the sides of an triangle; *(Belg) het (spek) aan zijn ~ hebben* be deceived, be had

beenbeschermer leg-guard, pad

beenhouwer *(Belg)* butcher

beenhouwerij *(Belg)* butcher's shop

beer 1 bear, *(jong)* (bear) cub; **2** *(mannetjesvarken)* boar

beerput cesspool, cesspit *(ook fig)*: *(fig) de ~ opentrekken* blow *(of:* take) the lid off

beest 1 beast *(ook in fabels)*, animal: *(fig) het ~je bij zijn naam noemen* call a spade a spade; **2** *(huisdier)* animal, *(grote viervoeter)* beast, *(mv; vee)* cattle; **3** *(eng dier)* creepy-crawly

beestachtig I *bn* bestial, *(wreed)* brutal, savage; **II** *bw (verschrikkelijk)* terribly, dreadfully

beet bite

beethebben I *tr* **1** have (got) (a) hold of; **2** *(bedriegen)* take in, cheat, fool, *(in de maling nemen)* make a fool of; **II** *intr (visserij)* have a bite

beetje I *zn* (little) bit, little: *een ~ Frans kennen* know a little French, have a smattering of French; *een ~ melk graag* a little milk *(of:* a drop of milk), please; *bij stukjes en bij ~s* bit by bit, little by little; *alle ~s helpen* every little helps; **II** *bw* (a) (little) bit, (a) little, rather: *dat is een ~ weinig* that's not very much; *een ~ vervelend zijn: a) (lastig)* be a bit of a nuisance, be rather annoying; *b) (saai)* be rather boring, be a bit of a bore; *een ~ opschieten* get a move on

beetnemen *(bij de neus nemen)* take in, make a fool of, fool: *je bent beetgenomen!* you've been had!

beetpakken lay hold of, get one's *(of:* lay) hands on

befaamd famous, renowned

begaafd 1 gifted, talented; **2** *(bedeeld met)* gifted (with), endowed (with)

begaafdheid 1 talent, ability, *(intelligentie)* intelligence, *(genialiteit)* genius; **2** *(talent)* talent (for), gift (for)

begaan I *intr* do as one likes *(of:* pleases); **II** *tr (bedrijven)* commit, *(fouten ook)* make

begaanbaar passable, practicable

begeerte desire (for), wish (for), craving (for)

begeleiden 1 accompany, escort; **2** *(met raad en daad bijstaan)* guide, counsel, support, *(bij studie ook)* supervise, coach; **3** *(samengaan met)* accompany *(ook muz)*, go with

begeleidend accompanying, attendant: *(film, theater)* ~e *muziek* incidental music

begeleider 1 companion, escort *(met eerbetoon, be-*

scherming); **2** *(adviseur)* guide, counsellor, *(bij studie ook)* supervisor, *(bij studie ook)* coach; **3** *(muz)* accompanist

begeleiding 1 accompaniment, accompanying, escort(ing) *(met eerbetoon, bescherming)*; **2** *(het bijstaan)* guidance, counselling, support, *(bij studie ook)* supervision, coaching: *de ~ na de operatie was erg goed* the follow-up care after the operation was very good; *onder ~ van* under the guidance of; **3** *(muz)* accompaniment

begeren desire, crave, long for: *alles wat zijn hartje maar kon ~* all one could possibly wish for

begerenswaardig desirable, *(mens ook)* eligible, *(benijdenswaardig)* enviable

begerig desirous (of), longing (for), eager (for), *(hongerig)* hungry (for): *~e blikken* hungry looks

begeven I *tr* **1** break down, fail, *(instorten)* collapse, *(doorzakken)* give way: *de auto kan het elk ogenblik ~* the car is liable to break down any minute; **2** *(verlaten)* forsake, leave, fail *(kracht, hoop)*: *zijn stem begaf het* his voice broke; **II** *zich ~ (ergens heengaan)* proceed, embark (on, upon) *(reis, onderneming)*, adjourn (to) *(naar andere kamer)*: *zich op weg ~ (naar)* set out (for)

begin beginning, start, opening *(boek, wedstrijd, rede)*: *~ mei* early in May, (at) the beginning of May; *een veelbelovend ~* a promising start; *dit is nog maar het ~* this is only the beginning; *een ~ maken met iets* begin *(of:* start) sth; *(weer) helemaal bij het ~ (moeten) beginnen* (have to) start from scratch; *in het ~* at the beginning, at first, initially; *een boek van ~ tot eind lezen* read a book from cover to cover

beginletter initial letter, first letter, *(mbt naam)* initial

beginneling beginner, novice

beginnen I *tr (starten, openen)* begin, start, open *(toespraak, spel, onderhandelingen, brief)*: *een gesprek ~* begin *(of:* start) a conversation; *een zaak ~* start a business; **II** *intr* **1** begin, start (to do sth, doing sth), *(form)* commence, set about (doing): *(inform) begin maar!* go ahead!, *(met vragen ook)* fire away!; *laten we ~* let's get started; *het begint er op te lijken* that's more like it; *weer van voren af aan moeten ~* go back to square one; *hij begon met te zeggen …* he began by saying …; *het begint donker te worden* it is getting dark; *je weet niet waar je aan begint* you don't know what you are letting yourself in for; **2** *(met over) (gaan praten)* bring up, raise: *over politiek ~* bring up politics; *over iets anders ~* change the subject; *daar kunnen we niet aan ~* that's out of the question; *om te ~ …* for a start …; *voor zichzelf ~* start one's own business

beginner beginner: *beginnerscursus* beginners' course

beginpunt starting point, point of departure

beginsel principle, rudiment: *in ~* in principle

beglazing glazing

begoed *(Belg)* well off

begraafplaats cemetery, graveyard, burial ground
begrafenis 1 funeral; 2 *(handeling)* burial
begrafenisondernemer undertaker, funeral director
begrafenisstoet funeral procession
begraven bury: *dood en ~ zijn* be dead and gone
begrensd limited, finite, restricted
begrenzen 1 border: *door de zee begrensd* bordered by the sea; 2 *(fig)* define; 3 *(beperken)* limit, restrict
begrijpelijk I *bn* 1 understandable, comprehensible, intelligible; 2 *(verklaarbaar)* natural, obvious: *dat is nogal ~* that is hardly surprising; *het is heel ~ dat hij bang is* it's only natural that he should be frightened; II *bw (op duidelijke wijze)* clearly
begrijpen 1 understand, comprehend, grasp: *hij begreep de hint* he took the hint, he got the message; *dat kan ik ~* I (can) understand that; *o, ik begrijp het* oh, I see; *laten we dat goed ~* let's get that clear; *begrijp je me nog?* are you still with me?; *dat laat je voortaan, begrepen!* I'll have no more of that, is that clear? *(of: do you hear?)*; *als je begrijpt wat ik bedoel* if you see what I mean; 2 *(opvatten)* understand, gather: *begrijp me goed* don't get me wrong; *iem (iets) verkeerd ~* misunderstand s.o. (sth)
begrip 1 understanding, comprehension, conception: *vlug van ~* quick-witted; 2 *(denkbeeld; eenheid van denken)* concept, idea, notion; 3 *(het willen, kunnen begrijpen van)* understanding, sympathy: *~ voor iets kunnen opbrengen* appreciate; *ze was vol ~* she was very understanding
begroeid grown over (with), overgrown (with), *(met bos)* wooded
begroeten greet, *(roepend)* hail, *(met een handgebaar ook)* salute: *elkaar ~* exchange greetings; *het voorstel werd met applaus begroet* the proposal was greeted with applause
begroeting greeting, salutation
begroten estimate (at), cost (at): *de kosten van het gehele project worden begroot op 12 miljoen* the whole project is costed at 12 million
begroting *(berekening)* estimate, budget: *een ~ maken* make an estimate
begrotingstekort budget deficit
begunstigde beneficiary, payee *(cheque)*
beha bra
behaaglijk 1 pleasant, comfortable: *een ~ gevoel* a comfortable feeling; 2 *(op zijn gemak)* comfortable, relaxed; 3 *(knus)* cosy, snug
behalen gain, obtain, achieve, score, win: *een hoog cijfer ~* get *(of:* obtain) a high mark
behalve 1 *(uitgezonderd)* except (for), but (for), with the exception of, excepting: *~ mij heeft hij geen enkele vriend* except for me he hasn't got a single friend; 2 *(naast, afgezien van)* besides, in addition to
behandelen 1 *(omgaan met)* handle, deal with, treat, *(afhandelen)* attend to: *dergelijke aangelegenheden behandelt de rector zelf* the director attends to such matters himself; *eerlijk behandeld*

worden be treated fairly; *de dieren werden goed behandeld* the animals were well looked after; *iem oneerlijk ~* do s.o. (a) wrong; *iem voorzichtig ~* go easy with s.o.; 2 *(uiteenzetten)* treat (of), discuss, deal with: *een onderwerp ~* discuss a subject; 3 *(als arts verzorgen)* treat, *(verplegen)* nurse
behandeling 1 *(het omgaan met iets)* treatment, use, handling, operation *(machine)*; *(het afhandelen)* handling, management: *een wetsontwerp in ~ nemen* discuss a bill; *in ~ nemen* deal with; 2 *(uiteenzetting)* treatment, discussion; 3 *(med)* treatment, attention: *zich onder ~ stellen* go to a doctor
behandelkamer surgery
behang wallpaper
behangen I *ww* (wall)paper (a room), hang (wallpaper); II *tr (bedekken)* hang (with), drape (with)
behanger paperhanger
behartigen look after, promote
behartiging promotion (of), protection (of)
beheer 1 management, *(toezicht)* control, supervision: *de penningmeester heeft het ~ over de kas* the treasurer is in charge of the funds; 2 *(administratie, bestuur)* administration, management, rule: *dat eiland staat onder Engels ~* that island is under British administration
beheerder 1 administrator, trustee; 2 *(exploitant)* manager *(camping, kantine, filiaal)*
beheersen control, govern, rule, *(domineren)* dominate: *die gedachte beheerst zijn leven* that thought dominates his life; *een vreemde taal ~* have a thorough command of a foreign language
beheersing control, command *(ook van taal):* *de ~ over zichzelf verliezen* lose one's self-control
beheerst controlled, composed
behelpen, zich manage, make do: *hij weet zich te ~* he manages, he can make do
behendig *(handig)* dexterous, adroit, *(vaardig)* skilful, *(bijdehand)* clever, *(bijdehand)* smart: *een ~e jongen* an agile boy; *~ klom ze achterop* she climbed nimbly up on the back
behendigheid dexterity, agility, skill
beheren 1 manage, administer *(financiën):* *de financiën ~* control the finances; 2 *(leiden, exploiteren)* manage, run
behoeden 1 *(beschermen)* guard (from), keep (from), preserve (from): *iem voor gevaar ~* keep s.o. from danger; 2 *(waken over)* guard, watch over: *God behoede ons* (may) God preserve us
behoedzaam cautious, wary
behoefte *(gemis)* need (of, for), *(vraag)* demand (for): *in eigen ~ (kunnen) voorzien* be self-sufficient; *~ hebben aan rust* have a need for quiet; *zijn ~ doen* relieve oneself
behoeve: ten ~ van for the benefit of
behoorlijk I *bn* 1 *(fatsoenlijk)* decent, appropriate, proper, fitting: *producten van ~e kwaliteit* good quality products; 2 *(voldoende)* adequate, sufficient; 3 *(toonbaar)* decent, respectable, presentable; 4 *(tamelijk groot, flink)* considerable, substan-

tial: *dat is een ~ eind lopen* that's quite a distance to walk; **II** *bw* **1** *(fatsoenlijk)* decently, properly: *gedraag je ~* behave yourself; **2** *(in voldoende mate)* adequately, enough; **3** *(nogal)* pretty, quite: *~ wat a* fair amount (of); **4** *(goed)* decently, well (enough): *je kunt hier heel ~ eten* you can get a very decent meal here

behoren 1 belong (to), *(toebehoren)* be owned by, *(gerekend worden)* be part of: *dat behoort nu tot het verleden* that's past history; **2** *(vereist worden)* require, need, be necessary, be needed: *naar ~* as it should be; **3** *(gepast zijn)* should, ought (to): *jongeren ~ op te staan voor ouderen* young people should stand up for older people; **4** *(onderdeel uitmaken van)* belong (to), go together *(of:* with): *een tafel met de daarbij ~de stoelen* a table and the chairs to go with it; *hij behoort tot de betere leerlingen* he is one of the better pupils

behoud 1 *(het in stand houden, blijven)* preservation, maintenance, conservation *(ook van natuur, monumenten);* **2** *(het in goede staat houden)* preservation, conservation, care

behouden 1 *(niet verliezen)* preserve, keep, conserve *(ook natuur, monumenten),* retain: *zijn zetel ~* retain one's seat; **2** *(niet opgeven)* maintain, keep: *zijn vorm ~* keep fit

behuizing housing, accommodation, *(woning)* house, dwelling: *passende ~ zoeken* look for suitable accommodation

behulp: *met ~ van iets* with the help *(of:* aid) of sth

behulpzaam helpful: *zij is altijd ~* she's always ready to help

beiaard carillon

beide both, either (one), *(twee)* two: *het is in ons ~r belang* it's in the interest of both of us; *een opvallend verschil tussen hun ~ dochters* a striking difference between their two daughters; *in ~ gevallen* in either case, in both cases; *ze zijn ~n getrouwd* they are both married, both (of them) are married; *wij ~n* both of us, the two of us; *ze weten het geen van ~n* neither of them knows

beige beige

beïnvloeden influence, affect: *zich door iets laten ~* be influenced by sth

beïnvloeding: *~ van de jury* influencing the jury

Beiroet Beirut

beitel chisel

beits stain

bejaard elderly, aged, old

bejaarde elderly *(of:* old) person, senior citizen

bejaarden(te)huis old people's home, home for the elderly

bejaardenverzorger geriatric helper

bek 1 *(snavel)* bill; *(kort en stevig)* beak; **2** *(muil)* snout, muzzle; **3** *(mond)* mouth, trap, gob: *een grote ~ hebben* be loud-mouthed; *hou je grote ~* shut up!; **4** *(gezicht)* mug: *(gekke) ~ken trekken* make (silly) faces

bekaf all-in, knackered, dead tired

bekakt affected, snooty

bekeken 1 settled; **2** *(uitgekiend)* well-judged

bekend 1 known: *dit was mij ~* I knew (of) this; *het is algemeen ~* it's common knowledge; *voor zover mij ~* as far as I know; *voor zover ~* as far as is known; **2** *(door velen gekend)* well-known, noted (for), known (for), *(berucht)* notorious (for): *~ van radio en tv* of radio and TV fame; **3** *(niet vreemd)* familiar: *u komt me ~ voor* haven't we met (somewhere) (before)?

bekende acquaintance

bekendheid 1 *(het bekend zijn met)* familiarity (with), acquaintance (with), experience (of); **2** reputation, name, fame

bekendmaken 1 *(aankondigen)* announce; **2** *(publiek maken)* publish, make public *(of:* known): *de verkiezingsuitslag ~* declare the results of the election; **3** *(vertrouwd maken)* familiarize (with), acquaint

bekendmaking 1 *(aankondiging)* announcement; **2** *(publicatie)* publication, *(in krant, op bord)* notice, *(van verkiezingsuitslag)* declaration

bekennen 1 *(jur)* confess, *(voor het gerecht)* plead guilty (to): *schuld ~* admit one's guilt; **2** *(toegeven)* confess, admit, acknowledge: *schuld ~* admit one's guilt; *je kunt beter eerlijk ~* you'd better come clean; **3** *(bespeuren)* see, detect: *hij was nergens te ~* there was no sign *(of:* trace) of him (anywhere)

bekentenis confession, admission, acknowledgement, *(voor het gerecht ook)* plea of guilty: *een volledige ~ afleggen* make a full confession

beker *(drinkgerei)* beaker, cup, *(met oor)* mug: *de ~ winnen* win the cup

bekeren convert, *(ten goede)* reform

bekerfinale cup final

bekering conversion

bekerwedstrijd cup-tie

bekeuren fine (on the spot): *bekeurd worden voor te hard rijden* be fined for speeding

bekeuring (on-the-spot) fine, ticket

bekijken 1 *(bezichtigen)* look at, examine: *iets vluchtig ~* glance at sth; *van dichtbij ~* take a close(r) look at; **2** *(overwegen)* look at, consider; **3** *(opvatten)* see, look at, consider, view: *hoe je het ook bekijkt* whichever way you look at it; *je bekijkt het maar!* please yourself!; *goed bekeken!* well done!, *(slim)* good thinking!

bekken 1 basin; **2** *(biol)* pelvis; **3** *(muz)* cymbal

beklaagde accused, defendant, *(gedetineerde ook)* prisoner (at the bar)

beklaagdenbank dock

bekladden *(bevlekken) (met inkt)* blot; *(met verf)* daub; plaster *(muur)*

beklag complaint

beklagen I *tr* pity; **II** *zich ~* complain (to s.o.), make a complaint (to s.o.)

bekleden 1 *(bedekken)* cover, *(met verf enz.)* coat, *(binnenkant)* line: *een kamer ~* carpet a room; **2** *(uitoefenen, bezetten)* hold, occupy: *een hoge posi-*

tie ~ hold a high position

bekleding covering, coating, lining

beklemd *(vast)* jammed, wedged, stuck, trapped

beklemtonen *(klemtoon leggen op)* stress, accent(uate), emphasize *(ook fig)*

beklimmen climb, ascend, scale

beknellen trap: *door een botsing bekneld raken in een auto* be trapped in a car after a collision

beknopt brief(ly-worded), concise, succinct ‖ *een ~e uitgave* an abridged edition

bekoelen 1 *(koel(er) worden)* cool (off, down); 2 *(fig)* cool (off), dampen

bekogelen pelt, bombard

bekomen 1 *(goed)* agree with, suit; *(slecht)* disagree with: *dat zal je slecht ~* you'll be sorry (for that); 2 *(bijkomen)* recover, get over; *(na flauwvallen)* come round, come to: *van de (eerste) schrik ~* get over the (initial) shock

bekommerd concerned (about), worried (about)

bekommeren, zich worry (about), bother (about), concern *(of:* trouble) oneself (with, about)

bekopen *(boeten)* pay for

bekoring *(aantrekking)* charm(s), appeal

bekostigen bear the cost of, pay for, fund: *ik kan dat niet ~* I can't afford that

bekrachtigen ratify, confirm, pass *(wet); (koninklijk)* assent to: *(mbt wet) bekrachtigd worden* be passed

bekrachtiging 1 ratification, confirmation; 2 *(vonnis)* upholding ‖ *stuurbekrachtiging* power steering

bekritiseren criticize, find fault with

bekrompen *(kleingeestig)* narrow(-minded), petty, blinkered, *(sterker)* bigoted

bekronen award a prize to: *een bekroond ontwerp* a prizewinning design, an award-winning design

bekroning award

bekruipen come over, steal over: *het spijt me, maar nu bekruipt me toch het gevoel dat ...* I'm sorry, but I've got a sneaking feeling that ...

bekvechten argue, bicker

bekwaam *(kundig)* competent, capable, able

bekwaamheid *(eigenschap)* competence, (cap)ability, capacity, skill

bekwamen, zich qualify, train (oneself), study, teach: *zich in iets ~* train for sth

bel 1 bell, *(aan deur ook)* ring, gong (bell): *de ~ gaat* there's s.o. at the door; *op de ~ drukken* press the bell; 2 *(gas-, luchtbel)* bubble: *~len blazen* blow bubbles

belabberd rotten, lousy, rough: *ik voel me nogal ~* I feel pretty rough *(of:* lousy)

belachelijk ridiculous, absurd, laughable, ludicrous: *op een ~ vroeg uur* at some ungodly hour; *doe niet zo ~* stop making such a fool of yourself

beladen I *bn* emotionally charged; II *tr* load *(ook fig)*, burden

belagen 1 beset, *(sterker)* besiege; 2 *(bedreigen)* menace, endanger

belanden land (up), end up, finish, find oneself: *~ bij* end up at, finish at; *waardoor hij in de gevangenis belandde* which landed him in prison

belang 1 interest, concern, *(baat)* good: *het algemeen ~* the public interest; *~ bij iets hebben* have an interest in sth; *in het ~ van uw gezondheid* for the sake of your health; 2 *(belangstelling)* interest (in): *~ stellen in* be interested in, take an interest in; 3 *(gewicht, waarde)* importance, significance: *veel ~ hechten aan iets* set great store by sth

belangeloos *(onbaatzuchtig)* unselfish, selfless: *belangeloze hulp* disinterested help

belangenvereniging interest group, pressure group, lobby

belanghebbend interested, concerned

belanghebbende interested party, party concerned

belangrijk 1 important: *de ~ste gebeurtenissen* the main *(of:* major) events; *zijn gezin ~er vinden dan zijn carrière* put one's family before one's career; *en wat nog ~er is ...* and, more important(ly), ...; 2 *(groot)* considerable, substantial, major: *in ~e mate* considerably, substantially

belangstellend I *bn* interested: *ze waren heel ~* they were very attentive; II *bw* interestedly, with interest

belangstellende person interested, interested party

belangstelling interest (in): *in het middelpunt van de ~ staan* be the focus of attention; *een man met een brede ~* a man of wide interests; *zijn ~ voor iets verliezen* lose interest in sth; *daar heb ik geen ~ voor* I'm not interested (in that)

belast *(als toegewezen taak hebbend)* responsible (for), in charge (of)

belastbaar taxable: *~ inkomen* taxable income

belasten 1 load: *iets te zwaar ~* overload sth; 2 *(als prestatie vergen van)* (place a) load (on); 3 *(opdracht geven)* make responsible (for), put in charge (of): *iem te zwaar ~* overtax s.o.; 4 *(mbt belastingen)* tax

belastend aggravating; *(jur)* incriminating; damning, damaging *(feiten, beweringen)*

belasteren slander, *(in geschrifte)* libel

belasting 1 load, stress: *~ van het milieu met chemische producten* burdening of the environment with chemicals; 2 *(psychische druk)* burden, pressure: *de studie is een te grote ~ voor haar* studying is too much for her; 3 *(aan de overheid)* tax, taxation, *(plaatselijk)* rate(s): *~ heffen* levy taxes; *~ ontduiken* evade tax

belastingaangifte tax return

belastingaanslag tax assessment

belastingaftrek tax deduction

belastingdienst tax department, Inland Revenue, *(Am)* IRS, Internal Revenue Service

belastingheffing taxation, levying of taxes

belastingontduiking tax evasion; tax dodging

belastingstelsel tax system, system of taxation

belastingvrij tax-free, duty-free, duty-paid *(van*

goederen), untaxed *(van accijns)*

belazeren *(plat)* cheat, make a fool of

beledigen offend, *(sterker)* insult: *zich beledigd voelen door* be *(of:* feel) offended by

beledigend offensive (to), insulting (to), abusive

belediging insult, affront: *een grove (zware)* ~ a gross insult

beleefd polite, courteous, *(welgemanierd)* well-mannered, *(ook koel)* civil: *dat is niet* ~ that's bad manners, that's not polite

beleefdheid *(welgemanierdheid)* politeness, courtesy

beleg 1 siege: *de staat van* ~ *afkondigen* declare martial law; 2 *(op brood)* (sandwich) filling

belegen mature(d), *(kaas ook)* ripe, *(fig)* stale: *jong (licht)* ~ *kaas* semi-mature(d) cheese

belegeren besiege, lay siege to

belegering siege

beleggen I *intr, tr* invest: *in effecten* ~ invest in stocks and shares; II *tr* 1 convene, call: *een vergadering* ~ call a meeting; 2 cover, fill, put meat *(of:* cheese) on *(boterham): belegde broodjes* (ham, cheese etc.) rolls

belegger investor

belegging investment

beleid 1 policy *(vaak mv): het* ~ *van deze regering* the policies of this government; *verkeerd (slecht)* ~ mismanagement; 2 *(overleg)* tact, discretion: *met* ~ *te werk gaan* handle things tactfully

belemmeren hinder, hamper, *(sterker)* impede, *(storend werken op)* interfere with, *(sterker)* obstruct, *(onmogelijk maken)* block: *iem het uitzicht* ~ obstruct *(of:* block) s.o.'s view

belemmering hindrance, impediment, interference, obstruction: *een* ~ *vormen voor* stand in the way of

beletsel obstacle, impediment

beletten prevent (from), obstruct

beleven go through, experience: *de spannendste avonturen* ~ have the most exciting adventures

belevenis experience, adventure

Belg Belgian

België Belgium

Belgisch Belgian

Belgrado Belgrade

belichamen embody

belichaming embodiment

belichten 1 illuminate, light (up); 2 *(uiteenzetten)* discuss, shed *(of:* throw) light on: *een probleem van verschillende kanten* ~ discuss different aspects of a problem; 3 *(foto)* expose

belichting lighting

believen I *intr* please; II *tr* want, desire: *wat belieft u?* (I beg your) pardon?

belijden profess; avow

belijdenis confession (of faith) *(verklaring),* confirmation

bellen I *intr* ring (the bell): *de fietser belde* the cyclist rang his bell; II *intr, tr (opbellen)* ring (up),

call: *kan ik even* ~? may I use the (tele)phone?

bellenblazen blow bubbles

belletje *(telefoontje)* buzz, call, ring

bellettrie belles-lettres, literature

belofte promise, *(plechtig)* pledge: *iem een* ~ *doen* make s.o. a promise; *zijn* ~ *(ver)breken* break one's promise

belonen pay, reward, repay

beloning reward, *(loon)* pay(ment): *als* ~ *(van, voor)* in reward (for)

beloop course, way: *iets op zijn* ~ *laten* let sth take *(of:* run) its course, *(nalatig zijn ook)* let things slide

beloven promise, *(plechtig)* vow, *(plechtig)* pledge: *dat belooft niet veel goeds* that does not augur well; *het belooft een mooie dag te worden* it looks as if it'll be a lovely day

beluisteren 1 listen to; *(omroep ook)* listen in to: *het programma is iedere zondag te* ~ the programme is broadcast every Sunday; 2 *(luisterend waarnemen)* hear, overhear

belust (met *op*) bent (on), out (for) *(wraak, sensatie)*

bemachtigen 1 get hold of, get *(of:* lay) one's hands on: *een zitplaats* ~ secure a seat; 2 *(zich meester maken van)* seize, capture, take (possession of), acquire *(diploma enz.)*

bemannen man, staff, *(schip ook)* crew: *een bemand ruimtevaartuig* a manned spacecraft

bemanning crew; *(schip ook)* ship's company, complement; *(vesting)* garrison

bemanningslid crewman, member of the crew, hand

bemerken notice, note

bemesten manure, *(met kunstmest)* fertilize

bemiddelaar intermediary, *(mbt geschil)* mediator, *(inform)* go-between

bemiddeld affluent, well-to-do

bemiddelen mediate: ~*d optreden (in)* act as a mediator *(of:* an arbitrator) (in)

bemiddeling mediation

bemind dear (to), loved (by), much-loved: *door zijn charme maakte hij zich bij iedereen* ~ his charm endeared him to everyone

beminde beloved, sweetheart

beminnelijk amiable

beminnen love, hold dear

bemoedigen encourage, hearten

bemoeial busybody

bemoeien: *zich* ~ *met* meddle (in), interfere (in): *bemoei je niet overal mee!* mind your own business!; *daar bemoei ik me niet mee* I don't want to get mixed up in that

bemoeilijken hamper, hinder, impede *(voortgang); (situatie ook)* aggravate, *(situatie ook)* complicate

benadelen harm, put at a disadvantage, handicap, *(jur)* prejudice: *iem in zijn rechten* ~ infringe s.o.'s rights

benaderen 1 approach, *(fig ook)* approximate to, come close to: *moeilijk te* ~ unapproachable; 2

(zich wenden tot) approach, get in touch with: *iem ~ over een kwestie* approach s.o. on a matter; 3 *(rekenkundig)* calculate (roughly), estimate (roughly)

benadering 1 approach, *(fig ook)* approximation (to); 2 *(rekenkundig)* (rough) calculation, (rough) estimate, approximation || *bij ~* approximately, roughly

benadrukken emphasize, stress, underline

benard awkward; perilous; distressing

benauwd 1 short of breath; 2 *(de ademhaling belemmerend)* close, muggy, *(onfris)* stuffy: *een ~ gevoel op de borst* a tight feeling in one's chest; *~ warm* close, muggy, oppressive; 3 *(angstig)* anxious, afraid: *het ~ krijgen* feel anxious; 4 *(angstig makend)* upsetting; 5 *(mbt ruimte)* narrow, cramped

benauwdheid 1 *(mbt ademhaling)* tightness of the chest; 2 *(bedomptheid)* closeness, stuffiness; 3 *(angst)* fear, anxiety

bende 1 mess, shambles; 2 *(groot aantal)* mass, *(mensen, dieren)* swarm, crowd; 3 *(mbt gespuis, dieven)* gang, pack

beneden I *bw* down, below, *(in huis)* downstairs, *(pagina)* at the bottom: *(via de trap) naar ~ gaan* go down(stairs); *de vijfde regel van ~* the fifth line up, the fifth line from the bottom; II *vz* under, below, beneath: *kinderen ~ de zes jaar* children under six (years of age)

benedenste lowest, bottom, *(ve stapel ook)* undermost

benedenverdieping ground floor, *(lagere verdieping)* lower floor

benedenwinds leeward

Benelux Benelux, the Benelux countries

benemen take away (from)

benen bone

benepen 1 small-minded, petty; 2 *(benauwd)* anxious, timid

benevelen cloud, (be)fog: *licht(elijk) beneveld* tipsy, woozy

Bengaals Bengal, *(inwoners, taal)* Bengali

bengel (little) rascal, scamp, (little) terror

bengelen dangle, swing (to and fro)

benieuwd curious: *ik ben ~ wat hij zal zeggen* I wonder what he'll say; *ze was erg ~ (te horen) wat hij ervan vond* she was dying to hear what he thought of it

benieuwen arouse curiosity: *het zal mij ~ of hij komt* I wonder if he'll come

benijden envy, be envious (of), be jealous (of): *al onze vrienden ~ ons om ons huis* our house is the envy of all our friends

benijdenswaardig enviable

benodigd required, necessary, wanted

benodigdheden requirements, necessities

benoemen appoint, assign (to), nominate: *iem tot burgemeester ~* appoint s.o. mayor

benoeming appointment, nomination

benul notion, inkling, idea: *hij heeft er geen (flauw)*

~ van he hasn't got the foggiest idea

benutten utilize, make use of: *een strafschop ~* score from a penalty

benzine petrol, *(Am)* gas(oline): *gewone (normale) ~* two star petrol; *loodvrije ~* unleaded petrol

benzinemotor petrol engine

benzinepomp 1 *(benzinestation)* petrol station, filling station; 2 *(in auto)* fuel pump

beoefenaar student *(taal, kunst);* practitioner *(geneeskunde, kunst)*

beoefenen practise, pursue, follow, study, *(inform)* go in for: *sport ~* go in for sports

beoordelaar judge, assessor, *(recensent)* reviewer

beoordelen judge, assess: *een boek ~* criticize a book; *dat kan ik zelf wel ~!* I can judge for myself (, thank you very much)!; *dat is moeilijk te ~* that's hard to say; *iem verkeerd ~* misjudge s.o.

beoordeling judg(e)ment, assessment, evaluation, *(ond)* mark, *(kritische)* review

bepaald I *bn* 1 particular, specific: *heb je een ~ iemand in gedachten?* are you thinking of anyone in particular?; 2 *(vastgesteld)* specific, fixed, set, specified, *(willekeurig)* given: *vooraf ~* predetermined; 3 *(een of ander, sommige)* certain, particular: *om ~e redenen* for certain reasons; II *bw* definitely: *niet ~ slim* not particularly clever

bepakking pack, *(mil)* (marching) kit

bepalen 1 prescribe, lay down, determine, stipulate: *zijn keus ~* make one's choice; *vooraf ~* predetermine; *de prijs werd bepaald op €100,-* the price was set at 100 euros; 2 *(vaststellen)* determine, ascertain: *u mag de dag zélf ~* (you can) name the day; *het tempo ~* set the pace

bepaling 1 *(omschrijving)* definition; 2 *(voorschrift)* provision, stipulation, regulation: *een wettelijke ~* a legal provision *(of:* stipulation); 3 *(voorwaarde)* condition; 4 *(vaststelling)* determination

beperken I *tr* 1 limit, restrict; 2 *(met tot)* restrict (to), limit (to), confine (to), keep (to): *de uitgaven ~ keep* expenditure down; *tot het minimum ~* keep (down) to a minimum; II *zich ~* restrict (oneself to), confine (oneself to)

beperking 1 limitation, restriction: *zijn ~en kennen* know one's limitations; 2 *(inkrimping)* reduction, cutback

beperkt limited, restricted, confined, *(verminderd)* reduced: *~ blijven tot* be restricted to; *een ~e keuze* a limited choice

beplanten plant (with), *(zaaien)* sow (with)

beplanting *(gewassen)* planting, plants, crop(s)

bepleiten argue, plead, advocate: *iemands zaak ~ (bij iem)* plead s.o.'s case (with s.o.)

beproeven (put to the) test, try: *zijn geluk ~* try one's luck

beproeving 1 testing; 2 *(ongeluk)* ordeal, trial

beraad consideration, deliberation, *(beraadslaging)* consultation *(vaak mv): na rijp ~* after careful consideration

beraadslagen deliberate (upon), consider: *met*

iem over iets ~ consult with s.o. about sth

beraadslaging deliberation, consideration, consultation

beraden, zich consider, think over: *zich ~ over (op)* deliberate about

beramen 1 devise, plan: *een aanslag ~* plot an attack; **2** *(begroten)* estimate, calculate

beraming 1 planning, design; **2** *(begroting)* estimate, calculation, budget

berde: *iets te ~ brengen* bring up a matter, raise a point

berechten try

berechting trial, *(uitspraak)* judgement, *(uitspraak)* adjudication

bereden mounted

beredeneren argue, reason (out)

bereid 1 prepared; **2** *(genegen te doen)* ready, willing, disposed: *tot alles ~ zijn* be prepared to do anything

bereiden prepare, get ready, *(mbt eten ook)* cook, make, fix: *iem een hartelijke (warme) ontvangst ~* give s.o. a warm welcome

bereidheid readiness, preparedness, willingness

bereiding preparation, making, manufacture, production

bereidingswijze method of preparation, process of manufacture, procedure

bereik reach, *(mbt radio)* range: *buiten (het) ~ van kinderen bewaren* keep away from children

bereikbaar accessible, attainable, within reach: *bent u telefonisch bereikbaar?* can you be reached by phone?

bereiken 1 reach, arrive in, arrive at, get to; **2** reach, achieve, attain, gain: *zijn doel ~* attain one's goal; **3** *(contact krijgen met)* reach, contact, *(verbinding krijgen)* get through (to)

berekend meant for, designed for; *(vnl. mbt mensen)* equal to, suited to: *hij is niet ~ voor zijn taak* he is not up to his job

berekenen 1 calculate, compute, determine, figure out, *(optellen)* add up; **2** *(in rekening brengen)* charge: *iem te veel (of: weinig) ~* overcharge *(of:* undercharge) s.o.

berekenend calculating, scheming

berekening 1 calculation, computation: *naar (volgens) een ruwe ~* at a rough estimate; **2** *(overweging)* calculation, evaluation, assessment: *een huwelijk uit ~* a marriage of convenience

berg mountain, hill *(heuvel):* *~en verzetten* move mountains

bergachtig mountainous, hilly

bergaf(waarts) downhill

bergbeklimmen mountaineering, (rock-)climbing

bergbeklimmer mountaineer, (mountain-)climber

bergen I *tr* **1** store, put away, stow (away) *(vnl. scheepv):* *mappen in een la ~* put files away in a drawer; **2** *(scheepv)* salvage; **3** *(in veiligheid brengen)* rescue, save, shelter *(personen en dieren)*, re-

cover *(wrakstukken);* **II** *zich ~ (maken dat men wegkomt)* get out of harm's *(of:* the) way, take cover

berghelling mountain slope, mountainside

berghok shed, *(in huis)* storeroom, *(in huis)* box-room

berging 1 *(scheepv)* salvage, recovery; **2** storeroom, boxroom; shed

bergkam (mountain) ridge

bergketen mountain range *(of:* chain)

bergkristal rock-crystal, rhinestone

bergop uphill

bergpas (mountain) pass, col

bergplaats storage (space), storeroom *(in huis);* *(schuur(tje))* shed

bergsport mountaineering, (mountain) climbing, *(in de Alpen, Himalaya enz. ook)* alpinism

bergtop summit, mountain top, peak, *(spits)* pinnacle

bergwand mountain side, face of a mountain, mountain wall

bericht message, notice, communication, *(mbt nieuwsberichten)* report, *(mbt nieuwsberichten)* news: *volgens de laatste ~en* according to the latest reports; *tot nader ~* until further notice; *u krijgt schriftelijk ~* you will receive written notice *(of:* notification); *~ achterlaten dat* leave a message that

berichten report, send word, inform, advise

berichtgeving reporting, (news) coverage, report(s)

berijden 1 ride *(paard e.d.);* **2** *(rijden over)* ride (on), drive (on)

berijder rider *(paard, (motor)fiets)*

berispen reprimand, admonish

berisping reprimand, reproof

berk birch

Berlijn Berlin

berm verge, roadside, shoulder

bermuda Bermuda shorts, Bermudas

beroemd famous, renowned, celebrated, famed: *~ om* famous for

beroemdheid 1 fame, renown; **2** *(persoon)* celebrity

beroemen, zich boast (about), take pride (in), pride oneself (on)

beroep 1 occupation, profession, vocation, *(bedrijf, ambacht)* trade, *(zaak)* business: *in de uitoefening van zijn ~* in the exercise of one's profession; *wat ben jij van ~?* what do you do for a living?; **2** *(jur)* appeal: *raad van ~: a)* Court of Appeal; *b) (Am)* Court of Appeals; *een ~ doen op iem (iets)* (make an) appeal to s.o. (sth)

beroepen: *zich ~ op* call (upon), appeal (to), refer (to)

beroeps professional: *~ worden (sport)* turn professional

beroepsbevolking employed population, working population, labour force

beroepshalve professionally, in one's professional capacity

be

beroepskeuze choice of (a) career (*of:* of profession): *begeleiding bij de* ~ careers counselling

beroepskeuzeadviseur counsellor, careers master

beroepsonderwijs vocational training, professional training

beroepsopleiding professional (*of:* vocational, occupational) training

beroepsschool *(Belg)* technical school

beroerd 1 miserable, wretched, rotten: *ik word er* ~ *van* it makes me sick; *hij ziet er* ~ *uit* he looks terrible; 2 *(lui en onwillig)* lazy: *hij is nooit te* ~ *om mij te helpen* he is always willing to help me

beroeren 1 touch; 2 *(verontrusten)* trouble, agitate

beroering trouble, agitation, unrest, commotion

beroerte stroke

berooid destitute

berouw remorse: ~ *hebben over* regret

berouwen regret, rue, feel sorry for

beroven 1 rob: *iem* ~ *van iets* rob s.o. of sth; 2 *(bestelen)* deprive of, strip: *iem van zijn vrijheid* ~ deprive s.o. of his freedom

beroving robbery

berucht notorious (for), infamous

berusten 1 *(met op)* rest on, be based on, be founded on: *dit moet op een misverstand* ~ this must be due to a misunderstanding; 2 resign oneself to; 3 rest with, be deposited with: *de wetgevende macht berust bij het parlement* legislative power rests with parliament

berusting resignation, acceptance, acquiescence

bes 1 berry, *(aalbes)* currant; 2 *(muz)* B-flat

beschaafd *(mbt persoon)* cultured, civilized, refined, well-bred

beschaamd ashamed, shamefaced

beschadigd damaged

beschadigen damage: *door brand beschadigde goederen* fire-damaged goods

beschadiging damage

beschamen 1 (put to) shame; 2 *(teleurstellen)* disappoint, betray: *iemands vertrouwen (niet)* ~ (not) betray s.o.'s confidence

beschamend *(vernederend)* shameful, humiliating, ignominious: *een* ~*e vertoning* a humiliating spectacle

beschaving 1 civilization; 2 culture, refinement, polish

bescheiden 1 modest, unassuming: *zich* ~ *terugtrekken* withdraw discreetly; *naar mijn* ~ *mening* in my humble opinion; 2 *(niet groot)* modest, unpretentious: *een* ~ *optrekje* a modest little place

bescheidenheid modesty, unpretentiousness: *valse* ~ false modesty

beschermeling ward; protégé

beschermen protect, shield, preserve, (safe)guard, shelter: *een beschermd leventje* a sheltered life; ~ *tegen de zon* screen from the sun

beschermengel guardian angel

beschermer defender, guardian, protector

beschermheer patron

beschermheilige patron saint, patron, patroness

bescherming protection, (safe)guarding, shelter, cover: ~ *bieden aan* offer protection to

beschermlaag protective layer (*of:* coating)

beschieten *(schieten op)* fire on, fire at, shell, bombard, pelt

beschikbaar available, at one's disposal, free

beschikbaarheid availability

beschikken *(met over)* dispose of, have (control of), have at one's disposal: *over genoeg tijd* ~ have enough time at one's disposal; *over iemands lot* ~ determine s.o.'s fate

beschikking disposition, disposal: *ik sta tot uw* ~ I am at your disposal

beschilderen paint

beschildering painting

beschimmeld mouldy: ~*e papieren* musty papers

beschouwen 1 consider, contemplate; 2 *(houden voor)* consider, regard as, look upon as: *iets als zijn plicht* ~ consider sth (as, to be) one's duty

beschouwing consideration, view: *iets buiten* ~ *laten* leave sth out of account, ignore sth

beschrijven 1 write (on); 2 *(in woorden)* describe, portray: *dat is met geen pen te* ~ it defies description; 3 *(mbt een gebogen lijn)* describe, trace: *een baan om de aarde* ~ trace a path around the earth

beschrijving description, *(beeldend ook)* depiction, *(beknopt)* sketch: *dat gaat alle* ~ *te boven* that defies description

beschroomd timid, diffident, bashful

beschuit Dutch rusk, biscuit rusk, zwieback

beschuldigde accused, defendant

beschuldigen accuse (of), charge (s.o. with sth), blame (s.o. for sth): *ik beschuldig niemand, maar* … I won't point a finger, but …

beschuldigend accusatory, denunciatory

beschuldiging accusation, imputation, *(aanklacht)* charge, *(tenlastelegging)* indictment: *iem in staat van* ~ *stellen (wegens)* indict s.o. (for); *onder (op)* ~ *van diefstal (gearresteerd)* (arrested) on a charge of theft

beschut sheltered, protected

beschutten *(met tegen)* *(mbt dreigend gevaar)* shelter (from), protect (from, against), *(afschermen)* shield (from)

beschutting shelter, protection: *(geen)* ~ *bieden* offer (no) protection; ~ *tegen de regen* protection from the rain

besef understanding, idea, *(innerlijke overtuiging)* sense: *tot het* ~ *komen dat* come to realize that

beseffen realize, be aware (of), *(bevatten)* grasp, *(zich bewust zijn)* be conscious of: *voor ik het besefte, had ik ja gezegd* before I knew it, I had said yes

beslaan I *intr (mbt ruit, bril)* mist up (*of:* over), steam up (*of:* over): *toen ik binnenkwam, besloeg mijn bril* when I entered, my glasses steamed up; II *tr* 1 *(innemen)* take up, cover, *(woorden, tekst ook)* run to: *deze kast beslaat de halve kamer* this cupboard takes up half the room; 2 *(mbt paarden)* shoe

beslag 1 *(voor pannenkoeken enz.)* batter; 2 *(van metaal)* fitting(s), *(deur, venster)* ironwork, metalwork, *(paard)* shoe; 3 possession: *iemands tijd in ~ nemen* take up s.o.'s time; *deze tafel neemt te veel ruimte in ~* this table takes up too much space; 4 *(jur)* attachment: *smokkelwaar in ~ nemen* confiscate contraband

beslaglegging *(jur)* attachment, seizure, distress (on)

beslissen decide, resolve: *dit doelpunt zou de wedstrijd ~* this goal was to decide the match

beslissend decisive, conclusive, *(uiteindelijk)* final, *(belangrijkste)* crucial: *in een ~ stadium zijn* have come to a head, be at a critical stage

beslissing decision, *(van bevoegd gezag ook)* ruling

beslist I *bn* 1 definite; 2 *(zonder te aarzelen)* decided; II *bw (zeker)* certainly, definitely

besloten closed, private: *een ~ vergadering* a meeting behind closed doors

besluipen steal up on, creep up on, stalk *(wild): de vrees besloop hen* (the) fear crept over them

besluit 1 decision, resolution, resolve: *een ~ nemen* take a decision; *mijn ~ staat vast* I'm quite determined; 2 conclusion; 3 *(maatregel)* order, decree

besluiten 1 conclude, close, end; 2 decide, resolve

besluitvaardig decisive, resolute

besmeren butter; daub *(met verf)*

besmet 1 infected, contaminated; 2 *(bevuild)* tainted, contaminated, polluted

besmettelijk 1 *(mbt ziekte, ook fig)* infectious, contagious, catching: *een ~e ziekte* an infectious disease; 2 *(gemakkelijk te bevuilen)* (be) easily soiled

besmetten 1 infect (with), contaminate (with): *met griep besmet worden (door iem)* catch the flu (from s.o.); 2 *(bevlekken)* taint, soil

besmetting infection, contagion *(door aanraking); (ziekte ook)* disease: *radioactieve ~* radioactive contamination

besneden circumcised

besnijden circumcise

besnijdenis circumcision

besnoeien I *tr* 1 trim (off, down), cut (down, back), curtail: *uitgaven ~* cut down (on) expenses; 2 *(door snoeien bewerken)* prune, lop *(bomen); (tot bepaalde vorm)* trim; II *intr (bezuinigen)* cut down (on)

bespannen 1 stretch, string *(viool, racket);* 2 *(mbt paarden enz.)* harness (a horse to a cart): *een rijtuig met paarden ~* put horses to a carriage

bespanning stringing *(van racket, viool)*

besparen 1 save; 2 *(niet belasten)* spare, save: *de rest zal ik je maar ~* I'll spare you the rest

besparing 1 saving, economy; 2 saving(s), economies: *een ~ op* a saving on

bespelen 1 *(sport)* play on, play in *(veld);* 2 *(muz)* play (on); 3 *(beïnvloeden)* manipulate *(omstandigheden);* play on *(gevoelens): een gehoor ~* play to an audience

bespeuren sense, notice, perceive, find

bespieden spy (on), watch

bespioneren spy on

bespoedigen accelerate, speed up

bespottelijk ridiculous, absurd: *een ~ figuur slaan* (make oneself) look ridiculous

bespotten ridicule, mock, deride, scoff at

bespreken 1 discuss, talk about, *(behandelen)* consider: *een probleem ~* go into a problem; 2 *(beoordelen)* discuss, comment on, examine, review *(boek, film);* 3 *(reserveren)* book, reserve: *kaartjes (plaatsen) ~* make reservations

bespreking 1 discussion, talk; 2 *(onderhandeling)* meeting, conference, talks; 3 *(van boek, film enz.)* review; 4 *(mbt plaatskaarten)* booking, reservation

besprenkelen sprinkle

bespringen pounce on, jump

besproeien 1 sprinkle; 2 *(landb)* irrigate, spray *(met insecticiden e.d.),* water *(met water)*

best I *bn* 1 *(overtr trap van goed)* best, better, optimum: *met de ~e bedoelingen* with the best of intentions; *~e maatjes zijn met* be very thick with; *Peter ziet er niet al te ~ uit* Peter is looking the worse for wear; *hij kan koken als de ~e* he can cook with the best of them; *op een na de ~e* the second best; *het ~e ermee!* good luck!, *(bij ziekte ook)* best wishes!; 2 *(mbt instemming)* well, all right: *(het is) mij ~* I don't mind; 3 *(in brieven e.d.)* dear, good: *Beste Jan (als briefaanhef)* Dear Jan; *hij overnacht niet in het eerste het ~e hotel* he doesn't stay at just any (old) hotel; II *bw (overtr trap van goed)* best: *jij kent hem het ~e* you know him best; 2 *(uitstekend)* fine; 3 sure: *je weet het ~* you know perfectly well; *het zal ~ lukken* it'll work out (all right); 4 really; 5 *(mogelijkheid)* possibly, well: *dat zou ~ kunnen* that's quite possible; *ze zou ~ willen ...* she wouldn't mind ...; *zijn ~ doen* do one's best; *hij is op zijn ~* he is at his best; *ze is op haar ~ (gekleed)* she looks her best

bestaan I *zn* 1 existence: *die firma viert vandaag haar vijftigjarig ~* that firm is celebrating its fiftieth anniversary today; 2 *(broodwinning)* living, livelihood; II *intr* 1 exist, be (in existence): *laat daar geen misverstand over ~* let there be no mistake about it; *onze liefde zal altijd blijven ~* our love will live on forever; *ophouden te ~* cease to exist; 2 *(met uit)* consist (of), *(opgebouwd zijn)* be made up (of): *dit werk bestaat uit drie delen* this work consists of three parts; 3 be possible: *hoe bestaat het!* can you believe it!

bestaand existing, existent, current

bestaansminimum subsistence level

¹bestand 1 *(wapenstilstand)* truce, armistice; 2 *(verzameling (gegevens))* file

²bestand: *~ zijn tegen* withstand, resist, *(onkwetsbaar)* be immune to; *tegen hitte ~* heat-resistant

bestanddeel constituent, element, *(onderdeel)* component (part), ingredient

besteden 1 spend, devote (to), give (to), employ for: *geen aandacht ~ aan* pay no attention to; *zorg ~ aan (werk)* take care over (work); 2 *(mbt tijd,*

be

geld) spend (on): *ik besteed elke dag een uur aan mijn huiswerk* every day I spend one hour on my homework

besteedbaar disposable

bestek 1 cutlery: *(een) zilveren ~* a set of silver cutlery; 2 *(beschrijving van uit te voeren werk)* specifications: *iets in kort ~ uiteenzetten* explain sth in brief

bestel (established) order

bestelbusje delivery van

besteldatum order date, date of order(ing)

bestelen rob

bestellen 1 order, place an order (for), send for *(personen): een taxi ~* call a taxi; *iets ~ bij* order sth from; 2 *(bezorgen)* deliver; 3 *(reserveren)* book; reserve

besteller 1 delivery man; postman *(brieven);* 2 *(opdrachtgever)* customer

bestelling 1 delivery; 2 order; 3 *(goederen)* order, goods ordered: *~en afleveren* deliver goods ordered

bestemmeling *(Belg)* addressee

bestemmen mean, intend; *(geschikt maken)* design: *dit boek is voor John bestemd* this book was meant for John

bestemming 1 intention, purpose, allocation *(gelden);* 2 *(van reis e.d.)* destination: *hij is met onbekende ~ vertrokken* he has gone without leaving a forwarding address; 3 *(levensdoel)* destiny

bestendig 1 durable *(materialen);* lasting, enduring: *~e vrede* lasting peace; 2 *(niet veranderlijk)* stable, steady: *~ weer* settled weather; 3 *(bestand tegen)* -proof, -resistant: *hittebestendig* heat-resistant

bestijgen 1 mount, ascend *(troon);* 2 *(mbt een berg)* climb, ascend

bestijging 1 mounting *(paard),* ascent, accession (to) *(troon);* 2 *(mbt berg)* climbing, ascent

bestoken harass, press, shell, bomb(ard) *(met bommen, granaten): iem met vragen ~* bombard s.o. with questions

bestormen storm

bestorming storming, assault

bestraffen punish

bestraffing punishing, chastisement

bestralen give radiation treatment *(of:* radiotherapy)

bestraling irradiation, *(als behandeling)* radiotherapy, radiation treatment

bestraten pave, *(verharden)* surface, *(met keien)* cobble

bestrating pavement, paving, surface, cobbles

bestrijden 1 dispute, challenge, contest, oppose *(plan),* resist *(plan);* 2 combat, fight, counteract, control *(plaag): het alcoholisme ~* combat alcoholism

bestrijdingsmiddel *(tegen dieren)* pesticide; *(tegen planten)* herbicide, weed killer

bestrijken 1 cover: *deze krant bestrijkt de hele regio*

this newspaper covers the entire area; 2 *(besmeren)* spread *(jam);* coat *(verf)*

bestrooien sprinkle (with) *(met korrels);* cover (with), spread (with) *(met mest);* powder (with), dust (with) *(met poeder): gladde wegen met zand ~* sand icy roads

besturen 1 *(goed bekijken)* study, pore over; 3 *(onderzoeken ook)* study, investigate, explore

besturen 1 drive, steer, navigate: *een schip ~* steer a ship; 2 *(mbt een werktuig)* control, operate; 3 *(leiden)* govern, administrate, manage, run

besturing control(s), steering, drive

besturingssysteem operating system

bestuur 1 government, rule *(van land);* administration *(van gemeente, school);* management *(van bedrijf): de raad van ~ van deze school* the Board of Directors of this school; 2 *(regeringssysteem)* administration, government, management *(van bedrijf);* 3 *(instantie)* government *(van land);* council, corporation *(van stad): iem in het ~ kiezen* elect s.o. to the board

bestuurbaar controllable, manageable, navigable *(schip, vliegtuig): gemakkelijk ~ zijn* be easy to steer *(of:* control); *niet meer ~ zijn* be out of control

bestuurder 1 driver *(van auto);* pilot *(van vliegtuig, luchtballon);* operator *(van grote machine);* 2 *(van bedrijf)* administrator, manager: *de ~s van een instelling* the governors *(of:* managers) of an institution; 3 *(directeur)* director, manager

bestuurlijk administrative, governmental, managerial

bestuurslid member of the board; committee member *(van vereniging)*

bestwil *ik zeg het voor je (eigen) ~* I'm saying this for your own good

bèta science (side, subjects)

betaalbaar affordable, reasonably priced

betaalcheque (bank-)guaranteed cheque

betaald paid (for), hired, professional: *~ voetbal* professional soccer

betaalkaart *(giro)* (guaranteed) giro cheque

betaalmiddel tender, currency, circulating medium

betaalpas cheque card

betalen pay *(iem, een rekening);* pay for *(iets): de kosten ~* bear the cost; *(nog) te ~* balance due; *contant ~* pay (in) cash; *die huizen zijn niet te ~* the price of these houses is prohibitive; *met cheques ~* pay by cheque; *dit werk betaalt slecht* this work pays badly

betaler payer

betaling payment, *(voor diensten)* reward, remuneration, *(van schulden)* settlement: *~ in termijnen* payment in instalments

betalingsbalans balance of payments

betalingsbewijs receipt

betalingstermijn instalment

betamelijk decent, fit(ting), seemly, proper
betasten feel, finger
betegelen tile
betekenen 1 *(beduiden)* mean, stand for, signify: *wat heeft dit te ~?* what's the meaning of this?; *wat betekent NN?* what does N.N. stand for?; 2 *(van waarde)* mean, count, matter: *mijn auto betekent alles voor mij* my car means everything to me; *niet veel (weinig) ~* be of little importance; *die baan betekent veel voor haar* that job means a lot to her; 3 *(met zich meebrengen)* mean, entail: *dat betekent nog niet dat …* that does not mean that …
betekenis 1 meaning, sense; 2 *(belang)* significance, importance: *van doorslaggevende ~* of decisive importance
beter 1 *(vergr trap van goed)* better: *het is ~ dat je nu vertrekt* you'd better leave now; *ze is ~ in wiskunde dan haar broer* she's better at maths than her brother; *dat is al ~* that's more like it; *~ maken* improve; *~ worden* improve; *wel wat ~s te doen hebben* have better things to do; *~ laat dan nooit* better late than never; *hij is weer helemaal ~* he has completely recovered; *~ maken, weer ~ maken* cure; *~ worden, weer ~ worden* recover, get well again; *het ~ doen (dan een ander)* do better than s.o. else; *je had ~ kunnen helpen* you would have done better to help; *de leerling kon ~* the student could do better; *John tennist ~ dan ik* John is a better tennis-player than me; *(iron) het ~ weten* know best; *ze weten niet ~ of …* for all they know …; *des te ~ (voor ons)* so much the better (for us); *hoe eerder hoe ~* the sooner the better; *de volgende keer ~* better luck next time; 2 better (class of), superior: *uit ~e kringen* upper-class
beterschap recovery (of health): *~!* get well soon!
beteuterd taken aback, dismayed: *~ kijken* look dismayed
betichte *(Belg; jur)* accused, defendant
betimmeren board; panel
betoelaging *(Belg)* subsidy
betogen demonstrate, march
betoger demonstrator, marcher
betoging demonstration, march
beton concrete: *gewapend ~* reinforced concrete; *~ storten* pour concrete
betonen show, display, *(dankbaarheid, medeleven ook)* extend
betonnen concrete
betoog argument, *(pleidooi)* plea
betoveren 1 put *(of:* cast) a spell on, bewitch: *betoverd door haar ogen* bewitched by her eyes; 2 *(bekoren)* enchant
betovering 1 spell, bewitchment; 2 *(bekoring)* enchantment, charm
betrachten practise, exercise, observe *(geheimhouding)*, show *(genade, terughoudendheid)*
betrachting *(Belg)* aim, intention
betrappen catch, surprise: *op heterdaad betrapt* caught redhanded

betreden 1 enter: *het is verboden dit terrein te ~* no entry, keep out *(of:* off); 2 tread: *nieuwe paden ~* break new *(of:* fresh) ground
betreffen 1 concern, regard: *waar het politiek betreft* when it comes to politics; *wat mij betreft is het in orde* as far as I'm concerned it's all right; *wat betreft je broer* with regard to your brother; 2 *(handelen over)* concern, relate to
betreffende concerning, regarding
betrekkelijk I *bn* relative: *dat is ~* that depends (on how you look at it); *alles is ~* everything is relative; II *bw* relatively, comparatively
betrekkelijkheid relativity
betrekken I *tr* involve, concern: *zij deden alles zonder de anderen erin te ~* they did everything without consulting the others; II *intr* 1 *(mbt de lucht)* become overcast *(of:* cloudy), cloud over; 2 *(somber worden)* cloud over, darken *(gezicht)*
betrekking 1 post, job, position, *(ambtenaar ook)* office: *iem aan een ~ helpen* engage s.o., help s.o. find a job; 2 *(band, verhouding)* relation(ship): *nauwe ~en met iem onderhouden* maintain close ties *(of:* connections) with s.o.; 3 *(verband)* relation, connection: *met ~ tot* with regard to, with respect to
betreuren 1 regret, be sorry for: *een vergissing ~* regret a mistake; 2 *(rouwen over)* mourn (for, over), be sorry for
betreurenswaardig regrettable, sad
betrokken 1 concerned, involved *(na zn)*: *de ~ docent* the teacher concerned; 2 *(met wolken bedekt)* overcast, cloudy
betrokkenheid involvement, commitment, concern
betrouwbaar reliable, trustworthy, dependable: *uit betrouwbare bron* on good authority
betrouwbaarheid reliability, dependability, *(personen ook)* trustworthiness
betuigen express: *iem zijn deelneming (of:* medeleven*) ~* express one's condolences *(of:* sympathy) to s.o.
betwijfelen doubt, (call in) question: *het valt te ~ of … it* is doubtful whether …
betwisten dispute, contest, challenge
beu *iets ~ zijn* be sick of sth
beugel brace: *een ~ dragen* wear braces, wear a brace
beuk beech
¹beuken beech
²beuken batter, pound, *(golven ook)* lash: *op (of:* tegen*) iets ~* hammer on sth, batter (away) at sth
beul 1 executioner, *(bij ophangen ook)* hangman; 2 *(fig)* tyrant, brute
beunhaas moonlighter
¹beurs 1 scholarship, grant: *een ~ hebben, van een ~ studeren* have a grant; *een ~ krijgen* get a grant; 2 *(handel)* exchange, market; *(gebouw)* Stock Exchange; 3 *(tentoonstelling)* fair, show, exhibition: *antiekbeurs* antique(s) fair; 4 *(portemonnee)* purse

²**beurs** overripe, mushy

beursnotering quotation, share price; *(wisselkoers)* foreign exchange rate

beurt turn: *een goede ~ maken* make a good impression; *een grote ~ (auto)* a big service; *de kamer een grondige ~ geven* give the room a good cleaning; *hij is aan de ~* it's his turn, he's next; *om de ~ iets doen* take turns doing sth; *om de ~* in turn

beurtelings alternately, by turns, in turn: *het ~ warm en koud krijgen* go hot and cold (all over)

beurtrol *(Belg) zie* toerbeurt

bevaarbaar navigable

bevallen 1 *(baren)* give birth (to): *zij is van een dochter ~* she gave birth to a daughter; **2** *(aanstaan)* please, suit, *(voldoen)* give satisfaction: *hoe bevalt het je op school?* how do you like school?

bevalling delivery, childbirth

bevangen seize, overcome: *hij werd door angst ~* he was panic-stricken

bevaren *(mbt een schip)* navigate *(rivier)*, sail *(zee)*

bevattelijk intelligible, comprehensible

bevatten 1 contain, hold; **2** *(begrijpen)* comprehend, understand: *niet te ~* incomprehensible

beveiligen protect, secure, *(fig ook)* safeguard

beveiliging 1 protection, security, *(fig ook)* safeguard(s); **2** *(middel)* safety *(of:* protective, security) device

bevel order, command, *(mbt opsporing e.d.)* warrant: *~ geven tot* give the order to; *het ~ voeren over een leger* be in command of an army

bevelen order, command

bevelhebber commander, commanding officer

beven 1 shake, tremble, shiver: *~ van kou* shiver with cold; **2** *(bang zijn)* tremble, quake

bever beaver

bevestigen 1 *(vastmaken)* fix, fasten, attach; **2** *(erkennen)* confirm; affirm: *de uitzondering bevestigt de regel* the exception proves the rule

bevestigend affirmative

bevestiging 1 fixing, fastening, attachment; **2** *(erkenning)* confirmation; **3** *(tgov. ontkenning)* affirmation, confirmation

bevinden I *tr* find: *gezien en goed bevonden* seen and approved; *schuldig ~ (aan een misdaad)* find guilty (of a crime); **II** *zich ~ (in een toestand zijn)* be, find oneself: *zich in gevaar ~* be in danger

bevinding finding, result, *(ervaring)* experience, *(slotsom)* conclusion

beving *(mbt personen)* trembling, *(van kou)* shiver

bevlekken soil, stain, spot: *met bloed bevlekt* bloodstained

bevlieging whim, impulse

bevlogen animated, inspired, enthusiastic

bevochtigen moisten, wet, humidify *(lucht)*

bevochtiger humidifier *(van lucht)*

bevoegd *(gerechtigd)* competent, qualified, authorized: *de ~e overheden (autoriteiten)* the proper authorities; *~e personen* authorized persons; *~ zijn* be qualified

bevoegdheid competence, qualification, authority, *(jur)* jurisdiction: *de bevoegdheden van de burgemeester* the powers of the mayor; *de ~ hebben om* have the power to; *zonder ~* unauthorized

bevolken populate, people

bevolking population, inhabitants: *de inheemse ~* the native population

bevolkingsdichtheid population density

bevolkingsgroep community, section of the population

bevolkingsregister register (of births, deaths and marriages)

bevolkt populated: *een dicht-* (of: *dunbevolkte) streek* a densely (of: sparsely) populated region

bevoordelen benefit, favour: *familieleden ~ boven anderen* favour relatives above others

bevooroordeeld prejudiced, bias(s)ed: *~ zijn tegen* (of: *voor)* be prejudiced against *(of:* in favour of)

bevoorraden provision, supply, stock up

bevoorrechten privilege, favour: *een bevoorrechte positie innemen* occupy a privileged position

bevorderen 1 promote, further, advance, *(helpen)* boost, aid, *(aanmoedigen)* encourage, stimulate, *(leiden tot)* lead to, be conducive to: *dat bevordert de bloedsomloop* that stimulates one's blood circulation; *de verkoop van iets ~* boost the sale of sth, push sth; **2** *(mbt rang)* promote: *bevorderd worden* go up (to the next class); *een leerling naar een hogere klas ~* move a pupil up to a higher class; *hij werd tot kapitein bevorderd* he was promoted to (the rank of) captain

bevordering 1 *(het vooruithelpen)* promotion, advancement, *(aanmoediging)* encouragement; **2** *(mbt rang)* promotion: *voor ~ in aanmerking komen* be eligible for promotion

bevorderlijk beneficial (to), conducive (to), good (for): *~ zijn voor: a)* promote, further, advance; *b) (helpen)* boost, aid; *c) (leiden tot)* lead to, be conducive to

bevredigen satisfy, *(mbt wensen, lusten ook)* gratify: *zijn nieuwsgierigheid ~* gratify one's curiosity; *moeilijk te ~* hard to please

bevredigend satisfactory, satisfying, *(aangenaam)* gratifying: *een ~e oplossing* a satisfactory solution

bevrediging satisfaction, fulfilment, *(mbt wensen, lusten ook)* gratification: *~ in iets vinden* find satisfaction in sth

bevreesd afraid, fearful

bevriend friendly (with): *een ~e mogendheid* a friendly nation *(of:* power); *goed ~ zijn (met iem)* be close friends (with s.o.)

bevriezen 1 freeze (up, over), become *(of:* be frozen) (up, over): *het water is bevroren* the water is frozen; *alle leidingen zijn bevroren* all the pipes are *(of:* have) frozen (up); **2** *(met een dun ijslaagje)* frost (up, over), become frosted; **3** *(niet meer verhogen; lonen, prijzen)* freeze, *(niet uitbetalen ook)* block

bevriezing 1 *(het bevriezen)* freezing (over), frost,

frostbite; **2** *(stabilisatie)* freeze: ~ *van het aantal kernwapens* nuclear freeze

bevrijden free (from), liberate, release *(gevangenen)*, set free *(gevangenen); (redden)* rescue, *(maatschappelijk)* emancipate: *een land* ~ free *(of:* liberate) a country; *iem uit zijn benarde positie* ~ rescue s.o. from a desperate position

bevrijding 1 liberation, *(van gevangenen ook)* release, *(redding)* rescue, *(maatschappelijk)* emancipation: ~ *uit slavernij* emancipation from slavery; **2** *(fig)* relief: *een gevoel van* ~ a feeling of relief

bevrijdingsdag liberation day

bevruchten fertilize, *(zwanger maken)* impregnate, *(kunstmatig)* inseminate

bevruchting fertilization, impregnation, insemination: *kunstmatige* ~ artificial insemination; ~ *buiten de baarmoeder* in vitro fertilization

bewaarder 1 keeper, guardian, *(van gevangenen ook)* jailer, *(van gevangenen ook)* warder: *ordebewaarder* keeper of the peace; **2** *(iem die iets in bewaring heeft)* keeper

bewaarmiddel *(Belg; cul)* preservative

bewaarplaats depository, repository, *(pakhuis)* store(house)

bewaken guard, watch (over), *(controleren)* monitor, *(fig)* watch, *(fig)* mind: *het budget* ~ watch the budget; *een gevangene* ~ guard a prisoner; *een terrein* ~ guard (over) an area; *zwaar (of: licht) bewaakte gevangenis* maximum *(of:* minimum) security prison

bewaker 1 *(cipier)* guard; **2** *(mbt veiligheid)* security guard

bewaking guard(ing), watch(ing), surveillance, control: *onder strenge* ~ *staan* be kept under strict surveillance

bewandelen 1 *(wandelen op)* walk (on, over); **2** *(fig)* take *(of:* follow, steer) a ... course: *de middenweg* ~ steer a middle course; *de officiële weg* ~ take the official line

bewapenen arm: *zich* ~ arm; *zwaar bewapend* heavily armed

bewapening armament, arms

bewaren 1 *(niet wegdoen)* keep, save; **2** *(wegbergen)* keep, store, stock (up) *(voorraad): appels* ~ store apples; *een onderwerp tot de volgende keer* ~ leave a topic for the next time; ~ *voor later* save up for a rainy day; **3** *(niet verliezen, handhaven)* keep, maintain: *zijn kalmte* ~ keep calm; **4** *(behoeden)* preserve (from), save (from), guard (from, against)

bewaring 1 keeping, care, *(opslaan)* storage, *(beheer)* custody *(kinderen): in* ~ *geven (aan, bij)* deposit (at, with) *(bank),* entrust (to), leave (with); **2** *(opsluiting)* custody, detention: *huis van* ~ house of detention

beweegbaar movable: *beweegbare delen* moving parts

beweeglijk agile, lively, active: *een zeer* ~ *kind* a very active child

beweegreden motive, *(mv ook)* grounds: *de* ~*en*

van zijn gedrag the motives underlying his behaviour

bewegen move, stir: *op en neer* (of: *heen en weer)* ~ move up and down *(of:* to and fro); *zich* ~ move, stir; *ik kan me nauwelijks* ~ I can hardly move; *geen blad bewoog* not a leaf stirred; ~*de delen* moving parts; *niet* ~*!* don't move!

beweging movement, move, motion, *(gebaar)* gesture: *een verkeerde* ~ *maken* make a wrong move; *er is geen* ~ *in te krijgen* it won't budge *(of:* move); *in* ~ *brengen,* in ~ *zetten* set in motion, *(machines ook)* start; *in* ~ *blijven* keep moving; *in* ~ *zijn* be moving, be in motion; *de vredesbeweging* the peace movement

bewegingloos motionless, immobile

bewegingsvrijheid freedom of movement

beweren claim, *(betogen)* contend, allege *(iets onbewezens): durven te* ~ *dat* dare to claim that; *dat zou ik niet willen* ~ I wouldn't (go as far as to) say that; *zij beweerde onschuldig te zijn* she claimed to be innocent; *dat is precies wat wij* ~ that's the very point we're making; *hij beweert dat hij niets gehoord heeft* he maintains that he did not hear anything

bewering assertion, statement, *(onbewezen)* allegation, *(aanvechtbaar)* claim, *(mening)* contention: *bij zijn* ~ *blijven* stick to one's claim; *kun je deze* ~ *hard maken?* can you substantiate this claim?

bewerken treat, work *(land),* process *(grondstoffen, gegevens); (van een boek, tekst)* edit, *(herzien)* rewrite, *(herzien)* revise, *(omwerken)* adapt: *een studieboek voor het Nederlandse taalgebied* ~ adapt a textbook for the Dutch user; *de grond* ~ till the land *(of:* soil); *geheel opnieuw bewerkt door* completely revised by; ~ *tot een film* adapt for the screen

bewerking 1 treatment, cultivation *(bodem),* process(ing) *(voedsel, goederen),* manufacturing *(goederen), (van teksten)* editing: *de derde druk van dit schoolboek is in* ~ the third edition of this textbook is in preparation; **2** *(boek, tekst, film)* adaptation, version; *(muziek)* arrangement; *(herziene uitgave)* revision: *de Nederlandse* ~ *van dit boek* the Dutch version of this book; ~ *voor toneel* (of: *de film)* adaptation for stage *(of:* the screen); **3** *(het beïnvloeden)* manipulation, influencing; **4** processing *(gegevens)*

bewerkstelligen bring about, effect, realize: *een ontmoeting* (of: *verzoening)* ~ bring about a meeting *(of:* reconciliation)

bewijs 1 *(feit, redenering)* proof, evidence: *(Belg)* ~ *van goed gedrag en zeden (ongev)* certificate of good character; *het* ~ *leveren (dat, van)* produce evidence (that, of); *als* ~ *aanvoeren* quote (in evidence) *(persoon, passage);* **2** *(teken, blijk)* proof, evidence, sign: *als* ~ *van erkentelijkheid* as a token of gratitude; **3** *(schriftelijk)* proof, certificate: *betalingsbewijs* proof of payment, receipt; ~ *van goed gedrag* certificate of good conduct

bewijsbaar demonstrable, provable: *moeilijk* ~

hard to prove

bewijslast burden of proof

bewijsmateriaal evidence, proof

bewijzen 1 prove, establish, demonstrate: *dit bewijst dat* this proves that; **2** *(betuigen)* render, show, prove: *zichzelf moeten ~* have to prove oneself

bewind 1 government, regime, rule: *aan het ~ komen* come to power; **2** *(regerende macht)* administration, government

bewindvoerder administrator, director

bewogen 1 moved: *tot tranen toe ~* moved to tears; **2** *(vol gebeurtenissen)* stirring, eventful

bewolking cloud(s): *laaghangende ~* low cloud(s)

bewolkt cloudy, overcast

bewonderaar admirer, *(inform)* fan

bewonderen admire, look up to

bewonderenswaardig admirable, wonderful

bewondering admiration, wonder

bewonen inhabit; occupy, live in *(huis)*

bewoner *(stad, land)* inhabitant, *(huis)* occupant, *(stad, tehuis ook)* resident

bewoning occupation, residence

bewoonbaar (in)habitable, *(huis)* liveable

bewoording wording, phrasing, *(mv)* terms: *in krachtige ~en* strongly worded, warmly expressed

bewust I *bn* **1** concerned, involved: *op die ~e dag* on the day in question; **2** *(besef hebbend van)* aware, conscious: *ik ben me niet ~ van enige tekortkomingen* I am not aware of any shortcomings; **II** *bw* consciously, knowingly

bewusteloos unconscious, senseless: *~ raken* pass out

bewusteloosheid unconsciousness

bewustzijn consciousness *(ook met oren, ogen, enz.)*, awareness: *zijn ~ verliezen* lose consciousness

bezaaien strew, stud: *bezaaid met* strewn with *(papier, bladeren enz.)*, studded with *(licht, sterren)*, littered with *(rommel, speelgoed enz.)*, dotted with *(bloemen)*

bezadigd sober, level-headed, dispassionate

bezegelen seal

bezem broom

bezemsteel broomstick, broomhandle

bezeren I *zich ~* hurt oneself, get hurt, *(sterker)* injure oneself; **II** *tr* hurt oneself, bruise

bezet 1 occupied, *(plaats ook)* taken: *~ gebied* occupied territory; *geheel ~ (trein, hotel)* full (up); **2** *(mbt tijd)* taken up, occupied; **3** *(mbt personen)* engaged, occupied, busy: *de lijn is ~ (telefoon)* the line is engaged, busy

bezeten 1 possessed (by): *als een ~e tekeergaan* go berserk; **2** *(dol op)* obsessed (by)

bezetten occupy, take, fill: *een belangrijke plaats ~ in* occupy an important place in, *(toneel, film)* feature in

bezetter *(mil)* occupier(s), occupying force(s)

bezetting 1 occupation, *(mbt een gebouw ook)* sit-in, *(ambt)* filling, *(plaats)* filling up; **2** *(toneel)*

cast

bezichtigen (pay a) visit (to), *(kasteel enz. ook)* see, *(stad ook)* tour, inspect *(huis, fabriek)*: *een huis ~* view a house

bezichtiging visit, view, inspection, tour

bezielen inspire, animate: *wat bezielt je!* what has got into you!

bezien see, consider, look on

bezienswaardig worth seeing

bezienswaardigheid place of interest, sight

bezig busy (with sth, doing sth), working (on), preoccupied (with), engaged (in): *de wedstrijd is al ~* the match has already started; *als je er toch mee ~ bent* while you are at it *(of: about it)*; *vreselijk lang met iets ~ zijn* be an awful long time over sth; *waar ben je eigenlijk mee ~!* what do you think you're up to?; *hij is weer ~* he's at it again

bezigheid activity, occupation, work

bezighouden I *tr* *(mbt aandacht)* occupy, keep busy; **II** *zich ~* occupy *(of: busy)* oneself (with), engage (oneself) (in)

bezinken 1 *(uit een vloeistof, bijv. koffie, neerslaan)* settle (down), sink (to the bottom); **2** *(mbt wijn, enz.)* clarify, settle (out)

bezinksel sediment, deposit, residue

bezinnen, zich 1 contemplate, reflect (on): *bezint eer ge begint* look before you leap; **2** *(van gedachten veranderen)* change one's mind

bezinning reflection, contemplation

bezit possession, property: *in ~ houden* keep in one's possession

bezitten possess, own, have

bezitter owner, *(aandelen, titel)* holder, possessor

bezitting property, possession, belongings, *(onroerend goed ook)* estate: *waardevolle ~en* valuables

bezocht visited, attended, frequented: *een druk ~e receptie* a busy reception

bezoek 1 visit, *(kort, formeel of zakelijk)* call: *op ~ gaan bij iem* pay s.o. a visit; **2** *(bezoekers)* visitor(s), guest(s), caller(s)

bezoeken visit, pay a visit to: *een school ~* attend a school

bezoeker visitor, guest

bezondigen, zich be guilty of

bezopen 1 sloshed, plastered; **2** absurd

bezorgd 1 concerned (for, about): *de ~e moeder* the caring mother; **2** *(ongerust)* worried (about): *wees maar niet ~* don't worry

bezorgdheid concern (for, about), worry

bezorgen 1 get, provide: *iem een baan ~* get s.o. a job; *dat bezorgt ons heel wat extra werk* that lands us with a lot of extra work; **2** *(veroorzaken)* give, cause: *iem een hoop last ~* put s.o. to great inconvenience; **3** *(afleveren)* deliver

bezorger delivery man *(of: woman)*

bezorging delivery

bezuinigen economize, save

bezuiniging 1 economy, cut(back); **2** *(bedrag)* saving(s)

bezwaar 1 *(nadeel)* drawback; 2 *(bedenking)* objection, *(gewetensbezwaar)* scruple: *zonder enig ~* without any objection

bezwaard troubled

bezwaarlijk *(lastig)* troublesome

bezwaarschrift protest, petition

bezweet sweaty, sweating

bezweren 1 *(smeken)* implore; 2 *(tijdig afwenden)* avert *(gevaar)*

bezwijken 1 give (way, out); 2 *(toegeven, wijken)* succumb, yield: *voor de verleiding ~* yield to *(of:* give in) to the temptation; 3 *(sterven)* go under: *aan een ziekte ~* succumb to a disease

bh *afk van bustehouder* bra

bibberen shiver (with)

bibliografie bibliography

bibliothecaris librarian

bibliotheek library

bidden 1 pray, say one's prayers: *de rozenkrans ~* say the rosary; 2 *(smeken)* implore

biecht confession: *iem de ~ afnemen* hear s.o.'s confession

biechten confess, go to confession

bieden 1 *(toesteken)* offer, *(opleveren ook)* present; 2 *(kaartspel)* bid: *het is jouw beurt om te ~* it's your (turn to) bid now; 3 *(een bod doen)* (make an) offer, (make a) bid: *ik bied er twintig euro voor* I'll give you twenty euros for it

bieder bidder

biefstuk steak: *~ van de haas* fillet steak

biels (railway) sleeper, *(Am)* railroad tie

bier beer: *(Belg) klein ~* small beer; *~ van het vat* draught beer

bierbrouwerij brewery

bierviltje beer mat, coaster

bies 1 *(op kleren)* piping, border, edging; 2 *(oevergewas)* rush ‖ *zijn biezen pakken* make oneself scarce

biet beet

bietsen scrounge, cadge

bietsuiker beet sugar

biezen rush: *een ~ zitting* a rush(-bottomed) seat

big piglet, *(kindertaal)* piggy

biggelen trickle

¹bij (honey) bee

²bij I *vz* 1 *(nabij)* near (to), close (by, to): *~ iem gaan zitten* sit next to s.o.; *ik woon hier vlak ~* I live nearby *(of:* close by); 2 *(mbt bereiken)* at, to: *~ een kruispunt komen* come to an intersection; 3 *(mbt een limiet, grens)* to, with: *alles blijft ~ het oude* everything stays the same; *we zullen het er maar ~ laten* let's leave it at that; 4 *(tijdens)* while, during: *~ zijn dood* at his death; 5 *(aanwezig)* at: *zij was ~ haar tante* she was at her aunt's; *er niet ~ zijn met zijn gedachten* have only half one's mind on it; 6 for, with: *~ een baas werken* work for a boss; *~ de marine* in the navy; *~ ons* at our house, back home, in our country *(of:* family); 7 *(samen met)* with, along: *zij had haar dochter ~ zich* she had her daughter with her; *ik heb geen geld ~ me* I have no money on me;

8 *(voor, in tegenwoordigheid van)* with, to: *inlichtingen ~ de balie inwinnen* request information at the desk; *~ zichzelf (denken, zeggen)* (think, say) to oneself; 9 *(aan, met)* by: *iem ~ naam kennen* know s.o. by name; 10 *(gedurende, onder)* by, at: *~ het lezen van de krant* (when) reading the newspaper; *~ het ontbijt* at breakfast; 11 *(in geval van)* in case of, if; 12 *(in de ogen van)* for, in the eyes of: *zij kan ~ de buren geen goed doen* she can do no good as far as the neighbours are concerned; *de kamer is 6 ~ 5* the room is 6 by 5; *je bent er ~* the game is up, gotcha!; II *bn* 1 up-to-date: *de leerling is weer (of: nog niet) ~ met wiskunde* the pupil has now caught up on *(of:* is still behind in) mathematics; 2 *(op de hoogte)* up-to-date: *(goed) ~ zijn* be (thoroughly) on top of things

bijbehorend accompanying, matching

bijbel Bible

bijbels biblical

bijbenen keep up (with)

bijbestellen reorder, order a further *(of:* fresh) supply (of)

bijbetalen pay extra, pay an additional *(of:* extra) charge

bijblijven 1 keep pace, keep up; 2 *(in het geheugen blijven)* stick in one's memory: *dat zal mij altijd ~* I shall never forget it

bijbrengen impart (to), convey (to), instil (into): *iem bepaalde kennis ~* convey (certain) knowledge to s.o.

bijdehand bright, sharp

bijdrage contribution, offering

bijdragen contribute, add: *zijn steentje ~* do one's bit

bijeen together

bijeenbrengen bring together, get together, raise

bijeenkomen meet, assemble

bijeenkomst *(vergadering)* meeting, gathering

bijeenroepen call together, convene

bijenhouder beekeeper

bijenkoningin queen bee

bijenkorf (bee)hive

bijenteelt apiculture

bijenvolk (swarm of, hive of) bees

bijenwas beeswax

bijgebouw annex, outbuilding

bijgedachte 1 association; 2 *(bijbedoeling)* ulterior motive *(of:* design)

bijgeloof superstition

bijgelovig superstitious

bijgelovigheid superstition, superstitiousness

bijgenaamd called, *(mbt spotnaam)* nicknamed

bijhouden 1 hold out *(of:* up) (to): *houd je bord bij* hold out your plate; 2 *(gelijk blijven)* keep up (with), keep pace (with): *het onderwijs niet kunnen ~* be unable to keep up at school; 3 *(niet achter laten raken)* keep up to date: *de stand ~* keep count *(of:* the score)

bijhuis *(Belg)* branch

bijkantoor branch (office)
bijkeuken scullery
bijklussen have a sideline
bijkomen 1 *(na operatie)* come to *(of:* round); 2 *(op adem komen)* (re)gain (one's) breath, recover (oneself): *niet meer ~ (van het lachen)* be overcome (with laughter)
bijkomend additional, incidental, *(ondergeschikt)* subordinate
bijkomstig accidental, incidental; *(niet belangrijk)* inessential; *(ondergeschikt)* secondary, subordinate
bijkomstigheid incidental circumstance
bijl axe || *het ~tje erbij neerleggen* knock off, call it a day, call it quits
bijlage 1 enclosure, appendix, supplement *(bij krant, enz.)*; 2 *(comp)* attachment
bijleggen 1 contribute, pay, *(bijpassen)* make up; 2 *(van onenigheid)* settle: *het ~* make up
bijles coaching, *(Am ook)* tutoring
bijleveren supply (in addition, extra)
bijna almost, nearly, *(voor telwoorden ook)* close on, near: *~ nooit (of: geen)* almost never *(of:* none), hardly ever *(of:* any)
bijnaam nickname
bijou jewel
bijouterie jewellery
bijpassend matching, to match *(na zn)*
bijscholen give further training
bijscholing (extra) training
bijschrift 1 caption, legend; 2 *(opmerking)* note
bijschrijven enter, include
bijschrijving 1 entering (in the books); 2 *(bedrag, notitie)* amount entered, item entered
bijsluiter information leaflet, instruction leaflet
bijsmaak taste: *deze soep heeft een ~je* this soup has a funny taste to it, this soup doesn't taste right
bijspijkeren brush up: *een zwakke leerling ~* bring a weak pupil up to standard
bijspringen support, help out
bijstaan I *tr* assist, aid; II *intr (mbt herinnering)* dimly recollect: *er staat me iets bij van een vergadering waar hij heen zou gaan* I seem to remember that he was to go to a meeting
bijstand 1 assistance, aid, *(vd sociale dienst)* social security: *hij leeft van de ~* he's on social security; 2 *(instantie)* Social Security
bijstandsmoeder mother on social security
bijstandsuitkering social security (payment)
bijstandswet social security act
bijstelling *(het aanpassen)* (re-)adjustment
bijster unduly, *(none)* too: *de tuin is niet ~ groot* the garden is none too large; *het spoor ~ zijn* have lost one's way
bijsturen 1 *(mbt een schip, voertuig)* steer (away from, clear of, towards); 2 *(fig)* steer away from *(of:* clear of), adjust *(plan, actie)*
bijt hole (in the ice)
bijten 1 bite: *van zich af ~* give as good as one gets,

stick up for oneself; 2 *(sterk prikkelen)* sting, smart
bijtend biting, *(invretend ook)* corrosive
bijtijds 1 *(vroegtijdig)* early; 2 *(op tijd)* early, (well) in advance
bijtrekken 1 *(zich herstellen)* straighten (out), improve; 2 *(in een beter humeur komen)* come (a)round
bijv. *afk van* bijvoorbeeld e.g.
bijvak subsidiary (subject)
bijval approval, *(steun)* support
bijverdienen have an additional income: *een paar pond ~* earn a few pounds extra *(of:* on the side)
bijverdienste extra earnings, extra income, additional income
bijverschijnsel side effect
bijvoegen add, *(bijsluiten)* enclose, *(aanhechten)* attach
bijvoeglijk *~ naamwoord* adjective
bijvoegsel supplement, addition
bijvoorbeeld for example, for instance, e.g.
bijvullen top up (with), *(vol doen)* fill up (with)
bijwedde *(Belg)* salary supplement for highly qualified teachers
bijwerken improve, catch up (on), *(bij de tijd brengen)* bring up to date, *(bij de tijd brengen)* update
bijwerking side effect
bijwonen attend, be present at
bijwoord adverb
bijzaak side issue, (minor) detail
bijzetten 1 add; 2 *(begraven)* inter, bury
bijziend short-sighted
bijziendheid short-sightedness
bijzijn: *in (het) ~ van* in the presence of
bijzin (subordinate) clause: *betrekkelijke ~* relative clause
bijzonder I *bn* 1 particular: *in het ~* in particular, especially; 2 *(ongewoon)* special, unique; 3 *(zonderling)* strange, peculiar; 4 *(niet vd overheid)* private; II *bw* 1 very (much); 2 *(vooral)* particularly, in particular, especially
bijzonderheid detail, particular
bikini bikini
bikken chip (away) *(muur, steen)*
bil buttock: *dikke (of: blote) ~len* a fat *(of:* bare) bottom
biljart billiards; billiard table
biljarten play billiards
biljarter billiards player
biljartkeu billiard cue
biljet 1 *(kaartje)* ticket; *(aankondiging)* bill, poster; 2 *(bankbiljet)* note, *(Am)* bill
biljoen 1 trillion (10^{12}); 2 *(miljard)* billion (10^9)
billijk fair, reasonable, *(gematigd)* moderate
billijkheid fairness, reasonableness
binair binary
binden I *tr* 1 tie (up), knot, bind, fasten, strap *(met riem)*; 2 *(boeien)* tie (up); 3 *(in zijn vrijheid beperken)* bind: *door voorschriften gebonden zijn* be bound by regulations; 4 *(boeken)* bind; 5 *(saus)*

thicken; **II** *zich* ~ commit oneself (to), bind (*of:* pledge) oneself (to)
bindend binding
binding bond, tie
bingo bingo
bink hunk: *de* ~ *uithangen* show off, play the tough guy
binnen I *bw* inside, in, *(in huis ook)* indoors: *hij is* ~ *(mbt geld)* he has got it made; *daar* ~ inside, in there; *naar* ~ *gaan* go in, go inside, enter; *het wil me niet te* ~ *schieten* I can't bring it to mind; *van* ~ (on the) inside; *'~!' (na kloppen)* come in!; **II** *vz* inside, within: *het ligt* ~ *mijn bereik (ook fig)* it is within my reach
binnenband (inner) tube
binnenbrengen bring in, take in, carry in
binnendoor: ~ *gaan* take the direct route
binnendringen penetrate (into), enter, *(gewelddadig)* break in(to), *(gewelddadig)* force one's way in(to)
binnendruppelen *(ook fig)* trickle in(to)
binnengaan enter, go in(to), walk in(to)
binnenhalen fetch in; bring in, land *(belangrijke order)*
binnenhaven inland harbour (*of:* port), *(i.t.t. buitenhaven)* inner harbour
binnenhouden keep in(doors)
binnenin inside
binnenkant inside, interior
binnenkomen come in(to), walk in(to), enter, *(trein ook)* arrive: *zij mocht niet* ~ she was not allowed (to come) in
binnenkomst entry, entrance, *(mbt goederen, treinen)* arrival
binnenkort soon, shortly, before (very) long
binnenkrijgen 1 get down, swallow; **2** *(ontvangen)* get, obtain
binnenland 1 interior, inland; **2** *(eigen land)* home
binnenlands home, internal, domestic
binnenlaten let in(to), admit (to), *(naar binnen geleiden ook)* show in(to), usher in(to)
binnenlopen go in(to), walk in(to): *de trein kwam het station* ~ the train drew into the station
binnenmuur interior wall, inside wall
binnenplaats (inner) court(yard), yard *(van fabriek)*
binnenpretje secret amusement
binnenscheepvaart inland navigation, *(bedrijfstak ook)* inland shipping
binnenschipper skipper of a barge
binnenshuis indoors, inside, within doors
binnensmonds inarticulately, indistinctly
binnensport indoor sport
binnenstad town centre, city centre *(van grote stad)*, inner city *(vnl. armoedig)*
binnenste inside, in(ner)most part, inner part
binnenstebuiten inside out, wrong side out
binnenstromen *(ook fig)* pour in(to), flow in(to), *(krachtig ook)* rush in(to), surge in(to)

binnenvaart inland shipping
binnenvallen burst in(to), barge in(to), invade *(land)*: *bij iem* ~ *komen* descend on s.o.
binnenvetter introvert
binnenwater 1 inland waterway, canal, river; **2** polder water
binnenweg byroad, *(kortere weg)* short cut
binnenzak inside pocket
binnenzee inland sea
bint beam, *(vloer-, plafondbalk)* joist
biobak compost bin
biochemicus biochemist
biochemie biochemistry
biograaf biographer
biografie biography
biografisch biographic(al)
bio-industrie factory farming *(veehouderij)*, agribusiness
biologie biology
biologisch biological; organic
bioloog biologist
bioscoop cinema
Birma Burma
Birmaans Burmese
bis (once) again, encore
biscuit biscuit, *(Am)* cookie
bisdom diocese, bishopric
biseksueel bisexual
biskwietje biscuit, *(Am)* cookie
bisschop bishop
bissen *(Belg; ond.)* repeat (the year)
bisser *(Belg; ond.)* pupil who repeats a class
bistro bistro
¹bit bit
²bit *(comp)* bit
bits snappish, short(-tempered)
bitter I *bn* **1** bitter; **2** *(gegriefd)* bitter, sour; **II** *zn* (gin and) bitters
bitterheid bitterness
bivak bivouac: *zijn* ~ *opslaan (fig)* pitch one's tent
bivakkeren 1 bivouac; **2** *(voor korte tijd gevestigd zijn)* lodge, stay
bizar bizarre
bizon bison
blaadje 1 leaf(let), *(papier)* sheet (of paper), piece (of paper), *(krant)* paper, *(dienblad)* tray; **2** *(plantk)* leaflet; *(bloem)* petal ‖ *bij iem in een goed* ~ *staan* be in s.o.'s good books
blaam blame
blaar blister
blaas bladder, cyst
blaasinstrument wind instrument
blaasorkest wind orchestra, *(alleen koper)* brass band
blaaspijpje breathalyser
blabla 1 blah(-blah); **2** *(drukte om niets)* fuss
blad 1 *(plantk)* leaf, petal *(bloem)*; **2** *(dienblad)* tray; **3** *(vel papier)* sheet, leaf, page *(in boek)*; **4** *(krant)* (news)paper; *(tijdschrift)* magazine; **5** *(plat, breed*

voorwerp) sheet, top *(tafel)*, blade *(zaag, gras)*

bladderen blister *(van verf)*, bubble, *(losraken)* flake, *(losraken)* peel

bladeraar *(comp)* browser

bladerdeeg puff pastry *(of:* paste)

bladeren thumb, leaf

bladgroen chlorophyll

bladgroente green vegetables

bladluis greenfly, blackfly, aphis

bladmuziek sheet music

bladnerf vein *(of a leaf)*

bladrand margin of a leaf

bladwijzer bookmark(er)

bladzijde page: *ik sloeg het boek open op ~ 58* I opened the book at page 58

blaffen bark

blaken *(mbt personen)* burn (with), glow (with)

blamage disgrace

blancheren blanch

blanco blank

blank 1 white: *~ hout* natural wood; 2 *(onder water)* flooded: *de kelder staat ~* the cellar is flooded

blanke white (man, woman): *de ~n* the whites

blaten bleat

blauw 1 blue: *in het ~ gekleed* dressed in blue; 2 *(donkerkleurig)* black, dark: *een ~e plek* a bruise; *iem bont en ~ slaan* beat s.o. black and blue

blauwbaard bluebeard

blauwdruk blueprint

blauwhelm blue helmet

blazen I *intr* 1 blow: *op de trompet (of: de fluit, het fluitje, de hoorn) ~* sound the trumpet, play the flute, blow the whistle, play the horn; *(in het blaaspijpje blazen)* breathe into a breathalyser: *katten ~ als ze kwaad zijn* cats hiss when they are angry; II *tr* blow ‖ *het is oppassen geblazen* we *(of:* you) need to watch out

blazer *(muz)* player of a wind instrument

bleek 1 *(mbt personen)* pale, *(ziekelijk)* wan: *~ zien* look pale *(of:* wan); 2 *(zeer licht van kleur)* pale, white

bleekheid paleness, *(ongezonde kleur)* pallor

bleekmiddel bleach, bleaching agent

bleekselderij celery

bleekwater bleach, bleaching agent

bleken bleach

blèren 1 squall, howl; 2 *(mbt geiten)* bleat

bles blaze, star

blesseren injure, hurt, wound *(vnl. in gevecht, oorlog)*

blessure injury

blessuretijd injury time

bleu timid

blij 1 glad, happy, pleased, cheerful, merry: *daar ben ik ~ om* I'm pleased about it; *~ zijn voor iem* be glad for s.o.'s sake; 2 *(tot vreugde stemmend)* happy, joyful, joyous

blijdschap joy, gladness, cheer(fulness), happiness

blijf *(Belg):* *geen ~ met iets weten* be at a loss, not know what to do about sth

blijheid gladness, joy, happiness

blijk *(teken)* mark, token: *~ geven van belangstelling* show one's interest

blijkbaar I *bn* evident, obvious, clear; II *bw* apparently, evidently

blijken prove, turn out: *doen ~ van* show, express; *hij liet er niets van ~* he gave no sign of it; *dat moet nog ~* that remains to be seen

blijven 1 remain: *het blijft altijd gevaarlijk* it will always be dangerous; *rustig ~* keep quiet; *deze appel blijft lang goed* this apple keeps well; *jong ~* stay young; 2 *(niet veranderen)* remain (doing), stay (on) (doing), continue (doing), keep (doing): *~ logeren* stay the night (in the house); *blijft u even aan de lijn?* hold the line, please; *blijf bij de reling vandaan* keep clear of the railings; *je moet op het voetpad ~* you have to keep to the footpath; 3 *(niet verder gaan)* be, keep: *~ staan: a) (stoppen)* stand still, stop; *b) (overeind blijven)* remain standing; *waar zijn we gebleven?* where were we?; *waar is mijn portemonnee gebleven?* where has my purse got to?; 4 *(sterven)* perish, be left *(of:* remain) behind: *ergens in ~ (van het lachen): a)* choke; *b) (fig)* die (laughing)

blijvend lasting *(vrede, vriendschap);* enduring; permanent, *(duurzaam)* durable

blik I *de* 1 look, *(vluchtig)* glance; 2 *(uitdrukking)* look (in one's eyes), expression; 3 *(visie)* view, outlook ‖ *een geoefende (of:* scherpe) *~* a trained *(of:* sharp) eye; II *het* 1 tin(plate): *in ~* tinned; 2 *(doos, bus)* tin, *(Am)* can *(voor conserven);* 3 *(voorwerp om vuil op te vegen)* dustpan

blikgroente tinned vegetables

¹blikken tin: *~ doosjes* tin boxes *(of:* canisters)

²blikken: *zonder ~ of blozen* without batting an eyelid

blikopener tin-opener

blikschade bodywork damage

bliksem lightning: *als door de ~ getroffen* thunderstruck; *de ~ slaat in* lightning strikes; *(inform) er als de gesmeerde ~ vandoor gaan* take off like greased lightning

bliksemafleider lightning conductor

bliksembezoek flying visit, lightning visit

bliksemen flash, blaze

bliksemflits (flash of) lightning

blikseminslag stroke *(of:* bolt) of lightning, thunderbolt

bliksemsnel lightning; at *(of:* with) lightning speed, quick as lightning, like greased lightning

bliksemstart lightening start

blikvanger eye-catcher

blikvoer tinned food, *(Am)* canned food

blind I *bn* blind: *zich ~ staren (op)* concentrate too much on sth; *~ typen* touch-type; *zij is aan één oog ~* she is blind in one eye; II *zn* (window) shutter, blind

blinddoek blindfold

blinddoeken blindfold

blinde blind person, blind man, blind woman: *de ~n* the blind

blindedarm appendix

blindelings blindly: *~ volgen (zonder na te denken)* follow blindly

blindengeleidehond guide dog (for the blind)

blindheid blindness

blinken shine, glisten, glitter: *alles blinkt er* everything is spotless (*of:* spick and span)

blits trendy, hip

blocnote (writing) pad

bloed blood: *mijn eigen vlees en ~* my own flesh and blood; *~ vergieten* shed (*of:* spill) blood; *geen ~ kunnen zien* not be able to stand the sight of blood

bloedarmoede anaemia

bloedbad bloodbath, massacre: *een ~ aanrichten onder de inwoners* massacre the inhabitants

bloedbank blood bank

bloedcel blood cell (*of:* corpuscle)

bloeddorstig bloodthirsty

bloeddruk blood pressure: *de ~ meten* take s.o.'s blood pressure

bloeden bleed

bloederig bloody, gory

bloederziekte haemophilia

bloedgroep blood group (*of:* type)

bloedheet sweltering (hot), boiling (hot)

bloedhond bloodhound

bloedig bloody, gory

bloeding bleeding, *(meestal hevig)* haemorrhage

bloedlichaampje blood corpuscle (*of:* cell)

bloedneus bloody nose

bloedonderzoek blood test(s)

bloedproef blood test

bloedrood blood-red

bloedsomloop (blood) circulation

bloedstollend blood-curdling

bloedtransfusie (blood) transfusion

bloeduitstorting extravasation (of blood)

bloedvat blood vessel

bloedvergieten bloodshed: *een revolutie zonder ~* a bloodless revolution

bloedvergiftiging blood poisoning

bloedverlies loss of blood

bloedverwant (blood) relation, relative, kinsman, kinswoman: *naaste ~en* close relatives, next of kin

bloedworst black pudding

bloedwraak blood feud, vendetta

bloedzuiger leech, bloodsucker

bloei bloom, flower(ing), blossoming *(van vruchtbomen): iem in de ~ van zijn leven* s.o. in the prime of (his) life

bloeien 1 bloom, flower, blossom *(vruchtbomen);* 2 *(fig)* prosper, flourish

bloeiperiode 1 *(plantk)* flowering time (*of:* season); 2 *(fig)* prime

bloem 1 flower, bloom, blossom; 2 *(meel)* flour

bloembak planter, flower box, *(aan raam)* window box

bloembed flowerbed

bloemblad petal

bloembol bulb

bloemenhandelaar florist

bloemenstalletje flower stand, flower stall

bloemenvaas (flower) vase

bloemenwinkel florist's (shop), flower shop

bloemetje 1 (little) flower; 2 *(boeket)* flowers, nosegay: *iem in de ~s zetten (fig)* fête s.o.; *de ~s buiten zetten* paint the town red

bloemist florist

bloemkool cauliflower

bloemkroon corolla

bloemkwekerij 1 nursery, florist's (business); 2 *(het kweken)* floriculture, *(aant w)* flower-growing industry

bloemlezing anthology

bloempot flowerpot

bloemschikken (art of) flower arrangement

bloemstuk flower arrangement

bloemsuiker *(Belg)* icing sugar

bloes *(voor vrouwen)* blouse; *(voor mannen)* shirt

bloesem blossom, bloom, flower

blok 1 *(van hout)* block, chunk, *(ruwe vorm)* log: *slapen als een ~* sleep like a log; *een ~je omlopen* walk around the block; *een doos met ~ken* a box of building blocks; 2 *(vierkant)* block, check *(van stof);* 3 *(pol)* bloc(k)

blokfluit recorder

blokhut log cabin

blokje cube, square

blokkade blockade

blokken cram, swot: *~ voor een tentamen* cram for an examination

blokkendoos box of building blocks

blokkeren 1 *(mbt weg enz.)* blockade, block; 2 *(mbt bankrekening enz.)* freeze: *een cheque ~* stop a cheque; 3 *(de beweging onmogelijk maken)* block, jam, lock; 4 *(sport)* block, obstruct

blokletter block letter, printing

blokletteren *(Belg)* headline, splash (news on the front page)

blokuur *(ongev)* double period (*of:* lesson)

blond 1 blond, fair; 2 *(lichtkleurig)* golden

blondine blonde

bloot I *zn* nudity; II *bn* bare, naked, nude: *op blote voeten lopen* go barefoot(ed); *uit het blote hoofd spreken* speak off the cuff, speak extempore; *met het blote oog iets waarnemen* observe sth with the naked eye; *onder de blote hemel* in the open (air); *een jurk met blote rug* a barebacked dress

blootgeven, zich 1 expose oneself; 2 *(van zwakheid)* give oneself away: *zich niet ~* not commit oneself, be non-committal

blootje: *in zijn ~* in the nude

blootleggen lay open (*of:* bare), expose; *(fig ook)* reveal

blootshoofds bareheaded

blootstaan be exposed (to), *(onderhevig zijn)* be subject (to), be open (to)

blootstellen expose (to): *zich aan gevaar* ~ expose oneself to danger

blos 1 bloom: *een gezonde* ~ a rosy complexion; **2** *(van emotie, door koorts)* flush; blush *(van verlegenheid)*

blouse blouse

blozen 1 *(van gezondheid)* bloom (with); **2** flush (with) *(van opwinding)*; blush (with) *(van verlegenheid)*

blubber mud

bluf 1 bluff(ing); **2** *(opschepperij)* boast(ing), brag(ging), big talk

bluffen bluff *(ook bij kaartspel); (pochen)* boast, brag, talk big

bluffer bluffer, boaster, braggart

blufpoker *(fig)* hij speelde een partijtje* ~ he tried to brazen it out *(of: bluff his way out)*

blunder blunder

blunderen blunder, make a blunder

blusapparaat fire extinguisher

blussen extinguish *(ook fig)*, put out

blut broke, skint: *volkomen* ~ stony-broke, flat broke

bl(z). *afk van bladzijde* p.; pp. *(mv)*

b.o. *(Belg) afk van bijzonder onderwijs* special needs education

boa boa

board hardboard, (fibre)board

bobbel bump, lump

bobslee bob(sleigh)

bobsleeën bobsleigh

bochel *(bult)* hump; *(kromme rug)* hunchback

bocht bend, curve: *zich in allerlei ~en wringen* try to wriggle one's way out of sth; *uit de* ~ *vliegen* run off the road

bochtig winding

bod offer, bid: *niet aan* ~ *komen (fig)* not get a chance

bode messenger, postman

bodem 1 bottom, *(als steun)* base: *een dubbele* ~ a hidden meaning; **2** *(aarde)* ground, soil; **3** *(grondgebied)* territory, soil: *producten van eigen* ~ home-grown products; *op de* ~ *van de zee* at the bottom of the sea

bodemverontreiniging soil pollution

Boedapest Budapest

Boeddha Buddha

boeddhisme Buddhism

boeddhist Buddhist

boeddhistisch Buddhist

boedel *(inboedel)* property, household effects

boef scoundrel, rascal

boeg bow(s), prow: *het over een andere* ~ *gooien* change (one's) tack, *(mbt gesprek)* change the subject

boei 1 *(baken)* buoy: *een kop* (of: *een kleur) als een* ~ (a face) as red as a beetroot; **2** *(hand-, voet-)* chain, handcuff

boeien 1 chain, (hand)cuff; **2** *(van aandacht)* fascinate, captivate: *het stuk kon ons niet (blijven)* ~ the play failed to hold our attention

boeiend fascinating, gripping, captivating

boek book: *altijd met zijn neus in de ~en zitten* always have one's nose in a book, always be at one's books; *een* ~ *over* a book on

Boekarest Bucharest

boekbespreking book review

boekbinden (book)binding

boekbinder (book)binder

boekbinderij *(bedrijf, werkplaats)* bindery, (book)binder's

boekdeel volume

boekdrukkerij 1 printing house *(of:* office), print shop; **2** printer's

boekdrukkunst (art of) printing, typography

boeken book, post, enter (up)

boekenbeurs book fair

boekenbon book token

boekenfonds (educational) book fund

boekenkast bookcase

boekenlegger bookmark(er)

boekenlijst (required) reading list, booklist

boekenrek bookshelves

boekensteun bookend

boekentaal 1 literary language; **2** *(stijve taal)* bookish language

boekentas briefcase, school bag, satchel *(op rug)*

boekenweek book week

boekenwurm bookworm

boeket bouquet *(ook mbt wijn)*: *een ~je* a posy, a nosegay

boekhandel *(winkel, zaak)* bookshop

boekhandelaar bookseller

boekhouden I *zn* bookkeeping, accounting; **II** *intr* keep the books, do the accounting, do *(of:* keep) the accounts

boekhouder accountant, bookkeeper

boekhouding 1 accounting, bookkeeping; **2** *(afdeling)* accounting department *(of:* section), accounts department

boekhoudkundig accounting, bookkeeping

boeking 1 booking, reservation; **2** *(voetbal)* booking, caution; **3** *(mbt boekhouden)* entry

boekjaar fiscal year, financial year

boekje (small, little) book, booklet || *buiten zijn* ~ *gaan* exceed one's authority

boekwaarde book value, balance sheet value

boekweit buckwheat

boekwinkel bookshop

boel 1 *(de dingen)* things, matters, *(ongunstig: rommel)* mess: *hij kan zijn ~tje wel pakken* he can *(of:* might) as well pack it in (now); *de* ~ *aan kant maken* straighten *(of:* tidy) things up; **2** *(bedoening)* affair, business, matter, situation: *er een dolle* ~ *van maken* make quite a party of it; *een mooie* ~ a fine mess; *het is er een saaie (dooie)* ~ it's a dead-and-alive place; **3** *(grote hoeveelheid)* a lot, heaps, lots, loads

boeman bogeyman

boemel *aan de ~ gaan* go (out) on the razzle

boemeltrein slow train, stopping train

boemerang boomerang

boender *(werktuig om mee te boenen)* scrubbing brush; *(Am)* scrub-brush

boenen 1 *(glanzend wrijven)* polish; **2** *(schrobben)* scrub

boenwas beeswax, wax polish

boer 1 farmer, peasant, *(Am; mbt vee ook)* rancher; **2** *(lomp persoon)* boor, (country) bumpkin; **3** *(oprisping)* burp, belch; **4** *(speelkaart)* jack

boerderij farm

boeren 1 farm, run a farm; **2** *(een boer laten)* burp, belch ‖ *hij heeft goed (of: slecht) geboerd dit jaar* he has done well *(of:* badly) this year

boerenknecht (farm)hand

boerenkool kale

boerenverstand horse sense

boerenwagen cart

boerenzwaluw swallow

boerin 1 farmer's wife; **2** woman farmer

boers rustic, rural, peasant: *een ~ accent* a rural accent

boete 1 fine: *een ~ krijgen van €100* be fined 100 euros; *iem een ~ opleggen* fine s.o.; **2** *(godsd)* penance; **3** *(straf)* penalty

boeten pay ((the penalty, price) for), *(godsd)* atone (for), *(godsd)* do penance (for): *zwaar voor iets ~* pay a heavy penalty for sth

boetiek boutique

boetseren model

boezem 1 bosom, breast: *een zware (flinke) ~ hebben* be full-bosomed; **2** *(gemoed, hart)* bosom, heart

boezemvriend bosom friend

bof 1 (good) luck: *wat een ~, dat ik hem nog thuis tref* I'm lucky *(of:* what luck) to find him still at home; **2** *(ziekte)* mumps *(mv): de ~ hebben* have mumps

boffen be lucky

bofkont lucky dog

Bohemen Bohemia

boiler water heater, boiler

bok 1 (male) goat, billy goat; *(van herten)* buck, stag; **2** *(gymnastiektoestel)* buck

bokaal 1 goblet; **2** *(van glas)* beaker

bok(je)springen (play) leapfrog

bokkensprong caper ‖ *(rare) ~en maken* behave unpredictably *(of:* in a ridiculous way)

bokking smoked herring

boksbal punchball

boksbeugel knuckleduster

boksen box

bokser boxer

bokshandschoen boxing glove

bokspringen *(met toestel)* (squat) vaulting, vaulting exercise

bokswedstrijd boxing match, (prize)fight

bol I *zn* **1** ball, bulb *(van lamp, ook plantk);* **2** *(wisk)* sphere; **II** *bn, bw* round: *een ~le lens* a convex lens

boleet boletus

bolero bolero

bolhoed bowler (hat)

bolide racing car

Bolivia Bolivia

Boliviaan Bolivian

bolknak big cigar, fat cigar, Havana

bolleboos high-flyer

bollenkweker bulb grower

bollenteelt bulb-growing (industry)

bollentijd bulb season

bollenveld bulb field

bolletje 1 (little) ball, globule *(druppeltje);* **2** *(broodje)* (soft) roll

bolster shell: *ruwe ~, blanke pit* a rough diamond

bolwassing *(Belg)* dressing down

bolwerk bulwark, *(fig ook)* stronghold, bastion

bolwerken manage, pull off; *(uithouden)* stick it out, hold one's own: *het (kunnen) ~* manage (it), pull it off, stick it out

bom bomb: *het bericht sloeg in als een ~* the news came like a bombshell

bomaanslag bomb attack *(vnl. gericht),* bombing *(vnl. willekeurig),* bomb outrage

bomalarm bomb alert, air-raid warning *(in oorlogstijd),* bomb scare *(niet in oorlogstijd)*

bombardement bombardment

bombarderen 1 bomb; **2** *(beschieten)* bombard, *(met granaten ook)* shell; **3** *(fig)* bombard, shower

bombrief letter bomb, mail bomb

bommelding bomb alert

bommenwerper bomber

bommetje cannonball

bomvol chock-full, cram-full, packed

bon 1 bill, receipt, *(van kassa ook)* cash-register slip; **2** *(waardebon)* voucher, coupon, *(cadeaubon)* token, *(tegoedbon)* credit slip; **3** *(bekeuring)* ticket

bonbon chocolate, bonbon

bond 1 (con)federation, confederacy, alliance, union; **2** *(vakbond)* union

bondgenoot ally *(ook tijdelijk),* confederate

bondgenootschap alliance *(vaak tijdelijk),* confederacy, (con)federation

bondig concise, terse, *(kernachtig)* pithy

bondscoach national coach

bondselftal national team

bondskanselier Federal Chancellor

Bondsrepubliek Federal Republic (of Germany)

bonenstaak beanpole

bonje rumpus, row

bonk lump: *één ~ zenuwen* a bundle of nerves

bonken 1 *(botsen)* crash (against, into), bump (against, into); **2** *(hard slaan)* bang, pound

bonnefooi *op de ~ ergens heen gaan* go somewhere on the off chance

bons 1 thud, thump; 2 *(persoon)* (big) boss ‖ *iem de ~ geven* give s.o. the push

bont I *zn* fur: *met ~ gevoerd* fur-lined; II *bn, bw* 1 *(veelkleurig)* multicoloured, *(mbt planten)* variegated: *~e kleuren* bright colours; *iem ~ en blauw slaan* beat s.o. black and blue; 2 *(gemengd)* colourful: *een ~ gezelschap: a)* a colourful group of people; *b) (min)* a motley crew; *het te ~ maken* go too far

bontgoed (cotton) prints

bonthandel fur trade

bonthandelaar furrier

bontjas fur coat

bontmuts fur cap, fur hat

bonus bonus, premium

bonzen 1 *(slaan)* bang, hammer; 2 *(botsen)* bump (against, into), crash (against, into): *tegen iem aan ~* bump into s.o., crash against *(of:* into) s.o.; 3 *(onstuimig kloppen)* pound

boodschap 1 purchase *(vaak mv): die kun je wel om een ~ sturen (fig)* you can leave things to him *(of:* her); 2 *(bericht)* message: *een ~ voor iem achterlaten* leave a message for s.o.; *een ~ krijgen* get a message; 3 *(opdracht)* errand, *(missie)* mission

boodschappendienst messenger service

boodschappenlijstje shopping list

boodschappenmand shopping basket

boodschappentas shopping bag

boodschapper messenger, courier

boog 1 bow: *met pijl en ~* with bow and arrow; 2 *(bouwk)* arch, *(van brug ook)* span; 3 *(in een lijn)* arc, *(bocht)* curve: *met een (grote) ~ om iets heenlopen* go out of one's way to avoid sth

boogbal lob

boogscheut *(Belg)* stone's throw: *op een ~ van* a stone's throw from

boogschieten archery

boogschutter archer

Boogschutter *(astrol)* Sagittarius

boom 1 tree: *ze zien door de bomen het bos niet meer* they can't see the wood for the trees; 2 *(afsluit-, slagboom)* bar, barrier, gate

boomgaard orchard

boomkwekerij tree nursery

boomschors (tree) bark

boomstam (tree) trunk

boomstronk tree stump

boon bean: *witte bonen* haricot beans

boontje *~ komt om zijn loontje* serves him right

boor 1 *(hand-)* brace; 2 *(boorijzer)* bit; 3 *(boormachine)* drill

boord 1 *(mbt kledingstuk)* band, trim; 2 *(kraag)* collar; 3 *((lucht)vaartuig)* board: *van ~ gaan* disembark; *(Belg) iets goed (of: slecht) aan ~ leggen* set about it in the right *(of:* wrong) way

boordevol *(of:* filled) to overflowing: *~ nieuwe ideeën* bursting with new ideas; *~ mensen* packed *(of:* crammed) with people

booreiland drilling rig *(of:* platform); oilrig

boormachine (electric) drill

boortoren derrick, drilling rig

boos 1 angry, cross, hostile: *~ kijken (naar iem)* scowl (at s.o.); *~ worden op iem* get angry at s.o.; 2 *(kwaadaardig)* evil, bad, malicious, wicked, vicious *(hond): het was geen boze opzet* no harm was intended; *de (grote) boze wolf* the big bad wolf; 3 *(verdorven)* evil, foul, vile: *de boze geesten* evil spirits

boosaardig 1 malignant *(med);* 2 *(met kwade opzet)* malicious, vicious

boosdoener wrongdoer

boosheid anger, *(grote woede)* fury

boot boat, vessel, *(groot)* steamer, *(groot)* ship, *(veerboot)* ferry: *de ~ missen (ook fig)* miss the boat

bootreis voyage, cruise

bootsman boatswain

boottocht boat trip *(of:* excursion)

bootwerker docker, dockhand

bord 1 *(voor gerechten)* plate: *alle probleemgevallen komen op zijn ~je terecht* he ends up with all the difficult cases on his plate; *van een ~ eten* eat off a plate; 2 *(plaat met opschrift)* sign, notice: *de hele route is met ~en aangegeven* it is signposted all the way; 3 *(schaak-, dam-)* board; *(school-)* (black)board; *(mededelingen-)* notice board: *een ~ voor zijn kop hebben* be thick-skinned

bordeaux bordeaux, *(rode)* claret

bordeel brothel, whorehouse

bordenwarmer plate warmer

bordenwasser dishwasher

border border

bordes *(ongev)* steps

bordkrijt chalk

borduren embroider

borduurnaald embroidery needle

borduurwerk embroidery

boren bore, drill

borg 1 surety, *(mbt gevangene)* bail: *zich ~ stellen voor een gevangene* stand bail for a prisoner; 2 *(onderpand)* security, *(borgsom)* deposit

borgsom deposit; security (money)

borgtocht bail, recognizance

boring boring, drilling

borrel drink ‖ *iem voor een ~ uitnodigen* ask s.o. round *(of:* invite s.o.) for a drink

borrelen 1 *(mbt water, enz.)* bubble, gurgle *(mbt geluid);* 2 *(borrels drinken)* have a drink

borrelhapje snack, appetizer

borst 1 *(borstkas)* chest: *uit volle ~ zingen* sing lustily; 2 *(mbt vrouwen)* breast: *een kind de ~ geven* breastfeed a child

borstcrawl (front) crawl

borstel brush ‖ *(Belg) ergens met de grove ~ door gaan* tackle sth in a rough-and-ready way

borstelen brush

borstelig bristly, bushy

borstkanker breast cancer

borstkas chest

borstslag breaststroke; *(borstcrawl)* (front) crawl
borstvin pectoral fin
borstvoeding breastfeeding
borstwijdte (width of the) chest, *(van dameskleding ook)* bust (measurement)
borstzak breast pocket
¹**bos** bundle, *(sleutels, radijs e.d.)* bunch: *een flinke ~ haar* a fine head of hair
²**bos** wood(s); forest
bosbeheer forestry
bosbes bilberry, *(Am)* blueberry
bosbouwschool school of forestry
bosbrand forest fire
bosje 1 bundle, tuft, *(haar, gras ook)* wisp; 2 *(klein woud)* grove, coppice; 3 *(struik)* bush, shrub
Bosjesman Bushman
bosklas *(Belg)* nature class (in the woods)
bosneger maroon
Bosnië-Hercegovina Bosnia-Herzegovina
Bosnisch Bosnian
bospad woodland path, forest path *(of:* trail)
Bosporus Bosp(h)orus
bosvrucht forest fruit, fruit of the forest
boswachter forester, *(Am)* (forest) ranger, *(privé ook)* gamekeeper
¹**bot** flounder *(vis)* ‖ *(fig) ~ vangen* draw a blank, come away empty-handed
²**bot** bone *(been): tot op het ~ verkleumd zijn* chilled to the bone
³**bot** 1 *(mbt mes, enz.)* blunt, dull; 2 *(plomp, grof)* blunt, curt: *iets ~ weigeren* refuse sth flat(ly)
botanicus botanist
botanisch botanic(al)
boter butter: *~ bij de vis* cash on the nail; *hij heeft ~ op zijn hoofd* listen who's talking
boterbloem buttercup
boterbriefje marriage lines, marriage certificate
boteren: *het wil tussen hen niet ~* they can't get on
boterham 1 *(snee brood)* slice *(of:* piece) of bread: *(fig) iets op zijn ~ krijgen* get sth on one's plate; *een ~ met ham* a ham sandwich; 2 *(levensonderhoud)* living, livelihood: *zijn ~ verdienen met …* earn one's living by …
boterhamtrommeltje sandwich box, lunch box
boterhamworst *(ongev)* luncheon meat
boter-kaas-en-eieren noughts and crosses, *(Am)* tic-tac-toe
botermelk buttermilk
botervloot butter dish
botheid 1 *(vnl. mes e.d.)* bluntness, dullness; 2 *(grofheid)* bluntness, gruffness
botkanker bone cancer
botontkalking osteoporosis
botsautootje dodgem (car), bumper car
botsen 1 collide (with), bump into *(of:* against), *(voertuigen ook)* crash into *(of:* against): *twee wagens botsten tegen elkaar* two cars collided; 2 *(fig)* clash (with)
botsing collision, crash *(vnl. van voertuigen):* met

elkaar in ~ komen collide with one another, run into one another
bottelen bottle
botter smack, fishing boat
botulisme botulism
botweg bluntly, flatly
bougie sparking plug
bouillon broth
bouillonblokje beef cube
boulevard 1 boulevard, avenue; 2 *(wandelweg langs de zee)* promenade
boulevardblad *(ongev)* tabloid
boulimia (nervosa) bulimia nervosa, *(Am)* bulimarexia
bourgogne burgundy
Bourgondiër Burgundian
bourgondisch *(uitbundig)* exuberant
bout 1 *(schroefbout)* (screw) bolt, pin; 2 *(konijnenpoot e.d.)* leg, quarter, *(van vogel ook)* drumstick
bouvier Bouvier des Flandres
bouw 1 building, construction; 2 *(bouwbedrijf)* building industry *(of:* trade); 3 *(constructie)* structure, construction, build *(van dieren, mensen)*
bouwbedrijf construction firm, builders
bouwdoos *(montagedoos)* (do-it-yourself) kit
bouwen I *intr, tr* build, construct, *(oprichten)* erect, *(oprichten)* put up; II *intr* (met *op) (zich verlaten op)* rely on
bouwer builder, *(mbt huizen ook)* (building) contractor, *(mbt schepen)* shipbuilder
bouwgrond *(bouwterrein)* building land
bouwjaar year of construction *(of:* manufacture): *te koop: auto van het ~ 1981* for sale: 1981 car
bouwkunde architecture
bouwkundig architectural, constructional, structural: *~ ingenieur* structural engineer
bouwkundige architect, structural engineer
bouwkunst building, construction, architecture
bouwmaatschappij (property) development company, building company
bouwmateriaal building material *(meestal mv)*
bouwpakket (do-it-yourself) kit
bouwpromotor *(Belg)* (property) developer
bouwput (building) excavation
bouwsteen 1 brick; 2 *(uit een bouwdoos)* building block
bouwstof building material; *(fig)* material(s)
bouwtekening floor plan, drawing(s)
bouwterrein 1 *(om op te bouwen)* building land; 2 *(waar gebouwd wordt)* building site, construction site
bouwvakker construction worker
bouwval ruin
bouwvallig crumbling, dilapidated, rickety
bouwwerk building; structure, construction
boven I *vz* 1 *(hoger dan)* above, *(recht boven)* over: *hij woont ~ een bakker* he lives over a baker's shop; *~ water komen: a)* surface, come up for air; *b) (fig)* turn up; *de flat ~ ons* the flat overhead; 2 *(verder*

dan) above, beyond: *dat gaat ~ mijn verstand* that is beyond me; 3 *(in rangorde hoger)* above, over: *hij stelt zijn carrière ~ zijn gezin* he puts his career before his family; *er gaat niets ~ Belgische friet* there's nothing like Belgian chips; *veiligheid ~ alles* safety first; 4 *(mbt een maat, hoeveelheid)* over, above, beyond: *kinderen ~ de drie jaar* children over three; *~ alle twijfel* beyond (all) doubt; **II** *bw* 1 *(hogergelegen)* above, up, upstairs *(in gebouw): (naar) ~ brengen* take *(of:* carry) up, bring back *(herinneringen); woon je ~ of beneden?* do you live upstairs or down(stairs)?; *naar ~ afronden* round up; 2 *(op de hoogste plaats)* on top: *dat gaat mijn verstand (begrip) te ~* that is beyond me, *(te moeilijk ook)* that's over my head; *de vierde regel van ~* the fourth line from the top; 3 *(in het voorafgaande)* above; 4 *(met vz)* on top, at the top: *~ aan de lijst staan* be at the top *(of:* head) of the list

bovenaan *(aan het boveneinde)* at the top: *~ staan* be (at the) top

bovenarm upper arm

bovenbeen upper leg, thigh

bovenbouw 1 *(ond)* last 2 or 3 classes (of secondary school); 2 *(ve bouwwerk)* superstructure

bovendien moreover, in addition, furthermore, besides: *~, hij is niet meerderjarig* besides, he's a minor

bovengenoemd above(-mentioned), mentioned above, stated above, *(jur)* (afore)said

bovengrens upper limit

bovengronds aboveground, surface, overhead

bovenkant top

bovenkleding outer clothes, outerwear

bovenkomen 1 *(mbt wateroppervlakte)* come up, come to the surface, break (the) surface, surface; 2 *(mbt hogere verdieping)* come up(stairs)

bovenlaag upper layer, surface layer, top coat *(verf)*

bovenlijf upper part of the body: *met ontbloot ~* stripped to the waist

bovenlip upper lip

bovenmenselijk superhuman

bovenmodaal above-average

bovennatuurlijk supernatural

bovenop 1 on top: *(fig) ergens ~ springen* pounce on sth; 2 *(in orde)* on one's feet: *de zieke kwam er snel weer ~* the patient made a quick recovery

bovenst top, topmost, upper(most): *van de ~e plank* first class; *de ~e verdieping (ook fig)* the top storey

bovenstaand above, above-mentioned

bovenstuk top, top part, upper part

bovenuit above: *zijn stem klonk overal ~* his voice could be heard above everything

bovenverdieping upper storey, upper floor, *(bovenste)* top floor *(of:* storey)

bovenwinds windward

bovenwoning upstairs flat

bovenzijde *zie* bovenkant

bowl punch

bowlen bowl

bowlingbaan bowling alley

box 1 *(loud)speaker*; 2 *(voor één paard)* (loose) box, stall; 3 *(bergruimte)* storeroom; 4 *(voor kleine kinderen)* (play)pen

boxer boxer *(hond)*

boxershort boxer shorts

boycot boycott

boycotten boycott, *(persoon, firma ook)* freeze out

braadpan casserole

braadworst 1 (frying) sausage; 2 *(gebraden metworst)* German sausage

braaf 1 good, honest, *(vaak iron)* respectable, decent; 2 *(oppassend)* well-behaved, obedient

braafheid goodness, decency, honesty, *(soms iron)* respectability, *(gehoorzaamheid)* obedience

braak 1 waste; *(mbt landbouw)* fallow: *~ laten liggen* leave *(of:* lay) fallow; 2 *(fig)* fallow, undeveloped, unexplored

braakliggend fallow

braaksel vomit

braam *(bes)* blackberry, bramble

braden roast; *(op fornuis)* fry; *(in pan)* pot-roast; *(op rooster)* grill

braderie fair

braille braille

braken vomit, be sick, throw up, regurgitate

brallen brag, boast

brancard stretcher

branche branch, department, *(handel ook)* line (of business), *(handel ook)* (branch of) trade

brand fire, blaze: *er is gevaar voor ~* there is a fire hazard; *~ stichten* commit arson; *in ~ staan* be on fire; *in ~ vliegen* catch fire, burst into flames, *(ontbranden)* ignite; *iets in ~ steken* set sth on fire, set fire to sth

brandbaar combustible, *(licht ontvlambaar)* (in)flammable

brandblusinstallatie sprinkler system

brandblusser (fire) extinguisher

branden **I** *intr* burn, be on fire, *(fel)* blaze: *de lamp brandt* the lamp is on; *de kachel laten ~* leave the (gas) fire burning; *ze was het huis niet uit te ~* there was no way of getting her out of the house; **II** *tr* burn, scald *(aan heet water, stoom)*, roast *(noten, koffie e.d.)*: *zich de vingers ~ (fig)* burn one's fingers

branderig irritant, caustic

brandewijn brandy

brandgevaar fire hazard, fire risk

brandgevaarlijk flammable

brandglas burning-glass

brandhout firewood

branding surf, *(golven)* breakers

brandkast safe

brandladder escape ladder

brandmerk brand

brandmerken brand

brandnetel nettle

brandpunt 1 focus *(ook wisk)*; 2 *(fig)* centre

brandschoon spotless
brandslang fire hose
brandspiritus methylated spirit(s)
brandstapel stake
brandstichten commit arson
brandstichter arsonist
brandstichting arson
brandstof fuel
brandtrap fire escape
brandweer fire brigade
brandweerauto fire engine
brandweercommandant (senior) fire officer
brandweerkazerne fire station
brandweerman fireman
brandwond burn
brasserie brasserie
bravo bravo!, *(instemming)* hear! hear!
bravoure bravura: *met veel ~* dashing
Braziliaan Brazilian
Braziliaans Brazilian
Brazilië Brazil
breakdancen break-dance
breed I *bn* wide, broad: *de kamer is 6 m lang en 5 m
~* the room is 6 metres (long) by 5 metres (wide);
niet breder dan twee meter not more than two metres wide *(of:* in width); **II** *bw (in de breedte)* widely,
(kraag enz. ook) loosely: *een ~ omgeslagen kraag* a
wide *(of:* loose) collar
breedband *(comp)* broadband
breedbeeldtelevisie wide-screen TV
breedgebouwd broad(ly-built), square-built
breedte 1 width, breadth: *in de ~* breadthways; **2**
(aardr) latitude
breedtegraad parallel, degree of latitude
breeduit 1 spread (out): *~ gaan zitten* sprawl (on);
2 *(luid)* out loud
breekbaar fragile, *(broos)* brittle
breekijzer crowbar
breekpunt breaking point *(ook fig)*
breien knit
brein brain, *(fig ook)* brains: *het ~ zijn achter een
project* be the brain(s) behind a project, mastermind a project
breinaald knitting needle
breiwerk knitting
breken I *tr* break, *(licht)* refract ‖ *een record ~* break
a record; *de betovering* (of: *het verzet*) *~* break the
spell *(of:* resistance); **II** *intr* break, *(med ook)* fracture ‖ *met iem ~* break off (relations) with s.o.,
break up with s.o.; *met een gewoonte ~* break a habit
brem broom
brengen 1 bring, *(weg-)* take: *mensen (weer) bij elkaar ~* bring *(of:* get) people together (again); *naar
huis ~* take home; *een kind naar bed ~* put a child to
bed; **2** *(doen toekomen)* bring, take, give: *zijn mening naar voren ~* put forward, come out with one's
opinion; *iets naar voren ~* bring sth up; *een zaak
voor het gerecht ~* take a matter to court; **3** *(aanzet-*

ten tot) bring, send, put: *iem tot een daad ~* drive
s.o. to (sth); *iem aan het twijfelen ~* raise doubt(s)
in s.o.'s mind; *het ver ~* go far
bres breach, hole *(ook fig):* voor iem in de ~ springen
step into the breach for s.o.
Bretagne Brittany
bretel braces, *(Am)* suspenders *(alleen mv)*
breuk 1 break(ing), breakage; **2** *(scheur)* crack, split,
fault; **3** *(med)* fracture, hernia; **4** *(mbt betrekkingen)*
rift, breach; **5** *(wisk)* fraction: *decimale (tiendelige)
~* decimal fraction; *samengestelde ~* complex *(of:*
compound) fraction
brevet certificate, *(luchtv)* licence
bridgen play bridge
brief letter: *aangetekende ~* registered letter; *in antwoord op uw ~ van de 25e* in reply to your letter of
the 25th
briefhoofd letterhead, letter-heading
briefje note: *dat geef ik je op een ~* you can take it
from me
briefkaart postcard
briefpapier writing paper, stationery
briefwisseling correspondence: *een ~ voeren (met)*
correspond (with)
bries breeze
briesen *(mbt wilde dieren)* roar; *(mbt paarden)*
snort
brievenbus 1 postbox, letter box; **2** *(bus aan, bij een
huis)* letter box, *(Am)* mailbox
brigade 1 brigade; **2** *(met een doel)* squad, team
brigadier 1 *(politieagent)* police sergeant; **2**
(klaar-over) (school) crossing guard
brij 1 pulp; **2** *(pap)* porridge ‖ *om de hete brij heen
draaien* beat about the bush
brik *(Belg):* melk in *~* milk in cartons
bril 1 (pair of) glasses, *(dikke bril als bescherming)*
(pair of) goggles: *alles door een donkere* (of: *roze*) *~
zien* take a gloomy *(of:* rosy) view of everything; **2**
(wc-zitting) (toilet) seat
briljant I *zn* (cut) diamond; **II** *bn, bw* brilliant
brillantine brilliantine
brilmontuur glasses frame
brilslang (spectacled) cobra
Brit Briton, *(inform)* Brit
brits plank bed, wooden bed
Brits British
broccoli broccoli
broche brooch
brochure pamphlet
broeden brood ‖ *hij zit op iets te ~* he is working on
sth
broeder 1 brother; **2** *(r-k)* brother, friar; **3** *(verpleger)* (male) nurse
broederschap brotherhood, fraternity
broedmachine incubator, brooder
broedplaats breeding ground *(ook fig)*
broeien 1 heat, get heated, get hot; **2** *(zwoel zijn)* be
sultry ‖ *er broeit iets* there is sth brewing
broeierig 1 sultry, sweltering, muggy; **2** *(zwoel)* sul-

try, sensual

broeikas hothouse, greenhouse

broeikaseffect greenhouse effect

broek (pair of) trousers, *(korte broek)* shorts || *een proces aan zijn ~ krijgen* get taken to court

broekje *(onderbroek)* briefs; *(slipje)* panties, knickers

broekpak trouser suit

broekriem belt: *(ook fig) de ~ aanhalen* tighten one's belt

broekspijp (trouser-)leg

broekzak trouser(s) pocket: *iets kennen als zijn ~* know sth inside out *(of: like the back of one's hand)*

broer brother

broertje little brother || *een ~ dood aan iets hebben* hate sth, detest sth

brok piece, fragment, chunk: *~ken maken: a)* smash things up; *b) (fig)* mess things up; *hij had een ~ in zijn keel* he had a lump in his throat

brokaat brocade

brokkelen crumble

brokstuk (broken) fragment, piece, *(mv ook)* debris

brom buzz

bromfiets moped

bromfietscertificaat moped licence

bromfietser moped rider *(of: driver)*

bromfietshelm crash helmet, moped helmet

bromfietsplaatje moped number plate

bromfietsrijbewijs moped licence

brommen 1 hum *(insecten, motor, radio)*, growl *(persoon, hond)*; 2 *(mompelen)* mutter; 3 *(op een bromfiets)* ride a moped

brommer moped

bromscooter (motor) scooter

bromvlieg bluebottle, blowfly

bron 1 well, spring: *hete ~* hot springs; 2 *(oorsprong, oorzaak)* source *(ook ve rivier)*, spring, cause: *~nen van bestaan* means of existence; *hij heeft het uit betrouwbare ~* he has it from a reliable source; *een rijke (onuitputtelijke) ~ van informatie* a mine of information

bronchitis bronchitis

brons bronze

bronstijd Bronze Age

bronwater *(uit bron)* spring water; *(in fles)* mineral water

bronzen bronze: *een ~ medaille* a bronze (medal)

brood 1 bread: *daar is geen droog ~ mee te verdienen* you won't *(of: wouldn't)* make a penny out of it; *(fig) ~ op de plank hebben* be able to make ends meet; 2 *(in een bep vorm)* loaf (of bread): *een snee ~* a slice of bread; *twee broden* two loaves (of bread); 3 *(kost, levensonderhoud)* living

broodbeleg sandwich filling

brooddeeg (bread) dough

broodje (bread) roll, bun

broodje-aap monkey's sandwich

broodjeszaak sandwich bar

broodkruimel breadcrumb

broodmaaltijd cold meal *(of: lunch)*

broodmager skinny, bony

broodnodig much-needed, badly needed, highly necessary

broodrooster toaster

broodtrommel 1 breadbin; 2 *(lunch-)* lunch box

broodwinner breadwinner

broodwinning livelihood

broos fragile, delicate, frail

bros brittle, crisp(y)

brossen *(Belg)* play truant, skip classes

brouwen brew; *(samenstellen ook)* mix, concoct

brouwer brewer

brouwerij brewery

brouwsel brew, concoction

brug 1 bridge; 2 *(mbt gebit)* bridge(work); 3 *(sport)* parallel bars; 4 *(scheepv)* bridge || *hij moet over de ~ komen* he has to deliver the goods *(of: pay up)*

Brugge Bruges

brugklas first class *(of: form)* (at secondary school)

brugklasser first-former

brugleuning bridge railing, *(van steen)* parapet

brugwachter bridgekeeper

brui: *er de ~ aan geven* chuck it (in)

bruid bride

bruidegom (bride)groom

bruidsboeket bridal bouquet

bruidsjapon bridal gown, wedding dress

bruidsmeisje bridesmaid

bruidsnacht wedding night

bruidspaar bride and (bride)groom, bridal couple

bruidssuite bridal suite

bruidstaart wedding cake

bruikbaar usable, *(nuttig)* useful, serviceable *(machines, auto's enz.)*, employable *(arbeidskracht)*

bruikleen loan: *iets aan iem in ~ geven* lend sth to s.o.

bruiloft wedding

bruin brown || *wat bak je ze weer ~* you're really going to town on it

bruinbrood brown bread

bruinen brown, *(door de zon)* tan, bronze: *de zon heeft zijn vel gebruind* the sun has tanned his skin

bruinkool brown coal, lignite

bruinvis porpoise

bruisen foam, effervesce: *~ van geestdrift* (of: *energie)* bubble with enthusiasm *(of: energy)*

bruisend exuberant *(ve feest)*

brullen roar, bawl, howl: *~ van het lachen* roar *(of: howl)* with laughter

brunch brunch

brunette brunette

Brussel Brussels

Brussels Brussels

brutaal 1 insolent, *(van kinderen)* cheeky, impudent: *zij was zo ~ om ...* she had the cheek *(of: nerve)* to ...; 2 *(vrijpostig)* bold, forward

brutaliteit cheek, impudence

bruto gross: *het concert heeft ~ €1100 opgebracht*

the concert raised 1100 euros gross

brutogewicht gross weight

brutoloon gross income

brutosalaris gross salary

brutowinst gross profit

bruut brute, brutal *(gruwelijk)*

bso *(Belg) afk van beroepssecundair onderwijs* secondary vocational education

btw *afk van belasting op de toegevoegde waarde* VAT, value added tax

bubbelbad whirlpool, jacuzzi

budget budget

budgettair budgetary

budgetteren budget

buffel buffalo

buffer buffer

buffervoorraad buffer stock

buffet *(meubelstuk)* sideboard, buffet *(ook in station, enz.)*

buggy buggy

bui 1 shower, (short) storm *(hevig, met onweer; vaak fig):* schuilen voor een ~ take shelter from a storm; *de ~ zien hangen (fig)* see the storm coming; *hier en daar een ~* scattered showers; 2 *(humeur)* mood: *in een driftige ~* in a fit of temper

buidel 1 purse; 2 *(huidplooi)* pouch

buideldier marsupial

buigen I *tr* bend: *het hoofd ~ (fig)* bow (to), submit (to); *de weg buigt naar links* the road curves *(of:* bends) to the left; *zich over de balustrade ~* lean over the railing; **II** *intr* 1 bow: *voor iem ~* bow to s.o.; 2 (met *voor) (zwichten)* bow (to), bend (before); 3 *(zich krommen)* bend (over)

buiging 1 bend, curve: *de weg maakt hier een ~* the road bends here; 2 *(als groet)* bow, curtsy *(vrouwen)*

buigzaam 1 flexible, supple; 2 *(fig)* flexible, adaptable, compliant

buiig showery, gusty

buik *(mbt mensen, dieren)* belly, stomach, *(onderste gedeelte)* abdomen: *(fig) er de ~ van vol hebben* be fed up (with it), be sick and tired of it

buikdanseres belly dancer

buikholte abdomen

buikje paunch, pot belly

buiklanding pancake landing, belly landing

buikpijn stomach-ache, bellyache

buikriem belt

buikspier stomach muscle, abdominal muscle

buikspreken ventriloquize, throw one's voice

buikspreker ventriloquist

buikvin pelvic fin

buikvliesontsteking peritonitis

buil *(bult)* bump

buis 1 tube, pipe, valve *(van radio e.d.);* 2 *(televisie)* box, TV; 3 *(Belg; inform)* fail (mark)

buit 1 booty, spoils, loot; 2 *(jachtbuit)* catch: *met een flinke ~ thuiskomen* come home with a big catch

buitelen tumble, somersault

buiten I *vz* 1 outside, beyond: *~ het bereik van* out of reach of; *hij was ~ zichzelf van woede* he was beside himself with anger; 2 out of: *iets ~ beschouwing laten* leave sth out of consideration; 3 without: *het is ~ mijn medeweten gebeurd* it happened without my knowledge; **II** *bw* outside, out, outdoors: *een dagje ~* a day in the country; *daar wil ik ~ blijven* I want to stay out of that; *naar ~ gaan: a) (buitenshuis)* go outside *(of:* outdoors); *b) (naar het platteland, de stad uit)* go into the country *(of:* out of town); *naar ~ brengen* take out *(voorwerp),* lead *(of:* show) out *(persoon); een gedicht van ~ leren* (of: *kennen)* learn *(of:* know) a poem by heart

buitenaards extraterrestrial

buitenaf outside, external, from *(of:* on) the outside

buitenbaan *(sport)* outside lane

buitenband tyre

buitenbeentje odd man out, outsider

buitenbocht outside curve *(of:* bend)

buitenboordmotor outboard motor

buitendeur front door, outside door

buitenechtelijk extramarital: *~ kind* illegitimate child

buitengewoon I *bn* special, extra; exceptional, unusual; **II** *bw (zeer)* extremely, exceptionally

buitenhuis country house

buitenkansje stroke of luck

buitenkant outside, exterior: *op de ~ afgaan* judge by appearances

buitenland foreign country *(of:* countries): *van* (of: *uit) het ~ terugkeren* return *(of:* come back) from abroad

buitenlander foreigner, alien

buitenlands foreign, international: *een ~e reis* a trip abroad

buitenlucht open (air); country air *(vh (platte)land)*

buitenshuis outside, out(side) of the house, outdoors: *~ eten* eat out

buitensluiten shut out *(ook kou, licht),* lock out

buitenspel offside || *(fig) hij werd ~ gezet* he was sidelined

buitensporig extravagant, excessive, exorbitant, inordinate

buitenst out(er)most, exterior, outer

buitenstaander outsider

buitenwacht outside world, public, outsiders *(mv)*

buitenwereld public (at large), outside world

buitenwijk suburb, *(mv ook)* outskirts

buitenwipper *(Belg)* bouncer

buitenzijde outside, exterior, *(fig vnl.)* surface

buitmaken seize, capture *(schip)*

buizen *(Belg; inform)* fail

buizerd buzzard

bukken I *intr* stoop, *(wegduiken)* duck: *hij gaat gebukt onder veel zorgen* he is weighed down by many worries; **II** *zich ~* stoop, bend down

buks (short) rifle

bul degree certificate

bulderen roar, bellow
buldog bulldog
Bulgaar Bulgarian
Bulgaars Bulgarian
Bulgarije Bulgaria
bulkgoederen bulk goods
bulldozer bulldozer
bullebak bully, ogre
bulletin bulletin, report
bult 1 lump, bump *(door stoten enz.)*; 2 *(bochel)* hunch, hump: *met een* ~ hunchbacked, hump-backed
bumper bumper
bundel 1 bundle, sheaf *(papieren, pijlen)*; 2 *(verzamel-)* collection, volume
bundelen bundle, cluster, combine *(krachten)*: *(fig)* krachten ~ join forces
bungalow bungalow; *(zomerhuisje)* (summer) cottage, chalet
bungalowpark holiday park
bungalowtent family (frame) tent
bungelen dangle, hang
bunker bunker, bomb shelter, air-raid shelter
bunkeren 1 refuel; 2 *(flink eten)* stoke up, stuff oneself
bunsenbrander Bunsen burner
bunzing polecat
burcht castle, fortress, citadel, stronghold
bureau 1 *(schrijftafel)* (writing) desk, bureau; 2 *(plek)* office, bureau, department, (police) station, *(advies-)* agency
bureaucraat bureaucrat
bureaucratie bureaucracy, officialdom
bureaucratisch bureaucratic: ~e rompslomp red tape
bureaula (desk) drawer
bureaulamp desk lamp
bureauredacteur copy editor
bureaustoel office chair, desk chair
burgemeester mayor, *(Schotland)* provost: ~ en wethouders mayor and aldermen, *(gemeentebestuur)* municipal executive
burger 1 citizen; 2 *(niet-militair)* civilian: *militairen en ~s* soldiers and civilians
burgerlijk 1 middle-class, bourgeois; 2 *(min)* bourgeois, conventional, middle-class, *(vulgair)* philistine, *(klein-)* smug; 3 *(behorend bij de staatsburger)* civil, civic: ~e staat marital status; *(bureau van de)* ~e stand Registry of Births, Deaths and Marriages, Registry Office; 4 *(niet militair)* civil(ian)
burgeroorlog civil war
bus 1 bus, *(reisbus)* coach: *met de* ~ *gaan* go by bus; ~je minibus, *(bestelwagen)* van; 2 *(blikken doos)* tin; *(groot)* drum; 3 *(kast, doos met gleuf)* box: *u krijgt de folders morgen in de* ~ you will get the brochures in the post tomorrow; *niemand weet wat er uit de* ~ *komt* nobody knows what the result will be
buschauffeur bus driver, coach driver
busdienst bus service, coach service

bushalte bus stop, coach stop
buskruit gunpowder
buslichting collection
buste bust, bosom
butagas butane (gas)
butler butler
button badge
buur neighbour: *de buren* the (next-door) neighbours
buurland neighbouring country
buurman (next-door) neighbour, man next door
buurt neighbourhood, area, district: *rosse* ~ red-light district; *de hele* ~ *bij elkaar schreeuwen* shout the place down; *in (of: uit) de* ~ *wonen* live nearby *(of:* a distance away); *je kunt maar beter bij hem uit de* ~ *blijven* you'd better give him a wide berth
buurtbewoner local resident
buurthuis community centre
buurtvereniging residents' association
buurvrouw neighbour, woman next door
bijv. *afk van bijvoorbeeld* e.g.
BV *afk van Besloten Vennootschap* PLC, *(Am)* Inc.
BVD *afk van Binnenlandse Veiligheidsdienst* (Dutch) National Security Service, Dutch Secret Service
Byzantijns Byzantine

C

ca. *afk van circa* approx., *(bij datums)* ca.

cabaret cabaret

cabaretier cabaret performer, cabaret artist(e)

cabine 1 cabin; 2 *(in talenlab, platenzaak enz.)* booth

cabriolet convertible, drophead coupé

cacao cocoa, (drinking) chocolate

cactus cactus

CAD *afk van Computer Assisted Design* CAD

cadans cadence, rhythm

cadeau present, gift: *iem iets ~ geven* give a person sth as a present; *(iron) dat krijg je van me ~!* you can keep it!; *iets niet ~ geven* not give sth away

cadeaubon gift voucher

cadet *(Belg) (Ned aspirant, junior)* junior member of sports club

café café, pub, bar

cafeïne caffeine

cafeïnevrij decaffeinated

cafetaria cafeteria, snack bar

cahier exercise book

caissière cashier, check-out assistant

cake (madeira) cake

calamiteit calamity, disaster

calcium calcium

calculatie calculation, computation

calculator calculator

calculeren calculate, compute

caleidoscoop kaleidoscope

Californië California

calorie calorie

caloriearm low-calorie, low in calories

calorierijk high-calorie, rich in calories

calvinist Calvinist

Cambodja Cambodia

Cambrium Cambrian (period)

camera camera: *verborgen ~* hidden camera, candid camera

camouflage camouflage, *(fig)* cover, front

camoufleren camouflage, cover up, disguise

campagne campaign, drive: *~ voeren (voor, tegen)* campaign (for, against)

camper camper

camping camping site

campus campus

Canada Canada

Canadees Canadian

canapé sofa, settee, couch

Canarische Eilanden (the) Canaries, (the) Canary Islands

cannabis cannabis, hemp, marijuana

canon round, canon: *in ~ zingen* sing in a round *(of:* in canon)

cantharel chanterelle

canvas canvas, tarpaulin

cao *afk van collectieve arbeidsovereenkomst* collective wage agreement

capabel capable, able, *(geschikt)* competent, *(bevoegd)* qualified: *voor die functie leek hij uiterst ~* he seemed very well qualified for the job; *hij is niet ~ om te rijden* he's in no shape *(of:* condition) to drive; *ik acht hem ~ om die klus uit te voeren* I reckon he can cope with that job

capaciteit 1 capacity, power: *een motor met kleine ~* a low-powered engine; 2 *(bekwaamheid)* ability, capability: *Ans is een vrouw van grote ~en* Ans is a woman of great ability

cape cape

capitulatie capitulation, surrender

capituleren capitulate, surrender

capriool prank, caper

capsule capsule

capuchon hood

carambole cannon

caravan caravan, *(Am)* trailer (home)

carburator carburettor

cardiogram cardiogram

cardioloog cardiologist

Caribisch Caribbean: *het ~ gebied* the Caribbean

cariës caries, tooth decay, dental decay

carillon carillon, chimes: *het spelen van het ~* the ringing of the bells

carnaval carnival (time)

carnavalsvakantie carnival holiday, Shrovetide holiday

carnivoor carnivore

carpoolen *(Am)* carpool

carport carport

carrière career

carrosserie body, bodywork

cartoon cartoon

casco *(schip)* body, vessel, *(scheepsromp)* hull

cash cash

cashewnoot cashew (nut)

casino casino

cassatie annulment: *hof van ~* court of appeal

cassette 1 box, casket, coffer *(juwelen)*, slip case, money box *(geld)*; 2 *(muziek-)* cassette

cassetteband cassette (tape)

cassettedeck cassette deck, tape deck

cassis cassis, black currant drink

castagnetten castanets

castreren castrate, neuter, doctor *(dier)*

catacombe *(mv)* catacombs

Catalaans Catalan, Catalonian

catalogiseren catalogue, record

catalogus catalogue

Catalonië Catalonia

catamaran catamaran

catastrofaal catastrophic, disastrous

catastrofe catastrophe, disaster

catechismus catechism

categorie category, classification, *(mbt leeftijd, inkomen)* bracket: *in drie ~ën indelen* distinguish into three categories

categoriseren categorize, class

cateren cater (for)

*catheter *(Wdl: katheter)* catheter: *een ~ inbrengen bij* catheterize

causaal causal, causative: *~ verband* causal connection

cavalerie cavalry, tanks

cavia guinea pig, cavia

cc 1 *afk van kubieke centimeter* cc; 2 *afk van kopie conform (ongev)* certified copy

cd *afk van compact disc* CD

cd-i *afk van compact disc interactief* CD-I

cd-i-speler CD-I-player

cd-r *afk van compact disc-recordable* CD-R

cd-romspeler CD-ROM drive, CD-ROM player

cd-single CD single

cd-speler CD player

ceder cedar

ceintuur belt, waistband

cel cell, (call) box, booth *(telefoon-)*: *hij heeft een jaar ~ gekregen* he has been given a year; *in een ~ opsluiten* lock up in a cell

celdeling fission, cell division

celibaat celibacy

cellist cellist

cello (violon)cello

cellulair cellular

celluloid celluloid

Celsius Celsius, centigrade

cement cement

censureren censor, *(fig)* black out *(nieuws, tv)*

censuur censorship

cent 1 cent: *iem tot op de laatste ~ betalen* pay s.o. to the full; 2 *(inform)* penny, farthing: *ik geef geen ~ meer voor zijn leven* I wouldn't give a penny for his life; *ik vertrouw hem voor geen ~* I don't trust him an inch; 3 *(vnl. mv)* money, cash: *zonder een ~ zitten* be penniless

centiliter centilitre

centime centime

centimeter 1 centimetre: *een kubieke ~* a cubic centimetre; *een vierkante ~* a square centimetre; 2 *(meetlint)* tape-measure

centraal central: *(fig) een centrale figuur* a central *(of:* key) figure; *een ~ gelegen punt* a centrally situated point

centrale 1 *(elektr)* power station, powerhouse; 2 *(telefoon-)* (telephone) exchange, *(van bedrijf)* switchboard

centralisatie centralization

centreren centre

centrifuge centrifuge, *(voor was)* spin-dryer

centrum centre: *in het ~ van de belangstelling staan* be the centre of attention; *(pol) links (of: rechts) van het ~* left *(of:* right) of centre

centrumspits centre forward

ceremonie ceremony

ceremonieel ceremonial, formal: *een ceremoniële ontvangst* a formal reception

ceremoniemeester Master of Ceremonies, *(bij bruiloft)* best man

certificaat certificate

Ceylon Ceylon, *(staat)* Sri Lanka

cfk *afk van chloorfluorkoolwaterstof* CFC

chagrijnig miserable, grouchy: *doe niet zo ~* stop being such a misery; *~ zijn* sulk

chalet chalet, Swiss cottage

champagne champagne

champignon mushroom

chantage blackmail

chanteren blackmail

chaos chaos, disorder, havoc: *er heerst ~ in het land* the country is in chaos

chaotisch chaotic

chaperon chaperon(e)

charcuterie *(Belg)* cold cooked meats

charisma charisma

charmant charming, engaging, winning *(glimlach)*, delightful, attractive: *een ~e jongeman* a charming young man

charme charm

charter 1 charter flight; charter(ed) plane; 2 *(oorkonde)* charter

charteren charter; enlist, commission

chartervliegtuig charter(ed) aircraft

chassis chassis

chatten *(comp)* chat

chaufferen drive

chauffeur driver, chauffeur

chauvinisme chauvinism

chauvinist chauvinist

checken check (up, out), verify

chef leader, *(inform)* boss *(van bende, delegatie)*; *(van organisatie)* head, chief, *(in leger enz.)* superior (officer), *(bedrijfsleider)* manager, *(op stations)* stationmaster: *~ van een afdeling* head *(of:* manager) of a department; *~ d'équipe* team manager; *~ de mission* head of the delegation

chef-kok chef

chemicaliën chemicals, chemical products

chemicus chemist

chemie chemistry

chemotherapie chemotherapy

cheque cheque: *een ongedekte ~* a dud cheque; *een ~ innen* cash a cheque

chequeboek chequebook

chic I *bn, bw* 1 chic, stylish, smart: *er ~ uitzien* look (very) smart; 2 *(deftig)* elegant, distinguished,

fashionable *(buurt)*; II *zn* chic, stylishness, elegance
Chileen Chilean
Chileens Chilean
chili chilli, hot pepper
Chili Chile
chimpansee chimpanzee, *(inform)* chimp
China China
Chinees I *zn* 1 Chinese, Chinaman; 2 Chinese restaurant; *(om mee te nemen)* Chinese takeaway; 3 *(taal)* Chinese; II *bn* Chinese: *Chinese wijk (buurt)* Chinatown
Chinese Chinese (woman)
chip 1 chip, integrated circuit; 2 chip, microprocessor
chipkaart smart card, intelligent card
chipknip smart card (for small amounts)
chips (potato) crisps, *(Am)* chips
Chiro *(Belg)* Christian youth movement
chirurg surgeon
chirurgie surgery
chirurgisch surgical: *een ~e ingreep* a surgical operation, surgery
chloor 1 *(chem)* chlorine; 2 bleach
chloroform chloroform
chocolaatje chocolate
chocola(de) 1 chocolate, *(inform)* choc: *pure ~* plain chocolate; 2 *(drank)* (drinking) chocolate, cocoa
chocolademelk (drinking) chocolate, cocoa
chocoladepasta chocolate spread
choke choke
cholera cholera
cholesterol cholesterol
choqueren shock, give offence: *gechoqueerd zijn (door)* be shocked (at, by)
choreograaf choreographer
christelijk I *bn* Christian: *een ~e school* a protestant school; II *bw (fatsoenlijk)* decently
christen Christian
christen-democraat Christian Democrat
christendom Christianity
Christus Christ ‖ *na ~* A.D., after Christ; *voor ~* B.C., before Christ
chromosoom chromosome
chronisch *(mbt ziekten)* chronic, lingering, *(aanhoudend)* recurrent: *een ~ zieke* a chronically sick patient
chronologie chronology
chronologisch chronological
chronometer stopwatch, chronograph
chroom chrome
chrysant chrysanthemum
CID *afk van Criminele Inlichtingendienst* criminal investigation department
cider cider
cijfer 1 figure, numeral, digit, cipher: *Romeinse ~s* Roman numerals; *twee ~s achter de komma* two decimal places; *getallen die in de vijf ~s lopen*

five-figure numbers; 2 *(in school)* mark, grade: *het hoogste ~* the highest mark
cijferlijst list of marks, (school) report
cilinder cylinder
cineast film maker *(of:* director)
cipier warder, jailer
cipres cypress
circa approximately, about, *(voor datum)* circa
circuit 1 *(sport)* circuit, (race)track; 2 *(personen, instanties)* scene: *het zwarte ~* the black economy
circulatie circulation: *geld in ~ brengen* put money into circulation
circuleren circulate; distribute: *geruchten laten ~* put about *(of:* circulate) rumours
circumcisie *(med)* circumcision
circumflex circumflex (accent)
circus circus
cirkel circle: *halve ~* semicircle; *een vicieuze ~* a vicious circle
cirkeldiagram pie chart, circle graph
cirkelen circle, orbit
cirkelomtrek perimeter
citaat quotation, quote; *(niet letterlijk)* citation: *einde ~* unquote, close quotes
citer zither
citeren quote; cite
Citotoets secondary education aptitude test
citroen lemon
citrusvrucht citrus fruit
city city centre
civiel civil, *(niet-militair)* civilian: *een politieman in ~* plain-clothes officer
civiel-ingenieur civil engineer
civilisatie civilization
claim claim: *een ~ indienen (bij)* lodge a claim (with)
claimen (lay) claim (to), file *(of:* lodge) a claim: *een bedrag ~ bij de verzekering* claim on one's insurance
clan clan, clique, coterie
clandestien clandestine; illicit: *de ~e pers* underground press; *~ gestookte whisky* bootleg whiskey, moonshine
clark *(Belg)* fork-lift truck
classeur *(Belg) (ordner)* file
classicus classicist
classificatie classification, ranking, rating
classificeren *(ordenen)* classify, class, rank
claustrofobie claustrophobia
clausule clause, proviso, stipulation: *een ~ opnemen in* build a clause into
claxon (motor) horn: *op de ~ drukken* sound one's horn
claxonneren sound one's horn; hoot
cliché 1 cliché; 2 *(druk)* plate, block
clichématig cliché'd, commonplace, trite
cliënt 1 client; 2 *(klant)* customer, patron
clientèle clientele, custom(ers)
climax climax: *naar een ~ toe werken* build (up) to

a climax

clip 1 paper clip, *(groot)* bulldog clip; 2 *(sierspeld)* clip, pin; 3 *(video-)* (video)clip

clitoris clitoris

closet lavatory, toilet

closetpot lavatory pan

clou point, essence, *(van grap)* punch line: *de ~ van iets niet snappen* miss the point (of sth)

clown clown, buffoon: *de ~ uithangen* clown around

clownesk clownish: *een ~ gebaar* a comic(al) gesture

club 1 club *(ook golfstok)*, society, association; 2 *(groep vrienden)* crowd, group, gang

clubhuis 1 club(house), *(sportclub ook)* pavilion; 2 community centre, *(voor jeugd)* youth centre

clubkas club funds

cluster cluster

cm *afk van centimeter* cm

coach coach, trainer, *(begeleider bij opleiding ook)* supervisor, tutor

coachen coach, train; tutor *(van leerling)*

coalitie coalition

coassistent (assistant) houseman, *(Am)* intern(e)

cobra cobra

cocaïne cocaine: *~ snuiven* snort *(of:* sniff) cocaine

cockpit cockpit, flight deck *(vliegtuig)*

cocktail cocktail

cocktailbar cocktail lounge

cocon cocoon, pod *(van zijderups)*

code code, cipher: *een ~ ontcijferen* crack a code

coderen (en)code, encipher

codicil codicil

coëfficiënt coefficient

coffeeshop coffee shop

cognac cognac

cognitief cognitive

cognossement bill of lading, *(vaak afgekort)* B/L

coherent coherent *(ook nat)*, consistent

cohesie cohesion

coke coke; *(cocaïne)* snow

cokes coke

col 1 roll-neck, polo neck; 2 *(bergpas)* col, (mountain) pass

cola coke

cola-tic rum *(of:* gin) and coke

colbert(jasje) jacket

collaborateur collaborator, quisling

collaboratie collaboration

collaboreren collaborate, *(medewerken)* work together

collage collage, montage, paste-up

collectant collector, *(anglicaanse Kerk ook)* sidesman

collecte collection, *(niet-officieel)* whip-round

collecteren collect, make a collection, *(in kerk)* take the collection

collecteur collector

collectie 1 collection, show: *een fraaie ~ schilderij-*

en a fine collection of paintings; 2 *(groot aantal)* collection, accumulation

collectief I *bn, bw* collective, corporate, joint, communal: *collectieve arbeidsovereenkomst* collective wage agreement; *collectieve uitgaven* public expenditure; II *zn* collective

collega colleague, associate, *(mbt handarbeider)* workmate

college 1 college; *(alg)* (university) class, *(hoor-)* (formal) lecture: *de ~s zijn weer begonnen* term has started again; *~ geven (over)* lecture (on), give lectures (on); *~ lopen* attend lectures; 2 *(bestuurslichaam)* board: *~ van bestuur: a) (van school, universiteit)* Board of Governors (Am: Regents); *b) (van onderneming)* Board of Directors; *het ~ van burgemeester en wethouders* the (City, Town) Council

collegedictaat lecture notes

collegiaal fraternal, brotherly, comradely: *zich ~ opstellen* be loyal to one's colleagues

collie collie

collier necklace

collo package

colofon colophon

Colombia Colombia

Colombiaan Colombian

Colombiaans Colombian

colonnade colonnade, portico

colonne column

colporteren *(huis aan huis)* sell door-to-door, hawk

coltrui roll-neck (pullover, sweater), *(Am)* turtleneck (pullover, sweater)

coma coma: *in (een) ~ raken* lapse into a coma

comapatiënt comatose patient, patient in a coma

combi estate car, station wagon

combikaart all-in-one ticket, combined ticket, train plus admission to an event

combinatie combination *(ook type vrachtwagen)*

combinatietang combination pliers, electrician's pliers

combine combine (harvester)

combineren I *intr* go (together), match: *deze kleuren ~ niet* these colours don't go (together) *(of:* don't match), these colours clash; II *tr* 1 combine (with): *twee banen ~* combine two jobs; 2 *(met elkaar in verband brengen)* associate (with), link (with)

combo combo

comeback comeback: *een ~ maken* make *(of:* stage) a comeback

comfort comfort *(vaak mv)*, convenience *(vaak mv)*: *dit huis is voorzien van het modernste ~* this house is fully equipped with the latest conveniences

comfortabel comfortable

comité committee: *uitvoerend ~* executive committee

commandant 1 *(mil)* commander, commandant; 2

(mbt de brandweer) chief (fire) officer, (fire) chief

commanderen 1 command, be in command (of); **2** *(bevelen)* give orders, *(min)* boss about, order about

commanditair: ~ *vennootschap* limited partnership

commando 1 command: *het ~ voeren (over)* be in command (of); **2** *(order)* (word of) command, order; *(comp)* command: *iets op ~ doen* do sth to order; *huilen op ~* cry at will; **3** *(mil)* commando

commentaar 1 comment(s), remark(s), observation(s), *(op teksten ook)* commentary (on): ~ *op iets geven* (of: *leveren*) comment (of: make comments) on sth; *geen ~* no comment; **2** *(kritiek)* (un)favourable) comment, criticism: *een hoop ~ krijgen* receive a lot of unfavourable comment; *rechtstreeks ~* (running) commentary

commentaarstem voice-over

commentator commentator

commercie commerce, trade

commercieel commercial: *op niet-commerciële basis* on a non-profit(-making) basis

commissariaat 1 commissionership: *een ~ bekleden bij een bedrijf* sit on the board of a company; **2** *(bureau)* commissioner's office

commissaris 1 commissioner; governor: ~ *van de Koningin* (Royal) Commissioner, governor; ~ *van politie* Chief Constable, Chief of Police, police commissioner; *raad van ~sen* board of commissioners; **2** *(actief bestuurslid)* official, officer

commissie 1 committee, board, commission: *de Europese Commissie* the European Commission; *een ~ instellen* appoint (of: set up) a committee; **2** *(handel)* commission

commode chest of drawers

commune commune

communicant 1 s.o. making his (of: her) first Communion; **2** *(iem die ter communie gaat)* communicant

communicatie communication

communicatief communicative

communicatiemiddel means of communication

communiceren *(in verbinding staan)* communicate (with): *~de vaten* communicating vessels

communie (Holy) Communion: *eerste* (of: *plechtige*) ~ first (of: solemn) Communion

communiqué communiqué, statement: *een ~ uitgeven* issue a communiqué, put out a statement

communisme Communism

communist Communist

compact compact

compact disc compact disc

compagnie company, *(vennootschap ook)* partnership: *de Oost-Indische Compagnie* the Dutch East India Company

compagnon 1 partner, (business) associate: *de ~ van iem worden* go into partnership with s.o.; **2** *(maat)* pal, buddy, chum

compartiment compartment

compatibel compatible

compensatie compensation: *als ~ voor, ter ~ van* by way of compensation for

compenseren compensate for, counterbalance, make good: *dit compenseert de nadelen* this outweighs the disadvantages; *een tekort ~* make good a deficiency (of: deficit)

competent 1 competent, able, capable: *hij is (niet) ~ op dat gebied* he is (not) competent in that field; **2** *(bevoegd)* competent, qualified, authorized: *dit hof is in deze kwestie niet ~* this court is not competent to settle this matter

competentie competence, *(bevoegdheid)* capacity

competitie league

competitiewedstrijd league match; *(voetbal)* league game

compilatie compilation

compleet 1 complete: *deze jaargang is niet ~* this volume is incomplete; **2** *(helemaal)* complete, total, utter: *complete onzin* utter (of: sheer) nonsense; *ik was ~ vergeten de oven aan te zetten* I'd clean (of: completely) forgotten to switch the oven on

complement complement

complementair complementary

complex I *zn* complex; aggregate: *een heel ~ van regels* a whole complex of rules; **II** *bn* complex, complicated, intricate: *een ~ probleem* a complex problem; *een ~ verschijnsel* a complex phenomenon

complicatie complication: *bij dit soort operaties treden zelden ~s op* with this type of surgery complications hardly ever arise

compliceren complicate: *een gecompliceerde breuk* a compound fracture

compliment 1 compliment: *iem een ~ maken over iets* pay s.o. a compliment on sth, compliment s.o. on sth; **2** *(begroeting) (meestal mv)* regard, respect: *de ~en van vader en of u even wilt komen* father sends his regards and would you mind calling around

complimenteren compliment: *iem ~ met iets* compliment s.o. on sth

complimenteus complimentary

complot 1 plot: *een ~ smeden* hatch a plot, conspire; **2** *(samenzweerders)* conspiracy

component component

componeren compose

componist composer

compositie composition

compost compost

composteren compost

compote stewed fruit

compressor compressor

comprimeren compress, condense

compromis compromise: *een ~ aangaan* (of: *sluiten*) come to (of: reach) a compromise

compromitteren compromise

compromitterend compromising, incriminating: *~e verklaringen* (of: *papieren*) incriminating statements (of: documents) computer computer: *gegevens invoeren in een ~* feed data into a computer

computeren be at (*of:* work on, play on) the computer

computerfanaat computer fanatic (*of:* freak)

computergestuurd computer-controlled

computerkraker hacker

computerprogramma computer program

computerprogrammeur computer programmer

computertijd machine time, run time

concentraat concentrate, extract

concentratie concentration: *~ van het gezag* concentration of authority; *zijn ~ verliezen* lose one's concentration

concentratiekamp concentration camp

concentratieschool *(Belg) (school voor migrantenkinderen)* school for ethnic minority children

concentreren I *zich ~* concentrate (on): *zijn hoop concentreerde zich op de zomervakantie* his hopes were pinned on the summer holidays; II *tr (verenigen)* concentrate, centre, *(troepen ook)* mass, *(sterker maken ook)* strengthen: *een geconcentreerde oplossing* a concentrated solution

concentrisch concentric

concept 1 (rough, first) draft, outline: *een ~ maken van* draft; 2 *(interpretatie)* concept

conceptie conception

concern group

concert 1 concert, *(solo-instrument)* recital: *naar een ~ gaan* go to a concert; 2 *(muziekstuk)* concerto

concertgebouw concert hall

concertpodium concert platform

concertzaal concert hall, auditorium

concessie concession, *(vergunning)* franchise, licence ‖ *~s doen aan iem* make concessions to s.o.

conciërge caretaker, janitor, porter

concluderen conclude, deduce: *wat kunnen we daaruit ~?* what can we conclude from that?

conclusie conclusion, deduction, *(onderzoek, mv)* findings: *de ~ trekken* draw the conclusion

concours competition, contest

concreet 1 concrete, material, real, actual, tangible: *een ~ begrip* a concrete term; *een ~ geval van* a specific case of; 2 definite: *concrete toezeggingen* definite promises; *het overleg heeft niets ~s opgeleverd* the discussion did not result in anything concrete

concurrent *(mededinger)* competitor *(ook handel)*, rival

concurrentie competition, contest, rivalry

concurrentiepositie competitive position, competitiveness

concurreren compete

concurrerend competitive *(prijs)*; competing, rival *(firma)*; conflicting *(belangen)*

condens condensation

condenseren condense, *(van melk e.d. ook)* boil down, evaporate

conditie 1 condition, proviso, *(mv ook)* terms: *een ~ stellen* make a condition; *onder (op) ~ dat* on (the) condition that; 2 *(toestand)* condition, state, *(lichamelijk)* form, *(lichamelijk)* shape: *de speler is in goede ~* the player is in good shape (*of:* is fit); *je hebt geen ~* you're (badly) out of condition

conditietraining fitness training: *aan ~ doen* work out

condoléance condolence, sympathy: *mag ik u mijn ~s aanbieden* may I offer my condolences

condoleren offer one's condolences (to s.o.)

condoom condom; *(inform)* rubber

condor (Andean) condor

conducteur conductor, ticket collector

confectie ready-to-wear clothes, ready-made clothes

confederatie confederation, confederacy

conference 1 *(voordracht)* (solo) act, (comic) monologue; 2 *(praatje)* talk

conferencier entertainer

conferentie conference, meeting

confessie confession, admission

confessioneel confessional, *(mbt onderwijs)* denominational

confetti confetti

confidentieel confidential

confisqueren confiscate

confituren conserves

confituur *(Belg)* jam

conflict conflict, clash: *in ~ komen met* come into conflict with

conform in accordance with

conformeren, zich conform (to), comply (with): *zich ~ aan de publieke opinie* bow to public opinion

confrontatie confrontation

confronteren confront (with): *met de werkelijkheid geconfronteerd worden* be faced (*of:* confronted) with reality

conglomeratie conglomeration

congres conference, *(groter)* congress

congrescentrum conference centre

congresgebouw conference hall

conifeer conifer

conjunctuur economic situation, market conditions, trade cycle

connectie connection, link ‖ *goede ~s hebben* be well connected

corrector *(ongev)* deputy headmaster

consciëntieus conscientious, scrupulous, painstaking

consecratie consecration

consensus consensus

consequent 1 logical: *~ handelen* act logically, be consistent; 2 consistent (with)

consequentie *(logisch, noodzakelijk gevolg)* implication, consequence: *de ~s trekken* draw the obvious conclusion

conservatief I *zn* conservative, *(pol ook)* Tory; II *bn, bw* conservative; *(pol)* Conservative: *de conservatieve partij* the Conservative (*of:* Tory) Party

conservator curator *(van museum)*, keeper, custo-

dian *(ve afdeling of collectie)*
conservatorium academy of music, conservatory
conserven canned food(s), tinned food(s), preserved food(s)
conservenblik can, tin (can)
conserveren preserve, conserve; *(inblikken)* can, tin: *goed geconserveerd zijn* be well preserved
conservering 1 preservation *(monumenten)*; conservation *(natuur)*; **2** *(tegen bederf)* preserving, *(in blik)* canning
conserveringsmiddel preservative
consignatie consignment
consolideren 1 *(duurzaam maken)* consolidate, strengthen; **2** *(mbt geldwezen)* consolidate, fund
consorten confederates, associates, buddies: *Hans en ~ Hans* and his pals
consortium consortium, syndicate
constant constant, steady, continuous, *(vrienden ook)* staunch, *(vrienden ook)* loyal: *een ~e grootheid* (of: *waarde)* a constant quantity (of: value); *hij houdt me ~ voor de gek* he is forever pulling my leg (*of:* making a fool of me)
constante constant
constateren establish *(een feit, de waarheid)*, ascertain *(door onderzoek)*, record *(door vermelding)*; *(ontdekken)* detect, *(bemerken)* observe: *ik constateer slechts het feit dat* I'm merely stating the fact that, all I'm saying is that
constatering observation, establishment *(ve feit, de waarheid)*
consternatie consternation, alarm: *dat gaf heel wat ~* it caused quite a stir
constipatie constipation: *last hebben van ~* be constipated
constitutie 1 constitution, physique: *een slechte ~ hebben* have a weak constitution; **2** *(grondwet)* constitution
constitutioneel constitutional: *constitutionele monarchie* constitutional monarchy
constructeur designer
constructie construction, building, erection, structure
constructief 1 constructive, useful: *~ te werk gaan* go about sth in a constructive way; **2** *(mbt een constructie)* constructional, structural
construeren *(samenstellen)* construct, *(bouwen)* build, erect, *(ontwerpen)* design
consul consul
consulaat consulate
consulent consultant, adviser
consult consultation, visit *(arts)*
consultatiebureau clinic, health centre: *~ voor zuigelingen* infant welfare centre, child health centre, well-baby clinic
consulteren 1 consult; **2** *(onderling overleg plegen)* confer, discuss
consument consumer
consumentenbond consumers' organization
consumeren 1 consume; eat, drink; **2** *(econ)* deplete, exhaust

consumptie 1 consumption: *(on)geschikt voor ~* (un)fit for (human) consumption; **2** food, drink(s), refreshment(s)
consumptiebon food voucher
consumptief consumptive: *~ krediet* consumer credit
consumptiegoederen consumer goods: *duurzame ~* consumer durables
contact 1 contact, connection, touch: *telefonisch ~ opnemen* get in touch by phone; *~ opnemen met iem (over iets)* contact s.o., get in touch with s.o. (about sth); *in ~ blijven met* keep in touch with; **2** *(band, verstandhouding)* contact, terms: *een goed ~ met iem hebben* have a good relationship with s.o.; **3** *(persoon)* contact (man), *(relatie)* connection: *~en hebben in bepaalde kringen* have connections in certain circles; **4** *(schakelaar)* contact, switch, *(van auto)* ignition: *het sleuteltje in het ~ steken* put the key in(to) the ignition
contactadvertentie personal ad(vert), advert in the personal column
contactdoos socket; *(in toestel)* appliance inlet
contactlens contact lens, *(mv ook; inform)* contacts
contactlijm contact adhesive
contactsleutel ignition key
contactueel contactual
container 1 container; **2** *(afvalbak)* (rubbish) skip
containerpark *(Belg)* recycling centre, amenity centre
contant cash, ready: *tegen ~e betaling* on cash payment, cash down; *~ geld* ready money
contanten cash, ready money, cash in hand
content content (with), satisfied (with)
context context, framework, background: *je moet dat in de juiste ~ zien* you must put that into its proper context
continent continent
contingent 1 *(verplicht aandeel)* contingent; **2** *(toegewezen aandeel)* quota, share, proportion, *(toewijzing)* allocation, *(toewijzing)* allotment
continu I *bn* continuous, *(lijn)* unbroken; **II** *bw* continuously: *hij loopt ~ te klagen* he is always complaining
continueren 1 continue (with), carry on (with); **2** *(handhaven)* continue, retain
continuering continuation
continuïteit 1 *(samenhang)* continuity; **2** *(voortgang)* continuation
conto account: *(fig) iets op iemands ~ schrijven* hold s.o. accountable for sth
contour contour
contra contra, against, *(jur)* versus: *alle argumenten pro en ~ bekijken* consider all the arguments for and against
contrabas *(instrument)* (double) bass
contraceptie contraception
contract contract, agreement: *zijn ~ loopt af* his contract is running out; *een ~ opzeggen* (of: *verbre-*

ken) terminate *(of:* break) a contract; *volgens ~* according to contract

contracteren 1 engage, *(vnl. sport)* sign (up, on); 2 *(contract sluiten)* contract: *~de partijen* contracting parties

contradictie contradiction

contraspionage counter-espionage

contrast contrast: *een schril ~* a harsh contrast

contrei parts, regions

contributie subscription; *(vrijwillig)* contribution

controle 1 check (on), checking, control, *(toezicht ook)* supervision (of, over); *(med)* check-up, *(ve continu proces)* monitoring: *~ van de bagage* baggage check; *de ~ van de boekhouding* the audit of accounts, the examination of the books; *de ~ over het stuur verliezen* lose control of the steering-wheel; 2 *(plaats)* control (point), checkpoint, (ticket) gate *(van toegangsbewijzen): zijn kaartje aan de ~ afgeven* hand in one's ticket at the gate

controleerbaar verifiable

controleren 1 supervise, superintend, monitor *(continu): ~d geneesheer (ongev)* medical officer; 2 *(checken)* check (up, on), inspect, examine, *(van gegevens ook)* verify: *de boeken ~* audit the books *(of:* accounts); *kaartjes ~* inspect tickets; *iets extra (dubbel) ~* double-check sth

controleur inspector, controller, checker, *(van kaartjes)* ticket inspector *(of:* collector), *(boekhouden)* auditor

controverse controversy

convent monastery *(monniken);* convent *(nonnen)*

conventie convention: *in strijd met de ~ zijn* go against the accepted norm

conventioneel conventional

conversatie conversation, talk

converseren converse (with), engage in conversation (with)

converteren convert (into, to)

coöperatie 1 cooperation, collaboration; 2 *(vereniging)* cooperative (society)

coöperatief cooperative

coördinatie coordination

coördinator coordinator

coördineren coordinate, arrange, organize: *werkzaamheden ~* supervise work

copiloot co-pilot

coproductie joint production, co-production

copulatie *(paring)* copulation, sexual intercourse

copyright copyright

corduroy cord(uroy), corded *(stof)*

cornedbeef corned beef, bully (beef)

corner *(sport)* corner

corporatie corporation, corporate body

corps corps

corpsstudent member of a student association

corpulent corpulent

correct 1 correct; *(juist)* right, exact: *~ antwoorden* get the answer(s) right, answer correctly; 2 *(onberispelijk)* correct, right, proper: *~e houding* proper

conduct *(of:* behaviour); *~e kleding* suitable dress

correctheid 1 correctness, precision; 2 *(onberispelijkheid)* correctness, propriety

correctie correction, *(aanpassing)* adjustment, revision *(tekst); (ond ook)* marking: *~s aanbrengen* make corrections, *(aanpassen)* adjust, make adjustments

correctiewerk correction, correcting, *(ond)* marking: *ik moet nog een hoop ~ doen* I still have a lot of correcting *(of:* marking) to do

correctioneel *(Belg)* criminal: *correctionele rechtbank (ongev)* Crown Court

correlatie correlation

correspondent correspondent: *van onze ~ in Parijs* from our Paris correspondent

correspondentie correspondence: *een drukke ~ voeren* carry on a lively correspondence

correspondentievriend penfriend

corresponderen 1 correspond (with), write (to); 2 *(overeenkomen met)* correspond (to, with), match (with), agree (with)

corrigeren 1 correct, *(aanpassen)* adjust; 2 *(nakijken)* correct, *(ond ook)* mark

corrumperen corrupt, pervert: *macht corrumpeert* power corrupts

corrupt corrupt, dishonest

corruptheid corruptness

corruptie corruption

corsage corsage

Corsica Corsica

corso pageant, parade, procession

corvee (household) chores: *~ hebben* do the chores

coryfee star, lion, celebrity

cosinus cosine

cosmetica cosmetics

cosmetisch cosmetic

coulant accommodating, obliging, reasonable

coulisse (side) wing *(vaak mv)*

counter *(sport)* counter-attack, countermove: *op de ~ spelen* rely on the counter-attack

counteren *(sport)* counter(-attack)

country country

countrymuziek country music

coup coup (d'état): *een ~ plegen* stage a coup

coupe 1 cut, style *(van haar);* 2 *(ijsgerecht)* coupe: *~ royale (ongev)* sundae

coupé 1 compartment; 2 *(tweedeursauto)* coupé

couperen cut: *een hond ~* dock a dog's tail

coupe soleil highlights *(mv)*

couplet stanza, verse, *(tweeregelig)* couplet

coupon 1 *(lap stof)* remnant; 2 *((waarde)bon)* coupon

coupure 1 cut, deletion; 2 *(fin)* denomination

courant current

coureur *(wielrenner)* (racing) cyclist; *(motorracer)* racing motorcyclist; *(autoracer)* racing car driver

courgette courgette

courtage brokerage, (broker's) commission

couture couture, dressmaking

couturier couturier, (fashion) designer
couvert 1 cover, envelope; **2** *(eetgerei)* cover, cutlery *(messen, vorken, lepels)*
couveuse incubator
cover cover (version), remake
cowboy cowboy
coyote coyote
c.q. *afk van casu quo* and, or
cracker cracker
crashen 1 crash: *het toestel crashte bij de landing* the plane crashed on landing; **2** *(bankroet gaan)* crash, go bankrupt
crawl crawl
crawlen do the crawl
creatie creation: *de nieuwste ~s van Dior* Dior's latest creations
creatief creative, original, imaginative: *~ bezig zijn* do creative work
creativiteit creativity, creativeness: *(fig) haar oplossingen getuigen van ~* her solutions show creative talent
crèche crèche, day-care centre, day nursery
credit credit: *debet en ~* debit and credit; *iets op iemands ~ schrijven (ook fig)* put sth to s.o.'s credit, credit s.o. with sth
creditcard credit card
crediteren credit
crediteur creditor, *(mv; boekhouden)* accounts payable
crediteurenadministratie accounts payable
creditpost credit item *(of: entry)*, asset
credo 1 credo, creed; **2** *(deel van de mis)* Credo, Creed
creëren create
crematie cremation
crematorium crematorium
crème 1 cream: *~ op zijn gezicht smeren* rub cream on one's face; **2** *(likeur)* crème: *een ~ japon* a cream(-coloured) dress
cremeren cremate
creool Creole
creools creole
crêpepapier crêpe paper
creperen 1 die: *ze lieten haar gewoon ~* they let her die like a dog; **2** *(lijden)* suffer: *~ van de pijn* be racked with pain
cricketen play cricket
crime disaster: *het is een ~* it is a disaster
criminaliteit criminality: *de kleine ~* petty crime
criminologie criminology
crisis crisis: *de ~ van de jaren dertig* the depression of the 1930s; *een ~ doormaken* go through a crisis; *een ~ doorstaan* weather a crisis
criterium 1 criterion: *aan de criteria voldoen* meet the criteria; *een ~ vaststellen* lay down a criterion; **2** *(wielersport)* criterium
criticus critic, reviewer: *door de critici toegejuicht worden* receive critical acclaim
croissant croissant

croque-monsieur *(Belg)* toasted ham and cheese sandwich
cross cross
crossen 1 take part in a cross-country (event), *(atletiek ook)* do cross-country, do autocross *(of:* rallycross*) (auto)*; **2** *(scheuren)* tear about: *hij crost heel wat af op die fiets* he is always tearing about on that bike of his
crossfiets cyclo-cross bike; *(voor kinderen)* BMX bike
crossmotor cross-country motorcycle
¹**cru** vintage
²**cru 1** *(grof)* crude, rude, *(ongemanierd)* rough: *dat klinkt misschien ~, maar …* that sounds a bit harsh, but …; **2** *(rauw)* blunt; *(wreed)* cruel
cruciaal crucial
crucifix crucifix
cruise cruise
cryptisch cryptic(al), obscure
cryptogram cryptogram
CS *afk van centraal station* Central Station
Cuba Cuba
Cubaan Cuban
Cubaans Cuban
culinair culinary
cultiveren 1 cultivate *(grond)*, till; **2** *(beschaven, vormen)* cultivate, improve: *gecultiveerde kringen* cultured *(of:* sophisticated*)* circles
cultureel cultural: *~ werk* cultural activities, social and creative activities
cultus cult
cultuur 1 *(mbt gewassen)* culture, cultivation: *een stuk grond in ~ brengen* bring land into cultivation; **2** *(beschaving)* culture, civilization: *de oosterse ~* eastern civilization
cultuurgrond arable land, cultivated land
cum laude with distinction
cumulatief cumulative
cup cup
Cupido Cupid, Eros
curatele legal restraint, *(minderjarige)* wardship; *(bij faillissement)* receivership
curator curator *(van museum)* ‖ *de firma staat onder het beheer van een ~* the firm is in receivership
curieus curious, strange: *ik vind het maar ~* I find it rather strange
curiositeit curiosity, oddity, strangeness: *… en andere ~en …* and other curiosities *(of:* curiosa*)*
curriculum curriculum: *~ vitae* curriculum vitae
cursief italic, italicized, cursive: *~ drukken* print in italics
cursist student
cursor cursor
cursus course (of study, lectures): *zich opgeven voor een ~ Frans* sign up for a French course; *een schriftelijke ~* a correspondence course
cursusboek textbook, *(vnl. voor beginners)* coursebook
cursusjaar year, school year, *(universiteit)* academ-

cu

ic year
curve curve
custard custard (powder)
cut *(film, video)* cut(ting)
cutter 1 slicer; 2 *(film, video) (persoon)* cutter, editor
cv 1 *afk van centrale verwarming* central heating; 2 *afk van curriculum vitae* cv
CV 1 *afk van Commanditaire Vennootschap* Limited (*of:* Special) Partnership; 2 *afk van coöperatieve vereniging* co-op
cyanide cyanide
cybernetica cybernetics
cyclaam cyclamen
cyclisch cyclic(al): ~*e verbindingen* cyclic compounds
cyclocross cyclo-cross
cycloon cyclone, hurricane
cycloop Cyclops
cyclus cycle
cynisch cynical
cynisme cynicism
Cyprioot Cypriot
Cyprus Cyprus
cyrillisch Cyrillic

d

daad act(ion), deed, activity: *een goede ~ verrichten* do a good deed

daadwerkelijk actual, active, practical

daags I *bn* daily, everyday; **II** *bw* a day, per day, daily: *tweemaal ~* twice a day

daar I *bw* **1** (over) there: *zie je dat huis ~* (do you) see that house (over there)?; *tot ~* up to there; **2** *(om de aandacht op iets of iem te vestigen)* (just, over, right) there: *wie is ~?* who is it? *(of:* there?); **II** *vw* as, because, since

daaraan on (to) it *(of:* them): *wat heb je ~* what good is that

daarachter 1 behind (it, that, them, there): *(fig) wat zou ~ zitten?* I wonder what's behind it; **2** *(verderop)* beyond (it, that, them, there)

daarbeneden down there, below

daarbij 1 with it *(of:* that); *(mv)* with these *(of:* those): *~ blijft het* that's how it is, we'll keep it like that; **2** *(daarenboven)* besides, moreover, furthermore: *~ komt, dat ...* what's more ...

daarbinnen in there, inside, in it *(of:* that), *(mv)* in these *(of:* those): *~ is het warm* it's warm in there

daarboven up there, above it

daardoor 1 through it *(of:* that); *(mv)* through these *(of:* those); **2** *(daarom)* therefore, so, consequently, *(door middel daarvan)* by this *(of:* that) means: *zij weigerde, en ~ gaf zij te kennen ...* she refused, and by doing so made it clear ...; *~ werd hij ziek* that is *(of:* was) what made him ill, because of this *(of:* that) he became ill

daarentegen on the other hand: *hij is zeer radicaal, zijn broer ~ conservatief* he is a strong radical, his brother, on the other hand, is conservative

daarheen (to) there: *wij willen ~* we want to go (over) there

daarin 1 *(mbt een plaats)* in there *(of:* it, those); **2** in that: *hij is ~ handig* he is good at it

daarlangs by *(of:* past, along) that: *we kunnen beter ~ gaan* we had better go that way

daarmee with, by that *(of:* it, those): *~ kun je het vastzetten* you can fasten it with that *(of:* those); *en ~ uit!* and that's that! *(of:* all there is to it!)

daarna after(wards), next, then: *de dag ~* the day after (that); *snel* (of: *kort) ~* soon *(of:* shortly) after (that); *eerst ... en ~ ...* first ... and then ...

daarnaar 1 at *(of:* to, for) that; **2** *(overeenkomstig)* accordingly, according to that: *~ moet je handelen* you must act accordingly

daarnaast 1 beside it, next to it; **2** *(bovendien)* besides, in addition (to this): *~ is hij nog brutaal ook* what's more he is cheeky (too)

daarnet just now, only a little while ago, only a minute ago

daarom 1 around it; **2** *(dus)* therefore, so, because of this *(of:* that), for that reason: *hij wil het niet hebben, ~ doe ik het juist* he doesn't like it, and that's exactly why I do it; *waarom niet? ~ niet!* why not? because (I say so)!, *(met reden)* that's why!

daaromheen around it *(of:* them): *een tuin met een hek ~* a garden with a fence around it

daaronder under(neath) it

daarop 1 (up)on that; on top of that *(of:* those): *de tafel en het kleed ~* the table and the cloth on top of it; **2** *(onderwerp)* on that, to that: *uw antwoord* (of: *reactie) ~* your reply *(of:* reaction) (to that); **3** *(vervolgens)* thereupon: *de dag ~* the next *(of:* following) day, the day after (that); *kort ~* shortly afterwards, soon after (that)

daaropvolgend next, following: *hij kwam in juli en vertrok in juni ~* he arrived in July and left the following June

daarover 1 on top of it, on *(of:* over, above) that: *~ lag een zeil* there was a tarpaulin on top of *(of:* over, across) it; **2** *(daaromtrent)* about that: *genoeg ~* enough said, enough of that

daartegen 1 against it, next to it; **2** *(mbt die kwestie)* against it *(of:* them): *eventuele bezwaren ~* any objections to it

daartegenaan (right) up against it *(of:* them), (right) onto it *(of:* them): *onze schuur is ~ gebouwd* our shed is built up against *(of:* onto) it

daartegenover 1 opposite *(of:* facing) it/them: *de kerk met de pastorie ~* the church with the vicarage opposite it *(of:* facing it); **2** *(daarentegen)* on the other hand, (but) then again ...: *~ staat dat dit systeem duurder is* (but) on the other hand this system costs more

daartoe 1 for that, to that; **2** *(voor dat doel)* for that (purpose), to that end: *~ gemachtigd zijn* be authorized to do it

daartussen 1 between them, among them: *die twee ramen en de ruimte ~* those two windows and the space between (them); **2** *(mbt die zaak, kwestie)* between them: *wat is het verschil ~?* what's the difference (between them)?

daaruit 1 out of that *(of:* those): *het water spuit ~* the water spurts out of it; **2** *(mbt die kwestie)* from that: *~ kan men afleiden dat ...* from this it can be deduced that ...

daarvan 1 from it *(of:* that, there); **2** *(mbt een hoeveelheid)* of it *(of:* that), thereof; **3** *(mbt materiaal)* of it *(of:* that): *~ maakt men plastic* plastic is made of that, that is used for making plastic; *niets ~* nothing of the sort

daarvandaan 1 (away) from there, away (from it); **2**

(vandaar) hence, therefore

daarvoor 1 in front of it, before that *(of: those)*; **2** *(voor die tijd)* before (that): *de week ~* the week before (that), the previous week; **3** *(voor die zaak)* for that (purpose): *~ heb ik geen tijd* I've no time for that; **4** *(in plaats van)* for it *(of: them)*: *~ (in de plaats) heb ik een boek gekregen* I got a book instead; **5** *(wegens, vanwege)* that's why: *~ ben ik ook gekomen* that's what I've come for; *daar zijn het kinderen voor* that's children for you

dadel date

dadelijk 1 immediately, at once, right away: *kom je haast? ja, ~* are you coming now? yes, in a minute; **2** *(straks)* directly, presently: *ik kom (zo) ~ bij u* I'll be right with you

dadelpalm date palm

dader perpetrator, offender: *de vermoedelijke ~* the suspect

dag I *zn* **1** day; daybreak; daytime: *~ en nacht bereikbaar* available day and night; *bij klaarlichte ~* in broad daylight; *het is kort ~* time is running out (fast), there is not much time (left); *het is morgen vroeg ~* we must get up early *(of: an early start)* tomorrow; *iem de ~ van zijn leven bezorgen* give s.o. the time of his life; *lange ~en maken* work long hours; *er gaat geen ~ voorbij of ik denk aan jou* not a day passes but I think of you; *het is vandaag mijn ~ niet* it just isn't my day (today); *wat is het voor ~?* what day (of the week) is it?; *morgen komt er weer een ~* tomorrow is another day; *~ in, ~ uit* day in day out; *~ na ~* day by day, day after day; *het wordt met de ~ slechter* it gets worse by the day; *om de drie ~en* every three days; *24 uur per ~* 24 hours a day; *van ~ tot ~* daily, from day to day; *van de ene ~ op de andere* from one day to the next; *over veertien ~en* in two weeks' time, in a fortnight; **2** *(daglicht)* daylight: *voor de ~ komen* come to light, surface, appear; *met iets voor de ~ komen: a) (een voorstel doen)* come up with sth; *b) (zich presenteren)* come forward, present oneself; *voor de ~ ermee!: a) (vertel eens)* out with it!; *b) (laat zien)* show me!; *goed voor de ~ komen* make a good impression; **3** *(tijdperk)* day(s), time: *ouden van ~en* the elderly; **4** *(begroeting) (bij aankomst)* hello, hi (there); *(bij vertrek)* bye(-bye), goodbye; **II** *tw* hello, hi; *(als afscheid)* bye(-bye), goodbye: *dáág!* bye(-bye)!, bye then; *ja, dáág!* forget it!

dagafschrift daily statement (of account)

dagblad (daily) newspaper, (daily) paper

dagboek diary, journal: *een ~ (bij)houden* keep a diary

dagdagelijks *(Belg)* daily, everyday

dagdeel part of the day; *(mbt werk)* shift, *(ochtend)* morning, *(middag)* afternoon, *(avond)* evening, *(nacht)* night

dagdienst daywork, day duty, days, *(ploeg)* day shift: *~ hebben* be on days

dagdromen daydream

dagelijks I *bn* **1** daily: *zijn ~e bezigheden* his daily

routine; *voor ~ gebruik* for everyday use; **2** *(gewoon)* everyday, ordinary: *~ bestuur* executive (committee); *in het ~ leven* in everyday life; *dat is ~ werk voor hem* that's routine for him; **II** *bw (elke dag)* daily, each day, every day: *dat komt ~ voor* it happens every day

dagen 1 summon(s), subpoena *(getuige): iem voor het gerecht ~* summon(s) s.o.; **2** dawn: *het begon mij te ~* it began to dawn on me

dageraad dawn, daybreak, break of day

dagje day: *een ~ ouder worden* be getting on (a bit); *een ~ uit* a day out

dagjesmensen (day) trippers

dagkaart day-ticket

dagkoers current rate (of exchange)

daglicht daylight; light of day: *bij iem in een kwaad ~ staan* be in s.o.'s bad books; *iem in een kwaad ~ stellen* put s.o. in the wrong (with)

dagonderwijs daytime education

dagopleiding daytime course *(of: study)*

dagopvang day nursery; day-care centre

dagprijs current (market) price

dagretour day return, day (return) ticket

dagschotel plat du jour; *(van vandaag)* today's special

dagtaak 1 daily work; **2** *(taak voor een dag)* day's work: *daar heb ik een ~ aan* that is a full day's work *(of: a full-time job)*

dagtocht day trip

dagvaarding (writ of) summons, writ; subpoena *(vnl. van getuige)*

dagverblijf 1 day room: *een ~ voor kinderen* a day-care centre, a day nursery, a crèche; **2** *(mbt dieren)* outdoor enclosure, outside cage, outside pen

dahlia dahlia

dak roof: *auto met open ~* convertible, soft-top; *een ~ boven het hoofd hebben* have a roof over one's head; *iets van de ~en schreeuwen* shout sth from the rooftops

dakbedekking roofing material

dakgoot gutter

dakkapel dormer (window)

dakloos homeless; (left) without a roof over one's head

dakloze homeless person; *(mv)* street people

dakpan (roof(ing)) tile

dakraam skylight, attic window, garret window

dal valley; dale ‖ *hij is door een diep ~ gegaan* he has had a very hard *(of: rough)* time

dalen 1 descend, go down, come down, drop, fall: *het vliegtuig daalt* the (aero)plane is descending; *de temperatuur daalde tot beneden het vriespunt* the temperature fell below zero; **2** *(minder worden)* fall, go down, come down, drop, *(waarde ook)* decline, decrease: *de prijzen zijn een paar euro gedaald* prices are down by a couple of euros

daling 1 descent, fall(ing), drop: *~ van de zeespiegel* drop in the sea level; **2** *(helling)* slope, incline, descent, drop, *(klein)* dip; **3** *(baisse)* decrease, drop,

slump: *de ~ van het geboortecijfer* the fall in the birth rate

dalmatiër Dalmatian

daluren off-peak hours

dam 1 dam: *een ~ leggen* build a dam; **2** *(damsport)* king, crowned man: *een ~ halen (maken)* crown a man

damast damask

dambord draughtboard

dame 1 lady; **2** *(schaakspel, kaartspel)* queen: *een ~ halen* queen a pawn

dameskapper ladies' hairdresser

damesmode 1 ladies' fashion; **2** *(artikelen)* ladies' clothing

damesslipje pair of briefs, (pair of) knickers: *een ~* a pair of briefs

damestoilet ladies' toilet

damhert fallow deer

dammen play draughts

damp 1 *(wasem)* steam, vapour, *(nevel)* mist; **2** *(rook)* smoke; *(vaak mv)* fume: *schadelijke ~en* noxious fumes

dampen 1 steam; **2** *(roken)* smoke

dampkap *(Belg)* cooker hood, extractor hood

dampkring (earth's) atmosphere

damschijf *(damsport)* draught(sman)

damspel 1 draughts; **2** *(bord plus stenen)* set of draughts

dan I *bw* **1** then: *morgen zijn we vrij, ~ gaan we uit* we have a day off tomorrow, so we're going out; *nu eens dit, ~ weer dat* first one thing, then another; *tot ~* till then, *(als afscheid)* see you then; *hij zei dat hij ~ en ~ zou komen* he said he'd come at such and such a time; *(in verkorte vragen) en je broer ~?* and what about your brother then?; *wat ~ nog?* so what!; *ook goed, ~ niet* all right, we won't then; *al ~ niet groen* green or otherwise, whether green or not; *en ~ zeggen ze nog dat …* and still they say that …; *hij heeft niet gewerkt; hij is ~ ook gezakt* he didn't work, so not surprisingly he failed; **2** *(daarna, daarbij)* then, *(daarbij)* then: *eerst werken, ~ spelen* business before pleasure; *zelfs ~ gaat het niet* even so it won't work; *en ~?* and then what?; **II** *vw* *(met vergrotende trap)* than: *hij is groter ~ ik* he is bigger than me; *een ander ~ hij heeft het me verteld* I heard it from s.o. other than him

danig soundly, thoroughly, well: *~ in de knoei zitten* be in a terrible mess

dank thanks, gratitude: *iets niet in ~ afnemen* take sth in bad part; *geen ~* you're welcome; *stank voor ~ krijgen* get little thanks for one's pains; *bij voorbaat ~* thank you in advance

dankbaar 1 grateful, thankful: *ik zou u zeer ~ zijn als …* I should be most grateful to you (*of:* obliged) if …; **2** *(voldoening gevend)* rewarding, grateful: *een dankbare taak* a rewarding task

dankbaarheid gratitude, thankfulness: *uit ~ voor* in appreciation of

danken I *tr* **1** thank: *ja graag, dank je* yes, please,

thank you; *niet(s) te ~* not at all, you're welcome; **2** *(verschuldigd zijn)* owe, be indebted: *dit heb ik aan jou te ~* I owe this to you, *(negatief)* I have you to thank for this; **II** *intr* *(afslaan)* decline (with thanks)

dankwoord word(s) of thanks

dankzij thanks to

dans dance, dancing ‖ *de ~ ontspringen* get off scot-free

dansen dance: *uit ~ gaan* go (out) dancing; *~ op muziek* (of: *een plaat*) dance to music (*of:* a record)

danser dancer

dansje dance; *(sprongetje)* hop

dansorkest dance band

dansvloer dance floor

danszaal dance hall, *(in hotel)* ballroom

dapper 1 brave, courageous: *zich ~ verdedigen* put up a brave fight; **2** *(flink)* plucky, tough: *klein maar ~* small but tough

dapperheid bravery, courage

dar drone

darm intestine, bowel: *blinde ~* appendix; *twaalfvingerige ~* duodenum

dartelen romp, frolic, gambol

das 1 *(dier)* badger; **2** *(stropdas)* tie: *dat deed hem de ~ om* that did for him, that finished him; **3** *(halsdoek)* scarf

dashboard dashboard

dashboardkastje glove compartment

dat I *aanw vnw* that: *ben ik ~?* (*op foto*) is that me?; *~ is het hem nu juist* that's just it, that's the problem; *ziezo, ~ was ~* right, that's that (then), so much for that; *~ lijkt er meer op* that's more like it; *mijn boek en ~ van jou* my book and yours; *~ mens* that (dreadful) woman; **II** *betr vnw* **1** *(beperkend)* that, which; *(mbt personen)* that, who, whom: *het bericht ~ mij gebracht werd …* the message that (*of:* which) was brought me …; *het jongetje ~ ik een appel heb gegeven* the little boy (that, who) I gave an apple to; **2** *(uitbreidend)* which; *(mbt personen)* who; *(mbt personen)* whom: *het huis, ~ onlangs opgeknapt was, werd verkocht* the house, which had recently been done up, was sold; **III** *vw* **1** that (*vaak niet vertaald*): *in plaats (van) ~ je me het vertelt …* instead of telling me, you …; *de reden ~ hij niet komt is …* the reason (why) he is not coming is …; *ik denk ~ hij komt* I think (that) he'll come; *zonder ~ ik het wist* without me knowing; *het regende ~ het goot* it was pouring (down); **2** *(mbt reden, oorzaak)* that, because: *hij is kwaad ~ hij niet mee mag* he is angry that (*of:* because) he can't come; **3** *(mbt doel)* so that: *doe het zo, ~ hij het niet merkt* do it in such a way that he won't notice; **4** *(mbt beperking)* as far as: *is hier ook een bioscoop? niet ~ ik weet* is there a cinema here? not that I know; **5** *(in uitroepen)* that: *~ mij nu juist zoiets moest overkomen!* that such a thing should happen to me now!

data 1 data; **2** *(mv van datum)* dates

databank data bank

datacommunicatie data communication(s)

dateren I *tr* date; **II** *intr* date (from), go back (to): *het huis dateert al uit de veertiende eeuw* the house goes all the way back to the fourteenth century; *de brief dateert van 6 juni* the letter is dated 6th June

datgene what, that which: *~ wat je zegt, is waar* what you say is true

dato date, dated: *drie weken na ~* three weeks later

datum date, time: *zonder ~* undated; *er staat geen ~ op* there is no date on it

dauw dew ‖ *(Belg) van de hemelse ~ leven* live the life of Riley

dauwdruppel dewdrop

daveren thunder, shake, roar, *(weerklinken)* resound: *de vrachtwagen daverde voorbij* the truck thundered (*of:* roared) past

daverend resounding; thunderous: *een ~ succes* a resounding success

davidster Star of David

de the: *eens in ~ week* once a week; *ze kosten twintig euro ~ kilo* they are twenty euros a kilo; *dat is dé man voor dat karwei* he is (just) the man for the job

debacle disaster, *(mislukking)* failure, *(ondergang)* downfall

debat debate; *(woordenstrijd ook)* argument

debatteren debate; *(redetwisten)* argue

debet debit(s), debtor side, debit side: *~ en credit* debit(s) and credit(s)

debiel I *zn* mental defective, moron, *(scheldwoord ook)* imbecile, *(scheldwoord ook)* cretin; **II** *bn, bw* mentally deficient, *(scheldwoord ook)* feeble-minded

debiteren debit, charge

debiteur debtor, debt receivable, account(s) receivable

debutant novice; *(club, bijv. in eredivisie)* newcomer

debuut debut: *zijn ~ maken* make one's debut (*of:* first appearance)

decaan 1 dean; **2** *(raadgever voor scholieren)* student counsellor

decadent decadent

decafeïne decaffeinated (coffee)

december December

decennium decade

decentraal decentralized, local

decentralisatie decentralization, *(vnl. bestuurlijke macht)* deconcentration, *(van voorzieningen)* localization

decentraliseren decentralize, deconcentrate *(bestuurlijke macht)*, localize *(voorzieningen)*

decibel decibel

deciliter decilitre

decimaal I *zn* decimal (place): *tot op zes decimalen uitrekenen* calculate to six decimal places; **II** *bn* decimal: *decimale breuk* decimal fraction, decimal

decimaalpunt decimal point

decimeter decimetre

declameren declaim, recite

declaratie expenses claim; *(nota)* account; *(bij verzekering)* claim (form): *zijn ~ indienen* put in one's claim

declareren declare: *een bedrag (of: driehonderd euro) ~* charge an amount (*of:* three hundred euros); *heeft u nog iets te ~?* have you anything to declare?

decoderen decode

decolleté low neckline, cleavage

decor 1 decor, scenery, setting(s), *(film)* set: *~ en kostuums* scenery and costumes; **2** *(fig)* background

decoratie decoration, adornment

decoratief decorative, ornamental

decoreren decorate

decreet decree

deeg dough; pastry *(mbt gebak)*

deegrol rolling pin

deel 1 part, piece: *één ~ bloem op één ~ suiker* one part (of) flour to one part (of) sugar; *voor een groot ~* to a great extent; *voor het grootste ~* for the most part; *~ uitmaken van* be part of, belong to; **2** *(aandeel)* share: *zijn ~ van de winst* his share of the profits; **3** *(boekdeel)* volume

deelbaar divisible: *tien is ~ door twee* ten is divisible by two

deelcertificaat credit, subject certificate

deelnemen participate (in), take part (in), *(aanwezig zijn)* attend, enter *(wedstrijd)*, compete (in) *(wedstrijd)*, join (in) *(gesprek)*: *aan een wedstrijd ~* take part in a contest; *~ aan een examen* take an exam

deelnemend participating: *de ~e landen van de EU* the member countries of the EU

deelnemer participant; *(aan congres ook)* conferee; competitor, entrant *(aan wedstrijd)*; contestant *(aan prijsvraag)*: *een beperkt aantal ~s* a limited number of participants

deelneming 1 participation, attendance, entry: *bij voldoende ~* if there are enough entries; **2** *(medelijden)* sympathy, condolence(s) *(bij overlijden)*: *zijn ~ betuigen* extend one's sympathy

deelregering *(Belg) (gewestregering)* regional government *(of:* administration)

deels partly, part

deelsom division (sum)

deelstaat (federal) state

deelteken division sign

deeltijd part-time, half-time

deeltijdbaan part-time job

deeltijdonderwijs part-time education

deeltijdstudie part-time course

deeltje particle

deelwoord participle: *het onvoltooid ~* the present participle; *het voltooid ~* the past participle

Deen Dane

Deens Danish

defect I *zn* fault, defect; *(onvolkomenheid)* flaw: *we hebben het ~ aan de machine kunnen verhelpen* we've managed to sort out the trouble with the machine; **II** *bn* faulty, defective, *(na ww)* out of order, *(beschadigd)* damaged: ~ *(als opschrift)* out of order

defensie defence: *de minister van ~* the Minister of Defence

defensief defensive

deficiënt deficient

defilé parade

definiëren define: *iets nader ~* define sth more closely, be more specific about sth

definitie definition: *per ~* by definition

definitief definitive, final: *de definitieve versie* the definitive version

deflatie deflation

deftig distinguished, fashionable, stately: *een ~e buurt* a fashionable quarter

degelijk I *bn* **1** reliable, respectable, solid, sound: *een ~ persoon* a respectable person; **2** *(deugdelijk)* sound, reliable, solid: *een ~ fabrikaat* a reliable product; **II** *bw* *(danig)* thoroughly, soundly, very much || *wel ~* really, actually, positively; *ik meen het wel ~* I am quite serious

degelijkheid 1 *(deugdelijkheid)* soundness, thoroughness; **2** *(betrouwbaarheid)* reliability, solidity, respectability

degen sword, *(schermen)* foil

degene *(ev)* he, she; *(mv)* those: *degene die … he* who, she who

degeneratie degeneration

degradatie *(vnl. mil)* demotion; *(vnl. sport)* relegation

degraderen I *tr* degrade, downgrade (to), *(vnl. mil)* demote (to), *(vnl. sport)* relegate (to); **II** *intr (gedegradeerd worden)* be relegated (to), be downgraded (to)

deinen 1 heave: *de zee deinde sterk* the sea surged wildly; **2** *(mbt vaartuigen)* bob, roll

deining 1 swell, roll; **2** *(golvende beweging)* rocking motion; **3** *(beroering)* commotion: *~ veroorzaken* cause a stir

dek 1 *(bedekking)* cover(ing), horse-cloth *(paard)*; **2** *(scheepv)* deck: *alle hens aan ~* all hands on deck

dekbed continental quilt, duvet

deken 1 blanket: *onder de ~s kruipen* pull the blankets over one's head; **2** *(overste, hoofd)* dean

dekenaat deanery

dekhengst stud(-horse), (breeding) stallion

dekken 1 cover, coat *(deklaag)*: *de tafel ~* set the table; **2** *(overeenstemmen met)* agree (with), correspond (with, to); **3** *(beschermen)* cover (for), protect: *iem in de rug ~* support s.o., stand up for s.o.; *zich ~* cover *(of: protect)* oneself; **4** *(vergoeden)* cover, meet: *deze cheque is niet gedekt* this cheque is not covered; *de verzekering dekt de schade* the insurance covers the damage; **5** *(bespringen, paren)* cover, service *(merrie)*

dekking 1 *(mil)* cover, shelter: *~ zoeken* seek *(of: take)* cover (from); **2** *(bevruchting)* service; **3** *(mbt cheques)* cover; **4** *(compensatie)* cover: *ter ~ van de*

(on)kosten to cover *(of: meet, make up)* the expenses; **5** *(zekerheid)* coverage; **6** *(voetbal)* marking; cover; guard *(boksen e.d.)*

dekmantel cover, cloak, *(mbt misdadige praktijken)* blind, *(mbt misdadige praktijken)* front: *iem (iets) als ~ gebruiken* use s.o. (sth) as a front

dekschaal tureen, covered dish

dekschuit barge (with a deck)

deksel lid, *(fles ook)* top, cover: *het ~ op zijn neus krijgen* get the door slammed in one's face

dekzeil tarpaulin, canvas

delegatie delegation

delen 1 divide, split; **2** *(verdelen)* share, divide: *het verschil ~* split the difference; *je moet kiezen of ~* take it or leave it; *eerlijk ~* share and share alike; *samen ~* go halves; **3** *(mbt rekenkunde)* divide, *(ond)* do division: *honderd ~ door tien* divide one hundred by ten; *een mening ~* share an opinion; *iem in zijn vreugde laten ~* share one's joy with s.o.

deler divisor

delfstof mineral

delicatesse delicacy

delict offence; *(misdrijf ook)* indictable offence

delinquent delinquent, offender

delirium delirium

delta 1 delta; **2** *(vleugel; vliegtuig)* delta wing

deltavliegen hang-gliding

delven 1 dig; **2** *(uitspitten)* extract *(steenkolen)*: *goud (of: grondstoffen)* ~ mine gold *(of: raw materials)*

demagoog demagogue

demarreren break away, take a flyer

dement demented

dementeren grow demented, get demented

dementie dementia

demobilisatie demobilization

democraat democrat

democratie democracy, self-government

democratisch democratic

demografie demography

demografisch demographic

demon demon, devil, evil spirit

demonstrant demonstrator, protester

demonstratie 1 demonstration, display, show(ing), exhibition; **2** *(betoging)* demonstration, (protest) march: *een ~ tegen kernwapens* a demonstration against nuclear arms

demonstratief ostentatious, demonstrative, showy: *zij liet op demonstratieve wijze haar ongenoegen blijken* she pointedly showed her displeasure

demonstreren I *tr* demonstrate, display, show, exhibit; **II** *intr (een betoging houden)* demonstrate, march, protest: *~ tegen (of: voor) iets* demonstrate against *(of:* in support of) sth

demontage dismantling, disassembling, taking apart, *(van onderdeel)* removal, *(bom)* defusing

demonteren 1 disassemble, dismantle, take apart, remove *(onderdeel)*; *(vnl. passief)* knock down; **2**

de

(onbruikbaar maken) deactivate, defuse *(bom)*, disarm

demotiveren remove *(of:* reduce) (s.o.'s) motivation, discourage, dishearten

dempen 1 fill (up, in), close (up), stop (up); 2 *(temperen)* subdue, tone down *(kleuren);* muffle, deaden *(geluid);* dim, shade *(licht): gedempt licht* subdued *(of:* dimmed, soft) light

demper silencer, *(Am)* muffler

den pine (tree), fir

denderen rumble, thunder, *(snel)* hurtle, roar

Denemarken Denmark

denigrerend disparaging, belittling

denkbaar conceivable, imaginable, possible

denkbeeld 1 concept, idea, thought, notion: *zich een ~ vormen van* form some idea of; *een verkeerd ~ hebben van* have a wrong conception *(of:* idea) of; 2 *(mening)* opinion, idea, view: *hij houdt er verouderde ~en op na* he has some antiquated ideas

denkbeeldig 1 notional, theoretical, hypothetical; 2 *(niet werkelijk)* imaginary, illusory, unreal, *(bedacht)* fictitious: *het gevaar is niet ~ dat ...* there's a (very) real danger that ...

denken I *intr* 1 think, consider, reflect, ponder: *het doet ~ aan* it reminds one of ...; *dit doet sterk aan omkoperij ~* this savours of bribery; *waar zit je aan te ~?* what's on your mind?; *ik moet er niet aan ~* I can't bear to think about it; *ik denk er net zo over* I feel just the same about it; *ik zal eraan ~* I'll bear it in mind; *nu ik eraan denk* (now I) come to think of it); *aan iets ~* think *(of:* be thinking) of sth; *ik probeer er niet aan te ~* I try to put it out of my mind; *iem aan het ~ zetten* set s.o. thinking; *ik dacht bij mezelf* I thought *(of:* said) to myself; *denk om je hoofd* mind your head; *er verschillend (anders) over ~* take a different view (of the matter); *zij denkt er nu anders over* she feels differently about it (now); *dat had ik niet van hem gedacht* I should never have thought it of him; 2 *(van plan zijn)* think of *(of:* about), intend (to), plan (to): *ik denk erover met roken te stoppen* I'm thinking of giving up smoking; *geen ~ aan!* it's out of the question!; **II** *tr* 1 *(menen)* think, be of the opinion, consider: *ik weet niet wat ik ervan moet ~* I don't know what to think; *wat dacht je van een ijsje?* what would you say to an ice cream?; *dat dacht je maar, dat had je maar gedacht* that's what you think!; *ik dacht van wel* (of: *van niet)* I thought it was *(of:* wasn't); *wie denk je wel dat je bent?* (just) who do you think you are?; 2 *(vermoeden)* think, suppose, expect, imagine: *wie had dat kunnen ~* who would have thought it?; *u moet niet ~ (dat) ...* you mustn't suppose *(of:* think) (that) ...; *dat dacht ik al* I thought so; *dacht ik het niet!* just as I thought!; 3 *(in aanmerking nemen)* think, understand, imagine, appreciate, consider: *de beste arts die men zich maar kan ~* the best (possible) doctor; *denk eens (aan)* imagine!, just think of it!; 4 *(van plan zijn)* think of *(of:* about), intend, be going (to), plan: *wat denk je nu te doen?*

what do you intend to do now?

denker thinker

denkfout logical error, error of reasoning

denkpiste *(Belg)* cast of mind

denksport puzzle solving, problem solving

denkwijze way of thinking, mode of thought

dennen pine(wood)

dennenappel pine cone *(van grove den);* fir cone *(van spar)*

deodorant deodorant

depanneren *(Belg)* repair, put back on the road

departement department, ministry

dependance annex(e)

deponeren 1 deposit, place, put (down): *documenten bij de notaris ~* deposit documents with the notary's; 2 *(overleggen)* file, lodge *(document)*

deporteren deport; *(naar strafkolonie)* transport: *een gedeporteerde* a deportee *(of:* transportee)

deposito deposit

depot 1 deposit(ing), committing to safe keeping; 2 *(iets in bewaring)* (goods on) deposit, deposited goods *(of:* documents); 3 *(magazijn)* depot, store

deppen dab, *(droogdeppen)* pat (dry)

depressie depression

depressief depressed, depressive, low, dejected

deprimeren depress, deject, *(beklemmen)* oppress, *(ontmoedigen)* dishearten

der of (the)

derby *((voetbal)wedstrijd)* local derby

derde I *zn* third: *twee ~ van de kiezers* two thirds of the voters; **II** *zn* 1 *(buitenstaander)* third party: *in aanwezigheid van ~n* in the presence of a third party; 2 *(derde klas)* third form: *in de ~ zitten* be in the third form; **III** *rangtelw* third: *de ~ mei* the third of May

derdemacht cube, third power, power of three: *tot de ~ verheffen* raise to the third power

derde wereld Third World

derdewereldland Third World country

derdewereldwinkel Third-World shop

deren hurt, harm, injure

dergelijk similar, (the) like, such(like): *wijn, bier en ~e dranken* wine, beer and drinks of that sort; *iets ~s heb ik nog nooit meegemaakt* I have never experienced anything like it

dermate so (much), to such an extent, such (that)

dermatologie dermatology

dertien thirteen; *(in datum)* thirteenth: *~ is een ongeluksgetal* thirteen is an unlucky number; *zo gaan er ~ in een dozijn* they are two a penny

dertiende thirteenth

dertig thirty; *(in datum)* thirtieth: *zij is rond de ~* she is thirtyish

dertigste thirtieth

derven lose, miss

des I *bw* wherefore, on that *(of:* which) count || *~ te beter* all the better; *hoe meer mensen er komen, ~ te beter ik me voel* the more people come, the better I feel; **II** *lw* of (the), (the) ...'s: *de heer ~ huizes* the master of the house

desalniettemin nevertheless, nonetheless

desastreus disastrous: *de wedstrijd verliep* ~ the match turned into a disaster

desbetreffend relevant, appropriate *(woorden, daden);* respective: *de ~e afdelingen* the departments concerned *(of:* in question)

deserteren desert: *uit het leger* ~ desert (the army)

desertie desertion

desgewenst if required *(of:* desired)

desillusie disillusion, *(gemoedstoestand)* disillusionment

desinfecteren disinfect

desintegratie disintegration, decomposition

desinteresse lack of interest

deskundig expert (in, at), professional: *een zaak ~ beoordelen* judge a matter expertly; *zij is zeer ~ op het gebied van* she's an authority on

deskundige expert (in, at), authority (on), specialist (in)

deskundigheid expertise, professionalism: *zijn grote ~ op dit gebied* his great expertise in this field

desnoods if need be, if necessary; in an emergency, at a pinch

desondanks in spite of this, in spite of (all) that, all the same, for all that: *~ protesteerde hij niet* in spite of all that he did not protest

desoriëntatie disorientation

despoot despot, autocrat, tyrant

dessert dessert, pudding: *wat wil je als ~?* what would you like for dessert?

dessin design, pattern

destijds at the *(of:* that) time, then, in those days

destructie destruction

destructief destructive

detacheren 1 second, send on secondment; **2** *(mbt een militair)* attach (to), second, post (to)

detail detail, particular, *(mv)* specifics: *in ~s treden* go into detail

detailhandel retail trade

detailhandelsschool training school for retail trade

detaillist retailer

detective 1 detective: *particulier* ~ private detective *(of:* investigator); **2** *(verhaal)* detective novel, whodunit

detentie detention, arrest, custody

determineren 1 determine, establish; **2** *(biol)* identify

detineren detain: *in Scheveningen gedetineerd zijn* be on remand in Scheveningen (prison)

deugd 1 virtuousness, morality; **2** *(iets goeds)* virtue, merit

deugdelijk sound, good, reliable

deugdelijkheid soundness, good quality, reliability *(van mechanisme)*

deugdzaam virtuous, good, upright, honest

deugdzaamheid virtuousness, uprightness, honesty

deugen 1 *(met ontkenning: niet braaf zijn)* be no good, *(vnl. personen)* be good for nothing: *die jongen heeft nooit willen ~* that boy has always been a bad lot; **2** *(met ontkenning: niet geschikt zijn)* be wrong *(of:* unsuitable, unfit): *die man deugt niet voor zijn werk* that man's no good at his job

deugniet *(rakker)* rascal, scamp, scallywag

deuk 1 dent; **2** *(fig) (knauw)* blow, shock: *zijn zelfvertrouwen heeft een flinke ~ gekregen* his self-confidence took a terrible knock; **3** *(lachtstuip)* fit: *we lagen in een ~* we were in stitches

deuken dent, *(fig)* damage

deun tune

deur door: *voor een gesloten ~ komen* find no one in; *de ~ voor iemands neus dichtdoen (dichtgooien)* shut *(of:* slam) the door in s.o.'s face; *zij komt de ~ niet meer uit* she never goes out any more; *iem de ~ uitzetten* turn s.o. out of the house; *aan de ~ kloppen* knock at *(of:* on) the door; *vroeger kwam de bakker bij ons aan de ~* the baker used to call at the house; *buiten de ~ eten* eat out; *met de ~en gooien* slam doors; *met de ~ in huis vallen* come straight to the point

deurbel doorbell

deurknop doorknob

deuropening doorway

deurpost doorpost

deurwaarder process-server; bailiff, *(in rechtszaal)* usher

devaluatie devaluation

devies motto, device

deviezen *(mv) (waardepapieren)* (foreign) exchange

devotie devotion

deze this; *(mv)* these; this one; *(mv)* these (ones): *wil je ~ (hier)?* do you want this one? *(of:* these ones)?

dezelfde the same: *van ~ datum* of the same date; *wil je weer ~?* (would you like the) same again?; *op precies ~ dag* on the very same day

dhr. *afk van de heer* Mr

dia slide, transparency

diabetes diabetes

diabeticus diabetic

diadeem diadem

diafragma diaphragm, stop

diagnose diagnosis

diagonaal diagonal

diagram diagram, graph, chart

diaken deacon

dialect dialect

dialoog dialogue

dialyse dialysis; (haemo)dialysis

diamant diamond: *~ slijpen* polish *(of:* cut) a diamond

diamanten diamond: *een ~ broche* a diamond brooch

diameter diameter

diaraampje slide frame

di

diarree diarrhoea

dicht I *bn* 1 closed, shut, drawn *(gordijnen)*, off *(kraan)*: *mondje* ~ mum's the word; *de afvoer zit* ~ the drain is blocked (up); 2 *(ondoordringbaar)* tight; 3 *(niets zeggend)* close-lipped, tight-lipped, close(-mouthed); 4 *(met weinig tussenruimte)* close, thick, dense, compact: *een gebied met een* ~*e bevolking* a densely populated area; ~*e mist* thick *(of:* dense) fog; **II** *bw (op geringe afstand)* close (to), near: *ze zaten* ~ *opeengepakt* they sat tightly packed together; *hij woont* ~ *in de buurt* he lives near here

dichtbegroeid thick, dense, thickly wooded

dichtbevolkt densely populated

dichtbij close by, near by, nearby: *van* ~ from close up

dichtbundel collection of poems, book of poetry

dichtdoen close, shut, draw *(gordijnen): geen oog* ~ not sleep a wink

dichtdraaien turn off *(kraan),* close *(deksel)*

dichten 1 write poetry, compose verses; 2 *(dichtmaken)* stop (up), fill (up), seal *(dijk): een gat* ~ stop a gap, mend a hole

dichter poet

dichterbij nearer, closer

dichterlijk poetic(al): ~*e vrijheid* poetic licence

dichtgaan close, shut *(wond),* heal *(wond): de deur gaat niet dicht* the door won't shut; *op zaterdag gaan de winkels vroeg dicht* the shops close early on Saturdays

dichtgooien 1 slam (to, shut) *(deur, boek),* bang; 2 *(dempen)* fill up, fill in *(sloot)*

dichtgroeien close, heal (up) *(wond);* grow thick *(bos)*

dichtheid density *(ook nat),* thickness, compactness

dichtklappen snap shut, snap to *(deksel, boek, deurtje);* slam (shut) *(huisdeur, raam)*

dichtknijpen squeeze

dichtknopen button (up), fasten

dichtkunst (art of) poetry

dichtmaken close, fasten

dichtnaaien sew up, stitch up

dichtplakken seal (up) *(brief);* stick down *(omslag);* close, stop *(gat)*

dichtslaan I *intr* slam shut, bang shut; **II** *tr* bang (shut), slam (shut) *(deur),* snap shut *(boek): de deur voor iemands neus* ~ slam the door in s.o.'s face

dichtslibben silt up, become silted up

dichtsmijten slam (to, shut) *(deur, boek),* bang

dichtspijkeren nail up *(of:* down), board up

dichtstbijzijnd nearest

dichtstoppen stop (up), *(met allerlei materiaal)* fill (up), *(met een prop)* plug (up)

dichttrekken close, *(gordijnen ook)* draw: *de deur achter zich* ~ pull the door to behind one

dichtvallen fall shut, swing to, close *(ogen)*

dichtvouwen fold up

dichtvriezen freeze (over, up), be frozen (up) *(buizen),* be frozen over *(kanaal, meer, e.d.)*

dichtzitten be closed, be blocked *(of:* locked): *mijn neus zit dicht* my nose is blocked up

dictaat 1 (lecture) notes; 2 *(het dicteren)* dictation

dictafoon dictaphone

dictator dictator

dictatoriaal dictatorial

dictatuur dictatorship

dictee dictation

dicteren dictate

didactiek didactics

didactisch didactic

die I *aanw vnw* 1 that; *(mv)* those; *(zonder zn)* that one; *(mv)* those (ones): *heb je* ~ *nieuwe film van Spielberg al gezien?* have you seen this new film by Spielberg?; ~ *grote of* ~ *kleine?* the big one or the small one?; *niet deze maar* ~ *(daar)* not this one, that one; *mevrouw* ~ *en* ~ Mrs so and so, Mrs such and such; 2 that; *(mv)* those; *(zonder zn)* that one; *(mv)* those (ones): *mijn boeken en* ~ *van mijn zus* my books and my sister's *(of:* those of my sister); ~ *tijd is voorbij* those times are over; ~ *van mij/jou/hem/haar* (of: *ons, jullie, hen)* mine, yours, his, hers, ours, yours, theirs; *ze draagt altijd van* ~ *korte rokjes* she always wears (those) short skirts; *ken je* ~ *van die Belg die ...* do you know the one about the Belgian who ...?; ~ *is goed* that's a good one; *o,* ~! oh, him! *(of:* her!); *waar is je auto?* ~ *staat in de garage* where's your car? it's in the garage; ~ *zit!* bullseye!, touché!; **II** *betr vnw* that, *(persoon ook)* who, *(als voorwerp ook)* whom, *(zaak ook)* which: *de kleren* ~ *u besteld heeft* the clothes (that, which) you ordered; *de man* ~ *daar loopt, is mijn vader* the man (that is, who is) walking over there is my father; *de mensen* ~ *ik spreek, zijn heel vriendelijk* the people (who, that) I talk to are very nice; *dezelfde* ~ *ik heb* the same one (as) I've got; *zijn vrouw,* ~ *arts is, rijdt in een grote Volvo* his wife, who's a doctor, drives a big Volvo

dieet diet: *op* ~ *zijn* be on a diet

dief thief, robber, *(inbreker)* burglar: *houd de* ~! stop thief!

diefstal theft, robbery *(met geweld),* burglary *(met inbraak)*

diegene he, she: *diegenen die* those who

dienaar servant

dienblad (dinner-)tray, (serving) tray

dienen I *intr* 1 serve: *dat dient nergens toe* that is (of) no use; 2 *(als middel, werktuig)* serve as, serve for, be used as *(of:* for): *vensters* ~ *om licht en lucht toe te laten* windows serve the purpose of letting in light and air; 3 *(behoren)* need, should, ought to: *u dient onmiddellijk te vertrekken* you are to leave immediately; **II** *tr* 1 serve, attend (to), minister: *dat dient het algemeen belang* it is in the public interest; 2 *(van dienst zijn)* serve, help: *waarmee kan ik u* ~? are you being served?; *iem van advies* ~ give s.o. advice

diens his
dienst 1 service: *zich in ~ stellen van* place oneself in the service of; *ik ben een maand geleden als verkoper in ~ getreden bij deze firma* a month ago I joined this company as a salesman; *in ~ nemen* take on, engage; *in ~ zijn* do one's military service; **2** *(het verrichten van werkzaamheden)* duty: *ik heb morgen geen ~* I am off duty tomorrow; **3** *(openbare instelling)* service, department: *de ~ openbare werken* the public works department; **4** *(voor iemands nut)* service, office: *iem een ~ bewijzen* do s.o. a good turn; *je kunt me een ~ bewijzen* you can do me a favour; **5** *(betrekking)* place, position: *in vaste* (of: *tijdelijke) ~ zijn* hold a permanent (*of:* temporary) appointment; *iem in ~ hebben* employ s.o.; *in ~ zijn bij iem* be in s.o.'s service; *~ doen (als)* serve (as, for); *de ~ uitmaken* run the show, call the shots; *tot uw ~* you're welcome; *iem van ~ zijn met* be of service to s.o. with
dienstbetrekking employment
dienstbode servant (girl), maid(servant)
dienstdoend on duty *(agent, wacht);* in charge; *(waarnemend)* acting
dienstensector *(econ)* services sector, service industries
dienstjaar year of service, *(mv ook)* seniority
dienstknecht man(servant), servant
dienstlift service lift
dienstmededeling staff announcement
dienstmeisje maid(servant), housemaid
dienstplicht (compulsory) military service, conscription: *vervangende ~* alternative national service, *(maatschappelijk)* community service
dienstplichtig eligible for military service: *de ~e leeftijd bereiken* become of military age; *niet ~ (ook)* exempt from military service
dienstplichtige conscript
dienstregeling timetable: *een vlucht met vaste ~* a scheduled flight
diensttijd (period, length of) service, term of office: *buiten* (of: *onder) ~* when off (*of:* on) duty
dienstverband employment: *in los* (of: *vast) ~ werken* be employed on a temporary (*of:* permanent) basis
dienstverlening service(s)
dienstweigeraar conscientious objector
dientengevolge consequently, as a consequence
diep I *bn* deep, *(fig ook)* profound, total, impenetrable: *twee meter ~* two metres deep; *~er maken* deepen; *in het ~e gegooid worden* be thrown in at the deep end; *een ~e duisternis* utter darkness; *in ~ gepeins verzonken* (sunk) deep in thought; *alles was in ~e rust* everything was utterly peaceful; *een ~e slaap* a deep sleep; *~ in zijn hart* deep (down) in one's heart; *uit het ~ste van zijn hart* from the bottom of one's heart; *een ~e stem* a deep voice; *~ blauw* deep blue; **II** *bw* **1** deep(ly), low: *~ zinken (vallen)* sink low; *~ ongelukkig zijn* be deeply unhappy; *hij is ~ verontwaardigd* he is deeply (*of:*

mortally) indignant; *een keer ~ ademhalen* take a deep breath; *~ nadenken* think hard; **2** *(mbt tijd)* deep, far
diepgaand *(intens)* profound, searching, in-depth: *~e discussie* in-depth (*of:* deep) discussion
diepgang 1 draught; **2** depth, profundity
diepte 1 depth; depth(s), profundity; **2** *(in water; kuil)* trough, hollow
dieptepunt 1 (absolute) low; **2** *(slechtste situatie)* all-time low; rock bottom: *een ~ in een relatie* a low point in a relationship
diepvries deep-freeze, freezer
diepvriezen (deep-)freeze
diepzeeduiken deep-sea diving
diepzinnig 1 *(mbt personen)* profound, discerning; **2** profound, pensive: *een ~e blik* a thoughtful (*of:* pensive) look
diepzinnigheid profundity, profoundness, depth
dier animal, creature, *(fabels)* beast
dierbaar dear, much-loved, beloved
dierenarts veterinary surgeon, vet
dierenasiel animal home (*of:* shelter)
dierenbescherming animal protection, prevention of cruelty to animals
dierenbeul s.o. who is cruel to animals
dierendag *(ongev)* animal day, pets' day
dierenmishandeling cruelty to animals, maltreatment of animals
dierenpension (boarding) kennel(s)
dierenriem zodiac
dierentemmer animal trainer, *(leeuwen)* lion-tamer
dierentuin zoo, animal park
dierenverzorger animal keeper, zookeeper *(in dierentuin)*
dierenwinkel pet shop
diergeneeskunde veterinary medicine
dierlijk animal, *(min)* bestial, *(redeloos)* brute, *(ruw)* brutish: *de ~e aard (natuur)* animal nature
diersoort animal species: *bedreigde ~en* endangered species (of animals)
diesel diesel (oil, fuel), derv: *op ~ rijden* take diesel
diëtist(e) dietitian
dievegge thief, shoplifter *(in winkels)*
diezelfde the same, this same, that same
differentiaal differential
differentiëren differentiate (between), distinguish (between)
diffusie diffusion; mixture
diffuus diffuse *(ook nat)*, scattered
difterie diphtheria
digestie digestion
diggelen: *aan ~ slaan* smash to smithereens
digibeet computer illiterate
digitaal digital
digitaliseren digit(al)ize
dij thigh, ham *(mbt vlees)*
dijbeen thigh bone
dijk bank, embankment, *(mbt Nederland)* dike: *een*

~ *(aan)leggen* throw up a bank (*of*: an embankment); *iem aan de ~ zetten* sack s.o., lay s.o. off

dik I *bn* 1 thick: *10 cm* ~ 10 cm thick; *de ~ke darm* the large intestine; *ze stonden tien rijen* ~ they stood ten (rows) deep; ~ *worden* thicken, set, congeal; 2 *(van flinke omvang)* thick, fat, bulky: *een ~ke buik* a paunch; 3 *(gezet)* fat, stout, corpulent: *een ~ke man* a fat man; 4 *(opgezet, gezwollen)* swollen: *~ke vingers* plump fingers; 5 *(van relaties)* thick, close, great: *~ke vrienden zijn* be great (*of*: close) friends; ~ *doen* swank, swagger, boast; II *bw* 1 *(ruim)* thick, ample, good: ~ *tevreden (zijn)* (be) well-satisfied; ~ *onder het stof* thick with dust; *het er* ~ *bovenop leggen* lay it on thick; *dat zit er* ~ *in* that's quite on the cards; 2 *(dicht)* thick, heavy, dense: *door* ~ *en dun gaan* go through thick and thin

dikkop *(kikvors)* tadpole
dikoor mumps
dikte 1 fatness, thickness; 2 *(afmeting)* thickness, gauge *(glas, metaal)*: *een* ~ *van vier voet* four feet thick; 3 *(dichtheid)* thickness, density
dikwijls often, frequently
dikzak fatty, fatso
dilemma dilemma
diligence (stage)coach
dimensie 1 dimension, measurement, meaning; 2 *(element, aspect)* dimension, perspective
dimlicht dipped headlights
dimmen I *tr* dip (the headlights), shade; II *intr (rustig aan doen)* cool it: *effe ~, da's niet leuk meer* cool it, it's not funny any more
diner dinner: *aan het* ~ at dinner
dineren dine, have dinner
ding 1 thing, object, *(apparaatje)* gadget: *en (al) dat soort ~en* and (all) that sort of thing; 2 *(feit, gebeurtenis)* thing, matter, affair: *doe geen gekke ~en* don't do anything foolish; *de ~en bij hun naam noemen* call a spade a spade
dinges *(inform)* thingummy, what's-his-name, what's-her-name
dinosaurus dinosaur
dinsdag Tuesday: *(Belg)* vette ~ Shrove Tuesday
dinsdags Tuesday
diode diode
dioxide dioxide
diploma diploma, certificate: *een* ~ *behalen* qualify, graduate
diplomaat diplomat
diplomatenkoffertje attaché case
diplomatie 1 diplomacy; 2 *(diplomaten)* diplomatic corps, diplomats: *hij gaat in de* ~ he is going to enter the diplomatic service
diplomatiek 1 diplomatic: *langs ~e weg* by diplomacy; 2 *(omzichtig)* diplomatic, tactful
diplomeren certificate: *niet gediplomeerd* unqualified, untrained
direct I *bn* 1 direct, immediate, straight: *zijn ~e chef* his immediate superior; *de ~e oorzaak* the immediate cause; *~e uitzending* live broadcast; 2 *(ogenblikkelijk)* prompt, immediate: *~e levering* prompt delivery; II *bw* 1 direct(ly), at once: *kom* ~ come at once (*of*: straightaway); 2 *(zeer spoedig)* presently, directly: *ik ben* ~ *klaar* I'll be ready in a minute; *niet* ~ *vriendelijk* not exactly kind
directeur *(zaak)* manager; (managing) director; *(school)* principal; headmaster; *(ziekenhuis)* superintendent; *(gevangenis)* governor
directheid directness, straightforwardness, *(onbeleefd)* bluntness
directie management
directiekamer boardroom
directielid member of the board (of directors)
dirigeerstok baton
dirigent conductor; *(van koor ook)* choirmaster
dirigeren conduct *(orkest)*; control *(groep mensen)*
discipel disciple, follower
discipline discipline
discman discman
disco disco
disconteren discount
disconto discount
discotheek 1 *(verzameling grammofoonplaten, cd's)* record library (*of*: collection); 2 *(uitleeninstantie)* record library; 3 *(discobar)* discotheque
discreet 1 discreet, delicate, tactful; 2 *(zacht)* discreet, unobtrusive: *een ~ tikje op de kamerdeur* a discreet tap on the door; 3 *(discretie vereisend)* delicate, secret
discrepantie discrepancy
discretie 1 discretion; tact; 2 *(geheimhouding)* discretion, secrecy
discriminatie discrimination
discrimineren discriminate (against), *(tr ook)* segregate
discus discus; disc
discussie discussion, debate: *(het) onderwerp van* ~ *(zijn)* (be) under discussion; *een hevige (verhitte)* ~ a heated discussion; *ter* ~ *staan* be under discussion, be open to discussion
discussiëren discuss, debate, argue
discuswerpen discus throwing
discutabel debatable, dubious, disputable
disk disk
diskette diskette, floppy (disk)
diskjockey disc jockey
diskrediet discredit: *in* ~ *geraken* fall into discredit
diskwalificeren disqualify
display display
dispuut *((studenten)vereniging)* debating society
dissertatie (doctoral) dissertation, (doctoral) thesis
dissident dissident
distantiëren distance, dissociate
distel thistle
distilleren 1 distil; 2 *(afleiden)* deduce, infer: *iets uit iemands woorden* ~ deduce sth from what s.o. says

distribueren distribute, dispense, hand out

district district, county

dit this; *(mv)* these: *in ~ geval* in this case; *wat zijn ~?* what are these?

ditmaal this time, for once

diva diva

divan divan, couch

divers 1 *(onderscheiden)* diverse, various; **2** *(ettelijke)* various, several

diversen sundries, miscellaneous

diversiteit diversity, variety

dividend dividend

divisie division; *(sport ook)* league, class

dm *afk van decimeter* dm

d.m.v. *afk van door middel van* by means of

DNA-onderzoek DNA-test

do do(h)

dobbelen dice, play (at) dice

dobbelspel dicing, game of dice

dobbelsteen 1 dice: *met dobbelstenen gooien* throw the dice; **2** *(kubusvormig voorwerp)* dice, cube

dobber float ‖ *hij had er een zware ~ aan* he found it a tough job

dobberen float, bob: *op het water ~* bob up and down on the water

dobermannpincher Doberman (pinscher)

docent teacher, instructor: *~ aan de universiteit* university lecturer

docentenkamer staffroom

doceren teach, *(universiteit)* lecture

dochter daughter, (little) girl

doctor doctor

doctoraat doctorate

doctorandus (title of) university graduate

doctrine doctrine, dogma

document document, paper

documentair documentary

documentaire documentary

documentatie documentation

documenteren document, support with evidence

dode dead person, the deceased

dodelijk 1 deadly, mortal, lethal, fatal: *een ~ ongeluk, een ongeval met ~e afloop* a fatal accident; **2** *(als vd dood)* dead(ly), deathly, killing: *~ vermoeid* dead beat, dead tired

doden kill, murder, slay

dodenherdenking commemoration of the dead

dodental number of deaths *(of:* casualties), death toll

doedelzak bagpipes: *op een ~ spelen* play the bagpipes

doe-het-zelfzaak do-it-yourself shop, D.I.Y. shop

doek 1 cloth, fabric; **2** *(projectiescherm)* screen: *het witte ~* the silver screen; **3** *(schilderstuk, stuk linnen)* canvas, painting; **4** *(toneelgordijn)* curtain, *(achterdoek)* backcloth: *het ~ gaat op* the curtain rises; *iets uit de ~en doen* disclose sth

doekje (piece of) cloth, tissue *(van fijne stof)*

doel 1 target, purpose, object(ive), aim, goal, *(reis-*

doel) destination; **2** goal, *(ijshockey)* net: *in eigen ~ schieten* score an own goal; *zijn ~ bereiken* achieve one's aim; *het ~ heiligt de middelen (niet)* the end justifies *(of:* does not justify) the means

doelbewust determined, resolute

doeleinde 1 purpose, aim, design; **2** *(bestemming)* end, aim, purpose, destination: *voor eigen* (of: *privé) ~n* for one's own *(of:* private) ends

doelgebied goal area

doelgericht purposeful, purposive

doelloos aimless, idle, *(nutteloos)* pointless

doelman goalkeeper

doelmatig suitable, appropriate, functional, effective

doelmatigheid suitability, expediency, effectiveness

doelpaal (goal)post

doelpunt goal, score: *een ~ afkeuren* disallow a goal; *een ~ maken* kick *(of:* score) a goal; *met twee ~en verschil verliezen* lose by two goals

doelschop goal kick

doelstelling aim, object(ive)

doeltreffend effective, efficient

doelwit target, aim, object: *een dankbaar ~ vormen* make an easy victim *(of:* target)

doem doom

doemdenken doom-mongering, defeatism

doemen doom, destine

doen I *tr* **1** do, make, take: *een oproep ~* make an appeal; *uitspraak ~* pass judgement; *doe mij maar een witte wijn* for me a white wine, I'll have a white wine; *wat kom jij ~?* what do you want?; *wat doet hij (voor de kost)?* what does he do (for a living)?; **2** *(ergens plaatsen)* put: *iets in zijn zak ~* put sth in one's pocket; **3** *(laten ondergaan)* make, do: *dat doet me plezier* I'm glad about that; *iem verdriet* (of: *pijn) ~* hurt s.o., cause s.o. grief *(of:* pain); **4** (met *het)* work: *de remmen ~ het niet* the brakes don't work; **5** make: *we weten wat ons te ~ staat* we know what (we have, are) to do; *anders krijg je met mij te ~* or else you'll have me to deal with; *dat doet er niet(s) toe* that's beside the point; *niets aan te ~* can't be helped; **II** *intr* **1** do, act, behave: *gewichtig ~* act important; *~ alsof* pretend; *je doet maar* go ahead, suit yourself; **2** *(bezig zijn met)* do, be: *ik doe er twee uur over* it takes me two hours; *aan sport ~* do sport(s), take part in sport(s); *dat is geen manier van ~* that's no way to behave

dof 1 dim, dull, mat(t) *(verf); (aangeslagen, metaal)* tarnished: *~fe tinten* dull *(of:* muted) hues/tints; **2** *(mbt geluiden)* dull, muffled: *een ~fe knal (dreun)* a muffled boom

dofheid *(mbt kleuren)* dullness, dimness

dog mastiff

dogma dogma

dok dock(yard)

doka darkroom

dokken fork out, cough up

dokter doctor, *(huisarts)* GP: *een ~ roepen (laten*

do

komen) send for (*of:* call in) a doctor; ~*tje spelen* play doctors and nurses

doktersadvies doctor's advice, medical advice

doktersassistente (medical) receptionist

doktersbehandeling medical treatment

doktersrecept (medical) prescription

doktersvoorschrift medical instructions, doctor's orders

dokwerker dockworker, docker

dol 1 *(krankzinnig)* mad, crazy: *het is om ~ van te worden* it is enough to drive you crazy; ~ *op iets (iem) zijn* be crazy about sth (s.o.); **2** *(onbezonnen)* mad, wild, crazy: *door het ~le heen zijn* be beside oneself with excitement (*of:* joy); **3** *(dwaas)* foolish, silly, daft: ~*le pret hebben* have great fun; **4** *(versleten)* worn, slipping, stripped: *die schroef is ~* the screw is stripped (*of:* slipping); **5** *(mbt wijzers)* crazy, whirling (round in circles): *het kompas is ~* the compass has gone crazy; **6** *(mbt honden)* mad, rabid

doldraaien I *intr* **1** (have) strip(ped), slip: *de schroef is dolgedraaid* the screw has slipped; **2** *(fig)* run away with itself *(ding)*; go off the rails *(persoon)*; **II** *tr (te ver doordraaien)* drive (*of:* push, turn) too far, overload

dolen wander (about), roam

dolfijn dolphin

dolgraag with the greatest of pleasure: *ga je mee? ~* are you coming? I'd love to

dolk dagger

dollar dollar

dolleman madman, lunatic

dollen lark about, horse around

¹dom cathedral

²dom 1 stupid, simple, dumb: *zo ~ als het achtereind van een varken* as thick as two (short) planks; **2** *(onnozel)* silly, daft: *sta niet zo ~ te grijnzen!* wipe that silly grin off your face!; **3** *(stomweg)* sheer, pure: ~ *geluk* sheer luck, a fluke; **4** *(onwetend)* ignorant: *zich van de ~me houden* play ignorant, play (the) innocent

domein domain, territory

domheid stupidity, idiocy

dominant dominant, overriding

dominee *(aanspreekvorm)* minister

domineren dominate

domino dominoes

dominosteen domino

dommelen doze, drowse

domoor idiot, fool, blockhead, dunce

dompelen plunge, dip, immerse

domper: *dit onverwachte bericht zette een ~ op de feestvreugde* this unexpected news put a damper on the party

dompteur animal trainer (*of:* tamer)

domweg (quite) simply, without a moment's thought, just

donateur donor, *(van vereniging)* contributor, supporter

donatie donation, gift

Donau Danube

donder 1 thunder; **2** *(lichaam)* carcass, *(persoon)* devil: *op zijn ~ krijgen* get a roasting; **3** *(plat)* hell, damn(ation)

donderbui thunderstorm, thunder-shower

donderdag Thursday: *Witte Donderdag* Maundy Thursday

donderdags Thursday

donderen I *intr, tr* thunder; **II** *intr (tieren en razen)* thunder away, bluster

donderjagen be a nuisance, be a pain (in the neck)

donderslag 1 thunderclap, thunderbolt, roll (*of:* crack) of thunder; **2** *(fig)* thunderbolt, bombshell: *als een ~ bij heldere hemel* like a bolt from the blue

doneren donate

donker I *zn* dark(ness), gloom; **II** *bn* **1** dark, gloomy; **2** *(somber, droevig)* dark, dismal, gloomy: *een ~e toekomst* a gloomy future; **3** *(mbt kleur)* dark, dusky; **4** *(mbt geluiden)* low(-pitched); **III** *bw* dismally, gloomily: *de toekomst ~ inzien* take a gloomy view of the future

donor donor

donorcodicil donor card

dons down, fuzz

donsdeken eiderdown, (down) quilt, duvet, (continental) quilt

dood I *zn* death; end: *aan de ~ ontsnappen* escape death; *dat wordt zijn ~* that will be the death of him; *iem ter ~ veroordelen* condemn (*of:* sentence) s.o. to death; *de een zijn ~ is de ander zijn brood* one man's death is another man's breath; *(zo bang) als de ~ voor iets zijn* be scared to death of sth; **II** *bn* **1** dead, killed: *hij was op slag ~* he died (*of:* was killed) instantly; **2** dead, extinct: *een dooie boel* a dead place; *op een ~ spoor zitten* be at a dead end; *een dode vulkaan* an extinct volcano; *op zijn dooie gemak* at one's leisure

doodbloeden 1 bleed to death; **2** *(fig)* run down, peter out

doodeenvoudig perfectly simple, quite simple

doodernstig deadly serious, solemn

doodgaan die: *van de honger ~* starve to death

doodgeboren stillborn

doodgewoon perfectly common (ordinary): *iets ~s* sth quite ordinary

doodgooien *(overspoelen, overladen)* bombard, swamp

doodgraver gravedigger, sexton

doodkist coffin

doodklap 1 death blow, final blow, coup de grâce; **2** *(harde klap)* almighty blow

doodlachen, zich kill oneself (laughing), split one's sides: *het is om je dood te lachen* it's a scream

doodleuk coolly, blandly

doodlopen 1 come to an end (*of:* a dead end), peter out: ~*d steegje* blind alley; *een ~de straat* a dead end; **2** lead nowhere, lead to nothing

doodmoe dead tired, dead on one's feet, worn out

doodongerust worried to death, worried sick
doodop worn out, washed-out
doodrijden run over and kill
doods 1 *(akelig)* deathly, deathlike: *een ~e stilte* a deathly silence; 2 *(zonder leven)* dead, dead-and-alive
doodsangst *(grote angst)* agony, mortal fear
doodsbang *(met voor)* terrified (of), scared to death: *iem ~ maken* terrify s.o.
doodschamen, zich be terribly embarrassed
doodseskader death squad
doodsgevaar deadly peril, mortal danger: *in ~ zijn (verkeren)* be in mortal danger
doodshoofd skull
doodskist coffin
doodslaan *(doden)* kill, beat to death, *(met één slag)* strike dead: *een vlieg ~* swat a fly
doodslag manslaughter
doodsoorzaak cause of death
doodsteken stab to death, stab and kill
doodstil deathly quiet *(of:* still); *(bewegingloos)* quite still; *(zwijgend)* dead silent: *het werd opeens ~ toen hij binnenkwam* there was a sudden hush when he came in
doodstraf death penalty: *hier staat de ~ op* this is punishable by death
doodsvijand mortal enemy, arch-enemy
doodvonnis death sentence; death sentence
doodziek 1 critically ill; terminally ill; 2 sick and tired: *ik word ~ van die kat* I'm (getting) sick and tired of that cat
¹**doodzonde** 1 mortal sin; 2 *(onvergeeflijke fout)* mortal sin, deadly sin
²**doodzonde** a terrible pity; *(verspilling)* a terrible waste
doof deaf: *~ blijven voor* turn a deaf ear to; *~ aan één oor* deaf in one ear
doofheid deafness
doofpot extinguisher; cover-up: *die hele zaak is in de ~ (gestopt)* that whole business has been hushed up
doofstom deaf-and-dumb, deaf mute
doofstomme deaf mute
dooi thaw
dooien thaw: *het begon te ~* the thaw set in
dooier (egg) yolk
doolhof maze, labyrinth
doop 1 christening, baptism; 2 *(fig)* inauguration, christening: *de ~ van een schip* the naming of a ship; 3 *(Belg)* initiation (of new students)
doopceel: *iemands ~ lichten* bring out s.o.'s past
doopnaam Christian name, baptismal name, given name
doopsel baptism, christening
doopvont font
door I *vz* 1 through: *~ heel Europa* throughout Europe; *~ rood (oranje) rijden* jump the lights; 2 *(mbt een vermenging)* through, into: *zout ~ het eten doen* mix salt into the food; *alles lag ~ elkaar* eve-

rything was in a mess; 3 *(door middel van)* by (means of): *~ ijverig te werken, kun je je doel bereiken* you can reach your goal by working hard; *~ haar heb ik hem leren kennen* it was thanks to her that I met him; 4 *(vanwege)* because of, owing to, by, with: *~ het slechte weer* because of *(of:* owing to) the bad weather; *~ ziekte verhinderd* prevented by illness from coming *(of:* attending, going); *dat komt ~ jou* that's (all) because of you; 5 by: *zij werden ~ de menigte toegejuicht* they were cheered by the crowd; *~ wie is het geschreven?* who was it written by?; *~ de jaren heen* over the years; *~ de week* through the week; **II** *bw* through: *de hele dag ~* all day long, throughout the day; *het kan ermee ~* it's passable; *de tunnel gaat onder de rivier ~* the tunnel passes under the river; *tussen de buien ~* between showers; *ik ben ~ en ~ nat* I'm wet through (and through); *~ en ~ slecht* rotten to the core
doorbakken well-done
doorberekenen pass on, on-charge
doorbetalen keep paying, continue paying
doorbijten 1 bite (hard): *de hond beet niet door* the dog didn't bite hard; 2 *(voortgaan met bijten)* keep biting, continue biting *(of:* to bite), *(fig)* keep trying, *(fig)* keep at it: *even ~!* just grin and bear it!
doorbladeren leaf through, glance through, *(boek ook)* thumb through
doorboren drill (through), bore (a hole in), tunnel *(berg)*; *(met steekwapen)* pierce, *(met steekwapen)* stab
doorbraak 1 bursting, collapse; 2 *(door een obstakel)* breakthrough; *(sport)* break: *~ van een politieke partij* the breakthrough of a political party
doorbranden 1 burn through, burn properly; 2 *(stukgaan)* burn out: *een doorgebrande lamp* a blown (light) bulb
¹**doorbreken** break (through), burst (through), breach *(ook fig):* *de sleur ~* get out of the rut
²**doorbreken I** *intr* 1 break (apart, in two), break up, burst, perforate: *het gezwel brak door* the swelling ruptured; 2 *(door iets heen)* break through, come through: *de tandjes zullen snel ~* the teeth will come through fast; 3 *(mbt artiesten)* break through, make it; **II** *tr* break (in two), *(stok ook)* snap (in two): *ze brak zijn wandelstok door (in tweeën)* she broke his walking stick in two
doorbrengen spend: *ergens de nacht ~* spend the night *(of:* stay overnight) somewhere
doorbuigen 1 bend, sag: *de vloer boog sterk door* the floor sagged badly; 2 *(doorgaan met buigen)* bend further (over), bow deeper: *die jongen kan wel dieper ~* that boy must be able to bend further
doordacht well-thought-out, well-considered
doordat because (of the fact that), owing to, as a result of, on account of (the fact that), in that: *~ er gebrek aan geld was* through lack of money
doordenken reflect, think, consider: *als je even doordenkt (of: door had gedacht)* if you think *(of:* had thought) for a moment

doordeweeks weekday, workaday

doordraaien 1 keep turning, continue turning (of: to turn), (fig) go on, (fig) keep moving: de motor laten ~ keep the engine running (of: on); 2 (doldraaien) slip, not bite, have stripped, be stripped

doordrammen nag, go on: ~ over iets keep harping on (about) sth

doordrammer nagger, pest

doordraven rattle on

doordrenken soak (through), saturate, drench

doordrijven I tr push through, force through, enforce, impose: iets te ver ~ carry things too far; II intr (doorzeuren) nag: je moet niet zo ~ stop nagging!

¹doordringen 1 penetrate, permeate (vocht; ook fig); 2 (volkomen overtuigen) persuade, convince: doordrongen zijn van de noodzaak ... be convinced of the necessity of ...

²doordringen penetrate, get through, occur: ~ in penetrate, permeate, filter through (vocht); het drong niet tot me door dat hij mij wilde spreken it didn't occur to me that he wanted to see me; niet tot iem kunnen ~ not be able to get through to s.o.

doordringend piercing, penetrating (blik, kou, kreet), pungent (geur): iem ~ aankijken give s.o. a piercing look

doordrukken push through, force through: zijn eigen mening ~ impose one's own view

dooreen jumbled up, higgledy-piggledy

doorgaan I intr 1 go on, walk on, continue: deze trein gaat door tot Amsterdam this train goes on to Amsterdam; 2 (voortgaan met een handeling) continue (doing, with), go (of: carry) on (doing, with), persist (in, with), proceed (with): hij bleef er maar over ~ he just kept on about it; dat gaat in één moeite door we can do that as well while we're about it; 3 (voortduren) continue, go on, last; 4 (door een ruimte, opening gaan) go through, pass through, pass; 5 (plaatsgrijpen) take place, be held: het feest gaat door the party is on; niet ~ be off; 6 (aangezien worden voor) pass for, pass oneself off as, (zonder bedrog) be considered (as): zij gaat voor erg intelligent door she is said to be very intelligent; II tr go through, pass through

doorgaand through: ~ verkeer through traffic

doorgaans generally, usually

doorgang 1 occurrence: (geen) ~ hebben (not) take place; 2 (opening) passage(way), way through, gangway, (kerk, vliegtuig) aisle

doorgedraaid exhausted, worn out

doorgeven 1 pass (on, round), hand on (of: round): geef de fles eens door pass the bottle round (of: on); 2 (overbrengen) pass (on): een boodschap aan iem ~ pass a message on to s.o.; 3 (overdragen) pass on, hand on, hand over; 4 (verder vertellen) pass on, let (s.o.) know about: dat zal ik moeten ~ aan je baas I will have to tell your boss about this

doorgewinterd seasoned, experienced

doorgronden fathom, penetrate

doorhalen cross out, delete

doorhebben see (through), be on to: hij had het dadelijk door dat ... he saw at once that ...

doorheen through: zich er ~ slaan get through (it) somehow or other

doorkijken look through

doorkneed experienced

doorknippen cut through, cut in half (of: in two)

doorkomen 1 come through (of: past, by), pass (through, by): de stoet moet hier ~ the procession must come past here; 2 (ten einde brengen) get through (to the end): de dag ~ make it through the day; er is geen ~ aan: a) (boek, werk enz.) there is no way I'm going to get this finished; b) (menigte, verkeer) I don't stand a hope of getting through; 3 (door iets heen dringen) come through, get through: de zon komt door the sun is breaking through

doorkruisen 1 traverse, roam, scour (op zoek): hij heeft heel Frankrijk doorkruist he has travelled all over France; 2 (dwarsbomen) thwart: dat voorstel doorkruist mijn plannen that proposal has thwarted my plans

doorlaten let through (of: pass), allow through (of: to pass): geen geluid ~ be soundproof

doorleefd wrinkled; aged

doorleren keep (on) studying, continue with one's studies, stay on at school

doorlichten investigate, examine carefully, screen (persoon)

doorliggen have bedsores, get bedsores: zijn rug is doorgelegen he has (got) bedsores on his back

¹doorlopen 1 walk through, go through, pass through; 2 (volgen) go through, pass through, (afronden) complete (cursus): alle stadia ~ pass through (of: complete) every stage; 3 (vluchtig lezen) run through, glance through

²doorlopen 1 walk (of: go, pass) through: hij liep tussen de struiken door he walked (of: went) through the bushes; 2 (verder lopen) keep (on) walking (of: going, moving), continue walking/moving (of: to walk, to move), walk on, go on, move on: ~ a.u.b.! move along now, please!; 3 (mbt kleuren) run: het blauw is doorgelopen the blue has run; 4 (niet onderbroken worden) run on, carry on through, continue, (nummers ook) be consecutive: de eetkamer loopt door in de keuken the dining room runs through into the kitchen; 5 (sneller lopen) hurry up

doorlopend continuous, continuing; (met onderbrekingen) continual; (opeenvolgend) consecutive: hij is ~ dronken he is constantly drunk

doormaken go through, pass through, live through, experience, undergo: een moeilijke tijd ~ have a hard time (of it)

doormidden in two, in half

doorn thorn: dat is mij een ~ in het oog that is a thorn in my flesh

doornemen 1 go through (of: over): een artikel

vluchtig ~ skim through an article; **2** *(bespreken)* go over: *iets met elkaar* ~ go over sth together

Doornroosje Sleeping Beauty

doorprikken burst, prick, puncture

doorreizen I *intr* continue one's journey, continue travelling: *ze reist vandaag nog door naar Tilburg* she is going on to Tilburg today; **II** *tr (reizend doortrekken)* travel through: *ik heb heel Europa doorgereisd* I have travelled all over Europe

doorrijden 1 keep on *(of:* continue) driving/riding: *rijdt deze bus door naar het station?* does this bus go on to the station?; **2** *(verder rijden)* drive on, ride on, proceed, continue: ~ *na een aanrijding* fail to stop after an accident; **3** *(sneller rijden)* drive faster, ride faster, increase speed: *als we wat ~, zijn we er in een uur* if we step on it, we will be there in an hour

doorrijhoogte clearance, headway

doorschemeren be hinted at, be implied: *hij liet ~ dat hij trouwplannen had* he hinted that he was planning to marry

doorscheuren tear up, *(in tweeën)* tear in half

doorschieten shoot through *(of:* past)

doorschijnen 1 be translucent; **2** *(zichtbaar zijn)* show through, shine through: *haar slipje schijnt door* her panties are showing (through her dress)

doorschijnend translucent, see-through *(van kleding),* transparent

doorschuiven pass on

doorslaan 1 tip, dip: *de balans doen* ~ tip the scales; **2** blow, melt, fuse *(leiding),* break down *(isolatie): de stop is doorgeslagen* the fuse has blown; **3** *(bekennen)* talk

doorslaand conclusive, decisive: *een* ~ *succes* a resounding success

doorslag 1 turn *(of:* tip) (of the scale): *dat gaf bij mij de* ~ that decided me; *dat geeft de* ~ that settles it; **2** *(afschrift, kopie)* carbon (copy), duplicate

doorslaggevend decisive: *van* ~ *belang* of overriding importance

doorslapen sleep on *(of:* through): *de dag* ~ sleep through the day

doorslikken swallow

doorsmeren lubricate: *de auto laten* ~ have the car lubricated

doorsnede 1 section, cross-section, profile: *een* ~ *van een bol maken* make a cross-section of a sphere; **2** *(middellijn)* diameter: *die bal heeft een* ~ *van 5 cm* this ball has a diameter of 5 cm

doorsnee average, mean

¹doorsnijden cut, sever, *(in tweeën)* cut in(to) two, *(in tweeën)* bisect: *hij heeft alle banden met zijn familie doorgesneden* he has severed *(of:* cut) all ties with his family

²doorsnijden cut (through)

doorspelen I *intr* play on, continue to play: *het orkest speelde door alsof er niets gebeurd was* the orchestra played on as if nothing had happened; **II** *tr* pass on, leak: *informatie aan een krant* ~ pass on

information to a newspaper; *de bal* ~ *naar ...* pass (the ball) to ...

doorspoelen 1 *(door iets heen doen gaan)* wash down *(of:* out, through): *je eten* ~ *met wijn* wash down your food with wine; **2** *(reinigen) (leiding)* flush out; *(wc)* flush; **3** *(mbt een geluids-, videoband)* wind on

doorspreken discuss, go into (in depth)

doorstaan endure, bear, (with)stand, come through: *een proef* ~ come through a test

doorstart 1 aborted landing; **2** *(econ)* new start

doorstarten start up again

doorsteken stab, run through, pierce, *(met mes)* knife

doorstoten 1 keep on *(of:* continue) pushing; **2** *(doordringen, oprukken)* advance, push on *(of:* through), *(ergens doorheen)* break through, burst through: ~ *tot de kern van de zaak* get to the heart of the matter

doorstrepen cross out, delete, strike out *(of:* through)

doorstromen 1 *(mbt het onderwijs)* move up, move on; **2** flow (through)

doorstroming 1 *(mbt het onderwijs)* moving up, moving on; **2** *(mbt bloed; ook verkeer)* flow, circulation: *een vlottere* ~ *van het verkeer* a freer flow of traffic

doorstuderen continue (with) one's studies

doorsturen send on, *(wegsturen)* send away: *een brief* ~ forward a letter; *een patiënt naar een specialist* ~ refer a patient to a specialist

doortastend vigorous, bold

doortocht 1 crossing, passage through, way through; **2** *(opening, weg)* passage, thoroughfare: *de* ~ *versperren* block the way through

doortrapt 1 cunning, crafty; **2** *(door en door slecht)* base, villainous

doortrekken I *tr* **1** *(verlengen)* extend, continue: *een lijn* ~ follow the same line *(of:* course); *een vergelijking* ~ carry a comparison (further); **2** *(mbt toilet)* flush; **II** *intr (reizen)* travel through, pass through, journey through, roam: *de verkiezingskaravaan trekt het hele land door* the election caravan is touring the whole country

doorverbinden connect, *(telefoon ook)* put through (to)

doorvertellen pass on: *aan niemand ~, hoor!* don't tell anyone else!

doorverwijzen refer

doorweekt wet through, soaked, drenched

doorwerken I *intr* **1** go *(of:* keep) on working, continue to work, work on, work overtime *(na werktijd): er werd dag en nacht doorgewerkt* they worked night and day; **2** *(voortgang maken met werk)* make headway, get on (with the job): *je kunt hier nooit* ~ you can never get on with your work here; **3** *(invloed hebben (op))* affect sth, make itself felt: *zijn houding werkt door op anderen* his attitude has its effect on others; **II** *tr* work (one's way)

do

do

through, get through, go through: *een heleboel stukken door moeten werken* have to plough through a mass of documents

doorzagen I *tr* saw (sth) through, saw in two ‖ *iem over iets blijven ~* force sth down s.o.'s throat, *(scherp ondervragen)* question s.o. closely, grill s.o.; II *intr (vervelend blijven doorpraten)* keep (*of:* go, moan) on (about sth)

doorzakken 1 sag, give (way); 2 *(veel sterkedrank drinken)* go on drinking (*of:* boozing), make a night of it

doorzetten I *intr* 1 become stronger, become more intense: *de weeën zetten door* the contractions are increasing (in intensity); 2 *(volharden)* persevere: *nog even ~!* don't give up now!; *van ~ weten* not give up easily; II *tr* 1 *(doen voortgaan)* press (*of:* go) ahead with; 2 *(volledig uitvoeren)* go through with: *iets tot het einde toe ~* see sth through

doorzetter go-getter, stayer

doorzettingsvermogen perseverance, drive

doorzichtig 1 transparent, see-through *(kledingstuk)*: *gewoon glas is ~, matglas doorschijnend* plain glass is transparent, frosted glass is translucent; 2 *(fig)* transparent, thin, obvious

doorzichtigheid transparency

doorzien see through, be on to *(persoon)*: *hij doorzag haar bedoelingen* he saw what she was up to

doorzoeken search through, go through, ransack *(grondig)*: *zijn zakken ~* turn one's pockets (inside) out

doos box, case *(wijn)*: *(luchtv) de zwarte ~* the black box

dop 1 shell *(eieren, noten)*; pod *(peulvruchten)*; husk *(zaden, granen)*; 2 *((af)sluiting)* cap *(pen, tube)*, top; 3 *(Belg; inform)* dole, unemployment benefit: *van de ~ leven* be on benefit (*of:* on the dole); *kijk uit je ~pen!* watch where you're going!

dope dope

dopen 1 sop, dunk (in): *zijn pen in de inkt ~* dip one's pen in the ink; 2 *(godsd)* baptize, christen: *iem tot christen ~* baptize s.o.; 3 *(Belg)* initiate, rag

doper baptizer: *Johannes de Doper* John the Baptist

doperwt green pea

doping drug(s)

dopingcontrole dope test

dopje cap, top

doppen I *tr* (un)shell, *(bonen, erwten ook)* pod, hull, *(noot, ei ook)* peel, *(zaden, granen)* (un)husk, *(zaden, granen)* hull; II *intr (Belg)* be on benefit, be on the dole

dor 1 barren, arid; 2 *(mbt planten)* withered

dorp village, *(Am)* town: *het hele ~ weet het* it's all over town

dorpel threshold, doorstep

dorpeling villager, *(mv ook)* village people

dorpsbewoner villager

dorpshuis *(cultureel centrum)* community centre

dorsen thresh

dorst thirst: *ik verga van de ~* I'm dying of thirst

dorstig thirsty, parched

doseren dose

dosering quantity; *(van geneesmiddel)* dose, dosage

dosis dose; measure: *een flinke ~ gezond verstand* a good measure of common sense

dossier file, documents, records: *een ~ bijhouden van iets (iem)* keep a file on sth (s.o.)

dot tuft: *een flinke ~ slagroom* a dollop of cream

douane customs

douanebeambte customs officer

douanerechten customs duties

double double

doubleren repeat (a class)

doubleur *(ongev)* non-promoted pupil

douche shower: *(fig) een koude ~* a rude awakening

douchen shower, take (*of:* have) a shower

douwen shove, push, crowd *(opzij)*

dove deaf person

doven *(blussen, uitdoen)* extinguish, put out, turn out, turn off *(licht)*

dovenetel dead nettle

doveninstituut institute for the deaf

doventaal sign language

downloaden *(comp)* download

dozijn dozen: *een ~ eieren* one dozen eggs

draad 1 thread *(ook schroeven; fig)*; fibre: *tot op de ~ versleten* worn threadbare; *de ~ weer opnemen* pick up the thread; *de ~ kwijt zijn* flounder *(spreken)*; 2 *(vezel)* fibre, string *(vlees, peulen)*

draadje 1 thread, strand, fibre: *aan een zijden ~ hangen* hang by a thread; *er zit een ~ los bij hem* he has a screw loose; 2 *(stukje draad)* wire, piece of wiring

draadloos wireless: *draadloze telefoon* cellular (tele)phone

draagbaar portable, transportable

draagmoeder surrogate mother

draagstoel sedan (chair)

draagvlak *(lett)* bearing surface, basis, support *(ook fig)*: *het maatschappelijk ~ van een wetsontwerp* the public support for a bill

draai 1 turn, twist, bend: *een ~ van 180°maken* make an about-turn; 2 *(slag)* turn, twist, screw *(schroef)*: *iem een ~ om de oren geven* box s.o.'s ears; *hij kon zijn ~ niet vinden* he couldn't settle down

draaibaar revolving, rotating, swinging: *een draaibare (bureau)stoel* a swivel chair

draaiboek script, screenplay, scenario

draaicirkel turning circle

draaideur revolving door

draaien I *tr* 1 turn (around), *(snel)* twirl, spin: *het gas hoger* (of: *lager*) *~* turn the gas up (*of:* down); *een deur op slot ~* lock a door; 2 *(andere richting geven aan)* turn (around), swerve; 3 roll, turn (*op draaibank)*: *een film ~* shoot a film; 4 *(mbt telefoonnummer)* dial; 5 *(afspelen)* play: *een film ~* show a film; *een nachtdienst ~* work a night shift; II *intr* 1 turn (around), revolve, rotate, *(planeten)* orbit, *(om as)* pivot: *een ~de bal* a spinning ball; *in het rond ~* turn round, spin round; *daar draait het om* that's what it's all about; 2 *(wenden)* turn, swerve: *de wind draait* the wind is changing; 3 *(mbt bedrijf, winkel)* work, run, do: *met winst (of: verlies) ~* work at a profit *(of:* loss); *die film draait nog steeds* that film is still on; *aan de knoppen ~* turn the knobs; *er omheen ~* evade the question

draaierig dizzy

draaihek turnstile, swing gate

draaikolk whirlpool

draaikruk revolving stool

draaimolen merry-go-round

draaiorgel barrel organ, hand organ *(draagbaar): de orgelman speelde zijn ~* the organgrinder was grinding his barrel organ

draaischijf 1 *(van telefoon)* dial; 2 *(van pottenbakker)* potter's wheel

draaistoel swivel chair, revolving chair

draaitafel turntable

draak dragon

drab 1 dregs, sediment; 2 *(mbt vloeistof)* ooze

drachme drachma

dracht 1 *(zwangerschap)* gestation, pregnancy *(mensen)*; 2 *(mbt kleren)* costume, dress

drachtig with young, bearing: *~ zijn* be with young

draf trot: *in volle ~* at full trot; *op een ~je lopen* run along, trot

dragen I *tr* 1 support, bear, carry, *(fig ook)* sustain: *iets bij zich ~* have sth on one; 2 *(aan, op, in hebben)* wear, have on: *die schoenen kun je niet bij die jurk ~* those shoes don't go with that dress; 3 *(op zich nemen)* take, have: *de gevolgen ~* bear *(of:* take) the consequences; 4 *(verduren)* bear, endure: *de spanning was niet langer te ~* the tension had become unbearable; **II** *intr* rest on, be supported: *een ~de balk* a supporting beam

drager bearer *(ook begrafenis)*, carrier *(ook van ziekte)*

dralen linger, hesitate

drama 1 tragedy, drama: *de Griekse ~'s* the Greek tragedies; *een ~ opvoeren* perform a tragedy; 2 *(droevige gebeurtenis)* tragedy, catastrophe: *een ~ van iets maken* make a drama of sth

dramatisch 1 dramatic: *~e effecten* theatrical effects; 2 *(aangrijpend) (rampzalig)* tragic; *(overdreven)* theatrical: *doe niet zo ~* don't make such a drama of it

dramatiseren 1 dramatize, make a drama of; 2 *(voor het toneel)* dramatize, *(roman ook)* adapt for the stage

drammen nag, go on

drammerig nagging, insistent, tiresome

drang 1 urge, instinct: *de ~ tot zelfbehoud* the survival instinct; 2 *(het dringen)* pressure, force: *met zachte ~* with gentle insistence

dranghek barrier

drank drink, *(op menu)* beverage: *alcoholhoudende ~en* alcoholic beverages; *(Belg) korte ~* spirits, liquor

drankgebruik consumption of alcohol, drinking

drankje drink: *een ~ klaarmaken* mix a drink

drankmisbruik alcohol abuse

drankorgel drunk(ard), hard drinker

drankprobleem alcohol problem, drinking problem

drankvergunning liquor licence

drankwinkel off-licence, *(Am)* liquor store

draperen drape

drassig boggy, swampy

drastisch drastic: *de prijzen (of: belastingen) ~ verlagen* slash prices *(of:* taxes)

draven 1 *(mbt paarden)* trot; 2 *(mbt mensen)* hurry about

dreef 1 *(met op)* in form, in one's stride: *niet op ~ zijn* be off form; *hij is aardig (of: geweldig) op ~* he's in good *(of:* splendid) form; 2 *(laan)* avenue, lane

dreggen drag

dreigement threat

dreigen I *intr* 1 threaten, menace: *~ met straf* threaten punishment; 2 *(gevaar lopen, op het punt staan)* threaten, be in danger: *de vergadering dreigt uit te lopen* the meeting threatens to go on longer than expected; **II** *tr* threaten

dreigend 1 threatening, ominous, menacing: *iem ~ aankijken* scowl at s.o.; 2 *(aanstaand)* imminent, threatening

dreiging threat, menace

drek dung, muck, *(mest)* manure

drempel 1 threshold, doorstep; 2 *(psych)* threshold, barrier

drenkeling drowning person, *(reeds verdronken)* drowned body *(of:* person)

drenken drench, soak, saturate

drentelen saunter, stroll

dresseren train

dresseur (animal) trainer

dressoir sideboard, buffet

dressuur training, drilling, *(paarden)* dressage, *(paarden)* schooling

dreumes toddler, tot

dreun 1 boom, rumble, *(lang en eentonig)* drone: *er klonk een doffe ~* there was a dull boom *(of:* rumble); 2 *(eentonig ritme)* drone, monotone; 3 *(harde klap)* blow, thump: *iem een ~ verkopen (geven)* sock s.o. one

dreunen 1 hum, drone, rumble: *het hele huis dreunt ervan* the whole house is rocking with it; 2 *(dof en zwaar)* boom, crash, thunder, roar: *hij sloeg de deur ~d dicht* he slammed the door shut

dribbelen dribble

drie three; *(data)* third: *een auto in z'n ~ zetten* put a car into third gear; *met ~ tegelijk* in threes; *zij waren met hun ~ën* there were three of them; *het is tegen (of: bij) ~ën* it's almost three o'clock; *met 3-0 verliezen* lose by three goals to nil

driedaags three-day

driedelig tripartite *(ook biol)*, three-piece *(kostuum)*

driedimensionaal three-dimensional

driedubbel 1 threefold, triple; **2** *(driemaal zo groot)* treble, triple

driegen *(Belg)* baste, tack

driehoek triangle

driehoekig triangular, three-cornered

driehonderd three hundred

driejarig 1 *(drie jaar oud)* three-year-old: *op ~e leeftijd* at the age of three; **2** *(drie jaar durend)* three-year

driekleur tricolour

Driekoningen (feast of (the)) Epiphany, Twelfth Night

driekwart three-quarter: *(voor) ~ leeg* three parts empty; *(voor) ~ vol* three-quarters full

driekwartsmaat three-four (time)

drieling (set of) triplets: *de geboorte van een ~* the birth of triplets

driemaal three times: *~ zo veel (groot) geworden* increased threefold; *~ is scheepsrecht* third time lucky

driemaandelijks quarterly, three-monthly: *een ~ tijdschrift* a quarterly

driemaster three-master

driepoot tripod

driesprong three-forked road

drietal threesome, trio, triad

drietand 1 trident: *de ~ van Neptunus* Neptune's trident; **2** *(mestvork)* three-pronged, three-tined fork

drietjes the three of …: *wij ~* the three of us, we three; *ze kwamen met z'n ~* three of them came

drievoud 1 treble, triplicate: *een formulier in ~ ondertekenen* sign a form in triplicate; **2** *(door drie deelbaar)* multiple of three

drievoudig treble, triple: *we moesten het ~e (bedrag) betalen* we had to pay three times as much

driewieler tricycle; *(auto)* three-wheel car

driezijdig three-sided, triangular

drift 1 (fit of) anger, (hot) temper, rage: *in ~ ontsteken* fly into a rage; **2** *(neiging, begeerte)* passion, urge; **3** *(het drijven)* drift

driftbui fit *(of:* outburst) of anger

driftig I *bn* **1** angry, heated: *je moet je niet zo ~ maken* you must not lose your temper; **2** *(opvliegend)* short-tempered; **II** *bw* **1** angry, hot-headed: *~ spreken* speak in anger; **2** *(heftig)* vehement, heated: *hij stond ~ te gebaren* he was making vehement gestures; *zij maakte ~ aantekeningen* she was busily taking notes

driftkop hothead

drijfkracht 1 driving power, motive power *(of:* force), *(stuwkracht)* drive; **2** driving force, moving spirit

drijfnat soaking wet, sopping wet, drenched, soaked

drijfveer motive, mainspring

drijfzand quicksand(s)

drijven I *intr* **1** float, drift: *het pakje bleef ~* the package remained afloat; **2** *(zweven)* float, drift, glide; **3** *(doornat zijn)* be soaked: *~ van het zweet* be dripping with sweat; **II** *tr* **1** *(voor zich uit doen gaan)* drive, push, move: *de menigte uit elkaar ~* break up the crowd; **2** *(bewegen tot)* drive, push, compel: *iem tot het uiterste ~* push s.o. to the extreme; **3** *(bedrijven)* run, conduct, manage: *handel ~ met een land* trade with a country; *de spot met iem ~* make fun of s.o.; **4** *(in beweging brengen)* drive, propel *(machine)*, operate: *door stoom gedreven schepen* steam-driven *(of:* steam-propelled) ships

drijvend floating, drifting, *(predikatief ook)* afloat

drijver 1 driver, drover *(van vee);* beater *(jacht);* **2** *(voorwerp dat drijft)* float: *~s van een watervliegtuig* floats of a seaplane

drilboor drill

drillen drill

dringen I *intr* **1** push, shove, penetrate: *hij drong door de menigte heen* he pushed *(of:* elbowed, forced) his way through the crowd; *naar voren ~* push forward; **2** *(voorwaartse druk uitoefenen)* push, press: *het zal wel ~ worden om een goede plaats* we'll probably have to fight for a good seat; **3** *(druk doen gelden)* press, urge, compel: *de tijd dringt* time is short; **II** *tr* push, force

dringend I *bn* **1** urgent *(behoefte, telegram, verzoek);* pressing *(behoefte, bezigheden);* acute, dire *(nood);* **2** *(met aandrang)* urgent, earnest *(verzoek),* insistent, pressing: *op ~ verzoek van* at the urgent request of; **II** *bw* *(onmiddellijk)* urgently; acutely, direly: *ik moet u ~ spreken* I must speak to you immediately

drinkbaar *(smakelijk)* drinkable; *(ongevaarlijk)* potable

drinken 1 drink, sip *(met kleine teugjes):* *wat wil je ~?, wat drink jij?* what are you having?, what'll it be?; *ik drink op ons succes* here's to our success!; **2** *(opzuigen)* soak (up); **3** *(alcohol drinken)* drink: *te veel ~* drink (to excess)

drinker drinker

drinkplaats watering place

drinkwater drinking water, potable water

drinkyoghurt drinking yoghurt

droef sad, sorrowful

droefheid sorrow, sadness, grief

droevig I *bn* **1** sad, sorrowful, miserable; **2** *(van droefheid getuigend)* sad, melancholy: *een ~e blik* a sad *(of:* melancholy) look; **3** *(tot droefheid stemmend)* depressing, saddening: *een ~ lied* a sad *(of:* melancholy) song; **4** *(bedroevend)* depressing, miserable; **II** *bw* **1** sadly, dolefully, sorrowfully; **2** *(bedroevend)* depressingly, pathetically: *het is ~ gesteld met hem* he's in a distressing situation

drogen I *intr* dry: *de was te ~ hangen* hang out the laundry to dry; **II** *tr* dry, air, *(door vegen)* wipe: *iets laten ~* leave sth to dry

droger drier

drogist 1 chemist; **2** *(winkel)* chemist's

drogisterij chemist's

drol turd

drom crowd, horde, throng

dromedaris dromedary, (Arabian) camel

dromen I *intr* **1** dream; **2** *(mijmeren)* (day)dream, muse; **II** *tr* dream, imagine

dromer dreamer, stargazer, rainbow chaser

dromerig I *bn* **1** dreamy, faraway; **2** *(als een droom)* dreamy, dreamlike, illusory: *een ~e sfeer* a dreamlike feeling; **II** *bw* dreamily: *~ uit zijn ogen kijken* gaze dreamily

dronk 1 toast; **2** *(het drinken)* drinking

dronken drunken; drunk: *de wijn maakt hem ~* the wine is making him drunk

dronkenschap drunkenness, intoxication, inebriety: *in kennelijke staat van ~ (verkeren)* (be) under the influence of drink

droog dry, arid *(klimaat), (vruchten, enz. ook)* dried out: *hij zit hoog en ~* he is sitting high and dry

droogbloem dried flower

droogdoek tea towel

droogkap (hair)dryer (hood)

droogkuis *(Belg)* dry-cleaning

droogleggen reclaim, *(vnl. mbt Nederland)* impolder

droogte dryness, aridity *(mbt klimaat)*, drought *(mbt weer)*

droogtrommel dryer, drying machine, tumble(r) dryer

droogzwemmen 1 practise swimming on (dry) land; **2** *(oefenen)* do a dry run

droogzwierder *(Belg)* spin-dryer

droom dream, fantasy: *het meisje van zijn dromen* the girl of his dreams; *een natte ~* a wet dream; *iem uit de ~ helpen* disillusion *(of: disenchant)* s.o.

droomprins Prince Charming

droomwereld dream-world, fantasy world, fool's paradise

drop liquorice: *Engelse ~* liquorice all-sorts

droppen drop off

dropping drop

drug drug, narcotic: *handelen in ~s, ~s verkopen* deal in *(of: sell)* drugs

drugsbeleid drug policy, policy on drugs

drugsdealer (drug) dealer, pusher

drugsgebruik use of drugs, drug abuse

drugshandel dealing (in drugs), drug trade

drugshandelaar drug trafficker, drug dealer

drugsverslaafde drug addict, junkie

druïde druid

druif grape: *een tros druiven* a bunch of grapes

druilerig drizzly

druiloor mope(r)

druipen drip, trickle

druipnat soaking wet, soaked through

druipsteen stalactite; *(hangend)* stalagmite *(staand)*

druivenoogst grape harvest, vintage

druivensap grape-juice

druivensuiker grape sugar, dextrose

druk I *zn* **1** pressure: *~ uitoefenen (op)* exert pressure (on); **2** strain, stress; **3** *(oplage)* edition: *een herziene ~* a revised edition; **II** *bn* **1** busy, demanding, active, lively: *een ~ke baan* a demanding job; *een ~ leven hebben* lead a busy life; **2** *(luidruchtig)* active, lively, boisterous: *~ke kinderen* boisterous children; *zich ~ maken over iets* worry about sth; **III** *bw* **1** busily: *~ bezet* busy; *~ bezig zijn (met iets)* be very busy (with, doing sth); **2** *(opgewonden)* busily, noisily, excitedly

drukfout misprint, printing error, erratum

drukken I *intr* press, push; **II** *tr* **1** push, press: *iem de hand ~* shake hands with s.o.; **2** force: *iem tegen zich aan drukken* hold s.o. close (to oneself); **3** *(omlaag brengen)* push down: *de prijzen* (of: *kosten*) *~* keep down prices (of: costs); **4** print: *10.000 exemplaren van een boek ~* print (of: run off) 10,000 copies of a book; **5** *(stempelen)* stamp, impress

drukkend 1 oppressive, heavy, burdensome; **2** *(broeierig)* sultry, *(benauwd)* close

drukker printer

drukkerij printer, printing office (of: business), printer's

drukkingsgroep *(Belg)* *(pressiegroep)* pressure group

drukknoop press stud, press fastener, popper

drukknop push-button

drukletter 1 *(geschreven)* (block, printed) letter; **2** type, letter

drukpers printing press

drukproef proof, galley (proof), printer's proof

drukte 1 busyness, pressure (of work): *door de ~ heb ik de bestelling vergeten* it was so busy (of: hectic) I forgot the order; **2** bustle, commotion, stir: *de ~ voor Kerstmis* the Christmas rush; **3** fuss, ado: *veel ~ over iets maken* make a big fuss about sth

druktemaker noisy (of: rowdy) person, show-off

druktoets (push-)button

drukwerk *(mbt post)* printed matter (of: papers)

drum drum

drumband drum band

drummer drummer

drumstel drum set, (set of) drums

druppel drop(let), bead *(o.a. zweet): alles tot de laatste ~ opdrinken* drain to the (very) last drop

druppelen drip, trickle, ooze: *iets in het oog ~* put drops in one's eye

ds. *afk van dominee* (the) Rev(erend)

dubbel I *bn* **1** double, duplicate, dual: *een ~e bodem* a double (of: hidden) meaning; **2** double (the size), twice (as big): *een ~ leven leiden* lead a double life; **II** *bw* **1** double, twice: *ik heb dat boek ~* I have two copies of that book; *~ liggen (bijv. vh lachen)* be doubled up; **2** doubly, twice: *dat is ~ erg* that's twice as bad; *hij verdient het ~ en dwars* he deserves every bit of it

dubbelboeking double booking

dubbel-cd double CD

dubbeldekker double-deck(er) (bus)
dubbelepunt colon
dubbelganger double, lookalike, doppelgänger
dubbelklikken double-click
dubbelnummer double issue
dubbelop double
dubbelrol double role, twin roles
dubbelspel *(sport)* doubles
dubbelspion double agent
dubbeltje ten-cent piece: *zo plat als een ~* (as) flat as a pancake
dubbelvouwen fold in two, bend double *(of:* in two)
dubbelzinnig 1 ambiguous: *een ~ antwoord* an ambiguous *(of:* evasive) answer; **2** *(mbt obscene toespelingen)* suggestive, with a double meaning
dubbelzinnigheid 1 ambiguity; **2** ambiguous remark, *(met seksuele bijbetekenis(sen))* suggestive remark
dubben brood, ponder: *~ over iets* brood about sth
dubieus 1 dubious, doubtful; **2** *(onbetrouwbaar ook)* dubious, questionable
duchten fear
duel duel, fight, single combat
duelleren duel, fight
duet duet, duo
duf 1 musty, stuffy, mouldy: *het rook daar ~* it smelled musty; **2** *(fig)* stuffy, stale
dug-out dugout
duidelijk 1 clear, clear-cut, plain: *zich in ~e bewoordingen (taal) uitdrukken* speak plainly; *ik heb hem ~ gemaakt dat …* I made it clear to him that …; *om ~ te zijn, om het maar eens ~ te zeggen* to put it (quite) plainly; **2** *(goed waarneembaar)* clear, distinct, plain: *een ~e voorkeur hebben voor iets* have a distinct preference for sth; *~ zichtbaar* (of: *te merken) zijn* be clearly visible *(of:* noticeable)
duidelijkheid clearness, clarity, obviousness
duiden 1 point (to, at); **2** point (to), indicate: *verschijnselen die op tuberculose ~* symptoms that indicate tuberculosis
duif pigeon, dove
duik dive, diving, plunge: *een ~ nemen (gaan zwemmen)* take a dip
duikboot submarine, *(inform)* sub, *(hist)* U-boat
duikbril diving goggles
duikelen 1 (turn a) somersault, go *(of:* turn) head over heels, tumble; **2** *(vallen)* (take a) tumble, fall head over heels; **3** *(dalen)* drop, dive, *(van koersen ook)* plunge (downward)
duikeling 1 somersault, roll; **2** *(val)* fall, tumble
duiken 1 dive, plunge, duck, go under, *(onderzeeër ook)* submerge: *(sport) naar een bal ~* dive for *(of:* after) a ball; **2** *(zich in iets verbergen)* duck (down, behind): *in een onderwerp ~* go (deeply) into a subject
duiker *(persoon)* diver
duikerpak wetsuit, diving suit
duiksport diving

duim 1 thumb: *de ~ opsteken* give the thumbs up; *onder de ~ houden* keep under one's thumb; **2** *(lengtemaat)* inch: *(Belg) de ~en leggen* surrender, throw in the sponge; *iets uit zijn ~ zuigen* dream sth up
duimen 1 keep one's fingers crossed; **2** *(duimzuigen)* suck one's thumb
duimpje: *Klein Duimpje* Tom Thumb; *iets op zijn ~ kennen* know sth like the back of one's hand *(stad e.d.),* know sth (off) by heart *(les e.d.)*
duimschroef thumbscrew: *(iem) de duimschroeven aandraaien* tighten the screws (on s.o.), turn on the heat on (s.o.)
duimstok folding ruler
duin (sand) dune, sand hill
Duinkerken Dunkirk
duister I *zn* dark, darkness: *in het ~ tasten* be in the dark; **II** *bn, bw* **1** dark, *(somber)* gloomy, *(fig)* dim, black; **2** *(louche)* shady, dubious
duisternis darkness, dark
duit: *ook een ~ in het zakje doen* put in a word
Duits German || *~e herdershond* Alsatian
Duitse German woman, German girl: *zij is een ~* she is German
Duitser German
Duitsland Germany
Duitstalig 1 German-speaking; **2** *(in het Duits)* German
duivel 1 *(godsd)* devil; **2** demon
duivels 1 diabolic(al), devilish, demonic: *een ~ plan* a diabolical plan; **2** *(woedend)* livid, (raving) mad, furious
duivelskunstenaar wizard
duiveltje imp, little devil
duivenhok dovecote
duivenmelker pigeon fancier; *(van postduiven)* pigeon flyer
duiventil dovecote, pigeon house
duizelen become dizzy, reel: *het duizelt mij* my head is spinning *(of:* swimming)
duizelig dizzy (with), giddy (with): *de drukte maakte hem ~* the crowds made his head spin
duizeligheid dizziness
duizeling dizziness, dizzy spell, *(med)* vertigo: *soms last hebben van ~en* suffer from dizzy spells
duizelingwekkend dizzy, giddy, *(enorm ook)* staggering
duizend (a, one) thousand: *~ pond* (of: *dollar)* a thousand pounds *(of:* dollars); *dat werk heeft (vele) ~en gekost* that work cost thousands; *~ tegen één* a thousand to one; *hij is er één uit ~(en)* he is one in a thousand
duizend-en-een-nacht the Thousand and One Nights, the Arabian Nights
duizendpoot 1 centipede; **2** *(persoon)* jack of all trades
duizendste thousandth
duizendtal 1 thousand; **2** *(mv) (cijfers)* thousands
dukaat ducat

dulden 1 endure, bear, put up with: *geen tegen-spraak* ~ not bear being contradicted; **2** *(toelaten)* tolerate, permit, allow: *de leraar duldt geen tegen-spraak* the teacher won't put up with any contradiction

dumpen dump

dun I *bn* **1** thin, *(boom, taille ook)* slender, *(haar, stof ook)* fine: *~ne darm* small intestine; **2** *(niet dicht opeen)* sparse, light, fine, scant; **3** *(vloeibaar)* thin, light, runny; **II** *bw* thinly, sparsely, lightly, *(klein-geestig)* meanly

dunbevolkt thinly populated, sparsely populated

dunk 1 opinion; **2** *(basketbal)* dunk (shot)

duo duo, pair

duobaan shared job

dupe victim, dupe: *wie zal daar de* ~ *van zijn?* who will be the one to suffer for it? *(of:* pay for it?)

duperen let down, fail

duplicaat duplicate (copy), transcript, facsimile

duren last, take, go on: *het duurt nog een jaar* it will take another year; *het duurde uren* (of: *eeuwen, een eeuwigheid)* it lasted hours *(of:* ages, an eternity); *het duurt nog wel even (voor het zover is)* it will be a while yet (before that happens); *de tentoonstelling duurt nog tot oktober* the exhibition runs until October; *zo lang als het duurt* as long as it lasts

durf daring, nerve, guts

durven dare, venture (to, upon): *hoe durf je!* how dare you!; *als het erop aan kwam durfde hij niet* he got cold feet when it came to the crunch

dus so, therefore, then: *ik kan* ~ *op je rekenen?* I can count on you then?

dusdanig so, in such a way *(of:* manner), *(dermate)* to such an extent

dusver: *tot* ~ so far, up to now; *tot* ~ *is alles in orde* so far so good

dutje nap, snooze, forty winks

duts *(Belg)* duffer, dunce

dutten (take a) nap, snooze

¹duur duration, length, *(mbt apparatuur)* life, *(mbt gevangenisstraf, ambt)* term: *van korte* ~ short-lived; *op de lange* ~ in the long run, finally

²duur I *bn* expensive, dear, costly: *die auto is* ~ *(in het gebruik)* that car is expensive to run; *hoe* ~ *is die fiets?* how much is that bicycle?; *dat is te* ~ *voor mij* I can't afford it; **II** *bw* expensively, dearly: *iets* ~ *be-talen* pay a high price for sth, pay dearly for sth

duursport endurance sport

duurzaam I *bn* **1** durable, hard-wearing *(materia-len)*; (long-)lasting, enduring *(vrede, vriendschap)*, permanent: *duurzame kleuren* permanent *(of:* fast) colours; *duurzame verbruiksgoederen* durable con-sumer goods; **2** *(voortdurend)* permanent, (long-)lasting: *voor* ~ *gebruik* for permanent use; **II** *bw* permanently, durably: ~ *gescheiden* perma-nently separated

duurzaamheid durability; endurance, *(van pro-duct)* (useful, service) life

duw push, shove, *(zacht)* nudge, *(met scherp voor-werp)* poke, *(met scherp voorwerp)* jab, *(met scherp voorwerp)* dig: *hij gaf me een* ~ *(met de elleboog)* he nudged me; *de zaak een ~tje geven* help the matter along; *iem een ~tje (omhoog, in de rug) geven* give s.o. a boost

duwboot pusher tug

duwen I *tr* **1** push, *(hardhandig)* shove, *(iets op wie-len ook)* wheel: *een kinderwagen* ~ wheel *(of:* push) a pram; **2** *(ergens brengen)* push, thrust, shove, *(zacht)* nudge: *iem opzij* ~ push *(of:* elbow) s.o. aside; **II** *intr* press, push, jostle: *een ~de en dringen-de massa* a jostling crowd

dwaalspoor wrong track, false scent: *iem op een* ~ *brengen* mislead *(of:* misguide) s.o.

dwaas I *zn* fool, idiot, ass, dope, dummy, nincom-poop; **II** *bn* foolish, silly, stupid: *een* ~ *idee* a crazy idea; **III** *bw* foolishly, stupidly, crazily

dwaasheid foolishness, folly, stupidity

dwalen 1 stray, wander; **2** *(zonder doel)* wander, roam: *wij dwaalden twee uur in het bos* we wan-dered through the forest for two hours; **3** *(mbt blik-ken, gedachten)* stray, travel

dwaling error, mistake: *een rechterlijke* ~ a miscar-riage of justice

dwang compulsion, coercion, *(geweld)* force, *(ver-plichting)* obligation, *(druk)* pressure: *met zachte* ~ by persuasion

dwangarbeid hard labour, forced labour

dwangarbeider convict

dwangbuis straitjacket

dwarrelen whirl *(snel)*, twirl, swirl *(ook snel)*, flut-ter *(bladeren)*

dwars transverse, diagonal, crosswise: ~ *tegen iets ingaan* go right against sth; *ergens* ~ *doorheen gaan* go right through (of: across) sth; ~ *door het veld* straight across the field; ~ *door iem heen kijken* look straight through s.o.

dwarsbeuk transept

dwarsbomen thwart *(plannen)*, frustrate

dwarsdoorsnede cross-section

dwarsfluit flute

dwarslaesie spinal cord lesion, *(het gevolg)* para-plegia

dwarsliggen be obstructive, be contrary, be a trou-blemaker

dwarsstraat side street: *ik noem maar een* ~ just to give an example

dwarszitten cross, thwart, hamper: *iem* ~ frustrate s.o.('s plans); *wat zit je dwars?* what's worrying *(of:* bugging) you?

dweil (floor-)cloth, rag, *(op stok)* mop

dweilen mop (down), mop (up) *(vloeistof)*: *dat is* ~ *met de kraan open* it's like swimming against the tide

dweilorkest Carnival band, Oompah band

dwepen be enthusiastic: ~ *met* be enthusiastic about

dwerg 1 *(in fabel)* gnome, dwarf, elf: *Sneeuwwitje en de zeven ~en* Snow White and the Seven Dwarfs;

2 *(klein mens)* dwarf, midget

dwingen force, compel, oblige, coerce, make (s.o. do sth): *hij was wel gedwongen (om) te antwoorden* he was obliged to answer; *iem ~ een overhaast besluit te nemen* rush s.o. into making a hasty decision; *niets dwingt je daartoe* you are not obliged to do it; *iem ~ tot gehoorzaamheid* force s.o. to obey

dwingend I *bn* compelling, compulsory: *~e redenen* compelling reasons; **II** *bw* authoritatively: *iem iets ~ voorschrijven* make sth compulsory for s.o.

d.w.z. *afk van dat wil zeggen* i.e.

dynamica dynamics

dynamiek dynamics, vitality, dynamism

dynamiet dynamite

dynamisch dynamic, energetic, forceful

dynamo dynamo, generator

dynastie dynasty

dysenterie dysentery

dyslectisch dyslexic

dyslexie dyslexia

e

e e, E: *E groot* (of: *klein*) E major (*of*: minor)

e.a. *afk van en andere(n)* et al.

eau de cologne cologne, eau de Cologne

eau de toilette eau de toilette, toilet water

eb 1 ebb(-tide), outgoing tide: *het is ~* the tide is out; **2** *(laag getijde)* low tide

ebbenhout ebony

echo echo, reverberation, *(radar)* blip: *de ~ weerkaatste zijn stem* his voice was echoed

echoën echo, reverberate, resound, ring

echoscopie ultrasound scan

echt I *bn* **1** real, genuine, *(handtekening, document)* authentic, *(waarlijk)* true, *(waarlijk)* actual: *een ~e vriend* a true (*of*: real) friend; **2** *(alle kenmerken vertonend)* real, regular, true (blue, born): *het is een ~ schandaal* it's an absolute scandal; **3** *(wettig)* legitimate; **II** *bw* **1** *(werkelijk)* really, truly, genuinely, honestly: *dat is ~ Hollands* that's typically Dutch; *dat is ~ iets voor hem* that's him all over; *ik heb het ~ niet gedaan* I honestly didn't do it; **2** *(onvervalst)* real, genuine(ly)

echtelijk conjugal, marital: *een ~e ruzie* a domestic quarrel

echter however, nevertheless, yet, but: *dat is ~ niet gebeurd* however, that did not happen

echtgenoot husband: *de aanstaande echtgenoten* the husband and wife to be

echtgenote wife

echtheid authenticity, genuineness

echtpaar married couple: *het ~ Keizers* Mr and Mrs Keizers

echtscheiding divorce

eclips eclipse

ecologie ecology

ecologisch ecological, *(van landbouwmethoden)* biological

econometrie econometry

economie 1 *(staathuishoudkundig bestuur)* economy; **2** *(zuinigheid, bezuiniging)* economy, frugality, thrift; **3** *(wetenschap)* economics, political economy

economisch 1 *(spaarzaam, zuinig)* economical, frugal, thrifty; **2** *(mbt economische wetenschap)* economic: *de ~e aspecten van het uitgeversbedrijf* the economics of publishing

econoom economist

ecu *(European currency unit)* ecu

Ecuador Ecuador

eczeem eczema

e.d. *afk van en dergelijke* and the like

edammer Edam (cheese)

edel 1 *(van adel)* noble, aristocratic: *van ~e geboorte* high-born; **2** *(in zedelijk opzicht)* noble, magnanimous

edelachtbaar: *Edelachtbare* Your Honour

edelgas inert gas

edelhert red deer

edelman noble, nobleman, peer

edelmetaal precious metal

edelmoedig noble, generous, magnanimous

edelmoedigheid generosity, magnanimity, nobility

edelsteen precious stone, gem(stone)

Eden Eden

editie edition, *(van krant, weekblad ook)* issue, version

educatie education

educatief educational

eed oath, vow: *iets onder ede verklaren* declare sth on oath

e.e.g. *afk van elektro-encefalogram* E.E.G.

EEG *afk van Europese Economische Gemeenschap* E.E.C.

eekhoorn squirrel

eekhoorntjesbrood cep, boletus

eelt hard skin; *(vnl. van plek)* callus

een I *lw* **1** a, *(voor klinkerklank)* an: *op ~ (goeie) dag* one (fine) day; *neem ~ Oprah Winfrey* take s.o. like an Oprah Winfrey; **2** *(ongeveer)* a, some: *over ~ dag of wat* in a few days; **3** *(in uitroepen)* a, some: *wat ~ mooie bloemen!* what beautiful flowers!; *wat ~ idee!* what an idea!; **II** *telw; met klemtoon* one: *het ~ en ander* this and that; *van het ~ komt het ander* one thing leads to another; *op één dag* in one day, on the same day; *~ en dezelfde* one and the same; *de weg is ~ en al modder* the road is nothing but mud; *op ~ na de laatste* the last but one; *~ voor ~* one by one, one at a time; *~ april* April Fools' Day; *hij gaf hem er ~ op de neus* he gave him one on the nose; *geef me er nog ~* give me another (one), give me one more; *zich ~ voelen met de natuur* be at one with nature

eenakter one-act play

eencellig unicellular, single-celled

eend 1 duck, *(jong)* duckling, *(woerd)* drake: *zich een vreemde ~ in de bijt voelen* feel the odd man out; **2** (Citroën) 2 CV, deux-chevaux

eendagsvlieg 1 *(insect)* mayfly; **2** nine days' wonder

eender I *bn* (the) same, *(alleen na ww)* alike, equal: *geen twee mensen zijn ~* no two people are alike; **II** *bw* alike, equally

eendje duckling

eendracht harmony, concord

eenduidig unequivocal, unambiguous

eeneiig monovular, monozygotic: *een ~e tweeling* identical twins

eenentwintigen play blackjack (*of:* pontoon)

eengezinswoning (small) family dwelling

eenheid 1 unity, oneness, *(gelijkvormigheid)* uniformity: *de ~ herstellen* (of: *verbreken*) restore (*of:* destroy) unity; 2 *(maat, hoeveelheid, grootheid)* unit: *eenheden en tientallen* units and tens; 3 *(een afgerond geheel)* unit, entity: *de mobiele ~ riot police; een (hechte, gesloten) ~ vormen* form a (tight, closed) group

eenheidsprijs 1 *(per eenheid)* unit price, price per unit; 2 *(voor alle artikelen)* uniform price

eenhoorn unicorn

eenjarig 1 one-year(-old), yearling; 2 *(één jaar durend)* one-year('s): *een ~e plant* an annual

eenkennig shy

eenling (solitary) individual, lone wolf, loner

eenmaal 1 once, one time: *~, andermaal, voor de derdemaal, verkocht* going, going, gone!; 2 *(ooit, eens) (verleden)* once; *(toekomst)* one day, some day: *als het ~ zover komt* if it ever comes to it; 3 *(niets aan te veranderen)* just, simply: *dat is nu ~ zo* that's just the way it is; *ik ben nu ~ zo* that's the way I am

eenmalig once-only, one-off: *een ~ optreden (concert)* a single performance

eenmanszaak one-man business

eenoudergezin single-parent family

eenpersoonsbed single bed

eenpersoonskamer single room, *(inform)* single

eenrichtingsverkeer one-way traffic: *straat met ~* one-way street

eens I *bw* 1 *(eenmaal)* once: *voor ~ en altijd* once and for all; *~ in de week* (of: *drie maanden*) once a week (*of:* every three months); 2 *(toekomst)* some day, one day, sometime; *(verleden)* once: *kom ~ langs* drop in (*of:* by) sometime; *er was ~* once upon a time there was; 3 *(ter versterking)* just: *denk ~ even (goed) na* just think (carefully); *niet ~ tijd hebben om* not even have the time to; *nog ~* once more, (once) again; *wel ~* once in a while, sometimes; **II** *bn (van dezelfde mening)* agreed, in agreement: *het over de prijs ~ worden* agree on a (*of:* about the) price; *het niet ~ zijn met iem* disagree with s.o.

eensgezind unanimous, united, concerted *(acties, pogingen)*: *~ voor* (of: *tegen*) *iets zijn* be unanimously for (*of:* against) sth

eensgezindheid unanimity, consensus, harmony, accord

eensklaps suddenly, all of a sudden

eenstemmig 1 unanimous, by common assent (*of:* consent); 2 *(met één stem gezongen)* in unison, for one voice

eentje one: *neem er nog ~* have another (one, glass); *op* (of: *in*) *z'n ~* (by) oneself, (on) one's own

eentonig monotonous, monotone, *(saai)* drab, dull: *een ~ leven (bestaan) leiden* lead a humdrum (of: dull) existence; *~ werk* tedious (*of:* monotonous) work, drudgery

eentonigheid monotony, monotonousness, tedium

een-tweetje one-two, *(voetbal ook)* wall pass

eenvoud 1 *(simpelheid)* simplicity, simpleness, *(ongekunsteldheid)* plainness; 2 *(argeloosheid)* simplicity, straightforwardness, naivety, innocence: *hij zei dat in zijn ~* he said that in his naivety (*of:* innocence)

eenvoudig I *bn* 1 simple, uncomplicated, plain *(woorden, waarheid)*; *(gemakkelijk)* easy: *dat is het ~ste* that's the easiest way; *zo ~ ligt dat niet* it's not that simple; 2 *(zonder overdaad)* simple, unpretentious, ordinary; 3 *(bescheiden)* simple, plain, ordinary, low(ly) *(afkomst)*, humble *(afkomst)*, modest, unpresuming, simple-hearted; **II** *bw* 1 simply, plainly: *(al) te ~ voorstellen* (over)simplify; 2 *(zonder meer)* simply, just

eenvoudigweg simply, just

eenzaam 1 *(alleen)* solitary, isolated, lonely, lone(some): *een ~ leven leiden* live a solitary life; 2 *(stil, afgelegen)* solitary, isolated, lonely, secluded

eenzaamheid solitude, solitariness, loneliness, *(afzondering)* isolation, retirement, seclusion

eenzijdig 1 one-sided, unilateral, limited: *hij is erg ~* he is very one-sided; 2 *(bevooroordeeld)* one-sided, biased, partial

eenzijdigheid 1 *(partijdigheid)* one-sidedness, bias, partiality; 2 *(gebrek aan veelzijdigheid)* imbalance, one-sidedness

eer 1 honour, respect: *de ~ redden* save one's face; *aan u de ~ (om te beginnen)* you have the honour (of starting); *naar ~ en geweten antwoorden* answer to the best of one's knowledge; *op mijn (woord van) ~* I give you my word (of honour); 2 *(eerbetoon, hulde)* honour(s), credit: *iem de laatste ~ bewijzen* pay s.o. one's last respects; *het zal me een (grote, bijzondere) ~ zijn* I will be (greatly) honoured; *ter ere van* in honour of (s.o., sth)

eerbied respect, esteem, regard, *(diepe eerbied)* reverence, *(diepe eerbied)* veneration, *(diepe eerbied)* worship: *iem ~ verschuldigd zijn* owe s.o. respect

eerbiedig respectful

eerbiedigen respect, regard, *(naleven)* observe: *de mening van anderen ~* respect the opinions of others

eerbiedwaardig respectable

eerder I *bn* earlier; **II** *bw* 1 *(vroeger)* before (now), sooner, earlier: *ik heb u al eens ~ gezien* I have seen you (somewhere) before; *hoe ~ hoe beter (liever)* the sooner the better; 2 *(waarschijnlijker)* rather, sooner, more (likely): *ik zou ~ denken dat* I am more inclined to think that

eergevoel (sense, feeling of) honour, pride

eergisteren the day before yesterday

eerherstel rehabilitation

eerlijk I *bn* 1 honest, fair, sincere: *~ is ~* fair is fair; 2 *(betrouwbaar)* honest, true, genuine: *een ~e zaak* a square deal; 3 *(gepast, fatsoenlijk)* fair, square, honest: ~ *spel* fair play; **II** *bw* 1 *(naar waarheid)* sincerely; *(openhartig)* honestly, frankly: ~ *gezegd* to be honest; 2 *(werkelijk)* honestly, really and truly: *ik heb het niet gedaan*, ~ *(waar)!* honestly, I didn't do it!; 3 *(op gepaste, eervolle wijze)* fairly, squarely: ~ *delen!* fair shares!

eerlijkheid *(oprechtheid)* honesty, fairness, sincerity

eerroof *(Belg; jur)* libel: *laster en* ~ defamation of character

eerst 1 first: *hij zag de brand het* ~ he was the first to see the fire; *(het)* ~ *aan de beurt zijn* be first *(of:* next); 2 *(in het begin)* first(ly), at first: ~ *was hij verlegen, later niet meer* at first he was shy, but not later

eerste first, chief *(voornaamste)*, prime, *(in hiërarchie)* senior, *(vroegste)* earliest: *de* ~ *vier dagen* (for) the next four days; *informatie uit de* ~ *hand* first-hand information; *de* ~ *die aankomt krijgt de prijs* the first to get there gets the prize; *één keer moet de* ~ *zijn* there's a first time for everything; *van de* ~ *tot de laatste* down to the last one, every man jack (of them); *hij is niet de* ~ *de beste* he is not just anybody

eerstegraads first-degree

eerstehulppost first-aid post *(of:* station)

eerstehulpverlening first aid

eerstejaars first-year

Eerste-Kamerlid Member of the Upper Chamber *(of:* Upper House) (of the Dutch Parliament)

eersteklas *(uitmuntend, voortreffelijk)* first-rate, first-class

eersteklasser first-former

eersterangs first-rate, top-class

eerstgenoemd *(van drie of meer)* first; *(van twee)* former

eerstvolgend next: *de* ~*e trein* the next train due

eervol **I** *bn* 1 honourable, glorious, creditable: *de* ~*le verliezers* the worthy losers; 2 *(de eer niet te kort doend)* with honour, without loss of face: *een* ~*le vrede sluiten* conclude a peace with honour; **II** *bw* honourably, worthily, gloriously, creditably

eerzaam respectable, virtuous, decent, honest

eerzucht ambition

eerzuchtig ambitious, aspiring

eetbaar edible, fit for (human) consumption, fit to eat, *(smakelijk)* eatable, *(smakelijk)* palatable

eetgerei cutlery, tableware

eetgewoonte eating habit, *(mbt soort voedsel)* diet

eethoek 1 dinette; 2 *(meubilair)* dining table and chairs

eethuis eating house, (small) restaurant

eetlepel soup spoon, *(voor dessert)* dessertspoon, *(als maat)* tablespoon(ful)

eetlust appetite

eetservies dinner service, dinner set, tableware

eetstokje chopstick

eetwaar foodstuff(s), eatables, food

eetzaal dining room *(of:* hall), *(voor personeel)* canteen

eeuw 1 century: *in de loop der* ~*en* through the centuries *(of:* ages); *in het Londen van de achttiende* ~ in eighteenth-century London; 2 *(lange tijd)* ages, (donkey's) years: *het is* ~*en geleden dat ik van haar iets gehoord heb* I haven't heard from her for ages; *dat heeft een* ~ *geduurd* that took ages; 3 *(tijdperk)* age, era, epoch: *de gouden* ~ the golden age

eeuwenlang for centuries *(of:* ages)

eeuwenoud age-old, centuries-old

eeuwig **I** *bn* 1 *(altijddurend)* eternal, everlasting, perennial, perpetual, never-ending: ~*e sneeuw* perpetual snow; 2 *(levenslang)* lifelong, undying: ~*e vriendschap* undying *(of:* lifelong) friendship; 3 *(telkens weer)* endless, incessant, interminable, never-ending: *een* ~*e optimist* an incorrigible optimist; **II** *bw* 1 *(voor altijd)* forever, eternally, perpetually; 2 *(steeds)* forever, incessantly, endlessly, interminably, eternally

eeuwigdurend perpetual, everlasting

eeuwigheid ages, eternity: *ik heb je in geen* ~ *gezien* I haven't seen you for ages

eeuwwisseling turn of the century

effect 1 *(uitwerking)* effect, result, outcome, consequence; 2 *(balsport)* spin, *(biljarten ook)* side: *een bal* ~ *geven* put spin on a ball; 3 *(handel)* stock, share, security

effectenbeurs stock exchange

effectief 1 *(werkelijk)* real, actual, effective, active; 2 *(doeltreffend)* effective, efficacious; 3 *(Belg; jur)* non-suspended

effen 1 *(vlak, glad)* even, level, smooth; 2 *(van één kleur)* plain, uniform, unpatterned: ~ *rood* solid red

effenen level, smooth: *de weg* ~ *voor iem* pave the way for s.o.

efficiënt efficient, businesslike

efficiëntie efficiency

eg harrow

EG *afk van Europese Gemeenschap* E.C.

egaal even, level, smooth, *(kleur e.d.)* uniform, *(kleur e.d.)* solid

egaliseren level, equalize, smooth

Egeïsch Aegean

egel hedgehog

eggen harrow

ego ego

egocentrisch **I** *bn* egocentric, self-centred; **II** *bw* in an egocentric *(of:* a self-centred) way

egoïsme egoism, selfishness

egoïst egoist

Egypte Egypt

Egyptenaar Egyptian

Egyptisch Egyptian

eh er

EHBO *afk van Eerste Hulp Bij Ongelukken* first aid; *(plek waar EHBO wordt gegeven)* first-aid post *(of:* station); *(in ziekenhuis)* accident and emergency ward *(of:* department)

ei 1 egg: *een hard(gekookt)* ~ a hard-boiled egg; *dat is voor haar een zacht(gekookt)* ~*tje* it's a piece of cake for her; *dat is het hele* ~*eren eten* that's all there is to it; *een* ~ *leggen* (of: *uitbroeden*) lay (of: hatch) an egg; 2 *(eicel)* ovum, egg; *(Belg)* ~ *zo na* very nearly

eicel egg cell, ovum, female germ cell

eiderdons eider(down)

eierdooier egg yolk

eierdop 1 eggshell; 2 *(om ei in te zetten)* eggcup

eierschaal eggshell

eierstok ovary

eierwekker egg-timer

Eiffeltoren Eiffel Tower

eigen 1 own, *(privé)* private, *(persoonlijk)* personal: *voor* ~ *gebruik* for one's (own) private use; *mensen met een* ~ *huis* people who own their own house; *wij hebben ieder een* ~ *(slaap)kamer* we have separate (bed)rooms; ~ *weg* private road; *op zijn geheel* ~ *wijze* in his very own way; *bemoei je met je* ~ *zaken* mind your own business; 2 *(kenmerkend)* typical, characteristic, individual: *bier met een geheel* ~ *smaak* beer with a distinctive taste; 3 *(mbt de streek, het land van herkomst)* own, native, domestic

eigenaar owner, possessor, *(van aandelen e.d.)* holder: *deze auto is drie keer van* ~ *veranderd* this car changed hands three times

eigenaardig I *bn* 1 peculiar, personal, idiosyncratic: *een* ~ *geval* a peculiar case; 2 *(vreemd)* peculiar, strange, odd, curious: *hij was een* ~*e jongen* he was a strange boy; II *bw* peculiarly, oddly

eigenbelang self-interest

eigendom 1 *(eigendomsrecht)* ownership, title: *in* ~ *hebben* own (sth); 2 *(bezit)* property, possession, *(mv)* belongings: *dat boek is mijn* ~ that book belongs to me

eigendomsbewijs title deed, proof of ownership (to, of)

eigendunk (self-)conceit, self-importance, arrogance

eigengemaakt home-made

eigengereid headstrong, self-willed

eigenhandig (made, done) with one's own hand(s), (do sth) oneself, personally

eigenlijk I *bn* real, actual, true, proper: *de* ~*e betekenis van een woord* the true meaning of a word; II *bw (in werkelijkheid)* really, in fact, exactly, actually: *u heeft* ~ *gelijk* you are right, really; *wat is een pacemaker* ~*?* what exactly is a pacemaker?; ~ *mag ik je dat niet vertellen* actually, I'm not supposed to tell you

eigennaam proper name

eigenschap quality, property *(van stoffen, materialen; ook wisk)*, *(comp)* attribute: *goede* ~*pen* qualities (of: strong points, strengths)

eigentijds contemporary, modern

eigenwaarde self-respect, self-esteem

eigenwijs cocky, conceited, pigheaded: *doe niet zo* ~ don't think you know it all

eigenzinnig self-willed, *(koppig)* stubborn, obstinate, *(onhandelbaar)* unamenable, *(onhandelbaar)* wayward

eigenzinnigheid wilfulness, obstinacy

eik oak (tree)

eikel 1 acorn; 2 *(anat)* glans penis

eiken oak

eikenboom oak (tree)

eiland island: *op het* ~ *Man* on (of: in) the Isle of Man; *een kunstmatig* ~ an artificial island, a man-made island

eilandengroep archipelago, group of islands

eileider Fallopian tube

eind 1 *(bepaalde afstand, lengte) (afstand)* way, distance; *(stuk)* piece: *een* ~ *touw* a length of rope, *(dun)* a piece of string; *het is een heel* ~ it's a long way; *het is nog een heel* ~ it's still a long way; *daar kom ik een heel* ~ *mee* that will go a long way; 2 *(het laatste gedeelte, stuk)* end, extremity, *(van boek, film)* ending: ~ *mei* at the end of May; *het andere* ~ *van de stad* the other end of the town; *het bij het rechte* ~ *hebben* be right

eindbestemming final destination, *(halte)* terminal

eindcijfer final figure, grand total, *(schoolrapport)* final mark

einddiploma diploma, certificate, *(beroepsopleiding)* certificate of qualification

einde, eind 1 end: *er komt geen* ~ *aan* there's no end to it; 2 *(moment)* end, *(van verhaal, film ook)* ending: *een verhaal met een open* ~ an open-ended story; *aan zijn* ~ *komen* meet one's end; *laten we er nu maar een* ~ *aan maken* let's finish off now; *aan het* ~ *van de middag* in the late afternoon; *ten* ~ *raad zijn* be at one's wits' end; *van het begin tot het* ~ from beginning to end; ~ *goed, al goed* all's well that ends well

eindelijk finally, at last, in the end

eindeloos 1 endless, infinite, interminable; 2 *(mbt tijd ook)* endless, perpetual, interminable, unending: *ik moest* ~ *lang wachten* I had to wait for ages

einder horizon

eindexamen final exam: *voor zijn* ~ *slagen* (of: *zakken*) pass (of: fail) one's final exams

eindexamenkandidaat examinee, A-level candidate

eindexamenvak final examination subject, school certificate subject

eindgebruiker end-user

eindig 1 finite: ~*e getallen* (of: *reeksen*) finite numbers (of: progressions); 2 *(beperkt)* limited

eindigen I *intr* 1 *(ophouden)* end, finish, come to an end, stop: ~ *waar men begonnen is* end up where one started (from); 2 *(als einde hebben)* end, finish, come to an end, terminate, *(tijd ook)* run out, *(tijd ook)* expire: *dit woord eindigt op een klinker* this word ends in a vowel; *zij eindigde als eerste* she finished first; II *tr (ten einde brengen)* finish (off), end,

bring to a close, terminate
eindje 1 piece, bit: *een ~ touw* a length of rope, *(dun)* a piece of string; **2** *(korte afstand)* short distance: *een ~ verder* a bit further; **3** *(uiteinde)* (loose) end: *de ~s met moeite aan elkaar kunnen knopen* be hardly able to make (both) ends meet
eindklassement overall standings
eindlijst final list
eindmeet *(Belg) (eindstreep)* finishing line
eindproduct final product, end-product, final result, end-result
eindpunt end, *(mbt bus, trein)* terminus
eindrapport 1 (school) leaving report; **2** *(mbt een onderzoek)* final report
eindredacteur *(ongev)* editor-in-chief
eindresultaat final result, end result, *(conclusie)* conclusion, *(eindbedrag, ook fig)* final total
eindsaldo final balance, closing balance
eindsignaal final whistle *(van wedstrijd)*
eindsprint final sprint
eindstadium final stage, *(ziekte)* terminal stage
eindstand final score
eindstation terminal (station)
eindstreep finish(ing line): *de ~ niet halen (fig)* not make it
eindstrijd final(s), final contest
eindterm final attainment level
eindtotaal grand total, final total
einduitslag final results, *(stand, puntentotaal)* final score, *(lijst van uitslagen)* (list of) results
eindverslag final report
eindwerk *(Belg)* dissertation submitted at end of course
eindzege first place
eis 1 requirement, demand, claim: *hoge ~en stellen aan iem* make great demands of s.o.; *iemands ~en inwilligen* comply with s.o.'s demands; **2** *(voorwaarde)* demand, terms: *akkoord gaan met iemands ~en* agree to s.o.'s demands; **3** *(jur)* claim, suit, *(strafrecht)* sentence demanded
eisen 1 *(verlangen)* demand, require, claim: *iets van iem ~* demand sth from s.o.; **2** *(jur)* demand, sue for: *schadevergoeding ~* claim damages
eiser 1 requirer, claimer; **2** *(jur)* plaintiff, *(in strafzaak)* prosecutor, *(mbt schadevergoeding)* claimant
eitje (small) egg, *(kiemcel)* ovum; *(fig) een zacht(gekookt) ~* a soft-boiled egg
eivormig egg-shaped, oval
eiwit 1 egg white, white of an egg; **2** *(proteïne)* protein, albumin
ejaculatie ejaculation
EK *afk van Europees kampioenschap* European Championship
ekster magpie
elan élan, panache, zest
eland elk, moose
elasticiteit elasticity
elastiek 1 rubber, elastic; **2** rubber band, elastic band

elastisch elastic
elders elsewhere
eldorado eldorado
electoraat electorate
elegant elegant *(beweging, manieren)*, refined *(mens, smaak)*
elegantie elegance
elektra electricity
elektricien electrician
elektriciteit electricity: *de ~ is nog niet aangesloten* we aren't connected to the mains yet

elektriciteitscentrale power station
elektrisch electric(al): *een ~e centrale* a power station; *een ~e deken* an electric blanket; *~ koken* cook with electricity
elektrocardiogram electrocardiogram
elektrocutie electrocution
elektrode electrode
elektromagneet electromagnet
elektromonteur electrical fitter, electrician
elektromotor electric motor
elektron electron
elektronica electronics
elektronisch electronic: *~e post* electronic mail, e-mail
elektrotechnisch electrical: *~ ingenieur* electrical engineer
element element, component
elementair elementary *(ook nat)*, fundamental, basic
¹elf *(sprookjesfiguur)* elf, pixie, fairy
²elf eleven; *(data)* eleventh: *het is bij elven* it's close on eleven
elfde eleventh
elfje fairy
elfstedentocht 11-city race, skating marathon in Friesland
elftal team: *het tweede ~* the reserves
eliminatie elimination, removal
elimineren eliminate, remove
elitair elitist
elite elite
elixer elixir
elk 1 *(mbt twee of meer)* each (one); *(mbt meer dan twee; alle(n))* every one: *van ~ vier (stuks)* four of each; **2** *(ieder(een))* everyone, everybody: *~e tweede* every other one; **3** *(mbt twee of meer)* each; *(mbt meer dan twee; alle)* every; *(welke dan ook)* any: *ze kunnen ~e dag komen* they can come any day; *ze komen ~e dag* they come every day; *~e keer dat hij komt* every time he comes
elkaar each other, one another: *in ~s gezelschap* in each other's company; *uren achter ~* for hours on end; *vier keer achter ~* four times in a row; *bij ~ komen*, come together; *meer dan alle anderen bij ~* more than all the others put together; *wij blijven bij ~* we stick (*of:* keep) together; *door ~ raken* get mixed up (*of:* confused); *zij werden het met ~ eens* they came to an agreement; *naast ~ zitten* (of:

liggen) sit (*of:* lie) side by side; *op ~ liggen* lie one on top of the other; *die auto valt bijna (van ellende) uit* ~ that car is dropping to bits; *(personen of zaken) (goed) uit ~ kunnen houden* be able to tell (people, things) apart; *uit ~ gaan: a) (gezelschap, commissie, jury)* break up; *b) (vrienden, echtgenoten)* split up, break up; *zij zijn familie van* ~ they are related; *iets niet voor ~ kunnen krijgen* not manage (to do) sth

elleboog 1 elbow: *mijn trui is door aan de ellebogen* my sweater is (worn) through at the elbows; **2** (*onderarm met de elleboog*) forearm: *ze moesten zich met de ellebogen een weg uit de winkel banen* they had to elbow their way out of the shop

ellende 1 misery; **2** (*narigheid*) trouble, bother: *dat geeft alleen maar (een hoop)* ~ that will only cause (a lot of) trouble

ellendig I *bn* **1** (*rampzalig*) awful, dreadful, miserable: *ik voelde me* ~ I felt rotten; **2** (*beklagenswaardig, deerniswekkend*) wretched, miserable; **3** (*zeer onaangenaam, vervelend*) awful, dreadful: *ik kan die ~e sommen niet maken* I can't do those awful sums; **II** *bw* awfully, miserably

ellips ellipse, oval

els alder

Elzas Alsace

elzenhout alder-wood

email enamel

e-mail e-mail

e-mailen e-mail

emancipatie emancipation, liberation

emballage packing, packaging

embargo (trade) embargo || *een ~ opheffen* lift an embargo

embleem emblem

embolie embolism

embryo embryo

emigrant emigrant

emigratie emigration

emigreren emigrate

eminent eminent, distinguished

emir emir

emissie emission, issue

emmer bucket, pail: *met hele ~s tegelijk* by the bucketful

emoe emu

emotie emotion, feeling, (*opwinding*) excitement: *~s losmaken* release emotions; *zij liet haar ~s de vrije loop* she let herself go

emotioneel I *bn* emotional, sensitive: *een emotionele benadering vermijden* avoid an emotional approach; **II** *bw* emotionally

emplacement yard

employé employee

EMU *afk van Economische en Monetaire Unie* EMU, Economic and Monetary Union

en 1 and, (*plus*) plus: *twee ~ twee is vier* two and two is four, two plus two is four; **2** and: *én boete én gevangenisstraf krijgen* get both a fine and a prison sentence; **3** (*bij verrassing, teleurstelling*) and, but,

so: *~ waarom doe je het niet?* so why don't you do it?; *~ toch* and still; *nou ~?* so what?, and …?; *vind je het fijn? (nou) ~ of!* do you like it? I certainly do!, I'll say!

encyclopedie encyclopaedia

ene a, an, one: *woont hier ~ Bertels?* does a Mr (*of:* Ms) Bertels live here?

energie energy; power: *overlopen van ~* be bursting with energy

energiebedrijf electricity company, power company

energiebesparend energy-saving, low-energy (*van lamp*)

energiebesparing energy saving

energiebewust energy-conscious

energiebron source of energy (*of:* power)

energiek energetic, dynamic

energieverspilling waste of energy

energievoorziening power supply

energiezuinig low-energy

enerverend (*opwindend*) exciting, nerve-racking

enerzijds on the one hand: *~ …, anderzijds …* on the one hand …, on the other (hand) …

eng 1 scary, creepy: *een ~ beest* a nasty (*of:* creepy, scary) animal, a creepy-crawly (*vnl. (kruipend) insect*); **2** (*mbt ruimte*) narrow

engagement commitment, involvement

engel angel

Engeland England

engelbewaarder guardian angel

Engels English || *iets van het Nederlands in het ~ vertalen* translate sth from Dutch into English

Engelse Englishwoman: *zij is een ~* she is English

Engelsman Englishman

Engelstalig 1 English-language, English; **2** (*Engels sprekend*) English-speaking

engte (*nauwe doorgang*) narrow(s)

¹enig I *bn* only, sole: *~ erfgenaam* sole heir; *dit was de ~e keer dat …* this was the only time that …; *hij is de ~e die het kan* he is the only one who can do it; *het ~e wat ik kon zien was* all I could see was; **II** *bn, bw (leuk)* wonderful, marvellous, lovely

²enig 1 some: *enige moeite doen* go to some trouble; *zonder ~e twijfel* without any doubt; **2** (*ook maar één*) any, a single: *zonder ~ incident* without a single incident; **3** (*een klein aantal*) some, a few: *er kwamen ~e bezoekers* a few visitors came

enigszins 1 somewhat, rather: *hij was ~ verlegen* he was rather (*of:* somewhat) shy; **2** (*op welke wijze dan ook*) in any way: *indien (ook maar) ~ mogelijk* if at all possible

¹enkel ankle: *een verstuikte ~* a sprained ankle

²enkel I *bn* single: *een kaartje ~e reis* a single (ticket); **II** *bw* **1** singly; **2** (*alleen*) only, just: *hij doet het ~ voor zijn plezier* he only does it for fun; *ik doe het ~ en alleen om jou* I'm doing it simply and solely for you; **III** *hoofdtelw* **1** sole, solitary, single: *in één ~e klap* at one blow; *er is geen ~ gevaar* there is not the slightest danger; *geen ~e kans hebben* have no chance at all; *op geen ~e manier* (in) no way; **2** *(een klein aantal)* a few: *in slechts ~e gevallen* in only a few cases; **3** *(mv) (enige)* a few: *in ~e dagen* in a few days

enkelspel singles

enkeltje single (ticket)

enkelvoud singular

enkelzijdig one-sided

enorm 1 enormous, huge: *een ~ succes* an enormous success; **2** *(geweldig, ontzettend)* tremendous: *~ groot* gigantic, immense

enquête 1 poll, survey: *een ~ houden naar* conduct *(of:* do, make) a survey of; **2** *(door overheid)* inquiry, investigation

enquêteformulier questionnaire

ensceneren stage, put on

ensemble ensemble, company, troupe

ent graft

enten graft

enteren board

entertoets enter (key)

enthousiasme enthusiasm

enthousiast enthusiastic

entourage entourage

entrecote entrecôte

entree 1 entrance, entrance hall; **2** *(recht om binnen te komen)* entry, entrance, admission: *vrij ~* admission free, free entrance; **3** *(toegangsprijs)* admission: *~ heffen* charge for admission

entreegeld admission charge, entrance fee

envelop(pe) envelope

enz. *afk van enzovoort* etc.

enzovoorts et cetera, and so on, etc.

enzym enzyme

epicentrum epicentre

epidemie epidemic

epilepsie epilepsy

epileptisch epileptic

epiloog epilogue

episode episode

epistel epistle

epos *(heldendicht)* epic (poem), epos

equator equator

equipe team

equivalent I *zn* equivalent: *een ~ vinden voor* find an equivalent for; **II** *bn* equivalent (to)

er I *vnw* of them *(ook vaak onvertaald):* *ik heb ~ nog* (of: *nóg) twee* I have got two left *(of:* more); *ik heb ~ geen (meer)* I haven't got any (left); *hij kocht ~ acht* he bought eight (of them); *er zijn ~ die ...* there are those who ...; **II** *bw* **1** there: *ik zal ~ even langsgaan* I'll just call in *(of:* look in, drop in); *dat boek is ~ niet* that book isn't there; *wie waren ~?* who was *(of:* were) there?; *we zijn ~* here we are, we've arrived; **2** *(zonder aan een plaats te denken)* there *(ook vaak onvertaald):* *~ gebeuren rare dingen* strange things (can) happen; *heeft ~ iem gebeld?* did anybody call?; *wat is ~?* what is it?, what's the matter?; *is ~ iets?* is anything wrong? *(of:* the

matter?); *~ is* (of: *zijn) ...* there is *(of:* are) ...; *~ wordt gezegd dat ...* it is said that ...; *~ was eens een koning* once upon a time there was a king; *het ~ slecht afbrengen* make a bad job of it; *~ slecht afkomen* come off badly; *ik zit ~ niet mee* it doesn't worry me

eraan on (it), attached (to it): *kijk eens naar het kaartje dat ~ zit* have a look at the card that's on it (of: attached to it); *de hele boel ging ~* the whole lot was destroyed; *wat kan ik ~ doen?* what can I do about it?; *ik kom ~* I'm on my way

erachter behind (it): *het hek en de tuin ~* the hedge and the garden behind (it)

eraf *(verwijderd)* off (it): *het knopje is ~* the button has come off; *de lol is ~* the fun has gone out of it

erbarmelijk abominable, pitiful, pathetic

erbij 1 *(aanwezig)* there, included at (of: with) it; **2** at it, to it: *ik blijf ~ dat ...* I still believe (of: maintain) that ...; *zout ~ doen* add salt; *hoe kom je ~!* the very idea!, what can you be thinking of!; *het ~ laten* leave it at that (of: there); *je bent ~* your game (of: number) is up

erboven above, over (it)

erbovenop on (the) top, on top of it (of: them) ‖ *nu is hij ~:* a) he has got over it now; b) *(van patiënt)* he has pulled through; c) *(financieel)* he is on his feet again

erdoor 1 *(mbt een plaats, tijd)* through it: *die saaie zondagen, hoe zijn we ~ gekomen?* those boring Sundays, however did we get through them?; **2** *(mbt oorzaak)* by (of: because) of it: *hij raakte zijn baan ~ kwijt* it cost him his job; *ik ben ~ (geslaagd)* I've passed; *ik wil ~* I'd like to get past (of: through)

erdoorheen through, through it

erecode code of honour

erectie erection

eredienst worship, service

eredivisie premier league

eredoctoraat honorary doctorate

eregalerij hall of fame

eregast guest of honour

erekruis cross of honour

erelid honorary member

ereloon *(Belg) (honorarium van een dokter of advocaat)* fee

eren honour

ereplaats place of honour: *een ~ innemen* have an honoured place

erepodium rostrum, podium

ereteken decoration, badge (of: mark) of honour

eretribune seats of honour

erewoord word of honour

erf 1 property; **2** *(grond(bezit))* (farm)yard, estate, grounds *(vnl. landgoed):* *huis en ~* property

erfdeel inheritance, portion: *het cultureel ~* the cultural heritage

erfelijk hereditary

erfelijkheid heredity

erfelijkheidsleer genetics

erfenis 1 inheritance, *(meestal fig)* heritage: *een ~ krijgen* be left an inheritance *(of:* a legacy); **2** *(wat iem nalaat)* legacy, inheritance, estate *(boedel)*
erfgenaam heir: *iem tot ~ benoemen* appoint s.o. (one's) heir
erfgoed inheritance
erfpacht *(ongev)* long lease
erfstuk (family) heirloom
erfzonde original sin
erg I *bn* bad: *in het ~ste geval* if the worst comes to the worst; *vind je het ~ als ik er niet ben?* do you mind if I'm not there?; *wat ~!* how awful!; *het is (zo) al ~ genoeg* it's bad enough as it is; **II** *bw (zeer)* very: *een ~e grote* (of: *mooie)* a very big (of: beautiful) one; *het spijt me ~* I'm very sorry; *hij ziet er ~ slecht uit* he looks awful (of: dreadful, terrible)
ergens 1 *(waar dan ook)* somewhere, anywhere: *~ anders* somewhere else; **2** *(op zekere plaats)* somewhere: *ik heb dat ~ gelezen* I've read that somewhere; **3** *(in enig opzicht)* somehow: *ik kan hem ~ toch wel waarderen* (I have to admit that) he has his good points; **4** *(iets)* something: *hij zocht ~ naar* he was looking for sth (or other)
ergeren I *tr* annoy, irritate; **II** *zich ~* feel (of: get) annoyed (at), *(ernstiger)* be shocked, *(ernstiger)* take offence: *zich dood ~* be extremely annoyed
ergerlijk annoying, aggravating
ergernis annoyance, irritation: *tot (grote) ~ van de aanwezigen* to the (great) annoyance of those present
ergonomisch ergonomic, *(Am)* biotechnological
ergotherapeut occupational therapist
ergotherapie occupational therapy
erheen there
erin in(to) it, (in) there: *~ lopen (fig)* walk right into it, fall for it
erkend 1 recognized, acknowledged; **2** *(officieel toegelaten)* recognized, authorized *(kantoor, beroep),* certified *(kantoor, beroep): een internationaal ~ diploma* an internationally recognized certificate
erkennen recognize, acknowledge, *(toegeven)* admit: *zijn ongelijk ~* admit to being (in the) wrong; *iets niet ~* disown sth; *een natuurlijk kind ~* acknowledge a natural child; *een document als echt ~* recognize a document as genuine
erkenning recognition, acknowledgement
erkentelijk thankful, grateful
erker bay (window)
erlangs past (it), alongside (it): *wil je deze brief even op de bus doen als je ~ komt?* could you pop this letter in the (post)box when you're passing?
erlenmeyer Erlenmeyer flask
ermee with it: *hij bemoeide zich ~* he concerned himself with it, *(ongunstig)* he interfered with it; *wat doen we ~?* what shall we do about (of: with) it?
erna afterwards, after (it), later: *de morgen ~* the morning after
ernaar to (of: towards, at) it: *~ kijken* look at it
ernaast 1 beside it, next to it: *de fabriek en de direc-*

teurswoning ~ the factory and the manager's house next to it; **2** *(mis)* off the mark: *~ zitten* be wide of the mark, be wrong
ernst 1 seriousness, earnest(ness): *in volle (alle) ~* in all seriousness; *het is bittere ~* it is dead serious, a serious matter; **2** *(wat ernst teweegbrengt)* seriousness, gravity: *de ~ van de toestand inzien* recognize the seriousness of the situation
ernstig I *bn* **1** serious, grave: *de situatie wordt ~* the situation is becoming serious; **2** *(werkelijk gemeend)* serious, earnest, sincere: *dat is mijn ~e overtuiging* that is my sincere conviction; **3** *(van ingrijpende aard)* serious, severe, grave: *~e gevolgen hebben* have grave (of: serious) consequences; **II** *bw* **1** seriously, gravely: *iem ~ toespreken* have a serious talk with s.o.; **2** *(serieus gemeend)* seriously, earnestly, sincerely: *het ~ menen* be serious
erom 1 around it, round (about) it: *een tuin met een schutting ~* a garden enclosed by a fence; **2** *(mbt verwisseling, ruil; mbt een doel)* for it: *als hij ~ vraagt* if he asks for it; *denk je ~?* you won't forget, will you?; *het gaat ~ dat ...* the thing is that ...
eromheen around it, round (about) it
eronder 1 *(onder het genoemde)* under it, underneath (it), below it: *hij zat op een bank en zijn hond lag ~* he sat on a bench and his dog lay underneath (of: under) it; **2** *(mbt oorzaak)* as a result of it, because of it, under it: *hij lijdt ~* he suffers from it
eronderdoor underneath it: *~ gaan: a) (het aflegggen)* go to pieces; *b) (failliet gaan)* go bust
eronderop underneath (it), on the bottom
eronderuit out (from) under it: *(fig) ~ kunnen* get out of sth
erop 1 on it; on them: *~ of eronder* all or nothing; **2** *(mbt een richting, beweging)* up it; up them; on(to) it: *~ slaan* hit it, bang on it, *(vechten)* hit out; **3** *(mbt een beweging naar boven)* up it; up then: *~ klimmen* climb up it, mount it *(paard);* **4** *(mbt een toevoeging)* to it: *het vervolg ~* the sequel to it; *de dag ~* the following day; *~ staan* insist on it; *het zit ~* that's it (then)
eropaan to(wards) it || *als het ~ komt* when it comes to the crunch; *u kunt ~* you can depend on it
eropaf to (it): *~ gaan* go towards it
eropin in(to) it || *~ gaan* take it up, consider it
eropuit: *een dagje ~ gaan* go off (of: away) for the day; *hij is ~ mij dwars te zitten* he is out to frustrate me
erosie erosion
erotiek eroticism
erotisch erotic
erover 1 over it, across it: *het kleed dat ~ ligt* the cloth which covers it; **2** *(mbt een betrokken zijn bij)* over it: *hij gaat ~* he is in charge of it; **3** *(mbt een onderwerp, mening)* about it, of it: *hoe denk je ~?* what do you think about it?
eroverheen over it, across it: *het heeft lang geduurd eer ze ~ waren* it took them a long time to get over it
ertegen 1 against it, at it: *hij gooide de bal ~* he

threw the ball at it; **2** *(contra)* against (it): *ik ben ~* I am against it; *~ vechten* fight (against) it, oppose it; *~ kunnen* feel up to it, *(kunnen verdragen ook)* be able to put up with it

ertegenaan onto it, against it: *~ lopen* run into it; *~ gaan* get down to it *(werk)*, tackle it *(onderwerp, probleem)*, get going

ertegenop 1 up it: *~ zien* dread sth; **2** *(in tegengestelde richting)* against it: *~ kunnen* be able to cope with it

ertegenover 1 opposite (to) it: *het huis ~* the house opposite; **2** *(mbt een tegenstelling)* against it *(argument)*; towards it *(gevoelens)*: *~ staat dat ...* on the other hand ...; *hoe sta je ~?* where do you stand on that?

ertoe 1 to: *de moed ~ hebben* have the courage for it *(of:* to do it); *iem ~ brengen om iets te doen* persuade s.o. to do sth; *~ komen* get round to it; *hoe kwam je ~?* what made you do it?; **2** *(mbt een behoren bij)* to (it): *de vogels die ~ behoren* the birds which belong to it; *wat doet dat ~?* what does it matter?, what has that got to do with it?

erts ore

ertussen 1 (in) between (it): *het lukte me niet ~ te komen* I couldn't get a word in (edgeways); **2** in the middle, among other things

ertussendoor 1 through (it), between (it); **2** *(mbt een vermenging)* mixed in: *een grapje ~ gooien* throw in the occasional joke; **3** *(mbt een tussenvoeging in de tijd)* (in) between, meanwhile: *dat kunnen wij wel even ~ doen* we can do that as we go along *(tijdens andere bezigheid)*

ertussenin 1 (in) between (it): *hij is de oudste, zij is de jongste en ik zit ~* he is the eldest, she is the youngest, and I come in between; **2** *(te midden van, bij, onder meer zaken)* in the middle, among other things

ertussenuit 1 out (of it); **2** *(vrij, los)* out, loose: *een dagje ~ gaan (knijpen)* slip off for the day

eruit 1 out: *eruit!* (get) out!; **2** *(niet (meer) erin, erbij)* out, gone: *~ liggen* be out of favour, *(sport)* be eliminated

eruitzien 1 look; **2** *(de indruk wekken te)* look like, look as if: *hij is niet zo dom als hij eruitziet* he's not as stupid as he looks; **3** *(inform)* look a mess

eruptie eruption

ervan from it, of it: *dat is het aantrekkelijke ~* that's what is so attractive about it; *ik ben ~ overtuigd* I am convinced of it; *ik schrok ~* it gave me a fright

ervandaan 1 away (from there); **2** *(verwijderd van; afkomstig uit)* from there: *hij woont dertig kilometer ~* he lives twenty miles from there

ervandoor off: *met het geld ~ gaan* make off with the cash; *zij ging ~ met een zeeman* she ran off with a sailor

ervaren I *bn* experienced (in), *(handwerkslieden ook)* skilled (in); **II** *tr* experience, *(gewaarworden)* discover

ervaring experience: *veel ~ hebben* be highly expe-

rienced; *de nodige ~ opdoen (of: missen)* gain *(of:* lack) the necessary experience

erven inherit: *iets (van iem) ~* inherit sth (from s.o.)

ervoor 1 *(mbt plaats)* in front (of it); **2** *(mbt volg-, rangorde)* before (it); **3** *(mbt een bestemming, oorzaak)* for it: *dat dient ~ om ...* that is for ..., that serves to ...; *hij moet ~ boeten* he will pay for it *(of:* this); *~ zorgen dat ...* see to it that ...; **4** *(pro)* for it, in favour (of it): *ik ben ~* I am in favour of it; **5** *(in de plaats van)* for it, instead (of it): *~ doorgaan* pass for (sth else); *wat krijg ik ~?* what will I get for it?; *er alleen voor staan* be on one's own; *zoals de zaken ~ staan* as things stand

erwt pea

erwtensoep pea soup

es ash

escalatie escalation

escaleren I *intr* escalate, *(prijzen ook)* rocket, *(prijzen ook)* shoot up; **II** *tr* (cause to) escalate, *(prijzen ook)* force up

escapade escapade

escorte escort

esculaap staff of Aesculapius

esdoorn maple; sycamore *(gewone esdoorn)*

eskader squadron

eskimo Eskimo

esp aspen

Esperanto Esperanto

espresso espresso

espressobar café, coffee bar

essentie essence

essentieel essential: *een ~ verschil* a fundamental difference

estafette relay (race)

estafettestokje baton

esthetisch aesthetic

Estland Estonia

Est(lander) Estonian

etage floor, storey: *op de eerste ~* on the first *(Am:* second) floor

etalage shop window, display window: *~s (gaan) kijken* (go) window-shopping

etalagepop (shop-window) dummy, mannequin

etaleren display

etaleur window dresser

etappe 1 stage, *(laatste)* lap; **2** *(sport)* stage, leg

etc. *afk van* et cetera etc.

eten I *intr, tr* eat: *het is niet te ~* it's inedible, it tastes awful; *wat ~ we vandaag?* what's for dinner today?; *je kunt hier lekker ~* the food is good here; *eet smakelijk* enjoy your meal; **II** *intr* eat, dine: *blijf je ~?* will you stay for dinner?; *wij zitten net te ~* we've just sat down to dinner; *uit ~ gaan* go out for a meal; **III** *zn* **1** food: *hij houdt van lekker ~* he is fond of good food; **2** *(maaltijd)* meal, dinner *(middag of avond)*: *warm ~* hot meal, dinner; *het ~ is klaar* dinner is ready; *ik ben niet thuis met het ~* I won't be home for dinner

etensbak trough, *(voor huisdieren)* food bowl

etensresten leftovers
etenstijd dinnertime, time for dinner
etentje dinner, meal
eter eater
ether 1 ether; 2 *(mbt radiogolven)* air: *in de ~ zijn* be on the air
ethiek ethics
Ethiopië Ethiopia
Ethiopiër Ethiopian
ethisch ethical, moral
etiket label, *(prijs)* ticket, *(kaartje)* tag, *(zelfklevend)* sticker
etiquette etiquette, good manners
etmaal twenty-four hours
etnisch ethnic
ets etching
etsen etch
ettelijke dozens of, masses of
etter pus
etterbuil abscess
etteren fester
etude étude
etui case
etymologie etymology
etymologisch etymological
EU *afk van Europese Unie* EU
eucalyptus eucalyptus (tree)
eucharistie Eucharist, celebration of the Eucharist, *(r-k vnl.)* (the) Mass, *(angl)* (Holy) Communion
eufemisme euphemism
Eufraat Euphrates
eunuch eunuch
euro euro
eurocent (Euro) cent
eurocheque Eurocheque
eurocommissie European Commission
euroland Euroland; Euro country
Europa Europe
Europacup European Cup
europarlement European Parliament
Europeaan European
Europees European
Eurovisie Eurovision
Eurovisiesongfestival Eurovision Song Contest
eustachiusbuis Eustachian tube
euthanasie euthanasia
euvel fault, defect: *een ~ verhelpen* remedy a fault *(of:* defect)
Eva Eve
evacuatie evacuation
evacué evacuee
evacueren I *intr* be evacuated; II *tr* evacuate
evaluatie 1 evaluation, assessment; 2 *(van waarde)* evaluation
evalueren evaluate, assess
evangelie 1 gospel; 2 *(bijbelboek)* Gospel: *het ~ van Marcus* the Gospel according to St Mark
evangelist evangelist
even I *bw* 1 (just) as: *ze zijn ~ groot* they're equally

big; *in ~ grote aantallen* in equal numbers; *hij is ~ oud als ik* he is (just) as old as I am; 2 *(bevestiging)* just: *zij is altijd ~ opgewekt* she's always nice and cheerful; 3 *(een korte tijd)* just, just a moment *(of:* while): *het duurt nog wel ~* it'll take a bit *(of:* while) longer; *mag ik u ~ storen?* may I disturb you just for a moment?; *eens ~ zien* let me see; *heel ~* just for a second *(of:* minute); *~ later (daarna)* shortly afterwards; 4 *(nauwelijks)* (only) just, barely; 5 *(een weinig)* just (a bit): *nog ~ doorzetten* go on for just a bit longer; *als het maar éven kan* if it is at all possible; II *bn (door twee deelbaar)* even || *om het ~ wie* whoever, no matter who
evenaar equator
evenals (just) like, (just) as *(vóór ww):* *hun zaak ging failliet, ~ die van veel andere kleine ondernemers* their business went bankrupt, just like many other small businesses
evenaren equal, (be a) match (for)
eveneens also, too, as well
evenement event
evengoed 1 just as: *jij bent ~ schuldig als je broer* you are just as guilty as your brother; 2 *(met hetzelfde resultaat)* just as well: *je kunt dat ~ zo doen* you can just as well do it like this; 3 *(desondanks)* all the same, just the same: *ik weet van niets, maar word er ~ wel op aangekeken* I know nothing about it, but I am suspected all the same
evenmin (just) as little as, no(t any) more than, *(voor ww ook)* neither, nor: *ik kom niet en mijn broer ~* I am not coming and neither is my brother
evenredig proportional (to), *(beantwoordend)* commensurate (with): *het loon is ~ aan de inspanning* the pay is in proportion to the effort; *(wisk) omgekeerd ~ met* inversely proportional to
eventueel I *bw* possibly, if necessary, *(alternatieve mogelijkheden)* alternatively: *alles of ~ de helft* all of it, or alternatively half; *wij zouden ~ bereid zijn om … we might be prepared to …;* II *bn* any (possible), such … as, potential: *eventuele klachten indienen bij …* (any) complaints should be lodged with …; *eventuele klanten* prospective *(of:* potential) customers
evenveel (just) as much, *(vóór zn)* just as, equally: *iedereen heeft er ~ recht op* everyone is equally entitled to it; *ieder krijgt ~* everyone gets the same amount
evenwicht balance: *wankel ~* unsteady balance; *zijn ~ bewaren* (of: *verliezen)* keep *(of:* lose) one's balance; *het juiste ~ vinden* achieve the right balance; *de twee partijen houden elkaar in ~* the two parties balance each other out; *in ~ zijn* be well-balanced, be in equilibrium; *zijn ~ kwijt zijn* have lost one's balance
evenwichtig I *bn (stabiel)* (well-)balanced, steady, stable, *(fig)* level-headed; II *bw (harmonieus, regelmatig)* evenly, equally, uniformly
evenwichtigheid balance, equilibrium, stability, poise, composure

evenwichtsbalk (balance) beam

evenwichtsgevoel sense of balance

evenwijdig parallel (to, with)

evenzo likewise

evenzogoed 1 just as well, equally well: *het had ~ mis kunnen gaan* it could just as well have gone wrong; **2** *(desondanks)* just (*of:* all) the same, nevertheless: *hij had er totaal geen zin in, ~ ging hij* he didn't feel like it at all, but he still went (*of:* went all the same)

everzwijn wild boar

evident obvious, (self-)evident, *(bw ook)* clearly

evolueren evolve

evolutie evolution

exact I *bn* exact, precise: *~e wetenschap* (exact) science; **II** *bw* accurately, precisely

ex aequo joint: *Short en Anand eindigden ~ op de tweede plaats* Short and Anand finished joint second

examen exam(ination): *mondeling* (of: *schriftelijk) ~* oral (*of:* written) exam; *een ~ afleggen, ~ doen* take (*of:* sit) an exam

examengeld examination fee

examenvak examination subject

examinator examiner

excellent excellent, splendid

excellentie Excellency

excentriek eccentric

excentriekeling eccentric, crank, crackpot

exces excess, *(uitgaven)* extravagance

exclusief I *bn* exclusive; **II** *bw (niet inbegrepen)* excluding; excl.: *~ btw* excluding VAT, plus VAT

excursie 1 excursion; **2** *(leer-, werkbezoek)* (study) visit; *(buiten)* field trip

excuseren excuse, pardon: *Jack vraagt of we hem willen ~, hij voelt zich niet lekker* Jack asks to be excused, he is not feeling well; *wilt u mij even ~* please excuse me for a moment; *zich ~ voor* offer one's excuses (*of:* apologies) for

excuus 1 apology: *zijn excuses aanbieden* apologize; **2** *(reden van verontschuldiging)* excuse: *een slap ~* a poor excuse

executeren execute

executie execution: *uitstel van ~* stay of execution

exemplaar 1 specimen, sample; **2** *(afdruk)* copy

exercitie exercise, drill

exhibitionisme exhibitionism

exhibitionist exhibitionist

exotisch exotic

expediteur shipping agent, forwarding agent, shipper *(vnl. per schip)*, carrier

expeditie 1 shipping department, forwarding department; **2** *((personen op) ontdekkingstocht)* expedition: *op ~ gaan (naar)* go on an expedition (to); **3** *(verzending van goederen)* dispatch, shipping, forwarding: *voor een snelle ~ van de goederen zorgen* ensure that the goods are forwarded rapidly

experiment experiment: *een wetenschappelijk ~ uitvoeren (op)* perform a scientific experiment (on)

experimenteel experimental

experimenteren experiment

expert expert

expertise *(onderzoek)* (expert's) assessment

expliciet explicit

exploderen explode

exploitatie exploitation, *(bouwterreinen enz.)* development

exploiteren exploit, *(bouwterreinen enz.)* develop: *een stuk grond ~* develop a plot of land

explosie explosion

explosief I *bn, bw* explosive: *explosieve stoffen* explosives; **II** *zn* explosive

exponent exponent

export export

exporteren export

exporteur exporter

exposeren exhibit, display, show

expositie exhibition, show

expres on purpose, deliberately

expresse express (delivery)

expressie expression

expressionisme expressionism

expressionist expressionist

expresweg *(Belg)* *(autosnelweg met gelijkvloerse kruisingen)* *(ongev)* major arterial road

extase ecstasy, rapture

exterieur I *zn* exterior; **II** *bn* exterior, external, outside

extern 1 non-resident; living-out *(personeel)*; **2** *(buiten iets liggend)* external, outside

extra I *bw* **1** extra: *hij kreeg 20 euro ~* he got 20 euros extra; **2** *(bijzonder)* specially: *de leerlingen hadden ~ hun best gedaan* the pupils had made a special effort; **II** *bn* extra, additional: *er zijn geen ~ kosten aan verbonden* there are no extras (involved); *iets ~'s* sth extra

extraatje bonus

extra's 1 *(giften, inkomsten)* bonuses, *(verdiensten ook)* perquisites, perks; **2** *(uitgaven)* extras

extravagantie extravagance

extravert extrovert(ed), outgoing

extreem I *bn* extreme; **II** *bw* **1** extremely; **2** ultra-, far: *~-links* extreme left-wing

extremisme extremism

extremist extremist

ezel 1 donkey: *zo koppig als een ~* be as stubborn as a mule; *een ~ stoot zich in 't gemeen niet tweemaal aan dezelfde steen* once bitten, twice shy; **2** *(standaard)* easel

ezelsbruggetje memory aid, mnemonic

ezelsoor dog-ear

ez

f

fa *(muz)* fa(h)

faalangst fear of failure

faam fame, renown

fabel fable, fairy-tale

fabelachtig fantastic, incredible

fabricage manufacture, production

fabriceren 1 manufacture, produce; **2** *(in elkaar zetten)* make, construct

fabriek factory

fabrieksfout manufacturing fault

fabrieksterrein factory site

fabrikaat manufacture, make: *Nederlands ~* made in the Netherlands

fabrikant manufacturer, producer, *(eigenaar van fabriek)* factory owner

façade façade, front

facet aspect, facet

faciliteit facility, convenience, amenity

factor factor

factureren invoice, bill

factuur invoice, bill

facultatief optional, elective

faculteit faculty

fagot bassoon

Fahrenheit Fahrenheit

failliet bankrupt: *~ gaan* go bankrupt

faillissement bankruptcy

fakir fakir

fakkel torch

falen fail, *(zich vergissen)* make an error (of judgment), make a mistake

faling *(Belg) (faillissement)* bankruptcy

falsetstem falsetto

fameus *(vermaard)* famous, celebrated

familiaal *(Belg) ~ helpster* home help

familie 1 *(gezin)* family: *(fig) het is één grote ~* they are one great big happy family; *bij de ~ Jansen* at the Jansens; **2** *(mbt andere bloedverwanten)* family, relatives, (blood) relations: *wij zijn verre ~ (van elkaar)* we are distant relatives; *het zit in de ~* it runs in the family

familiekwaal hereditary disease *(of: illness)*

familielid member of the family, *(bloedverwant)* relative, relation: *zijn naaste familieleden* his next of kin

familieschaak fork

fan fan

fanaat fanatic

fanatiek fanatical, crazy: *een ~ schaker* a chess fanatic

fanatiekeling *(iron)* fanatic

fanatisme fanaticism, *(mbt religie)* zealotry

fancy-fair bazaar, jumble sale

fanfare *(muziekkorps)* brass band

fantaseren I *intr (dromen, kletsen)* fantasize (about), dream (about); **II** *tr (verzinnen)* dream up, make up, imagine, invent

fantasie imagination

fantast dreamer, visionary, storyteller, liar *(leugenaar)*

fantastisch I *bn* **1** fantastic, fanciful: *~e verhalen* fanciful *(of:* wild) stories; **2** *(onwerkelijk mooi, goed enz.)* fantastic, marvellous; **II** *bw* fantastically, terrifically

farao pharaoh

farde *(Belg)* **1** *(map)* file; **2** carton (of cigarettes)

Farizeeën Pharisees

farmaceutisch pharmaceutic(al)

fascinatie fascination

fascineren fascinate, captivate

fascinerend fascinating

fascisme fascism

fascist fascist

fascistisch fascist

fase phase: *eerste fase* undergraduate course of studies; *tweede ~* postgraduate course of studies

faseren phase

fataal fatal, *(ziekte ook)* terminal, *(dosis)* lethal, *(wond)* mortal: *dat zou ~ zijn voor mijn reputatie* that would ruin my reputation

fata morgana fata morgana, mirage

fatsoen decorum, decency, propriety: *geen enkel ~ hebben* lack all basic sense of propriety *(of:* decency); *zijn ~ houden* behave (oneself)

fatsoenlijk 1 decent *(persoon, gedrag)*, respectable: *op een ~e manier aan de kost komen* make an honest living; **2** *(behoorlijk)* decent, respectable *(inkomen, buurt)*, fair *(kennis van iets)*

fatsoenshalve for decency's sake, for the sake of decency

fauna fauna

fauteuil armchair, easy chair

favoriet I *zn* favourite; **II** *bn* favourite, *(persoon)* favoured

fax fax

faxen fax

faxmodem fax modem

fazant pheasant

februari February

federaal federal

federatie federation, confederation

fee fairy

feeks shrew, vixen

feest 1 party; **2** *(festijn)* feast, treat: *dat ~ gaat niet door* you can put that (idea) right out of your head

feestartikelen party goods *(of:* gadgets)

feestavond *(formeel)* gala night; *(informeel)* social evening

feestdag holiday: *op zon- en feestdagen* on Sundays and public holidays; *prettige ~en: a) (kerst)* Merry Christmas; *b) (Pasen)* Happy Easter

feestelijk festive: *een ~e jurk* a party dress

feesten celebrate, make merry

feestganger party-goer, guest

feestmaal feast, banquet

feestneus 1 false nose; 2 *(persoon)* party-goer

feestvarken birthday boy *(of:* girl), guest of honour

feestvieren celebrate

feestzaal party, reception room

feilloos infallible; *(oordeel)* unerring; *(zonder fouten)* faultless, flawless: *~ de weg terug vinden* find one's way back unerringly

feit fact, *(gebeurtenis)* circumstance, *(nieuwsfeit)* event: *het is (of: blijft) een ~ dat ...* the fact is *(of:* remains) that ...; *de ~en spreken voor zichzelf* the facts speak for themselves; *in ~e* in fact, actually

feitelijk I *bn* actual: *de ~e macht* the de facto *(of:* real, actual) power; **II** *bw* actually, practically

fel 1 fierce *(hitte, wind, stralen),* bitter *(kou),* sharp *(pijn, vorst),* bright *(kleuren),* vivid *(kleuren),* blazing *(licht),* glaring *(licht): een felroze jurk* a brilliant pink dress; 2 *(hevig)* fierce, sharp, keen *(competitie),* violent *(emotie),* bitter *(strijd): een ~le brand* a blazing *(of:* raging) fire; 3 *(vurig)* fierce, fiery *(temperament),* vehement *(protest),* spirited *(persoon),* scathing *(woorden, aanval),* biting *(woorden, aanval): ~ tegen iets zijn* be dead set against sth

felicitatie congratulation(s)

feliciteren congratulate on: *iem ~ met iets* congratulate s.o. on sth; *gefeliciteerd en nog vele jaren* happy birthday and many happy returns (of the day)

feminisme feminism, Women's Liberation

feminist feminist

feministisch feminist

fenomeen phenomenon

fenomenaal phenomenal

feodaal feudal

ferm firm, resolute *(houding)*

fermette *(Belg)* restored farmhouse (as second home)

fertilisatie fertilization

fervent fervent, ardent

fes *(muz)* F flat

festijn feast, fête

festival festival

festiviteit festivity, celebration

fetisj fetish

fetisjist fetishist

feuilleton serial (story)

fez fez

fiasco fiasco, disaster

fiche 1 *(van spel e.d.)* counter, token, chip; 2 *(systeemkaart)* index card, filing card

fictie fiction

fictief *(denkbeeldig)* fictitious, imaginary: *een ~ bedrag* an imaginary sum

fier proud

fiets bike, bicycle, cycle: *we gaan op (met) de ~* we're going by bike

fietsen ride (a bike, bicycle), cycle, bike: *het is een uur ~* it takes an hour (to get there) by bike

fietsenmaker bicycle repairer *(of:* mender)

fietsenstalling bicycle shed

fietser (bi)cyclist

fietspad bicycle track *(of:* path)

fietsstrook bicycle lane

fietstas saddlebag

fietstocht bicycle ride *(of:* trip, tour), cycling trip *(of:* tour): *een ~je gaan maken* go for a bicycle ride

figurant extra, walk-on

figuratief 1 figurative; 2 *(versierend)* decorative, ornamental

figuur figure, *(persoonlijkheid ook)* character, individual: *een goed ~* a good figure; *geen gek ~ slaan naast* not come off badly compared with; *wat is hij voor een ~?* what sort of person is he?

figuurlijk figurative, metaphorical: *~ gesproken* metaphorically speaking

figuurzaag fretsaw, *(machinaal)* jigsaw

figuurzagen do fretwork, *(machinaal)* jigsaw

Fiji-eilanden Fiji Islands

fijn I *bn* 1 fine: *~e instrumenten* delicate instruments; *de ~e keuken* fine cooking; 2 *(mbt kledingstukken, stoffen)* delicate; 3 *(aangenaam)* nice, lovely, fine, great, grand: *een ~e tijd* a good time; 4 *(subtiel)* subtle, fine: *een ~e neus* a fine *(of:* subtle) nose; **II** *bw (aangenaam)* nice: *ons huis is fijn groot* our house is nice and big; **III** *tw* that's nice, lovely: *we gaan op vakantie, ~!* we're going on holiday, great!

fijngevoelig 1 sensitive; 2 *(tactvol)* tactful

fijnproever connoisseur, *(lett ook)* gourmet

fijnsnijden cut fine(ly), slice thinly

fijnstampen crush, pound, pulverize, *(aardappels)* mash

fik fire: *in de ~ steken* set fire to

fikken burn

fiks sturdy, firm

fiksen fix (up), manage

filantroop philanthropist

filatelist philatelist

file queue, *(mensen ook)* line, row, *(auto's ook)* tailback, traffic jam: *in een ~ staan (of: raken)* be in *(of:* get into) a traffic jam

fileparkeren parallel parking

filet fillet

filharmonisch philharmonic

filiaal branch, *(van grootwinkelbedrijf)* chain store

filiaalhouder branch manager

Filippijn Filipino

Filippijnen (the) Philippines

Filippijns Philippine, Filipino

film film: *een stomme ~* a silent film *(of:* picture);

welke ~ draait er in die bioscoop? what's on at that cinema?; *een ~(pje) ontwikkelen* develop a film
filmacademie film academy (*of:* school)
filmacteur film actor
filmcamera (cine-)camera; *(professioneel)* (film)camera, motion-picture camera
filmdoek (film) screen
filmen film, make (a film), shoot (a film)
filmer film-maker
filmkeuring film censorship, *(commissie)* film censorship board, board of film censors
filmmuziek soundtrack
filmopname shot, sequence, take: *een ~ maken van* make (*of:* shoot) a film of
filmploeg film crew
filmproducent film producer
filmregisseur film director
filmrol 1 role (*of:* part) in a film; 2 *(filmband)* reel of film
filmster (film) star, movie star
filmvoorstelling film showing
filosoferen philosophize
filosofie philosophy: *de ~ van Plato* Plato's philosophy
filosofisch philosophic(al)
filosoof philosopher
filter filter
filteren I *tr* filter; percolate *(koffie);* II *intr* filter through (*of:* into); *(koffie)* percolate (through)
filterzakje (coffee) filter
Fin Finn, Finnish woman
finaal 1 final; 2 *(algeheel)* complete, total: *ik ben het ~ vergeten* I clean forgot (it)
finale *(muz)* finale; *(sport)* final(s)
finalist finalist
financieel financial
financiën finance; finances, funds
financier financier
financieren finance, fund, back *(onderneming)*
fineer veneer
fingeren 1 feign, sham, stage *(ensceneren): een gefingeerde overval* a staged robbery; 2 *(verzinnen)* invent, make up, dream up: *een gefingeerde naam* a fictitious name, an assumed name
finish finish, finishing line
finishen finish: *als tweede ~* finish second, come (in) second
Finland Finland
Fins Finnish
FIOD *afk van Fiscale Inlichtingen- en Opsporingsdienst* tax inspectors of the Inland Revenue Service
firma firm, partnership, company: *de ~ Smith & Jones* the firm of Smith and Jones
fis *(muz)* F sharp
fiscaal fiscal, tax(-): *~ aftrekbaar* tax-deductible
fiscus *(als belastingheffer)* the Inland Revenue, the Treasury, *(inform)* the taxman
fit fit, *(uitgerust)* fresh: *niet ~ zijn* be out of condition, *(niet lekker)* be under the weather

fitness fitness training, keep-fit exercises *(mv): aan ~ doen* do fitness training, work out
fitnesscentrum fitness club, health club
fitting *(waar men lamp indraait)* socket; *(van lamp zelf)* screw(cap), fitting
fixeer fixer, fixative
fixeren fix
fjord fjord, fiord
flacon bottle, flask, flagon *(wijn)*
fladderen 1 flap about, *(vogeltje, vlinder)* flutter; 2 *(heen en weer bewegen)* flutter, *(vlag, zeil)* flap, *(haar)* stream
flakkeren flicker
flamberen *(cul)* flambé
flamingo flamingo
flanel *(stof)* flannel, *(katoen)* flannelette
flanellen flannel
flaneren stroll, parade
flank *(zijde)* flank, side
flankeren flank
flansen *(met in elkaar)* knock together, put together
flap 1 flap; 2 *(gebakje)* turnover; 3 *(bankbiljet)* (bank) note; 4 *(groot vel papier)* flysheet
flapdrol wally
flapoor protruding ear, sticking-out ear
flappen fling down, bang down, plonk down ‖ *eruit ~* blab(ber), blurt out
flappentap hole-in-the-wall (machine)
flapuit blab, blabber
flard 1 shred, tatter: *aan ~en scheuren* tear to shreds; 2 *(los gedeelte)* fragment, *(klein deeltje)* scrap: *enkele ~en van het gesprek* a few fragments (*of:* snatches) of the conversation
flat 1 block of flats, *(groter)* block of apartments; 2 *(appartement)* flat, *(Am)* apartment: *op een ~* in a flat
flater blunder, howler
flauw 1 bland, tasteless, washy *(drank),* watery *(drank);* 2 *(niet krachtig, sterk)* faint, feeble, weak, *(herinnering, licht ook)* dim: *ik heb geen ~ idee* I haven't the faintest idea; 3 *(niet geestig)* feeble: *een ~e grap* a feeble (*of:* corny, silly) joke; 4 *(kinderachtig)* silly, *(bang)* chicken(-hearted), *(onsportief)* unsporting, *(onsportief)* faint-hearted; 5 *(zwak gebogen)* gentle, slight
flauwekul rubbish, nonsense
flauwerd silly person, wet person, *(bangerd)* coward
flauwte faint, fainting fit: *van een ~ bijkomen* come round (*of:* to)
flauwtjes faint, *(licht)* dim, *(smakeloos)* bland, *(zaken)* dull, *(melig)* silly: *~ glimlachen* smile weakly
flauwvallen *(bezwijmen)* faint, pass out: *~ van de pijn* faint with pain
flensje crêpe, thin pancake
fles bottle, *(met brede hals)* jar: *een melkfles* a milk bottle; *de baby krijgt de ~* the baby is bottle-fed
flesopener bottle-opener

flesvoeding 1 bottle-feeding; 2 *(babyvoeding)* baby milk, *(Am)* formula

flets 1 pale, wan: *er ~ uitzien* look pale *(of:* washed-out); 2 *(niet helder)* pale, dull: *~e kleuren* pale *(of:* faded, dull) colours

fleurig colourful, cheerful

flexibel flexible, pliable, *(fig ook)* supple, *(fig ook)* elastic: *~e werktijden* flexible hours, flexitime

flexibiliteit flexibility, *(fig ook)* elasticity

flexwerker flexiworker

flik *(Belg; inform)* cop

flikken bring off, pull off; get away with *(iets ontoelaatbaars): dat moet je me niet meer ~* don't you dare try that one on me again

flikkeren 1 *(van kaars e.d.)* flicker, *(elektrisch licht ook)* blink: *het ~de licht van een kaars* the flickering light of a candle; 2 *(van blinkend voorwerp)* glitter, sparkle: *de zon flikkert op het water* the sun shimmers on the water; 3 *(inform)* *(vallen)* fall, tumble: *van de trap ~* noşedvur *(of:* tumble) down the stairs

flink I *bn* 1 *(fors)* robust, stout, sturdy; 2 *(mbt afmeting, hoeveelheid)* considerable, substantial: *een ~e dosis* a stiff dose; *een ~e wandeling* a good (long) walk; 3 *(sterk van karakter)* plucky; *(dapper)* plucky: *een ~e meid* a big girl; *zich ~ houden* put on a brave front *(of:* face); II *bw* considerably, thoroughly, soundly: *~ wat mensen* quite a number of people, quite a few people; *iem er ~ van langs geven* give s.o. what for

flinter wafer, thin slice

flipperen play pinball

flipperkast pinball machine

flirt flirtation

flirten flirt

flits 1 *(foto)* flash(bulb), flash(light); 2 *(bliksemschicht)* flash, streak; 3 *(glimp)* flash, split second *(korte tijd)*; 4 *(fragment ve opname)* clip, flash: *~en van een voetbalwedstrijd* highlights of a football match

flitsend 1 *(modieus)* stylish, snappy, snazzy; 2 brilliant

flitslicht flash(light)

flodder: *losse ~s* dummy *(of:* blank) cartridges, blanks

flodderig 1 *(mbt kleren)* baggy, floppy; 2 *(knoeierig, slordig)* sloppy, shoddy, messy

flonkeren twinkle *(vnl. van ster)*, sparkle *(vnl. van edelsteen)*, glitter: *~de ogen* sparkling eyes

flonkering sparkle, sparkling *(vnl. van edelsteen)*, twinkling *(vnl. van ster)*

floppen flop

floppydisk floppy disk, diskette

floppydrive disk drive

flora flora

floreren *(fig)* flourish, bloom, thrive

floret foil

florijn florin, guilder

florissant flourishing, blooming, thriving, well *(gezond)*, healthy *(gezond): dat ziet er niet zo ~ uit* that doesn't look so good

flossen floss one's teeth

fluctuatie fluctuation, *(sterk)* swing

fluctueren fluctuate

fluisteren whisper

fluit 1 flute, *(in drumkorps)* fife; 2 *(geluid)* whistle

fluitconcert 1 flute concerto, concerto for flute, *(uitvoering)* flute recital *(of:* concert); 2 *(afkeurend) gefluit)* catcalls, hissing: *op een ~ onthaald worden* be catcalled

fluiten I *intr* 1 whistle, blow a whistle; 2 *(fluitinstrument bespelen)* play the flute; 3 *(fluitend geluid voortbrengen)* whistle, *(vogel, fluitketel)* sing, *(schip)* pipe, *(ter afkeuring)* hiss; II *tr* 1 whistle, *(op fluit)* play, *(vogel)* sing: *een deuntje ~* whistle a tune; 2 *(als scheidsrechter leiden)* referee, act as referee in

fluitist flautist, flute(-player)

fluitje whistle || *een ~ van een cent* a doddle, a piece of cake

fluitketel whistling kettle

fluitspeler flute-player

fluittoon whistle, whistling, *(radio)* whine, *(kort)* b(l)eep

fluor fluorine

fluwelen velvet, velvety

FM *(radio)* afk van *frequentiemodulatie* FM, VHF

FNV afk van *Federatie van Nederlandse Vakverenigingen (ongev)* TUC, (Dutch) Trades Union Congress

fobie phobia: *een ~ voor katten* a phobia about cats

focus focal point, focus

foedraal case, cover, sheath

foefelen *(Belg)* cheat, fiddle

foefje trick

foei naughty naughty!

foeteren grumble, grouse

foetus fetus

föhn 1 *(weerk)* föhn; 2 *(haardroger)* blow-dryer

föhnen blow-dry

fok foresail

fokken breed, *(grootbrengen)* rear, raise

fokker breeder, *(veefokker)* stockbreeder, cattle-raiser, *(mbt huisdieren)* fancier

fokkerij 1 *(cattle-)*breeding, cattle-raising, *(mbt vee ook)* (live)stock farming; 2 *(bedrijf)* breeding farm, stock farm, breeding kennel(s) *(honden)*, stud farm *(paarden)*

fokstier (breeding) bull

fokzeil foresail

folder leaflet, brochure, folder

folie (tin)foil

folk folk (music)

folklore folklore

folkmuziek folk music

folteren torture, *(fig ook)* rack, *(fig ook)* torment

fonds 1 fund, capital, resources, funds; 2 *(vereniging)* fund, trust

fonduen eat fondue, have fondue

fonetisch phonetic

fonkelen 1 sparkle, glitter, twinkle *(sterren);* 2 *(mbt dranken)* sparkle, effervesce

fontein fountain

fooi 1 tip, gratuity; 2 *(fig) (gering bedrag)* pittance, *(mbt loon)* starvation wages

foor *(Belg)* fair

foppen fool, hoax, trick

fopspeen dummy (teat), soother, *(Am)* pacifier

forceren I *tr* 1 force, enforce *(maatregelen): de zaak* ~ force the issue, rush things; 2 *(met geweld)* force, strain, overtax, overwork: *zijn stem* ~ (over)strain one's voice; **II** *zich* ~ force oneself, overtax oneself, overwork oneself

forel trout

forens commuter

forfait *(Belg) (sport)* ~ *geven* fail to turn up

formaat size, *(boek, papier ook)* format, *(fig)* stature, *(fig)* class

formaliseren formalize, standardize

formaliteit formality, matter of routine: *de nodige* ~*en vervullen* go through the necessary formalities

formatie 1 formation; 2 *(popgroep)* band, group

formatteren format

formeel formal, *(plechtig ook)* official: ~ *heeft u gelijk* technically speaking you are right

formeren 1 form, create; 2 *(scheppen)* form, create, make; 3 *(geestelijk vormen)* form, shape

formica formica

formidabel formidable, tremendous

formule formula: *de* ~ *van water is* H_2O the formula for water is H_2O

formuleren formulate, phrase: *iets anders* ~ rephrase sth

formulering formulation, phrasing, wording: *de juiste* ~ *is als volgt* the correct wording is as follows

formulewagen racing car, formula (racing) car

formulier form: *een* ~ *invullen* fill in *(Am:* fill out) a form

fornuis 1 cooker; 2 *(stookinrichting)* furnace

fors 1 sturdy, *(mens ook)* robust, loud *(stem),* vigorous *(taalgebruik),* forceful *(taalgebruik),* massive *(gebouw),* heavy *(nederlaag): een* ~*e kerel* a big fellow; 2 *(groot, niet te verwaarlozen)* substantial, considerable: *een* ~ *bedrag* a substantial sum

fort fort(ress)

fortuin 1 (good) fortune, (good) luck: *zijn* ~ *zoeken* seek one's fortune; 2 *(kapitaal)* fortune

forum 1 forum, panel discussion; 2 *(personen)* panel

fosfaat phosphate

fosfor phosphorus

fossiel fossil; fossilized

foto photograph, picture, photo: *wil je niet op de* ~? don't you want to be in the picture?; *hij wil niet op de* ~ he doesn't want his picture taken

fotocamera camera

fotograaf photographer

fotograferen photograph, take a photograph (of)

fotografie photography

fotokopie photocopy, xerox: *een* ~ *maken van iets* photocopy sth

fotokopiëren photocopy, xerox

fotomodel model, photographer's model, cover girl

fouilleren search, *(inform)* frisk

fouillering (body) search

fournituren haberdashery

fout I *zn* 1 fault, flaw, defect: *zijn* ~ *is dat ...* the trouble with him is that ...; *niemand is zonder* ~*en* nobody's perfect; 2 *(verkeerde handeling)* mistake, error, *(overtreding bij sport)* foul, fault *(bij tennis, paardensport enz.): menselijke* ~ human error; *in de* ~ *gaan: a)* make a mistake; *b) (inform)* slip up; **II** *bn, bw* wrong, *(niet juist ook)* incorrect, erroneous: *de boel ging* ~ everything went wrong; *een* ~ *antwoord* a wrong answer

foutloos faultless, perfect

foutparkeren park illegally

foyer foyer

fr. *afk van frank* fr., franc(s)

fraai 1 pretty, fine *(boek);* 2 *(tot eer, lof strekkend)* fine, splendid

fractie fraction: *in een* ~ *van een seconde* in a fraction of a second

fractieleider *(pol) (ongev)* leader of the *(of:* a) parliamentary party, *(Am; ongev)* floor leader

fractuur fracture

fragment fragment, section

framboos raspberry

frame frame

Française Frenchwoman

franchise franchise

franco *(poststukken)* prepaid, postage paid; *(goederen)* carriage paid

frangipane *(Belg) (gebakje)* pastry with almond filling

franje 1 fringe, fringing; 2 *(fig) (overbodige opsiering)* frill, trimmings: *zonder (overbodige)* ~ stripped of all its frills

frank franc || *(Belg) zijn* ~ *valt* the penny has dropped

frankeren stamp; *(concr, met machine)* frank, *(Am)* meter, *(betalen)* prepay: *onvoldoende gefrankeerd* understamped, *(op enveloppe)* postage due

Frankrijk France

Frans I *zn* French: *in het* ~ in French; **II** *bn* French: *de* ~*en* the French; *twee* ~*en* two French people, two Frenchmen

Fransman Frenchman

frappant striking, remarkable

frase phrase

frater friar, brother

fraude fraud, *(verduistering)* embezzlement

frauderen commit fraud

freak 1 freak, nut, fanatic, buff: *een filmfreak* a film buff; 2 *(iem die zich vreemd gedraagt)* freak, weirdo

freelance freelance

freelancer freelance(r)
fregat frigate
frequent frequent
frequentie frequency: *de ~ van zijn hartslag* his pulse (rate)
fresco fresco
fresia freesia
¹fret *(dier)* ferret
²fret *(mbt snaarinstrumenten)* fret
freudiaans Freudian: *een ~e vergissing (verspreking)* a Freudian slip
freule *(ongev)* gentlewoman, lady: *~ Jane A. (ongev)* the Honourable Jane A.
frezen mill
fricandeau fricandeau
frictie friction
friemelen fiddle: *~ aan (met)* fiddle with
Fries Frisian
Friesland Friesland
friet chips, *(Am)* French fries: *~je oorlog* chips with mayonnaise and peanut sauce; *~je zonder* just chips (no sauce)
friettent fish-and-chip stall *(of:* stand); *(ongev)* chippy, *(Am; ongev)* hamburger joint
frigobox *(Belg) (koelbox)* cool box
frikadel minced-meat hot dog
fris I *zn* soft drink, *(inform)* pop: *een glaasje ~* a soft drink, a glass of pop; **II** *bn* 1 fresh, *(mbt lichamelijke toestand ook)* fit, lively: *met ~se moed* with renewed vigour; 2 *(niet benauw(en)d)* fresh, airy, breezy: *het ruikt hier niet ~* it's stuffy (in) here; 3 *(schoon, hygiënisch)* clean; 4 *(tamelijk koel)* cool(ish), chilly
frisdrank soft drink; *(inform)* pop *(zoet, met prik)*
frisjes chilly, nippy
friteuse deep fryer, chip pan
frituren deep-fry
frituur chip shop
frituurpan deep frying pan, *(elektrisch)* deep fryer, chip pan
frivool frivolous
frommelen I *intr* fiddle, fumble: *aan het tafelkleed ~* fiddle with the tablecloth; **II** *tr* 1 *(verkreukelen)* crumple (up), rumple, crease: *iets in elkaar ~* crumple sth up; 2 *((weg)stoppen)* stuff away
frons 1 wrinkle; 2 *(gelaatsuitdrukking)* frown, *(boos, dreigend)* scowl
fronsen frown, *(boos, dreigend)* scowl: *de wenkbrauwen ~* frown, knit one's brow(s)
front front, *(van gebouw ook)* façade, *(vnl. fig)* forefront: *het vijandelijke* (of: *oostelijke) ~* the enemy (of: eastern) front
frontaal frontal, *(mbt botsingen, confrontaties ook)* head-on
frou-frou *(Belg) (mbt haar)* fringe
fruit fruit ‖ *Turks ~* Turkish delight
fruitautomaat fruit machine, *(Am)* slot machine, one-armed bandit
fruiten fry, sauté
fruithandelaar fruiterer *(winkelier)*, fruit mer-

chant *(of:* trader, dealer) *(groothandelaar)*
fruitsap *(Belg)* fruit juice
fruitteler fruit grower, fruit farmer
frunniken fiddle
frustratie frustration
frustreren 1 frustrate; 2 *(dwarsbomen ook)* thwart
f-sleutel F clef
fuga fugue
fuif party, *(inform)* bash: *een ~ geven (houden)* give *(of:* have) a party
fuiven *(feestvieren)* have a party: *we hebben tot diep in de nacht gefuifd* the party went on into the small hours
fulltime full-time
functie post, position, duties: *een hoge ~ bekleden* hold an important position; *in ~ treden* take up office; *(wisk) x is een ~ van y* x is a function of y
functiebeschrijving job description, job specification
functionaris official
functioneel functional
functioneren 1 act, function, serve; 2 *(werken)* work, function, perform: *niet* (of: *goed) ~d (machine)* out of order, in working order
fundament *(bouwk)* foundation; *(fig ook)* fundamental(s): *de ~en leggen (voor)* lay the foundations (for)
fundamenteel fundamental, basic
funderen 1 found, build; 2 *(fig ook)* base, ground
fundering foundation(s), *(fig ook)* basis, groundwork: *de ~(en) leggen* lay the foundation(s)
funest disastrous, fatal: *de droogte is ~ voor de tuin* (the) drought is disastrous for the garden
fungeren 1 act as, function as; 2 *(in functie zijn)* be the present ... *(of:* acting ..., officiating ...)
furie fury, shrew: *tekeergaan als een ~* go raving mad
furieus furious, enraged
furore furore
fuseren merge (with), incorporate
fusie merger
fusilleren execute by firing squad
fusioneren *(Belg) (fuseren)* merge
fust cask, barrel
fut go, energy, zip: *de ~ is eruit bij hem* there's no go in him anymore
futiliteit trifle, futility
futuristisch futurist(ic)
fuut great crested grebe
fysica physics
fysicus physicist
fysiek physical
fysiologie physiology
fysiotherapeut physiotherapist
fysiotherapie 1 physiotherapy; 2 *(Belg)* rehabilitation
fysisch physical

g

gaaf 1 whole, intact, sound *(hout, fruit, tanden enz.)*: *een ~ gebit* a perfect set of teeth; 2 *(ontzettend goed)* great, super: *Sampras speelde een gave partij* Sampras played a great game

gaan I *intr* 1 go, move: *hé, waar ga jij naar toe?* where are you going?, *(achterdochtig)* where do you think you're going?; *het gaat niet zo best* (of: *slecht*) *met de patiënt* the patient isn't doing so well (of: so badly); 2 *(vertrekken, weggaan ook)* leave, *(inform)* be off: *hoe laat gaat de trein?* what time does the train go?; *ik moet nu* ~ I must go now, I must be going (of: off) now; *ik ga ervandoor* I'm going (of: off); *ga nu maar* off you go now; 3 *(beginnen te)* go, be going to: ~ *kijken* go and (have a) look; ~ *liggen* lie down; ~ *staan* stand up; *ze* ~ *trouwen* they're getting married; ~ *zwemmen* go for a swim, go swimming; *aan het werk* ~ set to work; 4 *(plaatshebben ook)* be, run: *de zaken* ~ *goed* business is going well; *als alles goed gaat* if all goes well; *dat kon toch nooit goed* ~ that was bound to go wrong; *hoe is het gegaan?* how was it?, how did it (of: things) go?; 5 *(met over) (beheren)* run, be in charge (of): *daar ga ik niet over* that's not my responsibility; 6 *(met over) (tot onderwerp hebben)* be (about): *waar gaat die film over?* what's that film about?; *zich laten* ~ let oneself go; *(fig) dat gaat mij te ver* I think that is going too far; *eraan* ~ have had it, *(persoon ook)* be (in) for it; *opzij* ~ give way to, make way for, go to one side; *vreemd* ~ be unfaithful; *daar* ~ *we weer* (t)here we go again; *we hebben nog twee uur te* ~ we've got two hours to go; *aan de kant* ~ move aside; *zijn gezin gaat bij hem boven alles* his family comes first (with him); **II** *onpers ww* 1 *(gebeuren)* be, go, happen: *het is toch nog gauw gegaan* things went pretty fast (after all); 2 *(met om)* be (about): *daar gaat het niet om* that's not the point; *daar gaat het juist om* that's the whole point; *het gaat erom of … de* … the point is whether …; *het gaat om het principe* it's the principle that matters; *het gaat om je baan* your job is at stake; *het gaat hier om een nieuw type* we're talking about a new type; *het ga je goed* all the best; *hoe gaat het (met u)?* how are you?; *hoe gaat het op het werk?* how is your work (going)?, how are things (going) at work?; *het gaat* it's all right, it's OK

gaande 1 going, running: *een gesprek* ~ *houden* keep a conversation going; 2 *(aan de hand)* going on, up: ~ *zijn* be going on, be in progress

gaandeweg gradually

gaap yawn

gaar 1 *(mbt eten)* done; *(vnl. gekookt)* cooked: *de aardappels zijn* ~ the potatoes are cooked (of: done); *het vlees is goed* ~ (of: *precies* ~) the meat is well done (of: done to a turn); *iets* ~ *koken* cook sth; *iets* ~ *koken* overcook sth; 2 *(moe)* done, tired (out)

gaarne gladly, with pleasure

gaas 1 *(weefsel)* gauze, *(vitrage enz.)* net(ting): *fijn* (of: *grof*) ~ fine-meshed (of: large-meshed) gauze; 2 *(van metaaldraad)* wire mesh, *(grof)* (wire) netting, *(fijn)* (wire) gauze: *het* ~ *van een hor* the wire gauze of a screen

gaatje (little, small) hole, *(in fiets-, autoband)* puncture: ~*s in de oren laten prikken* have one's ears pierced; *ik had geen* ~*s (bij tandarts)* I had no cavities; *ik zal eens kijken of ik voor u nog een* ~ *kan vinden* I'll see if I can fit (of: squeeze) you in

gabber mate, pal, chum, buddy

gadeslaan 1 observe, watch; 2 *(aandachtig de ontwikkeling volgen van)* follow, watch (closely)

gaffel (two-pronged) fork

gage pay, *(artiesten ook)* fee, salary

gajes rabble, riff-raff

gal bile; *(bij dieren)* gall

gala gala

gala-avond gala night

galant chivalrous, gallant: ~*e manieren* elegant manners

galblaas gall bladder: *een operatie aan de* ~ a gall bladder operation

galei galley

galeislaaf galley slave

galerie (art) gallery

galeriehouder *(eigenaar)* gallery owner; *(exploitant)* manager of a gallery

galerij gallery, *(van flat)* walkway, *(winkelgalerij)* (shopping) arcade

galg gallows: *aan de* ~ *ophangen* hang on the gallows; ~*je spelen* play hangman; *hij groeit voor* ~ *en rad op* he'll come to no good

Galilea Galilee

galjoen galleon

galm sound, *(van klokken)* peal(ing) ‖ *de luide* ~ *van zijn stem* his booming voice

galmen I *intr* resound, boom, peal *(klok)*: *de klokken* ~ the bells peal; **II** *tr (luidkeels uitroepen, zingen)* bellow

galop gallop: *in* ~ at a gallop; *in* ~ *overgaan* break into a gallop

galopperen *(in galop gaan)* gallop: *een paard laten* ~ gallop a horse

game game

gameboy Game Boy

gamma *(muz)* scale, gamut

gammel 1 rickety, wobbly, ramshackle: *een* ~*e constructie* a ramshackle construction; 2 *(lusteloos)* shaky, faint: *ik ben een beetje ~* I don't feel up to much

gang 1 passage(way), corridor, hall(way); 2 *(pad)* passage(way); tunnel: *een ondergrondse ~* an underground passage(way); 3 *(manier van lopen)* walk, gait: *herkenbaar aan zijn moeizame ~* recognizable by his laboured gait; 4 *(beweging, werking)* movement, *(snelheid)* speed: *er ~ achter zetten* speed it up; *de les was al aan de ~* the lesson had already started *(of:* got going); *een motor aan de ~ krijgen* get an engine going; *goed op ~ komen (ook fig)* get into one's stride; *iem op ~ helpen* help s.o. to get going, give s.o. a start; 5 *(voortgang, ontwikkeling)* course, run: *de ~ van zaken is als volgt* the procedure is as follows; *de dagelijkse ~ van zaken* the daily routine; *verantwoordelijk zijn voor de goede ~ van zaken* be responsible for the smooth running of things; *het feest is in volle ~* the party is in full swing; *alles gaat weer zijn gewone ~* everything's back to normal; 6 *(mbt eten)* course: *het diner bestond uit vijf ~en* it was a five-course dinner; *ga je ~ maar: a) (begin maar)* (just, do) go ahead; *b) (ga maar verder)* (just, do) carry on; *c) (na jou)* after you; *zijn eigen ~ gaan* go one's own way

gangbaar 1 current, contemporary, common: *een gangbare uitdrukking* a common expression; 2 *(mbt koop-, handelswaren)* popular: *een gangbare maat* a common size

Ganges the (River) Ganges

gangetje 1 pace, rate; 2 *(nauwe doorgang) (steeg)* alley(way), passage(way), *(gang)* narrow corridor *(of:* passage) || *alles gaat z'n ~* things are going all right

gangmaker (the) life and soul of the party

gangpad aisle

gangreen gangrene: *~ krijgen* get gangrene, *(lichaamsdeel)* become gangrenous

gangster gangster

gans goose: *de sprookjes van Moeder de Gans* the (fairy) tales of Mother Goose

gapen 1 yawn: *~ van verveling* yawn with boredom; 2 *(met open mond staren)* gape, gawk (at): *naar iets staan ~* stand gaping at sth; 3 *(wijde opening hebben)* yawn, gape: *een ~de afgrond (ook fig)* a yawning abyss

gappen pinch, swipe

garage garage: *de auto moet naar de ~* the car has to go to the garage

garagedeur garage door

garagehouder *(eigenaar)* garage owner; *(exploitant)* garage manager

garagist (Belg) 1 *(iem die een garage houdt)* garage owner; 2 *(monteur in een garage)* motor mechanic

garanderen guarantee, warrant: *gegarandeerd echt goud* guaranteed solid gold; *ik kan niet ~ dat je slaagt* I cannot guarantee that you will succeed; *dat garandeer ik je* I guarantee you that

garant guarantor, guarantee underwriter *(bijv. van emissie); (jur)* surety: *~ staan voor de schulden van*

zijn vrouw stand surety for one's wife's debts; *zijn aanwezigheid staat ~ voor een gezellige avond* his presence ensures an enjoyable evening

garantie guarantee, warranty: *dat valt niet onder de ~* that is not covered by the guarantee; *drie jaar garantie op iets krijgen* get a three-year guarantee on sth

garantiebewijs guarantee (card), warranty, certificate of guarantee

garantietermijn period *(of:* term) of guarantee, warranty period: *de ~ is verlopen* the (period, term of) guarantee has expired

garantievoorwaarden guarantee conditions, terms of guarantee

garde 1 *(lijfwacht)* guard: *de nationale ~* the national guard; 2 *(keukengereedschap)* whisk, beater

garderobe 1 wardrobe: *een uitgebreide ~ bezitten* possess an extensive wardrobe; 2 *(waar je jassen enz. ophangt)* cloakroom

gareel *(fig): iem (weer) in het ~ brengen* bring s.o. to heel, make s.o. toe the line; *in het ~ lopen* toe the line

garen thread, yarn: *een klosje ~* a reel of thread

garnaal shrimp, *(steur)* prawn

garnalencocktail shrimp cocktail, prawn cocktail

garneren garnish

garnering garnishing

garnituur 1 garnishing, trim, trimming(s); 2 *(stel voorwerpen ter versiering)* accessories *(mv)*, set, ensemble

garnizoen garrison

gas 1 gas: *~, water en elektra* gas, water and electricity; *vloeibaar ~* liquid gas; *het ~ aansteken (of: uitdraaien)* light *(of:* turn) off the gas; *op ~ koken* cook with *(of:* by) gas; 2 *(motorgas)* mixture, *(inform)* gas: *~ geven* step on the gas; *vol ~ de bocht door* (round the bend) at full speed; *de auto rijdt op ~* the car runs on LPG

gasfabriek gasworks, gas plant

gasfitter gas fitter; *(tevens loodgieter)* plumber

gasfornuis gas cooker

gaskamer gas chamber, gas oven

gasketel gasholder, gasometer

gaskomfoor *(fornuis)* gas cooker, *(pit)* gas ring

gaskraan gas tap: *de ~ opendraaien (of: dichtdraaien)* turn on *(of:* off) the gas (tap)

gasleiding gas pipe(s), *(huisaansluiting)* service pipe, *(hoofdleiding)* gas main(s)

gaslicht gaslight

gaslucht smell of gas

gasmasker gas mask

gasmeter gas meter

gaspedaal accelerator (pedal): *het ~ indrukken (of: intrappen)* step on *(of:* press down) the accelerator

gaspijp gas pipe(line)

gasrekening gas bill

gasstel gas ring *(of:* burner)

gast 1 guest, visitor: *~en ontvangen* entertain (guests); *bij iem te ~ zijn* be s.o.'s guest; 2 *(mbt de*

horeca ook) customer: vaste ~en: a) (hotel) regular guests; *b) (restaurant, café)* regular customers
gastarbeid foreign labour
gastarbeider immigrant worker
gastcollege guest lecture
gastdocent visiting lecturer
gastgezin host family
gastheer host: *als ~ optreden* act as host
gastoevoer gas supply: *de ~ afsluiten* cut (*of:* shut) off the gas supply
gastoptreden guest appearance (*of:* performance)
gastrol guest appearance
gastronomisch gastronomic
gastspreker guest speaker
gastvrij hospitable, welcoming: *iem ~ onthalen* entertain s.o. well; *iem ~ ontvangen (opnemen)* extend a warm welcome to s.o.
gastvrijheid hospitality: *bij iem ~ genieten* enjoy s.o.'s hospitality
gastvrouw hostess
gasvormig gaseous
gat 1 hole, gap: *zwart ~* black hole; *een ~ dichten* stop (*of:* fill) a hole; *een ~ maken in* make a hole in (sth); 2 *(met opzet gemaakt ook)* opening: *(fig) een ~ in de markt ontdekken* discover a gap (*of:* hole) in the market; 3 *(uitholling)* hole, cavity: *een ~ in je kies* a hole (*of:* cavity) in your tooth; 4 *(afgelegen stadje, dorp)* hole, dump; 5 *(verwonding)* cut, gash: *zij viel een ~ in haar hoofd* she fell and cut her head; *hij heeft een ~ in z'n hand* he spends money like water; *iets in de ~en hebben* realize sth, be aware of sth; *iem (iets) in de ~en houden* keep an eye on s.o. (sth); *niets in de ~en hebben* be quite unaware of anything; *in de ~en lopen* attract (too much) attention
gauw I *bn, bw* quick, fast, *(te snel)* hasty: *ga zitten en ~ een beetje* sit down and hurry up about it! (*of:* and make it snappy!); *dat heb je ~ gedaan, dat is ~* that was quick (work); *ik zou maar ~ een jurk aantrekken* (if I were you) I'd just slip into a dress; **II** *bw* 1 *(mbt tijd)* soon, before long: *hij had er al ~ genoeg van* he had soon had enough (of it); *hij zal nu wel ~ hier zijn* he won't be long now; *dat zou ik zo ~ niet weten* I couldn't say offhand; 2 *(gemakkelijk)* easily: *ik ben niet ~ bang, maar ...* I'm not easily scared, but ...; *dat kost al ~ €100* that can easily cost 100 euros; *zo ~ ik iets weet, zal ik je bellen* as soon as I hear anything I'll ring you
gave 1 gift, donation, endowment; 2 *(talent)* gift, talent
Gazastrook Gaza Strip
gazelle gazelle
gazet *(Belg) (krant)* newspaper
gazon lawn
gazonsproeier lawn sprinkler
geaard 1 earthed: *een ~ stopcontact* an earthed socket; 2 *(met een bepaalde aard)* natured, inclined, tempered
geaardheid disposition, nature, inclination: *seksu-*

ele ~ sexual orientation
geabonneerd: *~ zijn (op)* have a subscription (to)
geacht respected, esteemed: *Geachte Heer (of: Mevrouw)* Dear Sir *(of:* Madam); *~e luisteraars* Ladies and Gentlemen
geadresseerde addressee, *(mbt goederen)* consignee
geallieerden Allies
geamuseerd amused: *~ naar iets kijken* watch sth in amusement
geanimeerd animated, lively, warm: *een ~ gesprek* an animated (*of:* a lively) conversation
geavanceerd advanced, latest: *~e technieken* advanced techniques
gebaar 1 gesture, sign(al): *expressie in woord en ~* expression in word and gesture; *door een ~ beduidde zij hem bij haar te komen* she motioned him to come over; *met gebaren iets duidelijk maken* signal sth (by means of gestures); 2 *(handeling)* gesture, move: *een vriendelijk ~ aan zijn adres* a gesture of friendliness towards him
gebak pastry, confectionery, cake(s): *~ van bladerdeeg* puff (pastry); *vers ~* fresh pastry (*of:* confectionery); *koffie met ~* coffee and cake(s)
gebakje (fancy) cake, pastry: *op ~s trakteren* treat (s.o.) to cake(s)
gebakken *(in oven)* baked; *(in pan)* fried: *~ aardappelen* (of: *vis)* fried potatoes (*of:* fish)
gebaren gesture, gesticulate, *(om iets duidelijk te maken)* signal, *(om iets duidelijk te maken)* motion: *met armen en benen ~* gesticulate wildly
gebarentaal sign language
gebed prayer, devotions, *(aan tafel)* grace: *mijn ~en werden verhoord* my prayers were answered; *het ~ vóór de maaltijd* (saying) grace
gebedskleedje prayer mat
gebedsoproep call (*of:* summons) to prayer
gebedsrichting kiblah
gebeente bones: *zwaar van ~* with heavy bones; *wee je ~!* woe betide you!, don't you dare!
gebergte 1 mountains; 2 *(bergketen)* mountain range, chain of mountains
gebeurde incident, event: *hij wist zich niets van het ~ te herinneren* he couldn't remember anything of what had happened
gebeuren I *intr* 1 happen, occur, take place: *er is een ongeluk gebeurd* there's been an accident; *voor ze (goed) wist wat er gebeurde* (the) next thing she knew; *er gebeurt hier nooit iets* nothing ever happens here; *alsof er niets gebeurd was* as if nothing had happened; *een waar gebeurd verhaal* a true story; *wat is er met jou gebeurd?* what's happened to you?; *voor als er iets gebeurt* just in case; *er moet nog heel wat ~, voor het zo ver is* we have a long way to go yet; *het is zó gebeurd* it'll only take a second (*of:* minute); *er moet nog het een en ander aan ~* it needs a bit more doing to it; *dat gebeurt wel meer* these things do happen; 2 *(overkomen)* happen, occur: *dat kan de beste ~* it could happen to anyone;

er kan niets (mee) ~ nothing's can happen (to it); **II** *zn* event, incident, happening: *een eenmalig* ~ a unique event

gebeurtenis 1 event, occurrence, incident: *dat is een belangrijke* ~ that's a major event; *een onvoorziene* ~ an unforeseen occurrence (*of*: incident); **2** (*evenement*) event: *een eenmalige* ~ a unique occasion

gebied 1 territory, domain; **2** (*terrein*) area, district, region: *onderontwikkelde* (of: *achtergebleven*) ~*en* underdeveloped (*of*: depressed) areas/regions; **3** (*afdeling*) field, department: *op ecologisch* ~ in the field of ecology; *vragen op financieel* ~ financial problems; *wij verkopen alles op het* ~ *van* … we sell everything (which has) to do with …; **4** (*grondgebied*) territory, land

gebieden 1 order, dictate: *iem* ~ *te zwijgen* impose silence on s.o., bind s.o. to secrecy; **2** compel, necessitate

gebiedsdeel territory: *de overzeese gebiedsdelen* the overseas territories

gebit 1 (set of) teeth: *een goed* ~ *hebben* have a good set of teeth; *een regelmatig* (of: *onregelmatig, sterk*) ~ regular (*of*: irregular, strong) teeth; **2** (*kunstgebit*) (set of) dentures, (set of) false teeth

gebitsverzorging dental care

gebladerte foliage

geblaf barking; baying

geblesseerd injured

geblindeerd shuttered, blacked out (*raam*); armoured (*voertuig*)

gebloemd floral (patterned), flowered: ~ *behang* floral (patterned) wallpaper

geblokkeerd 1 (mbt havens) blockaded, (door ijs) ice-bound; **2** (mbt wegen) blocked; **3** (mbt bankrekeningen) blocked, frozen: *een* ~*e rekening* a frozen account; *de wielen raakten* ~ the wheels locked

geblokt chequered

gebocheld hunchbacked, humpbacked

gebochelde hunchback, humpback: *de* ~ *van de Notre-Dame* the hunchback of the Notre-Dame

gebod order, command: ~*en en verboden* (*inform*) do's and don'ts; *een* ~ *uitvaardigen* issue an order (*of*: injunction); *de tien* ~*en* the Ten Commandments

gebogen bent, curved: *met* ~ *hoofd* with bowed head, with head bowed

gebonden 1 bound, tied (up), committed: *niet contractueel* ~ not bound by contract; *aan huis* ~ housebound; *niet aan regels* ~ not bound by rules; **2** bound: *een* ~ *boek* a hardback; ~ *aspergesoep* cream of asparagus (soup)

geboorte birth, (*med*) delivery: *bij de* ~ *woog het kind* … the child weighed … at birth

geboorteakte birth certificate, certificate of birth

geboortebeperking 1 birth control, family planning; **2** (*middelen, methoden*) contraception, family-planning methods

geboortecijfer birth rate

geboortedag 1 birthday: *de honderdste* (of: *tweehonderdste*) ~ the centenary (*of*: bicentenary) of s.o.'s birth; **2** (*datum ook*) day of birth

geboortedatum date of birth, birth date

geboortegolf baby boom

geboortejaar year of birth

geboortekaartje birth announcement card

geboorteland native country, country of origin

geboorteplaats place of birth, birthplace

geboorteregister register of births

geboren born: *een* ~ *leraar* a born teacher; *mevrouw Jansen, geboren Smit* Mrs Jansen née Smit; ~ *en getogen in Amsterdam* born and bred in Amsterdam; *waar* (of: *wanneer*) *bent u* ~? where (*of*: when) were you born?; *een te vroeg* ~ *kind* a premature baby

geborgenheid security, safety

gebouw building, structure, construction: *een groot* (of: *ruim*) ~ a large (*of*: spacious) building; *een houten* ~(*tje*) a wooden structure

gebouwd (*ook in sam*) built, constructed: *hij is fors* (*stevig*) ~ he is well-built; *mooi* ~ *zijn* have a fine figure, be well-proportioned

gebrabbel jabber, gibberish, (*van kind*) prattle

gebrand roasted, burnt: ~*e amandelen* burnt (*of*: roasted) almonds

gebrek 1 lack, shortage, deficiency: *groot* ~ *hebben aan* be greatly lacking in, (*sterker*) be in desperate need of; ~ *aan personeel hebben* be short-handed, be understaffed; *bij* ~ *aan beter* for want of anything (*of*: sth) better; **2** (*armoede, gemis*) want, need: ~ *hebben* (*lijden*) be in want (*of*: need), go short; **3** (*kwaal*) ailment, infirmity: *de* ~*en van de ouderdom* the ailments of old age; **4** (*geestelijk*) shortcoming, weakness: *alle mensen hebben hun* ~*en* we all have our faults, no one is perfect; **5** (*mbt zaken*) flaw, fault, defect: *een* ~ *verhelpen* correct a fault; (*ernstige*) ~*en vertonen* be (seriously) defective, show serious flaws; *zonder* ~*en* flawless, faultless, perfect

gebrekkig I *bn, bw* **1** (*vnl. lichamelijk*) infirm, ailing, (*dier ook*) lame: *een* ~ *mens* an ailing person; **2** (*mbt zaken*) faulty, defective, (*ontoereikend*) inadequate, (*ontoereikend*) poor: ~*e huisvesting* poor housing; *een* ~*e kennis van het Engels* poor (knowledge of) English; **II** *bw* (*op gebrekkige wijze*) poorly, inadequately: *een taal* ~ *spreken* speak a language poorly

gebroeders brothers: *de* ~ *Jansen, handelaren in wijnen* Jansen Brothers (*of*: Bros.), wine merchants

gebroken 1 broken; (*med*) fractured: ~ *lijn* broken line; *een* ~ *rib* a broken (*of*: fractured) rib; **2** (*lichamelijk of geestelijk*) broken: *zich* ~ *voelen* be a broken man (*of*: woman); **3** (*stamelend, gebrekkig*) broken: *hij sprak haar in* ~ *Frans aan* he addressed her in broken French

gebruik 1 use, application, (*eten, drank*) consumption, (*pillen enz.*) be on, take (*harddrugs*), taking: *het* ~ *van sterkedrank* (the) consumption of spirits;

ge

voor algemeen ~ for general use; *voor eigen* ~ for personal use; *alleen voor uitwendig* ~ for external use (*of:* application) only; (*geen*) ~ *van iets maken* (not) make use of sth; *van de gelegenheid* ~ *maken* take (*of:* seize) the opportunity; *iets in* ~ *nemen* put sth into use; **2** (*gewoonte*) custom, habit: *de ~en van een land* the customs of a country

gebruikelijk usual, customary, (*algemeen gebruikt*) common: *de ~e naam van een plant* the common name of a plant; *op de ~e wijze* in the usual way

gebruiken I *tr* (*gebruik maken van*) use, apply, take (*pillen enz.*): *de auto gebruikt veel brandstof* the car uses (*of:* consumes) a lot of fuel; *slaapmiddelen* ~ take sleeping pills (*of:* tablets); *zijn verstand* ~ use one's common sense; *dat kan ik net goed* ~ I could just use that; *dat kan ik goed* ~ that comes in handy; *ik zou best wat extra geld kunnen* ~ I could do with some extra money; *zich gebruikt voelen* feel used; *zijn tijd goed* ~ make good use of one's time, put one's time to good use; **II** *intr* (*harddrugs innemen*) be on drugs, take drugs

gebruiker 1 (*iem die iets gebruikt*) user; (*verbruiker*) consumer: *de ~s van een computer* computer users; **2** (*drugsgebruiker*) drug user, (*verslaafde*) drug addict

gebruikersonvriendelijk user-unfriendly

gebruikersvriendelijk user-friendly, easy to use, (*handig*) convenient

gebruiksaanwijzing directions (for use), (*mbt toestel*) instructions (for use)

gebruiksgoederen consumer goods (*of:* durables, commodities)

gebruind tanned, sunburnt

gebukt: ~ *gaan onder zorgen* be weighed down (*of:* be burdened) with worries

gecharmeerd: *van iem* (*iets*) ~ *zijn* be taken with s.o. (sth)

gecompliceerd complicated, involved: *een ~e breuk* a compound fracture; *een* ~ *geval* a complicated case

geconcentreerd 1 (*van sterk gehalte*) concentrated; **2** (*ingespannen*) concentrated, intent, (*bw ook*) with concentration: ~ *werken* work with (great) concentration

geconserveerd preserved; (*in blik ook*) canned: *goed* ~ *zijn* be well-preserved

gedaagde defendant, (*bij echtscheidingsproces*) respondent

gedaan 1 done, finished, over: *dan is het* ~ *met de rust* then there won't be any peace and quiet; **2** (*klaar*) done, finished, over (with): *ik kan alles van hem* ~ *krijgen* he'll do anything for me; *iets* ~ *krijgen* get sth done; *van iem iets* ~ *krijgen* get sth out of s.o.

gedaante form, figure, shape, (*fig vnl.*) guise: *een andere* ~ *aannemen* take on another form, change (its) shape; *in menselijke* ~ in human form (*of:* shape); *zijn ware* ~ *tonen* show (oneself in) one's true colours

gedaanteverwisseling transformation, metamorphosis: *een* ~ *ondergaan* be(come) transformed

gedachte 1 thought: *iemands ~n ergens van afleiden* take s.o.'s mind off sth; (*diep*) *in ~n zijn* be deep in thought; *iets in ~n doen* do sth absent-mindedly, do sth with one's mind elsewhere; *iets in ~n houden* keep one's mind on sth, (*rekening houden met*) bear sth in mind; *er niet bij zijn met zijn ~n* have one's mind on sth else; **2** (*denkbeeld*) thought, idea: *de achterliggende* ~ *is dat* ... the underlying idea (*of:* thought) is that ...; *zijn ~n bij iets houden* keep one's mind on sth; *de* ~ *niet kunnen verdragen dat* ... not be able to bear the thought (*of:* bear to think) that ...; *de* ~ *alleen al* ... the very thought (*of:* idea) ...; (*iem*) *op de* ~ *brengen* give (s.o.) the idea; *van ~n wisselen over* exchange ideas on, discuss; **3** (*mening*) opinion, view: *iem tot andere ~n brengen* make s.o. change his mind; **4** (*voornemen, plan*) idea: *van ~n veranderen* change one's mind

gedachtegang train of thought; (*redenering*) (line of) reasoning

gedachteloos unthinking, thoughtless

gedachteloosheid thoughtlessness, lack of thought

gedachtewisseling exchange of ideas (*of:* opinions): *een* ~ *houden over* exchange ideas on, compose notes on

gedag: ~ *zeggen* say hello (*of:* goodbye)

gedagvaarde person summon(s)ed

gedecolleteerd (*met laag uitgesneden hals*) low-cut, décolleté: *een ~e jurk* a low-necked dress, a dress with a low neckline

gedeelte part, section, (*afbetaling enz.*) instalment: *het bovenste* (of: *onderste*) ~ the top (*of:* bottom) part; *het grootste* ~ *van het jaar* most of the year; *voor een* ~ partly

gedeeltelijk I *bn* (*niet geheel*) partial: *een ~e vergoeding voor geleden schade* partial compensation for damage sustained; **II** *bw* (*deels*) partly, partially: *dat is slechts* ~ *waar* that is only partly (*of:* partially) true

gedegen thorough: *een* ~ *studie* a thorough study

gedegradeerd demoted; (*mil ook*) reduced in rank; (*sport*) relegated

gedeisd quiet, calm: *zich* ~ *houden* lie low

gedekt 1 (*beschut*) covered; **2** (*gevrijwaard tegen risico*) covered: *een ~e cheque* a covered cheque

gedelegeerde delegate, representative: *een* ~ *bij de VN* a delegate to the UN

gedemotiveerd demoralized, dispirited: ~ *raken* lose one's motivation

gedempt (*niet fel, luid*) subdued, faint, (*stem ook, omfloerst*) muffled, (*stem ook, omfloerst*) hushed: *op ~e toon* in a low (*of:* subdued) voice

gedenken commemorate; (*testament*) remember: *iem in zijn testament* ~ remember s.o. in one's will

gedenksteen memorial stone

gedenkteken memorial: *een* ~ *voor* a memorial to

gedenkwaardig memorable: *een ~e gebeurtenis* a memorable event

gedeprimeerd depressed

gedeputeerd: *Gedeputeerde Staten (ongev)* the provincial executive

gedeputeerde 1 *(afgevaardigde)* delegate, representative; 2 *(volksafgevaardigde)* member of parliament; 3 *(lid van Gedeputeerde Staten) (ongev)* member of the provincial executive

gedesillusioneerd disillusioned

gedetailleerd I *bn* detailed: *een ~ verslag* a detailed report; II *bw* in detail

gedetineerde prisoner

gedicht poem: *een ~ maken* (of: *voordragen*) write (of: recite) a poem

gedichtenbundel volume of poetry (of: verse), collection of poems

gedifferentieerd differentiated

gedijen thrive, prosper, do well

geding (law)suit, (legal) action, (legal) proceedings: *in kort ~ behandelen* discuss in summary proceedings; *een ~ aanspannen (beginnen) tegen* institute proceedings against

gediplomeerd qualified, certified, *(in verpleging ook)* registered

gedistilleerd spirits; *(vnl. Am)* liquor: *handel in ~ en wijnen* trade in wines and spirits

gedistingeerd distinguished: *een ~ voorkomen* a distinguished appearance

gedoe *(gehannes)* business, stuff, carry on: *zenuwachtig ~* fuss

gedogen tolerate, put up with

gedonder 1 *(vd donder, van kanonnen)* thunder(ing), rumble: *het ~ weerklonk door het gebergte* the thunder rolled through the mountains; 2 *(narigheid)* trouble, hassle: *daar kun je een hoop ~ mee krijgen* that can land you in a good deal of trouble

gedrag behaviour, conduct: *een bewijs van goed ~* evidence of good behaviour, *(getuigschrift)* certificate of good character; *wegens slecht ~* for bad behaviour (of: misconduct); *iemands ~ goedkeuren* (of: *afkeuren*) approve of (of: disapprove of) s.o.'s behaviour

gedragen, zich behave; *(netjes ook)* behave oneself: *hij beloofde zich voortaan beter te zullen ~* he promised to behave better in future; *zich goed* (of: *slecht*) *~ behave well* (of: badly); *zich niet (slecht) ~* misbehave (oneself); *gedraag je!* behave (yourself)!

gedragslijn course (of action), line of conduct: *een ~ volgen* persue a course of action

gedragspatroon pattern of behaviour

gedragsregel rule of conduct (of: behaviour)

gedragswetenschappen behavioural sciences

gedrang jostling, pushing: *in het ~ komen: a) (lett)* end up (of: find oneself) in a crush; *b) (fig: van personen)* get into a tight corner

gedresseerd trained, *(kunstjes ook)* performing: *een ~e hond* a performing dog

gedreven passionate, *(ook min)* fanatic(al): *een ~*

kunstenaar s.o. who lives for his art

gedrevenheid passion, *(ook min)* fanaticism

gedrieën (the) three (of): *zij zaten ~ op de bank* the three of them sat on the bench

gedrocht monster, freak

gedrukt 1 *(mbt boek enz.)* printed; 2 *(handel)* depressed, dull: *de markt was ~* the market was depressed

geducht formidable, fearsome: *een ~e tegenstander* a formidable opponent

geduld patience: *zijn ~ bewaren* remain patient; *~ hebben met iem* be patient with s.o.; *zijn ~ verliezen* lose (one's) patience; *even ~ a.u.b.* one moment, please; *veel van iemands ~ vergen, iemands ~ op de proef stellen* try s.o.'s patience

geduldig patient: *~ afwachten* wait patiently

gedupeerd duped

gedupeerde victim, dupe

gedurende during, for, over, *(in de loop van)* in the course of: *~ de hele dag* all through the day; *~ het hele jaar* throughout the year; *~ vier maanden* for (a period of) four months; *~ het onderzoek* during the enquiry; *~ de laatste (afgelopen) drie weken* over the past three weeks

gedurfd daring, *(uitdagend)* provocative: *een zeer ~ optreden* a highly provocative performance

gedwee meek, submissive

gedwongen *(onvermijdelijk)* (en)forced, compulsory, involuntary: *~ ontslag* compulsory redundancy; *een ~ verkoop* a forced sale; *~ ontslag nemen* be forced to resign

geel yellow || *(in de Ronde van Frankrijk) in het ~ rijden* be wearing the yellow jersey (in the Tour de France); *de scheidsrechter toonde hem het ~* the referee showed him the yellow card

geelzucht jaundice

geëmancipeerd liberated, emancipated

geëmotioneerd emotional, touched, moved

geen I *hoofdtelw* none; *(met zn)* not a, not any; no: *hij heeft ~ auto* he doesn't have a car, he hasn't got a car; *hij heeft ~ geld* he doesn't have any money, he has no money; *er zijn bijna ~ koekjes meer* we're nearly out of cookies; *bijna ~* almost none, hardly any; *~ van die jongens* (of: *beiden*) none of those lads, neither (of them); II *lw* 1 *(niet 'n)* not a; no: *nog ~ tien minuten later* not ten minutes later; *nog ~ twee jaar geleden* less than two years ago; *~ enkele reden hebben om te* have no reason whatsoever to; 2 *(als ontkenning zonder meer)* not a(ny); no: *hij kent ~ Engels* he doesn't know (any) English; *~ één* not (a single) one

geenszins by no means, not at all

geest 1 mind, consciousness: *iets voor de ~ halen* call sth to mind; 2 *(ziel)* soul; 3 *(aard, karakter)* spirit, character: *jong van ~ zijn* be young at heart; 4 ghost, spirit: *de Heilige Geest* the Holy Ghost *(of:* Holy Spirit); *een boze (kwade) ~* an evil spirit, a demon; *in ~en geloven* believe in ghosts; 5 *(strekking)* spirit, vein, intention

ge

geestdrift enthusiasm, passion, *(ijver)* zeal

geestdriftig enthusiastic

geestelijk 1 mental, intellectual, *(psychisch)* psychological, spiritual: *~e aftakeling* mental deterioration; *een ~ gehandicapte* a mentally handicapped person; *~e inspanning* mental effort; *~ gestoord* mentally disturbed *(of:* deranged); **2** *(godsdienstig)* spiritual: *~e bijstand verlenen aan iem: a)* give (spiritual) counselling to s.o.; *b) (godsd)* minister to s.o.; **3** *(kerkelijk)* clerical

geestelijke clergyman, *(prot)* minister, *(vnl. r-k)* priest

geesteskind brainchild

geestestoestand state of mind, mental state

geestesziek mentally ill

geestig witty, humorous, funny

geestigheid witticism, quip

geestverruimend mind-expanding, *(mbt drugs ook)* hallucinogenic

geestverschijning apparition, phantom, spectre, ghost

geestverwant kindred spirit, *(pol)* sympathizer

geeuw yawn

geeuwen yawn: *~ van slaap* yawn with sleepiness

gefingeerd fictitious, fake(d), *(geveinsd)* feigned

geflatteerd flattering

geflirt flirtation, flirting

gefluister whisper(ing)(s), murmur

gefluit whistling; *(van vogels)* warbling, singing

geforceerd forced, contrived, artificial

gefrustreerd frustrated

gefundeerd (well-)founded, (well-)grounded

gegadigde *(mbt vacature)* applicant, candidate; *(mbt koop)* prospective buyer; *(belanghebbende)* interested party: *een ~ voor iets vinden* find a (potential) buyer for sth

gegarandeerd I *bn, bw* guaranteed; **II** *bw (fig)* definitely: *dat gaat ~ mis* that's bound *(of:* sure) to go wrong

gegeerd *(Belg)* in demand, sought-after

gegeven I *zn* **1** data; datum, fact, information; *(comp)* data, entry, item: *nadere ~s* further information; *(comp) ~s opslaan (of: invoeren, opvragen)* store *(of:* input, retrieve) data; **2** *(onderwerp)* theme, subject; **II** *bn* given, certain: *op een ~ moment begin je je af te vragen ...* there comes a time when you begin to wonder ...

gegevensverwerking data processing

gegiechel giggle(s), giggling, *(spottend)* snigger(ing): *onderdrukt ~* stifled giggling

gegijzelde hostage

gegil screaming, screams

gegoochel juggling

gegoten: *die jurk zit als ~* that dress fits you like a glove

gegrinnik snigger, grinning

gegrond (well-)founded, valid, legitimate

gehaaid smart, sharp

gehaast hurried, hasty, in a hurry

gehaat hated, hateful: *zich (bij iem) ~ maken* incur s.o.'s hatred

gehakt minced meat, mince

gehaktbal meatball

gehaktmolen mincer

gehalte content, percentage, proportion: *een hoog (of: laag) ~ aan* a high *(of:* low) content of

gehandicapt handicapped, *(lichamelijk ook)* disabled

gehandicapte handicapped person, *(geestelijk)* mentally handicapped person: *de (lichamelijk) ~n* the (physically) handicapped, the disabled

gehavend battered, tattered

gehecht attached (to), *(sterker)* devoted (to)

geheel I *bw* entirely, fully, completely, totally: *ik voel mij een ~ ander mens* I feel a different person altogether, revised; **II** *zn* **1** *(eenheid)* whole, entity, unit(y); **2** *(som der delen)* whole, entirety || *over het ~ genomen* on the whole

geheelonthouder teetotaller

geheim I *bn* **1** secret, hidden, concealed, clandestine; *(politie e.d.)* undercover: *dat moet ~ blijven* this must remain private *(of:* a secret); *een ~e bijeenkomst* a secret meeting; **2** *(vertrouwelijk)* secret, classified, confidential, private: *uiterst ~e documenten* top-secret documents; *een ~ telefoonnummer* an unlisted telephone number; **II** *zn* **1** secret: *een ~ toevertrouwen (of: bewaren)* confide *(of:* keep) a secret; **2** *(geheimhouding)* secrecy: *in het ~* secretly

geheimhouding secrecy, confidentiality, privacy

geheimschrift (secret) code, cipher

geheimzinnig I *bn* mysterious, unexplained, cryptic; **II** *bw* mysteriously, secretly: *erg ~ doen (over iets)* be very secretive (about sth)

geheimzinnigheid 1 secrecy, stealth; **2** *(raadselachtigheid)* mysteriousness, mystery

gehemelte palate, roof of the mouth

geheugen 1 memory; *(mbt herinneringen)* mind: *mijn ~ laat me in de steek* my memory is letting me down; **2** *(comp)* memory, storage

geheugencapaciteit storage capacity, memory space

geheugensteuntje reminder, prompt

geheugenverlies amnesia, loss of memory: *tijdelijk ~* a blackout

gehoor (sense of) hearing; ear(s): *bij geen ~* if there's no reply; *geen muzikaal ~ hebben* have no ear for music

gehoorapparaat hearing aid

gehoorbeentje auditory ossicle

gehoorgang auditory duct *(of:* passage)

gehoorgestoord hearing-impaired, hard of hearing, deaf

gehoororgaan ear, auditory organ, organ of hearing

gehoorsafstand earshot, hearing

gehoorzaal auditorium

gehoorzaam obedient

gehoorzamen obey, *(wens, bevel ook)* comply (with)

gehorig noisy, thin-walled

gehucht hamlet, settlement

gehuisvest housed, lodged

gehumeurd good-tempered, ill-humoured: *slecht (of: vrolijk, goed) ~ zijn* be in a bad *(of:* cheerful, good) mood

gehuwd married

geil *(inform)* randy, horny

geïmproviseerd improvised, ad lib

gein fun, merriment: *~ trappen* make merry

geinig funny, cute

geïnteresseerd interested

geintje joke, prank, (wise)crack: *~s uithalen* play jokes

geiser geyser

geisha geisha

geit goat

gejaagd hurried, agitated

gejank whining, whine, *(zacht)* whimper

gejoel shouting, cheering, cheers, *(afkeurend)* jeering

gejuich cheer(ing)

gek I *bn* **1** mad, crazy (with), insane: *je lijkt wel ~* you must be mad; **2** *(onverstandig)* mad, *(milder)* silly, *(milder)* stupid, *(milder)* foolish: *dat is geen ~ idee* that's not a bad idea; *je zou wel ~ zijn als je het niet deed* you'd be crazy *(of:* mad) not to (do it); **3** *(vreemd, belachelijk)* crazy, ridiculous, *(met ontkenning ook)* bad: *op de ~ste plaatsen* in the oddest *(of:* most unlikely) places; *~ genoeg* oddly *(of:* strangely) enough; *niet ~, hè?* not bad, eh?; **4** *(zeer gesteld (op))* fond (of), keen (on), mad (about), crazy (about): *hij is ~ op die meid* he's crazy about that girl; **II** *bw* silly, *(met ontkenning ook)* badly: *doe niet zo ~* don't act *(of:* be) so silly; **III** *zn* **1** lunatic, *(inform)* loony, *(inform)* nut(case): *rijden als een ~* drive like a maniac; **2** *(dwaas, belachelijk persoon)* fool, idiot: *iem voor de ~ houden* pull s.o.'s leg, make a fool of s.o.; **3** *(komisch persoon)* clown: *voor ~ lopen* look absurd *(of:* ridiculous)

gekarteld *(plantk)* crenated, serrated

gekheid joking, banter: *alle ~ op een stokje* (all) joking apart

gekkekoeienziekte mad cow disease, *(wtsch)* BSE

gekkenhuis madhouse, nuthouse: *wat is dat hier voor een ~?* what kind of a madhouse is this?

gekkigheid folly, foolishness, madness

gekleed dressed: *hij is slecht (slordig) ~* he is badly dressed

geklets chatter, waffle: *~ in de ruimte* hot air

gekleurd coloured; *(fig ook)* colourful: *iets door een ~e bril zien* have a coloured view of sth

geklungel fiddling (about), bungling

gekoeld cooled, frozen

gekras 1 scratch(ing), scrape, scraping; **2** *(mbt vogels)* screech(ing)

gekreukeld wrinkled, wrinkly, (c)rumpled, creased

gekreun groan(s), moan(s), groaning, moaning

gekriebel *(gekietel)* tickle, tickling, itch(ing)

gekrijs scream(ing), screech(ing) *(van vogel)*

gekruid spiced, spicy, seasoned

gekruist crossed; *(van dieren, planten ook)* cross-bred

gekruld curly, crinkly, *(met krultang)* curled, *(met krultang)* crimped

gekscherend joking, bantering

gekuist *(mbt geschriften, films)* expurgated, edited, cut

gekwalificeerd qualified; skilled

gekweld tormented, anguished

gekwetst 1 *(gewond)* hurt, wounded, injured; **2** *(beledigd)* hurt, offended: *zich ~ voelen* take offence

gel gel, jelly

gelaat countenance, face

gelaatskleur complexion

gelach laughter: *in luid ~ uitbarsten* burst out laughing

geladen loaded, charged

gelasten order, direct, instruct, charge: *iem ~ het pand te ontruimen* order s.o. to vacate the premises

gelaten resigned, uncomplaining

gelatine gelatine, *(opgelost)* gel, jelly

geld 1 money, currency, cash: *je ~ of je leven* your money or your life!; *klein ~* (small) change; *vals ~* counterfeit money; *zwart ~* undisclosed income; *bulken van (zwemmen in) het ~* be loaded, be rolling in money *(of:* in it); *het ~ groeit mij niet op de rug* I'm not made of money; *iem ~ uit de zak kloppen* wheedle money out of s.o.; *waar voor zijn ~ krijgen* get value for money; **2** *((geld)middelen)* money, cash, funds, resources: *iem ~ afpersen* extort money from s.o.; *zonder ~ zitten* be broke; **3** *(bedrag)* money, amount, sum, price, rate: *kinderen betalen half ~* children half-price; *voor geen ~ ter wereld* not for love or money

geldautomaat cash dispenser, cashpoint

geldboete fine

geldbuidel moneybag

geldelijk financial

gelden 1 count; **2** *(van kracht zijn)* apply, obtain, go for: *hetzelfde geldt voor jou* that goes for you too

geldend valid, applicable, current: *een algemeen ~e regel* a universal rule

geldgebrek lack of money, shortage *(of:* want) of money

geldig valid, legitimate, *(niet verlopen)* current

geldigheid validity, legitimacy, currency

geldinzameling fund-raising

geldkas cashbox; *(kasla)* cash register, till

geldkist strongbox, coffer, money box

geldkoers rate of exchange

geldla(de) (cash) till, cash-drawer

geldmarkt 1 *(handel)* money-market; **2** *((effecten)beurs)* stock exchange

geldschieter moneylender, *(van sport-, cultuureve-*

nement ook) sponsor

geldstroom flow of money

geldstuk coin

geldverslindend costly, expensive

geldverspilling waste of money, extravagance

geldwolf money-grubber

geldzaak matter of money, financial matter, money matter

geldzorgen financial worries *(of:* problems), money troubles

geleden ago, back, before, previously, earlier: *het is een hele tijd ~, dat ...* it has been a long time since ...; *ik had het een week ~ nog gezegd* I had said so a week before; *het is donderdag drie weken ~ gebeurd* it happened three weeks ago this *(of:* last Thursday)

geleding section, part

geleed jointed, articulate(d): *(biol) een ~ dier* a segmental animal

geleerd learned, scholarly, *(zeer geleerd)* erudite, *(wetenschappelijk)* academic

geleerde scholar, man of learning, *(bètawetenschapper)* scientist: *daarover zijn de ~n het nog niet eens* the experts are not yet agreed on the matter

gelegen 1 situated, lying: *op het zuiden ~* facing south; **2** *(geschikt)* convenient, opportune: *kom ik ~?* are you busy?, am I disturbing you?

gelegenheid 1 place, site; **2** *(mogelijkheid, omstandigheid)* opportunity, chance, facilities: *een gunstige ~ afwachten* wait for the right moment; *die streek biedt volop ~ voor fietstochten* that area offers ample facilities for cycling; *als de ~ zich voordoet* when the opportunity presents itself; *in de ~ zijn om ...* be able to, have the opportunity to ...; *ik maak van de ~ gebruik om ...* I take this opportunity to ...; **3** *(eetgelegenheid)* eating place, *(ongev)* restaurant, eating house: *openbare gelegenheden* public places; **4** *(voorkomend geval)* occasion: *een feestelijke ~ a* festive occasion; *ter ~ van* on the occasion of

gelegenheidskleding formal dress, full dress

gelei *(van vruchten)* jelly, preserve

geleidehond guide-dog

geleidelijk gradual, by degrees, by *(of:* in) (gradual) stages

geleiden 1 guide, conduct, accompany, lead; **2** conduct, transmit: *koper geleidt goed* copper is a good conductor

geleider conductor

gelid *(mil)* rank, file, order: *in de voorste gelederen* in the front ranks, in the forefront

geliefd 1 *(dierbaar)* beloved, dear, well-liked; **2** *(favoriet)* favourite, cherished, pet: *zijn ~ onderwerp* his favourite subject; **3** *(gewild)* favourite, popular: *hij is niet erg ~ bij de leerlingen* he is not very popular with the pupils

geliefde sweetheart; *(man ook)* lover

gelijk I *zn* right: *het grootste ~ van de wereld hebben* be absolutely right; *iem ~ geven* agree with s.o.; *(groot, volkomen) ~ hebben* be (perfectly) right; **II** *bn* **1** equal, the same: *twee mensen een ~e behande-*

ling geven treat two people (in) the same (way); *(sport) ~ spel* a draw; *twee maal twee is ~ aan vier* two times two is four; **2** *(overeenkomend in rang, macht)* equal, equivalent: *(tennis) veertig ~* deuce, forty all; **3** *(mbt klok)* right; **III** *bw* **1** *(op dezelfde manier)* likewise, alike, in the same way *(of:* manner), similarly: *zij zijn ~ gekleed* they are dressed alike *(of:* the same); **2** *(gelijkelijk)* equally: *~ (op)delen* share equally, *(tr)* divide equally; **3** *(op hetzelfde punt, even ver)* level; **4** *(tegelijk)* simultaneously, at the same time: *de twee treinen kwamen ~ aan* the two trains came in simultaneously *(of:* at the same time); **5** *(meteen)* at once, straightaway, immediately, *(zo meteen)* in a minute: *ik kom ~ bij u* I'll be with you in a moment, I'll be right with you

gelijkaardig *(Belg) (gelijksoortig)* similar

gelijkbenig isosceles

gelijke equal, peer

gelijkelijk equally, evenly

gelijkenis resemblance, similarity, likeness: *~ vertonen met* bear (a) resemblance to

gelijkheid equality

gelijklopen *(mbt klokken)* be right, keep (good) time

gelijkmaken I *intr (sport)* equalize, draw level, tie *(of:* level) the score; **II** *tr* **1** *(effenen)* level, make even, smooth (out), even (out); **2** *(verschillen wegwerken)* equate, make even *(of:* equal), even up, level up, bring into line (with)

gelijkmaker equalizer, a game-tying goal

gelijkmatig even, equal, constant, *(loop van machine, auto enz.)* smooth: *een ~e druk* (a) steady pressure

gelijknamig of the same name

gelijkschakelen regard *(of:* treat) as equal(s)

gelijksoortig similar, alike, analogous

gelijkspel draw, tie(d game)

gelijkspelen draw, tie, *(golf)* halve: *A. speelde gelijk tegen F.* A. drew with F.

gelijkstaan 1 be equal (to); *(op hetzelfde neerkomen)* be tantamount (to); **2** *(eenzelfde aantal punten hebben)* be level (with), *(inform)* be all square (with): *op punten ~* be level(-pegging)

gelijkstellen equate (with), *(van gelijke kwaliteit achten)* put on a par *(of:* level) (with), *(gelijke rechten geven)* give equal rights (to): *voor de wet ~* make equal before the law

gelijkstroom direct current, DC

gelijktijdig simultaneous, at the same time: *~ vertrekken* leave at the same time

gelijktijdigheid simultaneity

gelijktrekken level (up), equalize

gelijkvloers on the ground floor; ground-floor; *(Am ook)* first-floor

gelijkwaardig equal (to, in), equivalent (to), of the same value *(of:* quality) (as), equally matched, evenly matched

gelijkwaardigheid equivalence, equality, parity

gelijkzetten *(mbt klokken)* set (by): *laten we onze*

horloges *(met elkaar)* ~ let's synchronize (our) watches

gelijkzijdig equilateral

gelobd *(plantk)* lobate, lobed

gelofte vow, oath, pledge

geloof 1 faith, belief, trust; *(overtuiging ook)* conviction: *een vurig ~ in God* ardent faith in God; *~ in de mensheid hebben* have faith in humanity; **2** *(religie)* faith, religion, creed, (religious) belief

geloofwaardig credible *(verhaal, verslag); reliable (verslag, getuige); plausible, convincing*

geloven I *intr* **1** (met *in*) believe (in), have faith (in): *~ in God* believe in God; **2** (met *aan*) believe (in): *ik geloof van wel* I think so; **II** *tr* **1** believe, credit: *je kunt me ~ of niet* believe it or not; *niet te ~!* incredible!; *iem op zijn woord ~* take s.o. at his word; **2** *(menen)* think, believe: *hij is het er, geloof ik, niet mee eens* I don't think he agrees

gelovig religious; *(vroom)* pious; *(vast op God vertrouwend)* faithful: *een ~ christen* a faithful Christian

gelovige believer

geluid 1 sound: *sneller dan het ~* faster than sound, *(wtsch)* supersonic; **2** *(klank)* sound, *(negatief)* noise: *het ~ van krekels* the sound of crickets; *verdachte ~en* suspicious noises; **3** *(toonkleur, timbre)* tone, timbre, sound: *er zit een mooi ~ in die viool* that violin has a beautiful tone

geluiddempend soundproof(ing), muffling

geluiddemper *(mbt wapens, motoren)* silencer; *(mbt muziekinstrumenten)* mute

geluiddicht soundproof

geluidsapparatuur sound equipment, audio equipment

geluidsbarrière sound barrier

geluidscassette audio cassette

geluidseffect sound effect

geluidshinder noise nuisance

geluidsinstallatie sound (reproducing) equipment, stereo, *(in stadion, zaal)* public-address system

geluidsisolatie sound insulation, soundproofing

geluidsoverlast noise nuisance

geluidssterkte sound intensity, *(radio, tv; muziekinstrument)* volume

geluidstechnicus sound engineer *(of: technician)*

geluidswal noise barrier

geluidsweergave sound reproduction

geluk 1 (good) luck, (good) fortune: *dat brengt ~* that will bring (good) luck; *iem ~ toewensen* wish s.o. luck *(of: happiness)*; *veel ~!* good luck!; *dat is meer ~ dan wijsheid* that is more (by) good luck than good judgement; **2** *(aangename toestand)* happiness, good fortune, *(sterker)* joy; **3** *(prettige toevalligheid, gebeurtenis)* lucky thing, luck *(of: bit)* of luck, *(meevaller, mazzel)* lucky break: *wat een ~ dat je thuis was* a lucky thing you were (at) home

gelukkig I *bn* **1** *(fortuinlijk)* lucky, fortunate: *de ~e*

eigenaar the lucky owner; **2** *(gunstig, goed gekozen)* happy, lucky: *een ~e keuze* a happy choice; **3** *(voorspoedig)* fortunate, *(in gelukwens vaak)* happy, *(geslaagd)* successful, *(geslaagd)* prosperous: *~ kerstfeest* happy *(of:* merry) Christmas; *een ~ paar* a happy couple; **II** *bw* **1** *(goed)* well, happily: *zijn woorden ~ kiezen* choose one's words well; **2** *(tot grote opluchting)* luckily, fortunately: *~ was het nog niet te laat* luckily *(of:* fortunately) it wasn't too late

gelukkige happy man *(of:* woman); *(prijswinnaar)* lucky one, winner: *tot de ~n behoren* be one of the lucky ones

geluksspel game of chance

geluksvogel lucky devil, lucky dog

gelukwens congratulation, *(verjaardag)* birthday wish

gelukwensen *(met met)* congratulate (on), offer one's congratulations (on): *iem met zijn verjaardag ~* wish s.o. many happy returns (of the day)

gelukzoeker fortune-hunter, adventurer

gelul *(inform)* (bull)shit

gemaakt 1 pretended, sham: *een ~e glimlach* an artificial *(of:* a forced) smile; **2** *(onnatuurlijk)* affected

gemaal 1 *(echtgenoot)* consort; **2** *(machine)* pumping-engine; **3** *(gezeur)* fuss, bother

gemachtigde deputy; authorized representative, *(postwissel enz.)* endorsee, *(jur)* proxy

gemak 1 ease, leisure: *zijn ~ (ervan) nemen* take things easy; **2** *(bedaardheid)* quiet, calm: *zich niet op zijn ~ voelen* feel ill at ease, feel awkward; **3** *(vermogen)* ease, facility: *met ~ winnen* win easily, win hands down, have a walkover; *voor het ~* for convenience's sake

gemakkelijk I *bn, bw* **1** easy, *(mbt mensen)* easygoing: *de ~ste weg kiezen* take the line of least resistance; *~ in de omgang* easy to get on with; **2** *(gerieflijk)* comfortable, convenient *(regeling enz.);* **II** *bw* **1** *(zonder moeite)* easily: *dat is ~er gezegd dan gedaan* that's easier said than done; **2** *(gerieflijk)* comfortably

gemakshalve for convenience('s sake), for the sake of convenience

gemakzuchtig lazy, easygoing

gemarineerd marinaded, pickled, soused

gemaskerd masked

gematigd moderate, *(mbt woorden, termen ook)* measured

gember ginger

gemberbier ginger ale

gemeen I *bn* **1** nasty, *(boosaardig)* vicious, malicious, *(laag, verachtelijk)* low, *(laag, verachtelijk)* vile, *(mbt behandeling)* shabby: *een gemene hond* a vicious dog; *een gemene streek* a dirty trick; *dat was ~ van je* that was a mean *(of:* rotten) thing to do; **2** *(gemeenschappelijk)* common, joint: *niets met iem ~ hebben* have nothing in common with s.o.; **II** *bw* nastily, *(boosaardig)* viciously, maliciously, *(mbt behandeling)* shabbily: *iem ~ behandelen: a)* treat s.o. badly *(of:* shabbily); *b) (inform)* give s.o. a raw deal

gemeend sincere

gemeenschap 1 community: *in ~ van goederen trouwen* have community of property; **2** *(Belg)* federal region; **3** *(geslachtsgemeenschap)* intercourse

gemeenschappelijk 1 common, communal: *een ~e bankrekening* a joint bank account; *een ~e keuken* a communal kitchen; **2** *(gezamenlijk)* joint, common, *(optreden)* concerted, *(optreden)* united: *onze ~e kennissen* our mutual acquaintances

gemeenschapsgeld public funds *(of: money)*

gemeenschapshuis community centre

gemeenschapsonderwijs *(Belg)* education controlled by regional authorities

gemeente 1 local authority *(of: council)*, *(afhankelijk van grootte, status)* metropolitan city *(of: town, parish)* council: *bij de ~ werken* work for the local council; **2** *(grondgebied)* district, borough, city, town, parish: *de ~ Eindhoven* the city of Eindhoven

gemeenteadministratie local government

gemeenteambtenaar local government official

gemeentebedrijf: *de gemeentebedrijven* public works

gemeentebelasting council tax

gemeentebestuur district council, local authority *(of: authorities)*

gemeentegrond council land

gemeentehuis local government offices, *(in steden ook)* town hall, city hall

gemeentelijk local authority, council, community: *het ~ vervoerbedrijf* the municipal *(of: corporation, city)* transport company

gemeenteraad council, town *(of: city, parish)* council: *in de ~ zitten* be on the council

gemeenteraadslid local councillor, member of the (local) council

gemeenteraadsverkiezing local election(s)

gemeentereiniging environmental *(of: public)* health department

gemeentesecretaris *(ongev)* Town Clerk

gemeentewerken public works (department)

gemeentewoning council house *(of: flat)*

gemenebest commonwealth: *het Gemenebest van Onafhankelijke Staten* the Commonwealth of Independent States; *het Britse Gemenebest* the (British) Commonwealth (of Nations)

gemengd mixed, *(thee, whisky enz.)* blended, *(gevarieerd ook)* miscellaneous

gemeubileerd furnished

gemiddeld I *bn* **1** average: *iem van ~e grootte* s.o. of average *(of: medium)* height; **2** *(doorsnee-)* average, mean: *de ~e hoeveelheid regen per jaar* the average *(of: mean)* annual rainfall; **II** *bw* on average, an average (of)

gemiddelde average, mean: *boven* (of: *onder) het ~* above *(of: below)* (the) average

gemis 1 lack, want, absence, deficiency; **2** *(verlies)* loss: *zijn dood wordt als een groot ~ gevoeld* his death is felt as a great loss

gemoed mind, heart: *de ~eren raakten verhit* feelings started running high

gemoedelijk agreeable, pleasant, *(mbt mensen ook)* amiable, easygoing

gemoedsrust peace *(of:* tranquillity) of mind, inner peace *(of:* calm)

gemoeid: *alsof haar leven er mee ~ was* as if her life depended on it *(of:* were at stake); *er is een hele dag mee ~* it will take a whole day

gemotiveerd 1 reasoned, well-founded; **2** *(motivatie bezittend)* motivated

gemotoriseerd motorized

gems chamois

gemunt coined ‖ *het op iem gemunt hebben* have it in for s.o.

gemutst: *goed* (of: *slecht) ~ zijn* be in a good *(of:* bad) mood

gen gene

genaamd 1 named, called; **2** *(bijgenaamd)* (also) known as, alias, going by the name of

genade 1 mercy, grace, *(kwartier)* quarter: *geen ~ hebben met* have no mercy on; **2** *(vergiffenis)* mercy, pardon, forgiveness

genadeloos merciless, ruthless

genadeslag death blow

gênant embarrassing

gendarme *(Belg)* member of national police force

gene that, the other: *deze of ~* somebody (or other)

genealogie genealogy

geneesheer physician, doctor

geneeskrachtig therapeutic, healing: *~e bronnen* medicinal springs

geneeskunde medicine, medical science: *een student in de ~* a medical student

geneeskundig medical, medicinal, therapeutic

geneesmiddel medicine, drug, remedy: *rust is een uitstekend ~* rest is an excellent cure

geneeswijze (form of) treatment, therapy

genegenheid affection, fondness, attachment

geneigd 1 inclined, apt, prone: *~ tot luiheid* inclined to be lazy *(of:* to laziness); **2** *(neiging voelend)* inclined, disposed: *ik ben ~ je te geloven* I am inclined to believe you

generaal general ‖ *de generale repetitie* (the) (full) dress-rehearsal

generalisatie generalization, sweeping statement

generaliseren generalize

generatie generation

generator generator, dynamo

generen, zich be embarrassed, feel embarrassed, feel shy *(of:* awkward)

genereren generate

generiek *(Belg)* *(aftiteling)* credits, credit titles

Genesis Genesis

genetica genetics

genetisch genetic: *~e manipulatie* genetic engineering, gene splicing

Genève Geneva

genezen I *tr* cure *(patiënt);* heal *(wond);* **II** *intr* recover, get well again: *van een ziekte* ~ recover from an illness

genezing cure, recovery *(patiënt),* healing *(wond)*

geniaal brilliant: *een geniale vondst (zet)* a stroke of genius

¹genie *(mil)* military engineering

²genie genius: *een groot* ~ an absolute genius

geniepig sly; *(gemeen)* sneaky: *op een ~e manier* on the sly

genieten I *intr* enjoy oneself, have a good time, have fun: *van het leven* ~ enjoy life; *ik heb genoten!* I really enjoyed myself!; **II** *tr* enjoy, have the advantage of ‖ *hij is vandaag niet te* ~ he's unbearable today, he's in a bad mood today

genitaliën genitals

genocide genocide

genodigde (invited) guest, invitee

genoeg I *telw* enough, plenty, sufficient, *(net genoeg)* adequate: *er is eten* ~ there is plenty of food; *ik heb* ~ *aan een gekookt ei* a boiled egg will do for me; *ik weet* ~ I've heard enough; *er is* ~ *voor allemaal* there is enough to go round; *er zijn al slachtoffers* ~ there are too many victims (as it is); *er schoon* ~ *van hebben* have had it up to here, be heartily sick of it; *zo is het wel* ~ that will do; **II** *bw* enough, sufficiently: *ben ik duidelijk* ~ *geweest* have I made myself clear; *jammer* ~ regrettably, unfortunately; *men kan niet voorzichtig* ~ *zijn* one can't be too careful; *vreemd* ~ strangely enough, strange to say

genoegen 1 satisfaction, gratification: ~ *nemen met iets* put up with sth *(met mindere kwaliteit, slechte omstandigheden);* 2 pleasure, satisfaction: *iem een* ~ *doen* do s.o. a favour, oblige s.o.

genoemd (above-)mentioned, said

genootschap society, association, fellowship

genot enjoyment, pleasure, delight, benefit, advantage: *onder het* ~ *van een glas wijn* over a glass of wine

genre genre

Gent Ghent

genuanceerd subtle

geodriehoek combination of a protractor and a setsquare

geoefend experienced, trained: *een* ~ *pianist* an accomplished pianist

geografie geography

geolied oiled, *(machinerie ook)* lubricated

geologie geology

geologisch geological: *een* ~ *tijdperk* a geological age

geometrie geometry

geoorloofd permitted, permissible: *een* ~ *middel* lawful means, a lawful method

geordend (well-)ordered, regulated, orderly

georganiseerd organized: *een ~e reis* a package tour

Georgië Georgia

Georgiër Georgian

georiënteerd oriented, orientated

gepaard coupled (with), accompanied (by), attendant (on), attached (to): *de risico's die daarmee ~ gaan* the risks involved

gepakt: ~ *en gezakt* ready for off, all ready to go

gepantserd armoured, in armour: *een ~e auto* an armour-plated car

geparfumeerd perfumed, scented

gepast 1 (be)fitting, becoming, proper: *dat is niet* ~ that is not done; 2 *(mbt hoeveelheden)* exact: *met* ~ *geld betalen* pay the exact amount

gepeins musing(s), meditation(s), pondering

gepensioneerd retired, pensioned-off, superannuated

gepeperd peppery, peppered; *(fig ook)* spicy: *zijn rekeningen zijn nogal* ~ his bills are a bit steep

geperforeerd perforated

gepeuter 1 fiddling, picking *(neus, tanden):* *schei uit met dat* ~ *in je neus* stop picking your nose; 2 *(gepriegel)* tinkering (at, with), fiddling (with)

gepiep 1 *(geknars)* squeak(ing); 2 *(ve jonge vogel)* peep(ing), chirp, cheep(ing), *(ve muis)* squeak(ing), *(schril)* squeal(ing), *(van angst, pijn ook)* screech(ing); 3 *(ademhaling)* wheeze, wheezing

gepikeerd piqued, nettled: *gauw* ~ *zijn* be touchy

gepingel haggling, bargaining

geplaatst qualified, qualifying

geplaveid paved

gepraat *(praatjes)* talk, gossip, chat, (tittle-)tattle: *hun huwelijk leidde tot veel* ~ their marriage caused a lot of talk

geprefabriceerd prefabricated, prefab

geprikkeld irritated, irritable: *gauw* ~ *zijn* be huffish *(of:* huffy)

gepromoveerd promoted

geraakt 1 offended, hurt; 2 *(ontroerd)* moved, touched

geraamte 1 skeleton: *(fig)* *een wandelend (of: levend)* ~ a walking *(of:* living) skeleton; 2 *(fig)* frame(work)

geraas din, roar(ing), noise

geradbraakt shattered, exhausted, *(Am)* bushed

geraden advisable, expedient ‖ *dat is je* ~ *ook!* you'd better!

geraffineerd 1 refined; 2 *(verfijnd)* refined, subtle: *een* ~ *plan* an ingenious plan; 3 *(doortrapt)* crafty, clever

geraken *(Belg)* zie **raken**

gerammel rattle, rattling, clank(ing) jingling, clatter(ing)

geranium geranium

geraspt grated

¹gerecht *(schotel)* dish; *(deel ve maaltijd)* course: *als volgende* ~ *hebben we …* the next course is …

²gerecht *(rechtbank)* court (of justice), court of law, law court, tribunal: *voor het* ~ *gedaagd worden* be summoned (to appear in court); *voor het* ~ *verschijnen* appear in court

gerechtelijk I *bn* 1 judicial, legal, court: *(Belg)* ~e *politie* criminal investigation department; ~e *stappen ondernemen* take legal action *(of:* proceedings); 2 *(mbt het gerecht)* forensic, legal: ~e *geneeskunde* forensic medicine; II *bw* legally, judicially: *iem* ~ *vervolgen* take *(of:* institute) (legal) proceedings against s.o., prosecute s.o.

gerechtigd authorized, *(bevoegd)* qualified, entitled: *hij is* ~ *dat te doen* he is authorized to do that

gerechtigheid justice

gerechtsgebouw court(house)

gerechtshof court (of justice)

gerechtvaardigd justified, warranted: ~e *eisen* just *(of:* legitimate) claims

gereed (all) ready, *(klaar, af)* finished

gereedheid readiness: *alles in* ~ *brengen (maken)* get everything ready *(of:* in readiness)

gereedhouden have ready, have in readiness: *plaatsbewijzen* ~, *s.v.p.* (have your) tickets (ready,) please!

gereedmaken make ready, get ready, prepare

gereedschap *(uitrusting)* tools, equipment, apparatus, *(keuken)* utensils: *een stuk* ~ a tool, a piece of equipment

gereedschapskist toolbox

gereedstaan be ready, stand ready, be waiting, *(persoon ook)* stand by

gereformeerd (Dutch) Reformed

geregeld 1 regular, steady: *hij komt* ~ *te laat* he is often *(of:* nearly always) late; 2 *(ordelijk)* orderly, well-ordered: *een* ~ *leven gaan leiden* settle down, start keeping regular hours

gerei gear, things, *(vissen)* tackle, kit: *keukengerei* kitchen utensils; *scheergerei* shaving things *(of:* kit); *schrijfgerei* writing materials

geremd inhibited

gerenommeerd renowned, illustrious, *(bedrijf)* well-established: *een* ~ *hotel* a reputable hotel

gereserveerd 1 reserved, distant: *een* ~e *houding aannemen* keep one's distance; 2 *(besproken)* reserved, booked

gerespecteerd respected

gerib(bel)d ribbed; *(stof ook)* corded; *(karton, plaatijzer enz.)* corrugated: ~ *katoen* corduroy

gericht directed (at, towards), aimed (at, towards), *(fig)* specific: ~e *vragen* carefully chosen *(of:* selected) questions

gerief *(Belg) (gerei)* accessories: *school*~ school needs

gerieflijk comfortable

gerimpeld wrinkled, wrinkly, *(verschrompeld)* shrivelled: *een* ~ *voorhoofd* a furrowed brow

gering 1 *(klein)* small, little: *een* ~e *kans* a slim *(of:* remote) chance; *in* ~e *mate* to a small extent *(of:* degree); 2 *(onbeduidend)* petty, slight, minor: *een* ~ *bedrag* a petty *(of:* trifling) sum

geritsel rustling, rustle

Germanen *(hist)* Germans, Teutons

Germaans *(mbt de Germanen)* Germanic, Teutonic

geroddel gossip(ing), tittle-tattle

geroep calling, shouting, crying, call(s), shout(s), cries, cry: *hij hoorde hun* ~ *niet* he did not hear them calling

geroepen called: *je komt als* ~ you're just the person we need

geroezemoes buzz(ing), hum: *met al dat* ~ *kan ik jullie niet verstaan* I can't make out what you're saying with all the din

gerommel 1 rumbling, rumble: ~ *in de buik* rumbling in one's stomach; 2 *(het overhoophalen)* rummaging (about, around); 3 *(geknoei)* messing, fiddling about

geronk drone, droning, *(luider)* roar(ing); *(zwaar gesnurk)* snoring

geronnen clotted *(bloed)*

gerookt smoked

geroutineerd experienced, practised

gerst barley

gerucht rumour: *het* ~ *gaat dat ...* there is a rumour that ...; *dat zijn maar* ~en it is only hearsay

geruchtmakend controversial, sensational

geruim considerable

geruisloos noiseless, silent, *(fig)* quietly

geruit check(ed)

gerust I *bn* easy, at ease: *een* ~ *geweten (of:* gemoed) an easy *(of:* a clear) conscience, an easy mind; *met een* ~ *hart de toekomst tegemoet zien* face the future with confidence; *(Belg) iem* ~ *laten* leave s.o. alone, let s.o. be; II *bw* safely, with confidence, without any fear *(of:* problem): *ga* ~ *je gang* (do) go ahead!, feel free to ...; *vraag* ~ *om hulp* don't hesitate to ask for help

geruststellen reassure, put *(of:* set) (s.o.'s) mind at rest

geruststellend reassuring

geruststelling reassurance, comfort, *(opluchting)* relief

geruzie arguing, quarrelling, bickering

gescheiden 1 separated, apart: ~ *leven (van)* live apart (from); 2 *(niet meer gehuwd)* divorced: ~ *gezin* broken home

geschenk present, gift

geschieden occur, take place, happen

geschiedenis 1 history: *de* ~ *herhaalt zich* history repeats itself; 2 *(verhaal)* tale, story: *dat is een andere* ~ that's another story

geschift 1 crazy, nuts; 2 *(mbt melk enz.)* curdled

geschikt suitable, fit, appropriate: *is twee uur een* ~e *tijd?* will two o'clock be convenient?; ~ *zijn voor het doel* serve the purpose; *dat boek is niet* ~ *voor kinderen* that book is not suitable for children

geschil dispute, disagreement, quarrel: *een* ~ *bijleggen* settle a dispute (with s.o.)

geschonden damaged, disfigured *(gezicht)*

geschoold trained, skilled

geschut artillery

geselen whip, flog

gesis hiss(ing); *(gebruis)* fizz(le), sizzle

geslaagd successful

geslacht 1 family, line, house: *uit een nobel* (of: *vorstelijk*) ~ *stammen* be of noble (*of:* royal) descent; **2** *(sekse)* sex; **3** *(generatie)* generation

geslachtsdaad sex(ual) act, *(med)* coitus

geslachtsdelen genitals, sex organs, genital organs, *(euf)* private parts

geslachtsgemeenschap sexual intercourse (*of:* relations), sex

geslachtsnaam *(familie-, achternaam)* family name, surname

geslachtsziekte venereal disease, V.D.

geslepen sly, cunning, sharp

gesloten 1 closed, shut, drawn *(gordijnen)*: *een ~ geldkist* (of: *enveloppe, goederenwagon)* a sealed chest (*of:* envelope, goods wagon); *een hoog ~ bloes* a high-necked blouse; **2** *(niet openhartig)* close(-mouthed), tight-lipped: *dat kind is nogal ~* that child doesn't say much (for himself, herself); *(techn) een ~ circuit* a closed circuit

gesmeerd 1 greased, buttered; **2** *(zonder problemen)* smoothly: *ervoor zorgen dat het ~ gaat* make sure everything goes smoothly

gesmoord 1 stifled, smothered; **2** *(cul)* braised

gesp buckle, clasp

gespannen 1 *(strak getrokken)* tense(d), taut, bent *(boog)*; **2** *(waarin een uitbarsting dreigt)* tense, strained, *(persoon ook)* nervous, on edge: *te hoog ~ verwachtingen* exaggerated expectations; *~ luisteren* listen intently; *tot het uiterste ~* at full strain

gespecialiseerd specialized, (met *in*) specializing

gespen buckle, (met *riem*) strap

gespierd muscular, brawny *(ook min)*, beefy *(ook min)*

gespikkeld spotted, speckled, *(stof ook)* dotted

gespitst keen ‖ met *~e oren* with one's ears pricked up, all ears

gespleten split, cleft *(ook mbt bladeren)*, cloven *(hoef)*

gesprek 1 talk, conversation, *(telefoon)* call: *het ~ van de dag zijn* be the talk of the town; *het ~ op iets anders brengen* change the subject; *een ~ voeren* hold a conversation; *(het nummer is) in ~* (the number's) engaged; *een ~ onder vier ogen* a private discussion; **2** *(overleg, bespreking)* discussion, consultation: *inleidende ~ken* introductory talks

gesprekkosten call charge(s)

gespreksstof topic(s) of conversation, subject(s) for discussion

gesproken oral, verbal, spoken *(taal)*

gespuis riff-raff, rabble, scum

gestalte 1 figure, *(lichaamsbouw)* build: *fors van ~* heavily-built; *een slanke ~* a slim figure; **2** *(gedaante)* shape, form: *~ geven (aan)* give shape (to)

gestampt crushed, mashed *(aardappelen)*: *gestampte muisjes* aniseed (sugar) crumble

gesteente rock, stone

gestel 1 constitution; **2** *(in sam)* system: *het zenuwgestel* the nervous system

gesteld 1 *(dol op)* keen (on), fond (of): *zij zijn erop ~ (dat)* they would like it (if), they are set on (...-ing); *erg op comfort ~ zijn* like one's comfort; **2** *(aangewezen)* appointed: *binnen de ~e tijd* within the time specified

gesteldheid state, condition, *(lichaam)* constitution

gesteriliseerd sterilized

gesticht mental home *(of:* institution)

gesticuleren gesticulate

gestippeld 1 dotted: *een ~e lijn* a dotted line; **2** *(met stippen bedekt)* spotted, speckled, *(stof ook)* dotted

gestoffeerd 1 upholstered; **2** *(mbt vertrekken)* (fitted) with curtains and carpets

gestoomd steamed

gestoord *(psychotisch)* disturbed: *(fig) ergens ~ van worden* be sick to one's back teeth of sth

gestotter stammer(ing), stutter(ing)

gestreept striped

gestrekt (out)stretched

gestrest stressed

getal number, figure: *een rond ~* a round number (*of:* figure); *een ~ van drie cijfers* a three-digit (*of:* three-figure) number

getalenteerd talented

getand *(plantk)* dentate, denticulate

getekend 1 marked, branded: *een fraai ~e kat* a cat with beautiful markings; *voor het leven ~ zijn* be marked for life; **2** *(met lijnen, groeven)* lined

getemperd moderate, subdued *(licht)*

getij tide

getik *(klok)* tick(ing); *(met vinger enz.)* tapping

getikt 1 *(idioot)* crazy, cracked, nuts: *hij is compleet ~* he's completely off his rocker; **2** *(getypt)* typed

getint tinted, dark

getiteld *(boek, film enz.)* entitled

getob worry(ing), brooding

getralied latticed, grated, *(mbt gevangenis, kooi)* barred

getroffen 1 hit, struck; **2** *(door ziekte, ongeluk aangetast)* stricken, afflicted: *de ~ ouders* the stricken parents, *(mbt dood ook)* the bereaved parents

getrouw faithful, true: *een ~e vertaling* (of: *weergave)* a faithful translation (*of:* representation)

getrouwd married, *(in sam)* wed(ded): *hij is ~ met zijn werk* he is married to his work

getto ghetto

getuige *(persoon, ook jur)* witness

getuige-deskundige expert witness

getuigen I *intr* **1** give evidence (*of:* testimony), testify (to); **2** *(spreken in het nadeel, voordeel van)* speak: *alles getuigt voor* (of: *tegen) haar* everything speaks in her favour (*of:* against her); **3** *(tonen, blijk geven)* be evidence (*of:* a sign) (of), show, indicate: *die daad getuigt van moed* that act shows courage; **II** *tr* testify (to), bear witness (to)

getuigenverklaring testimony, deposition

getuigschrift certificate, *(rapport)* report, *(personeel)* reference

geul 1 channel; **2** *(greppel, goot)* trench, ditch, gully

geur smell, *(aangenaam)* perfume, *(aangenaam)* scent, *(aangenaam)* aroma: *een onaangename ~ verspreiden (afgeven)* give off an unpleasant smell

geuren 1 smell; **2** *(pronken)* show off, flaunt

geurig fragrant, sweet-smelling

gevaar danger, risk: *hij is een ~ op de weg* he's a menace on the roads; *~ bespeuren* (of: *ruiken*) sense (of: scent) danger; *~ voor brand* fire hazard; *het is niet zonder ~* it is not without its dangers; *er bestaat (het) ~ dat* there is a risk that; *iem (iets) in ~ brengen* endanger s.o. (sth)

gevaarlijk *(mbt personen)* dangerous, *(mbt zaken ook)* hazardous, risky: *zich op ~ terrein begeven* tread on thin ice

gevaarte monster, colossus

geval 1 case, affair: *een lastig ~* an awkward case; **2** *(toestand)* circumstances, position: *in uw ~ zou ik het nooit doen* in your position I'd never do that; **3** *(omstandigheid)* case, circumstances: *in het uiterste ~* at worst, if the worst comes to the worst; *in ~ van oorlog* (of: *brand, ziekte*) in the event of war (of: fire, illness); *in negen van de tien ~len* nine times out of ten; *in enkele ~len* in some cases; *voor het ~ dat* (just) in case; **4** *(toeval)* chance, luck: *wat wil nou het ~?* guess what

gevallen fallen: *de ~en* the dead

gevangen caught, captive, *(in gevangenis)* imprisoned

gevangene 1 prisoner, arrested person, *(niet door politie)* captive; **2** *(veroordeelde ook)* prisoner, convict

gevangenis prison, jail: *hij heeft tien jaar in de ~ gezeten* he has served ten years in prison (of: jail)

gevangenisstraf imprisonment, prison sentence, jail sentence, prison term: *tot één jaar ~ veroordeeld worden* be sentenced to one year's imprisonment; *levenslange ~* life imprisonment

gevangennemen arrest, *(ook mil)* capture, take prisoner (of: captive)

gevangenschap captivity, imprisonment

gevarendriehoek warning triangle, emergency triangle, *(Am; ongev)* flares

gevarieerd varied

gevat quick(-witted), sharp; quick, ready: *een ~ antwoord* a ready (of: quick) retort

gevecht 1 *(mil)* fight(ing), combat: *een ~ van man tegen man* hand-to-hand combat; **2** *(tussen personen, dieren)* fight, struggle: *een ~ op leven en dood* a life-or-death struggle

geveinsd pretended, feigned

gevel façade, (house)front; outside wall, outer wall

geven I intr, tr give, *(geld ook)* donate, *(aanreiken ook)* hand: *geschiedenis ~* teach history; *geef mij maar een glaasje wijn* I'll have a glass of wine; *kunt u me de secretaresse even ~?* can I please speak to the secretary?; *kun je me het zout ~?* could you give (of: pass, hand) me the salt?; *(kaartspel) wie moet er ~?* whose deal is it?; *geef op!* (come on,) hand it

over!; **II** intr **1** *(gesteld zijn op)* be fond of: *niets (geen cent) om iem ~* not care a thing about s.o.; **2** *(erg, hinderlijk zijn)* matter: *dat geeft niks* it doesn't matter a bit (of: at all)

gevestigd old-established, long-standing: *de ~e orde* the established order

gevierd celebrated

gevlekt spotted, specked, *(vuil)* stained, *(bont gevlekt)* mottled

gevlogen flown, gone

gevoel 1 *(als zintuig)* touch, feel(ing): *op het ~ af* by feel (of: touch); **2** *(lichamelijke gewaarwording)* feeling, sensation: *een brandend ~ in de maag* a burning sensation in one's stomach; *ik vind het wel een lekker ~* I like the feeling; *ik heb geen ~ meer in mijn vinger* my finger's gone numb, I've got no feeling left in my finger; **3** feeling, sense: *het ~ hebben dat ...* have a feeling that ..., feel that ...; **4** *(vatbaarheid voor emoties)* feeling(s), emotion(s): *op zijn ~ afgaan* play it by ear; **5** *(besef)* sense (of), feeling (for): *geen ~ voor humor hebben* have no sense of humour

gevoelens 1 feeling, emotion: *zijn ~s tonen* show one's feelings; **2** *(gezindheid)* feeling, sentiment: *~s van spijt* feelings of regret; **3** *(oordeel)* feeling, opinion

gevoelig 1 sensitive (to), *(voor pijn)* sore, tender, *(allergisch)* allergic (to); **2** *(ontvankelijk)* sensitive (to), susceptible (to), *(lichtgeraakt)* touchy: *een ~ mens* a sensitive person; **3** *(duidelijk voelbaar)* tender, sore: *een ~e klap* a painful (of: nasty) blow

gevoeligheid sensitivity (to), susceptibility (to)

gevoelloos 1 numb; **2** *(hardvochtig)* insensitive (to), unfeeling: *een ~ mens* an unfeeling person

gevoelloosheid numbness; *(hardvochtigheid)* insensitivity, callousness

gevoelsmatig instinctive

gevogelte poultry, fowl

gevolg *(wat uit iets volgt)* *(vaak ongunstig)* consequence, *(vaak gunstig)* result, *(uitwerking)* effect, *(uitwerking)* outcome, *(goed)* success: *met goed ~ examen doen* pass an exam; *~ geven* (of: *gevend*) *aan een opdracht* carry out (of: according to) instructions; *(geen) nadelige ~en hebben* have (no) adverse effects; *met alle ~en van dien* with all its consequences; *tot ~ hebben* result in

gevolmachtigd authorized, having (full) power of attorney

gevorderd advanced

gevormd 1 *(met een bepaalde vorm)* -formed, (-)shaped: *een stel fraai ~e benen* a pair of shapely legs; *een goed ~e neus* a regular nose; **2** *(volledig ontwikkeld)* fully formed: *een ~ karakter* a fully developed character

gevraagd in demand: *een ~ boek* a book that is much (of: greatly) in demand

gevreesd dreaded

gevuld 1 *(mollig)* full, plump: *een ~ figuur* a full figure; **2** stuffed, filled: *een ~e kies* a filled tooth; *~e* *tomaten* stuffed tomatoes

gewaad garment, attire, robe, gown

gewaagd 1 *(gevaarlijk)* hazardous, risky: *een ~e sprong* a daring leap; **2** *(gedurfd, pikant)* daring, suggestive

gewaarwording perception *(ogen, oren);* sensation *(anderszins)*

gewapend armed; *(met bijzondere versterking)* reinforced: *~ beton* reinforced concrete

gewas plant

gewatteerd quilted: *een ~e deken* a quilt, a duvet

geweer rifle, gun: *een ~ aanleggen* aim a rifle *(of: gun)*

gewei antlers

geweld violence, force, *(grote kracht ook)* strength: *grof ~* brute force *(of: strength); verbaal ~* verbal violence *(of: assault); de waarheid ~ aandoen* stretch the truth; *hij wilde met alle ~ naar huis* he wanted to go home at all costs

gewelddadig violent, forcible

geweldig 1 tremendous, enormous: *een ~ bedrag* a huge sum; *een ~e eetlust* an enormous appetite; *zich ~ inspannen* go to great lengths; **2** *(bijzonder goed, fijn)* terrific, fantastic, wonderful: *je hebt me ~ geholpen* you've been a great help; *hij is ~* he's a great guy; *die jurk staat haar ~* that dress looks smashing on her; *hij zingt ~* he sings wonderfully; *~!* great!, terrific!; **3** *(heftig, onstuimig, hevig)* tremendous, terrible

gewelf 1 vault(ing), arch; **2** *(ruimte, vertrek)* vault

gewend used (to), accustomed (to), *(gewoon)* in the habit (of), inured (to) *(iets onaangenaams): ~ raken aan zijn nieuwe huis* settle down in one's new house; *dat zijn we niet van hem ~* that's not like him at all, that's quite unlike him!

gewenst desired, wished for

gewerveld vertebrate

gewest 1 district, region; **2** *(gedeelte ve land, provincie)* province, county, *(Belg)* region: *overzeese ~en* overseas territories

gewestelijk regional, provincial

geweten conscience: *veel op zijn ~ hebben* have a lot to answer for

gewetenloos unscrupulous, unprincipled

gewetensvol conscientious, scrupulous, *(werken ook)* painstaking

gewettigd 1 *(gerechtvaardigd)* legitimate, justified, *(bewering)* well-founded; **2** *(geëcht)* legitimated

gewezen former, ex-

gewicht weight, *(belang ook)* importance: *maten en ~en* weights and measures; *zaken van het grootste ~* matters of the utmost importance; *soortelijk ~* specific gravity; *op zijn ~ letten* watch one's weight; *beneden het ~* underweight

gewichtheffen weightlifting

gewichtig I *bn* weighty, important, *(ernstig)* grave: *~e gebeurtenissen* important events; *hij zette een ~ gezicht* he put on a grave face; **II** *bw* (self-)importantly, pompously: *~ doen* be important (about

sth)

gewichtsklasse weight

gewiekst sharp, shrewd; fly

gewijd 1 consecrated, holy: *~ water* holy water; **2** *(mbt een geestelijke)* ordained

gewild *(in trek)* sought-after, popular, in demand *(ook handel)*

gewillig I *bn* **1** willing, *(volgzaam)* docile, *(gehoorzaam)* obedient: *zich ~ tonen* show (one's) willingness; **2** *(niet afgedwongen)* willing, ready: *een ~ oor lenen aan iem* lend a ready ear to s.o.; **II** *bw* willingly, readily, voluntarily: *hij ging ~ mee* he came along willingly

gewoel 1 tossing (and turning), *(gespartel)* struggling; **2** *(menigte)* bustle

gewond injured, wounded *(door wapen),* hurt: *~ aan het been* injured *(of:* wounded) in the leg

gewonde injured person, wounded person, casualty

gewonnen: *zich ~ geven* admit defeat

gewoon I *bn* **1** usual, regular, customary, ordinary: *in zijn gewone doen zijn* be oneself; *zijn gewone gang gaan* go about one's business, carry on as usual; **2** *(van de meest bekende soort)* common: *dat is ~* that's natural; **3** *(alledaags)* ordinary, common(place), plain: *het gewone leven* everyday life; *de gewone man* the common man; *de gewoonste zaak ter wereld* (something) perfectly normal; **II** *bw* **1** normally: *doe maar ~* (do) act normal(ly), behave yourself; **2** *(in de gebruikelijke mate)* normally, ordinarily, usually; **3** *(ronduit gezegd)* simply, just: *zij praatte er heel ~ over* she was very casual about it

gewoonlijk usually, normally: *zoals ~ kwam ze te laat* as usual, she was late

gewoonte 1 custom, practice; **2** *(wat men gewoon is te doen)* habit, custom: *de macht der ~* the force of habit; *tegen zijn ~* contrary to his usual practice; *hij heeft de ~ om* he has a habit *(of:* way) of

gewoonweg simply, just

gewricht joint, articulation

gezaagd *(plantk)* serrate

gezag 1 authority, power, *(mil)* command, rule *(over land),* dominion *(over land): ouderlijk ~* parental authority; **2** *(overheid)* authority, authorities: *het bevoegd ~* the competent authorities; **3** *(geestelijk overwicht)* authority, weight: *op ~ van* on the authority of

gezaghebbend authoritative, influential: *iets vernemen uit ~e bron* have sth on good authority

gezaghebber person in charge *(of:* authority), *(mv)* authorities

gezagvoerder captain, *(kleinere boot)* skipper

gezamenlijk I *bn* collective, combined, united, joint: *met ~e krachten* with united forces; **II** *bw* together

gezang song, singing

gezant envoy, ambassador, representative, delegate

gezapig lethargic, indolent, complacent

gezegde 1 saying, proverb; **2** *(taalk)* predicate: *naamwoordelijk ~* nominal predicate

gezegend blessed, *(gelukkig, voorspoedig)* fortunately, *(gelukkig, voorspoedig)* luckily

gezellig 1 enjoyable, pleasant, sociable *(van persoon)*, companionable *(van persoon)*: *het zijn ~e mensen* they are good company *(of:* very sociable); **2** *(van ruimte)* pleasant, comfortable, *(knus)* cosy: *een ~ hoekje* a snug *(of:* cosy) corner

gezelligheid 1 sociability: *hij houdt van ~* he is fond of company; **2** *(prettige atmosfeer)* cosiness, snugness

gezelschap 1 company, companionship: *iem ~ houden* keep s.o. company; **2** *(personen)* company, society; **3** *(aantal personen)* company, party: *zich bij het ~ voegen* join the party

gezelschapsspel party game

gezet 1 set, regular; **2** *(dik)* stout, thickset

gezeur moaning, nagging, *(gedoe)* fuss(ing): *hou nu eens op met dat eeuwige ~!* for goodness' sake stop that perpetual moaning!

gezicht 1 sight: *liefde op het eerste ~* love at first sight; *een vreselijk ~* a gruesome sight; **2** *(gelaat)* face: *iem in zijn ~ uitlachen* laugh in s.o.'s face; *iem van ~ kennen* know s.o. by sight; **3** *(uitdrukking)* face, expression, look(s): *een ~ zetten alsof* look as if; *ik zag aan zijn ~ dat* I could tell by the look on his face that; **4** *(uitzicht)* view, sight: *aan het ~ onttrekken* conceal

gezichtsbedrog optical illusion

gezichtspunt point of view, angle || *een heel nieuw ~* an entirely fresh perspective *(of:* viewpoint, angle)

gezichtsveld field *(of:* range) of vision, sight

gezichtsverlies loss of face

gezichtsvermogen (eye)sight

gezien 1 esteemed, respected, popular: *een ~ man* an esteemed man, a respected man; **2** *(bekrachtigd)* seen (by me), endorsed: *het voor ~ houden* pack it in

gezin family

gezind (pre)disposed (to), inclined (to): *iem vijandig ~ zijn* be hostile toward s.o.

gezinsbijslag *(Belg)* child benefit *(of:* allowance)

gezinshulp home help

gezinsverpakking family(-size(d)) pack(age), king-size(d) pack(age), jumbo pack(age)

gezinsverzorgster home help

gezinszorg home help

gezocht strained, contrived, forced, *(vergezocht)* far-fetched

gezond I *bn, bw* **1** healthy, sound, well *(na ww)*: *zo ~ als een vis* as fit as a fiddle; **2** *(onbedorven, helder)* sound, good: *~ verstand* common sense; **II** *bn* **1** able-bodied, fit: *~ en wel* safe and sound; **2** *(kloek, stevig)* robust: *~e wangen* rosy cheeks

gezondheid health: *naar iemands ~ vragen* inquire after s.o.('s health); *op uw ~!* here's to you!, here's to your health!, cheers!; *zijn ~ gaat achteruit* his

health is failing; *~!* (God) bless you!

gezondheidsdienst (public) health service

gezondheidstoestand health, state of health

gezondheidszorg 1 health care, medical care; **2** *(instanties)* health service(s)

gezouten salt(ed), salty

gezusters sisters

gezwam drivel, piffle: *~ in de ruimte* hot air

gezwel swelling; *(van een weefsel)* growth, tumour: *een goedaardig* (of: *kwaadaardig) ~* a benign *(of:* malignant) tumour

gezwets drivel, rubbish

gezwollen swollen

gezworen sworn

gft-afval *(ongev)* organic waste

gids 1 guide; *(raadsman ook)* mentor: *iemands ~ zijn* be s.o.'s guide *(of:* mentor); **2** *(boek)* guide(book), *(handleiding)* handbook, manual; **3** *(padvindster)* (Girl) Guide; *(Am)* Girl Scout; **4** *(telefoongids)* (telephone) directory, telephone book: *de gouden ~* the yellow pages

giebelen giggle

giechelen, giebelen giggle, titter

giek 1 *(scheepv)* boom; **2** *(boom ve kraan)* jib

¹gier vulture

²gier *(mest(vocht))* liquid manure, slurry

gieren shriek, scream, screech

gierig miserly, stingy

gierigaard miser, skinflint

gierigheid miserliness, stinginess

gierst millet

gieten 1 pour; **2** *(m.b.v. een vorm)* cast *(vnl. metalen);* found *(klokken, glas);* mould: *een gegoten kachel* a cast-iron stove; *die kleren zitten (hem) als gegoten* his clothes fit (him) like a glove; **3** *(besproeien)* water

gieter watering can

gietijzer cast iron

gif poison, *(van dieren en fig)* venom, *(plantaardige, dierlijke gifstof)* toxin

gifgas poison(ous) gas

gift gift, *(van donateur)* donation, contribution

giftig 1 poisonous, *(van dieren ook)* venomous; **2** *(mbt mensen)* venomous, vicious: *toen hij dat hoorde, werd hij ~* when he heard that he was furious

gigabyte gigabyte

gigant giant

gigantisch gigantic, huge

gigolo gigolo

gij, ge 1 thou; **2** *(Belg, Z-Ned)* you: *wat zegt ge?* what did you say?

gijzelaar hostage

gijzelen *(mbt een persoon)* take hostage, *(voor losgeld)* kidnap, *(kapen)* hijack

gijzeling taking of hostages, *(voor losgeld)* kidnapping, *(kaping)* hijack(ing): *iem in ~ houden* hold s.o. hostage

gil scream, yell, *(krijsen; ook mbt remmen)* screech,

(kinderen, varkens) squeal, *(schril)* shriek: *als je me nodig hebt, geef dan even een* ~ if you need me just give (me) a shout

gilde guild

gilet gilet

gillen 1 scream, *(krijsen)* screech, *(vnl. varkens, kinderen)* squeal, *(schril)* shriek: *het is om te* ~ it's a (perfect) scream; ~ *als een mager speenvarken* squeal like a (stuck) pig; **2** *(mbt zaken) (trein, sirene, machine)* scream; *(remmen)* screech

ginds over there, *(mbt hoger, lager gelegen plaats)* up there, down there

gin-tonic gin and tonic

gips 1 plaster (of Paris): *zijn been zit in het* ~ his leg is in plaster; ~ *aanmaken* mix plaster; **2** *(afgietsel)* plaster cast

giraal giro

giraf(fe) giraffe

gireren pay *(of:* transfer) by giro

giro 1 giro; **2** *(girorekening)* giro account; **3** *(overschrijving)* transfer by bank *(of:* giro), bank transfer, giro transfer

girobank transfer bank, clearing bank, Girobank

girobetaalkaart giro cheque

giromaat *(ongev)* cash dispenser, cashpoint, automated teller (machine)

giromaatpas cashpoint card

gironummer Girobank (account) number

giropas (giro cheque) guarantee card

gissen guess (at), estimate

gissing guess; *(mv ook)* guesswork, speculation: *dit zijn allemaal (maar) ~en* this is just *(of:* mere) guesswork

gist yeast

gisten ferment

gisteren yesterday: *de krant van* ~ yesterday's paper; ~ *over een week* yesterday week, a week from yesterday

gister(en)nacht last night

gisting fermentation, ferment, *(het bruisen)* effervescence

git jet

gitaar guitar

gitarist guitarist, guitar player

gitzwart jet-black

glaasje 1 (small) glass, *(van microscoop)* slide; **2** *(glas drank)* drop, drink: *(wat) te diep in het* ~ *gekeken hebben* have had one too many; ~ *op, laat je rijden* don't drink and drive

glad I *bn* **1** slippery, *(door ijs, ijzel ook)* icy: *het is* ~ *op de wegen* the roads are slippery; **2** *(fig) (gewiekst)* slippery, slick: *hij heeft een ~de tong* he has a glib tongue; **3** *(glanzend)* shiny, glossy *(vnl. stof, verf, foto); (gepolijst)* polished; **4** *(egaal, effen)* smooth, even: *~de banden* bald tyres; *een ~de kin* a clean-shaven chin *(of:* face); **II** *bw* smoothly

gladgeschoren clean-shaven

gladheid slipperiness, *(door ijs, ijzel)* iciness: ~ *op de wegen* icy patches on the roads

gladiator gladiator

gladiool gladiolus

gladstrijken smooth (out, down), *(met strijkijzer, ook fig)* iron out: *moeilijkheden* ~ iron out difficulties; *(van vogel) zijn veren* ~ preen one's feathers

glans 1 glow; **2** *(reflectie)* gleam, lustre, gloss *(van foto, verf); (mbt zijde, haren enz.)* sheen: *P. geeft uw meubelen een fraaie* ~ P. gives your furniture a beautiful shine

glansrijk splendid, brilliant, *(roemrijk ook)* glorious

glanzen I *intr* **1** gleam, shine: *~d papier* glossy *(of:* high-gloss) paper; **2** *(stralen)* shine, glow, *(mbt sterren ook)* twinkle: *~d haar* glossy *(of:* sleek) hair; **II** *tr* polish, *(mbt stof, leer)* glaze, *(mbt foto)* gloss

glas glass, *(ruit)* (window-)pane: *een* ~ *bier* a (glass of) beer; *dubbel* ~ double glazing; *geslepen* ~ cut glass; *laten we het* ~ *heffen op …* let's drink to …; ~ *in lood* leaded glass, *(gekleurd)* stained glass

glasbak bottle bank

glasfabriek glassworks

glasgordijn net curtain, lace curtain

glashandel glazier's (shop)

glashard unfeeling: *hij ontkende* ~ he flatly denied

glashelder crystal-clear, *(mbt stem)* as clear as a bell

glas-in-loodraam leaded window, *(gebrandschilderd)* stained-glass window

glasplaat sheet of glass, *(bewerkt)* glass plate, *(als tafelblad)* glass top

glassnijder glass cutter

glasvezel glass fibre, fibreglass

glaswerk glass(ware)

glazen glass

glazenwasser window cleaner

glazig 1 glassy; **2** *(mbt aardappelen)* waxy

glazuren glaze, *(met email(lak))* enamel

glazuur(sel) 1 glaze, glazing, *(email(lak))* enamel *(ook tandheelkundig);* **2** *(cul)* icing

gletsjer glacier

gleuf 1 groove, *(van automaat)* slot, *(brievenbus)* slit; **2** *(greppel, spleet)* trench, ditch, *(in rotsen)* fissure

glibberen slither, slip, slide

glibberig slippery, slithery, *(slijmerig)* slimy, *(door vet)* greasy: *(fig) zich op* ~ *terrein bevinden* have got onto a tricky subject

glijbaan slide, chute

glijden 1 slide, glide; **2** *(slippen, glippen)* slip, slide: *het boek was uit haar handen gegleden* the book had slipped from her hands

glijdend sliding, flexible: *een ~e belastingschaal* a sliding tax scale

glimlach smile, *(breed)* grin: *een stralende* ~ a radiant smile

glimlachen smile, *(breed)* grin: *blijven* ~ keep (on) smiling

glimmen 1 *(gloeien)* glow, shine; **2** *(blinken)* shine, gleam: *de tafel glimt als een spiegel* the table is shining like a mirror; **3** *(schitteren)* shine, glitter: *haar ogen glommen van blijdschap* her eyes shone with pleasure

glimp glimpse: *(fig) een ~ van iem opvangen (zien)* catch a glimpse of s.o.

glinsteren 1 glitter, sparkle, glisten *(vocht);* **2** *(mbt de ogen)* shine, gleam, sparkle

glippen 1 slide: *naar buiten ~* sneak *(of:* steal) out; **2** *(ontglijden, ontschieten)* slip, drop: *hij liet het glas uit de handen ~* he let the glass slip from his hands

glitter glitter: *een bloes met ~* a sequined blouse

globaal rough, broad

globalisering globalization

globe globe

gloed 1 glow, *(fel)* blaze: *in ~ zetten* (of: *staan)* set *(of:* be) aglow; **2** *(schijnsel)* glow, *(fel)* glare, blush *(wangen)*

gloednieuw brand new

gloeien 1 glow, shine, burn; **2** *(zonder vlam branden)* smoulder, glow; **3** *(zeer warm zijn)* be red-hot *(of:* white-hot), glow

gloeiend 1 glowing, red-hot, white-hot; **2** *(brandend heet)* scalding hot, boiling hot *(vloeistof),* scorching *(weer):* *het was ~ heet vandaag* today was a scorcher; **3** *(hartstochtelijk)* glowing, fervent: *je bent er ~ bij* you're in for it now, (I) caught you red-handed

gloeilamp (light) bulb

glooien slope, slant

glooiend sloping, slanted, rolling *(landschap)*

glooiing slope, slant

gloria 1 *(godsd)* gloria; **2** glory

glorie glory, *(godsd)* gloria *(aureool)*

glorietijd heyday, golden age: *in zijn ~* in his heyday

glucose glucose, grape-sugar

gluiperig shifty, sneaky

glunderen smile happily

gluren peep, peek

gluurder peeping Tom

glycerine glycerine

gniffelen snigger, chuckle

gnoe gnu

goal goal: *een ~ maken* score a goal

god god, *(beeltenis ook)* idol ‖ *een houten ~* a wooden idol *(of:* god)

God God: *~s water over ~s akker laten lopen* let things take *(of:* run) their (natural) course; *in ~ geloven* believe in God

goddank thank God *(of:* goodness)

goddelijk divine

godheid deity, god(head)

godin goddess

godlasterend blasphemous

godloochenaar atheist

godsdienst religion

godsdienstig religious, devout

godsdienstonderwijs religious education *(of:* instruction)

godshuis house of God, place of worship, church

godslastering 1 blasphemy; **2** *(vloekwoord)* profanity

¹goed I *bn, bw* **1** *(bn)* good; *(bw)* well, right, correct: *alle berekeningen zijn ~* all the calculations are correct; *hij bedoelt (meent) het ~* he means well; *begrijp me ~* don't get me wrong; *als je ~ kijkt* if you look closely; *dat zit wel ~* that's all right, don't worry about it; *net ~!* serves you right!; *het is ook nooit ~ bij hem* nothing's ever good enough for him; *precies ~* just *(of:* exactly) right; **2** *(behoorlijk) (bw)* well: *hij was ~ nijdig* he was really annoyed; *het betaalt ~* it pays well; *toen ik ~ en wel in bed lag* when I finally *(of:* at last) got into bed; *~ bij zijn* be clever; *we hebben het nog nooit zo ~ gehad* we've never had it so good; *(heel) ~ Engels spreken* speak English (very) well, speak (very) good English; *die jas staat je ~* that coat suits you *(of:* looks good on you); *de soep is niet ~ meer* the soup has gone off; *dat komt ~ uit* that's (very) convenient; *hij maakt het ~* he is doing well *(of:* all right); *(fig) hij staat er ~ voor* his prospects are good; *de rest hou je nog te ~* I'll owe you the rest; *dat hebben we nog te ~* that's still in store for us; *~ zo!* good!, that's right!, *(als compliment)* well done!, that's the way!; *ook ~* very well, all right; *de opbrengst komt ten ~e van het Rode Kruis* the proceeds go to the Red Cross; *zij is ~ in wiskunde* she is good at mathematics; *dat is te veel van het ~e* that is too much of a good thing; *het is maar ~ dat …* it's a good thing that …; *~ dat je 't zegt* that reminds me; *dat was maar ~ ook* it was just as well; *zo ~ als niets* next to nothing, hardly anything; **II** *bn* **1** *(vriendelijk)* good, *(aardig)* kind, nice: *ik ben wel ~ maar niet gek* I'm not as stupid as you think; *ik voel me heel ~* I feel fine *(of:* great); *zou u zo ~ willen zijn …* would *(of:* could) you please …, would you be so kind as to …, do *(of:* would) you mind …; **2** *(gezond)* well, fine: *daar word ik niet ~ van (ook fig)* that makes me (feel) sick; *~ en kwaad* good and evil, right and wrong

²goed 1 *(goederen, artikelen)* goods, ware(s); **2** *(bezit)* goods, property, *(boedel, landgoed)* estate: *onroerend ~* real estate; **3** *(kleding)* clothes: *schoon ~ aantrekken* put on clean clothes; **4** *(textiel)* material, fabric, cloth: *wit* (of: *bont) ~* white *(of:* coloured) wash, whites, coloureds

goedaardig 1 good-natured, kind-hearted; **2** *(med)* benign *(tumor)*

goeddoen do good, help

goedemiddag good afternoon

goedemorgen good morning

goedenacht good night

goedenavond good evening; *(afscheidsgroet)* good night

goederen 1 goods, *(econ)* commodities, *(koopwaar ook)* merchandise: *~ laden* (of: *lossen)* load *(of:* unload) goods; **2** *(bezittingen)* goods, property

goederentrein goods train, *(Am)* freight train

goedgeefs generous, liberal

goedgelovig credulous, gullible

goedgemutst good-humoured; good-natured

goedheid 1 goodness: *hij is de ~ zelf* he is goodness personified; **2** *(toegeeflijkheid)* benevolence, indulgence

goedig gentle, *(inschikkelijk)* meek

goedje stuff

goedkeuren 1 approve (of), pass *(als geschikt): (med) goedgekeurd worden* pass one's medical; **2** *(ermee instemmen)* approve, adopt *(plan)*

goedkeurend approving, favourable: *~ knikken* (of: *glimlachen*) nod (of: smile) (one's) approval

goedkeuring approval, consent

goedkoop I *bn* **1** cheap, inexpensive: *~ tarief* cheap rate, *(vanwege seizoen of tijd van de dag)* off-peak tariff; **2** *(fig) (van weinig waarde)* cheap; **II** *bw* cheaply, at a low price: *er ~ afkomen* get off cheap(ly)

goedlachs cheery

goedlopend successful

goedmaken 1 make up *(of:* amends) for: *iets weer ~ bij iem* make amends to s.o. for sth; **2** *(mbt een gebrek, tekortkoming)* make up for, compensate (for); **3** *(mbt onkosten, uitgaven)* cover, make good

goedmoedig good-natured; good-humoured

goedpraten explain away, justify, *(vergoelijken)* gloss over

goedschiks willingly: *~ of kwaadschiks* willing(ly) or unwilling(ly)

goedvinden I *tr* approve (of), consent (to): *als jij het goedvindt* if you agree; **II** *zn* permission, consent, *(instemming)* agreement

goeroe guru

goesting *(Belg) (zin, lust, trek)* liking, fancy, appetite

gok gamble: *zullen we een ~je wagen?* shall we have a go (at it)?

gokhuis gambling joint

gokken gamble, (place a) bet (on): *~ op een paard* (place a) bet on a horse

gokker gambler

gokpaleis casino

gokverslaafde gambling addict

¹golf 1 wave: *(reclame) korte* (of: *lange*) *~* short (of: long) wave; **2** *(baai)* gulf, bay; **3** *(straal ve vloeistof)* stream, flood; **4** *(toename) (fig)* wave, surge: *een ~ van geweld* a wave of violence

²golf golf

golfbaan golf course *(of:* links)

golfband waveband

golfen play golf

golflengte wavelength: *(niet) op dezelfde ~ zitten (ook fig)* (not) be on the same wavelength

golfstok golf club

Golfstroom Gulf Stream

golven 1 undulate, wave, heave *(water, menigte)*, surge *(water, menigte): de wind deed het water ~* the wind ruffled the surface of the water; **2** *((als) in golven stromen)* gush, flow

golvend undulating, wavy ‖ *een ~ terrein* rolling terrain

gom rubber; *(vnl. Am)* eraser

gondel gondola

gong gong

gonorroe gonorrhoea

gonzen buzz, hum

goochelaar conjurer, magician

goochelen 1 conjure, do (conjuring, magic) tricks: *~ met kaarten* do (of: perform) card tricks; **2** *(handig met iets omspringen)* juggle (with): *~ met cijfers* juggle with figures

goocheltruc conjuring trick, magic trick

goochem smart, crafty

gooi throw, toss: *(fig) een ~ doen naar het presidentschap* make a bid for the Presidency

gooien throw, toss, *(met geweld)* fling (at), hurl (at): *geld ertegenaan ~* spend a lot of money on (sth); *iem eruit ~* throw s.o. out; *met de deur ~* slam the door

gooi-en-smijtfilm slapstick film

goor 1 filthy, foul; **2** *(mbt eten, drinken)* bad, nasty: *~ smaken* (of: *ruiken*) taste (of: smell) revolting

goot 1 *(afvoerbuis)* wastepipe, drain(pipe), *(dakgoot)* gutter; **2** *(afvoerkanaal)* gutter, drain: *(fig) in de ~ terechtkomen* end up in the gutter

gootsteen (kitchen) sink: *iets door de ~ spoelen* pour sth down the sink

gordel *(riem, ceintuur)* belt

gordijn curtain

gordijnrail curtain rail *(of:* track)

gorgelen gargle

gorilla gorilla

gort pearl barley; groats

gortig: *dat is (me) al te ~* it's too much (for me), it's more than I can take

gotisch Gothic

goud gold: *zulke kennis is ~ waard* such knowledge is invaluable; *voor geen ~* not for all the tea in China; *ik zou me daar voor geen ~ vertonen* I wouldn't be seen dead there; *het is niet alles ~ wat er blinkt* all that glitters is not gold

goudeerlijk honest through and through

gouden 1 gold, *(vnl. fig)* golden: *een ~ ring* a gold ring; **2** *(goudkleurig)* golden

goudmijn gold mine: *een ~ ontdekken (fig)* strike oil

goudstuk gold coin

goudvis goldfish

goulash goulash

gouvernante governess, *(inform ook)* nanny

gouvernement *(Belg) (provinciaal bestuur)* provincial government *(of:* administration)

gouverneur 1 governor; **2** *(Belg)* provincial governor

graad degree, *(mil)* rank: *een academische ~* a university degree; *de vader is eigenwijs, maar de zoon is nog een ~je erger* the father is conceited, but the son is even worse; *18 °Celsius* 18 degrees Celsius;

gr

graaf

een draai van 180 graden maken make a 180-degree turn; *tien graden onder nul* ten degrees below zero

graaf count, earl

graafmachine excavator

graafschap county

graag 1 gladly, with pleasure: *~ gedaan* you're welcome; *ik wil je ~ helpen* I'd be glad to help (you); *hoe ~ ik het ook zou doen* much as I would like to do it; *~ of niet* take it or leave it; *(heel) ~!* (okay) thank you very much!, yes please!; 2 *(zonder tegenzin)* willingly, readily: *zij praat niet ~ over die tijd* she dislikes talking about that time; *dat wil ik ~ geloven* I can quite believe that, I'm not surprised

graaien grabble, rummage

graal the (Holy) Grail

graan grain; corn ‖ *een ~je meepikken* get one's share, get in on the act

graat 1 *(een beentje)* (fish) bone; 2 *(geraamte van een vis)* bones *(mv)* ‖ *(Belg) ergens geen graten in zien* see nothing wrong with

grabbel: *zijn goede naam te ~ gooien* throw away one's reputation

grabbelen rummage (about, around), grope (about, around): *de kinderen ~ naar de pepernoten* the children are scrambling for the ginger nuts

grabbelton lucky dip, *(Am)* grab bag

gracht canal; *(random vesting)* moat: *aan een ~ wonen* live on a canal

grachtengordel ring of canals

gracieus graceful, elegant

gradenboog protractor

gradueel of degree, in degree, gradual

graf grave, tomb ‖ *zwijgen als het ~* be quiet *(of:* silent) as the grave

graffiti graffiti

grafiek graph, diagram

grafiet graphite

grafisch graphic

grafschennis desecration of graves

grafschrift epitaph

grafsteen gravestone, tombstone

gram gram: *vijf ~ zout* five grams of salt

grammatica grammar

grammaticaal grammatical

grammofoon gramophone

granaat grenade, shell *(artillerie)*

granaatappel pomegranate

granaatscherf piece of shrapnel, shell fragment, *(mv)* shrapnel

grandioos monumental, mighty

graniet granite

granieten granite

grap joke, gag: *een flauwe ~* a feeble *(of:* poor) joke; *~pen vertellen* tell *(of:* crack) jokes; *een ~ met iem uithalen* play a joke on s.o.; *ze kan wel tegen een ~* she can take a joke

grapefruit grapefruit

grapje (little) joke: *iets met een ~ afdoen* shrug sth off with a joke; *kun je niet tegen een ~?* can't you

take a joke?

grappenmaker joker, wag

grappig 1 *(mbt personen)* funny, amusing: *zij probeerden ~ te zijn (ook iron)* they were trying to be funny; 2 *(mbt zaken)* funny, comical, amusing, *(opzettelijk)* humorous: *het was een ~ gezicht* it was a funny *(of:* comical) sight; *een ~e opmerking* a humorous remark; *wat is daar nou zo ~ aan?* what's so funny about that?; 3 *(leuk om te zien)* attractive, *(Am)* cute

gras grass: *het ~ maaien* mow the lawn

grasduinen browse (through)

grasmaaier (lawn)mower

grasspriet blade of grass

grasveld field (of grass)

graszode turf, sod

gratie 1 *(bevalligheid)* grace; 2 *(gunst)* favour: *bij iem uit de ~ raken* fall out of favour with s.o.; 3 *(genade)* mercy; 4 *(kwijtschelding)* pardon: *~ krijgen* be pardoned

gratificatie gratuity, bonus

gratis free (of charge): *~ en voor niks* gratis, absolutely free

grauw grey, ashen

gravel gravel

graven 1 dig, *(op grote schaal)* excavate, *(fig, om iets te zoeken)* delve, *(naar delfstoffen)* mine: *een put ~* sink a well; *een tunnel ~* dig a tunnel, tunnel; 2 *(met handen, snuit enz.)* dig, *(van dieren, insecten ook)* burrow

graveren engrave

graveur engraver

gravin countess

gravure engraving, print

grazen graze, (be at) pasture: *het vee laten ~* let the cattle out to graze; *te ~ genomen worden* be had, be taken in; *iem te ~ nemen (beetnemen)* take s.o. for a ride, take s.o. in

greep 1 grasp, grip, grab: *~ krijgen op iets* get a grip on sth; *vast in zijn ~ hebben* have firmly in one's grasp; 2 *(willekeurige keuze)* random selection *(of:* choice): *doe maar een ~* take your pick

greintje (not) a bit (of): *geen ~ hoop* not a ray of hope; *geen ~ gezond verstand* not a grain of common sense

grendel bolt: *achter slot en ~ zitten* be under lock and key

grendelen bolt

grenen pine(wood), deal

grens border; *(rand; scheidingslijn)* boundary; *(limiet)* limit, *(perken ook)* bounds *(mv)*: *aan de Duitse ~* at the German border; *we moeten ergens een ~ trekken* we have to draw the line somewhere; *binnen redelijke grenzen* within reason

grensgebied 1 border region; 2 *(fig)* borderline, grey area, *(randgebied)* fringe (area)

grensgeval borderline case

grenslijn boundary line, *(fig)* dividing line

grensovergang border crossing(-point)

grensrechter linesman *(voetbal)*; line judge *(tennis)*

grensstreek border region

grenzeloos infinite, boundless

grenzen 1 border (on), *(grenzen aan)* be adjacent to: *hun tuinen ~ aan elkaar* their gardens border on one another; **2** *(fig)* border (on), verge (on), *(grenzen aan)* approach: *dat grenst aan het ongelofelijke* that verges on the incredible

greppel channel, *(meestal diep)* trench, ditch

gretig eager, *(begerig)* greedy

grief objection, grievance, complaint

Griek Greek

Griekenland Greece

Grieks Greek

Griekse Greek

grienen snivel, blub(ber)

griep (the) flu, *(verkoudheid)* (a) cold: *~ oplopen* catch the flu

griesmeel semolina

griet bird, chick, doll

grieven hurt, offend

griezel ogre, terror, *(persoon)* creep, *(persoon)* weirdo

griezelen shudder, shiver, get the creeps

griezelfilm horror film

griezelig gruesome, creepy

griezelverhaal horror story

grif ready, *(vaardig)* adept, *(vlug)* rapid, *(vlug)* prompt: *ik geef ~ toe dat ...* I readily admit to ... (-ing); *~ van de hand gaan* sell like hot cakes

griffel slate-pencil

griffie registry, clerk of the court's office *(rechtbank)*

griffier *(ongev)* registrar, clerk

grijns grin, smirk, *(boosaardig)* sneer

grijnzen 1 smirk, sneer; **2** *(breed lachen)* grin: *sta niet zo dom te ~!* wipe that silly grin off your face!

grijpen I *tr* grab (hold of), seize, grasp, *(met een ruk)* snatch: *de dief werd gegrepen* the thief was nabbed; *hij greep zijn kans* he grabbed *(of:* seized) his chance; *(fig) door iets gegrepen zijn* be affected *(of:* moved) by sth; *voor het ~ liggen* be there for the taking; **II** *intr* grab, *(hand uitstrekken)* reach (for): *dat is te hoog gegrepen* that is aiming too high; *naar de fles ~* reach for *(of:* turn to) the bottle

grijs grey: *hij wordt al aardig ~* he is getting quite grey

grijsaard old man

gril whim, fancy

grill grill

grillen grill

grillig whimsical, fanciful, capricious: *~ weer* changeable weather

grilligheid capriciousness, whimsicality, fickleness

grimas grimace

grime make-up, greasepaint

grimeren make up

grimmig 1 *(boos)* furious, irate; **2** *(fel)* fierce, for-

bidding: *een ~e kou* a severe cold

grind gravel, *(grover)* shingle

grindweg gravel(led) road

grinniken chuckle, *(sluw of min)* snigger: *zit niet zo dom te ~!* stop that silly sniggering!

grip grip, *(van wielen ook)* traction: *~ hebben op (ook fig)* have a grip on

grissen snatch, grab

grizzlybeer grizzly (bear)

groef groove, furrow, *(gleuf)* slot

groei 1 growth, development: *een broek die op de ~ gemaakt is* trousers which allow for growth; **2** *(toename)* growth, increase, *(uitbreiding)* expansion

groeien grow, develop: *zijn baard laten ~* grow a beard; *het geld groeit mij niet op de rug* I am not made of money

groeihormoon growth hormone

groeipijn growing pains

groen green: *deze aardbeien zijn nog ~* these strawberries are still green; *het signaal sprong op ~* the signal changed to green; *ze was in het ~ (gekleed)* she was (dressed) in green

Groenland Greenland

Groenlander Greenlander

groenstrook 1 green belt, green space *(of:* area); **2** *(middenberm)* grass strip, centre strip

groente vegetable: *vlees en twee verschillende soorten ~* meat and two vegetables

groenteboer greengrocer; greengrocer's (shop)

groentesoep vegetable soup

groentetuin vegetable garden, kitchen garden

groentje greenhorn, *(op school)* new boy, new girl, *(student)* fresher, freshman

groep group; *(van toeristen, reizigers)* party: *een grote ~ van de bevolking* a large section of the population; *leeftijdsgroep* age group *(of:* bracket); *in ~jes van vijf of zes* in groups of five or six; *we gingen in een ~ rond de gids staan* we formed a group round the guide

groeperen I *tr* group: *anders (opnieuw) ~* regroup; **II** *zich ~* **1** *(zich om iem, iets heen plaatsen)* cluster (round), gather (round), *(dicht bij elkaar)* huddle (round); **2** *(een groep vormen)* group (together), form a group

groepering grouping, faction

groepsgeest team spirit

groepsreis group travel

groepsverband: *in ~ (mbt één groep)* in a group *(of:* team); *werken in ~* work as a team

groepswerk teamwork

groet greeting, *(mil)* salute: *een korte ~ tot afscheid* a parting word; *met vriendelijke ~en* yours sincerely; *doe hem de ~en van mij* give him my best wishes, *(minder formeel)* say hello to him for me; *je moet de ~en van haar hebben.* O, doe haar de ~en terug she sends (you) her regards *(of:* love). Oh, the same to her; *de ~en!: a) (afscheidsgroet)* see you!; *b) (vergeet het maar)* not on your life!, no way!

groeten greet, say hello: *wees gegroet Maria* Hail

Mary

groeve quarry

grof 1 *(fors)* coarse, hefty; **2** *(ruw bewerkt)* coarse, rough, crude: *grove gelaatstrekken* coarse features; *iets ~ schetsen: a) (lett)* make a (rough) sketch of sth; *b) (fig ook)* sketch sth in broad outlines; **3** *(bijzonder erg)* gross, *(beledigend)* rude: *een grove fout* a glaring error; *je hoeft niet meteen ~ te worden* there's no need to be rude

grofgebouwd heavily-built

grofheid coarseness, *(onbeleefdheid, vulgariteit)* rudeness, *(ruwheid, eenvoud)* roughness, *(krasheid)* grossness

grofweg roughly, about, in the region of

grog grog, (hot) toddy

grol joke, gag

grommen I *intr, tr* grumble, mutter: *hij gromde iets onduidelijks* he muttered something indistinct; **II** *intr* growl, snarl: *de hond begon tegen mij te ~* the dog began to growl at me

grond 1 *(terrein)* ground, land: *er zit een flink stuk ~ bij het huis* the house has considerable grounds; *een stuk ~* a plot of land; *braakliggende ~* waste land; *iem tegen de ~ slaan* knock s.o. flat; *zij heeft haar bedrijf van de ~ af opgebouwd* she built up her firm from scratch; **2** *(aarde)* ground, earth: *schrale (of: onvruchtbare) ~ barren (of: poor)* soil; *iem nog verder de ~ in trappen* kick s.o. when he is down; **3** *(oppervlak)* ground, *(binnen)* floor: *de begane ~* the ground floor, *(Am)* the first floor; *ik had wel door de ~ kunnen gaan* I wanted the ground to open up and swallow me; **4** *(bodem onder water)* bottom: *aan de ~ zitten (financieel)* be on the rocks; **5** *(basis)* ground, foundation, basis: *op ~ van zijn huidskleur* because of *(of:* on account of) his colour; *op ~ van artikel 461* by virtue of section 461; **6** *(diepste, onderste deel)* bottom, *(wezen, kern)* essence: *dat komt uit de ~ van zijn hart* that comes from the bottom of his heart

grondbeginsel (basic, fundamental) principle; *(mv, ook)* fundamentals, basics

grondbezit 1 landownership, ownership of land; **2** *(erf)* landed property, (landed, real) estate

grondbezitter landowner

grondgebied *(ook fig)* territory, soil *(vnl. ve staat)*

grondig thorough, *(mbt verandering ook)* radical: *een ~e hekel aan iets hebben* loathe sth, dislike sth intensely; *iets ~ bespreken* talk sth out *(of:* through); *iets ~ onderzoeken* examine sth thoroughly

grondigheid thoroughness, *(deugdelijkheid)* soundness, validity

grondlaag *(grondverf)* undercoat

grondlegger founder, (founding) father

grondpersoneel ground crew

grondprijs the price of land

grondslag *(fig)* basis, foundation(s): *de ~ leggen van iets* lay the foundation for sth

grondsoort (type, kind of) soil

grondstewardess ground hostess *(Am:* stewardess)

grondstof raw material, *(landb ook)* raw produce

grondverf primer

grondvest foundation

grondvlak base

grondwater groundwater

grondwerk groundwork *(ook sport; ook fig)*

grondwet constitution

grondwettelijk constitutional

groot 1 big, large: *een tamelijk grote kamer* quite a big *(of:* large) room; *de kans is ~ dat ...* there's a good chance that ...; *op één na de grootste* the next to largest; **2** *(lang)* big, tall: *wat ben jij ~ geworden!* how you've grown!; *de grootste van de twee* the bigger of the two; **3** *(ouder)* big, *(volwassen)* grown-up: *zij heeft al grote kinderen* she has (already) got grown-up children; *daar ben je te ~ voor* you're too big for that (sort of thing); **4** *(van een bep afmeting)* in size: *het stuk land is twee hectare ~* the piece of land is two hectares in area; *twee keer zo ~ als deze kamer* twice as big as this room; **5** *(mbt aantal, kracht)* great, large: *een ~ gezin* a large family; *een steeds groter aantal* an increasing *(of:* a growing) number; *in het ~ inkopen (of:* verkopen*)* buy *(of:* sell) in bulk; *Karel de Grote* Charlemagne; *Alexander de Grote* Alexander the Great; *je hebt ~ gelijk!* you are quite *(of:* perfectly) right!

grootbeeld large screen (television)

grootboek ledger

grootbrengen bring up, raise: *een kind met de fles ~* bottle-feed a child

Groot-Brittannië Great Britain

groothandel wholesaler's, wholesale business

groothandelaar wholesaler

grootheid *(nat, wisk)* quantity

grootheidswaan(zin) megalomania

groothertog grand duke

groothoeklens wide-angle lens

groothouden, zich 1 bear up (well, bravely); **2** *(doen alsof men zich iets niet aantrekt)* keep up appearances, keep a stiff upper lip

grootmeester 1 *(mbt schaken, dammen)* grandmaster; **2** *(op andere gebieden)* (great, past) master

grootmoeder grandmother

grootouders grandparents

groots 1 grand, magnificent, majestic; **2** *(indrukwekkend)* spectacular, large-scale, ambitious *(plan, idee): het ~ aanpakken: a)* go about it on a grand scale; *b) (inform)* think big

grootschalig large-scale, ambitious

grootscheeps large-scale, great, massive, *(met inzet van alle krachten)* full-scale

grootspraak 1 boast(ing): *waar blijf je nu met al je ~!* where's all your boasting now?; **2** *(overdrijving)* hyperbole, overstatement

grootte size: *onder de normale ~* undersize(d); *een model op ware ~* a life-size model; *ter ~ van* the size of

grootvader grandfather

grootverbruiker large-scale consumer, bulk consumer

gros 1 *(merendeel)* majority, larger part; **2** *(twaalf dozijn)* gross: *per ~* by the gross

grossier wholesaler

grossiersprijs trade price, wholesale price

grot cave

grotendeels largely

grotesk grotesque

gruis grit

grut toddlers, small fry, young fry

grutto (black, bar-tailed) godwit

gruwel horror

gruweldaad atrocity: *gruweldaden bedrijven* commit atrocities

gruwelijk 1 horrible, gruesome: *een ~e misdaad* a horrible crime, an atrocity; **2** *(geweldig)* terrible, enormous: *een ~e hekel aan iem hebben* hate s.o.'s guts; *zich ~ vervelen* be bored stiff *(of:* to death)

gruwelverhaal horror story

gruwen be horrified (by): *ik gruw bij de gedachte aan al die ellende* I'm horrified by the thought of all this misery

g-sleutel G clef, Treble clef

gsm GSM

Guatemala Guatemala

guerrilla guer(r)illa (warfare)

guerrillastrijder guer(r)illa (fighter)

guillotine guillotine

Guinees Guinean

guirlande festoon, garland

guitig roguish, mischievous

gul I *bn* **1** generous: *met ~le hand (geven)* (give) generously; *~ zijn met iets* be liberal with sth; **2** *(hartelijk)* cordial: *een ~le lach* a hearty laugh; **II** *bw* cordially

gulden *(munt)* (Dutch) guilder, florin *(als afk: f);* Dfl; NLG

gulheid 1 generosity; **2** *(hartelijkheid)* cordiality

gulp fly (front), *(ritssluiting)* zip: *je ~ staat open* your fly is open

gulzig greedy: *met ~e blikken* with greedy eyes

gum rubber, *(Am)* eraser

gummi rubber

gummihandschoen rubber glove

gummiknuppel baton, *(Am)* club

gunnen 1 grant: *iem een blik op iets ~* let s.o. have a look at sth; *hij gunde zich de tijd niet om te eten* he did not allow himself time to eat; **2** *(niet misgunnen)* not begrudge: *het is je van harte gegund* you're very welcome to it

gunst favour: *iem een ~ bewijzen* do s.o. a favour

gunstig 1 *(welwillend)* favourable, kind: *~ staan tegenover* sympathize with; **2** *(nuttig)* favourable, advantageous: *een ~e gelegenheid* a good *(of:* favourable) opportunity; *in het ~ste geval* at best; *met ~e uitslag* with a favourable *(of:* satisfactory) result; *~e voortekenen* favourable *(of:* hopeful) signs; *~ voor*

... favourable *(of:* good) for ...; **3** *(aangenaam)* favourable, agreeable: *~ bekendstaan* have a good reputation

gunsttarief *(Belg) (verminderd tarief)* concessionary rate

gutsen *(mbt regen)* gush, pour

guur bleak, *(met storm)* rough, *(met storm)* wild *(weer)*, cutting *(wind)*

gym I *de* gym; **II** *het (gymnasium) (ongev)* grammar school, *(Am)* high school, *(in Ned enz.)* gymnasium: *Zhanel zit op het ~* Zhanel is at (the) grammar school

gymmen 1 do gym(nastics); **2** *(gymnastiekles hebben)* have gym

gymnasium *(ongev)* grammar school, *(Am)* high school, *(in Ned)* gymnasium

gymnast gymnast

gymnastiek gymnastics: *op ~ zijn* be at gymnastics

gymnastieklokaal gym

gympje gym shoe

gynaecoloog gynaecologist

h

haag hedge(row): *Den Haag* The Hague
haai shark: *naar de ~en gaan* go down the drain
haaientanden 1 shark's teeth; **2** *(verkeer)* triangular road marking (at junction)

haaienvinnensoep shark-fin soup
haak hook: *er zitten veel haken en ogen aan* it's a tricky business; *(Belg) met haken en ogen aan elkaar hangen* be shoddily made; *dat is niet in de ~* that's not quite right; *de hoorn van de ~ nemen* take the receiver off the hook
haakje *(teken)* bracket, parenthesis: *~ openen (of: sluiten)* open *(of:* close) (the) brackets; *tussen (twee) ~s: a) (lett)* in brackets; *b) (fig)* incidentally, by the way
haaknaald crochet hook *(of:* needle)
haaks square(d) ‖ *hou je ~* (keep your) chin up
haakwerk crochet (work), crocheting
haal 1 tug, pull: *met een flinke ~ trok hij het schip aan de wal* with a good tug he pulled the boat ashore; **2** *(met een pen of potlood)* stroke: *aan de ~ gaan met* run off with
haalbaar attainable, feasible
haalbaarheid feasibility
haan cock: *daar kraait geen ~ naar* no one will know a thing; *(mbt vuurwapens) de ~ spannen (overhalen)* cock the gun
haantje young cock; *(als gerecht)* chicken
haantje-de-voorste ringleader: *~ zijn* be (the) cock-of-the-walk
¹haar I *het, de* hair: *iets met de haren erbij slepen* drag sth in; *geen ~ op m'n hoofd die eraan denkt* I would not dream of it; *elkaar in de haren vliegen* fly at each other; *het scheelde maar een ~ of ik had hem geraakt* I only just missed hitting him; *op een ~ na* very nearly; **II** *het* hair: *met lang ~, met kort ~* long-haired, short-haired; *z'n ~ laten knippen* have a haircut; *z'n ~ verven* dye one's hair; *(Belg) iem van ~ noch pluim(en) kennen* not know s.o. from Adam; *(Belg) met het ~ getrokken* utterly implausible
²haar I *pers vnw* her; *(van dier, ding)* it: *vrienden van ~* friends of hers; *hij gaf het ~* he gave it to her; *die van ~ is wit* hers is white; **II** *bez vnw; v ev* her; *(van dieren, dingen)* its: *Els ~ schoenen* Elsie's shoes
haarborstel hairbrush
haard 1 *(kachel)* stove: *eigen ~ is goud waard* there's

no place like home; **2** *(open haard)* hearth: *huis en ~* hearth and home; *een open ~* a fireplace; *bij de ~* by *(of:* at) the fireside
haardos (head of) hair: *een dichte (volle) ~* a thick head of hair
haardroger hairdryer
haardvuur open fire
haarlok lock (of hair)
haarscherp very sharp, exact *(beschrijving, weergave)*
haarspeld 1 *(sierspeld)* hairslide, *(Am)* hair clasp; **2** hairpin
haarspoeling hair colouring
haarstukje hairpiece
haaruitval hair loss
haarvat capillary
haas 1 hare; **2** *(mals vlees)* fillet: *een biefstuk van de ~* fillet steak; **3** *(sport)* pacemaker: *het ~je zijn* be for it; *mijn naam is ~* I'm saying nothing, I know nothing about it
haasje-over: *~ springen* (play) leapfrog
¹haast *(bijna)* almost, nearly, *(in negatieve zin)* hardly: *men zou ~ denken dat ...* one would almost think that ...; *hij was ~ gevallen* he nearly fell; *hij zei ~ niets toen hij wegging* he said hardly anything when he left; *~ niet* hardly; *~ nooit* scarcely ever
²haast hurry, haste: *in grote ~* in a great hurry, in haste; *~ hebben* be in a hurry *(van personen)*; *waarom zo'n ~?* what's the rush?
haasten, zich hurry, *(inform)* hurry up: *we hoeven ons niet te ~* there's no need to hurry; *haast je maar niet!* don't hurry!, take your time!
haastig hasty, rash: *niet zo ~!* (take it) easy!
haat hatred, hate
habijt habit
hachee stew, hash
hachelijk precarious
hachje skin: *alleen aan zijn eigen ~ denken* only think of one's own safety
hacken hack
hagedis lizard
hagel 1 hail; **2** *(munitie)* (lead, ball) shot
hagelbui hailstorm
hagelen hail: *het hagelt* it hails, it is hailing
hagelslag *(chocolade)* chocolate strands
hagelsteen hailstone
hagelwit (as) white as snow: *~te tanden* pearly-white teeth
hak 1 heel: *schoenen met hoge (of: lage) ~ken* high-heeled *(of:* flat-heeled) shoes; *met de ~ken over de sloot slagen* pass by the skin of one's teeth; **2** *(slag met een bijl)* cut: *van de ~ op de tak springen* skip from one subject to another
hakblok chopping block, butcher's block
haken I *intr* catch: *hij bleef met zijn jas aan een spijker ~* he caught his coat on a nail; **II** *tr (mbt handwerken)* crochet
hakenkruis swastika
hakkelen stammer (out), stumble (over one's

words)

hakken I *intr* hack (at); II *tr* 1 chop (up): *in stukjes* ~ cut (*of:* chop) (up); 2 (*afhakken*) cut (off, away); 3 (*uithakken*) cut (out)

hakmes 1 chopper, machete; 2 (*keukengereedschap*) chopping knife

hal (entrance) hall: *in de ~ van het hotel* in the hotel lobby (*of:* lounge, foyer)

halen 1 pull, drag (*over de grond*): *ervan alles bij ~* drag in everything (but the kitchen sink); *ik kan er mijn kosten niet uit ~* it doesn't cover my expenses; *eruit ~ wat erin zit* get the most out of sth; *overhoop ~* turn upside down; *waar haal ik het geld vandaan?* where shall I find the money?; *zijn zakdoek uit zijn zak ~* pull out one's handkerchief; *iem uit zijn concentratie ~* break s.o.'s concentration; *geld van de bank ~* (with)draw money from the bank; 2 (*ergens vandaan halen*) fetch, get: *de post ~* collect the mail; *ik zal het gaan ~* I'll go and get it; *ik zal je morgen komen ~* I'll come for you tomorrow; *iem van de trein ~* meet s.o. at the station; *twee ~ een betalen* two for the price of one; 3 (*ontbieden*) fetch, go for: *de dokter ~* go for the doctor; *iem (iets) laten ~* send for s.o. (sth); 4 (*bemachtigen*) get, take (*een graad*), pass (*een examen*): *goede cijfers ~* get good marks; 5 (*erin slagen te bereiken*) reach, catch (*trein enz.*), get (*hoge noten*); (*het halen*) make, (*bij iets, iemand*) compare, (*overleven*) pull through: *hij heeft de finish niet gehaald* he did not make it to the finish; *daar haalt niets (het) bij* nothing can touch (*of:* beat) it; *je haalt twee zaken door elkaar* you are mixing up two things

half I *bn* 1 half: *voor ~ geld* (at) half price; *vier en een halve mijl* four and a half miles; *de halve stad spreekt ervan* half the town is talking about it; 2 (*halfweg, halverwege*) halfway up/down (*of:* along, through): *ik ga ~ april* I'm going in mid-April; *er is een bus telkens om vier minuten vóór ~* there is a bus every four minutes to the half-hour; *het is ~ elf: a)* it is half past ten; *b) (inform)* it is half ten; II *bw* (*voor de helft*) half, halfway: *een glas ~ vol schenken* pour half a glass; *met het raam ~ dicht* with the window halfway down (*of:* open); III *zn* half: *twee halven maken een heel* two halves make a whole

halfbroer half-brother

halfdood half-dead

halfduister semi-darkness, twilight

halfgaar 1 half-done; 2 (*getikt*) half-witted

halfgeleider (*comp*) semiconductor

halfjaar six months, half a year

halfpension half board

halfrond hemisphere

halfstok half-mast

halfuur half (an) hour

halfvol 1 half-full; 2 (*met minder vet*) low-fat, half-fat, low-fat

halfweg halfway: ~ *Utrecht en Amersfoort heeft hij een huis gekocht* he has bought a house halfway between Utrecht and Amersfoort; *ik kwam hem ~ tegen* I met him halfway

halfzacht 1 soft-boiled; 2 (*dwaas*) soft-headed, soft (in the head)

halfzuster half-sister

halfzwaargewicht light heavyweight

halleluja alleluia, halleluja(h)

hallo hello, hallo, hullo

hallucineren hallucinate, hear things, see things

halm stalk, (*van gras ook*) blade

halo halo; (*rond de maan*) corona

halogeen halogen

hals 1 neck: *de ~ van een gitaar* the neck of a guitar; *iem om de ~ vallen* throw one's arms round s.o.'s neck; *een japon met laag uitgesneden ~* a low-necked dress; 2 (*keel*) throat; 3 (*nek*) nape

halsband 1 (*mbt dieren*) collar; 2 (*sieraad*) necklace

halsbrekend daredevil

halsdoek scarf

halsketting 1 (*sieraad*) necklace; 2 (*mbt vee*) collar

halsoverkop in a hurry (*of:* rush), headlong (*vallen*): ~ *over kop verliefd worden* fall head over heels in love; ~ *naar het ziekenhuis gebracht worden* be rushed to hospital; ~ *de trap af komen* come tumbling downstairs

halsslagader carotid (artery)

halsstarrig obstinate, stubborn

halster halter

halt I *zn* stop: *iem een ~ toeroepen* stop s.o.; ~ *houden* halt; II *tw* halt!, stop!, wait!

halte stop

halter (*kort*) dumb-bell; (*lang*) bar bell

halvarine low-fat margarine

halvemaan 1 half-moon; 2 (*sikkelvormig teken*) crescent

halveren 1 divide into halves; 2 halve

halverwege halfway, halfway through ‖ ~ *blijven steken in een boek* get stuck halfway through a book

halvezool (*persoon*) nitwit

ham ham: *een broodje ~* a ham roll

hamburger hamburger, beefburger: ~ *met kaas* cheeseburger

hamer hammer

hameren hammer: *er bij iem op blijven ~* keep on at s.o. about sth

hamster hamster

hamsteren hoard (up)

hamstring hamstring

hand hand: *blote ~en* bare hands; *in goede (of: verkeerde) ~en vallen* fall into the right (*of:* wrong) hands; *iem de helpende ~ bieden* lend s.o. a (helping) hand; *de laatste ~ aan iets leggen* put the finishing touches to sth; *niet met lege ~en komen* not come empty-handed; *iem (de) ~en vol werk geven* give s.o. no end of work (*of:* trouble); *de ~en vol hebben aan iem (iets)* have one's hands full with s.o. (sth); *dat kost ~en vol geld* that costs lots of money; *iem de ~ drukken* (of: *geven, schudden*) shake hands with s.o., give s.o. one's hand; *iemands ~ lezen* read s.o.'s palm; *de ~ ophouden (fig)* hold out one's hand for a tip, beg; *zijn ~en uit de mouwen steken (fig)* roll up one's sleeves, get down to it; *hij kan zijn ~en niet thuishouden* he can't keep his hands to himself; *zijn ~ uitsteken (in het verkeer)* indicate; *~en omhoog! (of ik schiet)* hands up! (or I'll shoot); *~en thuis!* hands off!; *niks aan de ~!* there's nothing the matter; *wat geld achter de ~ houden* keep some money for a rainy day; *in de ~en klappen* clap one's hands; *(fig) iets in de ~ hebben* have sth under control; *de macht in ~en hebben* have power, be in control; *in ~en vallen van de politie* fall into the hands of the police; *met de ~ gemaakt* hand-made; *iets om ~en hebben* have sth to do; *iem onder ~en nemen* take s.o. in hand (*of:* to task); *uit de ~ lopen* get out of hand; *iem het werk uit (de) ~en nemen* take work off s.o.'s hands; *iets van de ~ doen* sell sth, part with sth, dispose of sth; *dat ligt voor de ~* that speaks for itself, is self-evident; *aan de winnende ~ zijn* be winning; *iem op zijn ~ hebben* have s.o. on one's side; *wat is er daar aan de ~?* what's going on there?; *er is iets aan de ~* there's sth the matter (*of:* up)

handbagage hand-luggage
handbal handball
handbereik reach: *onder (in, binnen) ~* within reach
handboei handcuffs *(meestal mv)*
handboek 1 handbook; 2 *(naslagwerk)* reference book
handbreed hand('s-)breadth: *geen ~ wijken* not budge, give an inch
handdoek towel
handdruk handshake
handel 1 trade, business: *binnenlandse ~* domestic trade; *zwarte ~* black market; *~ in verdovende middelen* drug trafficking; 2 *(goederen)* merchandise, goods; 3 *(vaak in sam)* business, *(winkel)* shop
handelaar trader, *(mbt groothandel)* merchant, dealer *(in bepaald artikel); (min)* trafficker
handelbaar *(mbt personen, dieren)* manageable, docile
handelen 1 trade, do business, transact business, *(min)* traffic: *hij handelt in drugs* he traffics in drugs; 2 *(daad verrichten)* act: *~d optreden* take action; *ik zal naar eer en geweten ~* I shall act in all conscience; 3 *(met over) (behandelen)* treat (of), deal (with)
handeling 1 act, deed; 2 action, plot: *de plaats van ~* the scene (of the action)
handelsagent commercial agent
handelsakkoord trade agreement
handelsartikel commodity, *(mv ook)* goods, *(mv ook)* merchandise
handelsbetrekkingen trade relations, commercial relations
handelskapitaal trading capital, business capital
handelskennis knowledge of commerce (*of:* business), *(als studievak)* business studies
handelsmerk trademark, *(benaming)* brand name

handelsonderneming commercial enterprise, business enterprise
handelspartner business partner, trading partner
handelsrecht commercial law
handelsverkeer trade, business
handelswaar commodity, article, *(niet-telbaar)* merchandise, *(alleen mv)* goods
handenarbeid hand(i)craft, industrial art, manual training
hand- en spandiensten: *~ verrichten* lend a helping hand, aid and abet
handgebaar gesture
handgemeen (hand-to-hand) fight
handgranaat (hand) grenade
handgreep handle, grip *(van stuur)*
handhaven I *tr* 1 maintain, *(kwaliteit ook)* keep up, uphold *(een traditie, de wet, een besluit)*, enforce *(een reglement, verbod): de orde ~* maintain (*of:* keep, preserve) order; 2 *(niet terugnemen)* maintain, stand by: *zijn bezwaren ~* stand by one's objections; **II** *zich ~ (zich staande houden)* hold one's own
handhaving maintenance, *(in stand houden)* upholding, enforcement *(van een wet, verbod)*
handicap handicap: *speciale voorzieningen voor mensen met een ~* special facilities for the disabled
handig 1 skilful, *(vaardig met de handen)* dexterous, handy *(mbt een manusje-van-alles): een ~ formaat* a handy size; *~ in (met) iets zijn* be good (*of:* handy) at sth; 2 clever: *hij legde het ~ aan* he set about it cleverly
handigheid 1 skill; 2 *(foefje)* knack
handje hand(shake) || *een ~ helpen* give (*of:* lend) a (helping) hand
handkar handcart
handlanger accomplice
handleiding manual, handbook, *(gebruiksaanwijzing)* directions (*of:* instructions) (for use)
handlezer palmist, palm reader
handmatig manual
handomdraai: *in een ~* in (less than) no time
handoplegging laying on of hands, *(genezing ook)* faith healing
handpalm palm (of the hand)
handrem handbrake
hands hands, handling (the ball), handball: *aangeschoten ~* unintentional hands
handschoen glove: *een paar ~en* a pair of gloves
handschrift 1 handwriting; 2 *(geschreven stuk)* manuscript
handstand handstand
handtas (hand)bag
handtastelijk free, (over)familiar: *~ worden* paw s.o.
handtekening signature, autograph *(van beroemdheden)*
handvaardigheid (handi)craft(s)
handvat handle, *(van zwaard, enz.)* hilt, *(van geweer)* butt: *het ~ van een koffer* the handle of a suit-

case
handvest charter
handvol handful
handwarm lukewarm
handwerk 1 handiwork: *dit tapijt is* ~ this carpet is handmade; 2 *(borduur-, brei-, haakwerk)* needlework; *(borduurwerk ook)* embroidery; *(haakwerk)* crochet(ing); 3 *(handarbeid)* manual work, *(als beroep)* trade
handwerksman craftsman, artisan
handzaam handy
hanenkam 1 (cocks)comb; 2 *(kapsel)* Mohawk haircut
hanenpoot 1 cock's foot; 2 *(onleesbaar schrift)* scrawl
hangaar hangar
hangbuik pot-belly
hangen I *intr* 1 hang: *de zeilen* ~ *slap* the sails are slack, the sails are hanging (loose); *het schilderij hangt scheef* the painting is (hanging) crooked; *aan het plafond* ~ hang *(of:* swing, be suspended) from the ceiling; *de hond liet zijn staart* ~ the dog hung its tail; 2 *(slap hangen)* sag: *het koord hangt slap* the rope is sagging *(of:* slack); 3 *(overhellen)* lean (over), hang (over), *(mbt lusteloze persoon)* loll, *(mbt lusteloze persoon)* slouch, hang around: *hij hing op zijn stoel* he lay sprawled in a chair, he lolled in his chair; 4 *(vast (blijven) zitten)* stick (to), cling (to), *(met kleding)* be *(of:* get) stuck (in): *(fig) blijven* ~ linger *(of:* stay, hang) (on), *(onvrijwillig)* get hung up *(of:* stuck); *(fig) ze* ~ *erg aan elkaar* they are devoted to *(of:* wrapped up in) each other; *de wolken* ~ *laag* the clouds are (hanging) low; *de bloemen zijn gaan hangen* the flowers are wilting; II *tr* 1 *(bevestigen)* hang (up): *de was buiten* ~ hang out the washing (to dry); *zijn jas aan de kapstok* ~ hang (up) one's coat on the peg; 2 *(mbt personen, ophangen)* hang
hangend hanging, *(slap)* drooping
hanger 1 (clothes) hanger, coat-hanger; 2 *(aan halssnoer)* pendant, pendent; *(aan oren)* pendant earring, drop earring
hangijzer pot-hook: *een heet* ~ a controversial issue, hot potato
hangkast wardrobe
hangmap suspension file
hangmat hammock
hangslot padlock
Hans: ~ *en Grietje* Hansel and Gretel
hanteerbaar manageable
hanteren 1 handle, operate, employ, *(form)* wield *(bijv. pen, wapen): de botte bijl* ~ take heavy-handed, crude measures; *moeilijk te* ~ unwieldy, difficult *(of:* awkward) to handle, unmanageable; 2 *(beheersen, besturen)* manage, manoeuvre
hap 1 bite, *(met snavel)* peck: *in één* ~ *was het op* it was gone in one *(of:* in a single) bite; 2 *(afgehapt stuk)* bite, mouthful: *een* ~ *nemen* take a bite *(of:* mouthful)

haperen 1 stick, get stuck: *de conversatie haperde* the conversation flagged; 2 *(mankeren)* have sth wrong *(of:* the matter) with oneself
hapje 1 bite, mouthful: *wil je ook een* ~ *mee-eten?* would you like to join us (for a bite, meal)?; 2 *(bijgerecht)* snack, bite to eat, hors d'oeuvre, appetizer: *voor (lekkere)* ~s *zorgen* serve refreshments
happen 1 bite (at), snap (at): *naar lucht* ~ gasp for air; 2 *(gretige beet doen)* bite (into), take a bite (out of)
happig (met *op)* keen (on), eager (for)
harakiri hara-kiri
hard I *bn* 1 hard, *(vast, stevig ook)* firm, *(dicht, solide)* solid: ~*e bewijzen* firm proof, hard evidence; ~ *worden* harden, become hard, *(mbt cement, lijm enz.)* set; 2 *(niet meegevend)* stiff, rigid: ~*e schijf* hard disk; 3 *(hevig, krachtig)* hard, *(luid ook)* loud: ~*e muziek* loud music; ~*e wind* strong *(of:* stiff) wind; 4 *(hardvochtig, ongevoelig)* hard, *(ruw, wreed ook)* harsh: *een* ~*e politiek* a tough policy; *een* ~ *vonnis* a severe sentence; 5 *(onaangenaam mbt de zintuigen)* harsh, *(mbt kleuren ook)* garish: ~*e trekken* harsh features; II *bw* 1 hard: ~ *lachen* laugh heartily; *een band* ~ *oppompen* pump a tyre up hard; *hij ging er nogal* ~ *tegenaan* he went at it rather hard; *zijn rust* ~ *nodig hebben* be badly in need of a rest; *dit onderdeel is* ~ *aan vervanging toe* this part is in urgent need of replacement; 2 *(luid)* loudly: *niet zo* ~ *praten!* keep your voice down!; *de tv* ~*er zetten* turn up the TV; 3 *(snel)* fast, quickly: ~ *achteruitgaan* deteriorate rapidly *(of:* fast); *te* ~ *rijden* drive *(of:* ride) too fast, speed; 4 *(meedogenloos)* hard, harshly: *iem* ~ *aanpakken* be hard on s.o.
hardboard hardboard
harddisk hard disk
harden I *intr* 1 harden, become hard, *(mbt vloeistoffen)* dry, *(mbt cement, gelatine enz.)* set; II *tr* 1 *(hard maken)* harden, temper; 2 *(mbt het lichaam)* toughen (up): *hij is gehard door weer en wind* he has been hardened *(of:* seasoned) by wind and weather; 3 *(uithouden)* bear, stand, *(inform)* take, stick: *deze hitte is niet te* ~ this heat is unbearable
hardgebakken crispy, crusty
hardgekookt hard-boiled
hardhandig hard-handed, rough, *(onnodig hard, wreed)* heavy-handed: ~ *optreden* take hard-handed *(of:* harsh, drastic) action, use strong-arm tactics
hardheid hardness, toughness *(ook fig)*, harshness
hardhorig hard of hearing
hardhout hardwood
hardleers 1 dense, slow, thick(-skulled); 2 *(eigenwijs)* headstrong, stubborn
hardlopen run; race, run a race
hardloper runner *(ook paard)*
hardnekkig stubborn, obstinate, *(mbt regen, pijn, pogingen)* persistent: *een* ~ *gerucht* a persistent rumour

hardnekkigheid obstinacy, stubbornness
hardop aloud, out loud: ~ *denken (of: lachen)* think/laugh aloud *(of:* out loud); *iets ~ zeggen* say sth out loud
hardrijden *(sport)* race, *(schaatsen)* speed-skate
hardrijder racer, *(schaatser)* speedskater, *(wielrenner)* racing cyclist
hardvochtig hard(-hearted), *(ruw, gevoelloos)* unfeeling
hardware hardware
harem harem
haren hair
harig hairy, *(bontachtig)* furry
haring 1 herring, kipper *(gedroogde, gerookte (zoute) haring): een school ~en* a shoal of herring; *nieuwe (of: zure)* ~ new *(of:* pickled) herring; *als ~(en) in een ton* (packed) like sardines; 2 *(mbt tenten)* tent peg, tent stake
hark rake
harken rake (up, together)
harlekijn 1 harlequin; 2 *(pop)* jumping jack; 3 *(grappenmaker)* clown
harmonica 1 accordion; 2 *(mondharmonica)* harmonica, mouth-organ
harmonie 1 harmony, concord, agreement: *in (of: niet in) ~ zijn met* be in *(of:* out of) harmony with; 2 *(muziekvereniging)* (brass)band
harmoniëren harmonize (with), *(bij elkaar passen mbt kleur)* blend (in) (with)
harmonieus harmonious, melodious
harmonisch 1 harmonic: *een ~ geheel vormen* blend (in), go well (together); 2 *(kalm)* harmonious
harnas (suit of) armour: *in het ~ sterven* die in harness; *iem tegen zich in het ~ jagen* put s.o.'s back up
harp harp
harpist harpist, harp player
harpoen harpoon
hars resin, *(vioolhars)* rosin
hart 1 heart: *uit de grond van zijn ~* from the bottom of one's heart; *hij is een jager in ~ en nieren* he is a hunter in heart and soul; *met ~ en ziel* with all one's heart; *met een gerust ~* with an easy mind; *een zwak ~ hebben* have a weak heart; *iemands ~ breken* break s.o.'s heart; *het ~ op de juiste plaats hebben* have one's heart in the right place; *ik hield mijn ~ vast* my heart missed a beat; *je kunt je ~ ophalen* you can enjoy it to your heart's content; *zijn ~ uitstorten* pour out *(of:* unburden, open) one's heart (to s.o.); *(diep) in zijn hart hield hij nog steeds van haar* in his heart (of hearts) he still loved her; *waar het ~ van vol is, loopt de mond van over* what the heart thinks, the tongue speaks; 2 *(moed)* heart, nerve: *heb het ~ eens!* don't you dare!, just you try it!; *het ~ zonk hem in de schoenen* he lost heart; 3 *(midden, kern)* heart, centre: *iets niet over zijn ~ kunnen verkrijgen* not find it in one's heart to do sth; *van ~e gefeliciteerd* my warmest congratulations
hartaanval heart attack

hartchirurg cardiac surgeon, heart surgeon
hartelijk I *bn* 1 hearty, warm: *~ dank voor …* many thanks for …; *~e groeten aan je vrouw* kind regards to your wife; 2 *(mbt personen)* warm-hearted, open-hearted, cordial: *~ tegen iem zijn* be friendly towards s.o.; II *bw* heartily, warmly: *~ bedankt voor …* thank you very much for …; *~ gefeliciteerd* sincere congratulations
hartelijkheid 1 cordiality, warm-heartedness, open-heartedness; 2 *(behandeling)* cordiality, hospitality
harten hearts: *hartenboer* jack *(of:* knave) of hearts
hartenlust *(Wdl: hartelust): naar ~* to one's heart's content
hart- en vaatziekten cardiovascular diseases
hartgrondig wholehearted, hearty
hartig 1 tasty, *(goed gekruid)* well-seasoned, *(stevig)* hearty; 2 *(zout)* salt(y)
hartinfarct coronary (thrombosis)
hartje 1 (little) heart: *hij heeft een grote mond, maar een klein ~* he's not all what he makes out to be; 2 *(het binnenste, middelste)* heart, centre: *~ winter* the dead of winter; *~ zomer* the height of summer
hartklacht heart complaint *(of:* condition)
hartklep heart valve, valve (of the heart)
hartklopping palpitation (of the heart)
hartpatiënt cardiac patient
hartsgeheim (most) intimate secret
hartslag heartbeat, pulse, *(snelheid)* heart rate
hartstikke awfully, terribly, *(helemaal)* completely: *~ gek* stark staring mad, crazy; *~ goed* fantastic, terrific, smashing; *~ bedankt!* thanks awfully *(of:* ever so much)
hartstilstand cardiac arrest
hartstocht passion, emotion *(vnl. mv)*
hartstochtelijk I *bn* 1 passionate, emotional, *(snel opgewonden)* excitable; 2 passionate, ardent, fervent: *hij is een ~ skiër* he is an ardent skier; II *bw* passionately, ardently
hartverscheurend heartbreaking, heart-rending
hartverwarmend heart-warming
hasj hash
hasjiesj hashish
haspel reel, *(spoel)* spool
hatelijk nasty, spiteful, snide *(vnl. mbt opmerkingen)*
hatelijkheid nasty remark, snide remark, gibe, (nasty) crack
haten hate
hatsjie atishoo
haveloos 1 shabby, scruffy, *(mbt meubels, auto enz. ook)* delapidated: *wat ziet hij er ~ uit* how scruffy he looks; 2 *(berooid, arm)* shabby, beggarly, *(van mens)* down-and-out
haven harbour, *(grote haven ook)* port, *(fig: toevluchtsoord)* (safe) haven: *(fig) een veilige ~ vinden* find refuge; *een ~ binnenlopen (aandoen)* put into a port
havenarbeider dockworker

havenstad port, seaport (town) *(aan zee)*

haver oat, *(als voedsel)* oats

haverklap: *om de ~: a) (ieder ogenblik)* every other minute, continually; *b) (bij de geringste aanleiding)* at the drop of a hat

havermout 1 rolled oats, oatmeal; **2** *(pap)* (oatmeal) porridge

havik 1 goshawk; **2** *(pol)* hawk

havo *afk van hoger algemeen voortgezet onderwijs* school for higher general secondary education

hazelaar hazel

hazelnoot 1 *(struik)* hazel; **2** *(noot)* hazelnut

hazenlip harelip

hazenpad: *het ~ kiezen* take to one's heels

hazewind greyhound

hbo *afk van hoger beroepsonderwijs* (school for) higher vocational education

hé hey!; hello, *(verbazing)* oh (really)?

hè *(onprettig)* oh (dear), *(prettig)* ah: *~, dat doet zeer!* oh *(of:* ouch), that hurts!; *~, blij dat ik zit!* phew, glad I can take the weight off my feet!; *lekker weertje, ~?* nice day, isn't it?

heao *afk van hoger economisch en administratief onderwijs* school (institute) for business administration and economics

hebben I *tr* **1** have (got), own: *geduld ~* be patient; *iets moeten ~* need sth; *iets bij zich ~* be carrying sth, have sth with *(of:* on) one; **2** *(krijgen)* have: *die pantoffels heb ik van mijn vrouw* I got those slippers from my wife; *van wie heb je dat?* who told *(of:* gave) you that?; **3** *(met aan) (nut ondervinden van)* be of use (to): *je weet niet wat je aan hem hebt* you never know where you are with him; *verdriet ~* be sad; *wat heb je?* what's the matter *(of:* wrong) with you?; *wat heb je toch?* what's come over you?; *het koud (of:* warm*) ~* be cold *(of:* hot); *hij heeft iets tegen mij* he has a grudge against me; *ik heb nooit Spaans gehad* I've never learned Spanish; *er niets van ~* I want nothing to do with it; *dat heb je ervan* that's what you get; *daar heb je het al* I told you so; *zo wil ik het ~* that's how I want it; *iets gedaan willen ~* want (to see) sth done; *ik weet niet waar je het over hebt* I don't know what you're talking about; *daar heb ik het straks nog over* I'll come (back) to that later on *(of:* in a moment); *nu we het daar toch over ~* now that you mention it …; **II** *hulpww (met voltooide tijd bij ww)* have: *had ik dat maar geweten* if (only) I had known (that); *had dat maar gezegd* if only you'd told me (that); *ik heb met Marco B. op school gezeten* I was at school with Marco B.

hebberig greedy

hebbes *(iem)* got you, gotcha!; *(iets)* got it

Hebreeuws Hebrew

Hebriden Hebrides

hebzuchtig greedy, avaricious

hecht solid, *(fig)* strong, tight, *(saamhorig)* tightly-knit, close(ly)-knit: *een ~e vriendschap* a close friendship

hechten I *tr* **1** stitch, suture: *een wond ~* sew up, stitch a wound; **2** *(vastmaken)* attach, fasten, (af)fix: *een prijskaartje aan iets ~* put a price tag on sth; **3** attach: *waarde (of: belang) aan iets ~* attach value *(of:* importance) to sth; **II** *intr* **1** *(kleven)* adhere, stick; **2** *(waarde toekennen aan)* be attached (to), devoted (to), adhere (to): *ik hecht niet aan deze dure auto* I'm not very attached to this expensive car; **III** *zich ~* (met aan) become attached to, cling to: *hij hecht zich gemakkelijk aan mensen* he gets attached to people easily

hechtenis 1 custody, detention; **2** *(als straf)* imprisonment, prison

hechting stitches, suture(s): *de ~en verwijderen* take out the stitches

hectare hectare

hectisch hectic

heden I *zn* present (day); **II** *bw (form)* today, now(adays), at present: *tot op ~* up to *(of:* up) till/until now; *vanaf ~, met ingang van ~* as from today

hedendaags contemporary, present-day: *woordenboeken voor ~ taalgebruik* dictionaries of current usage

hedonisme hedonism

heel I *bn* **1** intact: *het ei was nog ~* the egg was unbroken; **2** *(volledig)* whole, entire, all: *~ Engeland* all England; *een ~ jaar* a whole year; **3** *(groot)* quite a, quite some: *het is een ~ eind (weg)* it's a good way (off); *een hele tijd* quite some time; **II** *bw* **1** *(zeer)* very (much), really: *dat is ~ gewoon* that's quite normal; *een ~ klein beetje* a tiny bit; *dat kostte ~ wat moeite* that took a great deal of effort; *je weet het ~ goed!* you know perfectly well!; *~ vaak* very often *(of:* frequently); **2** *(helemaal)* completely, entirely, wholly: *dat is iets ~ anders* that's a different matter altogether

heelal universe

heelhuids unharmed, unscathed, whole: *~ terugkomen* return safe and sound

heen 1 gone, away: *~ en weer lopen* walk/pace up and down *(of:* back and forth); **2** *(naar toe)* on the way there, out: *je kunt daar niet ~* you cannot go there; *langs elkaar ~ praten* talk at cross purposes; *je kunt niet om hem ~* you can't ignore him

heengaan I *intr* **1** *(vertrekken)* depart, leave; **2** *(sterven)* pass away; **II** *zn* **1** *(dood)* passing away; **2** *(vertrek)* departure

heenreis way there, outward journey, journey out

heenweg way there, way out

heer 1 man; **2** *(als beleefdheidstitel)* Mr *(gevolgd door naam);* Sir *(zonder naam); (mv)* gentlemen: *(mijne) dames en heren!* ladies and gentlemen!; **3** gentleman: *een echte ~* a real gentleman; **4** *(God)* Lord: *als de Heer het wil* God *(of:* the Lord) willing; **5** *(meester)* lord, master: *mijn oude ~* my old man; **6** *(kaartspel)* king

heerlijk 1 *(lekker)* delicious; **2** *(aangenaam)* delightful, lovely, wonderful, splendid: *het is een ~ ge-*

voel it feels great

heerschappij dominion, mastery, rule

heersen 1 rule (over), *(mbt vorst(in))* reign; **2** *(de overhand hebben)* dominate; **3** *(voorkomen)* be, be prevalent: *er heerst griep* there's a lot of flu about

heersend ruling, prevailing: *de ~e klassen* the ruling class(es); *de ~e mode* the current fashion

heerser ruler

hees hoarse: *een hese keel* a sore throat

heesheid hoarseness, *(minder sterk)* huskiness

heester shrub

heet 1 hot: *een hete adem* a fiery breath *(ook fig); in het ~st van de strijd* in the thick *(of:* heat) of the battle; **2** *(fig)* hot, heated *(discussie),* fiery *(drift);* **3** *(scherp gekruid)* hot, spicy: *hete kost* spicy food; **4** *(inform)* hot, horny

heetgebakerd hot-tempered, quick-tempered

hefboom lever

hefbrug 1 (vertical) lift bridge; **2** *(voor auto's)* (hydraulic) lift

heffen 1 lift, raise: *het glas ~* raise one's glass (to), drink (to); **2** *(van belasting enz.)* levy, impose

heffing levy, charge

heft handle, haft *(van gereedschap),* hilt *(van zwaard): het ~ in handen hebben* be in control, command

heftig violent, *(aanval ook)* fierce, *(driftig)* furious, intense *(gevoelens),* severe *(pijn, ziekte),* heated *(ruzie, debat): ~ protesteren* protest vigorously

heftruck fork-lift truck

heg hedge

heggenschaar garden shears, hedge trimmer

hei 1 heath(land); **2** *(plantk)* heather

heibel row, racket

heide heath

heiden heathen, pagan

heidens 1 heathen, pagan; **2** *(enorm)* atrocious, abominable; infernal *(lawaai);* rotten *(karwei)*

heien drive (piles)

heiig hazy

heil good: *ik zie er geen ~ in* I do not see the point of it

Heiland *(Messias)* Saviour

heilbot halibut

heilig holy; sacred: *heilige koe* (of: *muziek)* sacred cow (of: music); *hem is niets ~* nothing is sacred to him

heiligdom sanctuary

heilige saint

heiligschennis sacrilege, desecration

heilloos fatal, disastrous

heilzaam 1 curative, healing, *(gezond)* wholesome, *(gezond)* healthful; **2** *(gunstig)* salutary, beneficial: *een heilzame werking* (of: *invloed) hebben* have a beneficial effect *(of:* influence)

heimelijk secret, *(van bijeenkomst)* clandestine, *(van blik, beweging ook)* surreptitious, sneaking *(vermoeden, verlangen)*

heimwee homesickness: *ik kreeg ~ (naar)* I became

homesick (for)

Hein: *magere ~* the Grim Reaper

heinde: *van ~ en verre* from far and near *(of:* wide)

heipaal pile

hek 1 fence, barrier *(versperring);* **2** *(poort)* gate, *(klein hekje)* wicket(-gate)

hekel hackle ‖ *een ~ aan iem (iets) hebben* hate s.o. (sth)

hekje 1 small gate *(of:* door); **2** *(comp, telec)* number sign

heks 1 witch; **2** *(feeks)* shrew; **3** *(lelijke vrouw)* hag

heksenjacht witch-hunt

heksenketel bedlam, pandemonium

heksenkring fairy ring

hekserij sorcery, witchcraft

hekwerk *(raster(ing))* fencing, railings *(van ijzer)*

hel I *zn* hell; **II** *bn, bw (fel)* vivid, bright

hela hey

helaas unfortunately: *~ kunnen wij u niet helpen* I'm afraid *(of:* sorry) we can't help you

held hero ‖ *hij is geen ~ in rekenen* he is not much at figures

heldendaad heroic deed *(of:* feat), act of heroism, *(vaak iron)* exploit

heldendicht heroic poem, epic poem, epic

helder 1 clear: *een ~e lach* a ringing laugh; **2** *(mbt licht, kleur)* clear, bright: *~ wit* (of: *groen)* brilliant white, bright green; **3** *(duidelijk)* clear, lucid: *zo ~ als kristal (glas)* as clear as crystal, crystal-clear

helderheid 1 clearness; clarity; **2** *(mbt licht)* brightness, vividness; **3** *(onbewolktheid)* brightness; **4** *(duidelijkheid)* clarity, lucidity

helderziende clairvoyant: *ik ben toch geen ~* I'm not a mind-reader

helderziendheid clairvoyance, second sight

heldhaftig heroic, valiant

heldin heroine

heleboel (quite) a lot, a whole lot: *een ~ mensen zouden het niet met je eens zijn* an awful lot of people wouldn't agree with you

helemaal 1 completely, entirely: *ik heb het ~ alleen gedaan* I did it all by myself; *~ nat zijn* be wet through; *ben je nu ~ gek geworden?* are you completely out of your mind?; *~ niets* nothing at all; *het kan mij ~ niets schelen* I couldn't care less; *~ niet* absolutely not; *niet ~ juist* not quite correct; *~ in het begin* right at the beginning *(of:* start); **2** *(mbt plaats)* right; *(mbt afstand)* all the way: *~ bovenaan* right at the top; *~ in het noorden* way up in the north

helen I *intr* heal: *de wond heelt langzaam* the wound is healing slowly; **II** *tr* **1** *(jur)* receive; **2** *(med)* heal

heler receiver, *(fig)* fence

helft half: *ieder de ~ betalen* pay half each, go halves, go Dutch; *meer dan de ~* more than half; *de ~ minder* half as much *(of:* many); *de ~ van tien is vijf* half of ten is five; *de tweede ~ van een wedstrijd* the second half of a match

helikopter helicopter, *(inform)* chopper

heling *(mbt gestolen goed)* receiving
helium helium
hellen slope, lean (over), slant: *de muur helt naar links* the wall is leaning
hellenisme Hellenism
helling 1 *(talud)* slope, incline, *(van weg)* ramp; **2** *(het overhellen)* inclination
helm helmet, *(sport, werk ook)* hard hat
helmdraad filament
helmgras marram (grass)
helmknop anther
helpdesk help desk
helpen 1 help, aid: *kun je mij aan honderd euro ~?* can you let me have a hundred euros?; *help!* help!; **2** *(verzorgen)* attend to *(zieke, gewonde)*: *welke specialist heeft u geholpen?* which specialist did you see? *(of:* have?*)*; *u wordt morgen geholpen (in ziekenhuis)* you are having your operation tomorrow; **3** *(assisteren)* help, assist: *iem een handje ~* give *(of:* lend) s.o. a hand; *help me eraan denken, wil je?* remind me, will you?; **4** *(een dienst verlenen)* help (out): *iem aan een baan ~* get s.o. fixed up with a job; **5** *(in winkel e.d.)* help, serve: *wordt u al geholpen?* are you being served?; *kan ik 't ~ dat hij zich zo gedraagt?* is it my fault if he behaves like that?; *wat helpt het?* what good would it do?, what is the use?; *dat helpt tegen hoofdpijn* that's good for a headache
helper helper, assistant
hels infernal: *een ~ karwei* a *(of:* the) devil of a job
hem him; *(van dier of ding vnl.)* it: *dit boek is van ~* this book is his; *vrienden van ~* friends of his; *dat is het ~ nu juist* that's just it *(of:* the point)
hemd 1 vest, *(Am)* undershirt: *iem het ~ van zijn lijf vragen* want to know everything (from s.o.), *(lastig)* pester s.o. (with questions); **2** *(overhemd)* shirt
hemel sky; heaven(s): *hij heeft er ~ en aarde om bewogen* he moved heaven and earth for it; *een heldere* *(of:* blauwe, bewolkte) *~* a clear *(of:* blue, cloudy) sky; *Onze Vader die in de ~en zijt* Our Father who *(of:* which) art in heaven; *hij was in de zevende ~* he was in seventh heaven
hemellichaam heavenly body, celestial body
hemelsbreed 1 vast, enormous; **2** *(in rechte lijn gemeten)* as the crow flies, in a straight line
hemelvaartsdag Ascension Day
hemofilie haemophilia
¹hen hen
²hen them: *hij gaf het ~* he gave it to them; *dit boek is van ~* this book is theirs; *vrienden van ~* friends of theirs
hendel handle, lever
hengel fishing rod
hengelaar angler
hengelen angle, fish
hengsel 1 handle; **2** *(scharnier)* hinge
hengst stallion, *(dekhengst)* stud (horse)
hennep hemp, *(plant ook)* cannabis
hens: *alle ~ aan dek!* all hands on deck

hepatitis hepatitis
her hither, here
heraldiek heraldry
herbenoemen reappoint
herberg inn, tavern
herbergen accommodate, house, harbour *(vluchteling)*: *de zaal kan 2000 mensen ~* the hall seats 2000 people
herboren reborn, born again
herdenken commemorate
herdenking commemoration
herder 1 cowherd *(koeien)*; shepherd *(schapen)*; **2** *(geestelijke)* pastor
herdershond sheepdog; *(Duitse herdershond)* Alsatian, *(Am)* German shepherd (dog)
herdruk (new) edition; *(ongewijzigd)* reprint
herdrukken reprint
herenafdeling 1 men's department; **2** *(artikelen)* menswear department
herenakkoord gentleman's agreement
herenhuis mansion, (imposing) town house, (desirable) residence
hereniging reunification, reunion
herenkleding menswear, men's clothes *(of:* clothing)
herexamen re-examination, resit
herfst autumn: *in de ~* in (the) autumn
herfstvakantie autumn half-term (holiday), *(Am)* fall break, mid-term break
hergeboorte rebirth, regeneration
hergebruik 1 reuse; **2** recycling
herhaald repeated: *~e pogingen doen* make repeated attempts
herhaaldelijk repeatedly: *dat komt ~ voor* that happens time and again
herhalen I *tr* repeat, redo, *(mbt leerstof)* revise, *(Am)* review: *iets in het kort ~* summarize sth; **II** *zich ~* repeat oneself, recur *(thema, gebeurtenis)*
herhaling 1 recurrence, repetition, *(mbt tv-beelden)* replay, *(mbt radio-, tv-programma)* repeat, *(mbt radio-, tv-programma)* rerun: *voor ~ vatbaar zijn* bear repetition *(of:* repeating); **2** *(van handeling, woorden)* repetition, *(mbt leerstof)* revision, *(Am)* review: *in ~en vervallen* repeat oneself
herhalingscursus refresher course
herindelen regroup
herinneren I *tr* remind, recall: *die geur herinnerde mij aan mijn jeugd* that smell reminded me of my youth; *herinner mij eraan dat ...* remind me that ... *(of:* to ...); **II** *zich ~* remember, recall: *kun je je die Ier nog ~?* do you remember that Irishman?; *als ik (het) me goed herinner* if I remember correctly *(of:* rightly); *zich iets vaag ~* have a vague recollection of sth; *voor zover ik mij herinner* as far as I can remember
herinnering 1 recollection, remembrance: *iets in ~ brengen* recall sth; **2** *(geheugen)* memory: *iets in zijn ~ voor zich zien* see sth before one; **3** *(bijgebleven indruk, beeld)* memory, reminiscence: *ter ~*

aan in memory of; **4** *(zaak, voorwerp)* souvenir, reminder: *een tweede ~ van de bibliotheek* a second reminder from the library

herintreden return to work ‖ *een ~de vrouw* a (woman) returner

herkansing *(roeien)* repêchage; *(wielersport)* extra heat

herkauwer ruminant

herkenbaar recognizable: *een herkenbare situatie* a familiar situation

herkennen recognize; identify, spot: *ik herkende hem aan zijn manier van lopen* I recognized him by his walk; *iem ~ als de dader* identify s.o. as the culprit

herkenning recognition, identification

herkenningsmelodie signature tune, theme song

herkeuring re-examination, reinspection

herkomst origin, source: *het land van ~* the country of origin

herleiden reduce (to), convert (into): *een breuk ~* reduce (to) a fraction

herleven revive: *~d fascisme* resurgent fascism

hermafrodiet hermaphrodite

hermelijn ermine

hermetisch hermetic: *~ gesloten* hermetically sealed

hernemen resume, regain

hernia slipped disc

heroïne heroin

heroïnehoer heroin prostitute, junkie prostitute

heroïnespuit fix, shot

herontdekken rediscover

heropenen reopen *(winkel, discussie)*

heropvoeding re-education

heroveren recapture, recover *(gebied, stad)*, retake *(stad)*, regain: *hij wilde zijn oude plaats ~* he wanted to regain his old seat *(of:* place)

herovering recapture

heroverwegen reconsider, rethink

herpes herpes

herrie 1 *(lawaai)* noise, din, racket: *maak niet zo'n ~* don't make such a racket; **2** *(drukte)* bustle, *(wanorde)* commotion, turmoil, *(koude drukte)* fuss: *~ schoppen* make trouble

herrijzen rise again: *hij is als uit de dood herrezen* it is as if he has come back from the dead

herroepen revoke *(besluit, wet, belofte)*, repeal, retract *(verklaring, belofte)*, reverse

herschrijven rewrite

hersenbloeding cerebral haemorrhage

hersenen brain

hersenhelft (cerebral) hemisphere, half of the brain

herseninfarct cerebral infarction

hersens 1 brain(s): *een goed stel ~ hebben* have a good head on one's shoulders; *hoe haal je het in je ~!* have you gone off your rocker?; **2** *(schedel)* skull: *iem de ~ inslaan* beat s.o.'s brains out

hersenschudding concussion

hersenspoeling brainwashing

hersentumor brain tumour

hersenvliesontsteking meningitis

herstel 1 *(reparatie)* repair, mending, rectification *(fout)*, correction *(fout)*; **2** recovery *(gezondheid, economie)*, convalescence *(gezondheid)*, recuperation *(gezondheid)*: *voor ~ van zijn gezondheid* to recuperate, to convalesce; **3** *(het weer instellen)* restoration *(monarchie, orde)*

herstellen I *tr* **1** repair, mend, *(restaureren)* restore; **2** *(mbt wat verstoord is)* restore *(orde, monarchie)*, re-establish *(orde)*: *de rust ~* restore quiet; **3** *(goedmaken)* right, repair *(onrecht, misstand)*, rectify, correct *(fout)*: *een onrecht ~* right a wrong; *de heer Blaak, herstel: Braak* Mr Blaak, correction: Braak; **II** *intr* recover, recuperate: *snel* (of: *goed) ~ van een ziekte* recover quickly *(of:* well) from an illness

herstelwerkzaamheden repairs

hert deer, *(edelhert)* red deer

hertenkamp deer park, deer forest

hertog duke

hertogdom duchy, dukedom

hertogin duchess

herverdeling redistribution, reorganization, re-shuffle

hervormd 1 reformed; **2** *(godsd)* Reformed; Protestant *(tgov. katholicisme)*: *de hervormde Kerk* the Reformed Church

hervormen reform

hervormer reformer

hervorming 1 reformation; **2** *(reorganisatie)* reform

herwaarderen revalue *(valuta)*; *(taxeren; fig)* reassess

herwaardering revaluation, reassessment

herzien revise ‖ *een beslissing ~* reconsider a decision

herziening revision, review: *een ~ van de grondwet* an amendment to the constitution

hes smock, blouse

hesp *(Belg)* ham

het I *vnw* it: *ik denk* (of: *hoop) ~* I think (of: hope) so; *wie is ~? ben jij ~?* ja, *ik ben ~* who is it? is that you? yes, it is me; *zij waren ~ die …* it were they who …; *als jij ~ zegt* if you say so; *het kind heeft honger; geef ~ een boterham* the child is hungry; give him *(of:* her) a sandwich; *de machine doet ~* the machine works; *hoe gaat ~? ~ gaat* how are you? I'm all right *(of:* O.K.); *wat geeft ~? wat zou ~?* what does it matter? who cares?; *~ regent* it is raining; **II** *lw* the: *in ~ zwart gekleed* dressed in black; *(met nadruk) Nederland is ~ land van de tulpen* Holland is the country for tulips; *die vind ik ~ leukst* that's the one I like best; *zij was er ~ eerst* she was there first

heten I *intr* be called *(of:* named): *een jongen, David geheten* a boy by the name of David; *het boek heet …* the book is called …; *hoe heet dat?, hoe heet dat in het Arabisch?* what is that called?, what is that in

Arabic? (*of:* the Arabic for that?); **II** *tr* bid: *ik heet u welkom* I bid you welcome

heterdaad: *iem op ~ betrappen* catch s.o. in the act, catch s.o. red-handed

heterogeen heterogeneous

heteroseksueel heterosexual

hetgeen 1 that which, what: *ik blijf bij ~ ik gezegd heb* I stand by what I said; **2** *(als het terugslaat op een hele zin)* which: *hij kon niet komen, ~ hij betreurde* he could not come, which he regretted

hetzelfde the same: *wie zou niet ~ doen?* who wouldn't (do the same)?; *het is (blijft) mij ~* it's all the same to me; *(van) ~* (the) same to you

hetzij either, whether: *~ warm of koud* either hot or cold

heuglijk happy, glad, joyful

heup hip

heupgewricht hip joint

heus real, true: *hij doet het ~ wel* he is sure to do it

heuvel hill, *(klein)* hillock, *(opgeworpen ook)* mound

heuvelachtig hilly

hevig I *bn* **1** violent, intense: *~e angst* acute terror; *een ~e brand* a raging fire; *een ~e koorts* a raging fever; *~e pijnen* severe pains; **2** *(mbt personen of uitingen)* violent, vehement, fierce: *onder ~ protest* under strong *(of:* vehement) protest; *~e uitvallen* violent outbursts; **II** *bw* violently, fiercely, intensely: *hij was ~ verontwaardigd* he was highly indignant; *~ bloeden* bleed profusely; *zij snikte ~* she cried her eyes out

hevigheid violence, vehemence, intensity, fierceness, acuteness

hiel heel: *iem op de ~en zitten* be (close) on s.o.'s heels

hier 1 here: *dit meisje ~* this girl; *ik ben ~ nieuw* I'm new here; *wie hebben we ~!* look who's here!; *~ is het gebeurd* this is where it happened; *~ is de krant* here's the newspaper; *~ staat dat ...* it says here that ...; *~ of daar vinden wij wel wat* we'll find sth somewhere or other; *het zit me tot ~* I've had it up to here; **2** this: *~ moet je het mee doen* you'll have to make do with this

hieraan to this, at/on *(of:* by, from) this: *~ valt niet te twijfelen* there is no doubt about this

hierachter behind this, *(tijd)* after this: *~ ligt een grote tuin* there is a large garden at the back

hiërarchie hierarchy

hiërarchisch hierarchic(al)

hierbeneden down here

hierbij at this, with this, *(in brief)* herewith, hereby: *~ bericht ik u, dat ...* I hereby inform you that ...; *~ komt nog dat hij ...* in addition (to this), he ...

hierbinnen in here, inside

hierboven up here, *(verwijzing in tekst)* above: *~ woont een drummer* a drummer lives upstairs

hierbuiten outside

hierdoor 1 through here, through this, by doing so: *~ wil hij ervoor zorgen dat ...* by doing so he wants

to ensure that ...; **2** *(als gevolg van)* because of this: *~ werd ik opgehouden* this held me up

hierheen (over) here, this way: *op de weg ~* on the way here; *hij kwam helemaal ~ om ...* he came all this way ...

hierin in here, within, in this

hierlangs past here, along here, by here

hiermee with this, by this: *in verband ~* in this connection

hierna 1 after this; **2** *(plaats)* below *(verwijzing in tekst)*

hiernaast *(mbt woning)* next door, *(anders)* alongside: *de illustratie op de bladzijde ~* the illustration on the facing page; *~ hebben ze twee auto's* the next-door neighbours have two cars

hiernamaals hereafter, next world, (great) beyond

hiëroglief hieroglyph, *(mv ook)* hieroglyphics

hierom 1 (a)round this: *dat ringetje moet ~* that ring belongs around this; **2** *(om deze reden)* because of this, for this reason: *~ blijf ik thuis* this is why I'm staying at home

hieromheen (a)round this: *~ loopt een gracht* there is a canal surrounding this *(bijv. bij wijzen op plattegrond)*

hieronder 1 under here, underneath, below: *zoals ~ aangegeven* as stated below; **2** *(zich erbij bevindend)* among these: *~ zijn veel personen van naam* among them there are many people of note; *~ versta ik ...* by this I understand ...

hierop 1 (up)on this: *het komt ~ neer* it comes down to this; **2** *(hierna)* after this, then

hierover 1 over this; **2** *(aangaande)* about this, regarding this, on this

hiertegen against this

hiertegenover opposite, *(gebouw ook)* across the street, over the way

hiertoe 1 (up to) here: *tot ~* so far, up to now; **2** *(tot een handeling)* to this, for this: *wat heeft u ~ gebracht?* what brought you to do this?

hieruit 1 out of here: *van ~ vertrekken* depart from here; **2** *(als conclusie enz.)* from this: *~ volgt, dat ...* it follows (from this) that ...

hiervan of this

hiervandaan from here, away

hiervoor 1 in front (of this), before this *(tijd; fig)*; **2** *(wat betreft)* of this: *~ hoeft u niet bang te zijn* you needn't be afraid of this; **3** *(tot dit doel)* for this purpose, to this end; **4** *(in ruil voor)* (in exchange, return) for this

hifi-installatie hi-fi (set)

hij he, *(mbt voorwerp)* it: *iedereen is trots op het werk dat ~ zelf doet* everyone is proud of the work they do themselves; *~ is het* it's him; *~ daar* him over there

hijgen pant, gasp

hijger heavy breather: *ik had weer een ~ vandaag* I had another obscene phone-call today

hijsen 1 hoist, lift: *de vlag (in top) ~* hoist *(of:* run up) the flag; **2** *(met moeite)* haul, heave

hijskraan crane
hik hiccup
hikken hiccup ‖ *tegen iets aan* ~ shrink from sth
hilariteit hilarity, mirth
Himalaya (the) Himalayas
hinde hind, doe
hinder nuisance, bother, *(belemmering)* hindrance, *(belemmering)* obstacle: *het verkeer ondervindt veel* ~ *van de sneeuw* traffic is severely disrupted by the snow
hinderen impede, hamper, obstruct: *zijn lange jas hinderde hem bij het lopen* his long coat got in his way as he walked
hinderlaag ambush, *(fig ook)* trap: *de vijand in een* ~ *lokken* lure the enemy into an ambush
hinderlijk I *bn* **1** annoying, irritating; **2** *(storend)* objectionable, disturbing; **3** *(onbehaaglijk)* unpleasant, disagreeable: *ik vind de warmte niet* ~ the heat does not bother me; **II** *bw* annoyingly, blatantly
hindernis obstacle, barrier, *(fig ook)* hindrance, *(fig ook)* impediment
hindernisloop steeplechase
hinderpaal obstacle, impediment
hinderwetvergunning *(ongev)* licence under the Nuisance Act
Hindoe Hindu
hindoeïsme Hinduism
Hindoestaan Hindu(stani)
hinkelen hop, *(op hinkelbaan)* play hopscotch
hinken 1 limp, have a limp, walk with a limp, hobble (along); **2** *(hinkelen)* hop
hink-stap-sprong triple jump, hop, step and jump
hinniken neigh, whinny *(ook mbt lachen)*
hint hint, tip(-off): *(iem) een* ~ *geven* drop (s.o.) a hint
hiphop hip hop
hippie hippie
historicus historian
historie 1 history; **2** *(verhaal)* story, anecdote; **3** *(affaire)* affair, business
historisch 1 *(van historische betekenis)* historic: *wij beleven een* ~ *moment* we are witnessing a historic moment; **2** *(met geschiedkundige achtergrond)* historical, period *(toneelstuk, kleding)*: *een* ~*e roman* a historical novel; **3** *(werkelijk gebeurd)* historical, true: *dat is* ~ that's a historical fact *(of:* a true story)
hit *(tophit)* hit (record)
hitlijst chart(s), hit parade
hitsig 1 *(vurig)* hot-blooded; **2** *(inform)* hot, *(mensen ook)* randy, *(mensen ook)* horny
hitte heat
hittebestendig heat-resistant, heatproof
hittegolf heatwave
hiv *afk van human immunodeficiency virus* HIV
hm (a)hem
ho 1 stop: *zeg maar '*~*'* say when; **2** *(terechtwijzing)* come on!, that's not fair!
hobbel bump

hobbelen bump, jolt, lurch
hobbelig bumpy, irregular
hobbelpaard rocking horse
hobby hobby
hobbyruimte workroom
hobo oboe
hoboïst oboist
hobu *(Belg) afk van hoger onderwijs buiten de universiteit* non-university higher education
hockey hockey
hockeystick hockey stick
hocus-pocus hocus-pocus, *(geheimzinnig gepraat)* mumbo-jumbo
hoe 1 how: *je kunt wel nagaan* ~ *blij zij was* you can imagine how happy she was; ~ *eerder* ~ *beter* the sooner the better; *het gaat* ~ *langer* ~ *beter* it is getting better all the time; ~ *ouder ze wordt,* ~ *minder ze ziet* the older she gets, the less she sees; ~ *fietst zij naar school?* which way does she cycle to school?; ~ *moet het nu verder?* where do we go from here?; ~ *dan ook: a)* anyway, anyhow, no matter how; *b) (op welke wijze ook)* by hook or by crook; *c) (wat er ook gebeurt)* no matter what; ~ *vreemd het ook lijkt,* ~ *duur het ook is* strange as it may seem, expensive though it is; ~ *kom je erbij?* how can you think such a thing?; ~*zo?,* ~ *dat zo?* how *(of:* what) do you mean?, why do you ask?; ~ *vind je mijn kamer?* what do you think of my room?; **2** *(met welke naam)* what: ~ *noemen jullie de baby?* what are you going to call the baby?; *Dorine danste, en* ~*!* Dorine danced, and how!
hoed hat: *een hoge* ~ a top hat
hoede 1 care, protection, *(voogdij)* custody, *(voogdij)* charge, *(mbt zaak)* (safe) keeping; **2** *(behoedzaamheid)* guard: *op zijn* ~ *zijn (voor)* be on one's guard (against)
hoeden I *tr* tend, keep watch over, look after; **II** *zich* ~ *(met voor) (zich in acht nemen)* guard (against), beware (of), be on one's guard (against)
hoedenmaker hatter
hoedenplank shelf, *(auto)* rear *(of:* parcel, back) shelf
hoederecht *(Belg)* child custody
hoedje (little) hat: *onder één* ~ *spelen met* be in league with
hoef hoof
hoefijzer (horse)shoe
hoefsmid farrier, blacksmith
hoek 1 corner: *in de* ~ *staan (of:* zetten) stand *(of:* put) in the corner; *de* ~ *omslaan* turn the corner; *(vlak) om de* ~ *(van de straat)* (just) around the corner; **2** *(wisk)* angle: *(fig) iets vanuit een andere* ~ *bekijken* look at sth from a different angle; *in een rechte* ~ at right angles; *een scherpe (of: een stompe)* ~ an acute *(of:* obtuse) angle; *die lijnen snijden elkaar onder een* ~ *van 45°* those lines meet at an angle of 45°; **3** *(windstreek)* quarter, point of the compass: *dode* ~ blind spot
hoekig angular, *(mbt gezicht)* craggy, rugged, *(rot-*

sen) jagged

hoekje corner, *(plekje ook)* nook ‖ *het ~ omgaan* kick the bucket

hoekschop corner (kick)

hoeksteen cornerstone, *(fig)* keystone, linchpin, *(van persoon ook)* pillar

hoektand canine tooth, eye-tooth, fang *(van wolf, slang)*

hoelang how long

hoen hen, chicken, *(mv ook)* poultry, (domestic) fowl

hoepel hoop

hoepla *(bij val)* whoops, oops(-a-daisy); *(bij sprong)* ups-a-daisy, here we go

hoer *(inform)* whore

hoera hooray, hurray, hurrah

hoes cover(ing), case

hoest cough

hoestbui fit of coughing, coughing fit

hoestdrank cough mixture

hoesten cough

hoesttablet cough lozenge, pastille

hoeve farm(stead), *(alleen woning)* farmhouse, homestead

hoeveel how much, how many: *~ appelen zijn er?* how many apples are there?; *~ geld heb je bij je?* how much money do you have on you?; *~ is vier plus vier?* what do four and four make?, how much is four plus four?; *met hoevelen waren jullie?* how many of you were there?, how many were you?

hoeveelheid amount, quantity, *(volume)* volume, *(portie)* dose

hoeveelste: *de ~ juli ben je jarig?* when in July is your birthday?; *voor de ~ keer vraag ik het je nu?* how many times have I asked you?; *de ~ is het van- daag?* what day of the month is it today?; *het ~ deel van een liter is 10 cm³?* what fraction of a litre is 10cc?

hoeven I *tr* need (to), have to: *dat had je niet ~ (te) doen (bij ontvangst van geschenk)* you shouldn't have (done that); *daar hoef je niet bang voor te zijn* you needn't worry about that; II *intr* matter, be necessary: *het had niet gehoeven* you didn't have to do that, you shouldn't have done that; *het mag wel, maar het hoeft niet* you can but you don't have to

hoever(re) how far; *(tot op welke hoogte)* to what extent

hoewel 1 (al)though, even though: *~ het pas maart is, zijn de bomen al groen* even though it's only March the trees are already in leaf; 2 *(bij twijfel)* (al)though, however

hoezeer how much: *ik kan je niet zeggen ~ het mij spijt* I can't tell you how sorry I am

hoezo what *(of:* how) do you mean?, in what way? *(of:* respect?)

hof 1 *(jur)* court; 2 *(hofhouding)* court, royal house- hold

hofdame lady-in-waiting, *(ongehuwd)* maid of honour

hoffelijk courteous, polite

hofhouding (royal) household, court

hofleverancier purveyor to the Royal Household, purveyor to His (Her) Majesty the King (Queen), Royal Warrant Holder

hofnar court jester, fool

hogedrukgebied anticyclone

hogedrukspuit high-pressure paint spray; high-pressure spraying pistol

hogepriester high priest

hogerhand: *op bevel van ~* by order of the authori- ties

Hogerhuis House of Lords, Upper House

hogerop higher up: *hij wil ~* he wants to get on

hogeschool college (of advanced, higher educa- tion), polytechnic, academy: *Economische ~ School of Economics; Technische ~* College *(of:* Institute) of Technology, Polytechnic (College)

hogesnelheidstrein high-speed train

hoi hi, hello, *(van vreugde)* hurray, *(van vreugde)* whoopee

hok 1 shed; *((berg)kast, bergruimte)* storeroom; 2 *(voor dieren)* pen, (dog) kennel *(hond)*, (pig)sty *(varken)*, dovecote *(duiven)*, hen house, hen-coop

hokje 1 cabin; (sentry) box *(schildwacht)*; *(kleed- hokje)* cubicle; *(stemhokje)* booth; 2 *(afdeling)* compartment, *(voor brieven)* pigeon-hole *(ook fig)*; *(op formulier, speelbord)* square, *(op formulier ook)* box: *het ~ aankruisen (invullen)* put a tick in the box

hokken *(samenwonen (met))* shack up (with)

hol I *zn* 1 *(grot)* cave, cavern, grotto: *een donker ~ (kamer)* a dark, gloomy hole; 2 *(verblijf ve dier)* hole *(ook van vos)*, lair, den *(van grote roofdieren)*, burrow *(van konijn)*: *zich in het ~ van de leeuw wa- gen* beard *(of:* brave) the lion in his den; 3 *(berg- plaats)* hole, *(van dieren, rovers)* haunt: *een op ~ ge- slagen paard* a runaway (horse); II *bn, bw* 1 hollow, *(techn ook)* female, sunken *(weg, ogen, wangen)*; *(blik)* gaunt: *een ~ geslepen brillenglas* a concave lens; *het ~le van de hand (of:* voet) the hollow of the hand, the arch of the foot; 3 *(waar niets inzit, ook fig)* hollow, empty *(ook belofte, woorden, maag)*; 4 *(mbt geluiden)* hollow, cavernous: *in het ~st van de nacht* at dead of night

Holland the Netherlands; Holland

Hollander 1 *(bewoner van Nederland)* Dutchman; 2 *(bewoner van Noord- of Zuid-Holland)* inhabitant of North or South Holland

Hollands 1 *(vh gewest Holland)* from (the province of) North or South Holland; 2 *(Nederlands)* Dutch, Netherlands: *~e nieuwe* Dutch *(of:* salted) herring

Hollandse Dutchwoman

hollen 1 *(mbt paarden)* bolt, run away; 2 *(rennen)* run, race: *het is met hem ~ of stilstaan* it's always all or nothing with him

holocaust holocaust

hologram hologram

holster holster

holte 1 cavity, hollow, hole, *(nis)* niche; 2 *(uithol-ling, kom)* hollow, *(van oog, gewricht)* socket, *(kuil(tje))* pit, *(van elleboog)* crook; 3 *(diepte)* draught, depth

homeopathie homoeopathy

hometrainer home trainer

hommage homage

hommel bumblebee

homo gay; *(verwijfd)* fairy, queen

homofiel homosexual

homogeen homogeneous, uniform

homoseksualiteit homosexuality, *(mbt vrouwen ook)* lesbianism

homp chunk, hunk, lump

hond 1 dog, *(jachthond)* hound: *pas op voor de ~ be-ware of the dog; de ~ uitlaten* take the dog (out) for a walk, let the dog out; *~en aan de lijn!* dogs must be kept on the lead (leash)!; *geen ~* not a soul, no-body; *men moet geen slapende ~en wakker maken* let sleeping dogs lie; *blaffende ~en bijten niet (on-gev)* his bark is worse than his bite; 2 *(scheldwoord)* dog, cur: *ondankbare ~!* ungrateful swine!; *(Belg)* *welkom zijn als een ~ in een kegelspel* be extremely unwelcome

hondenasiel dogs' home

hondenlijn lead, leash

hondenpoep dog dirt

hondenras breed of dog

hondenweer foul weather, filthy weather

honderd hundred; hundred(s): *~en jaren (of: ke-ren)* hundreds of years *(of: times)*; *zij sneuvelden bij ~en* they died in their hundreds; *een bankbiljet van ~ euro* a hundred-euro (bank)note; *dat heb ik nu al (minstens) ~ keer gezegd* (if I've said it once) I've said it a hundred times; *ik voel me niet hele-maal ~ procent* I'm feeling a bit under the weather; *~ procent zeker zijn (van)* be absolutely positive; *er zijn er over de ~* there are more than a hundred; *al-les loopt in het ~* everything is going haywire

honderdduizend a *(of: one)* hundred thousand: *(enige) ~en (mensen)* hundreds of thousands (of people)

honderdduizendste (one) hundred thousandth

honderdje hundred-guilder note

honderdste hundredth: *ik probeer het nu al voor de ~ maal* I've tried it a hundred times

hondje doggy, little dog, *(kindertaal)* bowow

honds despicable, shameful, scandalous

hondsdolheid rabies

Honduras Honduras

honen jeer

Hongaar Hungarian

Hongaars Hungarian

Hongarije Hungary

honger appetite, hunger: *ik heb toch een ~!* I'm starving; *~ hebben* be *(of: feel)* hungry; *van ~ ster-ven* die of hunger, starve to death

hongerig hungry; *(veel)* famished; *(beetje)* peckish

hongerloon pittance, subsistence wages, starvation wages

hongersnood famine, starvation, *(schaarste)* dearth

hongerstaking hunger strike

honing honey

honingdrank mead

honingraat honeycomb

honk base

honkbal baseball

honkballen play baseball

honorarium fee; salary; *(van auteurs)* royalty, hon-orarium

honoreren 1 pay, remunerate, *(advocaat ook)* fee; 2 *(als geldig erkennen)* honour, give due recognition, recognize *(diploma)*

hoofd 1 head: *met gebogen ~* with head bowed; *een ~ groter (of: kleiner) zijn dan* be a head taller *(of: shorter)* than; *een hard ~ in iets hebben* have grave doubts about sth; *het ~ laten hangen* hang one's head, be downcast; *het werk is hem boven het ~ ge-groeid* he can't cope with his work any more; *het succes is hem naar het ~ gestegen* success has gone to his head; *iets over het ~ zien* overlook sth; 2 *(ver-stand, de wil)* head, mind, brain(s): *mijn ~ staat er niet naar* I'm not in the mood for it; *hij heeft veel aan zijn ~* he has a lot of things on his mind; *iets uit het ~ kennen* learn sth by heart *(of: rote)*; *uit het ~ zingen* sing from memory; *iem het ~ op hol brengen* turn s.o.'s head; *per ~ van de bevolking* per head of (the) population; 3 *(het bovenste, hoogste gedeelte)* *(brief e.d.)* head; *(tafel ook)* top; 4 *(het voorste ge-deelte)* head, front, vanguard; 5 *((van personen) lei-der, meerdere)* head, chief, leader, *(school)* princi-pal, *(school)* headmaster, headmistress; 6 *(in sam;* *(het) de voornaamste)* main, chief: *hoofdbureau* head office

hoofdagent *(politieagent)* senior police officer

hoofdartikel editorial, leading article, leader

hoofdcommissaris (chief) superintendent (of po-lice); commissioner

hoofddeksel headgear; *(mv ook)* headwear

hoofddoek (head)scarf

hoofdeind head

hoofdgerecht main course

hoofdhuid scalp

hoofding *(Belg)* *(briefhoofd)* letterhead

hoofdinspecteur chief inspector, *(van volksge-zondheid)* chief medical officer, *(van belasting)* in-spector general

hoofdkantoor head office, headquarters

hoofdkraan mains (tap)

hoofdkwartier headquarters

hoofdletter capital (letter)

hoofdlijn outline

hoofdmaaltijd main meal

hoofdmoot principal part

hoofdpersoon principal person, leading figure, *(in boek, toneel enz. ook)* main character

hoofdpijn headache: *barstende ~* splitting head-

ache
hoofdprijs first prize
hoofdredacteur editor(-in-chief)
hoofdrekenen mental arithmetic
hoofdrol leading part: *de ~ spelen* play the leading part, be the leading man (*of:* lady)
hoofdrolspeler leading man, star, (*fig*) main figure
hoofdslagader aorta
hoofdstad capital (city), (*ve provincie*) provincial capital
hoofdstel bridle
hoofdsteun headrest
hoofdstraat high street; main street
hoofdstuk chapter
hoofdtelwoord cardinal number
hoofdvak main subject
hoofdverpleegkundige charge nurse
hoofdvogel (*Belg*) main prize ‖ *de ~ afschieten* make (*of:* commit) a serious blunder
hoofdweg main road
hoofdzaak main point (*of:* thing), (*mv*) essentials: *~ is, dat we slagen* what matters is that we succeed
hoofdzakelijk mainly
hoofdzin main sentence (*of:* clause)
hoofdzonde cardinal sin
hoofdzuster charge nurse
hoog high, tall: *een hoge bal* a high ball; *een hoge C* a high C, a top C; *de ~ste verdieping* the top floor; *het water staat ~* the water is high; *~ in de lucht* high up in the air; *een stapel van drie voet ~* a three-foot high pile; *hij woont drie ~* he lives on the third (*Am:* second) floor; *een hoge ambtenaar* a senior official; *naar een hogere klas overgaan* move up (*of:* be moved up) to a higher class; *een ~ stemmetje* (*of:* geluid) a high-pitched voice (*of:* sound); *de ruzie liep ~ op* the quarrel became heated; *de verwarming staat ~* the heating is on high; *de temperatuur mag niet hoger zijn dan 60 °* the temperature must not go above (*of:* exceed) 60°
hoogachten esteem highly, respect highly: *~d* yours faithfully
hoogbegaafd highly gifted (*of:* talented): *scholen voor ~e kinderen* schools for highly-gifted children
hoogbouw high-rise building (*of:* flats)
hoogdag (*Belg*) ((*kerkelijke*) *feestdag*) feast day
hoogdravend high-flown, bombastic
hoogdringend (*Belg*) urgent
hooggebergte high mountains
hooggeëerd highly honoured: *~ publiek!* Ladies and Gentlemen!
hooggelegen high: *een ~ oord in de Rocky Mountains* a place high up in the Rocky Mountains
hooggerechtshof Supreme Court
hooghartig haughty
hoogheid highness
hoogleraar professor
Hooglied Song of Songs
hooglopend violent
hoogmis high mass

hoogmoed pride: *~ komt ten val* pride goes before a fall
hoognodig highly necessary, much needed, urgently needed: *hij moest ~ naar het toilet* he was taken short
hoogoven blast furnace
hoogseizoen high season: *buiten het ~* out of season
hoogspanning high tension (*of:* voltage)
hoogspanningsmast pylon
hoogspringen high-jump, high-jumping
hoogst I *zn* 1 (*bovenkant, top*) top, highest; 2 (*het meeste, uiterst mogelijke*) utmost: *je krijgt op zijn ~ wat strafwerk* at the very worst you'll be given some lines; II *bw* highly, extremely: *~ (on)waarschijnlijk* highly (un)likely
hoogstandje tour de force
hoogstens 1 at the most, at (the very) most, up to, no(t) more than: *~ twaalf* twelve at the (very) most; 2 (*in het ergste geval*) at worst: *~ kan hij u de deur wijzen* the worst he can do is show you the door; 3 (*in het gunstigste geval*) at best
hoogstnodig absolutely necessary, strictly necessary: *alleen het ~e kopen* buy only the bare necessities
hoogstpersoonlijk in person, personally
hoogstwaarschijnlijk most likely (*of:* probable), in all probability
hoogte 1 height: *de ~ ingaan* go up, rise, (*vliegtuig ook*) ascend; *hij deed erg uit de ~* he was being very superior; *lengte, breedte en ~* length, breadth and height; 2 (*afstand*) height, (*peil, niveau*) level: *de ~ van de waterspiegel* the water level; *tot op zekere ~ hebt u gelijk* up to a point you're right; 3 (*aardr*) level, latitude, (*mbt hemellichaam*) elevation, (*mbt hemellichaam*) altitude: *er staat een file ter ~ van Woerden* there is a traffic jam near Woerden; *zich van iets op de ~ stellen* acquaint oneself with sth; *op de ~ blijven* keep oneself informed, keep in touch; *indien u verhinderd bent wordt u verzocht ons hiervan op de ~ te stellen* please let us know if you are unable to come; *ik kan geen ~ van hem krijgen* I don't understand him, I can't figure him out
hoogtelijn altitude
hoogtepunt height, peak, highlight: *naar een ~ voeren, een ~ doen bereiken* bring to a climax
hoogtevrees fear of heights
hoogtezon sun lamp
hooguit at the most, at (the very) most, no(t) more than
hoogverraad high treason
hoogvlakte plateau
hoogwaardig high-quality
hoogwater high water; high tide: *bij (met) ~* at high tide
hoogwerker tower waggon
hooi hay: *te veel ~ op zijn vork nemen* bite off more than one can chew
hooiberg haystack

hooien make hay

hooikoorts hay fever

hooimijt haystack

hooivork pitchfork

hooiwagen 1 haycart, hay-wagon; **2** *(beestje)* daddy-long-legs

hoongelach jeering, jeers

¹hoop 1 heap, pile: *op een ~ leggen* pile up, stack up; *je kunt niet alles (of: iedereen) op één ~ gooien* you can't lump everything (*of:* everyone) together; **2** *(grote hoeveelheid)* great deal, good deal, lot: *een hele ~* a good many; *ik heb nog een ~ te doen* I've still got a lot (*of:* lots) to do; **3** *(uitwerpselen)* business: *het kind heeft een ~(je) gedaan* the child has done its business

²hoop *(verwachting)* hope: *goede ~ hebben* have high hopes; *valse ~ wekken* raise false hopes; *zolang er leven is, is er ~* while there's life there's hope; *weer (nieuwe) ~ krijgen* regain hope; *de ~ opgeven (of: verliezen) dat …* give up (*of:* lose) hope that …

hoopgevend hopeful

hoopvol hopeful, *(veelbelovend ook)* promising: *de toekomst zag er niet erg ~ uit* the future did not look very promising

hoorapparaat hearing aid

hoorbaar audible

hoorcollege (formal) lecture

hoorn 1 horn *(ook mbt slak, insect)*: *de stier nam hem op zijn ~s* the bull tossed him (on his horns); **2** *(mbt een telefoon)* receiver: *de ~ erop gooien* slam down the receiver; *de ~ van de haak nemen* lift the receiver; **3** *(blaasinstrument)* horn; **4** *(slakkenhuis)* conch

hoornist horn player

hoornvlies cornea

hoorspel radio play

hoorzitting hearing

hop hop(plant); hops

hopelijk I hope, let's hope, hopefully: *~ komt hij morgen* I hope (*of:* let's hope) he is coming tomorrow

hopeloos hopeless, desperate: *hij is ~ verliefd op* he's hopelessly (*of:* desperately) in love with

hopen I *tr* **1** hope (for): *dat is niet te ~* I hope (*of:* let's hope) not; *ik hoop van wel* (of: *van niet*) I hope so (*of:* hope not); *ik hoop dat het goed met u gaat* I hope you are well; *tegen beter weten in (blijven) ~* hope against hope; *blijven ~* keep (on) hoping; **2** *(opstapelen)* pile (up): *op elkaar gehoopt* heaped; **II** *intr (van hoop vervuld zijn)* hope (for): *~ op betere tijden* hope for better times

hopman Scoutmaster

hor screen

horde 1 horde: *de hele ~ komt hierheen* the whole horde is coming here; **2** *(sport)* hurdle

hordeloop hurdle race

horeca (hotel and) catering (industry)

horen I *tr* **1** hear: *we hoorden de baby huilen* we heard the baby crying; *nu kun je het me vertellen,*

hij kan ons niet meer ~ you can tell me now, he is out of earshot; *ik heb het alleen van ~ zeggen* I only have it on hearsay; *ik hoor het hem nog zeggen* I can still hear him saying it; *hij deed alsof hij het niet hoorde* he pretended not to hear (it); *ik kon aan zijn stem ~ dat hij zenuwachtig was* I could tell by his voice that he was nervous; **2** *(luisteren naar)* listen to; **3** *(vernemen)* hear, be told, get to know: *Johan kreeg te ~ dat het zo niet langer kon* Johan was told that it can't go on like that; *wij kregen heel wat te ~ (mbt kritiek)* we were given a hard time of it; *laat eens iets van je ~* keep in touch; *zij wil geen nee ~* she won't take no for an answer; *hij vertelde het aan iedereen die het maar ~ wilde* he told it to anyone who would listen; *toevallig ~* overhear; *hij wilde er niets meer over ~* he didn't want to hear any more about it; *daar heb ik nooit van gehoord* I've never heard of it; *daarna hebben we niets meer van hem gehoord* that was the last we heard from him; *u hoort nog van ons* you'll be hearing from us; *nou hoor je het ook eens van een ander* so I'm not the only one who says so; *ik hoor het nog wel* let me know (about it); **4** *(in aanmerking nemen)* listen (to): *moet je ~!* just listen!, listen to this!; *moet je ~ wie het zegt!* look who is talking!; *hoor eens* listen, I say; **II** *intr* **1** hear: *hij hoort slecht* he is hard of hearing; **2** *(zijn plaats hebben)* belong: *wij ~ hier niet* we don't belong here; *de kopjes ~ hier* the cups go here; **3** *(behoren)* be done, should be; **4** *(toebehoren)* belong (to): *dit huis hoort aan mijn vader* this house belongs to my father; *dat hoor je te weten* you should (*of:* ought to) know that; *dat hoort niet* it is not done; *dat hoort zo* that's how it should be

horizon horizon: *zijn ~ verruimen (uitbreiden)* broaden one's horizons

horizontaal horizontal; *(in kruiswoordraadsel)* across

horloge watch

horlogebandje watchband, watch strap

hormoon hormone

horoscoop horoscope: *een ~ trekken (opmaken)* cast a horoscope

horrorfilm horror film

hort jerk: *met ~en en stoten spreken* speak haltingly

horzel hornet

hospes landlord; *(gastheer)* host

hospita landlady

hospitaal hospital

hospitaliseren hospitalize

hossen dance (*of:* leap) about (arm in arm)

hostie host

hotdog hotdog

hotel hotel

hotelhouder hotelkeeper

hotelschool hotel and catering school: *hogere ~* hotel management school

houdbaar 1 not perishable: *ten minste ~ tot* best before; **2** *(verdedigbaar)* tenable

houdbaarheid shelf life, storage life *(van levens-*

middelen e.d.)

houden I *tr* **1** keep: *je mag het ~* you can keep *(of:* have) it; *kippen (of: duiven) ~* keep hens *(of:* pigeons); *de blik op iets gericht ~* keep looking at sth; *laten we het gezellig ~* let's keep it *(of:* the conversation) pleasant; *ik zal het kort ~* I'll keep it short; *iem aan de praat ~* keep s.o. talking; *hij kon er zijn gedachten niet bij ~* he couldn't keep his mind on it; *iets tegen het licht ~* hold sth up to the light; *ik kon hun namen niet uit elkaar ~* I kept getting their names mixed up; *contact met iem ~* keep in touch with s.o.; *orde ~* keep order; **2** *(vast-, tegenhouden)* hold: *(sport) die had hij gemakkelijk kunnen ~* he could have easily stopped that one; *de balk hield het niet* the beam didn't hold, the beam gave way; **3** hold, *(organiseren)* organize, *(geven)* give: *een lezing ~* give *(of:* deliver) a lecture; **4** *(met voor)* take to be, consider to be *(of:* as): *iets voor gezien ~* leave it at that, call it a day; **5** *(uithouden)* take, stand: *het was er niet om te ~ van de hitte* the heat was unbearable; *ik hou het niet meer* I can't take it any more *(of:* longer); *rechts ~* keep (to the) right; *William houdt nooit zijn woord* (of: *beloften)* William never keeps his word *(of:* promises); *we ~ het op de 15e* let's make it the 15th, then; **II** *intr* **1** *(met van)* love: *wij ~ van elkaar* we love each other; **2** *(met van) (geven om)* like, care for: *niet van dansen ~* not like dancing; *hij houdt wel van een grapje* he can stand a joke; *ik hou meer van bier dan van wijn* I prefer beer to wine; **3** *(niet loslaten)* hold, *(mbt lijm ook)* stick: *het ijs houdt nog niet* the ice isn't yet strong enough to hold your weight; **III** *zich ~* **1** *(met aan) (niet afwijken van)* keep to *(regels, dieet)*; adhere to *(overeenkomst, instructies)*; abide by *(beslissing, vonnis)*; comply with, observe *(regels, voorwaarden)*; **2** *(blijven)* keep: *hij kon zich niet goed ~* he couldn't help laughing *(of:* crying)

houder 1 holder *(van rekening, vergunning)*, bearer *(van paspoort):* *een recordhouder* a record-holder; **2** *(jur)* keeper, holder *(bijv. huurder)*; **3** keeper, manager, *(eigenaar)* proprietor; **4** *(om iets te bewaren)* holder, container

houdgreep hold

houding 1 position, pose: *in een andere ~ gaan liggen (zitten)* assume a different position; **2** *(gespeeld gedrag)* pose, air: *zich geen ~ weten te geven* feel awkward; **3** *(gedrag(slijn))* attitude, manner

house house (music)

houseparty house party

hout wood: *~ sprokkelen* gather wood *(of:* sticks); *(Belg) niet meer weten van welk ~ pijlen te maken* not know which way to turn, be at a complete loss

houten wooden

houterig wooden: *zich ~ bewegen* move woodenly

houthakker lumberjack

houthandel 1 *(de handel in hout)* timber trade; **2** *(winkel)* timber yard

houtje bit of wood ‖ *iets op eigen ~ doen* do sth on one's own (initiative); *op een ~ bijten* have difficulty in keeping body and soul together

houtje-touwtjejas duffel coat (with toggle fastenings)

houtskool charcoal

houtsnede woodcut

houtzagerij sawmill

houvast hold, grip: *niet veel* (of: *geen enkel) ~ geven* provide little *(of:* no) hold

houweel pickaxe

houwen 1 chop, hack, *(beeldhouwen)* carve, hew: *uit marmer gehouwen* carved out of marble; **2** *(omhakken)* chop down

hovenier horticulturist, gardener

hozen bail (out) ‖ *het hoost* it is pouring down *(of:* with rain)

HSL *afk van hogesnelheidslijn* high-speed rail link

hso *(Belg) afk van hoger secundair onderwijs* senior general secondary education

hts *afk van hogere technische school* Technical College

huichelaar hypocrite

huichelarij hypocrisy

huichelen I *intr* play the hypocrite, be hypocritical; **II** *tr (doen alsof)* feign, sham

huid skin: *hij heeft een dikke ~* he is thick-skinned; *zijn ~ duur verkopen* fight to the bitter end; *iem de ~ vol schelden* call s.o. everything under the sun; *iem op zijn ~ zitten* keep on at s.o.; **2** *(van grote dieren)* hide; *(kleine dieren)* skin

huidarts dermatologist

huidig present, current

huiduitslag rash

huidziekte skin disease

huifkar covered wagon

huig uvula

huilbui crying fit

huilebalk cry-baby

huilen 1 *(mbt mensen)* cry, *(klagend)* whine, snivel: *ze kon wel ~* she could have cried; *half lachend, half ~d* between laughing and crying; *~ om iets* cry about sth; *~ van blijdschap* (of: *pijn)* cry with joy *(of:* pain); **2** *(janken, loeien)* howl *(ook wind)*

huis 1 house, home: *~ van bewaring* remand centre; *~ en haard* hearth and home; *halfvrijstaand ~* semi-detached, *(Am)* duplex; *open ~ houden* have an open day *(Am:* house); *het ouderlijk ~ verlaten, uit ~ gaan* leave home; *dicht bij ~* near home; *een ~ in een rij* a terraced *(Am:* row) house; *heel wat in ~ hebben (fig)* have a lot going for one; *nu de kinderen het ~ uit zijn* now that the children have all left; *een ~ van drie verdiepingen* a three-storeyed house; *ik kom van ~* I have come from home; *dan zijn we nog verder van ~* then we will be even worse off; *(op kosten) van het ~* on the house; *het is niet om over naar ~ te schrijven* it is nothing to write home about; *van ~ uit* originally, by birth; **2** *((vorstelijk) geslacht)* House: *het Koninklijk ~* the Royal Family; *(Belg) daar komt niets van in ~: a) (het gebeurt niet)* that's not on; *b) (het lukt niet)* it won't work, nothing will

come of it
huisarts family doctor
huisbaas landlord
huisbezoek house call
huisdier pet
huiselijk 1 domestic, home, *(mbt familie ook)* family; 2 *(intiem)* homelike, homey: *een ~ type* a home-loving type
huisgenoot housemate; *(gezinslid)* member of the family
huishoudelijk domestic, household
huishouden I *zn* 1 housekeeping: *het ~ doen* run the house, do the housekeeping; 2 household: *woningen voor een- en tweepersoonshuishoudens* houses for single people and couples; II *intr* carry on, cause damage *(of:* havoc)
huishoudgeld housekeeping (money)
huishouding housekeeping: *een gemeenschappelijke ~ voeren* have a joint household
huishoudster housekeeper
huisje bungalow, cottage, small house, little house
huiskamer living room
huisman househusband
huismerk own brand, generic brand
huismiddel(tje) home remedy
huismus 1 house sparrow; 2 *(persoon)* stay-at-home
huisraad household effects
huisregels house rules
huissleutel latchkey, front-door key
huisvader family man, father (of the family)
huisvesting 1 housing; 2 *(tijdelijk)* accommodation: *ergens ~ vinden* find accommodation somewhere
huisvriend family friend, friend of the family
huisvrouw housewife
huisvuil household refuse
huisvuilzak dustbin liner
huiswaarts homeward(s)
huiswerk homework: *~ maken* do one's homework
huiszoeking (house) search
huiveren 1 shiver; *(van angst enz.)* shudder, tremble: *~ van de kou* shiver with cold; 2 *(terugschrikken)* recoil (from), shrink (from)
huiverig hesitant, wary
huivering shiver, shudder
huizenhoog towering: *huizenhoge golven* mountainous waves
hulde homage; tribute
huldigen honour, pay tribute (to)
huldiging homage, tribute
hullen I *tr* wrap up in, *(fig ook)* veil (in), cloak (in); II *zich ~* wrap oneself (up), *(fig ook)* veil *(of:* cloak, shroud) oneself (in)
hulp 1 help, assistance; *om ~ roepen* call (out) for help; *iem te ~ komen* come to s.o.'s aid; *eerste ~ (bij ongelukken)* first aid; 2 helper, assistant: *~ in de huishouding* home help
hulpactie relief action *(of:* measures)
hulpbehoevend in need of helps, *(ziek)* invalid,

(oud, gebrekkig) infirm, *(arm)* needy
hulpdienst auxiliary service(s), *(nooddienst)* emergency service(s): *telefonische ~* helpline
hulpeloos helpless
hulpkreet cry for help
hulpmiddel aid, help, means
hulppost aid station, *(EHBO-post)* first-aid post
hulpprogramma *(comp)* utility
hulpstuk accessory, attachment
hulptroepen auxiliary troops *(of:* forces), *(versterkingen)* reinforcements
hulpvaardig helpful
hulpverlener social worker
hulpverlening assistance, aid, *(bij ramp enz.)* relief
huls 1 case, cover, container; 2 *(mbt vuurwapens)* cartridge case, shell
hulst holly
humaniora *(Belg; ongev)* grammar school education
humanitair humanitarian
humeur humour, temper, mood
humeurig moody
hummel toddler, *(tiny)* tot
humor humour: *gevoel voor ~* sense of humour
humorist humorist, *(komiek)* comic
humoristisch humorous: *een ~e opmerking* a humorous remark
humus humus
hun I *pers vnw* them: *ik zal het ~ geven* I'll give it (to) them; *heb je ~ al geroepen?* have you already called them?; II *bez vnw* their: *~ kinderen* their children; *die zoon van hun* that son of theirs
hunebed megalith(ic tomb, monument, grave)
hunkeren long for, yearn for
hup 1 come on, go (to it): *~ Henk ~!* come on Henk!; 2 hup, oops-a-daisy: *een, twee, ... ~!* one, two, ... up you go!
huppeldepup what's-his-name, what's-her-name
huppelen hop, skip, frolic
huren 1 rent; *(mbt bus, vliegtuig)* charter: *een huis ~* rent a house; *kamers ~* live in rooms; 2 *(mbt een persoon)* hire, take on: *een kok ~* hire *(of:* take on) a cook
hurken squat: *zij zaten gehurkt op de grond* they were squatting on the ground; *op zijn ~ (gaan) zitten* squat (on one's haunches)
hut 1 hut: *een lemen ~* a mud hut; 2 *(op schip)* cabin
hutkoffer cabin trunk
hutselen mix (up), shake (up): *dominostenen door elkaar ~* shuffle dominoes
hutspot hot(ch)-pot(ch)
huur *(het huren)* rent; *(pacht)* lease: *achterstallige ~* rent in arrears, back rent; *kale ~* basic rent; *iem de ~ opzeggen* give s.o. notice (to leave, quit); *dit huis is te ~* this house is to let *(Am:* for rent); *hij betaalt €800,- ~ voor dit huis* he pays 800 euros rent for this house
huurachterstand arrears of rent
huurauto rented car, hire(d) car

huurcontract rental agreement, *(van auto's ook)*
lease: *een ~ aangaan* sign a lease; *een ~ opzeggen*
terminate a lease

huurder renter, *(mbt huizen enz. ook)* tenant, *(mbt
auto)* hirer: *de huidige ~s* the sitting tenants

huurhuis rented house

huurkoop instalment buying, hire purchase (system)

huurling hireling, *(huursoldaat)* mercenary

huurmoordenaar (hired) assassin

huurovereenkomst *zie* huurcontract

huurprijs rent, *(van auto, tv enz.)* rental (price)

huurschuld rent arrears, arrears of rent: *de ~ bedraagt €5000,-* the rent arrears amount to €5000

huursoldaat mercenary

huursubsidie rent subsidy

huurverhoging rent increase

huurverlaging rent reduction

huurwaarde rental value

huurwoning rented house *(of:* flat)

huwelijk 1 marriage, wedding: *ontbinding van een
~* dissolution of a marriage; *gemengd ~* mixed marriage; *een wettig ~* a lawful marriage; *een ~ inzegenen* perform a marriage service; *een ~ sluiten (aangaan) met* get married to; *een kind, buiten ~ geboren* a child born out of wedlock; *zijn ~ met* his marriage to; *een meisje ten ~ vragen* propose to a girl; *een ~ uit liefde* a love match; *een burgerlijk ~* a civil wedding; *een kerkelijk ~* a church wedding; *een ~
voltrekken* perform a marriage service, celebrate a marriage; 2 *(het getrouwd zijn ook)* matrimony: *na
25 jaar ~* after 25 years of matrimony

huwelijks marital, married: *~e voorwaarden* marriage settlement *(of:* articles)

huwelijksaanzoek proposal (of marriage): *een ~
doen* propose (to s.o.); *een ~ krijgen* receive a proposal (of marriage)

huwelijksadvertentie (ad in the) lonely hearts column

huwelijksakte marriage certificate

huwelijksbureau marriage bureau

huwelijksgeschenk wedding present *(of:* gift)

huwelijksnacht wedding night: *de eerste ~* the
wedding night

huwelijksplechtigheid wedding, marriage ceremony, wedding ceremony

huwelijksreis honeymoon (trip): *zij zijn op ~* they
are on (their) honeymoon (trip)

huwelijksvoorwaarden marriage settlement *(of:*
articles): *trouwen zonder ~* marry without a marriage settlement *(of:* marriage articles)

huwen marry

huzaar hussar

huzarensalade *(ongev)* Russian salad

hyacint hyacinth

hybride hybrid, cross

hydraulisch hydraulic: *~e pers* (of: *remmen)* hydraulic press *(of:* brakes)

hyena hy(a)ena

hygiëne hygiene: *persoonlijke (intieme) ~* personal
hygiene

hygiënisch I *bn* hygienic, sanitary: *~e omstandigheden* sanitary conditions; *~e voorschriften* hygienic *(of:* sanitary) regulations; II *bw* hygienically: *~
verpakt* hygienically packed *(of:* wrapped)

hymne hymn

hyper- hyper-, ultra-, super-

hyperactief hyperactive

hypermarkt hypermarket

hypermodern ultramodern, *(modieus ook)* super-fashionable: *een ~ interieur* an ultramodern
interior

hyperventilatie hyperventilation

hyperventileren hyperventilate

hypnose hypnosis: *iem onder ~ brengen* put s.o. under hypnosis

hypnotisch hypnotic: *~e blik* hypnotic gaze

hypnotiseren hypnotize

hypnotiseur hypnotist, hypnotherapist

hypocriet I *zn* hypocrite; II *bn* hypocritical, insincere

hypocrisie hypocrisy

hypotheek mortgage: *een ~ aflossen* pay off a mortgage; *een ~ afsluiten* take out a mortgage; *een ~ nemen op een huis* take out a mortgage on a house

hypotheekrente mortgage (interest)

hypothese hypothesis: *een ~ opstellen* formulate a
hypothesis

hypothetisch hypothetical

hysterie hysteria

hysterisch hysterical: *~ gekrijs* hysterical screams;
~e toevallen (aanvallen) krijgen have (fits of) hysterics; *doe niet zo ~!* don't be so *(of:* get) hysterical!

hy

i

ibis ibis
icoon icon
ICT *afk van informatie- en communicatietechnologie* ICT
ideaal I *zn* 1 ideal: *zich iem tot ~ stellen* take s.o. as a model; 2 *(streven)* ideal, ambition: *het ~ van zijn jeugd was arts te worden* the ambition of his youth was to become a doctor; II *bn, bw* ideal, perfect
idealiseren idealize, glamorize
idealisme idealism
idealist idealist
idee 1 idea: *zich een ~ vormen van iets* form an idea of sth; 2 *(begrip)* idea; notion, concept(ion): *ik heb geen (flauw) ~* I haven't the faintest *(of:* foggiest) idea; 3 *(mening)* idea; view: *ik heb een ~* I've got an idea; *op een ~ komen* think of sth, hit upon an idea; *zij kwam op het ~ om* she hit upon the idea of
ideëel idealistic
ideeënbus suggestion box
idem ditto, idem
identiek identical (with, to)
identificatie identification
identificeren identify
identiteit identity
identiteitsbewijs identity card, ID card
identiteitspapieren identity papers, identification papers
ideologie ideology
ideologisch ideological
idioom idiom
idioot I *zn* idiot, *(als scheldwoord ook)* fool: *een volslagen ~* an absolute fool; II *bn, bw* idiotic; *(bespottelijk ook)* foolish: *doe niet zo ~* don't be such a fool *(of:* an idiot)
idool idol
idyllisch idyllic
ieder 1 *(tezamen; meer dan twee)* every; *(afzonderlijk; twee of meer)* each; *(welk dan ook)* any: *het kan ~e dag afgelopen zijn* it may be over any day (now); *werkelijk ~e dag* every single day; *ze komt ~e dag* she comes every day; 2 everyone, everybody; each (one); anyone, anybody: *tot ~s verbazing* to everyone's surprise; *~ van ons* each of us, every one of us; *~ voor zich* every man for himself
iedereen everyone, everybody, all; *(wie dan ook)* anybody, anyone: *jij bent niet ~* you're not just an-

ybody
iemand someone, somebody, *(in ontkennende, vragende zinnen)* anyone, *(in ontkennende, vragende zinnen)* anybody: *is daar ~?* is anybody there?; *hij is niet zomaar ~* he's not just anybody; *hij wilde niet dat ~ het wist* he didn't want anyone to know; *zij maakte de indruk van ~ die* she gave the impression of being someone *(of:* a woman) who
iep elm
ler Irishman: *tien ~en* ten Irishmen
lerland Ireland; Republic of Ireland
lers Irish
iets I *onbep vnw* 1 *(in ontkennende, vragende zinnen)* anything: *hij heeft ~ wat ik niet begrijp* there is something about him which I don't understand; 2 *(een bepaald ding)* something, *(in ontkennende, vragende zinnen)* anything: *~ lekkers (of: moois)* something tasty *(of:* beautiful); *~ dergelijks* something like that; *zo ~ heb ik nog nooit gezien* I have never seen anything like it; *er is ook nog zo ~ als* there is such a thing as; 3 *(een beetje)* something, a little, a bit: *beter ~ dan niets* something is better than nothing; *een mysterieus ~* something mysterious, a mysterious something; II *bw* a bit, a little, slightly: *als zij er ~ om gaf* if she cared at all; *we moeten ~ vroeger weggaan* we must leave a bit *(of:* slightly) earlier
ietwat somewhat, slightly
iglo igloo
ijdel vain, conceited
ijdelheid vanity, conceit
ijdeltuit vain person
ijken calibrate
ijkpunt benchmark (figure)
ijl rarefied: *~e lucht* thin *(of:* rarefied) air
ijlen be delirious, ramble, *(wild)* rave
ijs 1 ice: *zich op glad ~ bevinden (begeven)* skate on thin ice; *het ~ breken* break the ice; *de haven was door ~ gesloten* the port was icebound; 2 *(lekkernij)* ice cream
ijsbaan skating rink, ice(-skating) rink
ijsbeer polar bear
ijsberen pace up and down
ijsberg iceberg
ijs(berg)sla iceberg lettuce
ijsblokje ice cube
ijscoman ice-cream man
ijselijk hideous, dreadful
ijshockey ice hockey
ijsje ice (cream)
ijskar ice-cream cart
ijskast fridge; refrigerator: *iets in de ~ zetten: a)* put sth in the fridge; *b) (fig)* shelve sth, put sth on ice
ijskoud 1 ice-cold, icy(-cold); 2 *(fig)* icy, (as) cold as ice: *een ~e ontvangst* an icy welcome
IJsland Iceland
IJslands Icelandic
ijslolly ice lolly, *(Am)* popsicle
ijsmuts *(ongev)* woolly hat

ijspegel icicle
ijssalon ice-cream parlour
ijsschots (ice) floe
ijstijd ice age, glacial period (*of:* epoch)
ijsvogel kingfisher
ijver *(vlijt)* diligence
ijverig diligent: *een ~ scholier* an industrious (*of:* a
   diligent) pupil; *men deed ~ onderzoek* painstaking
   inquiries were made
ijzel black ice
ijzelen freeze over: *het ijzelt* it is freezing over
ijzer iron: *~ smeden* (of: *gieten*) forge (*of:* cast) iron;
   men moet het ~ smeden als het heet is strike while
   the iron is hot
ijzerdraad (iron) wire
ijzeren iron: *een ~ gezondheid* an iron constitution
ijzererts iron ore
ijzerhandel 1 hardware store, ironmonger's shop; 2
   (handel) hardware trade, ironmongery
ijzersterk iron, cast-iron: *hij kwam met ~e argumenten* he produced very strong arguments
ijzerwaren hardware, ironmongery
ijzig icy, freezing: *~e kalmte* steely composure
ik I: *~ ben het* it's me; *als ~ er niet geweest was ...* if
   it hadn't been for me ...; *ze is beter dan ~* she's better than I am
illegaal 1 illegal; 2 *(in oorlogstijd)* underground: *~
   werk* underground work
illusie illusion, (pipe)dream, delusion *(opzettelijk):
   een ~ verstoren* (of: *wekken*) shatter (*of:* create) an
   illusion
illusionist conjurer
illustratie illustration
illustrator illustrator
illustreren illustrate; *(toelichten ook)* exemplify
imago image
imam imam
imbeciel imbecile
IMF *afk van Internationaal Monetair Fonds* IMF
imitatie imitation, copy, copying, *(persoon ook)* im-
   personation: *een slechte ~* a poor (*of:* bad) imitation
imitator imitator; impersonator
imiteren imitate, copy, *(persoon ook)* impersonate
imker bee-keeper
immens immense
immer ever, always
immers 1 after all: *hij komt ~ morgen* after all, he is
   coming tomorrow, he is coming tomorrow, isn't
   he?; 2 *(namelijk)* for, since
immigrant immigrant
immigratie immigration
immigreren immigrate
immobiliën *(Belg) (onroerend goed)* property, real
   estate
immoreel immoral
immuniteit immunity
immuun immune: *~ voor kritiek* immune to criticism

impasse impasse, deadlock
imperiaal roof-rack
imperialisme imperialism
imperialist imperialist
imperium empire
impliceren imply
impliciet implicit
imponeren impress, overawe: *laat je niet ~ door die
   deftige woorden* don't be overawed by those posh
   words
impopulair unpopular
import 1 import(ation); 2 *(het ingevoerde)* im-
   port(s)
importeren import
importeur importer
imposant impressive, imposing
impotent impotent
impregneren impregnate
impresario impresario
impressie impression
impressionisme impressionism
improviseren improvise
impuls 1 impulse, impetus; 2 *(opwelling)* impulse,
   urge: *hij handelde in een ~* he acted on (an) impulse
impulsief impulsive, impetuous
in I *vz* 1 *(mbt een plaats)* in, at: *een vertegenwoordiger ~ het bestuur* a representative on the board;
   puistjes ~ het gezicht pimples on one's face; *~ heel
   het land* throughout (*of:* all over) the country; *hij is
   nog nooit ~ Londen geweest* he has never been to
   London; *hij zat niet ~ dat vliegtuig* he wasn't on
   that plane; *~ slaap* asleep; 2 *(mbt een richting)* into:
   ~ de hoogte kijken look up; *~ het Japans vertalen*
   translate into Japanese; 3 *(mbt een tijdstip)* in, at,
   (mbt een tijdsduur) during: *~ het begin* at the beginning; *een keer ~ de week* once a week; 4 *(mbt een
   hoeveelheid, omvang)* in: *er gaan 100 cm ~ een meter* there are 100 centimetres to a metre; *twee meter
   ~ omtrek* two metres in circumference; *~ een rustig
   tempo* at an easy pace; *~ tweeën snijden* cut in two;
   professor ~ de natuurkunde professor of physics; *zij
   is goed ~ wiskunde* she's good at mathematics; *uitbarsten ~ gelach* burst into laughter; **II** *bw* 1 in, into,
   inside: *dat wil er bij mij niet ~* I find that hard to believe; *dag ~ dag uit* day in (and) day out; 2 *(van
   plaats, toestand)* in, inside: *tussen twee huizen ~*
   (in) between two houses; *tegen alle verwachtingen
   ~* contrary to all expectations; **III** *bn* in: *de bal was
   ~* the ball was in
inacceptabel unacceptable
inademen inhale, breathe in
inbeelden, zich imagine: *dat beeld je je maar in*
   that's just your imagination
inbeelding imagination
inbegrepen included, including
inbegrip: *met ~ van* including
inbellen *(comp)* dial up
inbelpunt dial-up access (account)
inbinden bind

inblazen blow into, *(fig)* breathe into: *iets nieuw leven ~* breathe new life into sth
inblikken can, tin
inboedel moveables, furniture, furnishings: *een ~ verzekeren (ongev)* insure the contents of one's house against fire and theft
inboezemen inspire
inboorling native
inbouwen build in
inbraak breaking in, burglary: *~ plegen in* break into, burgle
inbreken break in(to) (a house), burgle (a house): *~ in een computersysteem* break into a computer system; *er is alweer bij ons ingebroken* our house has been broken into *(of:* burgled) again
inbreker burglar; *(in computer)* hacker
inbreng contribution
inbrengen 1 bring in(to), insert *(thermometer, muntstuk)*, inject *(inspuiten);* **2** *(voorstellen)* contribute; **3** *(aanvoeren)* bring (forward): *daar valt niets tegen in te brengen* there is nothing to be said against this
inbreuk infringement, violation
inburgeren *(mbt personen)* naturalize, settle down, settle in
inburgeringsprogramma integration programme
inbussleutel Allen key
Inca Inca
incarnatie incarnation
incasseren 1 collect, cash (in) *(verzilveren);* **2** *(opvangen)* accept, take
incest incest
incident incident
incidenteel incidental, occasional: *dit verschijnsel doet zich ~ voor* this phenomenon occurs occasionally
inclusief including; *(als afk:* incl.*)* inclusive (of): *45 euro ~ (bedieningsgeld)* 45 euros, including service
incognito incognito
incompleet incomplete
inconsequent inconsistent
incontinent incontinent
incorrect incorrect
incubatietijd incubation period
indekken, zich cover oneself (against)
indelen 1 divide, order, class(ify): *zijn dag ~ plan* one's day; **2** group, class(ify)
indeling division, arrangement, classification, lay-out *(van tuin, gebouw): de ~ van een gebied in districten* the division of a region into districts
indenken, zich imagine: *zich in iemands situatie ~* put oneself in s.o.'s place *(of:* shoes)
inderdaad indeed, *(werkelijk)* really, *(zoals verwacht)* sure enough: *ik heb dat ~ gezegd, maar ... I* did say that, but ...; *het lijkt er ~ op dat het helpt* it really does seem to help; *dat is ~ het geval* that is indeed the case; *~, dat dacht ik nu ook!* exactly, that's what I thought, too!
index index

India India
indiaan (American) Indian
indiaans Indian
Indiaas Indian
indianenverhaal *(ongeloofwaardig)* tall story
indicatie indication
Indië the Dutch East Indies; *(India)* India
indien if, in case, *(verondersteld dat)* supposing
indienen submit
Indiër Indian
indigestie indigestion
indikken thicken
indirect indirect, *(spreken ook)* roundabout: *op ~e manier* in an indirect way, in a roundabout way; *~e vrije trap* indirect free kick
Indisch (East) Indian
individu individual, *(min ook)* person
individualisme individualism
individualist individualist
individueel I *bn* individual; particular; **II** *bw* individually, singly
indommelen doze off
Indonesië Indonesia
Indonesiër Indonesian
Indonesisch Indonesian
indraaien I *intr* turn in(to): *de auto draaide de straat in* the car turned into the street; **II** *tr* screw in(to): *een schroef ~* drive *(of:* screw) in a screw
indringen *(binnendringen)* penetrate (into), intrude (into), *(vloeistof)* soak (into)
indringend penetrating: *een ~e blik* a penetrating gaze, a piercing look
indringer intruder, trespasser
indrinken drink in
indruisen go against, conflict with
indruk 1 impression, *(sfeer)* air, *(idee)* idea: *diepe (grote) ~ maken* make a deep impression; *ik kon niet aan de ~ ontkomen dat* I could not escape the impression that; *dat geeft (of:* wekt) *de ~ ...* that gives *(of:* creates) the impression that ...; *ik kreeg de ~ dat* I got the impression that; *weinig ~ maken op iem* make little impression on s.o.; **2** impression, (im)print: *op de sneeuw waren ~ken van vogelpootjes zichtbaar* in the snow the prints *(of:* imprints) of birds' feet were visible
indrukken push in, press
indrukwekkend impressive
induiken 1 dive in(to): *zijn bed (of: de koffer) ~* turn in, hit the sack; **2** plunge in(to): *ergens dieper ~* delve deeper into sth
industrialiseren industrialize
industrie (manufacturing) industry
industriebond industrial union
industrieel industrial
industriegebied industrial area; *(binnen gemeente)* industrial estate *(of:* park), trading estate
industriestad industrial town, manufacturing town
industrieterrein industrial zone *(of:* estate, park)

indutten doze off, nod off
induwen push in(to)
ineengedoken crouched, hunched (up)
ineenkrimpen curl up, double up, *(fig)* flinch
ineens 1 (all) at once: *bij betaling ~ krijg je korting* you get a discount for cash payment; **2** *(plotseling)* all at once, all of a sudden, suddenly: *zomaar ~* just like that
ineenstorten collapse
ineffectief ineffective, inefficient
inefficiënt inefficient
inenten vaccinate, inoculate
inenting vaccination, inoculation
infanterie infantry
infarct infarct(ion); *(van hart)* heart attack
infecteren infect
infectie infection
infectieziekte infectious disease
inferieur inferior, low-grade
infiltratie infiltration
infiltreren infiltrate: *~ in een beweging* infiltrate (into) a movement
inflatie inflation
influisteren whisper (in s.o.'s ear)
informaliteit informality
informant informant
informatica computer science, informatics
informatie 1 information, *(mbt computers enz.)* data; **2** *(inlichtingen)* information, *(geheim)* intelligence: *om nadere ~ verzoeken* request further information; *~(s) inwinnen (bij …)* make inquiries (of …), obtain information (from …)
informatief informative
informeel informal; unofficial, *(wijze)* casual
informeren I *intr* inquire, enquire, ask: *ik heb ernaar geïnformeerd* I have made inquiries about it; *~ bij iem* ask s.o.; *naar de aanvangstijden ~* inquire about opening times; **II** *tr (inlichten)* inform
infrarood infra-red
infrastructuur infrastructure
infuus drip
ingaan 1 go in(to): *een deur ~* go through a door; **2** *(komen in)* go in(to), come in(to), enter: *een weg ~* turn into a road; **3** *(aandacht besteden aan)* examine, go into: *uitgebreid ~ op* consider at length; **4** *(positief reageren)* agree with, agree to, comply with: *op een aanbod ~* accept an offer; **5** *(beginnen)* take effect: *de regeling gaat 1 juli in* the regulation is effective as from *(of:* of) July 1st; *~ tegen* run counter to
ingang 1 entrance, entry, doorway, *(inform)* acceptance: *de nieuwe ideeën vonden gemakkelijk ~ bij het publiek* the new ideas found a ready reception with the public; **2** *(begin)* commencement: *met ~ van 1 april* as from *(of:* of) April 1st
ingebeeld imaginary
ingebonden bound
ingebouwd built-in
ingeburgerd 1 *(mbt persoon)* naturalized; **2** *(alge-*

meen aanvaard) established: *~ raken* take hold
ingehouden 1 *(mbt emotie)* restrained; **2** *(mbt kracht)* subdued; *(mbt adem)* bated
ingelegd inlaid
ingemaakt preserved, bottled
ingenaaid stitched
ingenieur engineer
ingenieus ingenious
ingesloten 1 enclosed; **2** *(omgeven door)* surrounded
ingespannen 1 intensive, intense: *~ luisteren* listen intently; **2** *(met inspanning)* strenuous: *na drie dagen van ~ arbeid* after three strenuous days
ingetogen modest
ingevallen hollow, sunken *(wangen, ogen)*
ingeven inspire: *doe wat uw hart u ingeeft* follow the dictates of your heart
ingeving inspiration, intuition: *een ~ krijgen* have a flash of inspiration, have a brainwave
ingevroren icebound *(haven, schip)*; frozen *(voedsel)*
ingewanden intestines
ingewijde initiate, *(fig ook)* insider, adept *(die alle kneepjes weet)*
ingewikkeld complicated
ingeworteld deep-rooted
ingezetene resident, inhabitant
ingezonden sent in: *~ brieven* letters to the editor
ingooi throw-in
ingooien I *tr* **1** throw in(to); **2** *(door te werpen breken)* smash; **II** *intr* throw in
ingraven bury: *zich (in de grond) ~* dig (oneself) in *(soldaat)*, burrow *(konijn)*
ingrediënt ingredient
ingreep intervention
ingrijpen 1 *(zich bemoeien met)* interfere; **2** *(optreden)* intervene
ingrijpend radical
inhaalrace race to recover lost ground; race to catch up
inhaalstrook fast lane
inhaken *(met op)* take up
inhalen I *tr* **1** *(intrekken)* draw in, take in, haul in *(iets zwaars)*; **2** *((weer) bereiken)* catch up with, *(én voorbijrennen)* outrun; **3** *(alsnog doen, maken)* make up (for), recover *(verlies)*: *de verloren tijd ~* make up for lost time; **4** *(binnenbrengen)* bring in; **II** *intr, tr (verkeer) (voorbijgaan)* overtake, pass
inhaleren inhale; *(alleen tr)* draw in
inhalig greedy
inham bay, cove, creek
inheems native: *~e planten* indigenous plants
inhoud 1 content, capacity; **2** *(volume)* content; **3** *(dat waarmee iets gevuld is)* contents; **4** *(betekenis)* import
inhouden I *tr* **1** *(bedwingen, beheersen)* restrain, hold (in, back): *de adem ~* hold one's breath; **2** *(niet uitbetalen)* deduct: *een zeker percentage van het loon ~* withhold a certain percentage of the wag-

es; 3 *(bevatten)* contain, hold; 4 *(behelzen)* involve, mean: *wat houdt dit in voor onze klanten?* what does this mean for our customers?; 5 *(ingetrokken houden)* hold in; II *zich ~ (zich bedwingen)* control oneself: *zich ~ om niet in lachen uit te barsten* keep a straight face

inhouding deduction, *(mbt belasting, premies)* amount withheld

inhoudsmaat measure of capacity *(of:* volume)

inhoudsopgave (table of) contents

inhuldigen inaugurate, install

inhuldiging inauguration

inhuren engage

initiaal initial

initiatief initiative, *(als eigenschap)* enterprise

injecteren inject

injectie injection

injectienaald (hypodermic) needle

inkapselen encase

inkeer repentance

inkeping notch

inkijken take a look at

inklappen fold in, fold up

inklaren clear (inwards)

inkleden frame, express: *hoe zal ik mijn verzoek ~?* how shall I put my request?

inkleuren colour

inkom *(Belg)* admission, entrance fee

inkomen I *zn* income, revenue *(grote instellingen);* II *intr* enter, come in(to): *ingekomen stukken (of: brieven)* incoming correspondence *(of:* letters); *daar kan ik ~* I (can) appreciate that, I quite understand that; *daar komt niets van in* that's out of the question, no way!

inkomgeld *(Belg)* admission (charge), entrance fee

inkomsten *(loon)* income, earnings; revenue(s) *(bij grote instellingen)*

inkomstenbelasting income tax

inkoop purchase, purchasing, buying

inkoopprijs cost price

inkopen buy, purchase

inkoper buyer, purchasing agent

inkoppen head (the ball) in(to the goal)

inkorten shorten, cut down

inkrimpen *(kleiner maken)* reduce, cut (down)

inkrimping *(vermindering)* reduction, cut(s) *(uitgaven)*

inkt ink: *met ~ schrijven* write in ink

inktvis *(achtarmig)* octopus; *(tienarmig)* squid

inktvlek ink blot

inladen load

inlander native

inlands native, *(mbt eigen land)* internal, domestic, home-grown

inlassen *(invoegen)* insert

inlaten, zich *(zich bemoeien)* meddle (with, in), concern oneself (with): *zich ~ met dergelijke mensen* associate with such people

inleg 1 deposit(ing); *(bank)* deposit; 2 *(inzet) (wed-denschap)* stake

inleggen 1 deposit, *(bij weddenschap, spel)* stake, *(in firma)* invest; 2 *(in, tussen iets leggen)* put, throw in *(of:* down); 3 *(van haring e.d.)* preserve

inlegvel insert

inleiden introduce

inleidend introductory, *(opmerkingen ook)* opening

inleider (opening) speaker

inleiding 1 introductory remarks, opening remarks, preamble; 2 *(voorwoord in boek)* introduction, preface, foreword

inleven, zich put *(of:* imagine) oneself (in), empathize (with)

inleveren hand in, turn in

inlichten inform

inlichting 1 *(informatie)* (piece of) information: *~en inwinnen* make inquiries, ask for information; 2 *(mv) (informatiedienst) (voorlichting)* information (office), inquiries, *(spionage)* intelligence (service)

inlichtingendienst 1 information office, inquiries office; 2 *(geheime dienst)* intelligence (service), secret service

inlijsten frame

in-lineskate in-line skate

inloggen log on, log in (on)

inlopen I *intr* 1 walk into, step into, *(gebouw)* enter, *(straat)* turn into; 2 *(inhalen)* catch up: *op iem ~* catch up on s.o.; II *tr* 1 *(van schoenen, kleding)* wear in; 2 *(inhalen)* make up || *zich ~* warm up

inluiden herald

inmaken I *intr, tr (mbt groente e.d.)* preserve, *(met suiker ook)* conserve; II *tr (fig)* slaughter

inmengen, zich interfere (in, with)

inmenging interference (in, with)

inmiddels meanwhile, in the meantime: *dat is ~ bevestigd* this has since *(of:* now) been confirmed

in natura in kind

innemen 1 take; 2 *(mbt een plaats)* take (up), occupy *(ook post enz.):* *zijn plaats ~* take one's seat; 3 *(veroveren ook)* capture

innemend captivating, engaging, winning

innen collect *(ook belastingen, schulden)*, cash *(cheque)*

innerlijk I *zn* inner self, inner nature; II *bn, bw* inner

innig I *bn* 1 profound, deep(est); 2 *(warm, waar)* ardent, fervent; 3 *(intiem)* close, deep, intimate; II *bw* (most) deeply

inning 1 collection *(ook belastingen, schulden)*, cashing *(cheque);* 2 *(cricket)* innings; *(honkbal)* inning

innovatie innovation

innoveren innovate

inpakken I *tr* 1 pack (up); 2 *(in papier, dekens enz.)* wrap (up); II *intr (ophouden)* pack in: *~ en wegwezen* pack up and go

inpakpapier wrapping paper

inpalmen charm, win over

inpassen fit in
inpeperen *(fig)* get even with (s.o.) (for)
inperken restrict, curtail
in petto in reserve, in store
inpikken 1 grab, snap up, *(stelen)* pinch; **2** *(Belg)* take up
inplakken stick *(of:* glue, paste) in
inpolderen drain, impolder
inpoldering (land) reclamation, impoldering
inpompen pump in(to)
inpraten talk (s.o.) into (sth): *op iem* ~ work on s.o.
inprenten impress (on), instil (in(to)), *(in geheugen)* imprint
inquisitie inquisition
inramen frame: *dia's* ~ mount slides
inrekenen *(mbt politie)* pull in; *(meer mensen ook)* round up
inrichten I *tr* equip, *(meubelen)* furnish: *een compleet ingerichte keuken* a fully-equipped kitchen; **II** *zn (Belg)* organize: *de ~de macht* the (school) administration *(of:* management)
inrichter *(Belg)* organizer
inrichting 1 design; *(indeling ook)* layout; **2** *(gesticht)* institution
inrijden I *intr* ride in(to); *(auto)* drive in(to); **II** *tr (van auto)* run in; *(van paard)* break in
inrit drive(way)
inruil exchange; trade-in, part exchange: *€2000,- bij ~ van uw oude auto* 2,000 euros in part exchange for your old car
inruilauto trade-in (car)
inruilen 1 exchange; **2** trade in, part-exchange
inruilwaarde trade-in *(of:* part-exchange) value
inruimen clear (out)
inrukken dismiss, withdraw: *ingerukt mars!* dismiss!
inschakelen 1 switch on, connect *(circuit);* **2** *(iemands hulp inroepen)* call in, bring in, involve
inschatten estimate, assess
inschenken pour (out)
inschepen embark
inschieten I *tr* **1** *(verliezen)* lose; **2** *(in het doel schieten)* shoot into the net; **II** *intr* **1** *(mislopen)* fall through: *mijn lunch zal er wel bij* ~ then I can say goodbye to my lunch; **2** shoot in(to): *een zijstraat* ~ shoot into a side street; **3** *(in het doel schieten)* score
inschoppen 1 kick in(to); **2** *(door schoppen breken)* kick in, kick down
inschrijfformulier registration form, *(wedstrijd ook)* entry form, *(onderwijs)* enrolment form
inschrijfgeld registration fee, *(wedstrijd ook)* entry fee, *(onderwijs)* enrolment fee
inschrijven I *intr* bid, submit a bid; **II** *tr (mbt personen)* register, *(wedstrijd ook)* enter, *(onderwijs)* enrol, sign up: *zich (laten)* ~ sign up, register (oneself); *zich als student* ~ enrol as a student
inschrijving 1 registration, *(wedstrijd)* entry, *(onderwijs)* enrolment; **2** *(handel)* subscription, *(aanbesteding)* bid: *een ~ openen* call for bids *(of:* tenders)

inschrijvingsformulier application form, *(mbt onderwijs)* enrolment form
inschuiven push in, slide in
inscriptie inscription, *(op munt, medaille)* legend
insect insect
insecticide insecticide
inseminatie insemination: *kunstmatige* ~ artificial insemination
insigne badge
insinuatie insinuation
insinueren insinuate
inslaan I *tr* **1** smash (in), beat (in); **2** *(van voorraad)* stock (up on, with); **II** *intr* **1** take, turn into *(vnl. straat):* *(fig)* *een verkeerde weg* ~ take the wrong path *(of:* turning), go the wrong way; *(fig) nieuwe wegen* ~ break new ground, blaze a (new) trail; **2** *(mbt bliksem e.d.)* strike, hit
inslag 1 *(van bom e.d.)* impact; **2** *(strekking)* streak *(persoon);* slant, bias *(informatie)*
inslapen 1 fall asleep, drop off *(of:* go) to sleep; **2** *(sterven)* pass away, pass on
inslikken swallow
insluiper sneak-thief, intruder
insluiten 1 enclose; *(omsingelen ook)* surround: *een antwoordformulier* ~ enclose an answer form; **2** *(opsluiten)* shut in, lock in
insmeren I *tr* rub (with), *(met ...)* put ... on; **II** *zich* ~ put oil on: *zich ~ met bodylotion* rub oneself with body lotion
insneeuwen snow in
insnijden cut into, *(med)* lance: *een wond* ~ make an incision in a wound
inspannen use; *(krachten ook)* exert: *zich ~ voor iets* take a lot of trouble about sth; *zich moeten ~ om wakker te blijven* have to struggle to stay awake
inspannend strenuous, laborious; *(geestelijk)* exacting
inspanning effort, exertion, *(overmatig)* strain: *met een laatste ~ van zijn krachten* with a final effort, with one last effort
inspecteren inspect, examine, survey
inspecteur inspector, examiner
inspectie 1 inspection, examination, survey; **2** *(instantie)* inspectorate
inspelen I *intr, tr* practise, warm up; **II** *intr* **1** *(vooruitlopen op)* anticipate; **2** *(reageren op)* go along with, *(handig)* capitalize on, take advantage of, *(begrip hebben voor)* feel for
inspiratie inspiration
inspireren inspire: *geïnspireerd worden door iets (iem)* be inspired by sth (s.o.)
inspirerend inspiring
inspraak participation, involvement, *(inform)* say (in sth)
inspreken record: *u kunt nu uw boodschap* ~ you may leave *(of:* record) your message now
inspringen 1 stand in: *voor een collega* ~ stand in for a colleague; **2** *(inhaken op)* jump on(to), leap

in

on(to), seize (up)on: *deze regel moet een beetje ~* this line needs to be indented slightly

inspuiten inject, *(mbt drugs ook)* fix

instaan answer, be answerable *(of:* responsible); *(garanderen)* guarantee, vouch: *voor iem ~* vouch for s.o.

instabiel unstable

instabiliteit instability

installateur fitter, installer, *(elektr)* electrician

installatie 1 installation; 2 *(technische toestellen)* installation, plant, equipment, machinery, fittings *(sanitair, e.d.): een nieuwe stereo-~* a new hifi-set; 3 *(van gezagsdragers e.d.)* installation, inauguration

installeren install, *(van gezagsdragers e.d. ook)* inaugurate: *iem als lid ~* initiate s.o. as a member

instantie 1 body, authority; 2 *(jur)* instance ‖ *in eerste ~ dachten we dat het waar was* initially we thought it was true

instappen get in *(auto, trein);* get on *(bus);* board *(vliegtuig)*

insteken put in: *de stekker ~* plug in, put in the plug

instellen 1 establish, create; 2 *(beginnen)* set up, start; 3 *(voorbereiden, afstellen)* adjust, focus *(lenzen),* tune *(radio, motor): een camera (scherp) ~* focus a camera; *zakelijk ingesteld zijn* have a businesslike attitude *(of:* mentality)

instelling 1 *(organisatie)* institute, institution; 2 focus(s)ing *(lens);* tuning *(radio, motor);* 3 *(houding)* attitude, mentality: *een negatieve ~* a negative attitude

instemmen agree (with, to)

instemming approval

instinct instinct

instinctief instinctive

instinctmatig instinctive: *~ handelen* act on one's instinct(s)

instinker tricky question

institutioneel institutional

instituut institution, institute

instoppen 1 put in; 2 tuck in *(bed): iem lekker ~* tuck s.o. in nice and warm

instorten 1 collapse, fall down *(gebouw, brug e.d.),* cave in *(kuil, oever): de zaak staat op ~* the business is at the point of collapse; 2 *(mbt een zieke)* collapse, break down

instorting collapse *(gebouw),* breakdown *(ziekte),* caving, cave-in *(aarde, oever)*

instructeur instructor

instructie instruction, *(aanwijzing ook)* order, directive

instrueren instruct

instrument 1 instrument: *~en aflezen* read instruments *(of:* dials); 2 *((hulp)middel ook)* tool; 3 *(muziekinstrument)* (musical) instrument: *een ~ bespelen* play an instrument

instrumentaal instrumental

instuderen practise, learn: *een muziekstuk ~* practise a piece of music

instuif 1 *(informal)* party; 2 youth centre

insturen 1 send in, submit; 2 *(naar binnen sturen)* steer into; sail into *(schip)*

insuline insulin

intact intact

intake register

inteelt inbreeding

integendeel on the contrary: *ik lui? ~!* me lazy? quite the contrary!

integer upright, honest

integraal I *bn, bw* integral, complete; II *zn (wisk)* integral

integraalhelm regulation (crash-)helmet

integratie integration

integreren integrate

integriteit integrity

intekenen I *intr* subscribe, sign up; II *tr* register, enter

intekenlijst subscription list

intellect intellect

intellectueel intellectual

intelligent intelligent, bright

intelligentie intelligence

intelligentiequotiënt intelligence quotient, IQ

intelligentietest intelligence test

intens intense: *~ gelukkig* blissfully happy; *~ genieten* enjoy immensely

intensief intensive

intensiteit intensity, intenseness

intensive care intensive care: *op de ~ liggen* be in intensive care

intensiveren intensify

intentie intention, purpose: *de ~ hebben om* intend to

interactie interaction

interactief interactive

intercity intercity

intercitylijn intercity line

intercity(trein) intercity train: *de ~ nemen* go by intercity (train)

intercom intercom: *iets over de ~ omroepen* announce sth over *(of:* on) the intercom

interen eat into (one's capital)

interessant 1 interesting: *~ willen zijn (doen)* show off; 2 *(voordelig)* advantageous, profitable

interesse interest: *een brede ~ hebben* have wide interests

interesseren I *tr* interest: *wie het gedaan heeft interesseert me niet* I am not interested in who did it; II *zich ~* be interested

interieur interior, inside

interim 1 interim: *de directeur ad ~* the acting manager; 2 *(Belg)* temporary replacement *(of:* job)

interimbureau *(Belg)* employment agency

interland international (match), test match *(cricket)*

interlokaal trunk

intermezzo intermezzo, *(fig)* interlude

intern 1 resident: *~e patiënten* in-patients; 2 *(mbt een staat, organisatie)* internal, domestic: *uitslui-*

tend voor ~ gebruik confidential
internaat boarding school
internationaal international
internationaliseren internationalize
internet Internet
internetten surf the Net
internist internist
interpretatie interpretation, reading: *foute (verkeerde)* ~ misinterpretation
interpreteren interpret
interpunctie punctuation
interruptie interruption
interval interval
interventie intervention
interview interview
interviewen interview
intiem 1 intimate; 2 *(gezellig)* cosy: *een ~ gesprek* a cosy chat
intimidatie intimidation
intimideren intimidate
intimiteit 1 intimacy, familiarity; 2 *(ongewenste handeling)* liberty: *ongewenste ~en* sexual harassment
intocht entry: *zijn ~ houden in* make one's entry into
intoetsen key in, enter
intolerant intolerant
intomen curb, restrain, check
intonatie intonation
intrappen kick in *(of:* down)
intraveneus intravenous
intrede entry: *zijn ~ doen* set in
intreden 1 *(in een religieuze orde treden)* enter a convent *(of:* monastery); 2 *(beginnen)* set in, occur, take effect
intrek residence: *bij iem zijn ~ nemen* move in with s.o.
intrekken I *intr* 1 *(gaan inwonen (bij))* move in (with): *bij zijn vriendin ~* move in with one's girlfriend; 2 *(opgenomen worden)* be absorbed, soak in: *de verf moet nog ~* the paint must soak in first; **II** *tr* 1 *(trekkend naar binnen brengen, terugtrekken)* draw in, draw up, retract; 2 *(terugnemen, afschaffen)* withdraw, cancel *(opdracht)*, abolish *(rechten)*, drop *(aanklacht)*, repeal *(wet): een verlof ~* cancel leave
intrekking withdrawal *(plan)*, abolition *(bijv. doodstraf)*, cancellation *(afspraak)*, repeal *(wet)*
intrige *(complot)* intrigue; plot
intrigeren intrigue, fascinate
intro intro
introducé guest, friend
introduceren 1 introduce, *(in vereniging)* initiate; 2 *(invoeren)* introduce, phase in
introductie 1 introduction, presentation; 2 *(mbt producten ook)* launch(ing)
introductieweek orientation week
introvert introverted
intuinen go for, fall for: *er* (of: *ergens*) ~ fall for it

(of: sth)
intuïtie intuition, instinct: *op zijn ~ afgaan* act on one's intuition
intuïtief intuitive, instinctive: *~ aanvoelen* know intuitively
intussen meanwhile, in the meantime
intypen type in, enter
inval 1 raid, invasion: *een ~ doen in* raid *(gebouw)*, invade *(land)*; 2 *(ingeving, idee)* (bright) idea
invalide invalid, handicapped
invallen 1 *(binnenvallen)* raid, invade; 2 *((plotseling) beginnen)* set in *(vorst, lente)*, fall *(stilte, nacht)*, close in *(nacht, winter)*; 3 *(vervangen)* stand in (for), (act as a) substitute (for); 4 *(instorten, inzakken)* fall down, come down, collapse: *ingevallen wangen* hollow *(of:* sunken) cheeks
invaller *(plaatsvervanger)* *(ook sport)* substitute, replacement
invalshoek 1 *(van licht)* angle of incidence; 2 *(gezichtshoek)* approach, point of view
invasie invasion
inventaris 1 *(lijst)* inventory, list (of contents); 2 *(aanwezige goederen)* stock (in trade), inventory, *(van gebouw)* fittings, *(van huis)* furniture
inventarisatie stocktaking, making *(of:* drawing up) an inventory
inventariseren 1 (make an) inventory, take stock (of), draw up a statement of assets and liabilities; 2 *(een lijst opmaken)* list
inventief inventive, ingenious
inventiviteit inventiveness, ingenuity
investeerder investor
investeren invest
investering investment
investeringsmaatschappij *(Belg)* organization for state investment in industry
invliegen: *er ~* be had, be fooled
invloed influence: *zijn ~ gebruiken* exert *(of:* use) one's influence; *rijden onder ~* drive under the influence
invloedrijk influential
invoegen I *tr* insert (into); **II** *intr (verkeer)* join the (stream of) traffic, merge
invoegstrook acceleration lane
invoer 1 import; *(goederen)* imports; 2 *(comp)* input
invoeren 1 import; 2 *(instellen)* introduce; 3 *(comp)* enter, input (to), read in(to) *(van band, schijf naar computer)*
invoerhandel import trade
invoerrecht import duty
invoerverbod import ban
invoervergunning import licence *(of:* permit)
invriezen freeze
invullen fill in
invulling interpretation
inwaaien be blown in
inweken soak
inwendig internal, inner, *(in zichzelf)* inside
inwerken I *tr* show the ropes, break in; **II** *intr (met*

op) ((uit)werking hebben op) act on, affect: *op elkaar* ~ interact
inwerking action, effect
inwerktijd training period
inwerpen throw in, *(munt in automaat)* insert
inwijden 1 inaugurate, dedicate, consecrate *(kerk)*; 2 *(deelgenoot maken)* initiate
inwijding 1 inauguration, dedication, consecration *(kerk)*; 2 *(mbt personen)* initiation
inwijkeling *(Belg)* immigrant
inwijken *(Belg)* immigrate
inwikkelen wrap (up)
inwinnen obtain, gather
inwisselbaar exchangeable, *(cheques, waardepapieren ook)* convertible, redeemable *(coupons)*
inwisselen exchange, convert *(in goud, dollars)*, cash *(cheque)*, change *(valuta)*, redeem *(coupons)*
inwonen live, live in *(bediende, stagiair(e))*: *Gerard woont nog bij zijn ouders in* Gerard still lives with his parents
inwonend resident, living in: *~e kinderen* children living at home
inwoner inhabitant, resident
inworp throwing in, *(geld in automaat)* insertion
inwrijven rub in(to): *dat zal ik hem eens* ~ I'll rub his nose in it
inzaaien sow, seed
inzage inspection: *een exemplaar ter* ~ an inspection copy
inzakken 1 *(invallen)* collapse, give way *(vloer, grond)*; 2 *(handel)* collapse, slump
inzamelen collect, *(geld ook)* raise
inzameling collection
inzamelingsactie collection, *(geld vnl.)* (fund-raising) drive
inzegenen solemnize *(huwelijk)*
inzegening solemnization *(huwelijk)*
inzenden send in, submit, contribute *(stuk in krant)*
inzending 1 *(het inzenden)* submission, contribution *(stuk in krant)*; 2 *(het ingezondene)* entry; contribution; *(op tentoonstelling)* exhibit
inzepen soap; *(bij scheren)* lather
inzet 1 effort: *de spelers vochten met enorme* ~ the players gave it all they'd got; 2 *(spel)* stake, bet
inzetbaar usable, *(beschikbaar)* available
inzetten I *tr* 1 put in, set *(edelsteen)*; 2 *(beginnen te doen)* start, launch: *de aanval* ~ go onto the attack; *de achtervolging* ~ set off in pursuit; 3 *(inroepen)* bring into action; II *intr, tr* 1 *(spel)* stake, bet; 2 start, *(met instrumenten ook)* strike up; III *intr* set in; IV *zich* ~ *(zijn best doen)* do one's best: *zich voor een zaak* ~ devote oneself to a cause
inzicht 1 insight, understanding: *een beter* ~ *krijgen in* gain an insight into; 2 *(opvatting, mening)* view, opinion
inzien 1 have a look at: *stukken* ~ examine documents; *een boek vluchtig* ~ leaf through a book; 2 *(beseffen)* see, recognize: *de noodzaak gaan* ~ *van*

come to recognize the necessity of; 3 *(houden voor)* take a ... view of, consider: *ik zie het somber in* I'm pessimistic about it
inzinking breakdown: *ik had een kleine* ~ it was one of my off moments
inzitten sit in: *(fig) dat zit er niet in* there's no chance of that
inzittende occupant, passenger
i.p.v. *afk van in plaats van* instead of
IQ *afk van intelligentiequotiënt* I.Q.
Iraaks Iraqi
Iraans Iranian
Irak Iraq
Irakees Iraqi
Iran Iran
Iraniër Iranian
iris iris
ironie irony
ironisch ironic(al)
irrationeel irrational
irreëel unreal, imaginary
irrelevant irrelevant: *dat is* ~ that's beside the point
irrigatie irrigation
irritant irritating, annoying
irritatie irritation
irriteren irritate, annoy: *het irriteert mij* it is getting on my nerves
ischias sciatica
islam Islam
islamitisch Islamic
isolatie 1 *(mbt kou, geluid; ook materiaal)* insulation; 2 *(afzondering)* isolation
isoleercel isolation cell, *(voor psychiatrische patiënten ook)* padded cell
isolement isolation
isoleren I *tr* isolate, *(mbt zieken ook)* quarantine, *(door storm, overstroming, sneeuw ook)* cut off; II *intr, tr* insulate (from, against)
Israël Israel
Israëli Israeli
Israëlisch Israeli
Italiaan Italian
Italiaans Italian
Italië Italy
i.t.t. *afk van in tegenstelling tot* in contrast with; as opposed to
ivbo *afk van individueel voorbereidend beroepsonderwijs* individual preparatory vocational education
ivf *afk van in-vitrofertilisatie* IVF
i.v.m. *afk van in verband met* in connection with
ivoor ivory
Ivoorkust Ivory Coast
ivoren ivory
Ivriet (modern) Hebrew

j

ja 1 yes, *(inform)* yeah, all right, OK: ~ *knikken* nod; *en zo* ~ and if so; 2 *(mbt verwondering)* really, indeed: *o* ~*?* oh yes?, *(ook iron)* (oh) really?; *o* ~, *nu ik je toch spreek ...* oh, yes, by the way ...

jaap cut, gash, slash

jaar year: *een half* ~ half a year; *het hele* ~ *door* throughout the year; ~ *in*, ~ *uit* year after year; *in de laatste paar* ~, *de laatste jaren* in the last few years, in recent years; *om de twee* ~ every other year; *over vijf* ~ five years from now; *per* ~ yearly, a year; *een kind van zes* ~ a six-year-old (child); *uit het* ~ *nul* from the year dot; *vorige week dinsdag is ze twaalf* ~ *geworden* she was twelve last Tuesday

jaarbalans annual balance sheet

jaarbeurs 1 (annual) fair, trade fair; 2 *(gebouw)* exhibition centre

jaarboek yearbook, annual

jaargang volume, year (of publication)

jaargenoot *(op school)* classmate

jaargetijde season

jaarinkomen annual income

jaarkaart *(trein e.d.)* annual season ticket

jaarlijks annual, yearly: *dit feest wordt* ~ *gevierd* this celebration takes place every year

jaarmarkt (annual) fair

jaarring annual ring, growth *(of:* tree) ring

jaartal year, date

jaartelling era: *de christelijke* ~ the Christian era

jaarvergadering annual meeting

jaarwisseling turn of the year: *goede (prettige)* ~! Happy New Year!

JAC *afk van Jongerenadviescentrum* young people's advisory centre

¹jacht yacht

²jacht 1 hunting, *(op klein wild)* shooting: *op* ~ *gaan: a)* go (out) hunting, go (out) shooting *(klein wild); b) (van roofdier)* go hunting, prowl; 2 *(jachtpartij)* hunt, *(op klein wild)* shoot; 3 *(achtervolging)* hunt, chase: ~ *maken op oorlogsmisdadigers* hunt down war criminals

jachten *(zich haasten)* hurry, rush

jachtgebied hunt(ing ground), *(voor klein wild)* shoot(ing), *(voor klein wild)* shooting ground

jachthaven yacht basin, *(aan zee ook)* marina

jachthond hound

jachtig hurried, hectic

jachtluipaard cheetah

jachtopziener game-warden

jachtseizoen hunting season, shooting season

jack jacket, coat

jacquet morning coat

jade jade

jagen I *tr* 1 hunt; hunt for; *(mbt klein wild)* shoot; 2 *(drijven)* drive, *(in uitdrukkingen)* put, *(snel)* race, *(snel)* rush: *prijzen omhoog (of:* omlaag) ~ drive prices up *(of:* down); II *intr* hunt, *(met geweer)* shoot: *op patrijs* ~ hunt partridge

jager hunter

jaguar jaguar

jakhals jackal

jakkeren ride hard; rush along

jakkes *(inform)* ugh!, bah!, pooh!

jaknikken nod (agreement)

Jakob James, Jacob: *de ware* ~ Mr Right

jaloers jealous (of), envious (of)

jaloezie 1 envy; *(mbt liefde ook)* jealousy; 2 *(zonnescherm)* (Venetian) blind

jam jam

Jamaica Jamaica

Jamaicaan Jamaican

jammen gig, jam

jammer a pity, a shame, too bad, bad luck: *het is* ~ *dat ...: a)* it's a pity *(of:* shame) that ...; *b) (inform)* too bad that ...; *wat* ~*!* what a pity! *(of:* shame!); *het is erg* ~ *voor hem* it's very hard on him; ~, *hij is net weg* (a) pity *(of:* bad luck), he has just left

jammeren moan

jammerlijk pitiful, miserable: ~ *mislukken* fail miserably

jampot jam jar

Jan John: ~ *Rap en zijn maat* ragtag and bobtail; ~ *en alleman* every Tom, Dick and Harry; ~ *met de pet* the (ordinary) man in the street

janboel shambles, mess

janet *(Belg)* homo, poof(ter), pansy

janken whine, howl, *(inform)* blubber

Janklaassen Punch: ~ *en Katrijn* Punch and Judy

januari January

jap Jap

Japan Japan

Japanner Japanese

Japans Japanese

japon dress; *(lange (avond)japon)* gown

jappenkamp Japanese (POW) camp

jarenlang I *bn* many years': *een* ~*e vriendschap* a friendship of many years' (standing); II *bw* for years and years

jargon jargon: *ambtelijk* ~ officialese

jarig *de* ~*e Job (of: Jet)* the birthday boy *(of:* girl); *ik ben vandaag* ~ it's my birthday today

jarige person celebrating his *(of:* her) birthday, birthday boy *(of:* girl)

jarretel(le) suspender, *(Am)* garter

jas 1 coat; 2 *(colbertjasje)* jacket ‖ *in een nieuw* ~*je steken* give *(of:* get) a facelift

jasje 1 (short, little) coat; 2 *(colbertjas)* jacket
jasmijn jasmine
jasses *(inform)* ugh!
jat paw
jatten pinch, nick
Java Java
Javaan Javan(ese)
jawel (oh) yes, *(beleefd)* certainly: ~ *meneer* certainly sir
jawoord consent, *(ongev)* 'I will' *(tijdens huwelijksceremonie)*
jazz jazz
je I *pers vnw (jij, jou, jullie)* you: *jullie zouden ~ moeten schamen* you ought to be ashamed of yourselves; II *onbep vnw (men)* you: *zoiets doe ~ niet* you don't do things like that; III *bez vnw (jouw)* your: *één van ~ vrienden* a friend of yours
jeans jeans
jee (oh) Lord!, dear me!
jeep jeep
jegens towards: *diep wantrouwen koesteren ~ iem* have a deep distrust of s.o.
jekker pea-jacket, reefer
Jemen (the) Yemen
Jemenitisch Yemenite
jenever Dutch gin, jenever
jeneverbes juniper berry
jengelen I whine, moan; 2 *(eentonig klinken)* drone: ~ *op een gitaar* twang (away) on a guitar
jennen badger, pester
jerrycan jerrycan
Jeruzalem Jerusalem
jetski jet-ski
jeu de boules boule
jeugd 1 youth; 2 *(personen ook)* young people: *de ~ van tegenwoordig* young people nowadays
jeugdbende gang of youths
jeugdbescherming *(Belg) (kinderbescherming)* child welfare
jeugdherberg youth hostel
jeugdherinnering reminiscence of childhood, childhood memory
jeugdig youthful, young(ish): *een programma voor ~e kijkers* a programme for younger viewers
jeugdjournaal news broadcast for young people
jeugdliefde youthful love, adolescent love, calf-love, *(persoon)* old flame: *zij is een van zijn ~s* she's one of his old loves
jeugdpuistjes acne, spots, pimples
jeugdrechter *(Belg) (kinderrechter)* juvenile court magistrate
jeugdwerk *(vormingswerk en cultureel werk)* youth work
jeuk itch(ing): *ik heb overal ~* I'm itching all over
jeuken itch: *mijn handen ~ om hem een pak slaag te geven* I'm (just) itching to give him a good thrashing
jeukerig itchy
je-weet-wel *(mbt personen)* what's-his-name; *(mbt zaken)* you know …

jezelf yourself: *kijk naar ~* look at yourself
jezuïet Jesuit
Jezus Jesus
jicht gout
Jiddisch Yiddish
jij you: *zeg, ~ daar!* hey, you!; *~ hier?* goodness, are you here?
jioe-jitsoe ju-jitsu
jippie yippee
job job
Job Job: *zo arm als ~* as poor as a church mouse
jobdienst *(Belg)* (student) employment agency
jobstijding bad tidings *(mv)*, bad news
jobstudent *(Belg)* student with part-time job
joch lad
jochie (little) lad
jockey jockey
jodelen yodel
jodendom 1 *(volk)* Jews, Jewry; 2 *(godsdienst)* Judaism
jodin Jewess
jodium iodine
Joegoslaaf Yugoslav(ian)
Joegoslavië Yugoslavia
Joegoslavisch Yugoslav(ian)
joekel whopper: *wat een ~ van een huis!* what a whacking great house!
joelen whoop, roar: *een ~de menigte* a roaring crowd
joetje tenner
jofel great
joggen jog
joggingpak tracksuit
joh you: *hé ~, kijk een beetje uit* hey (you), watch out; *kop op, ~* (come on) cheer up, (old boy, girl)
Johannes John: *~ de Doper* John the Baptist
joint joint, stick
jojo yo-yo
joker joker
jokkebrok (little) fibber
jokken fib, tell a fib
jolig jolly
Jona(s) Jonah
jonassen toss in the air *(of:* in a blanket)
jong I *zn* 1 young (one), *(hond)* pup(py); 2 *(kind)* kid, child; II *bn* 1 young: *op ~e leeftijd* at an early age; ~ *en oud* young and old; 2 recent, late: *de ~ste berichten* the latest news; 3 *(nieuw, vers)* young, new, immature: *~e kaas* unmatured *(of:* green) cheese
jongedame young lady
jongeheer young gentleman
jongelui youngsters, young people
jongen I *zn* 1 boy, youth, lad: *is het een ~ of een meisje?* is it a boy or a girl?; 2 *(volwassene)* boy, lad, guy: *onze ~s hebben zich dapper geweerd* our boys put up a brave defence; 3 *(mv)* kids; *(jongens, mannen)* lads, chaps; *(alg)* folks, guys: *gaan jullie mee,*

~s? are you coming, you lot?; **II** *intr* give birth, drop (their) young, bear young; litter *(mbt hond, kat, vos enz.)*: *onze kat heeft vandaag gejongd* our cat has had kittens today

jongensachtig boyish: *zich ~ gedragen* behave like a boy

jongere young person, youngster

jongerencentrum *(ongev)* youth centre

jongerenpaspoort: *cultureel ~ (ongev)* youth discount card for cultural events

jongerenwerk youth work

jongleren juggle

jongleur juggler, acrobat

jongstleden last: *de 14e ~* the 14th of this month

jonkheer esquire

jonkvrouw *(ongev)* Lady

jood Jew

joods Jewish, Judaic

jopper pea-jacket, reefer

Jordaan (the river) Jordan

Jordanië Jordan

Jordaniër Jordanian

jota iota

jou you: *~ moet ik hebben* you're just the person I need; *is dit boek van ~?* is this book yours?

journaal news, newscast: *het ~ van 8 uur* the 8 o'clock news

journalist journalist

journalistiek journalism

jouw your: *is dat ~ werk?* is that your work?; *dat potlood is het ~e* that pencil is yours

joviaal jovial

joystick joystick

jr. *afk van junior* Jr.

jubelen shout with joy, be jubilant

jubileren celebrate one's jubilee *(of:* anniversary)

jubileum anniversary; *(ook persoon)* jubilee: *gouden ~* golden jubilee, 50th anniversary

judo judo

juf teacher, *(aanspreekvorm)* Miss

juffershondje lapdog

juffrouw madam

juichen shout with joy, be jubilant: *de menigte juichte toen het doelpunt werd gemaakt* the crowd cheered when the goal was scored

juist **I** *bn, bw* **1** right, correct: *de ~e tijd* the right *(of:* correct) time; *is dit de ~e spelling?* is this the right spelling?; **2** *(geschikt)* right, proper: *precies op het ~e ogenblik* just at the right moment; **II** *bw* **1** just, exactly, of all times *(of:* places, people); no, on the contrary: *ze bedoelde ~ het tegendeel* she meant just the opposite; *gelukkig? ik ben juist diepbedroefd!* happy? no *(of:* on the contrary), I'm terribly sad!; *daarom ~* that's exactly why; *~ op dat ogenblik kwam zij binnen* just at that very moment *(of:* right at that moment) she came in; **2** *(zoëven)* just

juistheid correctness, accuracy, *(waarheid)* truth, *(toepasselijkheid)* appropriateness

juk yoke

jukbeen cheekbone

juli July

jullie **I** *pers vnw* you: *~ hebben gelijk* you're right; **II** *bez vnw* your: *is die auto van ~?* is that car yours?

jungle jungle

juni June

junior junior

junk **1** junkie, junky; **2** *(heroïne)* junk, smack

junta junta

jureren adjudicate

jurering adjudication

juridisch legal, law

jurisdictie jurisdiction, *(rechtsmacht ook)* competence

jurisprudentie jurisprudence

jurist jurist, lawyer

jurk dress: *een blote ~* a revealing dress

jury jury

jurylid **1** member of the jury; **2** *(sport, tentoonstellingen e.d.)* (panel of) judges

jus gravy

jus d'orange orange juice

justitie **1** justice: *minister van ~* Minister of Justice; *officier van ~* public prosecutor; **2** *(rechterlijke macht)* judiciary, *(inform)* the law, *(inform)* the police: *met ~ in aanraking komen* come into conflict with the law

justitiepaleis *(Belg) (paleis van justitie)* Palace of Justice

jute jute

Jutland Jutland

jutten search beaches

jutter beachcomber

juweel **1** jewel, gem; **2** *(mv)* jewellery

juwelier jeweller

ju

k

K *afk van 1024 bytes, kilobyte* K: *een bestand van 2506* ~ a 2506K file

kaaiman cayman

kaak jaw

kaakchirurg oral surgeon, dental surgeon

kaakje biscuit

kaal 1 bald: *zo* ~ *als een biljartbal zijn* be (as) bald as a coot; 2 *(afgesleten)* (thread)bare: *een kale plek* a (thread)bare spot; *de kale huur* the basic rent; 3 *(ontbladerd)* bare: *de bomen worden* ~ the trees are losing their leaves

kaalgeknipt close-cropped

kaalheid baldness

kaalslag deforestation

kaap cape: ~ *de Goede Hoop* Cape of Good Hope

Kaapstad Cape Town

Kaapverdische Eilanden Cape Verde Islands

kaars candle

kaarslicht candlelight

kaarsrecht dead straight; *(rechtop)* bolt upright

kaarsvet candle-grease

kaart 1 card: *de gele* (of: *rode*) ~ *krijgen* be shown the yellow (of: red) card; 2 *(spijskaart)* menu; 3 *(speelkaarten)* cards, hand: *een spel* ~*en* a pack of cards; 4 *(toegangskaart)* ticket; 5 *(aardr)* map; *(zee, weer)* chart: *dat is geen haalbare* ~ it's not a viable proposition; *open* ~ *spelen* put all one's cards on the table

kaarten play cards

kaartenbak card-index box *(of:* drawer)

kaarting *(Belg) (kaartwedstrijd)* drive, bridge drive, whist drive

kaartje 1 *(visitekaartje)* (business) card; 2 *(toegangskaartje)* ticket

kaartlezen read maps

kaartspel card playing; card game, *(inform)* cards: *geld verliezen bij het* ~ lose money at cards

kaartsysteem card index

kaas cheese: *belegen* ~ matured cheese; *jonge* ~ new cheese

kaasboer cheesemonger

kaasschaaf cheese slicer

kaatsen bounce

kabaal racket, din

kabbelen lap; *(ook fig)* ripple, babble, murmur

kabel 1 cable; 2 *(elektr)* wire, *(dikker)* cable

kabelaansluiting connection to cable TV

kabelbaan funicular (railway), cable-lift

kabeljauw cod(fish)

kabelkrant cable TV information service

kabelnet cable television network: *aangesloten zijn op het* ~ receive cable television

kabinet cabinet, government: *het* ~ *Kok* the Kok cabinet *(of:* government)

kabouter 1 gnome, pixie, *(mv ook)* little people: *dat hebben de* ~*tjes gedaan* it must have been the fairies *(of:* the little people); 2 *(vrouwelijke padvinder)* Brownie

kachel stove; *(elektrisch, gas)* heater, fire; *(haard)* fire

kadaster 1 *(ongev)* land register; 2 *(instantie) (ongev)* land registry

kadaver (dead) body; *(lijk)* corpse

kade quay, wharf: *het schip ligt aan de* ~ the ship lies by the quay(side)

kader 1 frame(work): *in het* ~ *van* within the framework *(of:* scope) of, as part of; 2 *(staf)* executives

kadetje (bread) roll

kaf chaff

Kaffer Kaffir

kaft 1 cover; 2 *(beschermend papier)* jacket

kaftan kaftan

kaftpapier wrapping paper, brown paper

KAJ *(Belg) afk van Kristelijke Arbeidersjeugd* (Organization of) Christian workers' children

kajak kayak

kajotter *(Belg)* member of KAJ

kajuit saloon

kak 1 shit, crap; 2 *(verwaande mensen)* la-di-da people, snooty people, snobs || *kale (kouwe)* ~ swank, la-di-da behaviour

kakelen cackle; *(fig ook)* chatter

kakelvers farm-fresh

kaketoe cockatoo

kaki khaki

kakken crap, shit

kakkerlak cockroach

kalebas gourd, calabash

kalender calendar

kalf calf: *de put dempen als het* ~ *verdronken is* lock the stable door after the horse has bolted

kalfsgehakt minced veal

kalfsleer calf, calfskin

kalfsvlees veal

kaliber calibre, bore

kalium potassium, potash

kalk 1 lime, *(ongeblust)* (quick)lime, *(geblust)* slaked lime; 2 *(metselspecie)* (lime) mortar; 3 *(om mee te pleisteren)* plaster, *(om mee te witten)* whitewash

kalkaanslag scale, fur

kalken 1 *(slordig, snel schrijven)* scribble; 2 *((opschriften) op muren aanbrengen)* chalk

kalkgebrek *(med)* calcium deficiency

kalkoen turkey

kalligraferen write in calligraphy (*of:* fine handwriting)

kalligrafie calligraphy, penmanship

kalm 1 calm, cool, composed; 2 *(niet gejaagd ook)* peaceful, quiet: ~ *aan! (tempo)* take it easy!, easy does it!

kalmeren calm down; soothe, tranquillize: *een ~d effect* a calming (*of:* soothing, tranquillizing) effect

kalmeringsmiddel sedative, tranquillizer

kalmpjes calmly

kalmte 1 calm(ness), composure: *zijn ~ bewaren* keep one's head/composure (*of:* self-control, cool); 2 *(staat van rust)* calm(ness), tranquillity, quietness

kalven calve

kalverliefde calf love

kam comb

kameel camel

kameleon chameleon

kamer 1 room, chamber; 2 *(in hotel e.d.)* room, apartment: *~s verhuren* take in lodgers; ~ *met ontbijt* Bed and Breakfast, B & B; *Renske woont op ~s* Renske is (*of:* lives) in lodgings; *op ~s gaan wonen* move into lodgings; 3 *(instantie)* chamber, house: *(Belg) Kamer van Volksvertegenwoordigers* Lower House (of Parliament); *de Eerste Kamer: a)* the Upper Chamber (*of:* Upper House); *b)* the (House of) Lords, the Upper House; *c) (Am)* the Senate; *de Tweede Kamer: a)* the Lower Chamber (*of:* Lower House); *b)* the (House of) Commons; *c) (Am)* the House (of Representatives); 4 *(vereniging)* chamber, board: *de Kamer van Koophandel en Fabrieken* the Chamber of Commerce

kameraad comrade, companion, mate, pal, buddy

kameraadschap companionship, (good-)fellowship, camaraderie

kamerbewoner lodger

kamerbreed wall-to-wall

kamergenoot room-mate

kamerjas dressing gown

kamerlid Member of Parliament, M.P.

kamermeisje chambermaid

Kameroen Cameroon

kamerplant house plant, indoor plant

kamerverkiezing parliamentary elections, *(Am)* congressional elections

kamervoorzitter chairman (*of:* president) of the House (of Parliament), *(in Engeland; ongev)* Speaker *(vnl. van 2e Kamer, House of Commons),* Lord Chancellor *(1e Kamer, House of Lords)*

kamerzetel seat

kamfer camphor

kamikaze(piloot) kamikaze, suicide pilot

kamille camomile

kammen comb

kamp camp

kampeerboerderij farm campsite

kampeerder camper

kampeerterrein camp(ing) site, *(voor caravans)*

caravan park (*of:* site)

kampeerwagen 1 caravan; 2 camper

kampen contend (with), struggle (with), wrestle (with): *met tegenslag te ~ hebben* have to cope with setbacks

kamperen camp (out), encamp, pitch (one's) tents, bivouac: *vrij* (of: *bij de boer*) ~ camp wild (*of:* on a farm)

kamperfoelie honeysuckle

kampioen champion; titleholder

kampioenschap championship, contest, competition, tournament

kampvuur campfire

kan jug: *de zaak is in ~nen en kruiken* it's in the bag

kanaal 1 canal, channel: *Het Kanaal* the (English) Channel; 2 *(pijp)* canal, duct

Kanaaleilanden Channel Islands (*of:* Isles)

Kanaaltunnel Channel Tunnel; Chunnel

kanaliseren *(fig)* channel

kanarie canary (bird)

kandelaar candlestick, candleholder

kandidaat 1 candidate, *(sollicitant)* applicant: *zich ~ stellen (voor)* run (for); 2 *(iem die zich voor een examen aanmeldt)* candidate, examinee

kandidaatsexamen *(ongev)* first university examination (*of:* degree), bachelors degree

kandidatuur candidature, nomination

kandij candy

kaneel cinnamon

kangoeroe kangaroo

kanjer 1 wizard; humdinger, whizz kid; *(sport)* star (player); 2 *(iets groots)* whopper, colossus: *een ~ van een vis* (of: *appel*) a whopping fish (*of:* apple)

kanker cancer, *(med)* carcinoma: *aan ~ doodgaan* die of cancer

kankerbestrijding fight against cancer, cancer control, *(campagne)* (anti-)cancer campaign

kankeren grouse, grumble, gripe: ~ *op de maatschappij* grouse about society

kankerspecialist cancer specialist, oncologist

kankerverwekkend carcinogenic

kannibaal cannibal, man-eater

kannibalisme cannibalism

kano canoe

kanon 1 gun, cannon; 2 *(persoon, kopstuk)* big shot, big name

kanonschot gunshot, cannonshot

kans 1 chance, possibility, opportunity, *(op iets onaangenaams)* liability, *(op iets onaangenaams)* risk: *vijftig procent* ~ equal chances, even odds; *(een) grote* ~ *dat* ... a good chance that ...; *hij heeft een goede* (of: *veel*) ~ *te winnen* he stands (*of:* has) a good chance of winning; *de ~en keren* the tide (*of:* his luck) is turning; *geen* ~ *maken op* stand no chance of (sth, doing sth); *ik zie er wel* ~ *toe* I think I can manage it; ~ *zien te ontkomen* manage to escape; *de* ~ *is honderd tegen één* the odds (*of:* chances) are a hundred to one; 2 *(gunstige gelegenheid)* opportunity, chance, break, opening: *zijn ~en grij-*

pen seize the opportunity; *zijn ~ afwachten* await one's chances; *een gemiste ~* a lost (*of:* missed) opportunity; *geen schijn van ~* not a chance in the world

kansarm underprivileged, deprived

kansel pulpit

kanselier chancellor

kansloos prospectless: *hij was ~ tegen hem* he didn't stand a chance against him

kansrijk likely (*kandidaat*), strong

kansspel game of chance

kant 1 (*rand, zijkant*) edge, side; (*kantlijn*) margin: *aan de ~!* out of the way!; *aan de ~ gaan staan* stand (*of:* step) aside; *zijn auto aan de ~ zetten* pull up (*of:* over); 2 (*weefsel*) lace; 3 (*oever*) bank, edge: *op de ~ klimmen* climb ashore; 4 (*grensvlak van een lichaam*) side, face, surface, (*fig*) aspect, (*fig*) facet, (*fig*) angle, (*fig*) view: *zich van zijn goede ~ laten zien* show one's good side; *iemands sterke* (*of: zwakke*) *~en* s.o.'s strong (*of:* weak) points; *deze ~ boven* this side up; 5 (*smal zijvlak*) side, end, edge: *iets op zijn ~ zetten* put sth on its side; *de scherpe ~en van iets afnemen* tone sth down (a bit); *scherpe ~* (cutting) edge; 6 (*richting*) way, direction: *zij kan nog alle ~en op* she has kept her options open; *deze ~ op, alstublieft* this way, please; *van alle ~en* on all sides; *geen ~ meer op kunnen* have nowhere (left) to go; 7 (*partij, zijde*) side, part(y): *familie van vaders* (*of: moeders*) *~* relatives on one's father's (*of:* mother's) side; *ik sta aan jouw ~* I'm on your side; *iem van ~ maken* do s.o. in

kantelen I *tr* tilt, tip (over, to one side), turn over: *niet ~!* this side up!; II *intr* (*omvallen*) topple over, turn over

kanten (of) lace, lacy

kant-en-klaar ready-to-use, ready for use, ready-made, instant (*voedsel*), ready-to-wear, off the peg (*kleding*): *geen kant-en-klare oplossing hebben* have no cut-and-dried solution

kantine canteen

kantje 1 edge, verge: *dat was op het ~ af* that was a near thing (*of:* close shave); 2 (*bladzijde*) page, side: *een opstel van drie ~s* a three-page essay; *er de ~s aflopen* cut corners

kantlijn margin

kanton canton, district

kantongerecht cantonal court, (*Engeland; ongev*) magistrates' court, (*Am; ongev*) municipal (*of:* police, Justice) of the Peace court

kantonrechter cantonal judge, magistrate, J.P., (*Am*) Justice of the Peace

kantoor office: *na ~ een borrel pakken* have a drink after office hours; *naar ~ gaan* go to the office; *hij is op zijn ~* he is in his office; *overdag ben ik op (mijn) ~* I am at the office in the daytime; *op ~ werken* work in an office

kantoorbaan office job, clerical job

kantoorboekhandel (office) stationer's (shop)

kantoorgebouw office block (*of:* building)

kantoorpersoneel office staff (*of:* employees, workers)

kantooruren office hours, working hours, (*voor publiek ook*) business hours: *tijdens (de) ~* during business hours (*of:* office hours)

kanttekening (short, marginal) comment

kap 1 (*capuchon*) hood; 2 (*voor vrouwen*) cap; 3 (*bedekking*) hood (*auto, kinderwagen*); (*motorkap van auto*) bonnet, (*Am*) hood: *het ~je van het brood* the end slice, the crust; *twee (huizen) onder één ~* two semi-detached houses, (*mbt tot één huis*) a semi-detached house; (*Belg*) *op iemands ~ zitten* pester s.o.

kapbal cut shot, sliced shot

kapel 1 chapel; 2 (*dakvenster*) dormer (window); 3 (*muziekgezelschap*) band

kapelaan curate, assistant priest

kapen hijack

kaper hijacker: *er zijn ~s op de kust* we've got plenty of competitors (*of:* rivals)

kaping hijack(ing)

kapitaal 1 fortune: *een ~ aan boeken* a (small) fortune in books; 2 (*vermogen*) capital

kapitaalgoederen capital goods, investment goods

kapitaalkrachtig wealthy, substantial

kapitalisme capitalism

kapitalist capitalist

kapitein captain; skipper (*van klein schip*)

kaplaars top boot, jackboot

kapmes chopping-knife; (*slagersmes*) cleaver; machete

kapok kapok

kapot 1 broken, in bits: *die jas is ~* that coat is torn; 2 (*niet meer werkend*) broken, broken down (*auto*): *de koffieautomaat is ~* the coffee machine is out of order; 3 (*doodmoe*) dead beat, worn out: *zich ~ werken* work one's fingers to the bone; *hij is niet ~ te krijgen* he's a tough one (*of:* cookie); 4 (*ontzet*) cut up, broken-hearted: *ergens ~ van zijn* be (all) cut up about sth

kapotgaan 1 break, fall apart, break down (*auto, machine*); 2 (*doodgaan*) pop off, kick the bucket

kapotje rubber, French letter

kapotmaken break (up), destroy, wreck, ruin

kapotslaan smash, break (up)

kapotvallen fall to pieces, fall and break, smash

kappen I *tr* 1 cut down, chop down, fell; 2 (*mbt het haar*) do one's (*of:* s.o.'s) hair: *zich laten ~* have one's hair done; 3 (*uithakken*) cut, hew; II *intr* chop, cut ‖ *ik kap er mee* I'm knocking off

kapper hairdresser, hairstylist; (*heren*) barber

kapsalon hairdresser's, (*voor heren ook*) barber's shop

kapseizen capsize, keel over

kapsel 1 hairstyle, haircut; 2 (*het gekapte haar*) hairdo

kapsones *~ hebben* be full of oneself

kapstok (*staand*) hallstand, hatstand; (*aan de*

muur) hat rack, coat hooks
kapucijner *(ongev)* marrowfat (pea)
kar 1 cart, barrow: *(fig) de ~ trekken* do the dirty work; 2 *(auto)* car
karaat carat
karabijn carbine
karaf carafe, decanter
karakter 1 character, nature: *iem met een sterk ~ s.o.* with (great) strength of character; 2 *(krachtige persoonlijkheid)* character, personality, spirit: *~ tonen* show character *(of:* spirit); *zonder ~* without character, spineless; 3 *(teken)* character, symbol
karaktereigenschap character trait
karakteriseren characterize
karakteristiek characteristic (of), typical (of)
karaktertrek characteristic, feature, trait
karamel caramel; toffee
karaoke karaoke
karate karate
karavaan caravan, train
karbonade chop, cutlet
kardinaal cardinal
Karel Charles: *~ de Grote* Charlemagne
kariboe caribou
karig 1 sparing, mean, frugal; 2 *(schraal)* meagre, scant(y), frugal: *een ~ maal* a frugal meal
karikatuur caricature
karkas carcass
karma karma
karnemelk buttermilk
karper carp
karpet rug
karrenspoor cart track
karrenvracht cartload
karretje (little) cart, car, trap *(rijtuigje); (in supermarkt)* trolley, soapbox *(van kinderen)*
kartel cartel, trust
kartelen serrate, notch, *(munten ook)* mill
karton 1 cardboard; 2 *(doos)* carton, cardboard box
kartonnen cardboard: *een ~ bekertje* a paper cup
karwats (riding) crop, (riding) whip
karwei 1 job, work: *de loodgieter is op ~* the plumber is (out) on a job; 2 *(tijdelijk werk, klusje ook)* odd job, chore; 3 *(zwaar, veelomvattend werk)* job; task, chore
kas 1 greenhouse; hothouse; 2 *(kassa)* cashdesk, cashier's office; 3 *(contanten)* cash, fund(s): *de kleine ~* petty cash; *de ~ beheren* (of: *houden)* manage *(of:* keep) the cash; *krap (slecht) bij ~ zitten* be short of cash *(of:* money); 4 *(holte waarin iets gevat is)* socket
kasboek cash book, account(s) book
kasbon *(Belg)* (type of) savings certificate
kasjmier cashmere
Kaspische Zee Caspian Sea
kasplant hothouse plant
kassa 1 cash register, till; 2 *(plaats waar men betaalt)* cash desk; checkout *(supermarkt);* box office, booking office *(schouwburg, bioscoop)*

kassabon receipt, sales slip, docket
kassaldo cash balance
kassei cobble(stone), paving stone, sett
kassier cashier, *(bank ook)* teller
kasstelsel *(boekhouden)* accounts system *(of:* method), accounting
kassucces box-office success, box-office hit
kast 1 cupboard, wardrobe *(kleren),* chest of drawers *(ladekast),* cabinet *(voor sierspulletjes): iem op de ~ jagen (krijgen)* get a rise out of s.o.; *alles uit de ~ halen* pull out all the stops; 2 *(groot gebouw)* barracks, barn *(huis): een ~ van een huis* a barn of a house
kastanje *(tamme kastanje)* (Spanish, sweet) chestnut
kastanjebruin chestnut, auburn
kaste caste
kasteel castle
kastelein innkeeper, publican, landlord
*****kastestelsel** *(Wdl: kastenstelsel)* caste system
kasticket *(Belg) (kassabon)* receipt
kastijden chastise, castigate, punish
kastje 1 cupboard, locker: *van het ~ naar de muur gestuurd worden* be sent *(of:* driven) from pillar to post; 2 *(televisietoestel)* set
kat 1 cat: *leven als ~ en hond* be like cat and dog; *de Gelaarsde Kat* Puss-in-Boots; 2 *(snauw)* snarl: *iem een ~ geven* snarl *(of:* snap) at s.o.; *(Belg) geen ~* not a soul
katachtig catlike
katalysator (catalytic) converter *(van auto)*
katapult catapult
kater 1 tomcat; 2 *(na alcoholgebruik)* hangover; 3 *(grote teleurstelling)* disillusionment
katern quire, gathering
katheder lectern
kathedraal cathedral
katholicisme (Roman) Catholicism
katholiek (Roman) Catholic
katje 1 kitten; 2 *(plantk)* catkin
katoen cotton
katoenen cotton
katoenplantage cotton plantation
katrol 1 *(hengelsport)* (fishing) reel; 2 *(hijsblok)* pulley
kattebelletje *(briefje)* (scribbled) note, memo
katten snap (at), snarl (at)
kattenbak 1 cat('s) box; 2 *(van personenauto)* dicky seat, *(Am)* rumble seat
kattenbakkorrels cat litter
kattenkop 1 cat's head; 2 *(kattige vrouw)* cat, bitch
kattenkwaad mischief: *~ uithalen* get into mischief
kattenoog *(oog (als) ve kat)* cat's eye, cat eye
kattenpis: *dat is geen ~* no kidding, *(veel geld)* that's not to be sneezed at
kattig catty
kattin *(Belg)* tabby cat
katvis 1 *(karpervis)* catfish; 2 *(klein visje) (ongev)* tiddler, *(mv ook)* fry

ka

kauw jackdaw
kauwen chew
kauwgom chewing gum
kavel lot, parcel, share *(nalatenschap)*
kavelen parcel (out); divide, apportion *(nalatenschap)*
kaviaar caviar
Kazach Kazakh
Kazachstan Kazakhstan
kazerne barrack(s) *(mil); station (brandweer, marechaussee)*
kazuifel chasuble
kB *afk van kilobyte* K, KB
KBVB *(Belg) afk van Koninklijke Belgische Voetbalbond* Royal Belgian Football Association
kebab kebab
keel throat: *het hangt me (mijlenver) de ~ uit* I'm fed up with it; *zijn ~ schrapen* clear one's throat
keelarts throat specialist, laryngologist: *keel-, neus- en oorarts* ear, nose and throat *(of: ENT) specialist*
keelgat gullet: *in het verkeerde ~ schieten: a)* go down the wrong way; *b) (fig)* not go down very well (with s.o.)
keelontsteking throat infection, laryngitis
keelpijn sore throat
keeper (goal)keeper, *(inform)* goalie
keer time: *een doodenkele ~* once in a blue moon; *een enkele ~* once or twice; *geen enkele ~* not once; *(op) een andere ~* another time; *nou vooruit, voor deze ~ dan!* all right then, but just this once!; *nog een ~(tje)* (once) again, once more; *(op) een ~* one day; *één enkele ~, slechts één ~* only once; *negen van de tien ~* nine times out of ten; *dat heb ik nu al tien* (of: honderd*) ~ gehoord* I've already heard that dozens of times *(of:* a hundred times); *twee ~* twice; *twee ~ twee is vier* twice two is four
keerkring tropic
keerpunt turning point
keerzijde other side, *(munt, medaille ook)* reverse
keet 1 hut, shed; 2 *(herrie)* racket: *~ trappen/schoppen* horse about (around)
keffen yap
keffertje yapper
kegel 1 cone; 2 *(kegelspel)* ninepin, skittle
kegelen play skittles *(of:* ninepins)
kei 1 boulder; 2 *(straatsteen)* cobble(stone) *(rond);* set(t) *(bebouwen)* ‖ *Eric is een ~ in wiskunde* Eric is brilliant at maths
keihard 1 rock-hard, hard, as hard as rock *(na ww);* 2 hard, tough ‖ *~ schreeuwen* shout at the top of one's voice; *de radio stond ~ aan* the radio was on full blast *(of:* was blaring away)
keizer emperor
keizerin empress
keizerrijk empire
keizersnede Caesarean (section)
kelder cellar, basement
kelderen plummet, tumble

kelk 1 goblet; 2 *(bloem(kroon))* calyx
kelner waiter
Kelten Celts
Keltisch Celtic
kenbaar known
kengetal dialling code, *(Am)* area code, prefix
Kenia Kenya
Keniaan Kenyan
kenmerk (identifying) mark, *(waarborgstempel)* hallmark *(ook fig); (in brief)* reference *(als afk: ref)*
kenmerken characterize, mark, typify
kenmerkend *(met voor)* characteristic (of), typical (of), *(specifiek)* specific (to): *~e eigenschappen* distinctive characteristics
kennel kennel
kennelijk I *bn* evident, apparent, *(duidelijk)* clear, *(duidelijk)* obvious, *(onmiskenbaar)* unmistakable; II *bw* evidently, clearly, obviously: *het is ~ zonder opzet gedaan* it was obviously done unintentionally
kennen know, be acquainted with: *iem leren ~* get to know s.o.; *elkaar (beter) leren ~* get (better) acquainted; *ken je deze al?* have you heard this one?; *ik ken haar al jaren* I've known her for years; *sinds ik jou ken …* since I met you …; *iem van naam ~* know s.o. by name; *iem door en door ~* know s.o. inside out; *iets van buiten ~, iets uit zijn hoofd ~* know sth by heart
kenner 1 connoisseur; 2 *(expert)* authority (on), expert (on)
kennis 1 knowledge (of), *(mbt mensen)* acquaintance (with): *met ~ van zaken* knowledgeably; *~ is macht* knowledge is power; 2 *(besef, bewustzijn)* consciousness: *zij is weer bij ~ gekomen* she has regained consciousness, she has come round; 3 *(wat men geleerd heeft)* knowledge, information, *(geleerdheid)* learning, *(technische kennis ook)* know-how: *een grondige ~ van het Latijn hebben* have a thorough knowledge of Latin; 4 *(bekende)* acquaintance: *hij heeft veel vrienden en ~sen* he has a lot of friends and acquaintances
kennisgeving notification, notice
kennismaken get acquainted (with), meet, get to know, be introduced: *aangenaam kennis te maken!* pleased to meet you
kennismaking 1 acquaintance; 2 *(het bekend worden met iets) (inform)* introduction (to)
kenschetsen characterize
kenteken registration number, *(Am)* license number *(van auto)*
kentekenbewijs *(ongev)* vehicle registration document, *(inform)* logbook
kentekenplaat number plate, *(Am)* license plate
keramiek ceramics; *(producten ook)* pottery
kerel 1 (big) fellow, (big) guy, (big) chap *(of:* bloke); 2 *(mannetjesputter)* he-man: *kom naar buiten als je een ~ bent* come outside if you're man enough
keren I *intr* turn (round), *(wind)* shift: *~ verboden* no U-turns; II *tr* 1 *(omdraaien)* turn; 2 *(toewenden)* turn (towards); 3 *(doen omwenden)* turn (back),

(tegenhouden) stem: *het water ~* stem the (flow of) water; **III** *zich ~* **1** *(zich omdraaien)* turn (round): *zich ergens niet kunnen wenden of ~* not have room to move; **2** *(zich in een richting wenden)* turn: *zich ten goede ~: a) (goed aflopen)* turn out well; *b)* *((iets) beter worden)* take a turn for the better

kerf notch, nick, *(groef)* groove

kerfstok: *heel wat op zijn ~ hebben* have a lot to answer for

kerk church

kerkbank pew

kerkdienst (divine) service, church, *(mis)* mass

kerkelijk church, ecclesiastical

kerker dungeon, prison, jail

kerkhof churchyard, graveyard

kerkklok 1 church bell; **2** *(uurwerk)* church clock

kerktoren church tower, *(torenspits)* steeple, spire

kerkuil barn owl

kermen *(jammeren)* moan, *(jengelen)* whine, *((wee)klagen)* wail

kermis fair

kern 1 core, *(van hout, boom)* heart, *(van stengel)* pith; **2** *(fig)* core, heart, essence: *tot de ~ van een zaak doordringen* get (down) to the (very) heart of the matter; **3** *(belangrijkste, hoofd-)* central

kernachtig pithy, concise, terse

kernafval nuclear waste

kernbewapening nuclear armament

kerncentrale nuclear *(of:* atomic) power station, nuclear plant, atomic plant

kerndoel primary objective, chief aim

kernfysicus nuclear physicist, atomic physicist

kerngezond perfectly healthy, in perfect health, *(inform)* as fit as a fiddle

kernoorlog nuclear war

kernproef nuclear test, atomic test

kernreactie nuclear reaction

kernreactor (nuclear, atomic) reactor

kernwapen nuclear weapon, atomic weapon

kerosine kerosene

kerrie curry

kers cherry

kerst Christmas

kerstavond evening of Christmas Eve

kerstboom Christmas tree

kerstdag *(25 december)* Christmas Day: *prettige ~en!* Merry *(of:* Happy) Christmas!; *eerste ~* Christmas Day; *tweede ~* Boxing Day

kerstfeest (feast, festival of) Christmas: *zalig (gelukkig) ~!* Merry Christmas!

kerstkaart Christmas card

kerstkrans (almond) pastry ring

kerstlied (Christmas) carol

kerstman Santa (Claus), Father Christmas

Kerstmis Christmas

kerstnacht Christmas night

kerststal crib

kerstverhaal Christmas story

kerstviering Christmas service

kervel chervil

kerven I *intr* gouge (out), cut; **II** *tr* **1** notch, nick, cut, *(mbt groef, lijn)* score; **2** *(uitsnijden)* carve (out), cut (out): *zij kerfden hun naam in de boom* they carved their names in the tree

ketchup ketchup

ketel 1 kettle, *(grote pot)* cauldron; **2** *(van cv e.d.)* boiler

keten 1 *(mv) (boei)* chains; **2** *(ketting)* chain; **3** *(reeks, rij)* chain, series

ketjap soy sauce

ketsen 1 glance off, ricochet (off); **2** *(van explosieven e.d.)* misfire, fail to go off: *het geweer ketste* the gun misfired

ketter heretic || *roken als een ~* smoke like a chimney

ketterij heresy

ketting chain: *aan de ~ leggen (mbt dier)* chain up

kettingbotsing multiple collision *(of:* crash), pile-up

kettingkast chain guard

kettingzaag chainsaw

keu (billiard) cue

keuken 1 kitchen; **2** *(kookkunst)* (art of) cooking; cuisine: *de Franse ~* French cooking *(of:* cuisine)

keukengerei kitchen utensils, cooking utensils

keukenhulp food processor

keukenkruid kitchen herb

keukenmachine food processor

keukenrol kitchen roll

keukenschort apron

keukentrap (household) steps, stepladder

Keulen Cologne

keur 1 hallmark; **2** *(selectie)* choice (selection)

keuren test, inspect *(eetwaren, dieren); (monsteren, ook voedsel)* sample, *(mbt thee, whisky, wijn enz.)* taste, *(medisch)* examine: *films ~* censor films

keurig I *bn* **1** *(netjes)* neat, tidy: *er ~ uitzien* look neat (and tidy), look smart; **2** *(smaakvol)* smart, nice: *een ~ handschrift* a neat hand; **3** *(zeer goed)* fine, choice: *een ~ rapport (of:* opstel) an excellent report *(of:* essay); **II** *bw (fijntjes)* nicely, *(netjes)* neatly || *~ netjes gekleed* properly dressed

keuring 1 test, *(mbt eetwaren, dieren)* inspection, *(medisch)* examination: *een medische ~* a medical (examination); **2** *(het keuren)* testing, *(mbt eetwaren, dieren)* inspection, *(monsteren, ook mbt voedsel)* sampling, *(mbt thee, wijn enz.)* tasting, *(medisch)* examination

keuringsarts medical examiner

keuringsdienst inspection service: *~ van waren* commodity inspection department

keurmeester inspector, *(mbt goud en zilver)* assay-master

keurmerk hallmark, *(kwaliteitsmerk ook)* quality mark

keurslijf straitjacket

keus 1 choice, selection; **2** *(mogelijkheid)* choice, option, alternative: *er is volop ~* there's a lot to choose from; *aan u de* ~ the choice is yours; 3 *(sortering)* choice, assortment: *een grote* ~ a large choice *(of:* assortment), a wide range

keutel droppings *(mv),* pellet *(van klein dier)*

keuvelen (have a) chat, talk

keuze *zie* keus

keuzemogelijkheid option, choice

keuzepakket options *(mv),* choice of subjects *(of: courses)*

keuzevak option, optional subject *(of:* course)

kever 1 beetle; 2 *(auto)* Beetle

keyboard keyboard

kg *afk van* kilogram kg

KI *afk van* kunstmatige inseminatie artificial insemination

kibbelen bicker, squabble

kibbeling cod parings

kibboets kibbutz

kibla kiblah

kick kick

kickboksen kickboxing

kidnappen kidnap

kiekeboe peekaboo!

kiekje snap(shot)

kiel 1 *(kledingstuk)* smock; 2 *(scheepv)* keel

kielhalen keelhaul

kielzog wake, wash

kiem germ, seed

kiemen germinate

kien sharp, keen

kiepen I *intr* topple, tumble: *het glas is van de tafel gekiept* the glass toppled off the table; II *tr* tip over, topple (over)

kieperen *(inform)* I *intr (tuimelen)* tumble, topple; II *tr (weggooien)* dump

kier chink, slit, *(metselwerk, planken)* crack: *door een* ~ *van de schutting* through a crack in the fence; *de deur staat op een* ~ the door is ajar

kies molar, back tooth

kiesbrief *(Belg)* polling card

kiesdistrict electoral district, constituency

kieskeurig choosy, fussy

kiespijn toothache

kiesrecht suffrage, right to vote, (the) vote

kiesschijf dial

kiestoon dialling tone

kietelen tickle

kieuw gill

kieviet lapwing, peewit, plover

kiezel *(grind)* gravel, *(op strand)* shingle

kiezelsteen pebble

kiezen I *intr* 1 choose, decide: *zorgvuldig* ~ pick and choose; ~ *tussen* choose between; *je kunt uit drie kandidaten* ~ you can choose from three candidates; 2 *(stemmen)* vote: *voor een vrouwelijke kandidaat* ~ vote for a woman candidate; II *tr* 1 choose, select, pick (out): *partij* ~ take sides; 2 *(door te stemmen)* vote (for), elect *(president, parlement)*; 3 *(verkiezen)* choose, elect: *een nummer* ~ dial a number

kiezer voter, constituent, *(mv)* electorate

kijk view, outlook, *(inzicht)* insight: ~ *op iets hebben* have a good eye for sth

kijkcijfer rating

kijken I *intr* 1 look, see: *ga eens* ~ *wie er is* go and see who's there; *daar sta ik van te* ~ well I'll be blowed; *kijk eens wie we daar hebben* look who's here!; *goed* ~ watch closely; *(fig) naar iets* ~ have a look at *(of:* see) about sth; *zij* ~ *niet op geld (een paar euro)* money is no object with them; *uit het raam* ~ look out (of) the window; *even de andere kant op* ~ look the other way; 2 *(onderzoeken)* look, search: *we zullen* ~ *of dat verhaal klopt* we shall see whether that story checks out; 3 *(mbt uitdrukking)* look, appear: *laat eens* ~, *wat hebben we nodig* let's see, what do we need; II *tr* look at, watch: *kijk haar eens (lachen)* look at her (laughing)

kijk- en luistergeld radio and television licence fee

kijker 1 spectator, onlooker, *(tv)* viewer; 2 *(instrument)* binoculars; *(theater)* opera-glass(es)

kijkje (quick) look, glance: *de politie zal een* ~ *nemen* the police will have a look

kijkwoning *(Belg) (modelwoning)* show house

kijven quarrel, wrangle, rail (at)

kik sound || *zonder een* ~ *te geven* without a sound *(of:* murmur)

kikker frog

kikkerbad paddling pool, wading pool

kikkerdril frogspawn, frogs' eggs

kikkervisje tadpole

kikvors frog

kikvorsman frogman

kil chilly, cold

kilo kilo

kilobyte kilobyte

kilogram kilogram(me)

kilometer kilometre: *op een* ~ *afstand* at a distance of one kilometre; *90* ~ *per uur rijden* drive at 90 kilometres an hour

kilometerteller milometer, *(Am)* odometer

kilowatt kilowatt

kim horizon

kimono kimono

kin chin || *(Belg) op zijn* ~ *kloppen* get nothing to eat

kind child, baby: *een* ~ *hebben van* have a child by; *een* ~ *krijgen* have a baby; ~*eren opvoeden* bring up children; *een* ~ *van zes jaar* a child of six, a six-year-old (child)

kinderachtig 1 childlike, child(ren)'s *(ook kleren enz.)*; 2 *(min)* childish, infantile: *doe niet zo* ~ grow up!, don't be such a baby!

kinderafdeling 1 children's department; 2 *(leeszaal)* children's section; *(ziekenhuis)* paediatric ward

kinderarbeid child labour

kinderarts paediatrician

kinderbescherming child welfare: *Raad voor de Kinderbescherming* child welfare council

kinderbijslag family allowance, child benefit
kinderboerderij children's farm
kinderdagverblijf crèche; day-care centre
kinderjuffrouw nurse(maid), nanny
kinderkaartje child's ticket
kinderkamer nursery
kinderkribbe *(Belg) (crèche)* crèche, day nursery
kinderlijk childlike, *(min ook)* childish
kinderloos childless
kindermeisje nurse(maid), nanny
kindermishandeling child abuse
kinderoppas *(babysit)* babysitter, childminder
kinderopvang (day) nursery; day-care centre, crèche
kinderporno child pornography
kinderprogramma children's programme
kinderrechter *(ongev)* magistrate of *(of:* in) a juvenile court
kinderrijm(pje) nursery rhyme
kinderschoen child(ren)'s shoe: *nog in de ~en staan* still be in its infancy
kinderspeelplaats children's playground
kinderspel 1 children's games, *(fig)* child's play; 2 *(spel)* children's game
kinderstoel high chair
kindertelefoon children's helpline, childline
kindertijd childhood (days)
kinderverlamming polio
kinderwagen baby buggy, pram
kinderziekte childhood disease, *(mv; fig)* teething troubles, growing pains: *de ~n (nog niet) te boven zijn* still have teething troubles
kinderzitje baby seat, child's seat
kinds senile, in one's second childhood
kinesist *(Belg) (fysiotherapeut)* physiotherapist
kinesitherapie *(Belg) (fysiotherapie)* physiotherapy
kinine quinine
kink kink, hitch
kinkhoest whooping cough
kiosk kiosk, *(voor kranten, boeken ook)* newspaper stand, book stand
kip 1 chicken, hen: *er was geen ~ te zien* (of: *te bekennen)* there wasn't a soul to be seen; 2 *(mv)* chickens, poultry
kipfilet chicken breast(s)
kiplekker as fit as a fiddle
kippengaas chicken wire
kippenren chicken run
kippenvel goose flesh *(of:* pimples)
kippig short-sighted, near-sighted
Kirgizië Kirghizistan
kirren coo; gurgle
kirsch kirsch
kist 1 chest; 2 *(doodkist)* coffin; 3 *(om iets in te bergen, te vervoeren)* box, case *(voor viool enz.),* crate *(voor fruit enz.)*
kistje 1 box, case; 2 *(inform) (schoen)* clodhopper
kit *(kleefmiddel)* cement, glue, sealant

kits: *alles ~?* how's things?, everything O.K.? *(of:* all right?)
kitsch kitsch
kittelaar clitoris
kiwi kiwi
klaar 1 *(duidelijk)* clear; 2 *(zuiver)* pure; 3 *(gereed)* ready: *de boot is ~ voor vertrek* the boat is ready to sail; *~ voor de strijd* ready for action; *~ terwijl u wacht* ready while you wait; *~? af!* ready, get set, go!; 4 *(af)* finished, done: *ik ben zo ~* I won't be a minute *(of:* second); *we zijn ~ met eten* (of: *opruimen)* we've finished eating *(of:* clearing up)
klaarkomen 1 *(gereedkomen)* (be) finish(ed), complete, *(oplossing vinden)* settle things; 2 *(seksueel)* come
klaarleggen put ready, *(kleren ook)* lay out
klaarlicht: *op ~e dag* in broad daylight
klaarliggen be ready: *iets hebben ~* have sth ready
klaarmaken 1 get ready, prepare; 2 *(bereiden)* make, *(eten ook)* get ready, prepare, *(warm eten ook)* cook: *het ontbijt ~* get breakfast ready
klaar-over member of the school crossing patrol, lollipop boy *(of:* girl)
klaarspelen manage (to do), pull off
klaarstaan be ready, be waiting, *(militair enz.)* stand by: *zij moet altijd voor hem ~* he expects her to be at his beck and call
klaarwakker wide awake, *(fig)* (on the) alert
klaarzetten put ready, put out, set out
Klaas Nick, Nicholas: *~ Vaak* the sandman, Wee Willie Winkie
klacht 1 complaint, *(med ook)* symptom: *wat zijn de ~en van de patiënt?* what are the patient's symptoms?; *zijn ~en uiten* air one's grievances; *~en behandelen* deal with complaints; 2 *(uiting van verdriet)* lament, complaint
klad (rough) draft
kladblaadje (piece of) scrap paper
kladblok scribbling-pad
kladden make stains *(of:* smudges, blots)
kladderen make blots *(of:* smudges)
kladje (rough) draft; *(kladblaadje)* (piece of) scrap paper
kladpapier scrap paper
kladversie rough version *(of:* copy)
klagen complain
klager complainer
klakkeloos unthinking, *(onkritisch)* indiscriminate, *(zonder reden)* groundless: *iets ~ aannemen* accept sth unthinkingly *(of:* uncritically)
klam clammy, damp
klamboe mosquito net
klandizie clientele, customers
klank sound
klankbord sounding board
klant customer, client, *(in horeca)* guest: *de ~ is koning* the customer is always right
klantenservice after-sales service, *(Am)* customer service, service department

kl

klap 1 bang, crash, crack *(van zweep): met een ~ dichtslaan* (shut); **2** *(slag, tik)* slap, smack, *(fig)* blow: *iem een ~ geven* hit s.o.; *iem een ~ om de oren geven* box s.o.'s ears

klapband blow-out, flat

klapdeur swing-door, self-closing door

klappen 1 *(applaudisseren)* clap, *(vleugels ook)* flap, slam *(deur): in de handen ~* clap (one's hands); **2** *(uiteenspringen, ontploffen)* burst: *de voorband is geklapt* the front tyre has burst; *in elkaar ~* collapse; *uit de school ~, (Belg) uit de biecht ~* tell tales

klapper 1 folder, file; **2** *(uitschieter)* smash, hit

klapperen bang, rattle, chatter *(tanden)*

klappertanden *(ongev)* shiver

klaproos poppy

klapstoel folding chair, tip-up seat, theatre seat *(in theater, bioscoop)*

klarinet clarinet

klas 1 classroom; **2** *(leerlingen)* class; **3** *(leerjaar)* form, *(Am)* grade: *in de vierde ~ zitten* be in the fourth form; **4** *(rang, stand)* class, grade, *(sport)* league, *(sport)* division: *(sport) in de tweede ~ spelen* play in the second division; *(sport) naar een lagere ~ overgaan* be relegated to a lower division

klasgenoot classmate

klaslokaal classroom

klasse class; league: *dat is grote ~!* that's first-rate!

*****klassejustitie** *(Wdl: klassenjustitie)* class justice

klassement list of rankings *(of:* ratings), *(sport)* league table: *hij staat bovenaan (in) het ~* he is (at the) top of the league (table)

klassenboek class register, form register, *(Am)* roll book

klassenleraar form teacher, class teacher, *(Am)* homeroom teacher

klassenvertegenwoordiger class representative *(of:* spokesman)

klasseren I *tr* **1** classify; **2** *(Belg)* list; **II** *zich ~* qualify, rank: *zich ~ voor de finale* qualify for the final(s)

*****klassestrijd** *(Wdl: klassenstrijd)* class struggle

klassiek classic(al); traditional: *de ~e Oudheid* classical antiquity; *een ~ voorbeeld* a classic example

klassieker classic

klassikaal class, group: *iets ~ behandelen* deal with sth in class

klastitularis *(Belg) (klassenleraar)* class teacher

klateren splash *(water)*, gurgle *(bijv. stroom)*

klatergoud tinsel, gilt

klauteren clamber, scramble

klauw *(van (roof)dier, mens)* claw, *(van mens ook)* clutch(es) *(mv); (van roofvogel ook)* talon: *uit de ~en lopen* get out of hand *(of:* control)

klavecimbel harpsichord, (clavi)cembalo

klaver clover

klaverblad cloverleaf

klaveren clubs

klaverjassen play (Klaber)jass

klavertjevier four-leaf clover

klavier keyboard

kledder blob, dollop

kledderen slop

kleddernat soaking (wet) *(vnl. van dingen);* soaked *(van mensen en dingen)*

kleden dress, clothe

klederdracht (traditional, national) costume *(of:* dress)

kleding clothing, clothes, garments

kledingstuk garment, article of clothing

kleed 1 *(op vloer)* carpet, rug, *(op tafel)* (table)cloth; **2** *(Belg)* dress

kleedhokje changing cubicle

kleedkamer dressing room; *(sport)* changing room

kleerhanger coat-hanger, clothes hanger

kleerkast wardrobe

kleermaker tailor

kleermakerszit: *in ~ zitten* sit cross-legged

kleerscheuren: *er zonder ~ afkomen* escape unscathed *(of:* unhurt), *(zonder straf)* get off scot-free

klef 1 sticky, clammy; **2** *(kleverig, plakkend)* sticky, *(inform)* gooey, *(brood)* doughy; **3** *(van mensen)* clinging

klei clay

kleiduif clay pigeon

klein 1 small, little: *een ~ eindje* a short distance, a little way; *een ~ beetje* a little bit; **2** *(jong)* little, young; **3** *(mbt waarde e.d.)* small, minor: *hebt u het niet ~er?* have you got nothing smaller?

Klein-Azië Asia Minor

kleinbeeldcamera miniature camera

kleinburgerlijk lower middle class, petty bourgeois, *(geestelijk bekrompen)* narrow-minded

kleindochter granddaughter

Kleinduimpje Tom Thumb

kleineren belittle, disparage

kleingeestig narrow-minded, petty

kleingeld (small) change

kleinigheid 1 little thing: *ik heb een ~je meegebracht* I have brought you a little something; **2** *(iets van weinig belang)* trivial matter, unimportant matter, trifle

kleinkind grandchild

kleinmaken cut small, cut up

kleinsnijden cut up (into small pieces)

kleintje 1 small one, short one, *(roepnaam)* shorty; **2** *(jong kind, dier)* little one, *(kind)* baby

kleinzerig: *hij is altijd ~* he always makes a fuss about a little bit of pain

kleinzielig petty, narrow-minded

kleinzoon grandson

klem I *zn* **1** grip; **2** *(nadruk)* emphasis, stress: *met ~ beweren dat ...* insist on the fact that ...; **3** *(om muizen e.d. te vangen)* trap; **4** *(voor papier e.d.)* clip; **II** *bn* jammed, stuck

klemmen I *tr* clasp, press; **II** *intr (vastzitten)* stick, jam

klemtoon stress, accent, *(fig)* emphasis: *de ~ ligt op de eerste lettergreep* the stress *(of:* accent) is on the first syllable

klep 1 *(deksel)* lid, *(bijv. pomp, machine)* valve, *(blaasinstrument)* key; 2 *(luik)* flap, *(veerboot)* ramp; 3 *(sluiting)* flap, *(in broek)* fly; 4 *(deel ve hoofddeksel)* visor

klepel clapper

kleppen 1 clack; 2 *(mbt een klok)* peal, toll

klepperen clatter, rattle

kleptomaan kleptomaniac

kleren clothes: *andere* (of: *schone) ~ aantrekken* change (into sth else, into clean clothes); *zijn ~ uittrekken* undress

klerk clerk

klets 1 *(kletspraat)* rubbish, twaddle; 2 *(van water e.d.)* splash

kletsen 1 *(babbelen)* chatter; chat; 2 *(roddelen)* gossip; 3 *(onzin verkopen)* talk nonsense (of: rubbish), babble

kletskoek nonsense, twaddle

kletsmajoor twaddler, gossipmonger

kletsnat soaking (wet)

kletteren clash, clang *(wapens)*; patter *(regen)*; rattle *(hagel): de borden kletterden op de grond* the plates crashed to the floor

kleumen be half frozen

kleur 1 colour: *wat voor ~ ogen heeft ze?* what colour are her eyes?; *primaire ~en* primary colours; 2 *(van gezicht)* complexion: *een ~ krijgen* flush, blush; 3 *(kaartspel)* suit

kleurdoos paintbox

kleurecht colour fast

kleuren colour, paint, dye *(stoffen enz.)*, tint *(vnl. haar)*

kleurenblind colour-blind

kleurenfoto colour photo(graph), colour picture

kleurig colourful

kleurling coloured person

kleurloos 1 colourless; *(vaal, bleek)* pale; 2 *(saai)* colourless, dull

kleurpotlood colour pencil, (coloured) crayon

kleurrijk colourful

kleurspoeling colour rinse

kleurstof 1 colour, *(voor textiel)* dye, *(voor levensmiddelen)* colouring (matter): *(chemische) ~fen toevoegen* add colouring matters; 2 pigment

kleurtje colour, *(blosje ook)* flush, blush

kleuter pre-schooler (in a nursery class), *(Am)* kindergartner

kleuterbad paddling pool, wading pool

kleuterleidster nursery school teacher, *(Am)* kindergarten teacher

kleuteronderwijs pre-school education, nursery education

kleuterschool nursery school, *(Am)* kindergarten

kleven 1 stick (to), cling (to): *zijn overhemd kleefde aan zijn rug* his shirt stuck (of: clung) to his back; 2 be sticky: *mijn handen ~* my hands are sticky

kleverig sticky

kliederen make a mess, mess about (of: around)

kliek clique

kliekje leftover(s)

klier 1 gland; 2 *(plaaggeest)* pain in the neck

klieven cleave

klif cliff

klik click

klikken 1 click; 2 *(verklikken)* tell (on s.o.), snitch (on), blab: *je mag niet ~* don't tell tales; 3 *(eensgezind zijn, samengaan)* click, hit it off: *het klikte meteen tussen hen* they hit it off immediately

klikspaan tell-tale

klim climb

klimaat climate

klimaatbeheersing air conditioning

klimmen climb (up, down), clamber (about): *met het ~ der jaren* with advancing years

klimmer climber

klimop ivy

klimplant climber, climbing plant, creeper

klimrek 1 climbing frame; 2 *(gymnastiek)* wall bars

klingelen tinkle, jingle

kliniek clinic

klinisch clinical

klink 1 (door)handle; 2 *(deel ve slot)* latch

klinken sound, resound, *(rinkelen)* clink, *(rinkelen)* ring: *die naam klinkt me bekend (in de oren)* that name sounds familiar to me

klinker 1 *(klank)* vowel; 2 *(steen)* clinker

klinknagel rivet

klip rock, *(hoog)* cliff

klipper clipper

klissen *(Belg)* arrest, run in: *een inbreker ~* arrest a burglar

klit tangle

klitten 1 stick: *aan elkaar ~ hang* (of: stick) together; 2 *(klit(ten) vormen)* become entangled, get entangled

klit(ten)band Velcro

klodder *(vnl. verf)* daub; *(vnl. bloed)* clot; blob: *een ~ mayonaise* a dollop of mayonnaise

klodderen 1 mess (about, around); 2 *(slordig, dik schilderen)* daub

¹**kloek** broody hen

²**kloek** stout, sturdy, robust

klojo jerk

klok 1 clock: *hij kan nog geen ~ kijken* he can't tell (the) time yet; *de ~ loopt voor* (of: *achter, gelijk)* the clock is fast (of: slow, on time); *met de ~ mee* clockwise; *tegen de ~ in* anticlockwise, *(Am)* counter-clockwise; 2 *(die geluid wordt)* bell

klokgelui (bell-)ringing, chiming, *(voor doden)* bell tolling

klokhuis core

klokken *(sport)* time, clock

klokkengieterij bell-foundry

klokkenspel 1 carillon, chimes; 2 *(slaginstrument)* glockenspiel

klokkentoren bell tower, belfry

klokslag: *~ vier uur* on (of: at) the stroke of four

klokvast *(Belg)* punctual: *~e treinen* punctual

trains

klomp 1 clog, *(Am)* wooden shoe; 2 *(kluit, klont)* clod, lump

klompvoet club-foot

klonen clone

klont 1 lump, dab: *de saus zit vol ~en* the sauce is full of lumps *(of: is lumpy)*; 2 clot

klonteren become lumpy, get lumpy; clot *(bloed)*; curdle *(melk)*

klontje 1 lump, dab; 2 *(suiker)* sugar lump *(of: cube)*

kloof 1 split; 2 *(ravijn)* crevice, chasm, cleft; 3 *(fig)* gap, gulf

klooien bungle, mess up

kloon clone

klooster monastery; convent, nunnery *(vrouwen)*; cloister

kloosterling religious, monk, nun

kloot *(inform)* ball ‖ *naar de kloten zijn* be screwed up

klootzak *(scheldw., inform)* bastard, son-of-a-bitch

klop 1 knock; 2 *(slaag)* lick(ing)

klopjacht round-up, *(mbt dieren ook)* drive

kloppen I *intr* 1 knock (at, on), *(zacht)* tap: *er wordt geklopt* there's a knock at the door; 2 *(van hart)* beat, throb: *met ~d hart* with one's heart racing *(of: pounding)*; 3 *(juist zijn)* agree: *dat klopt* that's right; II *tr* knock, *(zacht)* tap; beat: *eieren ~* beat *(of: whisk)* eggs; *iem op de schouder ~* pat s.o. on the back

klopper *(van deur)* knocker

klos bobbin, reel ‖ *de ~ zijn* be the fall guy

klossen clump, stump

klotsen slosh, splash

kloven split, cleave, cut *(diamanten)*

klucht farce

kluif knuckle(bone); *(fig)* big job, tough job

kluis safe, safe-deposit box

kluit 1 lump, clod: *zich niet met een ~je in het riet laten sturen* not let oneself be fobbed off *(of: be given the brush-off)*; 2 *(van boom, plant)* ball of earth *(of: soil)*

kluiven gnaw

kluizenaar hermit, recluse

klunen walk (on skates)

klungel clumsy oaf

klungelen bungle, botch (up)

kluns dimwit, oaf, bungler

klus 1 big job, tough job; 2 small job, chore: *~jes opknappen (klaren)* do odd jobs

klusjesman handyman, odd-job man

klussen 1 do odd jobs; 2 *(zwart bijverdienen)* moonlight

kluts: *de ~ kwijt zijn (raken)* be lost *(of: confused)*, *(vd zenuwen, schrik)* be shaken *(of: rattled)*

klutsen beat (up)

kluwen *(knot)* ball

klysma enema

km *afk van kilometer* km

knaagdier rodent

knaagtand *(rodent)* incisor

knaak two guilders fifty

knaap boy, lad

knabbelen nibble (on), munch (on)

knabbeltje nibble(s), snack

knäckebröd crispbread, knäckebröd

knagen gnaw, eat: *een ~d geweten* pangs of conscience

knak crack, snap

knakken snap, break; crack

knakworst *(ongev)* frankfurter

knal bang, pop

knallen bang, crack *(zweep, geweer)*, pop *(kurk)*

knalpot silencer, *(Am)* muffler

knap I *bn, bw* 1 good-looking, handsome *(vnl. man)*, pretty *(vnl. vrouw)*; 2 *(slim)* clever, bright: *een ~pe kop* a brain, a whizz kid; 3 *(bekwaam)* smart, capable, clever, *(mbt handwerk)* handy: *een ~ stuk werk* a clever piece of work; II *bw (heel goed)* cleverly, well

knappen 1 crackle *(vnl. vuur)*, crack; 2 *(breken)* crack, snap *(touw)*

knapperd brain, whiz(z) kid

knapperen crackle *(vnl. vuur)*, crack

knapperig crisp *(sla, groente)*, crunchy *(koekje)*, brittle *(hout)*, crusty *(brood)*

knapzak knapsack

knarsen crunch: *de deur knarst in haar scharnieren* the door creaks *(of: squeaks)* on its hinges

knarsetanden grind one's teeth

knauw 1 bite; 2 *(fig) (knak)* blow

knauwen gnaw (at), chew, *(luidruchtig)* crunch (on)

knecht servant, *(op boerderij)* farmhand

kneden knead, mould

kneep 1 pinch (mark); 2 *(fig) (kunstgreep)* knack: *de ~jes van het vak kennen* know the tricks of the trade

knel I *zn* 1 catch; 2 *(benarde positie)* fix, jam; II *bn* stuck, caught: *~ komen te zitten* get stuck *(of: caught)*

knellen I *tr* squeeze, press; II *intr* squeeze, pinch *(bijv. schoenen, kleding)*

knelpunt bottleneck

knetteren crackle *(vuur, radio)*; sputter *(motor)*

knettergek nuts, *(stark staring)* mad, *(Am)* (raving) mad

kneus 1 old crock *(of: wreck)* *(vnl. auto)*; 2 *(ond)* drop-out

kneuterig snug, cosy

kneuzen bruise

kneuzing bruise, bruising

knevel 1 *(snor)* moustache; 2 *(mondprop)* gag

knevelen tie down, tie up, *(met mondprop)* gag

knie knee: *iets onder de ~ krijgen* master sth, get the hang *(of: knack)* of sth

knieband 1 knee protector *(of: supporter)*; 2 *(anat)* hamstring

kniebeschermer knee-pad

kniebroek knee breeches
kniegewricht knee joint
knielen kneel
knieschijf kneecap
kniezen grumble (about), moan (about), mope
knijpen 1 pinch; 2 *(persen, samendrukken)* press, squeeze ‖ *'m ~* have the wind up
knijper (clothes) peg, clip
knijpfles squeeze-bottle
knijpkat dynamo torch
knik 1 crack, kink *(in tuinslang e.d.)*; 2 *(in lijn, op- pervlak)* twist, kink; 3 *(van het hoofd)* nod
knikkebollen nod
knikken I *intr* 1 crack, snap; 2 *(doorbuigen)* bend, buckle; 3 *(van het hoofd)* nod; II *tr* bend; twist
knikker marble
knip 1 snap *(sieraden, beurs)*, (spring) catch *(siera- den, deur, paraplu)*, clasp *(sieraden)*; 2 *(grendeltje)* catch
knipmes clasp-knife: *buigen als een ~* bow and scrape, grovel
knipoog wink: *hij gaf mij een ~* he winked at me
knippen I *tr* cut (off, out): *de heg ~* clip *(of:* trim) the hedge; *zijn nagels ~* cut *(of:* clip) one's nails; II *intr* cut, snip
knipperen 1 blink; 2 *(mbt een auto)* flash
knipperlicht indicator; *(verkeerslicht)* flashing light
knipsel cutting
KNMI *afk van Koninklijk Nederlands Meteorologisch Instituut* Royal Dutch Meteorological Institute
KNO-arts ENT specialist
knobbel 1 knob, knot *(hout)*, bump *(op hoofd)*; 2 *(fig) (aanleg)* gift, talent: *een wiskundeknobbel heb- ben* have a gift for mathematics
knock-out knock-out
knoei: *lelijk in de ~ zitten* be in a terrible mess *(of:* fix)
knoeiboel mess
knoeien 1 make a mess, spill; 2 *(slordig werken)* make a mess (of); 3 *(onhandig werken)* tinker (with), monkey about (with); 4 *(oneerlijk werken)* cheat, tamper (with)
knoest knot
knoet cat-o'-nine-tails
knoflook garlic
knok(k)el knuckle
knokken 1 fight; 2 *(fig)* fight hard
knokpartij fight, scuffle
knokploeg (bunch, gang of) thugs *(mv)*, henchmen *(mv)*
knol 1 tuber; 2 *(raap)* turnip
knolraap swede; kohlrabi
knolselderie celeriac
knoop 1 *(mbt kleding)* button; 2 *(in touw e.d.)* knot: *een ~ leggen* (of: *maken)* tie *(of:* make) a knot; *(met zichzelf) in de ~ zitten* be at odds with oneself; *het schip voer negen knopen* the ship was doing nine knots
knooppunt intersection, *(ongelijkvloers)* inter-

change
knoopsgat buttonhole
knop 1 button, switch; 2 *(handvat)* button, handle: *de ~ van een deur* the handle of a door; 3 bud: *de roos is nog in de ~* the rose bush is in bud *(of:* is not fully out yet)
knopen knot, make a knot, tie: *twee touwen aan el- kaar ~* tie two ropes together
knorren grunt
knot knot, ball, tuft *(haar, veren)*
knots I *zn* 1 club; 2 *(iets groots, moois)* whopper; II *bn, bw* crazy, loony
knotten top, head
knotwilg pollard willow
knudde no good at all, rubbishy
knuffel cuddle, hug
knuffeldier soft toy, cuddly toy, teddy (bear)
knuffelen cuddle
knuist fist
knul fellow, guy, chap, bloke
knullig awkward: *dat is ~ gedaan* that has been done clumsily
knuppel 1 club, *(van politie)* truncheon; 2 stick, *(in- form)* joystick
knus cosy, homey
knutselaar handyman, do-it-yourselfer
knutselen knock together, knock up
koala koala (bear)
koe 1 cow: *over ~tjes en kalfjes praten* talk about one thing and another; 2 *(zeer groot ding)* giant
koeienletters giant letters
koek 1 cake: *dat is andere ~!* that is another *(of:* a different) kettle of fish; 2 *(koekje)* biscuit, *(Am)* cooky, cookie
koekenpan frying pan
koekoek cuckoo
koektrommel biscuit tin, *(Am)* cooky tin
koel 1 cool; *(erg koud)* chilly; 2 *(kalm)* cool, calm
koelbloedig cold-blooded, calm, cool
koelbox cool box, cooler
koelen cool (down, off), *(erg koel)* chill
koeling 1 cold store; 2 *(het koelen)* cooling; *(van le- vensmiddelen)* refrigeration
koelkast fridge, refrigerator
koelte cool(ness)
koeltjes (a bit) chilly ‖ *~ reageren* respond coolly
koelvloeistof coolant
koepel dome
koepokken cowpox
koer (school) playground
Koerd Kurd
koerier courier
koers 1 course: *van ~ veranderen* change course *(of:* tack); 2 route; 3 price, *(wisselkoers)* (exchange) rate
koersen set course for
koersnotering (price, market) quotation
koersstijging rise *(of:* increase) in prices, *(mbt wis- selkoersen)* rise in the exchange rate
koerswaarde market value *(of:* price), exchange

ko

value *(van wisselkoers)*
koeskoes couscous
koest: *zich ~ houden* keep quiet, keep a low profile
koesteren cherish, foster: *hoop ~* nurse hopes
koets coach, carriage
koetsier coachman
koevoet crowbar
Koeweit Kuwait
koffer (suit)case, (hand)bag, trunk *(grote)*
kofferbak boot, *(Am)* trunk
koffie coffee: *~ drinken* have coffee
koffiemelk evaporated milk
koffiepot coffeepot
kogel 1 bullet *(geweer)*, ball *(kanon)*: *een verdwaalde ~* a stray bullet; **2** *(atletiek)* shot
kogelbiefstuk round steak
kogellager ball-bearing
kogelslingeren hammer (throw)
kogelstoten shot-put(ting)
kogelvrij bulletproof
kok cook: *de chef-kok* the chef
koken 1 boil: *water kookt bij 100 °C* water boils at 100° C; **2** *(bereiden, klaarmaken)* cook, do the cooking: *~ van woede* boil *(of:* seethe) with rage
kokendheet piping *(of:* boiling, scalding) hot
koker 1 case; **2** *(om iets in te steken)* cylinder; **3** *(waardoor iets vooruitbeweegt)* shaft *(lift)*, chute *(stortkoker)*
koket 1 coquettish; **2** *(sierlijk)* smart, stylish
kokhalzen retch, heave
kokos 1 *(wit vlees in kokosnoten)* coconut; **2** *(vezel)* coconut fibre
kokosmat coconut matting
kokosnoot coconut
kolder nonsense, rubbish
kolen coal: *op hete ~ zitten* be on tenterhooks
kolencentrale coal-fired power station
kolenmijn coal mine
kolere: *krijg de ~!* get stuffed!, drop dead!
kolf 1 *(ve geweer)* butt; **2** *(bol flesje)* flask; *(met omgebogen hals)* retort; **3** *(van maïs)* cob
kolibrie hummingbird
koliek colic
kolk eddy, whirlpool
kolken swirl, eddy
kolom column
kolonel colonel
koloniaal colonial
kolonialisme colonialism
kolonie colony
kolonist colonist, settler
kolossaal colossal, immense
¹kom 1 bowl, *(waskom)* washbasin; **2** *(uitholling, holte)* basin, bowl; **3** *(mbt gewrichten e.d.)* socket: *haar arm is uit de ~* geschoten her arm is dislocated; *de bebouwde ~* the built-up area, *(Am)* the city limits
²kom come on!: *~ nou, dat maak je me niet wijs* come on (now) *(of:* look), don't give me that; *~, ik stap maar weer eens op* right, I'm off now!; *~ op!* come

on!
kombuis galley
komediant comedy actor, comedian
komedie comedy, *(fig ook)* (play-)acting
komediespelen 1 *(toneelspelen)* act; **2** *(doen alsof)* (play-)act, put on an act
komeet comet
komen 1 come, get: *er komt regen* it is going to rain; *er kwam bloed uit zijn mond* there was blood coming out of his mouth; *ergens bij kunnen ~* be able to get at sth; *de politie laten ~* send for *(of:* call) the police; *ik kom eraan!* (of: *al!*) (I'm) coming!, I'm on my way!; *kom eens langs!* come round some time!; *ergens achter ~* find out sth, get to know sth; *hoe kom je erbij!* what(ever) gave you that idea?; *ergens overheen ~* get over sth *(bijv. ziekte)*; *(fig)* we kwamen er niet uit we couldn't work it out; *hoe kom je van hier naar het museum?* how do you get to the museum from here?; *hij komt uit Engeland* he's from England; *wie het eerst komt, het eerst maalt* first come, first served; **2** come ((a)round, over), call: *er ~ mensen vanavond* there are *(of:* we've got) people coming this evening; **3** *(met aan) (aanraken)* touch: *kom nergens aan!* don't touch (anything)!; **4** *(mbt oorzaak)* come (about), happen: *hoe komt het?* how come?, how did that happen?; *daar komt niets van in* that's out of the question; *dat komt ervan als je niet luistert* that's what you get *(of:* what happens) if you don't listen; **5** *(met aan) (in het bezit van iets raken)* come (by), get (hold of): *aan geld zien te ~* get hold of some money; *daar kom ik straks nog op* I'll come round to that in a moment; *daar komt nog bij dat …* what's more …, besides …; *kom nou!* don't be silly!, come off it!
komend coming, to come, *(mbt tijd ook)* next: *~e week* next week
komiek comedian, comic
komijn cumin
komisch comic(al), funny
komkommer cucumber
komma 1 comma; **2** *(in getallen)* (decimal) point: *tot op vijf cijfers na de ~ uitrekenen* calculate to five decimal places; *nul ~ drie (0,3)* nought *(Am:* zero) point three (0.3)
kommer sorrow: *~ en kwel* sorrow and misery
kompas compass
kompres compress
komst coming, arrival: *er is storm op ~* there is a storm brewing
Kongo Congo
konijn rabbit, *(kindertaal)* bunny
konijnenhol rabbit hole *(of:* burrow)
koning king
koningin queen
Koninginnedag Queen's Birthday
koningshuis royal family *(of:* house)
koninklijk royal, *(bijv. gedrag, houding)* regal
koninkrijk kingdom
konkelen scheme, intrigue

kont bottom, behind, bum: *de ~ tegen de krib gooien* dig one's heels in

konvooi convoy

kooi 1 cage; 2 *(stal)* pen, *(voor kippen)* coop, *(schapen)* fold, *(varkens)* sty; 3 *(op een schip)* berth, bunk

kook boil: *aan de ~ brengen* bring to the boil; *volkomen van de ~ raken* go to pieces

kookboek cookery book

kookkunst cookery, (the art of) cooking, culinary art

kookplaat hotplate, hob

kookpunt boiling point: *het ~ bereiken (ook fig)* reach boiling point

kookwekker kitchen timer

kool 1 cabbage; 2 *(steenkool)* coal

kooldioxide carbon dioxide

koolhydraat carbohydrate

koolmees great tit

koolmonoxide carbon monoxide

koolraap kohlrabi, turnip cabbage

koolstof carbon

koolwitje cabbage white (butterfly)

koolzaad (rape)seed, colza

koolzuur carbon dioxide

koop buy, sale, purchase: *~ en verkoop* buying and selling; *de ~ gaat door* the deal *(of:* sale) is going through; *op de ~ toe* into the bargain; *te ~ (zijn, staan)* (be) for sale; *te ~ of te huur* to buy or let; *te ~ gevraagd* wanted

koopavond late-night shopping, late opening

koopcontract contract *(of:* bill) of sale, *(akte)* purchase deed, title deed, deed of purchase

koophandel commerce, trade: *Kamer van Koophandel (ongev)* Chamber of Commerce

koopje bargain, good buy *(of:* deal)

koopkracht buying power

koopman merchant, businessman

koopvaardij merchant navy

koopwaar merchandise, wares

koor choir; chorus: *een gemengd ~* a mixed (voice) choir

koord cord, (thick) string, (light) rope

koorddansen walk a tightrope

koorts fever: *bij iem de ~ opnemen* take s.o.'s temperature

koortsaanval attack of fever

koortsachtig feverish: *~e bedrijvigheid* frenzied activity

koortsig feverish

koorzanger choir singer, chorus member

kop 1 head: *er zit ~ noch staart aan* you can't make head or tail of it; *(Belg) van ~ tot teen* from top to toe; *~ dicht!* shut up!; *een mooie ~ met haar* a beautiful head of hair; *een rooie ~ krijgen* go red, flush; *iem op zijn ~ geven* give s.o. what for; 2 head, brain: *dat is een knappe ~* he is a clever *(of:* smart) fellow; 3 *(bovenste gedeelte)* head, top: *de ~ van Overijssel* the north of Overijssel; *de ~ van een spijker* (of: ha-

mer) the head of a nail *(of:* hammer); *op ~ liggen* be in the lead; *over de ~ slaan* overturn, somersault; *over de ~ gaan* go broke, fold; 4 cup, mug; 5 *(krantenkop)* headline, heading: *~ of munt* heads or tails; *het is vijf uur op de ~ af* it is exactly five o'clock

kopbal header

kopen I *tr* 1 buy, purchase: *wat koop ik ervoor?* what good will it do me?; 2 *(afkopen)* buy (off); **II** *intr* trade (with), deal (with), buy

¹**koper** 1 copper; 2 brass; 3 *(blaasinstrumenten)* brass (section)

²**koper** buyer

koperen brass, copper

koperwerk copper work, brass work, brassware

kopgroep leading group; *(wielersport ook)* break(away)

kopie 1 copy, duplicate; 2 (photo)copy

kopieerapparaat photocopier

kopiëren 1 copy, make a copy (of), *(overschrijven)* transcribe; 2 (photo)copy, xerox

kopij copy, manuscript

kopje (small, little) cup ‖ *~ duikelen* turn somersaults; *de poes gaf haar steeds ~s* the cat kept nuzzling (up) against her

kopje-onder: *hij ging ~* he got a ducking

koplamp headlight

koploper leader, front runner, *(vernieuwer)* trendsetter

¹**koppel** (sword) belt

²**koppel** 1 *(span)* couple, pair, *(groep)* group, *(groep)* bunch, *(zaken)* set; 2 *(paartje)* couple: *een aardig ~* a nice couple

koppelaar matchmaker, marriage broker

koppelen 1 couple (with, to); 2 *(een verbinding leggen tussen)* link, relate: *twee mensen proberen te ~* try to pair two people off

koppeling clutch (pedal): *de ~ intrappen* let out the clutch

koppelteken hyphen

koppeltjeduike(le)n (turn, do a) somersault

koppen head

koppensnellen headhunt

koppig 1 stubborn, headstrong: *(zo) ~ als een ezel* (as) stubborn as a mule; 2 *(van bier e.d.)* heady

koppigaard *(Belg)* stubborn person, obstinate person

koppigheid stubbornness

koppositie *(sport)* lead

koprol somersault

kopspijker clout (nail), tack

kopstem falsetto

kopstoot butt (of the head): *iem een ~ geven* headbutt s.o.

kopstuk head man, boss

koptelefoon headphone(s), earphone(s), headset

kopzorg worry, headache

koraal coral

koraaleiland coral island

koraalrif coral reef

ko

koran Koran
kordaat firm, plucky, bold
kordon cordon
Korea Korea
Koreaan Korean
koren corn, (Am) wheat, grain
korenbloem cornflower
korenhalm cornstalk, (Am) wheat stalk
korenschuur granary
korenwolf European hamster
korf basket, (voor bijen) hive
korfbal korfball
korfballen play korfball
korporaal corporal
korps corps, body, staff (leraren), force (politie)
korpschef superintendent
korrel granule, grain: iets met een ~(tje) zout nemen take sth with a pinch of salt
korrelig granular
korset corset
korst crust, (op wond) scab, (van kaas) rind
korstmos lichen
kort short; brief (mbt tijd, lengte): alles ~ en klein slaan smash everything to pieces; een ~ overzicht a brief (of: short) summary; ~ daarvoor shortly before; tot voor ~ until recently; iets in het ~ uiteenzetten explain sth briefly; we komen drie man te ~ we're three men short; te ~ komen run short (of)
kortademig short of breath, (ook fig) short-winded
kortaf curt, abrupt
kortegolfband short-wave band
korten cut (back): ~ op de uitkeringen cut back on social security
korting discount, concession, (bezuiniging) cut: ~ geven op de prijs give a discount off the price
kortingkaart concession (of: reduced-fare) card/pass (openbaar vervoer), discount card (in winkels e.d.)
kortom in short, to put it briefly (of: shortly)
kortsluiting short circuit, short
kortstondig short-lived, brief
kortweg briefly, shortly
kortwieken clip the wings of
kortzichtig short-sighted
kosmisch cosmic
kosmonaut cosmonaut
kosmos cosmos
kost 1 (mv) cost, expense, (investeringen) outlay, charge (voor diensten): ~en van levensonderhoud cost of living; op haar eigen ~en at her own expense; op ~en van at the expense of; 2 (levensonderhoud) living: wat doe jij voor de ~? what do you do for a living?; 3 (voeding) board(ing), keep: ~ en inwoning board and lodging; 4 fare, food: dagelijkse ~ ordinary food
kostbaar 1 (duur) expensive; 2 (van grote waarde) valuable, (sterker) precious
kostbaarheden valuables
kostelijk precious, (lekker) exquisite, delicious,

(uitstekend) excellent
kosteloos I bn free; II bw free of charge
kosten cost, be, take: het heeft ons maanden gekost om dit te regelen it took us months to organize this; het ongeluk kostte (aan) drie kinderen het leven three children died (of: lost their lives) in the accident; dit karwei zal heel wat tijd ~ this job will take (up) a great deal of time
kostenbesparend money-saving, cost-cutting
kostenstijging increase in costs
kostenverhogend cost-raising
kostenverlagend cost-reducing
koster verger
kostganger boarder, lodger
kostgeld board (and lodging)
kostje zijn ~ is gekocht he has it made
kostprijs cost price
kostschool boarding school, (grote Engelse privé-school) public school: op een ~ zitten attend a boarding school
kostuum 1 ((mantel)pak) suit; 2 (kleding) costume, dress
kostwinner breadwinner
kostwinning livelihood, living
kot 1 hovel; 2 (Belg) student apartment (of: room): op ~ zitten be in digs
kotbaas (Belg) landlord
kotelet chop, cutlet
kotmadam (Belg) landlady
kotsen puke
kou cold(ness), chill: ~ vatten catch a cold
koud cold, (lucht ook) chilly: het laat mij ~ it leaves me cold
koudbloedig cold-blooded
koudvuur gangrene
koukleum shivery type
kous stocking, (kort) sock
kouwelijk chilly, sensitive to cold
kozak Cossack
¹**kozijn** (window, door) frame
²**kozijn** (Belg) (zoon van oom of tante) cousin
kraag 1 collar: iem bij (in) zijn ~ grijpen grab s.o. by the collar, collar s.o.; 2 (van schuim e.d.) head
kraai crow
kraaien crow
kraaiennest crow's-nest
kraaienpootjes crow's-feet
kraak break-in
kraakbeen cartilage
kraal bead
kraam stall, booth
kraamafdeling maternity ward
kraambed childbed: een lang ~ a long period of lying-in
kraambezoek op ~ komen come to see the new mother and her baby
kraamhulp maternity assistant
kraamkamer delivery room, (vóór de bevalling) labour room

kraamkliniek maternity clinic
kraamverzorgster maternity nurse
kraamvrouw woman in childbed; *(na de bevalling)* mother of newly-born baby
kraamzorg maternity care
kraan 1 tap, *(Am)* faucet, *(afsluit-, doorlaatkraan)* (stop)cock, valve; 2 *(hijswerktuig)* crane
kraanvogel (common) crane
krab crab
krabbel 1 scratch (mark); 2 *(onduidelijk schriftteken)* scrawl
krabbelen I *intr* scratch ‖ *(weer) overeind ~* scramble to one's feet; II *tr (slordig schrijven of tekenen)* scrawl
krabbeltje scrawl
krabben I *intr, tr* scratch: *zijn hoofd ~* scratch one's head; II *tr* scratch out, scratch off
krach crash
kracht strength, power, *(van wind ook)* force: *drijvende ~ achter* moving force (of: spirit) behind; *op eigen ~* on one's own, by oneself; *op volle* (of: *halve) ~ (werken)* operate at full (of: half) speed/power; *met zijn laatste ~en* with a final effort; *het vergt veel van mijn ~en* it's a great drain on my energy; *van ~ zijn* be valid (of: effective)
krachtbron source of energy (of: power), *(elektr centrale)* power station
krachtcentrale power station
krachteloos weak, *(slap)* limp, powerless
krachtens by virtue of, under
krachtig 1 strong, powerful: *een ~e motor* a powerful engine; *matige tot ~e wind* moderate to strong winds; 2 *(met geestelijke, zedelijke kracht)* powerful, forceful: *kort maar ~: a)* brief and to the point; *b) (fig)* short but (of: and) sweet; 3 *(mbt medicijnen e.d.)* potent
krachtige wind strong wind
krachtmeting contest, trial of strength
krachtpatser muscle-man, bruiser
krachtsinspanning effort
krachtsport strength sport
krakelen quarrel, row
kraken I *intr* crack, creak *(hout, trap, schoenen)*, crunch *(zand, grind, sneeuw): een krakende stem* a grating voice; II *tr* 1 crack *(ook fig)*; 2 *(inbreken)* break into *(gebouw)*; crack *(kluis, code)*; hack *(computer, databestand)*; 3 *(afkraken)* pan, slate ‖ *het pand is gekraakt* the building has been broken into by squatters
kraker 1 squatter; 2 *(comp)* hacker
kram clamp, cramp (iron) *(bergbeklimming)*, clasp *(boeksluiting)* ‖ *(Belg) uit zijn ~men schieten* blow one's top
kramiek *(Belg)* currant loaf
kramp cramp
krampachtig 1 forced: *met een ~ vertrokken gezicht* grimacing; 2 *(met wanhopige inspanning)* frenetic: *zich ~ aan iem (iets) vasthouden* cling to s.o. (sth) for dear life; 3 *(als een kramp)* convulsive

kranig plucky, brave
krankzinnig 1 mentally ill, insane, mad: *~ worden* go insane, go out of one's mind; 2 *(onzinnig)* crazy, mad
krankzinnige madman, madwoman
krankzinnigheid madness, insanity, lunacy
krans 1 wreath; 2 ring: *een ~ om de zon* (of: *de maan)* a corona round the sun *(of:* moon)
kransslagader coronary artery
krant (news)paper
krantenbericht newspaper report
krantenbezorger (news)paper boy *(of:* girl)
krantenknipsel newspaper cutting, press cutting
krantenkop (newspaper) headline
krantenwijk (news)paper round *(Am:* route)
krap 1 tight, *(smal)* narrow; 2 *(gering)* tight, scarce: *een ~pe markt* a small market; *~ (bij kas) zitten* be short of money (of: cash); *met een ~pe meerderheid* with a bare majority
¹kras scratch
²kras 1 *(mbt personen)* strong, vigorous, *(van oudere personen)* hale and hearty; 2 *(mbt zaken)* strong, drastic: *dat is een nogal ~se opmerking* that is a rather crass remark
kraslot scratch card
krassen I *intr* 1 scrape: *zijn ring kraste over het glas* his ring scraped across the glass; 2 *(mbt rauw keelgeluid)* rasp, scrape *(stem)*; croak *(kraai, mens)*; hoot, screech *(uil)*; II *tr* scratch, carve *(diep)*
krat crate
krater crater: *een ~ slaan* leave a crater
krediet 1 credit: *veel ~ hebben* enjoy great trust; 2 *(vertrouwen)* credit, respect
kredietuur *(Belg) (ongev)* refresher course leave, study leave
kredietwaardig creditworthy
kreeft lobster
Kreeft *(astrol)* Cancer
kreeftskeerkring tropic of Cancer
kreek 1 creek; cove; 2 *(riviertje)* stream
kreet 1 cry; 2 *(uitroep)* slogan, catchword
krekel cricket
kreng 1 *(secreet)* beast, bastard, *(vrouw)* bitch; 2 *(rotding)* wretched thing; 3 *(rottend dier)* carrion
krenken offend, hurt
krent currant: *de ~en uit de pap* the best bits
krentenbol currant bun
krentenbrood currant loaf
krenterig stingy
Kreta Crete
kreukel crease
kreukelen I *tr* crease: *het zat in gekreukeld papier* it was wrapped in crumpled paper; II *intr* get creased (of: rumpled)
kreukelig crumpled, creased
kreuken I *tr* crease, crumple; II *intr* get creased (of: rumpled)
kreunen groan, moan
kreupel 1 lame; 2 *(gebrekkig)* poor, clumsy

kr

kreupele cripple

kreupelhout undergrowth

krib manger, crib

kribbig grumpy, catty

kriebel itch, tickle: *ik krijg daar de ~s van* it gets on my nerves

kriebelen tickle, *(jeuken)* itch

kriek 1 black cherry; 2 *(Belg)* (sour) cherry

krieken: *met (bij) het ~ van de dag* at (the crack of) dawn

krielaardappel (small) new potato

krijgen get, *(ontvangen ook)* receive, *(grijpen, pakken ook)* catch: *aandacht ~* receive attention; *je krijgt de groeten van … …* sends (you) his regards; *zij kreeg er hoofdpijn van* it gave her a headache; *slaap* (of: *trek*) *~* feel sleepy (of: hungry); *iets af~* get sth done (of: finished); *dat goed is niet meer te ~* you can't get hold of that stuff any more; *iem te pakken ~* get (hold of) s.o.; *ik krijg nog geld van je* you (still) owe me some money; *iets voor elkaar ~* manage sth

krijger warrior

krijgsgevangene prisoner of war

krijgshaftig warlike

krijgsmacht armed forces, army

krijgsraad court-martial

krijgstucht military discipline

krijsen 1 shriek, screech; 2 *(huilen)* scream

krijt chalk, *(kleurstift)* crayon || *bij iem in het ~ staan* owe s.o. sth

krijten chalk

krijtje piece of chalk

krik jack

Krim: *de ~* the Crimea

krimp shrinkage || *geen ~ geven* not flinch

krimpen shrink, contract

krimpfolie clingfilm, shrink-wrapping

kring circle, ring, *(elektr)* circuit: *in politieke ~en* in political circles; *de huiselijke ~* the family (of: domestic) circle; *~en onder de ogen hebben* have bags under one's eyes; *~en maken op een tafelblad* make rings on a table top; *in een ~ zitten* sit in a ring (of: circle)

kringelen spiral

kringloop cycle, *(van geld, informatie)* circulation

kringlooppapier recycled paper

krioelen swarm, teem

kriskras criss-cross

kristal crystal

kristalhelder crystal-clear, lucid *(van gedachten)*

kristallen crystal

kritiek I *zn* 1 criticism: *opbouwende* (of: *afbrekende*) *~* constructive (of: destructive) criticism; 2 *(bespreking ook)* (critical) review: *goede* (of: *slechte*) *~en krijgen* get good (of: bad) reviews; **II** *bn* critical; *(doorslaggevend ook)* crucial: *de toestand van de patiënt was ~* the patient's condition was critical

kritisch 1 critical; 2 *(negatief ook)* fault-finding: *een ~ iemand* a fault-finder

kritiseren criticize, *(mbt boek)* review

Kroaat Croat, Croatian

Kroatië Croatia

kroeg pub: *altijd in de ~ zitten* always be in the pub

kroegbaas publican

kroegloper pub-crawler

kroepoek prawn crackers, shrimp crackers

kroes mug

kroeshaar frizzy hair, curly hair

krokant crisp(y), crunchy

kroket croquette

krokodil crocodile

krokus crocus

krokusvakantie *(ongev)* spring half-term, *(Am; ongev)* semester break

krols on heat

krom 1 bent, crooked, *(lijn)* curved: *~me benen* bow-legs *(o-benen)*; 2 *(gebrekkig)* clumsy: *~ Nederlands* bad Dutch

krommenaas *(Belg)* *zich van ~ gebaren* act dumb, pretend not to hear

kromming bend(ing), curving, *(in ruggengraat)* curvature

kromtrekken warp, buckle *(metaal)*

kromzwaard scimitar, sabre

kronen crown

kroning crowning, *(plechtig)* coronation

kronkel twist(ing), *(redenering)* kink

kronkelen twist, wind, *(wriggelen)* wriggle: *~ van pijn* writhe in agony

kronkelweg twisting road, winding road, crooked path

kroon 1 crown; *(van bloem)* corolla; 2 *(vorst(in))* Crown: *een benoeming door de ~* a Crown appointment; *dat is de ~ op zijn werk* that is the crowning glory of his work

kroongetuige crown witness

kroonjuwelen crown jewels

kroonkurk crown cap

kroonlijst cornice

kroonsteentje connector

kroos duckweed

kroost offspring

krop 1 head: *een ~ sla* a head of lettuce; 2 *(mbt vogels)* crop, gizzard

krot slum (dwelling), hovel

krottenwijk slum(s)

kruid 1 herb; 2 *(specerij)* herb, spice

kruiden season, flavour, *(fig ook)* spice (up)

kruidenbuiltje bouquet garni

kruidenier grocer

kruidenierswinkel grocery (shop)

kruidenrekje spice rack

kruidenthee herb(al) tea

kruidnagel clove

kruien I *tr* wheel; **II** *intr* *(mbt ijs)* break up; drift

kruier porter

kruik 1 jar, pitcher, crock; 2 *(warmwaterfles)* hot-water bottle

kruim 1 crumb; 2 *(Belg)* the pick of the bunch, the very best
kruimel crumb
kruimeldief 1 petty thief; 2 *(handstofzuiger)* crumb-sweeper, dustbuster
kruimelen crumble
kruin crown
kruipen 1 creep, crawl; 2 *(zich moeilijk voortbewegen)* crawl (along), drag *(mbt tijd): de uren kropen voorbij* time dragged (on)
kruiperig cringing, slimy, servile
kruippakje romper (suit), playsuit
kruis 1 cross; 2 *(mbt kledingstukken)* crotch, seat *(zitvlak)*; 3 *(deel vh lichaam)* crotch, groin; 4 *(mbt munten)* head: *~ of munt?* heads or tails?; *(Belg; fig) een ~ over iets maken* put an end to sth; *een ~ slaan* cross oneself
kruisbeeld crucifix
kruisbes gooseberry
kruiselings crosswise, crossways
kruisen cross, intersect: *patroon van elkaar ~de lijnen* pattern of intersecting lines
kruiser 1 cruiser; 2 *(jacht)* cabin cruiser
kruisigen crucify
kruisiging crucifixion
kruising 1 crossing, junction, intersection, *(vnl. buiten de stad)* crossroads; 2 *(bevruchting)* crossing, hybridization, *(vnl. mbt planten)* cross-fertilization; 3 *(ontstane soort)* cross, hybrid, *(vnl. mbt dieren)* cross-breed
kruisje 1 cross, *((schrift)teken ook)* mark; 2 *(kruisteken)* sign of the cross
kruiskopschroef cross-head screw
kruispunt crossing, junction, intersection, *(vnl. buiten de stad)* crossroad(s)
kruisraket cruise missile
kruisridder crusader
kruisteken (sign of the) cross
kruistocht crusade
kruisvaarder crusader
kruisvereniging *(ongev)* home nursing service
kruiswoordpuzzel crossword (puzzle)
kruit (gun)powder
kruitvat powder keg
kruiwagen 1 (wheel)barrow; 2 *(fig)* connections: *~s gebruiken* pull strings
kruk 1 stool; 2 *(loopstok)* crutch; 3 *(deurknop)* (door) handle
krul curl; *(lange haarlok)* ringlet
krullen curl
krulspeld curler, roller
krultang curling iron
kso *(Belg) afk van kunstsecundair onderwijs* secondary fine arts education
kubiek cubic
kubus cube
kuchen cough
kudde herd *(vnl. grote dieren)*; flock *(schapen, geiten)*

kuieren stroll; go for a walk
kuif 1 forelock, *(vetkuif)* quiff; 2 (head of) hair; 3 *(mbt vogels)* crest, tuft
kuiken chick(en)
kuil pit, hole, *(uitholling)* hollow, *(in wegdek)* pothole
kuiltje dimple, *(in kin ook)* cleft
kuip tub, barrel *(ton, vat)*
kuipje tub
kuis I *bn, bw* chaste, pure; II *zn (Belg) (schoonmaak)* (house)cleaning: *grote ~* spring-cleaning
kuisen *(Belg)* clean
kuisheid chastity, purity
kuisvrouw *(Belg)* cleaning lady *(of:* woman)
kuit 1 *(anat)* calf; 2 *(mbt vissen)* spawn
kukeleku cock-a-doodle-doo
kul rubbish
kunde knowledge, learning
kundig able, capable, skilful: *iets ~ repareren* repair sth skilfully
kunnen I *intr, tr (mbt bekwaamheid)* can, could, be able to; be possible: *hij kan goed zingen* he's a good singer; *een handige man kan alles* a handy man can do anything; *hij liep wat hij kon* he ran as fast as he could; *hij kan niet meer* he can't go on; *buiten iets ~* do without sth; *het deksel kan er niet af* the lid won't come off; *morgen kan ik niet* tomorrow's impossible for me; II *intr; hulpww (mbt mogelijkheid)* may, might, could, it is possible that …: *het kan een vergissing zijn* it may be a mistake; III *hulpww (mbt toelating)* can, be allowed to, *(form)* may, *(ovt)* could, be allowed to, might: *zoiets kun je niet doen* you can't do that sort of thing; *je had het me wel ~ vertellen* you might *(of:* could) have told me; *de gevangene kon ontsnappen* the prisoner was able to *(of:* managed to) escape; IV *intr (aanvaardbaar zijn)* be acceptable: *zo kan het niet langer* it *(of:* things) can't go on like this; *die trui kán gewoon niet* that sweater's just impossible
kunst 1 art: *een handelaar in ~* an art dealer; 2 *(kundigheid)* art, skill: *zwarte ~* black magic; 3 *(moeilijke handeling)* trick
kunstacademie art academy
kunstarm artificial arm
kunstbloem artificial flower
kunstenaar artist
kunstgalerij (art) gallery
kunstgebit (set of) false teeth, (set of) dentures, *(gebitplaat)* (dental) plate
kunstgeschiedenis history of art, *(vak)* art history
kunstgreep trick, manoeuvre
kunsthandelaar art dealer
kunstig ingenious, skilful
kunstijs artificial ice, man-made ice, *(baan)* (ice) rink
kunstijsbaan ice rink, skating rink
kunstje 1 knack, trick: *dat is een koud ~* that's child's play, there's nothing to it; 2 *(truc, toer)* trick: *geen ~s!* none of your tricks!

ku

kunstleer imitation leather

kunstlicht artificial light

kunstliefhebber art lover

kunstmatig artificial, *(bewerkt ook)* synthetic, man-made, *(namaak ook)* imitation

kunstmest fertilizer

kunstschaatsen figure-skating

kunstschilder artist, painter

kunststof synthetic (material, fibre), plastic: *van ~* synthetic, plastic

kunststuk work of art, *(sport enz.)* feat, *(gevaarlijk)* stunt: *een journalistiek ~je* a masterpiece of journalism; *dat is een ~ dat ik je niet na zou doen* that's a feat I couldn't match

kunstuitleen art library, art-lending centre

kunstverzamelaar art collector

kunstvezel man-made fibre, synthetic fibre

kunstvorm art form, medium (of art)

kunstwerk work of art, masterpiece: *dat is een klein ~je* it's a little gem *(of: masterpiece)*

kunstzinnig artistic(ally-minded): *~e vorming* art(istic) training *(of: education)*

kunstzwemmen synchronized swimming

¹kuren quirks, *(tijdelijk)* moods: *hij heeft altijd van die vreemde ~* he's quirky *(of: moody)*; *vol ~: a) (mens)* moody; *b) (paard)* awkward

²kuren take a cure

kurk cork: *doe de ~ goed op de fles* cork the bottle properly; *wij hebben ~ in de gang* we've got cork flooring in the hall

kurkdroog (as) dry as a bone, bone-dry

kurken cork: *met ~ zolen* cork-soled

kurkentrekker corkscrew

kus kiss: *geef me eens een ~* give me a kiss, how about a kiss?; *een ~ krijgen van iem* get a kiss from *(of: be kissed by)* s.o.; *iem een ~ toewerpen* blow s.o. a kiss; *~jes!* (lots of) love (and kisses)

kushandje a blown kiss: *~s geven* blow kisses (to s.o.)

¹kussen cushion, pillow *(bed)*; *(opvulling)* pad: *de ~s (op)schudden* plump up the pillows

²kussen kiss: *iem gedag (vaarwel) ~* kiss s.o. goodbye; *elkaar ~* kiss (each other)

kussensloop pillowcase, pillowslip

kust 1 coast, (sea)shore: *de ~ is veilig* the coast is clear; *een huisje aan de ~* a cottage by the sea; *onder (voor) de ~* off the coast, offshore, *(vanuit zee gezien)* inshore; *vijftig kilometer uit de ~* fifty kilometres offshore *(of: off the coast)*; 2 *(strand)* seaside

kustgebied coastal area *(of: region)*

kustlijn coastline, shoreline

kustplaats seaside town, coastal town

kustvaarder coaster

kut *(inform)* cunt

kuub cubic metre: *te koop voor een tientje de ~* on sale for ten euros a cubic metre

kuur cure, course of treatment

kuuroord health resort; *(badplaats ook)* spa

kwaad I *bn, bw* 1 bad, wrong: *het te ~ krijgen* be overcome (by), *(emoties)* break down; 2 bad, *(heel erg)* evil: *ze bedoelde er niets ~s mee* she meant no harm *(of: offence)*; 3 *(boos)* angry: *zich ~ maken, ~ worden* get angry; *iem ~ maken* make s.o. angry; *~ zijn op iem* be angry at *(of: with)* s.o.; *~ zijn om iets* be angry at *(of: about)* sth; II *bn (boosaardig)* bad, *(hond)* vicious: *hij is de ~ste niet* he's not a bad guy; III *zn* 1 wrong, harm: *een noodzakelijk ~* a necessary evil; *van ~ tot erger vervallen* go from bad to worse; 2 harm, damage: *meer ~ dan goed doen* do more harm than good; *dat kan geen ~* it can't do any harm

kwaadaardig 1 malicious, *(ook hond)* vicious; 2 *(schadelijk)* pernicious, *(gezwel, ziekte)* malignant

kwaadheid anger: *rood worden van ~* turn red with anger *(of: fury)*

kwaadschiks unwillingly

kwaadspreken speak ill *(of: badly)*: *~ van (iem)* speak ill *(of: badly)* of (s.o.), *(gelogen)* slander (s.o.)

kwaadwillig malevolent

kwaal 1 complaint, disease, illness: *een hartkwaal* a heart condition; 2 *(onvolkomenheid)* trouble, problem

kwab (roll of) fat *(of: flab)*, jowl

kwadraat square: *drie ~* three squared

kwajongen 1 mischievous boy, naughty boy, brat; 2 *(snotneus)* rascal

kwajongensachtig boyish, mischievous

kwajongensstreek (boyish) prank, practical joke: *een ~ uithalen* play a practical joke

kwak 1 *(verf, lijm, modder)* dab; *(slagroom)* blob; *(voedsel)* dollop: *een ~ eten* a dollop of food; 2 *(geluid)* thud, thump, smack

kwaken quack, croak *(kikvors)*

kwakkel *(Belg) (canard)* canard, unfounded rumour *(of: story)*

kwakkelen *(mbt weer)* drag on, linger *(winter)*; be fitful

kwakkelweer unsteady weather, changeable weather

kwakken I *intr* bump, crash, fall with a thud: *hij kwakte tegen de grond* he landed with a thud on the floor; II *tr (neersmijten)* dump, chuck, dab *(verf)*: *zij kwakte haar tas op het bureau* she smacked her bag down on the desk

kwakzalver quack (doctor)

kwakzalverij quackery

kwal 1 *(dier)* jellyfish; 2 *(scheldwoord)* jerk

kwalificatie qualification(s)

kwalificatieronde qualifying round

kwalificatiewedstrijd qualifying match

kwalificeren I *tr* 1 *(benoemen)* call, describe as; 2 *(geschikt maken)* qualify; II *zich ~ (zich plaatsen)* qualify (for)

kwalijk evil, vile, nasty, *(bw)* vilely, nastily, badly: *de ~e gevolgen van het roken* the bad *(of: detrimental)* effects of smoking; *dat is een ~e zaak* that is a nasty business; *neem me niet ~, dat ik te laat ben* excuse my being late, excuse me for being late; *neem(t) (u) mij niet ~* I beg your pardon; *je kunt hem dat toch niet ~ nemen* you can hardly blame him

kwalitatief qualitative: *~ was het verschil groot* there was a large difference in quality

kwaliteit 1 quality: *hout van slechte ~* low-quality wood; *van slechte ~* (of) poor quality; **2** *(eigenschap ook)* characteristic

kwaliteitscontrole quality control

kwaliteitseisen quality requirements (*of:* standards), requirements as to quality, specifications

kwaliteitsproduct (high-)quality product

kwantificeren quantify

kwantitatief quantitative

kwantiteit quantity, amount

kwantumkorting quantity rebate

kwark fromage frais, curd cheese

kwarktaart *(ongev)* cheesecake

kwart quarter: *voor een ~ leeg* a quarter empty; *het is ~ voor* (of: *over*) *elf* it is a quarter to (*of:* past) eleven, it is ten forty-five (*of:* eleven fifteen)

kwartaal quarter, trimester, *(ond)* term: *(eenmaal) per ~* quarterly

kwartel quail: *zo doof als een ~* as deaf as a post

kwartet quartet: *een ~ voor strijkers* a string quartet

kwartetspel happy families, *(Am)* old maid

kwartetten play happy families (*Am:* old maid)

kwartfinale quarter-finals: *de ~(s) halen* make the quarter-finals

kwartfinalist quarter-finalist

kwartier quarter (of an hour): *het duurde een ~: a) (wachten)* it took a quarter of an hour; *b) (voorstelling)* it lasted a quarter of an hour; *om het ~* every quarter (of an hour) of an hour; *drie ~* three-quarters of an hour

kwartje 25-cent piece, *(Am)* quarter: *het kost twee ~s* it costs fifty cents

kwartnoot crotchet, *(Am)* quarter note

kwarts quartz

kwartshorloge quartz watch

kwast 1 brush; **2** *(versiering op kleding)* tassel, *(klein)* tuft: *met ~en (versierd)* tasselled; **3** *(drank)* (lemon) squash, lemonade

kwatong *(Belg)* scandalmonger: *~en beweren ...* it is rumoured that ...

kwatrijn quatrain

kwebbel chatterbox ‖ *houd je ~ dicht* shut your trap

kwebbelen chatter

kweek 1 cultivation, culture *(ook in laboratorium)*, growing; **2** *(wat gekweekt wordt)* culture, growth

kweekplaats 1 nursery, *(fig ook)* breeding ground; **2** *(fig) (broeinest)* hotbed

kweekvijver fish-breeding pond; *(fig)* breeding ground

kweken 1 grow, cultivate: *gekweekte planten* cultivated plants; *zelf gekweekte tomaten* home-grown tomatoes; **2** *(mbt dieren)* raise, breed: *oesters ~* breed oysters; **3** *(fig)* breed, foster: *goodwill ~* foster

goodwill

kweker grower, *(tuinder)* (market) gardener, *(planten, bomen)* nurseryman

kwekerij nursery, *(groenten)* market garden

kwelgeest tormentor, teaser, pest

kwellen 1 hurt, *(sterker)* torment, torture; **2** *(van geestelijk leed)* torment: *gekweld worden door geldgebrek* be troubled by lack of money; *een ~de pijn* an excruciating pain; **3** *(niet met rust laten)* trouble, worry: *die gedachte bleef hem ~* the thought kept troubling him; *gekweld door wroeging (of: een obsessie)* haunted by remorse (*of:* by an obsession)

kwelling 1 torture, torment; **2** *(leed)* torment, agony: *een brief schrijven is een ware ~ voor hem* writing a letter is sheer torment for him

kwestie question, matter, *(probleem ook)* issue: *een slepende ~* a matter that drags on; *de persoon (of: de zaak) in ~* the person (*of:* matter) in question; *een ~ van smaak* a question (*of:* matter) of taste; *een ~ van vertrouwen* a matter of confidence

kwetsbaar vulnerable: *dit is zijn kwetsbare plek (of: zijde)* this is his vulnerable spot (*of:* side)

kwetsbaarheid vulnerability

kwetsen *(verwonden)* injure, wound, hurt, bruise: *iemands gevoelens ~* hurt s.o.'s feelings; *gekwetste trots* wounded pride

kwetsuur injury

kwetteren twitter

kwiek alert, spry

kwijl slobber

kwijlen slobber: *om van te ~* mouth-watering

kwijt 1 lost: *ik ben mijn sleutels ~* I have lost my keys; *zijn verstand ~ zijn* have lost one's mind; **2** *(verlost van)* rid (of): *ik ben mijn kiespijn ~* my toothache is gone (*of:* over); *hij is al die zorgen ~* he is rid of all those troubles; *die zijn we gelukkig ~* we are well rid of him, good riddance to him; **3** *(vergeten)* deprived (of): *ik ben zijn naam ~* I've forgotten his name; *(fig) nu ben ik het ~* it has slipped my memory; *de weg ~ zijn* be lost, have lost one's way; *ik kan mijn auto nergens ~* I can't park my car anywhere

kwijtraken 1 lose: *zijn evenwicht ~ (ook fig)* lose one's balance (*of:* composure); *de weg ~* lose one's way; **2** *(verkopen)* dispose of, sell: *die zul je makkelijk ~* you will easily dispose of (*of:* get rid) of those

kwijtschelden forgive, let off: *hij heeft mij de rest kwijtgescholden* he has let me off the rest; *van zijn straf is (hem) 2 jaar kwijtgescholden* he had 2 years of his punishment remitted; *iem een straf ~* let s.o. off a punishment

kwijtschelding pardon; *(zonde ook)* absolution: *~ van straf krijgen* be pardoned

kwik mercury: *het ~ stijgt* (of: *daalt*) the thermometer is rising (*of:* falling)

kwikzilver mercury

kwinkslag witticism

kwintet quintet

kwispelen wag: *met de staart ~* wag one's tail

kwistig lavish
kwitantie receipt || *een ~ innen* collect payment

de ~e helft van juli in the latter (*of*: second) half of July; *ik heb voorkeur voor de ~e* I prefer the latter; **II** *bw* **1** *(onlangs)* recently, lately: *ik ben ~ nog bij hem geweest* I visited him recently; **2** *(in tijd, reeks)* last: *morgen op zijn ~* tomorrow at the latest; *op het ~ waren ze allemaal dronken* they all ended up drunk; *voor het ~* for the last time; *toen zag hij haar voor het ~* that was the last time he saw her

laatstgenoemde last (named, mentioned), *(van twee)* latter

laattijdig *(Belg)* tardy, tardily

lab lab

label label, *(etiket)* sticker, *(adreskaartje)* address tag

labelen label

labeur *(Belg)* labour, chore

labeuren *(Belg)* slave away, toil

labiel unstable

labo *(Belg)* lab

laborant laboratory assistant *(of:* technician)

laboratorium lab(oratory)

labrador labrador

labyrint labyrinth

lach laugh, (burst of) laughter: *de slappe ~ hebben* have the giggles; *in de ~ schieten* burst out laughing, *(Am ook)* crack up

lachbui fit of laughter

lachen **1** laugh; *(glimlachen)* smile: *hij kon zijn ~ niet houden* he couldn't help laughing; *laat me niet ~ don't make me laugh;* *er is (valt) niets te ~* this is no laughing matter; *om* (of: *over*) *iets ~* laugh about (of: at); *tegen iem ~* laugh at s.o.; *wie het laatst lacht, lacht het best* he who laughs last laughs longest; **2** (met *om*) laugh at: *daar kun je nu wel om ~, maar …* it's all very well to laugh, but …

lachend laughing, smiling

lacherig giggly

lachertje laugh, joke

lachfilm comedy

lachsalvo burst of laughter

lachspiegel carnival mirror

lachwekkend laughable, *(belachelijk)* ridiculous

laconiek laconic

ladder ladder; scale ‖ *een ~ in je kous* a run (of: ladder) in your stocking

ladekast chest (of drawers), *(archief)* filing cabinet

laden **1** load: *koffers uit de auto ~* unload the bags from the car; **2** *(mbt elektriciteit)* charge: *een geladen atmosfeer* a charged atmosphere

lading **1** cargo, *(schip)* load: *te zware ~* overload; **2** *(elektriciteit)* charge

laf cowardly

lafaard coward

lafheid cowardice

lagedrukgebied low-pressure area

lager bearing

lagerbier lager (beer)

Lagerhuis Lower House, *(Groot-Brittannië en Canada)* House of Commons

¹**la** drawer, *(geld)* till: *de ~ uittrekken* (of: *dichtschuiven)* open (of: shut) a drawer

²**la** *(muz)* la

laadbak (loading) platform

laadklep tailboard

laadruim cargo hold, *(vliegtuig ook)* cargo compartment, freight compartment

laadvermogen carrying capacity

laag **I** *zn* **1** layer, *(beschermlaag)* coating, *(dun)* film, *(dun)* sheet, *(verf)* coat; **2** *(in de maatschappij)* stratum: *in brede lagen van de bevolking* in large sections of the population; *de volle ~ krijgen* get the full blast (of s.o.'s disapproval); **II** *bn, bw* **1** low: *een laag bedrag* a small amount; *het gas ~ draaien* turn the gas down; *de barometer staat ~* the barometer is low; **2** *(gemeen)* low, mean

laag-bij-de-gronds commonplace: *~e opmerkingen* crude remarks

laagseizoen low season, off season

laagte depression, hollow *(mbt heuvels)*

laagvlakte lowland plain, lowland(s)

laagwater low tide

laaien blaze

laaiend **1** wild; **2** *(woedend)* furious

laan avenue: *iem de ~ uitsturen* sack s.o., fire s.o., *(wegjagen)* send s.o. packing

laars boot

laat late: *van de vroege morgen tot de late avond* from early in the morning till late at night; *een wat late reactie* a rather belated reaction; *is het nog ~ geworden gisteravond?* did the people stay late last night?; *~ opblijven* stay up late; *gisteravond ~ late* last night; *hoe ~ is het?* what's the time?, what time is it?; *'s avonds ~* late at night; *te ~ komen (op school, op kantoor, op je werk)* be late (for school, at the office, for work); *een dag te ~* a day late (of: overdue); *~ in de middag* (of: *het voorjaar)* in the late afternoon (of: spring); *beter ~ dan nooit* better late than never

laatkomer latecomer

laatst **I** *bn* **1** last: *dat zou het ~e zijn wat ik zou doen* that is the last thing I would do; **2** *(meest recent)* latest, last: *in de ~e jaren* in the last few years, in recent years; *de ~e tijd* recently, lately; **3** *(afsluitend)* final, last: *voor de ~e keer optreden* make one's last (of: final) appearance; **4** *(van twee dingen)* latter: *in*

La

lagerwallee shore: *aan ~ geraken* come down in the world

lagune lagoon

lak lacquer, varnish, *(voor nagels)* polish: *de ~ is beschadigd* the paintwork is damaged

lakei lackey

laken 1 sheet, *(tafel)* tablecloth: *de ~s uitdelen* rule the roost, run the show; **2** *(stof)* cloth, worsted: *het ~ van een biljart* the cloth of a billiard table; *van hetzelfde ~ een pak krijgen, (Belg) van hetzelfde ~ een broek krijgen* have a taste of one's own medicine

lakken 1 lacquer, varnish, polish *(nagels)*; **2** *(verven)* paint, enamel

laklaag (layer of) lacquer *(of:* varnish, enamel)

laks lax

lakwerk paint(work)

¹lam lamb

²lam 1 paralysed, *(fig ook)* out of action; **2** *(krachteloos)* numb

lama llama

lambrisering wainscot(t)ing, panelling

lamel plate, (laminated) layer, *(strook)* strip

laminaat laminate

lamlendig shiftless

lamp lamp; light; *(gloeilamp)* bulb: *er gaat een ~je bij mij branden* that rings a bell; *tegen de ~ lopen* get caught

lampion Chinese lantern

lamsbout leg of lamb

lamskarbonade lamb chop

lamswol lambswool

lanceerbasis launch site, launch pad

lanceren launch; *(raket ook)* blast, lift off: *een bericht (of: een gerucht) ~ spread a report (of:* a rumour)

lancering launch(ing); *(raket ook)* blast-off, lift-off

lancet lancet

land 1 land: *aan ~ gaan* go ashore; *te ~ en ter zee* on land and sea; *~ in zicht!* land ho!; **2** *(staat)* country: *~ van herkomst* country of origin; *in ons ~* in this country

landaanwinning land reclamation

landarbeider farm worker, agricultural worker

landbouw farming: *~ en veeteelt: a) (voor vlees)* arable farming and stockbreeding; *b) (voor melk)* arable and dairy farming

landbouwbedrijf farm

landbouwer farmer

landbouwgrond agricultural land, farming land, farmland

landbouwhogeschool agricultural university; *(in naam vaak)* University of Agriculture

landbouwkundig agricultural

landbouwmachine agricultural machine, farming machine

landeigenaar landowner

landelijk 1 national; **2** *(mbt het platteland)* rural, country

landen land: *~ op Zaventem* land at Zaventem

landengte isthmus, neck of land

landenwedstrijd international match *(of:* contest)

landerig down in the dumps, listless

landerijen (farm)land(s)

landgenoot (fellow) countryman

landgoed country estate

landhuis country house

landing landing: *een zachte ~* a smooth landing

landingsbaan runway

landingsgestel landing gear; undercart

landinwaarts inland

landkaart map

landklimaat continental climate

landloper tramp, vagrant

landmacht army, land forces

landmijn landmine

landschap landscape

landsverdediging *(Belg)* defence

landtong spit of land, headland

landverraad (high) treason

landweg country road lane; *(zandweg)* (country) track

lang I *bn* long; *(persoon, staand voorwerp)* tall: *de kamer is zes meter ~* the room is six metres long; *een ~e vent* a tall guy; **II** *bw* **1** long, (for) a long time: *ik blijf geen dag ~er* I won't stay another day, I won't stay a day longer; *~ duren* take a long time, last long *(of:* a long time); *ze leefden ~ en gelukkig* they lived happily ever after; *~ zal hij leven!* for he's a jolly good fellow!; *~ meegaan* last (a long time); *~ opblijven* stay up late; *ze kan niet ~er wachten* she can't wait any longer *(of:* more); **2** *(met ontkenning)* far (from), (not) nearly: *dat smaakt ~ niet slecht* it doesn't taste at all bad; *hij is nog ~ niet zo ver* he hasn't got nearly as far as that; *wij zijn er nog ~ niet* we've (still got) a long way to go

langdradig long-winded

langdurig long(-lasting), lengthy; long-standing, long-established

langeafstandsloper long-distance runner

langgerekt long-drawn-out, elongated

langlaufen ski cross-country

langlopend long-term

langs I *vz* **1** along: *~ de rivier wandelen* go for a walk along the river; **2** via, by (way, means of): *~ de regenpijp naar omlaag* down the drainpipe; *hier (of: daar) ~* this *(of:* that) way; **3** *(voorbij)* past: *~ elkaar heen praten* talk at cross purposes; **4** *(aan bij)* in at: *wil jij even ~ de bakker rijden?* could you just drop in at the bakery?; **II** *bw* **1** along: *in een boot de kust ~ varen* sail along the coast, skirt the coast; **2** *(aan)* round, in, by: *ik kom nog wel eens ~* I'll drop in *(of:* round, by) sometime; **3** *(voorbij)* past: *hij kwam net ~* he just came past

langsgaan 1 pass (by); **2** *(aangaan)* call in (at)

langskomen 1 come past, come by, pass by; **2** *(op bezoek komen)* come round *(of:* over), drop by, drop in

langsrijden ride past *(op paard, fiets enz.);* drive past *(met auto)*

langstlevende survivor

langszij alongside

languit (at) full-length, stretched out

langverwacht long-awaited

langwerpig elongated, long

langzaam 1 slow: *een langzame dood sterven* die a slow *(of:* lingering*) death; ~ aan!* slow down!, (take it) easy!; *het ~ aan doen* take things eas(il)y; *~ maar zeker* slowly but surely; **2** *(geleidelijk)* gradual, bit by bit, little by little: *~ werd hij wat beter* he gradually got a bit better

langzamerhand gradually, bit by bit, little by little: *ik krijg er ~ genoeg van* I'm beginning to get tired of it

lans lance

lantaarn 1 street lamp, street light; **2** lantern; *(zaklamp)* torch; *(Am)* flashlight

lantaarnpaal lamp post

lanterfanten lounge (about), loaf (about), sit about *(of:* around) *(vnl. thuis)*

lap piece, length, *(vod)* rag

Lap Lapp

lapjeskat tabby-and-white cat, *(Am)* calico cat

Lapland Lapland

Laplander Lapp, Laplander

lapmiddel makeshift (measure), stopgap

lapnaam *(Belg) (bijnaam)* nickname

lappen patch, mend, cobble *(schoenen)* ‖ *ramen ~* cobble the windows; *dat zou jij mij niet moeten ~* don't try that (one) on me; *iem erbij ~* blow the whistle on s.o.

lappendeken patchwork quilt

lariekoek (stuff and) nonsense, rubbish

lariks larch

larve larva

las weld *(ijzer),* joint *(hout); (film)* splice

lasapparaat welding apparatus, welder, *(film)* splicer

lasbril welding goggles

laserstraal laser beam

lassen I *intr, tr* weld *(ijzer, plastic);* join *(hout); (film)* splice; **II** *tr (invoegen, aanbrengen)* put in, *(ook fig)* insert

lasser welder *(metaal)*

lasso lasso

last 1 load, burden *(op schouders; ook fig): hij bezweek haast onder de ~* he nearly collapsed under the burden; **2** *(kosten, uitgave)* cost(s), expense(s): *sociale ~en* National Insurance contributions, *(Am)* social security premiums; **3** *(hinder)* trouble, *(ongemak)* inconvenience: *iem tot ~ zijn* bother s.o.; *wij hebben veel ~ van onze buren* our neighbours are a great nuisance to us; **4** *(beschuldiging)* charge

laster *(gesproken)* slander; *(geschreven)* libel

lastercampagne smear campaign

lasteren *(gesproken)* slander; *(geschreven)* libel

lastig difficult: *een ~ vraagstuk* a tricky problem; *iem ~ vallen* bother *(of:* trouble) s.o., *(vrouw op straat)* harass s.o.

lastpost nuisance, pest

lat slat: *de bal kwam tegen de ~* the ball hit the crossbar; *zo mager als een ~* (as) thin as a rake

laten I *tr* **1** omit, keep from: *laat dat!* stop that!; *hij kan het niet ~* he can't help (doing) it; *laat maar!* never mind!; **2** leave, let: *waar heb ik dat potlood gelaten?* where did I leave *(of:* put) that pencil?; *iem ~ halen: a) (bijv. de huisarts)* send for s.o.; *b) (bijv. van het station)* have s.o. fetched; *daar zullen we het bij ~!* let's leave it at that!; **3** *(opbergen)* put: *waar moet ik het boek ~?* where shall I put *(of:* leave) the book?; **4** *(toegang geven tot)* show (into), let (into): *hij werd in de kamer gelaten* he was shown into the room; **5** *(toestaan)* let, allow: *laat de kinderen maar* just let the kids be; **II** *hulpww (mbt wenselijkheid, aansporing)* let: *~ we niet vergeten, dat …* don't let us forget that …

latent latent

later I *bw* later (on), afterwards, *(op korte termijn)* presently: *enige tijd ~* after some time *(of:* a while), a little later (on); *even ~* soon after, presently; *niet ~ dan twee uur* no later than two o'clock; *~ op de dag* later that (same) day, later in the day; **II** *bn* later, subsequent, *(toekomstige)* future: *op ~e leeftijd* at an advanced age, late in life

Latijn Latin

Latijns-Amerika Latin America

Latijns-Amerikaans Latin-American

laurier 1 laurel; **2** bay *(cul)*

lauw lukewarm

lauweren laurels: *op zijn ~ rusten* rest on one's laurels

lava lava

lavabo *(Belg) (wastafel)* washbasin

laveloos sloshed, loaded

lavendel lavender

laveren *(mbt zeilen)* tack; *(fig)* steer a middle course

lawaai noise, din, *(sterker)* racket

lawaaierig noisy

lawine avalanche, *(fig ook)* barrage *(vragen, kritiek)*

laxeermiddel laxative

lbo *afk van lager beroepsonderwijs* lower vocational education

leao *afk van lager economisch en administratief onderwijs* lower economic and administrative education *(of:* training)

leaseauto leased car

leasen lease

lectuur reading (matter)

ledematen limbs

ledental membership (figure)

lederen, leren leather

lederwaren leather goods *(of:* articles)

ledikant bed(stead)

leed sorrow, grief

leedvermaak malicious pleasure

leefbaar liveable, bearable, endurable *(leven)*: *een huis ~ maken* make a house inhabitable

leefgemeenschap *(bijv. van hippies)* commune; *(bijv. van monniken)* community

leefmilieu environment

leeftijd age: *Gérard is op een moeilijke ~* Gérard is at an awkward age; *hij bereikte de ~ van 65 jaar* he lived to be 65; *op vijftienjarige ~* at the age of *(of:* aged) fifteen; *Eric ziet er jong uit voor zijn ~* Eric looks young for his age; *(Belg) de derde ~* the over sixty-fives

leeftijdgenoot contemporary, peer

leeftijdsgrens age limit

leeftijdsgroep age group

leefwijze lifestyle, way of life, manner of living

leeg 1 empty, vacant *(plaats)*, flat *(band)*, blank *(bladzijde, geluidsband)*: *een lege accu* a flat battery; *met lege handen vertrekken (fig)* leave empty-handed; 2 *(vrij van werk)* idle, empty; 3 *(fig)* empty, hollow

leegeten finish, empty

leeggoed *(Belg)* empties

leeghalen empty; clear out *(gebouw)*, turn out *(zakken)*; *(stelen)* ransack

leeglopen (become) empty, become deflated *(ballon)*, go flat *(band)*, run down *(accu)*

leegmaken empty, finish *(fles)*, clear *(ruimte)*: *zijn zakken ~* turn out one's pockets

leegstaan be empty *(of:* vacant)

leegte emptiness: *hij liet een grote ~ achter* he left a great void (behind him)

leek layman

leem loam

leen loan: *iets van iem in (te) ~ hebben* have sth on loan from s.o.

leenheer liege (lord)

leenman vassal

leenstelsel feudal system

leer I *het* leather; II *de* apprenticeship: *in de ~ zijn (bij)* serve one's apprenticeship (with)

leerboek textbook

leergang (educational) method, methodology

leerjaar (school) year: *beroepsvoorbereidend ~* vocational training year

leerkracht teacher, instructor

leerling 1 student, pupil; 2 *(volgeling)* disciple, follower; 3 apprentice, trainee: *leerling-verpleegster* trainee nurse

leerlooierij 1 tanning; 2 *(werkplaats, zaak)* tannery

leermeester master

leermethode teaching method, training method

leermiddelen educational aids

leerplan syllabus, curriculum

leerplicht compulsory education

leerplichtig of school age

leerrijk instructive, informative

leerschool school

leerstoel chair

leerstof subject matter, (subject) material

leertje washer

leervak subject

leerweg study option

leerzaam instructive, informative: *een leerzame ervaring* a valuable experience

leesbaar 1 legible *(mbt handschrift)*; 2 *(aangenaam om te lezen)* readable

leesbaarheid 1 *(mbt handschrift)* legibility; 2 *(mbt inhoud)* readability

leesblind dyslexic

leesblindheid dyslexia

leesmoeder (parent) volunteer reading teacher

leesportefeuille portfolio (with magazines)

leest last

leesteken punctuation mark

leesvaardigheid reading proficiency *(of:* skill)

leeszaal reading room; *(openbaar ook)* public library

leeuw lion: *zo sterk als een ~* as strong as an ox

Leeuw *(astrol)* Leo

leeuwendeel lion's share

leeuwenkooi lion's cage

leeuwentemmer lion-tamer

leeuwerik lark

leeuwin lioness

lef guts, nerve: *heb het ~ niet om dat te doen* don't you dare do that

legaal legal

legaliseren legalize

legbatterij battery (cage)

legen empty

legendarisch legendary

legende legend

leger 1 army; *(ve staat ook)* armed forces: *een ~ op de been brengen* raise an army; *in het ~ gaan* join the army; 2 *(ve haas)* lair

legerbasis army base

legeren 1 encamp; 2 *(inkwartieren)* quarter; *(bij burgers)* billet

legergroen olive drab *(of:* green)

legering alloy

legerkamp army camp

legerkorps army corps

legermacht armed forces; *(alleen landmacht)* army

leggen 1 lay (down), *(worstelen, boksen)* floor: *te ruste(n) ~* lay to rest; 2 *(van kippen)* lay; 3 *(zetten)* put, put aside: *geld opzij ~* put money aside; *hij legde het boek opzij tot 's avonds* he put the book aside till the evening

legging leggings *(mv)*

legioen 1 legion; 2 supporters

legitimatie identification, proof of identity

legitimeren, zich identify oneself, prove one's identity

lego Lego

legpuzzel jigsaw (puzzle)

leguaan iguana

lei slate: *(weer) met een schone ~ beginnen* start again with a clean slate

leiden 1 lead; bring, guide: *iem ~ naar* lead *(of:* steer) s.o. towards; *de nieuwe bezuinigingen zullen ertoe ~ dat ...* as a result of the new cutbacks, ...; *de weg leidde ons door het dorpje* the road took *(of:* led) us through the village; *zij leidde hem door de gangen* she led *(of:* guided) him through the corridors; *tot niets ~* lead nowhere; **2** *(besturen)* manage, conduct *(orkest, debat),* direct *(onderzoek, gesprek): zich laten ~ door* be guided *(of:* ruled) by; **3** *(sport)* (be in the) lead: *een druk leven ~* lead a busy life

leider leader; *(handel)* director, manager; *(gids)* guide

leiderstrui leader's jersey: *(bij wielrennen) de gele ~* the yellow jersey

leiding 1 guidance, direction: *onder zijn bekwame ~* under his (cap)able leadership; *~ geven (aan)* direct *(werkzaamheden),* lead *(team),* manage, run *(bedrijf),* govern *(volk, vereniging),* preside over, chair *(vergadering); wie heeft er hier de ~?* who's in charge here?; **2** *(bestuur)* direction, *(ve onderneming)* management, *(bestuurders ook)* managers, *(bestuurders ook)* (board of) directors, *(leiders)* leadership: *de ~ heeft hier gefaald* the management is at fault here; **3** *(buis binnenshuis)* pipe; *(dunne draad)* wire; *(dik)* cable: *elektrische ~* electric wire *(of:* cable); **4** lead: *Ajax heeft de ~ met 2 tegen 1* Ajax leads 2-1

leidinggevend executive, managerial, management

leidingwater tap water

leidraad guide(line)

leidsel rein

leien slate

lek I *zn* leak(age), puncture, flat *(band): een ~ dichten* stop a leak; **II** *bn* leaky, punctured, flat *(band): een ~ke band krijgen* get a puncture

lekkage leak(age)

lekken 1 leak, be leaking, *(schip ook)* take in water, *(kraan ook)* drip; **2** *(doorsijpelen)* leak, seep

lekker I *bn* **1** nice, good, tasty, *(erg lekker)* delicious: *ze weet wel wat ~ is* she knows a good thing when she sees it; *is het ~? ja, het heeft me ~ gesmaakt* do you like it? yes, I enjoyed it; **2** *(van geur)* nice, sweet; **3** *(gezond)* well, fine: *ik ben niet ~* I'm not feeling too well; **4** *(aardig)* nice, pleasant; **5** *(prettig)* nice, comfortable *(meubels, huis),* lovely: *~ rustig* nice and quiet; **II** *bw* **1** well, deliciously: *~ (kunnen) koken* be a good cook; **2** *(prettig)* nicely, fine: *slaap ~, droom maar ~* sleep tight, sweet dreams; *het ~ vinden om* like to

lekkerbek gourmet, foodie

lekkerbekje fried fillet of haddock

lekkernij delicacy, *(snoep)* sweet

lekkers sweet(s); *(hapje)* snack

lel clout

lelie (madonna) lily

lelietje-van-dalen lily of the valley

lelijk I *bn* **1** ugly: *het was een ~ gezicht* it looked awful; **2** *(ongunstig)* bad, nasty; **II** *bw* badly, nastily: *zich ~ vergissen in iem (iets)* be badly mistaken about s.o. (sth)

lemen loam

lemmet blade

lemming lemming

lende 1 lumbar region, small of the back; **2** *(mbt dieren)* loin, haunch

lendebiefstuk sirloin

lenden loins

lenen 1 *(uitlenen)* lend (to): *ik heb hem geld geleend* I have lent him some money; **2** *(te leen krijgen)* borrow (of, from): *mag ik je fiets vandaag ~?* can I borrow your bike today?

lener 1 *(gever)* lender; **2** *(ontvanger)* borrower

lengte 1 length: *een plank in de ~ doorzagen* saw a board lengthways *(of:* lengthwise); **2** *(van persoon, plant)* length, height: *hij lag in zijn volle ~ op de grond* he lay full-length on the ground; *over een ~ van 60 meter* for a distance of 60 metres

lengtecirkel meridian

lengterichting longitudinal direction, linear direction

lenig lithe

lenigheid litheness

lening loan: *iem een ~ verstrekken* grant s.o. a loan

lens lens, *(contactlenzen ook)* contacts

lente spring: *in de ~* in (the) spring, in springtime

lepel 1 spoon, *(grote scheplepel)* ladle, *(lepeltje)* teaspoon: *een baby met een ~ voeren* spoonfeed a baby; **2** *(hoeveelheid)* spoonful

lepelaar spoonbill

lepra leprosy

lepralijder leprosy sufferer; leper

leraar teacher: *hij is ~ Engels* he's an English teacher

lerarenkamer teachers' room, staffroom

lerarenopleiding secondary teacher training (course): *de tweedefaselerarenopleiding* post-graduate teacher training (course)

lerarenvergadering staff meeting

¹leren leather

²leren I *intr, tr* **1** learn ((how) to do): *een vak ~* learn a trade; *iem ~ kennen* get to know s.o.; *op dat gebied kun je nog heel wat van hem ~* he can still teach you a thing or two; *hij wil ~ schaatsen* he wants to learn (how) to skate; *iets al doende ~* pick sth up as you go along; *iets van buiten ~* learn sth by heart; **2** *(mbt leraar)* teach: *de ervaring leert ...* experience teaches ...; **3** *(studeren)* study, learn: *haar kinderen kunnen goed (of:* niet) *~* her children are good *(of:* no good) at school; **II** *tr* **1** *(onderwijzen)* teach (how) to do sth): *iem ~ lezen en schrijven* teach s.o. to read and write; **2** *(van een gewoonte)* pick up, learn: *hij leert het al aardig* he is beginning to get the hang of it

les 1 lesson, class: *ik heb ~ van 9 tot 12* I have lessons *(of:* classes) from 9 to 12; *een ~ laten uitvallen* drop a class; *~ in tekenen* drawing *(of:* art) classes; **2** *(fig)* lecture, lesson: *dat is een goede ~ voor hem geweest* that's been a good lesson to him; *iem de ~ lezen, (Belg) iem de ~ spellen* give s.o. a talking-to

lesauto learner car, *(Am)* driver education car

lesbienne lesbian

lesbisch lesbian

lesgeld tuition fee(s)

lesgeven teach

leslokaal classroom

lesrooster school timetable *(Am:* schedule)

lessen *(mbt dorst)* quench

lessenaar (reading, writing) desk, lectern

lesuur lesson, period

Letland Latvia

Lets Latvian

letsel injury

letten 1 *(acht slaan op)* pay attention (to): *daar heb ik niet op gelet* I didn't notice; *op zijn gezondheid ~* watch one's health; *let op mijn woorden* mark my words; *let maar niet op haar* don't pay any attention to her; **2** *(toezicht houden op)* take care of: *goed op iem ~* take good care of s.o.; *er wordt ook op de uitspraak gelet* pronunciation is also taken into consideration *(of:* account)

letter letter; *(mv, opschrift)* lettering: *met grote ~s in* capitals

lettergreep syllable

letterkunde literature

letterkundig literary

letterlijk literal: *iets al te ~ opvatten* take sth too literally

lettertype type(face), fount, *(Am)* font

leugen lie: *een ~tje om bestwil* a white lie

leugenaar liar

leugendetector lie detector

leuk 1 funny, amusing: *hij denkt zeker dat hij ~ is* he seems to think he is funny; *ik zie niet in wat daar voor ~s aan is* I don't see the funny side of it; **2** *(aardig)* pretty, nice: *een ~ bedrag* quite a handsome sum; *echt een ~e vent (knul)* a really nice guy; *dat staat je ~* that suits you; **3** *(prettig)* nice, pleasant: *ik vind het ~ werk* I enjoy the work; *iets ~ vinden* enjoy *(of:* like) sth; *laten we iets ~s gaan doen* let's do sth nice; *dat je gebeld hebt* it was nice of you to call

leukemie leukaemia

leukoplast sticking plaster

leunen lean (on, against): *achterover ~* lean back, recline

leuning 1 (hand)rail; **2** *(mbt meubels)* back; arm (rest); **3** *(balustrade)* rail(ing), guard rail

leunstoel armchair

leuren peddle

leus slogan, motto

leut fun

leuteren drivel

Leuven Leuven, Louvain

leven I *zn* **1** life, existence: *de aanslag heeft aan twee mensen het ~ gekost* the attack cost the lives of two people; *het ~ schenken aan* give birth to; *zijn ~ wa-* gen risk one's life; *nog in ~ zijn* be still alive; *zijn ~ niet (meer) zeker zijn* be not safe here (any more); **2** *(werkelijkheid)* life, reality: *een organisatie in het ~ roepen* set up an organization; **3** *(levensduur)* life, lifetime: *zijn hele verdere ~* for the rest of his life; *hun ~ lang hebben ze hard gewerkt* they worked hard all their lives; **4** *(levenswijze)* life, living: *het ~ wordt steeds duurder* the cost of living is going up all the time; *zijn ~ beteren* mend one's ways; **5** *(drukte)* life, liveliness: *er kwam ~ in de brouwerij* things were beginning to liven up; **II** *intr* **1** live, be alive: *blijven ~* stay alive; *en zij leefden nog lang en gelukkig* and they lived happily ever after; *leef je nog?* are you still alive?; *stil gaan ~* retire; *naar iets toe ~* look forward to sth; **2** *(fig)* live (on); **3** *(in zijn onderhoud voorzien)* live (on, by), *(vaak min)* live off: *zij moet ervan ~* she has to live on it

levend living, live *(dieren, muziek)*, alive

levendig 1 lively; **2** *(vol leven)* lively, vivacious: *~ van aard zijn* have a vivacious nature; **3** *(duidelijk)* vivid, clear: *ik kan mij die dag nog ~ herinneren* I remember that day clearly; **4** *(vurig)* vivid, spirited: *over een ~e fantasie beschikken* have a vivid imagination

levensbedreigend life-threatening

levensbehoefte 1 necessity of life; **2** *(mv)* *(levensbenodigdheden)* necessities (of life)

levensbelang vital importance

levensbeschrijving biography, curriculum vitae

levensduur *(fig)* **1** lifespan: *de gemiddelde ~ van de Nederlander* the life expectancy of the Dutch; **2** *(gebruiksduur)* life

levensecht I *bn* lifelike; **II** *bw* in a lifelike way *(of:* manner)

levenservaring experience of life

levensgevaar danger of life, peril to life: *buiten ~ zijn* be out of danger

levensgevaarlijk perilous

levensgezel life partner *(of:* companion)

levensgroot 1 *(op natuurlijke grootte)* life-size(d); **2** *(zeer groot)* huge, enormous

levensjaar year of (one's) life

levenslang I *bn* lifelong: *~e herinneringen* lasting memories; *hij kreeg ~* he was sentenced to life (imprisonment); **II** *bw* all one's life

levensloop 1 course of life; **2** curriculum vitae

levenslustig high-spirited

levensmiddelen food(s)

levensomstandigheden living conditions, circumstances *(of:* conditions) of life

levensonderhoud support, means of sustaining life: *de kosten van ~ stijgen (of: dalen)* living costs are rising *(of:* falling)

levenspartner life partner, life companion

levenssfeer privacy, private life

levensstandaard standard of living

levensstijl lifestyle, style of living

levensverwachting 1 expectation of *(of:* from) life; **2** *(mbt leefduur)* life expectancy

levensverzekering life insurance (policy)
levenswandel conduct (in life), life
levenswerk life's work, lifework
levenswijze way of life
lever liver: *(Belg) het ligt op zijn ~* it rankles him; *iets op zijn ~ hebben* have sth on one's mind
leverancier supplier
leverantie delivery, supply(ing)
leverbaar available, ready for delivery: *niet meer ~* out of stock
leveren 1 supply, deliver; **2** *(verschaffen)* furnish, provide: *iemand stof ~ voor een verhaal* provide s.o. with material for a story; **3** *(klaarspelen)* fix, do, bring off: *ik weet niet hoe hij het hem geleverd heeft* I don't know how he pulled it off
levering delivery
leverpastei liver paté
levertijd delivery time
lezen 1 read: *je handschrift is niet te ~* your (hand)writing is illegible; *veel ~ over een schrijver* (of: *een bepaald onderwerp*) read up on a writer (of: on a particular subject); *ik lees hier dat ...* it says here that ...; **2** *(voorlezen)* read (out, aloud): *de angst stond op zijn gezicht te ~* anxiety was written all over his face
lezer reader: *het aantal ~s van deze krant neemt nog steeds toe* the readership of this newspaper is still increasing
lezing 1 reading: *bij oppervlakkige* (of: *nauwkeurige*) *~* on a cursory (of: a careful reading); **2** *(spreekbeurt)* lecture
liaan liana, liane
Libanees Lebanese
Libanon (the) Lebanon
libel dragonfly
liberaal 1 liberal; *(in Ned ook)* conservative; **2** *(ruimdenkend)* liberal, broad-minded
liberaliseren liberalize
liberalisme liberalism
Liberia Liberia
libero *(sport)* sweeper
libido libido, sex drive
Libië Libya
Libiër Libyan
licentiaat I *de (Belg) (persoon)* licentiate; **II** *het (waardigheid, graad)* licentiate, licence
licentiaatsthesis *(Belg)* licentiate's thesis, *(ongev)* M.A. thesis, M.Sc. thesis
licentie 1 licence; **2** *(startvergunning)* permit
lichaam 1 body: *over zijn hele ~ beven* shake all over; **2** *(romp)* trunk
lichaamsbeweging (physical) exercise, *(mv)* gymnastics
lichaamsbouw build, figure
lichaamsdeel part of the body, *(arm of been)* limb
lichaamsverzorging personal hygiene
lichamelijk physical
licht I *zn* light: *tussen ~ en donker* in the twilight; *waar zit de knop van het ~?* where's the light

switch?; *groot ~* full beam; *dat werpt een nieuw ~ op de zaak* that puts things in a different light; *het ~ aandoen* (of: *uitdoen*) put the light on (of: off); *toen ging er een ~je (bij me) op* then it dawned on me; *het ~ staat op rood* the light is red; *aan het ~ komen* come to light; **II** *bn* **1** *(niet zwaar)* light, delicate: *zij voelde zich ~ in het hoofd* she felt light in the head; *een kilo te ~* a kilogram underweight; **2** *(goed verlicht)* light, bright: *het wordt al ~* it is getting light; **3** *(helder)* *(ook in sam)* light, pale *(zeer licht)*; **4** *(gemakkelijk)* light, easy; **5** *(gering)* light, slight: *een ~e afwijking hebben* be a bit odd; *een ~e blessure* a minor injury; **III** *bw* **1** lightly, *(lopen, slapen, met weinig bagage)* light: *~ slapen* sleep light; **2** *(een beetje)* slightly; **3** *(gemakkelijk)* easily: *~ verteerbaar* (easily) digestible, light; **4** *(zeer)* highly: *~ ontvlambare stoffen* highly (in)flammable materials
lichtbak illuminated sign
lichtelijk slightly
lichten 1 lift, raise; **2** *(eruit halen)* remove: *iem van zijn bed ~* arrest s.o. in his bed
lichtend shining
lichte(r)laaie: *het gebouw stond in ~* the building was in flames *(of:* ablaze)
lichtgelovig gullible
lichtgevend luminous
lichting 1 *(jaargenoten)* levy, draft; **2** *(mbt brievenbus)* collection
lichtjaar light year
lichtkrans halo, *(sterrenk ook)* aureole
lichtmast lamp-post, lamp standard
lichtnet (electric) mains, lighting system: *een apparaat op het ~ aansluiten* connect an appliance to the mains; *op het ~ werken* run off the mains
lichtpen light pen(cil)
lichtpunt 1 point (of: spot) of light; **2** *(fig)* ray of hope
lichtreclame illuminated advertising, neon signs *(of:* advertising)
lichtschip lightship
lichtshow light show
lichtsignaal light signal, flash: *een ~ geven* flash
lichtsnelheid speed of light
lichtstraal ray of light, *(breder)* beam *(of:* shaft) of light
lichtvaardig rash
lichtzinnig 1 frivolous: *~ omspringen met* trifle with; **2** *(losbandig)* light, loose: *~ leven* live a loose life
lichtzinnigheid frivolity
lid 1 member: *het aantal leden bedraagt ...* the membership is ...; *~ van de gemeenteraad* (town) councillor; *~ van de Kamer* Member of Parliament, M.P.; *deze omroep heeft 500.000 leden* this broadcasting company has a membership of 500,000; *~ worden van* join, become a member of; *~ zijn van de bibliotheek* belong to the library; *~ zijn van* be a member of, be (of: serve) on *(comité e.d.)*; *zich als*

~ *opgeven* apply for membership; **2** *(van het lichaam), (ledemaat ook)* limb: *recht van lijf en leden* straight-limbed; *het (mannelijk)* ~ the (male) member

lidgeld *(Belg) (contributie)* subscription

lidkaart *(Belg) (bewijs van lidmaatschap)* membership card

lidmaatschap membership: *bewijs van* ~ membership card; *iem van het* ~ *van een vereniging uitsluiten* exclude s.o. from membership of a club; *het* ~ *kost €25,-* the membership fee is 25 euros; *zijn* ~ *opzeggen* resign one's membership

lidmaatschapskaart membership card

lidstaat member state

lidwoord article: *bepaald en onbepaald* ~ definite and indefinite article

lied song: *het hoogste* ~ *zingen* be wild with joy

lieden folk, people: *dat kun je verwachten bij zulke* ~ that's what you can expect from people like that

liedje song: *het is altijd hetzelfde* ~ it's the same old story

liedjesschrijver songwriter

lief I *zn* **1** girlfriend, boyfriend, beloved; **2** joy: ~ *en leed met iem delen* share life's joys and sorrows with s.o.; **II** *bn* **1** dear, beloved: *(maar) mijn lieve kind* (but) my dear; *(in brieven) Lieve Maria* Dear Maria; **2** *(vriendelijk; aangenaam)* nice, sweet: *een* ~ *karakter* a sweet nature, a kind heart; *zij zijn erg* ~ *voor elkaar* they are very devoted to each other; *dat was* ~ *van haar om jou mee te nemen* it was nice of her to take you along; **3** *(mooi)* dear, sweet: *er* ~ *uitzien* look sweet (*of:* lovely); **4** *(dierbaar)* dear, treasured: *iets voor* ~ *nemen* put up with sth, make do with sth; *tegenslagen voor* ~ *nemen* take the rough with the smooth; **III** *bw* sweetly, nicely: *iem* ~ *aankijken* give s.o. an affectionate look; *ik ga net zo* ~ *niet* I'd (just) as soon not go

liefdadig charitable: *een* ~ *doel* a good cause; *het is voor een* ~ *doel* it is for charity; ~*e instellingen* charitable institutions

liefdadigheid charity, benevolence, beneficence: ~ *bedrijven* do charitable work

liefdadigheidsconcert charity concert; *(voor één persoon)* benefit concert

liefdadigheidsinstelling charity, charitable institution

liefde love: *haar grote* ~ her great love; *kinderlijke* ~ childish love (*of:* affection), *(van kind voor ouder)* filial love (*of:* affection); *een ongelukkige* ~ *achter de rug hebben* have suffered a disappointment in love; *vrije* ~ free love; *de ware* ~ true love; *iemands* ~ *beantwoorden* return s.o.'s love (*of:* affection); *de* ~ *bedrijven* make love; *geluk hebben in de* ~ be fortunate (*of:* successful) in love; ~ *op het eerste gezicht* love at first sight; *hij deed het uit* ~ he did it for love; *trouwen uit* ~ marry for love; *de* ~ *voor het vaderland* (the) love of one's country; ~ *voor de kunst* love of art; ~ *is blind* love is blind

liefdesbrief love letter

liefdesleven love life

liefdeslied love song

liefdesverdriet pangs of love: ~ *hebben* be disappointed in love

liefdevol loving: ~*le verzorging* tender loving care; *iem* ~ *aankijken* give s.o. a loving look

liefdewerk charity, charitable work: *het is* ~ *oud papier* it's for love only

liefhebben love

liefhebber lover: *een* ~ *van chocola* a chocolate lover; *een* ~ *van opera* an opera lover (*of:* buff); *zijn er nog* ~*s?* (are there) any takers?; *daar zullen wel* ~*s voor zijn* there are sure to be customers for that

liefhebberij hobby, pastime: *een dure* ~ *(fig)* an expensive hobby; *tuinieren is zijn grootste* ~ gardening is his favourite pastime

liefje sweetheart

liefkozen caress, fondle, cuddle

liefkozing caress

liefst 1 dearest, sweetest: *zij zag er van allen het* ~ *uit* she looked the sweetest (*of:* prettiest) of them all; **2** rather, preferably: *men neme een banaan,* ~ *een rijpe ...* take a banana, preferably a ripe one ...; *wat zou je het* ~ *doen?* what would you rather do?, what would you really like to do?; *in welke auto rijd je het* ~*?* which car do you prefer to drive?

liefste sweetheart, darling: *mijn* ~ my dear(est) (*of:* love)

liegen lie, tell a lie: *hij staat gewoon te* ~*!* he's a downright liar!; *tegen iem* ~ lie to s.o.; *hij liegt alsof het gedrukt staat, hij liegt dat hij barst* he is telling barefaced lies; *dat is allemaal gelogen* that's a pack of lies

lier lyre

lies groin

Lieveheer Blessed Lord: *onze* ~ Our Lord

lieveheersbeestje ladybird, *(Am)* ladybug

lieveling 1 darling, sweetheart: *zij is de* ~ *van de familie* she's the darling of the family; **2** *(favoriet)* favourite, darling: *de* ~ *van het publiek* the darling (*of:* favourite) of the public

liever rather: *ik drink* ~ *koffie dan thee* I prefer coffee to tea; *ik zou* ~ *gaan (dan blijven)* I'd rather go than stay; *ik weet het, of* ~ *gezegd, ik denk het* I know, at least, I think so; *als je* ~ *hebt dat ik wegga, hoef je het maar te zeggen* if you'd sooner (*of:* rather) I'd leave, just say so; *ik zie hem* ~ *gaan dan komen* I'm glad to see the back of him; *hoe meer, hoe* ~ the more the better; *hij* ~ *dan ik* rather him than me

lieverd darling: *(iron) het is me een* ~*je* he's (*of:* she's) a nice one

Lieve-Vrouw: *onze* ~ Our Lady

lift 1 lift, *(Am)* elevator: *de* ~ *nemen* take the lift; **2** lift, ride: *iem een* ~ *geven* give s.o. a lift (*of:* ride); *een* ~ *krijgen* get (*of:* hitch) a lift; *een* ~ *vragen* thumb (*of:* hitch) a lift

liften hitch(hike)

lifter hitchhiker

liftjongen liftboy

liga league

ligbad bath, *(Am)* (bath)tub

liggen 1 lie, *(ziek)* be laid up: *er lag een halve meter sneeuw* there was half a metre of snow; *lekker tegen iem aan gaan* ~ snuggle up to s.o.; *lig je lekker? (goed?)* are you comfortable?; *ik blijf morgen* ~ *tot half tien* I'm going to stay in bed till 9.30 tomorrow; *gaan* ~ lie down; *hij ligt in (op) bed* he is (lying) in bed; *op sterven* ~ lie *(of:* be) dying; **2** (met *aan)* depend (on), be caused by *(veroorzaakt),* be due to *(veroorzaakt):* *dat ligt eraan* it depends; *ik denk dat het aan je versterker ligt* I think that it's your amplifier that's causing the trouble; *aan mij zal het niet* ~ it won't be my fault; *is het nu zo koud of ligt het aan mij?* is it really so cold, or is it just me?; *het ligt aan die rotfiets van me* it's that bloody bike of mine; *als het aan mij ligt niet* not if I can help it; *waar zou dat aan* ~? what could be the cause of that?; *het lag misschien ook een beetje aan mij* I may have had sth to do with it; *het kan aan mij* ~, *maar … it* may be just me, but …; *als het aan mij ligt* if it is up to me; **3** *(mbt storm, wind)* die down: *de wind ging* ~ the wind died down; *die zaak ligt nogal gevoelig* the matter is a bit delicate; *dat werk is voor ons blijven* ~ that work has been left for us; *ik heb (nog) een paar flessen wijn* ~ I have a few bottles of wine (left); *(Belg) iem* ~ *hebben* take s.o. in; *ik heb dat boek laten* ~ I left that book (behind); *dit bed ligt lekker* (of: *hard)* this bed is comfortable *(of:* hard); *de zaken* ~ *nu heel anders* things have changed a lot (since then); *het plan, zoals het er nu ligt, is onaanvaardbaar* as it stands, the plan is unacceptable; *uw bestelling ligt klaar* your order is ready (for dispatch, collection); *zo* ~ *de zaken nu eenmaal* I'm afraid that's the way things are; *Antwerpen ligt aan de Schelde* Antwerp lies on the Scheldt; *de schuld ligt bij mij* the fault is mine; *onder het gemiddelde* ~ be below average; *de bal ligt op de grond* the ball is on the ground; *op het zuiden* ~ face (the) south; *ze* ~ *voor het grijpen* they're all over the place

liggend lying, horizontal: *een* ~*e houding* a lying (of: recumbent) posture

ligging position, situation, location: *de* ~ *van de heuvels* the lie of the hills; *de schilderachtige* ~ *van dat kasteel* the picturesque location of the castle

ligplaats berth, mooring (place)

ligstoel reclining chair (of: seat), *(voor buiten)* deckchair

liguster privet

lijden I *tr* suffer, undergo: *hevige pijn* ~ suffer (of: be in) terrible pain; **II** *intr* suffer: *zij leed het ergst van al* she was (the) hardest hit of all; *aan een kwaal* ~ suffer from a complaint; *zijn gezondheid leed er onder* his health suffered (from it); **III** *zn* suffering, *(pijn)* pain, *(pijn)* agony, *(verdriet)* grief, *(ellende)* misery: *nu is hij uit zijn* ~ *verlost: a)* he is now released from his suffering; *b) (fig)* that's put

him out of his misery; *een dier uit zijn* ~ *verlossen* put an animal out of its misery

lijdend suffering

lijf body: *in levenden lijve: a) (in eigen persoon)* in person; *b) (levend)* alive and well; *bijna geen kleren aan zijn* ~ *hebben* have hardly a shirt to one's back; *iets aan den lijve ondervinden* experience (sth) personally; *iem te* ~ *gaan* go for *(of:* attack) s.o.; *iem (toevallig) tegen het* ~ *lopen* run into s.o., stumble upon s.o.; *ik kon hem niet van het* ~ *houden* I couldn't keep him off me; *gezond van* ~ *en leden* able-bodied

lijfrente annuity

lijfwacht bodyguard

lijk 1 corpse, (dead) body: *over mijn* ~*!* over my dead body!; *over* ~*en gaan* let nothing (of: no one) stand in one's way; **2** *(fig)* carcass: *een levend* ~ a walking corpse

lijkbleek deathly pale, ashen

lijken 1 be like; look (a)like, resemble: *je lijkt je vader wel* you act *(of:* sound, are) just like your father; *het lijkt wel wijn* it's almost like wine; *zij lijkt op haar moeder* she looks like her mother; *ze* ~ *helemaal niet op elkaar* they're not a bit alike; *dat lijkt nergens op (naar)* it is absolutely hopeless *(of:* useless); **2** *(schijnen)* seem, appear, look: *hij lijkt jonger dan hij is* he looks younger than he is; *het lijkt me vreemd* it seems odd to me; *het lijkt maar zo* it only seems that way; **3** *(aanstaan)* suit, fit: *dat lijkt me wel wat* I like the sound *(of:* look) of that; *het lijkt me niets* I don't think much of it

lijkenhuis mortuary, morgue

lijkschouwer autopsist, medical examiner, *(jur)* coroner

lijkschouwing autopsy

lijm glue

lijmen glue (together), *(ook fig)* patch up, *(ook fig)* mend: *(fig) de brokken* ~ pick up the pieces; *de scherven aan elkaar* ~ glue *(of:* stick) the pieces together

lijn 1 line, rope, *(mbt hond)* leash, lead: ~*en trekken* (of: *krassen) op* draw *(of:* scratch) lines on; *een hond aan de* ~ *houden* keep a dog on the leash; **2** *(in gezicht)* line, crease: *de scherpe* ~*en om de neus* the deep lines around the nose; **3** (out)line, contour: *iets in grote* ~*en aangeven* sketch sth in broad outlines; *in grote* ~*en* broadly speaking, on the whole; *aan de (slanke)* ~ *doen* slim, be on a diet; **4** *(linie)* line, rank: *op dezelfde* (of: *op één)* ~ *zitten* be on the same wavelength; **5** *(verkeer, telec)* line, route: *de* ~ *Haarlem-Amsterdam* the Haarlem-Amsterdam line; *die* ~ *bestaat niet meer* that service *(of:* route) no longer exists; *blijft u even aan de* ~ *a.u.b.* hold the line, please; *ik heb je moeder aan de* ~ your mother is on the phone; **6** *(fig)* line, course, trend: *de grote* ~*en uit het oog verliezen* lose oneself in details; *iem aan het* ~*tje houden* keep s.o. dangling

lijnbus regular (of: scheduled) service bus

lijndienst regular service, scheduled service, line:

een ~ onderhouden op run a regular service on
lijnen slim, diet
lijnkaart *(Belg)* smart card for payment on public transport
lijnolie linseed oil
lijnrecht I *bn* (dead) straight; **II** *bw* **1** straight, right: *~ naar beneden* straight down; **2** directly, flatly: *~ staan tegenover* be diametrically (*of:* flatly) opposed to
lijnrechter linesman
lijntoestel airliner, scheduled plane
lijnvlucht scheduled flight
lijp silly, daft: *doe niet zo ~!* don't be silly! (*of:* daft!)
lijst 1 list, record, inventory, register: *~en bijhouden van de uitgaven* keep records of the costs; *zijn naam staat bovenaan de ~* he is (at the) top of the list; *iem (iets) op een ~ zetten* put s.o. (sth) on a list; **2** *(omlijsting)* frame: *een vergulde ~* a gilt frame
lijstaanvoerder (league) leader
lijstenmaker picture framer
lijster thrush
lijsterbes rowan (tree), mountain ash
lijsttrekker *(ongev)* party leader (during election campaign)
lijvig corpulent, hefty
lik 1 lick; smack *(klap)*; **2** *(een beetje)* lick; dab
likeur liqueur
likkebaarden lick one's lips
likken lick
lik-op-stukbeleid tit-for-tat policy (*of:* strategy)
lila lilac, *(zacht)* lavender
lilliputter midget, dwarf
Limburg Limburg
Limburger Limburger
Limburgs Limburg
limiet *(vaak mv)* limit
limiteren limit, confine
limonade lemonade: *priklimonade, ~ gazeuse* fizzy (*of:* aerated, sparkling) lemonade
limonadesiroop lemon syrup
limousine limousine; limo
linde lime (tree), linden
lineair linear ‖ *~e hypotheek* level repayment mortgage
lingerie lingerie, women's underwear, ladies' underwear
linguïst linguist
liniaal ruler
linie line, rank: *door de vijandelijke ~ (heen)breken* break through the enemy lines; *over de hele ~* on all points, across the board
link 1 risky, dicey: *~e jongens* a nasty bunch; **2** *(slim)* sly, cunning
linker left, left-hand, *(van auto)* nearside: *~ rijbaan* left lane; *het ~ voorwiel* the nearside wheel
linkerarm left arm
linkerbeen left leg: *hij is met zijn ~ uit bed gestapt* he got out of bed on the wrong side
linkerbenedenhoek bottom left-hand corner

linkerbovenhoek top left-hand corner
linkerhand left hand: *twee ~en hebben* be all fingers and thumbs
linkerkant left(-hand) side, left
linkervleugel 1 left wing: *de ~ van een gebouw* (*of:* *een voetbalelftal)* the left wing of a building (*of:* football team); **2** *(pol)* left (wing), Left
linkervoet left foot
linkerzijde left(-hand) side, left, nearside: *zij zat aan mijn ~* she was sitting on my left
links 1 left; to (*of:* on) the left: *de tweede straat ~* the second street on the left; *~ en rechts (ook fig)* right and left, on all sides; *~ houden* keep (to the) left; *iem ~ laten liggen* ignore s.o., pass s.o. over, give s.o. the cold shoulder; *iets ~ laten liggen* ignore sth, pass sth over; *~ van iem zitten* sit to (*of:* on) s.o.'s left; **2** *(naar de linkerzijde)* left, left-handed, anticlockwise: *~ afslaan* turn (to the) left; *~ de bocht om rijden* take the left-hand bend (*of:* turn); **3** *(met de linkerhand, -voet)* left-handed, *(sport ook)* left-footed: *~ schrijven* write with one's left hand; **4** *(pol)* left-wing, leftist, socialist
linksachter left back
linksaf (to the) left, leftwards: *bij de brug moet u ~ (gaan)* turn left at the bridge
linksback left back
linksbuiten outside left, left-wing(er)
linkshandig left-handed
linksom left: *~ draaien* turn (to the) left
linnen linen, flax: *~ ondergoed* linen underwear, linen
linnengoed linen
linnenkast linen cupboard
linoleum linoleum
linolzuur linoleic acid
lint ribbon, tape, *(boordlint)* (bias) binding, band: *het ~ van een schrijfmachine* a (typewriter) ribbon; *door het ~ gaan* blow one's top, fly off the handle
lintje decoration: *een ~ krijgen* be decorated, get a medal
lintmeter *(Belg)* *(meetlint)* tape measure
lintworm tapeworm
lintzaag bandsaw
linze lentil
lip lip: *dikke ~pen* thick (*of:* full) lips; *gesprongen ~pen* chapped (*of:* cracked) lips; *zijn ~pen ergens bij aflikken* lick (*of:* smack) one's lips; *aan iemands ~pen hangen* hang on s.o.'s lips (*of:* every word)
lipje tab *(ook van blikje)*, lip
liplezen lip-read
liposuctie liposuction
lippenstift lipstick
liquidatie 1 *(mbt personen)* liquidation, elimination; **2** *(mbt transacties)* liquidation, winding-up, break-up, dissolution, *(op beurs ook)* settlement
liquide liquid, fluid: *~ middelen* liquid (*of:* fluid) assets
liquideren 1 *(handel)* wind up, liquidate; **2** *(doden)* eliminate, dispose of

lire lira
lis *(plantk)* flag, iris
lisdodde reed mace
lispelen lisp, speak with a lisp
Lissabon Lisbon
list trick, ruse, stratagem; *(plan)* cunning, craft, deception: ~ *en bedrog* double-crossing, double-dealing
listig cunning, crafty, wily
liter litre: *twee ~ melk* two litres of milk
literair literary: ~ *tijdschrift* literary journal
literatuur literature
literatuurlijst reading list, bibliography
literatuurprijs literary prize
literfles litre bottle
literprijs price per litre
litho litho
Litouwen Lithuania
Litouwer Lithuanian
Litouws Lithuanian
lits-jumeaux twin beds
litteken scar; mark: *met ~s op zijn gezicht* with a scarred face
liturgie liturgy, rite
lob 1 seed leaf; 2 *(sport)* lob
lobben lob
lobbes 1 big, good-natured dog; 2 *(persoon)* kind soul, good-natured fellow, big softy
lobby 1 lobby; 2 *(wachtruimte in hotel)* lobby; lounge, foyer, hall
lobbyen lobby
loco-burgemeester deputy mayor, acting mayor
locomotief engine, locomotive
loden 1 lead, leaden: ~ *pijp* lead pipe; 2 *(fig)* leaden, heavy
loei *(klap)* thump, bash; *(schot)* sizzler, cracker: *een ~ verkopen (uitdelen)* hit *(of:* lash) out (at s.o.)
loeien 1 moo, low *(koeien);* bellow *(stier);* 2 *(mbt de wind enz.)* howl, whine *(wind);* roar *(golven, vlammen);* blare, hoot *(hoorn);* wail *(sirene): de motor laten ~* race the engine; *met ~de sirenes* with blaring sirens
loempia spring roll, egg roll
loensen squint, be cross-eyed
loep magnifying glass, lens: *iets onder de ~ nemen* scrutinize sth, take a close look at sth
loepzuiver flawless, perfect
loer 1 lurking: *op de ~ liggen (ook fig)* lie in wait (for), lurk, be on the lookout (for); 2 *(streek)* trick: *iem een ~ draaien* play a nasty *(of:* dirty) trick on s.o.
loeren leer (at), *(met moeite zien)* peer at, *(bespieden)* spy on: *het gevaar loert overal* there is danger lurking everywhere; *op iem (iets) ~* lie in wait for s.o. (sth)
lof I *de* 1 praise, commendation: *iem ~ toezwaaien* give (high) praise to s.o., pay tribute to s.o.; *vol ~ zijn over* speak highly of, be full of praise for; 2 *(roem)* honour, credit; II *het (witlof) (Brussels)*

chicory
log unwieldy, cumbersome, ponderous, clumsy, heavy, *(traag)* sluggish, lumbering: *een ~ gevaarte* a cumbersome *(of:* an unwieldy) monster; *een ~ge olifant* a ponderous elephant; *met ~ge tred lopen* lumber (along), move with heavy gait
logaritme logarithm
logaritmetafel log table, table of logarithms
logboek log(book), journal: *in het ~ opschrijven* log
loge box, loge
logé guest, visitor: *we krijgen een ~* we are having a visitor *(of:* someone to stay)
logeerbed spare bed
logeerkamer guest room, spare (bed)room, visitor's room
logeerpartij stay; *(Am; kindertaal)* slumber party, pyjama party
logen soak in *(of:* treat with) lye
logeren stay, put up, *(in logement, kosthuis ook)* board, *(in logement, kosthuis ook)* lodge: *blijven ~* stay the night, stay over; *ik logeer bij een vriend* I'm staying at a friend's (home) *(of:* with a friend); *kan ik bij jou ~?* could you put me up (for the night)?; *in een hotel ~* stay at a hotel; *iem te ~ krijgen* have s.o. staying
logica logic: *er zit geen ~ in wat je zegt* there is no logic in what you're saying
logies accommodation, lodging(s): ~ *met ontbijt* bed and breakfast
loginnaam *(comp)* log-in name
logisch logical, rational: *een ~e tegenstrijdigheid* a logical paradox; ~ *denken* think logically *(of:* rationally); *dat is nogal ~* that's only logical, that figures
logischerwijs logically
logistiek logistics
logo logo
logopedie speech therapy
logopedist speech therapist
lok 1 lock, strand of hair, tress *(vnl. bij vrouw, meisje); (krul)* curl, *(krul)* ringlet; 2 *(mv) (haren)* locks, hair, tresses *(vnl. bij vrouw, meisje)*
¹lokaal (class)room
²lokaal local, *(mbt het lichaam ook)* topical: *om 10 uur lokale tijd* at 10 o'clock local time; *lokale verdoving* local anaesthesia
lokaas bait
lokaliseren locate
lokatie location
loket (office) window, *(theater, station)* booking office, ticket office, *(theater ook)* box-office (window), *(postkantoor, bank)* counter
lokettist booking-clerk, ticket-clerk, *(theater ook)* box-office clerk, *(postkantoor, bank)* counter clerk
lokken 1 entice, lure: *in de val ~* lure into a trap; 2 *(aantrekken)* tempt, entice, attract
lokkertje bait, carrot, *(lokartikel ook)* loss leader, special offer

lo

lol laugh, fun, lark: *zeg, doe me een ~ (en hou op)* do me a favour (and knock it off, will you); *voor de ~* for a laugh, for fun (*of:* a lark); *ik doe dit niet voor de ~* I'm not doing this for the good of my health
lolly lollipop, lolly
lom *afk van leer- en opvoedingsmoeilijkheden* learning and educational problems
¹lomp *(vnl. mv)* rag, *(vnl. mv)* tatter
²lomp 1 *(plomp)* ponderous, unwieldy: *~e schoenen* clumsy shoes; *zich ~ bewegen* move clumsily, he got in an ungainly manner; 2 *(onhandig)* clumsy, awkward, ungainly; 3 *(onbeleefd)* rude, unmannerly, uncivil: *iem ~ behandelen* treat s.o. rudely, be uncivil to s.o.
lompweg bluntly, flatly: *~ iets weigeren* refuse sth point-blank
Londen London
Londens London
lonen be worth: *dat loont de moeite niet* it is not worth one's while
lonend paying, rewarding, *(financieel ook)* profitable, *(financieel ook)* remunerative: *dat is niet ~* that doesn't pay
long lung
longarts lung specialist
longontsteking pneumonia
lonken make eyes at
lont fuse, *(van vuurwerk ook)* touchpaper
loochenen deny
lood 1 lead: *met ~ in de schoenen* with a heavy heart; 2 *(kogel(s))* lead; shot, ammunition: *uit het ~ (geslagen) zijn* be thrown off one's balance
loodgieter plumber
loodje (lead) seal || *de laatste ~s wegen het zwaarst* the last mile is the longest one
loodlijn perpendicular (line), normal (line)
loodrecht perpendicular (to), plumb, sheer *(helling):* ~ *op iets staan* be at right angles to sth
¹loods *(persoon)* pilot
²loods shed, *(vliegtuigloods)* hangar
loodsen pilot; steer, conduct, *(een groep ook)* shepherd
loodvrij lead-free, unleaded
loodzwaar heavy
loof foliage, leaves, green *(van groente)*
loofboom deciduous tree
loog caustic (solution), lye
looien tan
loom 1 heavy, leaden, *(langzaam)* slow, *(langzaam)* sluggish: *zich ~ bewegen* move heavily (*of:* sluggishly); 2 *(futloos)* languid, listless
loon 1 pay, wage(s): *een hoog ~ verdienen* earn high wages; 2 *(straf)* deserts, reward: *hij gaf hem zijn verdiende ~* he gave him his just deserts
loonadministratie wages administration (*of:* records)
loonbelasting income tax
loondienst paid employment, salaried employment

loonlijst payroll
loonschaal pay scale, wage scale
loonstrookje payslip
loonsverhoging wage increase, pay increase, increase in wages (*of:* pay), rise, *(Am)* raise
loop 1 course, development: *de ~ van de Rijn* the course of the Rhine; *zijn gedachten de vrije ~ laten* give one's thoughts (*of:* imagination) free rein; *in de ~ der jaren* through the years; 2 *(mbt vuurwapen)* barrel; 3 *(vlucht)* run, flight
loopafstand walking distance
loopbaan career
loopgraaf trench
loopje *(muz)* run, roulade
loopjongen errand boy, messenger boy
looplamp portable inspection lamp
loopneus runny nose, running nose
looppas jog, run
loopplank gangplank, gangway
loops on heat, in heat, in season
looptijd term, (period of) currency, duration
loos false, empty: *~ alarm* false alarm
loot shoot, cutting
lootje lottery ticket, raffle ticket, lot: *~s trekken* draw lots
lopen I *intr* 1 walk, go: *iem in de weg ~* get in s.o.'s way; *op handen en voeten ~* walk on one's hands and feet, walk on all fours; 2 *(rennen)* run: *het op een ~ zetten* take to one's heels; 3 *(zich ontwikkelen ook)* run, go: *het is anders gelopen* it worked out (*of:* turned out) otherwise; *dit horloge loopt uitstekend* this watch keeps excellent time; *de kraan loopt niet meer* the tap's stopped running; *een motor die loopt op benzine* an engine that runs on petrol; II *tr* go to, attend: *college ~* attend lectures
lopend 1 running, moving: *~e band* conveyor belt, *(systeem)* assembly line; *(fig) aan de ~e band* continually, ceaselessly; 2 *(huidig)* current, running: *het ~e jaar* the current year; 3 *(stromend)* running, streaming *(ook ogen); (neus, oor ook)* runny
loper 1 walker, *(voor bank e.d.)* courier, messenger; 2 *(tapijt)* carpet (strip), runner *(op kast, tafel);* 3 *(schaakstuk)* bishop; 4 *(sleutel)* pass-key, master key, skeleton key, picklock
lor rag
los 1 loose, free, undone *(veter, knoop); (afneembaar)* detachable, *(roerend)* movable: *er is een schroef ~* a screw has come loose; *~!* let go!; 2 *(afzonderlijk)* loose, separate, odd, single: *thee wordt bijna niet meer ~ verkocht* tea is hardly sold loose any more; 3 *(niet gespannen)* slack, loose: *met ~se handen rijden* ride with no hands; *ze leven er maar op ~* they live from one day to the next
losbandig lawless, loose *(vnl. mbt vrouw)*, fast, dissipated
losbarsten break out, burst out, flare up, erupt, *(storm ook)* blow up
losbreken I *tr* break off, tear off (*of:* loose), separate; II *intr* 1 break out (*of:* free), escape: *de hond is*

losgebroken the dog has torn itself free; **2** burst out, blow up: *een hevig onweer brak los* a heavy thunderstorm broke

losdraaien 1 *(uit elkaar halen)* unscrew, untwist; **2** *(opendraaien, losmaken)* take off, twist off, loosen

losgaan come loose, work loose, become untied *(of:* unstuck, detached)

losgeld ransom (money)

losjes 1 loosely; **2** *(luchthartig)* airily; casually

loskloppen beat, knock loose *(of:* off)

losknopen undo, untie

loskomen 1 come loose, come off, break loose *(of:* free), come apart: *hij kan niet ~ van zijn verleden* he cannot forget his past; **2** *(zich uiten)* come out, unbend, relax

loskoppelen detach, uncouple, disconnect, separate

loskrijgen 1 get loose, *(los ook)* get undone, *(vrij ook)* get free *(of:* released): *een knoop ~* get a knot untied; **2** secure, extract, (manage to) obtain, *(geld ook)* raise

loslaten I *tr* **1** release, set free, let off, let go, discharge, unleash *(hond): laat me los!* let go of me!, let me go!; **2** *(vertellen)* reveal, speak, release *(informatie)*, leak *(geheimen);* **II** *intr* come off, peel off, come loose *(of:* unstuck, untied), give way

losliggend loose

loslopen walk about (freely), run free, be at large *(misdadiger)*, stray *(vee)* ‖ *het zal wel ~* it will be all right, it'll sort itself out

loslopend stray, unattached

losmaken 1 release, set free, untie *(knoop in touw): de hond ~* unleash the dog; *een knoop ~* untie a knot, undo a button; **2** *(minder samenhangend maken)* loosen (up), rake *(grond);* **3** *(oproepen)* stir up *(interesse): die tv-film heeft een hoop losgemaakt* that TV film has created quite a stir

losraken come loose *(of:* off, away), dislodge, become detached

losrukken tear loose, rip off, wrench, yank away *(of:* off)

löss loess

losscheuren tear loose, rip off *(of:* away)

losschroeven unscrew, loosen, screw off *(deksel)*, disconnect *(bijv. stangen)*

lossen 1 *(uitladen)* unload, discharge; **2** *(afschieten)* discharge, shoot *(wapen)*, fire: *een schot op (het) doel ~* shoot at goal

losstaand detached, isolated *(feit)*, free-standing *(huis, schuur, muur enz.)*, disconnected

lostrekken pull loose, loosen, draw loose

los-vast half-fastened, *(fig)* casual

losweken I *tr* soak off, *(met stoom)* steam off *(of:* open); **II** *intr* become unstuck

loswrikken wrench, dislodge

loswringen wring, extricate

loszitten be loose, be slack *(touw): die knoop zit los* that button is coming off

lot 1 lottery ticket *(met geldprijs);* raffle ticket *(met*

prijs in natura); **2** *(wat door een lot wordt toegewezen)* lot, share: *(fig) zij is een ~ uit de loterij* she is one in a thousand; **3** *(de fortuin)* fortune, chance; **4** *(noodlot)* lot, fate, destiny: *iem aan zijn ~ overlaten* leave s.o. to fend for himself, leave s.o. to his fate

loten draw lots

loterij lottery

loterijbriefje (lottery) ticket

lotgenoot companion (in misfortune, adversity), fellow-sufferer

loting drawing lots

lotion lotion, wash

lotto lottery

lotus lotus

louche shady, suspicious(-looking)

louter I *bw* purely, merely, only: *het heeft ~ theoretische waarde* it has only theoretical value; **II** *bn* sheer, pure, *(niet meer dan)* mere, bare: *uit ~ medelijden* purely out of compassion

loven 1 praise, commend, laud; **2** *(godsd)* praise, bless, glorify: *looft de Heer* praise the Lord

lovend laudatory, approving, *(alleen ná zn)* full of praise

lovertje spangle, sequin

loyaal loyal, faithful, steadfast

loyaliteit loyalty

lozen I *intr, tr* drain, empty: *~ in (op) de zee* discharge into the sea; **II** *tr (zich ontdoen van)* get rid of, send off, dump

lozing drainage, discharge, dumping

lp LP

LPG *afk van liquefied petroleum gas* LPG, LP gas

lso *(Belg) afk van lager secundair onderwijs* junior secondary general education

lts *afk van lagere technische school* technical school

lucht 1 air: *in de open ~ slapen* sleep in the open air; *~ krijgen: a)* breathe; *b) (fig)* get room to breathe; *in de ~ vliegen* blow up, explode; *die bewering is uit de ~ gegrepen* that statement is totally unfounded; *uit de ~ komen vallen* appear out of thin air, *(Belg; zeer verbaasd zijn)* be dumbfounded; **2** *(hemel)* sky; **3** *(reuk, geur)* smell, scent, odour

luchtaanval air raid

luchtafweergeschut anti-aircraft guns

luchtalarm air-raid warning *(of:* siren), (air-raid) alert

luchtballon *(luchtvaartuig)* (hot-air) balloon

luchtbasis airbase

luchtbed air-bed, Lilo, inflatable bed

luchtbel air bubble *(of:* bell)

luchtdicht airtight, hermetic

luchtdruk (atmospheric) pressure, air pressure

luchtdrukpistool air pistol

luchten air, ventilate

luchter candelabrum, chandelier

luchtfoto aerial photo(graph), aerial view

luchthartig light-hearted, carefree

luchthaven airport

luchtig 1 light, airy; **2** *(mbt kleren)* light, cool, thin;

lu

3 airy, light-hearted: *iets op ~e toon meedelen* announce sth casually; **4** *(licht)* airy, vivacious, light: *~ gekleed* lightly dressed

luchtje smell, scent, odour: *er zit een ~ aan (fig)* there is sth fishy about it

luchtkasteel castle in the air, daydream

luchtkussen air cushion *(of:* pillow)

luchtledig exhausted *(of:* void) of air: *een ~e ruimte* a vacuum

luchtmacht air force

luchtmobiel airborne

luchtopname aerial photo(graph)

luchtpijp windpipe, trachea

luchtpost airmail

luchtruim atmosphere; airspace, air

luchtspiegeling mirage

luchtsprong jump in the air, caper

luchtstreek zone, region

luchtstroom air current, flow of air

luchtvaart aviation, flying

luchtvaartmaatschappij airline (company): *de Koninklijke Luchtvaartmaatschappij* Royal Dutch Airlines, KLM

luchtvaartverkeer air traffic

luchtverfrisser air freshener

luchtvervuiling air pollution

luchtvochtigheid humidity

luchtvracht air cargo, airfreight

luchtwegen bronchial tubes

luchtziek airsick

lucifer match

lucifer(s)doosje matchbox

lucifer(s)houtje matchstick

lucratief lucrative, profitable

luguber lugubrious, sinister

¹**lui** lazy, idle, indolent, *(loom)* slow, *(loom)* heavy: *een ~e stoel* an easy chair; *liever ~ dan moe zijn* be bone idle

²**lui** people, folk: *zijn ouwe ~* his old folks *(of:* parents)

luiaard 1 lazybones; **2** *(dierk)* sloth

luid loud: *met ~e stem* in a loud voice

luiden I *intr* **1** sound, ring, toll *(doodsklok): de klok luidt* the bell is ringing *(of:* tolling); **2** *(mbt woorden)* read, run: *het vonnis luidt …* the verdict is …; **II** *tr* ring, sound

luidkeels loudly, at the top of one's voice

luidop *(Belg) (hardop)* aloud, out loud

luidruchtig noisy, boisterous

luidspreker (loud)speaker

luier nappy

luieren be idle *(of:* lazy), laze

luifel awning

luiheid laziness, idleness

luik hatch; *(in een vloer)* trapdoor; *(voor een raam)* shutter

Luik Liège

luilak lazybones, sluggard

luilekkerland (land of) Cockaigne, land of plenty

luipaard leopard

luis louse; aphid *(planten)*

luisteraar listener

luisteren 1 listen: *goed kunnen ~* be a good listener; *luister eens* listen …, say …; **2** *(afluisteren)* eavesdrop, listen (in); **3** *(reageren (op))* listen, respond: *naar hem wordt toch niet geluisterd* nobody pays any attention to *(of:* listens to) him anyway

luisterrijk splendid, glorious, magnificent

luistervaardigheid listening (skill)

luistervaardigheidstoets listening comprehension test

luistervink eavesdropper

luit lute

luitenant lieutenant

luizen: *iem erin ~* take s.o. in, trick s.o. into sth, *(verleiden tot een verspreking, vergissing)* trip s.o. up

luizenbaan soft job, cushy job

luizenleven cushy life

lukken succeed, be successful, work, manage, come off *(of:* through), gel: *het is niet gelukt* it didn't work, it didn't go through, it was no go; *het lukte hem te ontsnappen* he managed to escape; *die foto is goed gelukt* that photo has come out well

lukraak haphazard, random, wild, hit-or-miss

lul *(inform)* **1** prick, cock; **2** *(sul)* prick, drip

lullen *(inform)* (talk) bullshit, drivel

lumineus brilliant, bright

lummel clodhopper, gawk

lunch lunch(eon)

lunchconcert lunch concert

lunchen lunch, have *(of:* eat, take) lunch

lunchpakket packed lunch

lurken suck noisily

lurven: *iem bij zijn ~ pakken* get s.o., grab s.o.

lus loop, noose *(lasso, strop)*

lust 1 desire, interest: *tijd en ~ ontbreken me om …* I have neither the time nor the energy to *(of:* for) …; **2** lust, passion, desire; **3** *(plezier)* delight, joy: *~en en lasten* joys and burdens; *zwemmen is zijn ~ en zijn leven* swimming is all the world to him, swimming is his ruling passion; *een ~ voor het oog* a sight for sore eyes

lusteloos listless, languid, apathetic

lusten like, enjoy, be fond of, have a taste for: *ik zou wel een pilsje ~* I could do with a beer

lustig *(vrolijk)* cheerful, gay, merry

lustobject sex object

lustrum lustrum

luttel little, mere, *(bij mv)* few, inconsiderable

luw sheltered, protected

luwte lee, shelter

luxaflex Venetian blinds

luxe I *zn* luxury: *het zou geen (overbodige) ~ zijn* it would certainly be no luxury, it's really necessary; **II** *bn* luxury, fancy, de luxe: *een ~ tent* a posh *(of:* fancy) place

Luxemburg Luxemb(o)urg

luxueus luxurious, opulent, plush

lyceum *(ongev)* grammarschool, *(Am)* high school
lymf lymph
lymfklier lymph node (*of:* gland)
lynchen lynch
lynx lynx
lyrisch lyric(al)

m

ma mum, *(Am)* mom: *pa en ~* Mum *(of:* Mom) and Dad

maag stomach: *ergens mee in zijn ~ zitten* be worried about sth, be troubled by sth

maagd virgin

Maagd *(astrol)* Virgo

maagdelijkheid virginity

maagklacht stomach disorder

maagkramp *(mv)* stomach cramps

maagpatiënt gastric patient

maagpijn stomach-ache

maagzuur heartburn

maaien mow, cut

maaier mower

maaimachine (lawn)mower

¹maal 1 time: *een paar ~* once or twice, several times; *anderhalf ~ zoveel* half as much *(of:* many) (again); 2 times: *lengte ~ breedte ~ hoogte* length times width times height; *twee ~ drie is zes* two times three is six

²maal meal: *een feestelijk ~* a festive meal

maalteken multiplication sign

maaltijd meal, dinner

maan moon

maand month: *de ~ januari* the month of January; *een ~ vakantie* a month's holiday; *drie ~en lang* for three months; *binnen een ~* within a month; *een baby van vier ~en* a four-month-old baby

maandabonnement monthly subscription, *(voor trein e.d.)* monthly season ticket

maandag Monday: *ik train altijd op ~* I always train on Mondays; *ik doe het ~ wel* I will do it on Monday; *'s maandags* on Mondays, every Monday

maandags I *bn* Monday; **II** *bw* on Mondays

maandblad monthly (magazine)

maandelijks monthly, once a month, every month: *in ~e termijnen* in monthly instalments

maandenlang for months, months long

maandloon monthly wages

maandverband sanitary towel *(Am:* napkin)

maanlander lunar module

maanlanding moon landing

maanlicht moonlight

maanmannetje Man in the Moon

maansverduistering eclipse of the moon, lunar eclipse

maanzaad poppy seed

maar I *bw* 1 but; only, just: *zeg het ~: koffie of thee?* which will it be: coffee or tea?; *kom ~ binnen* come on in; *dat komt ~ al te vaak voor* that happens only *(of:* all) too often; *het is ~ goed dat je gebeld hebt* it's a good thing you rang; *als ik ook ~ een minuut te lang wegblijf* if I stay away even a minute too long; *doe het nu ~* just do it; *let ~ niet op hem* don't pay any attention to him; *ik zou ~ uitkijken* you'd better be careful; 2 only, as long as: *als het ~ klaar komt* as long as *(of:* so long as) it is finished; 3 (if) only: *ik hoop ~ dat hij het vindt* I only hope he finds it; *wat je ~ wil* whatever you want; *waarom doe je dat? zo ~* why do you do that? just for the fun of it; *ik vind het ~ niks* I'm none too happy about it; *zoveel als je ~ wilt* as much *(of:* many) as you like; **II** *vw* but: *klein, ~ dapper* small but tough; *ja ~, als dat nu niet zo is* yes, but what if that isn't true?; *nee ~!* really!

maarschalk Field Marshal, *(Am)* General of the Army

maart March

maas mesh: *door de mazen (van het net) glippen* slip through the net

Maas Meuse

¹maat 1 size, measure, *(precieze afmetingen)* measurements: *in hoge mate* to a great degree, to a large extent; *in toenemende mate* increasingly, more and more; *welke ~ hebt u?* what size do you take?; 2 measure: *maten en gewichten* weights and measures; 3 moderation; 4 *(muz)* time, *(alg. ook)* beat: *(geen) ~ kunnen houden* be (un)able to keep time; 5 *(muz)* bar, measure: *de eerste maten van het volkslied* the first few bars of the national anthem; *de ~ is vol* that's the limit

²maat 1 *(makker)* pal, mate; 2 (team)mate, *(kaartspel)* partner

maatbeker measuring cup

maatgevoel sense of rhythm

maathouden *(muz)* keep time

maatje chum, pal: *goede ~s zijn met iem* be the best of friends with s.o.; *goede ~s worden met iem* chum up with s.o.

maatkostuum custom-made suit, tailored suit

maatregel measure: *~en nemen* (of: *treffen)* take steps

maatschap partnership

maatschappelijk 1 social: *hij zit in het ~ werk* he's a social worker; 2 joint: *het ~ kapitaal* nominal capital

maatschappij 1 society; association; 2 *(bedrijf)* company

maatschappijleer social studies

maatstaf criterion, standard(s)

maatwerk custom-made clothes *(of:* shoes)

macaber macabre

Macedonië Macedonia

Macedoniër Macedonian

machinaal I *bn* mechanized, machine; **II** *bw* mechanically, by machine

machine machine, *(mv ook)* machinery
machinebankwerker lathe operator
machinefabriek engineering works
machinegeweer machine-gun
machinekamer engine room
machinist 1 *(spoorw)* engine driver, *(Am)* engineer; **2** *(scheepv)* engineer
macho macho
macht 1 power, force: *(naar) de ~ grijpen* (attempt to) seize power; *aan de ~ zijn* be in power; *iem in zijn ~ hebben* have s.o. in one's power; *de ~ over het stuur verliezen* lose control of the wheel; **2** *(persoon, instantie ook)* authority: *rechterlijke ~* the judicial branch, the judiciary; *de uitvoerende* (of: *wetgevende*) *~* the executive (*of:* legislative) branch; **3** *(vermogen)* power, force: *dat gaat boven mijn ~* that is beyond my power; *met (uit) alle ~* with all one's strength; *(wisk) een getal tot de vierde ~ verheffen* raise a number to the fourth power; *(wisk) drie tot de derde ~* three cubed
machteloos powerless: *machteloze woede* impotent (*of:* helpless) anger
machteloosheid powerlessness
machthebber ruler, leader
machtig 1 powerful, mighty: *haar gevoelens werden haar te ~* she was overcome by her emotions; **2** *(mbt voedsel)* rich, heavy; **3** competent (in)
machtigen authorize
machtiging authorization
machtsstrijd struggle for power, power struggle
machtsverheffen raise to the pwoer
machtsverhouding: *de ~en zijn gewijzigd* the balance of power has shifted
machtsvertoon display of power, show of strength
macramé macramé
macro macro
madam lady: *de ~ spelen (uithangen)* act the lady
made maggot, grub
madeliefje daisy
madonna *(Maria)* Madonna
maf crazy, nuts: *doe niet zo ~* don't be so daft, stop goofing around
maffen sleep, snooze, kip
maffia mafia
maffioso mafioso
magazijn 1 warehouse *(pakhuis),* stockroom *(in winkels),* supply room *(op kantoren e.d.);* **2** *(mbt vuurwapen)* magazine
magazijnbediende warehouseman *(in pakhuizen),* supply clerk *(op kantoren e.d.)*
magazine 1 *(tijdschrift)* magazine; **2** *(op tv)* current affairs programme
mager 1 thin, *(broodmager)* skinny; **2** *(met weinig vet)* lean: *~e riblappen* lean beef (ribs); **3** *(sober)* feeble
magie magic
magisch magic(al)
magistraat magistrate
magma magma

magnaat magnate, tycoon
magneet magnet
magnesium magnesium
magnetisch magnetic
magnetisme magnetism
magnetron microwave
magnifiek magnificent
magnolia magnolia
maharadja maharaja(h)
mahonie mahogany
mailen 1 e-mail; **2** *(reclame verzenden)* do a mailshot
maillot tights
mainport transport hub
maïs maize, *(Am)* corn: *gepofte ~* popcorn
maïskolf corn-cob
maïskorrel kernel of maize *(Am:* corn)
maîtresse mistress
maïzena cornflour, *(Am)* cornstarch
majesteit Majesty
majeur major: *in ~ spelen* play in a major key
majoor major
majorette (drum) majorette
mak 1 tame(d); **2** *(fig)* meek, gentle
makelaar 1 estate agent, *(Am)* real estate agent; **2** *(tussenhandelaar)* broker, agent: *~ in assurantiën* insurance broker
makelaardij brokerage, agency, *(in onroerend goed)* estate agency
makelij make, produce: *van eigen ~* home-grown, home-produced
maken 1 *(repareren)* repair, fix: *zijn auto kan niet meer gemaakt worden* his car is beyond repair; *zijn auto laten ~* have one's car repaired (*of:* fixed); **2** *(vervaardigen)* make, produce, *(in fabriek)* manufacture: *fouten ~* make mistakes; *cider wordt van appels gemaakt* cider is made from apples; **3** *(veroorzaken)* cause: *je hebt daar niets te ~* you have no business there; *dat heeft er niets mee te ~* that's got nothing to do with it; *ze wil niets meer met hem te ~ hebben* she doesn't want anything more to do with him; *het (helemaal) ~* make it (to the top); *hij zal het niet lang meer ~* he is not long for this world; *je hebt het ernaar gemaakt* you('ve) asked for it; *ik weet het goed gemaakt* I'll tell you what, I'll make you an offer; *hoe maakt u het?* how do you do?; *hoe maakt je broer het?* how is your brother?; *maak dat je wegkomt!* get out of here!
maker maker, producer, artist *(van schilderij)*
make-up make-up
makkelijk I *bn* easy, simple; **II** *bw* easily, readily: *jij hebt ~ praten* it's easy (enough) for you to talk
makker pal; mate
makkie piece of cake, *(karwei)* cushy job, easy job
makreel mackerel
¹mal mould, template ‖ *iem voor de ~ houden* make fun of s.o., pull s.o.'s leg
²mal silly; foolish: *nee, ~le meid (jongen)* no, silly!
malaise 1 malaise; **2** depression, slump

malaria malaria

Malediven Maldive Islands, Maldives

Maleier Malay, *(oneigenlijk)* Malaysian

Maleis Malay, *(Am)* Malayan

Maleisië Malaysia

Maleisiër Malaysian

malen I *intr* turn, grind; **II** *tr* grind, crush *(erts)*

maling grind ‖ *daar heb ik ~ aan* I don't care two hoots *(of:* give a hoot); *~ aan iets (iem) hebben* not care/give a rap about sth (s.o.); *iem in de ~ nemen* pull s.o.'s leg, fool s.o.

mals tender

Maltees Maltese

mama mam(m)a

mammie Mum(my), *(Am)* Mom(my)

mammoet mammoth

man 1 man: *op de ~ spelen: a)* go for the man *(of:* player); *b) (fig)* get personal; *een ~ uit duizenden* a man in a million; *een ~ van weinig woorden* a man of few words; *hij is een ~ van zijn woord* he is as good as his word; **2** *(mens)* man, human: *de gewone (kleine) ~* the man in the street, the common man; *vijf ~ sterk* five strong; *met hoeveel ~ zijn we?* how many are we?, how many of us are there?; **3** *(echtgenoot)* husband

management management

manager manager

manchet cuff

manchetknoop cuff link

manco 1 *(gebrek)* defect, shortcoming; **2** *(leemte)* shortage

mand basket ‖ *bij een verhoor door de ~ vallen* have to own up *(of:* come clean)

mandarijn mandarin, *(klein)* tangerine

mandoline mandolin

mandril mandrill

manege riding school, manège

¹manen 1 remind, *(sterker)* demand: *iem om geld ~* demand payment from s.o.; **2** *(aansporen)* urge

²manen mane

maneschijn moonlight

mangaan manganese

mango mango

maniak maniac, *(mbt gezondheid)* freak, *(mbt film)* buff, *(mbt film)* fan

manicure manicurist

manie mania

manier 1 way, manner: *daar is hij ook niet op een eerlijke ~ aangekomen* he didn't get that by fair means; *hun ~ van leven* their way of life; *(Belg) bij ~ van spreken* in a manner of speaking; *op een fatsoenlijke ~* in a decent manner, decently; *op de een of andere ~* somehow or other; *op de gebruikelijke ~* (in) the usual way; *dat is geen ~ (van doen)* that is no way to behave; **2** *(mv)* manners: *wat zijn dat voor ~en!* what kind of behaviour is that!

manifest manifesto

manifestatie demonstration, *(zonder politiek doel)* happening, *(cultureel e.d.)* event

manifesteren, zich manifest oneself

manipulatie manipulation: *genetische ~* genetic engineering

manipuleren manipulate

manisch-depressief manic-depressive

manjaar man-year

mank lame: *~ lopen* (walk with a) limp

mankement defect, *(mbt machines)* bug

manken limp

mankeren I *intr* be wrong, be the matter: *wat mankeert je toch?* what's wrong *(of:* the matter) with you?; *er mankeert een schroefje* one screw is missing; **II** *tr* have sth the matter: *ik mankeer niets* I'm all right, there's nothing wrong with me

mankracht manpower

mannelijk male; masculine: *een ~e stem* a masculine voice

mannenkoor male choir, men's chorus

mannequin model

mannetje 1 little fellow, little guy; **2** man: *daar heeft hij zijn ~s voor* he leaves that to his underlings; **3** *(dier, plant)* male

manoeuvre manoeuvre

manoeuvreren manoeuvre: *iem in een onaangename positie ~* manoeuvre s.o. into an awkward position

mans: *zij is er ~ genoeg voor* she can handle it

manschappen men

manshoog man-size(d), of a man's height

mantel 1 coat, *(zonder mouwen; ook fig)* cloak; **2** *(techn)* casing, housing

mantelpak suit

mantelzorg volunteer aid

manufacturen drapery

manuscript manuscript, *(getypt ook)* typescript

manusje-van-alles jack-of-all-trades; *(iem die alles moet opknappen)* (general) dogsbody

manuur man-hour

map file, folder

maquette (scale-)model

maraboe marabou

marathon marathon

marathonloop marathon race

marcheren march

marconist radio operator

marechaussee military police, MP

maretak mistletoe

margarine margarine

marge 1 margin: *gerommel in de ~* fiddling about; **2** band *(mbt wisselkoersen, rentetarieven)*

margriet marguerite, (ox-eye) daisy

Maria-Hemelvaart Assumption (of the Virgin Mary)

marihuana marijuana, marihuana

marine navy

marinebasis naval base

marinier marine: *het Korps Mariniers* the Marine Corps, the Marines

marionet puppet

maritiem maritime
marjolein marjoram
mark mark
markeerstift marker, marking pen
markeren mark
markies marquis
markiezin marquise
markt market: *een dalende* (of: *stijgende*) ~ a bear (of: bull) market; *naar de ~ gaan* go to market; *van alle ~en thuis zijn* be able to turn one's hand to anything; *(Belg) het niet onder de ~ hebben* be having a hard time
marktaandeel market share, share of the market
marktdag market day
markthal market hall, covered market
marktkoopman market vendor, stallholder
marktkraam market stall (of: booth)
marmelade marmalade
marmer marble
marmeren marble
marmot 1 marmot; **2** *(cavia)* guinea pig
Marokkaan Moroccan
Marokko Morocco
mars march ‖ *hij heeft niet veel in zijn ~: a)* he hasn't got much about him; *b) (weet niet veel)* he is pretty ignorant; *c) (mbt hersens)* he isn't very bright; *d) (kan niet veel)* he's not up to much; *hij heeft heel wat in zijn ~: a)* he has a lot to offer; *b) (weet veel)* he is pretty knowledgeable; *c) (mbt hersens)* he's a clever chap; *voorwaarts ~!* forward march!; *ingerukt ~!* dismiss!
Mars Mars
marsepein marzipan
marskramer hawker, pedlar
marsmannetje Martian
martelaar martyr
martelen torture
marteling torture
marter marten
marxisme Marxism
marxist Marxist
mascara mascara
mascotte mascot
masker mask
maskeren mask, disguise
masochisme masochism
masochist masochist
massa 1 *(groot aantal, hoeveelheid)* mass, heaps: *hij heeft een ~ vrienden* he has heaps (of: loads) of friends; *~'s mensen* masses (of: swarms) of people; **2** *(mbt mensen)* mass, crowd, *(pol)* masses *(mv): met de ~ meedoen* go with (of: follow) the crowd
massaal 1 massive: *~ verzet* massive resistance; **2** mass, wholesale, bulk *(goederen)*
massabijeenkomst mass meeting
massage massage
massagraf mass grave
massamedia mass media *(ook ev)*
massamoordenaar mass murderer

massasprint field sprint
masseren massage, do a massage on
masseur masseur
massief solid, massive, heavy: *een ring van ~ zilver* a ring of solid silver
mast 1 *(op schepen; antenne)* mast: *de ~ strijken* lower the mast; **2** *(voor elektriciteitsdraden)* pylon
masturberen masturbate
mat! (check)mate!
¹mat mat: *~ten kloppen* beat (of: shake) mats
²mat I *bn, bw* **1** mat(t); dull *(klank, oog, markt);* dim *(licht);* pearl *(gloeilamp);* **2** *(niet doorschijnend)* mat(t), *((venster)glas)* frosted; **II** *bn (schaakmat)* checkmate: *~ staan* be checkmated; *iem ~ zetten* checkmate s.o.
matador matador
mate measure, extent, degree: *in dezelfde ~* equally, to the same extent; *in mindere ~* to a lesser degree; *in grote* (of: *hoge*) *~* to a great (of: large) extent, largely
materiaal material(s)
materialistisch materialistic
materie matter; *(zaak, kwestie)* (subject) matter
materieel I *zn* material(s), equipment: *rollend ~* rolling stock; **II** *bn* material
materniteit *(Belg)* maternity ward
matglas frosted glass
mathematisch mathematical
matig 1 moderate; **2** *(tamelijk slecht)* moderate, mediocre
matigen moderate, restrain: *matig uw snelheid* reduce your speed
matinee matinè
matje mat: *op het ~ moeten komen: a) (ter verantwoording)* be put on the spot; *b) (berisping)* be (put) on the carpet
matrak *(Belg)* truncheon, baton
matras mattress
matrijs mould, matrix
matrix matrix
matrixprinter matrix printer, dot printer
matroos sailor
Mauritanië Mauretania
Mauritius (island of) Mauritius
mavo *afk van middelbaar algemeen voortgezet onderwijs* lower general secondary education
maxi maxi
maximaal I *bn* maximum, maximal; **II** *bw* at (the) most: *dit werk duurt ~ een week* this work takes a week at most
maximum maximum
maximumsnelheid speed limit *(van weg);* maximum speed *(van voertuig)*
mayonaise mayonnaise: *patat met ~* chips *(Am:* French fries) with mayonnaise
mazelen measles
mazzel (good) luck: *de ~!* see you!
mbo *afk van middelbaar beroepsonderwijs* intermediate vocational education

m.b.v. *afk van met behulp van* by means of

me me

ME *afk van mobiele eenheid* anti-riot squad

meander meander

meao *afk van middelbaar economisch en administratief onderwijs* intermediate business education

mecanicien mechanic

meccano meccano (set)

mechanica mechanics

mechaniek mechanism

mechanisatie mechanization

mechanisch mechanical: ~ *speelgoed* clockwork toys

mechanisme mechanism, *(fig ook)* machinery

medaille medal

medaillon medallion, *(openspringend)* locket

medebewoner co-occupant, fellow resident

medeburger fellow citizen

mededeling announcement, statement

mededelingenbord notice board

mede-eigenaar joint owner

medeklinker consonant

medelander non-native (inhabitant)

medeleerling fellow pupil

medeleven sympathy: *oprecht* ~ sincere sympathy; *mijn* ~ *gaat uit naar* my sympathy lies with; *zijn* ~ *tonen* express one's sympathy

medelijden pity, compassion: *heb* ~ *(met)* have mercy (upon); ~ *met zichzelf hebben* feel sorry for oneself

medemens fellow man

medeplichtig accessory

medeplichtige accessory (to), accomplice, *(handlanger)* partner

medereiziger fellow traveller *(of:* passenger)

medestander supporter

medewerker 1 fellow worker, co-worker, *(aan boek e.d.)* collaborator, *(aan krant enz.)* contributor, *(aan krant enz.)* correspondent: *onze juridisch (of: economisch)* ~ our legal *(of:* economics) correspondent; **2** employee, staff member

medewerking cooperation; assistance: *de politie riep de* ~ *in van het publiek* the police made an appeal to the public for cooperation

medezeggenschap say, *(in bedrijf)* participation

media media

mediageniek mediagenic

meekomen 1 come (also), come along; **2** *(in school)* keep up (with)

mediatheek multimedia centre *(of:* library)

medicament medicament, medicine

medicijn medicine: *een student (in de)* ~*en* a medical student

medicijnkastje medicine chest *(of:* cabinet)

medio in the middle of: ~ *september* in mid-September

medisch medical: *op* ~ *advies* on the advice of one's doctor

meditatie meditation

mediteren meditate

¹medium medium

²medium *(mbt kledingmaten)* medium(-sized)

mee with, along: *waarom ga je niet* ~? why don't you come along?; *met de klok* ~ clockwise; *kan ik ook* ~? can I come too?; *hij heeft zijn uiterlijk* ~ he has his looks going for him; *dat kan nog jaren* ~ that will last for years; *het kan er* ~ *door* it's all right, it'll do; *ergens te vroeg (of: te laat)* ~ *komen* be too early *(of:* late) with sth

meebrengen 1 bring (along) (with one): *wat zal ik voor je* ~? what shall I bring you?; **2** involve: *de moeilijkheden die dit met zich heeft meegebracht* the difficulties which resulted from this

meedelen I *intr* share (in), participate (in): *alle erfgenamen delen mee* all heirs are entitled to a share; **II** *tr* inform (of), let … know, *(officieel)* notify, *(officieel)* announce, *(berichten)* report: *ik zal het haar voorzichtig* ~ I shall break it to her gently; *hierbij deel ik u mee, dat* … I am writing to inform you that …

meedingen compete

meedoen join (in), take part (in): *mag ik* ~? can I join in? *(of:* you?); ~ *aan een wedstrijd* compete in a game; ~ *aan een project (of: staking)* take part in a project *(of:* strike); *okay, ik doe mee* okay, count me in

meedogenloos merciless

mee-eten eat with (s.o.)

mee-eter blackhead, whitehead

meegaan 1 go along *(of:* with), accompany, come along *(of:* with): *is er nog iemand die meegaat?* is anyone else coming? *(of:* going?); **2** *(fig)* go (along) with, agree (with): *met de mode* ~ keep up with (the) fashion; **3** *(bruikbaar blijven)* last: *dit toestel gaat jaren mee* this machine will last for years

meegeven I *tr* give: *iem een boodschap* ~ send a message with s.o.; **II** *intr* give (way), yield: *de planken geven niet mee* there is no give in the boards

meehelpen help (in, with), assist (with)

meekomen 1 come (along, with, also): *ik heb er geen bezwaar tegen als hij meekomt* I don't object to his coming (along); **2** *(van tempo e.d.)* keep up (with)

meekrijgen 1 get, receive: *kan ik het geld direct* ~? can I have the money immediately?; **2** *(op zijn hand krijgen)* win over, get on one's side

meel flour

meeldraad stamen

meeleven sympathize

meelijwekkend pitiful

meelopen walk along (with), accompany

meeloper hanger-on

meeluisteren listen (in)

meemaken experience; *(doorstaan)* go through, live; *(zien gebeuren)* see; *(deelnemen aan)* take part (in): *had hij dit nog maar mee mogen maken* if he had only lived to see this; *ze heeft heel wat meegemaakt* she has seen *(of:* been through) a lot

meenemen take along (*of:* with): *(in restaurant, bijv. Chinees eten)* ~ *graag* to take away please

meepraten take part (*of:* join) in a conversation: *daar kun je niet over* ~ *doen?* you don't know anything about it

¹meer *(water)* lake

²meer 1 more: ~ *dood dan levend* more dead than alive; *des te* ~ all the more (so); *steeds* ~ more and more; *hij heeft* ~ *boeken dan ik* he has got more books than I (have); **2** *(verder)* more, further: *wie waren er nog* ~? who else was there?; *wat kan ik nog* ~ *doen?* what else can I do?; **3** *(met ontkenning)* any more, no more, (any) longer: *zij is geen kind* ~ she is no longer a child; *hij had geen appels* ~ he had no more apples, he was out of apples; **4** *(vaker)* more (often): *we moeten dit* ~ *doen* we must do this more often; *onder* ~ among other things, *(personen)* among others; *zonder* ~: *a) (beslist)* naturally, of course; *b) (meteen)* right away

¹meerdere superior, *(mil)* superior officer

²meerdere several, a number of

meerderheid majority

meerderjarig of age: ~ *worden* come of age

meerderjarige adult

meerderjarigheid adulthood, legal age

meerekenen count (in)

meerijden come (*of:* ride) (along) with: *ik vroeg of ik mee mocht rijden* I asked for a lift

meerkeuzetoets multiple-choice test

meerkeuzevraag multiple-choice question

meerpaal mooring post

meervoud plural: *in het* ~ (in the) plural

meerzijdig multilateral

mees tit

meesjouwen lug, *(Am)* tote

meeslepen 1 drag (along); **2** carry (with, away): *zich laten* ~ get carried away

meeslepend compelling, moving

meesleuren sweep away (*of:* along)

meespelen *(in spel)* take part (*of:* join) in a game, play (along with), *(in toneelstuk, film)* be a cast member

meest I *bn* **1** most, the majority of: *op zijn* ~ at (the) most; **2** *(zeer veel, groot)* most, greatest: *de* ~*e tijd doet ze niets* most of the time she doesn't do a thing; **II** *bw* most, best: *de* ~ *gelezen krant* the most widely read newspaper

meestal mostly, usually

meester 1 master: ~ *in de rechten (ongev)* Master of Laws; **2** *(onderwijzer)* teacher, (school)master

meesterbrein mastermind

meesteres mistress

meesterlijk masterly

meesterwerk masterpiece, masterwork

meetbaar measurable

meetellen I *tr* count also, count in, include; **II** *intr* count: *dat telt niet mee* that doesn't count

meetkunde geometry

meetlat measuring rod

meetlint tape-measure

meetrekken pull along, drag along

meeuw (sea)gull

meevallen turn out (*of:* prove, be) better than expected: *dat zal wel* ~ it won't be so bad

meevaller piece (*of:* bit) of luck: *een financiële* ~ a windfall

meevoelen sympathize (with)

meewarig pitying: *met een* ~*e blik keek ze hem aan* she looked at him pityingly

meewerken 1 cooperate, work together: *we werkten allemaal een beetje mee* we all pulled together, we all did our little bit; **2** *(helpen)* assist: *allen werkten mee om het concert te laten slagen* everyone assisted in making the concert a success; *meewerkend voorwerp* indirect object

meezingen sing along (with)

meezitten be favourable: *het zat hem niet mee* luck was against him; *als alles meezit* if all goes well, if everything runs smoothly

megabioscoop multiplex

megafoon megaphone

megahertz megahertz

mei May

meid girl, (young) woman: *je bent al een hele* ~ you're quite a woman (*of:* girl)

meidengroep female band

meikever May-bug, cockchafer

meiklokje lily of the valley

meineed perjury

meisje 1 girl, daughter; **2** *(jonge vrouw)* girl, young woman (*of:* lady); **3** *(vriendin)* girlfriend; **4** *(dienstmeisje)* girl, maid

meisjesnaam maiden name

Mej. *afk van Mejuffrouw* Miss

mejuffrouw Miss, *(gehuwde of ongehuwde vrouw)* Ms

mekaar *(inform)* each other, one another ‖ *komt voor* ~ OK, I'll see to it

melaats leprous

melaatsheid leprosy

melancholie melancholy

melancholiek melancholy

melange blend, mélange

melden I *tr* report, inform (of), *(aankondigen)* announce: *ze heeft zich ziek gemeld* she has reported (herself) sick, she called in sick; *niets te* ~ *hebben (fig)* have nothing (*of:* no news) to report; **II** *zich* ~ report, check in

melding mention(ing), report(ing)

meldkamer centre, *(voor noodgevallen)* emergency room

melig corny

melk milk: *koffie met* ~ white coffee

melkboer milkman

melkbus milk churn

melken milk

melkgebit milk teeth

melkkoe 1 dairy cow; **2** *(fig)* milch cow

melkpoeder powdered milk, dehydrated milk
melktand milk tooth
melkvee dairy cattle
melkveehouder dairy farmer
melkweg Milky Way
melodie melody, tune
melodieus melodious
melodrama melodrama
meloen melon
membraan membrane
memo memo
memoires memoirs
men 1 one, *(inform)* people, they: ~ *zegt* it is said, people *(of: they)* say; ~ *zegt dat hij ziek is* he is said to be ill; **2** *(ik en iedereen met mij)* one, *(inform)* you: ~ *kan hen niet laten omkomen* they cannot be allowed to die; ~ *zou zeggen dat …* by the look of it …; **3** *(één of meer personen)* one, *(inform)* they: ~ *had dat kunnen voorzien* that could have been foreseen; ~ *hoopt dat …* it is hoped that …
meneer gentleman; *(met naam)* Mr
menen 1 mean: *dat meen je niet!* you can't be serious!; *ik meen het!* I mean it!; **2** *(bedoelen)* intend, mean: *het goed met iem* ~ mean well towards s.o.; **3** *(veronderstellen)* think: *ik meende dat …* I thought …
menens: *het is* ~ it's serious
mengeling mixture
mengelmoes mishmash, jumble
mengen I *tr* **1** mix, blend: *door elkaar* ~ mix together; **2** *(in verband brengen)* mix, bring in: *mijn naam wordt er ook in gemengd* my name was also brought in *(of: dragged in)*; **II** *zich* ~ *(zich inlaten met)* get (oneself) involved (in), get (oneself) mixed up (in): *zich in de discussie* ~ join in the discussion
mengpaneel mixing console, mixer
mengsel mixture, blend
menie red lead
menig many *(met mv)*; many a *(met ev)*: *in* ~ *opzicht* in many respects
menigte crowd
mening opinion, view: *afwijkende* ~ dissenting view *(of: opinion)*; *naar mijn* ~ in my opinion *(of: view)*, I think, I feel; *van* ~ *veranderen* change one's opinion *(of: view)*; *voor zijn* ~ *durven uitkomen* stand up for one's opinion
meningsuiting (expression of) opinion, speech: *vrije* ~ freedom of speech
meningsverschil difference of opinion
meniscus meniscus, kneecap
mennen drive
menopauze menopause
¹mens 1 human (being), man, *(mensdom)* man(kind): *ik ben ook maar een* ~ I'm only human; *dat doet een* ~ *goed* that does you good; *geen* ~ not a soul; **2** *(mv) (personen)* people: *de gewone* ~*en* ordinary people; **3** *(type)* person: *een onmogelijk* ~ *zijn* be impossible (to deal with)
²mens *(vrouw)* thing, creature: *het is een braaf (best)*

~ she's a good (old) soul
mensa refectory, *(voor studenten)* (student) cafeteria
mensaap anthropoid (ape), man ape
menselijk 1 human: *vergissen is* ~ to err is human; **2** *(humaan)* humane: *niet* ~ inhumane, inhuman
menselijkheid humanity
menseneter cannibal
mensenhandel human trafficking
mensenheugenis human memory: *sinds* ~ from *(of: since)* time immemorial
mensenkennis insight into (human) character *(of: human nature)*
mensenleven (human) life
mensenrechten human rights
mens-erger-je-niet ludo, *(Am)* sorry
mensheid human nature, humanity
menslievend charitable, humanitarian, *(weldadig)* philanthropic
mensonterend degrading, disgraceful
menstruatie menstruation, period
menstruatiepijn menstrual pain
menstrueren menstruate
menswaardig decent, dignified
menswetenschappen *(biologie, medicijnen, antropologie enz.)* life sciences; *(politiek, economie enz.)* social sciences
menswetenschapper *(mbt biologie, medicijnen, antropologie enz.)* life scientist; *(mbt politiek, economie enz.)* social scientist
mentaal mental
mentaliteit mentality
menthol menthol
mentor 1 *(studiebegeleider)* tutor; *(Am)* student adviser; **2** *(adviseur)* mentor
menu menu
menubalk menu bar, button bar
menugestuurd menu-driven
menukaart menu
mep smack || *de volle* ~ the full whack
meppen smack
merci thanks
Mercurius Mercury
merel blackbird
meren moor
merendeel greater part, *(van iets telbaars ook)* majority
merg (bone) marrow: *die kreet ging door* ~ *en been* it was a harrowing *(of: heart-rending)* cry
mergel marl
meridiaan meridian
merk 1 *(handelsmerk)* brand (name), trademark; *(technische producten)* make *(tv, auto, ijskast enz.)*; **2** *(teken)* mark, *(keur)* hallmark *(bijv. op zilver, goud)*
merkbaar noticeable
merken 1 notice, see: *dat is (duidelijk) te* ~ it shows; *hij liet niets* ~ he gave nothing away; *je zult het wel* ~ you'll find out; *ik merkte het aan zijn gezicht* I

could tell (of: see) by the look on his face; **2** (markeren) mark, (met brandmerk) brand

merkkleding designer wear (of: clothes)

merkwaardig (vreemd) peculiar: het ~e van de zaak is ... the curious (of: odd) thing (about it) is ...

merrie mare

mes knife, (van apparaat) blade: het ~ snijdt aan twee kanten it is doubly advantageous

mesjogge crazy, nutty

mess mess (hall), messroom

messcherp razor-sharp

Messias Messiah

messing brass

messteek stab (of a knife)

mest 1 manure; **2** (kunstmatig) fertilizer

mesten fertilize; (van dieren) fatten

mesthoop dunghill

mestvee beef cattle, store cattle; fatstock

met 1 (along) with, of: ~ Janssen (aan de telefoon) Janssen speaking (of: here); ~ wie spreek ik? (aan de telefoon) who am I speaking to?; spreken ~ iem speak to s.o.; ~ (zijn) hoevelen zijn zij? how many of them are there?; **2** (plus) with, and, (inclusief) including: ~ rente with interest; ~ vijf plus (of: and) five; tot en ~ hoofdstuk drie up to and including chapter three; **3** (vermengd met) (mixed) with, and; **4** (door middel van) with, by, through, in: ~ de trein van acht uur by the eight o'clock train; **5** (gelijktijdig met) with, by, at: ik kom ~ Kerstmis I'm coming at Christmas; een zak ~ geld a bag of money

metaal I het metal; **II** de metal industry, (mbt staal) steel industry

metaalarbeider metalworker; (mbt staal) steel-worker

metaalnijverheid metal industry, metallurgical industry, (mbt staal) steel industry

metalen 1 metal, metallic; **2** (als van metaal) metallic

metamorfose metamorphosis

meteen 1 immediately, at once, right (of: straightaway): ze kwam ~ toen ze het hoorde she came as soon as she heard it; dat zeg ik u zo ~ I'll tell you in (just) a minute; ze was ~ dood she was killed instantly; nu ~ (right) now, this (very) minute; **2** (tegelijkertijd) at the same time, too: koop er ook ~ eentje voor mij buy one for me (too) while you're about it

meten measure, (met meettoestel) meter

meteoor meteor

meteoriet meteorite

meteorologie meteorology

meteoroloog meteorologist

¹**meter 1** metre: méters boeken yards of books; vierkante (of: kubieke) ~ square (of: cubic) metre; **2** (meetapparaat) meter, gauge: de ~ opnemen read the meter; **3** (wijzer, naald) indicator, (meter) needle

²**meter** (peettante) godmother

meterkast meter cupboard

metgezel companion

methadon methadone

methode method, system

meting measuring, measurement

metro underground (railway), (Am) subway, (mbt Londen ook) tube, (mbt Europese steden, ook) metro

metronoom metronome

metropool metropolis

metrostation undergroundstation, (Am) subway station, (mbt Londen ook) tube station, (mbt Europese steden, ook) metro station

metselaar bricklayer

metselen build (in brick, with bricks), (bakstenen op elkaar voegen) lay bricks

metten: korte ~ maken (met) make short (of: quick) work (of)

metterdaad indeed, in fact

meubel piece of furniture, (mv) furniture

meubelzaak furniture business (of: shop)

meubilair furniture, furnishings

meubileren furnish

meute gang, crowd

mevrouw 1 madam, ma'am, miss; **2** (mbt een (gehuwde) vrouw) Mrs; (gehuwd, ongehuwd) Ms

Mexicaan Mexican

Mexico Mexico

mezelf myself, me: ik vermaak ~ wel I'll look after myself

miauwen miaow, mew

micro (Belg) mike

microbe microbe

microfoon microphone, (inform) mike

microprocessor microprocessor

microscoop microscope

middag 1 afternoon: 's middags in the afternoon: om 5 uur 's middags at 5 o'clock in the afternoon, at 5 p.m.; **2** (12 uur) noon: tussen de ~ at lunchtime

middagdutje afternoon nap

middageten lunch(eon)

middagpauze lunch hour, lunchtime, lunch-hour break

middagtemperatuur afternoon temperature

middagvoorstelling matinè

middel 1 (taille) waist; **2** (hulpmiddel) means: het is een ~, geen doel it's a means to an end; door ~ van by means of; **3** (geneesmiddel) remedy: een ~tje tegen hoofdpijn a headache remedy; het ~ is soms erger dan de kwaal the remedy may be worse than the disease

middelbaar middle; (mbt onderwijs) secondary

Middeleeuwen Middle Ages

middeleeuws medi(a)eval: ~e geschriften medi(a)eval documents

middelgroot medium-size(d)

middellands Mediterranean: de Middellandse Zee the Mediterranean (Sea)

middellijn diameter

middelmaat average

middelmatig average, mediocre: *ik vind het maar ~* I think it's pretty mediocre

middelmatigheid mediocrity

middelpunt centre, middle

middelst middle(most)

middelvinger middle finger

midden I *zn* **1** middle, centre: *dat laat ik in het ~* I won't go into that; *de waarheid ligt in het ~* the truth lies (somewhere) in between; **2** *(mbt een verzameling)* middle, midst: *te ~ van* in the midst of, among; **II** *bw* in the middle of: *~ in de zomer* in the middle of (the) summer; *hij is ~ (in de) veertig* he is in his middle forties (*of*: mid-forties)

Midden-Amerika Central America

middenbaan *(rijbaan)* middle lane, centre lane

middenberm central reservation

Midden-Europa Central Europe

Midden-Europees Central-European

middengolf medium wave

middenklasse medium range (*of*: size)

middenmoot middle bracket (*of*: group): *die sport-club hoort thuis in de ~* that's just an average club

middenoor middle ear

Midden-Oosten Middle East

middenpad (centre) aisle, *(trein, zaal ook)* gangway

middenrif midriff, diaphragm

middenstand (the) self-employed, tradespeople

middenstander tradesman, shopkeeper

middenstandsdiploma *(ongev)* retailer's certificate (*of*: diploma)

middenstip centre spot

middenveld midfield

middenvelder midfielder, midfield player

middernacht midnight

midgetgolf miniature golf, midget golf

midvoor centre forward

mier ant

miereneter ant-eater

mierenhoop anthill

mietje *(scheldw., inform)* gay, pansy

miezeren drizzle

miezerig 1 drizzly; **2** *(klein)* tiny, puny

migraine migraine

migratie migration

migreren migrate

mij 1 me: *hij had het (aan) ~ gegeven* he had given it to me; *dat is van ~* that's mine; *een vriend van ~* a friend of mine; *dat is ~ te duur* that's too expensive for me; **2** myself: *ik schaam ~ zeer* I am deeply ashamed

mijl mile

mijlenver miles (away); *(bw ook)* for miles

mijlpaal milestone

mijmeren muse (on), (day)dream (about)

¹mijn mine *(ook mil)*: *op een ~ lopen* strike (*of*: hit) a mine

²mijn my ‖ *daar moet ik het ~e van weten* I must get to the bottom of this

mijnenveld minefield

mijnheer 1 *(als aanspreking)* sir: *~ de voorzitter* Mr chairman; *~ Jansen* Mr Jansen; **2** *(heer)* gentleman: *is ~ thuis?* is Mr X in?

mijnschacht mine shaft

mijnwerker miner

mijt mite

mijter mitre

mijzelf myself

mikken (take) aim: *~ op iets* (take) aim at sth

mikmak caboodle

mikpunt butt, target

Milaan Milan

mild mild, soft *(regen)*, gentle

milicien *(Belg; hist)* conscript

milieu 1 milieu: *iem uit een ander ~* s.o. from a different social background (*of*: milieu); **2** *(biol)* environment

milieubeheer conservation (of nature), environmental protection

milieubeweging ecology movement, environmental movement

milieubewust environment-minded

milieudeskundige environmentalist, *(wtsch)* ecologist

milieuvriendelijk ecologically sound, environmentally friendly (*of*: safe)

militair I *zn* soldier, serviceman; **II** *bn, bw* military: *in ~e dienst gaan* do one's military service, join the Army

militant *(Belg)* activist

militie *(Belg; hist)* compulsory military service

miljard billion, (a, one) thousand million: *de schade loopt in de ~en euro* the damage runs into billions of euros

miljardair multimillionaire

miljardennota budget

miljardste billionth

miljoen million

miljoenste millionth

miljonair millionaire

mille (one) thousand

millennium millennium

millibar millibar

milligram milligram

milliliter millilitre

millimeter millimetre

milt spleen

mime mime

mimespeler mime artist

mimiek facial expression

mimosa mimosa

min I *zn* minus; *(teken)* minus (sign) ‖ *zij heeft op haar rapport een zeven ~* she has a seven minus on her report; *de thermometer staat op ~ 10 °* the thermometer is at minus 10°; *tien ~ drie is zeven* ten minus three equals seven; *~ of meer* more or less; **II** *bn* **1** *(niet goed genoeg)* poor: *arbeiders waren haar te*

~ workmen were beneath her; 2 *(weinig)* little, few: *zo ~ mogelijk fouten maken* make as few mistakes as possible

minachten disdain, hold in contempt

minachting contempt, disdain: *uit ~ voor* in contempt of

minaret minaret

minarine *(Belg)* low-fat margarine

minder 1 less; fewer, *(kleiner)* smaller: *hij heeft niet veel geld, maar nog ~ verstand* he has little money and even less intelligence; *dat was ~ geslaagd* that was less successful; *hoe ~ erover gezegd wordt, hoe beter* the less said about it the better; *vijf minuten meer of ~* give or take five minutes; *groepen van negen en ~* groups of nine and under; **2** *(slechter)* worse: *mijn ogen worden ~* my eyes are not what they used to be

mindere inferior

minderheid minority

mindering decrease: *iets in ~ brengen (op)* deduct sth (from)

minderjarig minor: *~ zijn* be a minor

minderjarigheid minority

minderwaardig inferior (to)

minderwaardigheid inferiority

mineraal mineral ‖ *rijk aan mineralen* rich in minerals

mineraalwater mineral water

mineur minor

mineurstemming minor key

mini mini

miniatuur miniature

minidisc minidisc

miniem I *bn, bw* small, slight, negligible; **II** *zn (Belg)* junior member (10, 11 years) of sports club

minigolf miniature golf

minima minimum wage earners

minimaal 1 minimal, minimum: *~ presteren* perform very poorly; **2** *(minstens)* at least

minimum minimum

minimumleeftijd minimum age

minimumloon minimum wage

minirok miniskirt

minister minister, secretary of state, *(Am)* secretary: *~ van Binnenlandse Zaken* Minister of the Interior, Home Secretary, *(Am)* Secretary of the Interior; *~ van Buitenlandse Zaken* Minister for Foreign Affairs, Secretary of State for Foreign and Commonwealth Affairs, Foreign Secretary, *(Am)* Secretary of State; *~ van Defensie* Minister of Defence, Secretary of State for Defence, *(Am)* Secretary of Defense, Defense Secretary; *~ van Economische Zaken* Minister for Economic Affairs, Secretary of State for Trade and Industry, *(Am; ongev)* Secretary for Commerce; *~ van Financiën* Minister of Finance, Chancellor of the Exchequer, *(Am)* Secretary of the Treasury; *~ van Justitie* Minister of Justice, *(ongev)* Lord (High) Chancellor, *(Am; ongev)* Attorney General; *~ van*

Landbouw en Visserij Minister of Agriculture and Fisheries; *~ van Onderwijs en Wetenschappen* Minister of Education and Science, *(Am)* Secretary of Education; *~ van Ontwikkelingssamenwerking* Minister for Overseas Development; *~ van Sociale Zaken en Werkgelegenheid* Minister for Social Services and Employment, *(Am; ongev)* Secretary of Labor; *~ van Verkeer en Waterstaat* Minister of Transport and Public Works, *(Am)* Secretary of Transportation; *~ van Volkshuisvesting, Ruimtelijke Ordening en Milieubeheer* Minister for Housing, Regional Development and the Environment, *(Am; ongev)* Secretary for Housing and Urban Development; *~ van Welzijn, Volksgezondheid, en Cultuur* Minister of Welfare, Health and Cultural Affairs, *(Am; ongev)* Secretary of Health and Human Services; *eerste ~* prime minister, premier

ministerie ministry; department: *~ van Buitenlandse Zaken* Ministry of Foreign Affairs, Foreign (and Commonwealth) Office, *(Am)* State Department; *~ van Defensie* Ministry of Defence, *(Am)* Department of Defense, (the) Pentagon; *~ van Financiën* Ministry of Finance, Treasury, *(Am)* Treasury Department; *het Openbaar Ministerie* the Public Prosecutor

minister-president prime minister, premier

ministerraad council of ministers

minnaar lover, mistress

minnetjes poor

minst 1 slightest, lowest: *niet de (het) ~e ... (kans, twijfel enz.)* not a shadow of ..., not the slightest ...; **2** least: *op z'n ~* at (the very) least; *bij het ~e of geringste* at the least little thing; **3** least *(bij niet-telbare naamwoorden);* fewest *(bij telbare naamwoorden):* *zij verdient het ~e geld* she earns the least money; *de ~e fouten* the fewest mistakes

minstens at least: *ik moet ~ vijf euro hebben* I need five euros at least

minstreel minstrel

minteken minus (sign)

minus minus

minuscuul tiny, minuscule, minute

minutenwijzer minute hand

minuut 1 minute: *het is tien minuten lopen* it's a ten-minute walk; **2** *(ogenblik)* second, minute: *de situatie verslechterde met de ~* the situation was getting worse by the minute

mirakel miracle, wonder

mirre myrrh

¹mis Mass

²mis 1 *(niet raak)* out, off target: *~ poes!* tough (luck)!; *was het ~ of raak?* was it a hit or a miss?; **2** *(onjuist, verkeerd)* wrong: *het liep ~* it went wrong

misbaar uproar, hullabaloo

misbaksel bastard, louse

misbruik abuse, misuse, *(overmatig gebruik ook)* excess: *~ van iem maken* take advantage of s.o., use s.o., exploit s.o.

misbruiken 1 abuse, misuse, impose upon *(goed-*

heid); **2** *(verkrachten)* violate

misdaad crime

misdaadbestrijding crime prevention, fight against crime

misdadig criminal

misdadiger criminal

misdadigheid crime, criminality

misdienaar acolyte, *(jongen ook)* altar boy

misdoen do wrong

misdragen, zich misbehave, *(mbt kinderen ook)* be (a) naughty (boy, girl)

misdrijf criminal offence, criminal act, crime, *(jur)* felony

miserabel miserable, wretched

misère misery

misgaan go wrong: *dit plan moet haast wel ~* this plan is almost sure to fail

misgunnen (be)grudge, resent

mishandelen ill-treat, maltreat, *(lichamelijk letsel toebrengen)* batter: *dieren ~* be cruel to *(of:* maltreat) animals

mishandeling ill-treatment, maltreatment, *(jur)* battery

miskennen misunderstand: *een miskend genie (of: talent)* a misunderstood genius *(of:* talent)

miskleun blunder, boob

miskoop bad bargain, bad buy

miskraam miscarriage

misleiden mislead, deceive: *iem ~* lead s.o. up the garden path

misleiding deception

mislopen I *tr* miss (out on); **II** *intr (misgaan)* go wrong, miscarry: *het plan liep mis* the plan miscarried *(of:* was a failure)

mislukkeling failure

mislukken fail, be unsuccessful, go wrong, *(plan, poging ook)* fall through, break down *(onderhandelingen, huwelijk)*: *een mislukte advocaat* (of: *schrijver)* a failed lawyer *(of:* writer); *een mislukte poging* an unsuccessful attempt

mislukking failure

mismaakt deformed

mismaaktheid deformity

mispeuteren *(Belg)* do sth wrong, be up to

misplaatst out of place, misplaced, *(opmerking ook)* uncalled-for

mispunt pain (in the neck), bastard, louse

missaal missal

misschien perhaps, maybe: *bent u ~ mevrouw Hendriks?* are you Mrs Hendriks by any chance?; *heeft u ~ een paperclip voor me?* do you happen to have (of: could you possibly let me have) a paper clip?; *het is ~ beter als …* it may be better *(of:* perhaps) it's better if …; *~ vertrek ik morgen, ~ ook niet* maybe I'll leave tomorrow, maybe not; *zoals je ~ weet* as you may know; *wilt u ~ een kopje koffie?* would you care for some coffee?

misselijk 1 sick (in the stomach): *om ~ van te worden* sickening, nauseating, disgusting; **2** *(onuit-*

staanbaar) nasty, *(gedrag ook)* disgusting, revolting: *een ~e grap* a sick joke

misselijkheid (feeling of) sickness, nausea

missen miss; go without, *(het stellen zonder ook)* spare, afford *(vnl. mbt geld)*; *(niet hebben)* lack, *(niet hebben)* lose: *zijn doel ~ (fig)* miss the mark; *iem zeer ~* miss s.o. badly; *ik kan mijn bril niet ~* I can't get along without my glasses; *kun je je fiets een paar uurtjes ~?* can you spare your bike for a couple of hours?; *ze kunnen elkaar niet ~* they can't get along without one another; *ik zou het voor geen geld willen ~* I wouldn't part with it *(of:* do without it) for all the world; *dat kan niet ~* that can't go wrong *(of:* fail), that's bound to work/happen

misser 1 failure, mistake, flop; **2** *(sport)* miss, *(schot)* bad shot, poor shot, *(worp)* misthrow, bad throw, *(biljarten)* miscue

missie mission, *(bekeringsactiviteit)* missionary work

missionaris missionary

misstand abuse, wrong

misstap 1 false step, wrong step; **2** *(verkeerde, slechte daad)* slip: *een ~ begaan* make a slip, slip up

missverkiezing beauty contest

mist fog, *(lichter)* mist: *dichte ~* (a) thick fog; *de ~ ingaan: a) (van dingen, zaken e.d.)* go wrong *(of:* fail) completely; *b) (mbt grap ook)* fall flat; *c) (van personen)* go wrong, be all at sea

mistbank fog bank

misten be foggy, be misty

mistig *(nevelig)* foggy, *(lichter)* misty

mistlamp fog lamp

misverstand misunderstanding: *een ~ uit de weg ruimen* clear up a misunderstanding

misvormd deformed, disfigured, *(fig)* distorted

misvorming 1 deformation, *(fig)* distortion; **2** *(datgene wat misvormd is)* deformity, *(fig)* distortion

mitella sling

mitrailleur machine-gun

mits if, provided that: *~ goed bewaard, kan het jaren meegaan* (if) stored well, it can last for years

mixen mix

mixer *(handmixer)* mixer; *(bekervormig)* liquidizer, blender

ml *afk van milliliter* ml

mlk-school school for children with learning problems

mm *afk van millimeter* mm

m.m.v. *afk van met medewerking van* with the cooperation of

mobiel mobile

mobiel(tje) mobile (phone)

mobilisatie mobilization

mobiliseren mobilize

mobiliteit *(beweeglijkheid)* mobility

mobilofoon radio-telephone

mocassin moccasin

modaal average

modder mud, *(slijk)* sludge

modderbad mudbath
modderen muddle (along, through)
modderig muddy
modderpoel quagmire; *(fig; smeerboel)* mire
modderschuit mud boat *(of:* barge)
moddervet gross(ly fat)
mode fashion: *zich naar de laatste ~ kleden* dress after the latest fashion; *(in de) ~ zijn* be fashionable
modebewust fashion-conscious
model 1 model; type, style: *~ staan voor* serve as a model *(of:* pattern) for; *als ~ nemen voor iets* model sth *(of:* oneself) on; **2** *(ontwerp)* model, design: *het ~ van een overhemd* the style of a shirt; **3** *(juiste, ideale vorm)* model, style: *goed in ~ blijven* stay in shape
modelbouw model making, modelling (to scale)
modellenbureau modelling agency
modelleren model: *~ naar* fashion after, model on
modem modem
modeontwerper fashion designer
modern modern: *het huis is ~ ingericht* the house has a modern interior; *de ~ste technieken* most modern *(of:* state-of-the-art) technology
moderniseren modernize
modernisering modernization
modeshow fashion show
modewoord vogue word
modieus fashionable: *een modieuze dame* a lady of fashion
module module
¹moe mum(my), *(Am)* mom ‖ *nou ~!* well I say!
²moe 1 tired: *~ van het wandelen* tired with walking; **2** *(beu)* tired (of), weary (of): *zij is het warme weer ~* she is (sick and) tired of the hot weather
moed 1 courage, nerve: *al zijn ~ bijeenrapen (verzamelen)* muster up *(of:* summon up, pluck up) one's courage; **2** *(vertrouwen)* courage, heart: *met frisse ~ beginnen* begin with fresh courage, *(na tegenslag ook)* come up smiling; *de ~ opgeven* lose heart; *de ~ zonk hem in de schoenen* his heart sank into his boots
moedeloos despondent, dejected
moedeloosheid despondency, dejection
moeder mother: *hij is niet bepaald ~s mooiste* he's no oil-painting; *bij ~s pappot (blijven) zitten* be *(of:* remain) tied to one's mother's apron strings; *vadertje en ~tje spelen* play house
moederdag Mother's Day
moederhuis *(Belg)* maternity home
moederkoek placenta
moederlijk 1 motherly; **2** *(zoals (van) een moeder)* maternal
moedermelk mother's milk
moederskind 1 mother's child; **2** *(onzelfstandig)* mummy's boy *(of:* girl)
moedertaal mother tongue: *iem met Engels als ~ a* native speaker of English
moedertaalspreker native speaker
moedervlek birthmark, mole

moederziel: *~ alleen* all alone
moedig brave, *(met lef)* plucky
moeheid tiredness, weariness
moeilijk 1 difficult: *~ opvoedbare kinderen* problem children; *doe niet zo ~* don't make such a fuss; **2** *(zwaar)* hard, difficult: *het is ~ te geloven* it's hard to believe; *hij maakte het ons ~* he gave us a hard *(of:* difficult) time; **3** hardly: *daar kan ik ~ iets over zeggen* it's hard for me to say; *zij is een ~ persoon* she is hard to please
moeilijkheid difficulty, trouble, problem: *om moeilijkheden vragen* be asking for trouble; *daar zit (ligt) de ~* there's the catch
moeite 1 effort, trouble: *vergeefse ~* wasted effort; *bespaar je de ~* (you can) save yourself the trouble *(of:* bother); *~ doen* take pains *(of:* trouble); *u hoeft geen extra ~ te doen* you need not bother, don't put yourself out; *het is de ~ niet (waard)* it's not worth it *(of:* the effort, the bother); *het is de ~ waard om het te proberen* it's worth a try *(of:* trying); *het was zeer de ~ waard* it was most rewarding; *dank u wel voor de ~!* thank you very much!, sorry to have troubled you!; *dat is me te veel ~!* that's too much trouble; **2** *(last)* trouble, difficulty, *(minder sterk)* bother: *ik heb ~ met zijn gedrag* I find his behaviour hard to take *(of:* accept)
moeiteloos effortless, easy: *leer ~ Engels!* learn English without tears!
moeizaam laborious ‖ *zich ~ een weg banen (door)* make one's way with difficulty (through)
moer 1 nut; **2** *(moeder) (ongemarkeerd)* mother; **3** *(wijfjesdier) (konijn)* doe; *(bijenkoningin)* queen (bee) ‖ *daar schiet je geen ~ mee op* that doesn't get you anywhere
moeras swamp, marsh
moerasgebied marshland
moersleutel spanner, *(Am)* wrench
moerstaal mother tongue: *spreek je ~* speak plain English *(of:* Dutch)
moes purée
moesson monsoon
moestuin kitchen garden, vegetable garden
moeten I *hulpww* **1** must, have to, should, ought to: *ik moet zeggen, dat ...* I must say *(of:* have to say) that ...; *ik moest wel lachen* I couldn't help laughing; *het heeft zo ~ zijn* it had to be (like that); *als het moet* if I *(of:* we) must; **2** want, need: *ik moet er niet aan denken wat het kost* I hate to think (of) what it costs; *~ jullie niet eten?* don't you want to eat?; *dat moet ik nog zien* I'll have to see; *wat moet dat?* what's all this about?; *het huis moet nodig eens geschilderd worden* the house badly needs a coat of paint; **3** *(behoren)* should, ought to: *dat moet gezegd (worden)* it has to be said; *moet je eens horen* listen (to this); *de trein moet om vier uur vertrekken* the train is due to leave at four o'clock; *je moest eens weten ...* if only you knew ...; *dat moet jij (zelf) weten* it's up to you; *moet je nu al weg?* are you off already?; *ze moet er nodig eens uit* she needs a

day out; **4** *(waar(schijnlijk) zijn)* must, *(naar men zegt)* be supposed to, said to: *zij moet vroeger een mooi meisje geweest zijn* she must have been a pretty girl once; **5** *(Belg)* need (to), have (to): *u moet niet komen* you needn't come; **II** *tr (mogen)* like

moezelwijn Moselle (wine)

mogelijk I *bn* possible, likely, potential: *hoe is het ~, dat je je daarin vergist hebt?* how could you possibly have been mistaken about this?; *het is ~ dat hij wat later komt* he may come a little later; *het is heel goed ~ dat hij het niet gezien heeft* he may very well not have seen it; *het is ons niet ~ …* it's impossible for us, we cannot possibly …; *al het ~e doen* do everything possible; **II** *bw (misschien)* possibly, perhaps

mogelijkerwijs possibly, perhaps, conceivably

mogelijkheid 1 *(abstract)* possibility, *(te grijpen kans)* chance, *(gebeurtenis)* eventuality: *zij onderschat haar mogelijkheden* she underestimates herself; **2** *(mv) (kans op succes)* possibilities, prospects

mogen I *hulpww* **1** can, be allowed to, may, must, should, ought to: *mag ik een kilo peren van u?* (can I have) a kilo of pears, please; *mag ik uw naam even?* could *(of:* may) I have your name, please?; *je mag gaan spelen, maar je mag je niet vuil maken* you can go out and play, but you're not to get dirty; *als ik vragen mag* if you don't mind my asking; *mag ik even?* do you mind?, may I?; *mag ik er even langs?* excuse me (please); **2** *(reden hebben, moeten)* should, ought to: *je had me wel eens ~ waarschuwen* you might *(of:* could) have warned me; *hij mag blij zijn dat …* he ought to *(of:* should) be happy that …; **3** *(mbt toegeving)* may, might: *het mocht niet baten* it didn't help, it was to no avail; *dat ik dit nog mag meemaken!* that I should live to see this!; *het heeft niet zo ~ zijn* it was not to be; *zo mag ik het horen* (of: *zien)* that's what I like to hear *(of:* see); **II** *tr (aardig vinden)* like: *ik mag hem wel* I quite *(of:* rather) like him

mogendheid power

mohair mohair

mohikanen Mohicans

mok mug

moker sledgehammer

mokka mocha (coffee)

mokken grouse, sulk

¹mol mole

²mol *(muz)* **1** *(teken)* flat; **2** *(toonaard)* minor

Moldavië Moldavia

Moldaviër Moldavian

molecule molecule

molen 1 (wind)mill; **2** *(hengelsport)* reel ‖ *het zit in de ~* it is in the pipeline

molenaar miller

molesteren molest

mollen wreck, bust (up)

mollig plump, *(kind)* chubby

molm mouldered wood

molshoop molehill

Molukken Moluccas, Molucca Islands

Molukker Moluccan

Moluks Moluccan(n)

mom: *onder het ~ van de weg te vragen* on *(of:* under) the pretext of asking the way

moment moment, minute: *één ~, ik kom zó* one moment please, I'm coming, hang on a minute, I'm coming; *daar heb ik geen ~ aan gedacht* it never occurred to me

momenteel at present, at the moment, currently

mompelen mumble, mutter

Monaco Monaco

monarchie monarchy

mond mouth, muzzle *(vuurwapen)*: *iem een grote ~ geven* talk back at *(of:* to) s.o., give s.o. lip; *hij kan zijn grote ~ niet houden* he can't keep his big mouth shut; *dat is een hele ~ vol* that's quite a mouthful; *zijn ~ houden (beleefd)* keep quiet, shut up; *zijn ~ opendoen* open one's mouth, *(mening geven)* speak up; *zijn ~ voorbijpraten* spill the beans; *met de ~ vol tanden staan* be at a loss for words, be tongue-tied

mondeling oral, verbal *(overeenkomst)*, by word of mouth *(bericht, informatie)*: *een ~ examen* an oral (exam(ination)); *een ~e toezegging* (of: *afspraak)* a verbal agreement *(of:* arrangement)

mond- en klauwzeer foot-and-mouth disease

mondharmonica harmonica

mondhoek corner of the mouth

mondig of age *(alleen ná zn)*; mature, independent

monding mouth, estuary *(rivier)*

mondje mouthful, taste *(eten of drinken)*: *een ~ Turks spreken* have a smattering of Turkish; *(denk erom,) ~ dicht* mum's the word; *hij is niet op zijn ~ gevallen: a)* *(rad van tong)* he has a ready tongue; *b)* *(bijt van zich af)* he gives as good as he gets

mond-op-mondbeademing mouth-to-mouth (resuscitation, respiration), rescue breathing

mondstuk 1 mouthpiece, *(van pijp ook)* nozzle *(slang)*; **2** filter

mond-tot-mondreclame advertisement by word of mouth, word-of-mouth advertising

mondvol mouthful

mondvoorraad provisions, supplies

monetair monetary: *het Internationaal Monetair Fonds* the International Monetary Fund

Mongolië Mongolia

Mongoloïde Mongoloid

mongool mongol

Mongool *(inwoner van Mongolië)* Mongol(ian)

monitor 1 monitor; **2** *(Belg)* youth leader; **3** *(Belg) (studiebegeleider)* tutor

monitoren monitor

monnik monk

mono mono

monocle monocle

monogaam monogamous

monogamie monogamy

monogram monogram

monoloog monologue

monopolie monopoly
monotoon monotonous, in a monotone
monoxide monoxide
monseigneur Monsignor
monster 1 *(gedrocht)* monster; 2 *(proefwaar)* sample, specimen; 3 *(zeer groot, omvangrijk iets)* monster, giant
monsterlijk monstrous, hideous
monsterzege mammoth victory
montage 1 assembly, mounting; 2 *(film)* editing
Montenegro Montenegro
monter lively, cheerful, vivacious
monteren 1 assemble; install *(machine enz.)*; 2 *(aan iets bevestigen)* mount, fix; 3 *(mbt film)* edit, cut *(film)*; assemble *(foto)*; 4 *(opmaken, in orde brengen)* fix, *(schilderij ook)* mount *(sieraden)*
montessorischool Montessori school
monteur mechanic, *(voor reparaties)* serviceman, repairman
montuur frame: *een bril zonder* ~ rimless glasses
monument monument: *een* ~ *ter herinnering aan de doden* a memorial to the dead
monumentaal monumental
monumentenlijst *(ongev)* list of national monuments and historic buildings
mooi I *bn* 1 beautiful: *iets* ~ *vinden* think sth is nice; 2 *(mbt mensen)* good-looking, handsome, *(vrouw ook)* pretty, *(vrouw ook)* beautiful; 3 *(fraai)* lovely, beautiful: *zij ziet er mooi uit* she looks lovely; *deze fiets is er niet* ~*er op worden* this bicycle isn't what it used to be; 4 *(fraai gekleed, verzorgd)* smart: *zich* ~ *maken* dress up; 5 *(uitstekend)* good, *(heel mooi)* excellent: ~*e cijfers halen* get good marks *(Am:* grades); 6 *(aangenaam, gunstig)* good, fine, nice *(bedrag),* handsome *(bedrag): het kan niet* ~*er* it couldn't have been better; *te* ~ *om waar te zijn* too good to be true; 7 *(leuk)* good, nice: *een* ~ *verhaal* a nice *(of:* good) story; *het is* ~ *(geweest)* zo! that's enough now!, all right, that'll do!; II *bw* well, nicely: *jij hebt* ~ *praten* it's all very well for you to talk; *dat is* ~ *meegenomen* that is so much to the good; ~ *zo!* good!, well done!
moois fine thing(s), sth beautiful: *(iron) dat is ook wat* ~*!* a nice state of affairs!
moord murder, *(sluipmoord)* assassination, *(jur)* homicide: ~ *en brand schreeuwen* scream blue murder
moorddadig murderous
moorden kill, murder
moordenaar murderer, killer
moordend murderous, deadly, *(dodelijk)* fatal: ~*e concurrentie* cut-throat competition
moordzaak murder case
moorkop chocolate éclair
moot piece
mop joke: *een schuine* ~ a dirty joke
mopperaar grumbler
mopperen grumble, grouch
moraal morality; moral(s)

moraliseren moralize
Moravië Moravia
morbide morbid
moreel I *zn* morale: *het* ~ *hoog houden* keep up morale; II *bn, bw* moral
mores mores
morfine morphine
morgen I *zn* morning: *de hele* ~ all morning; *'s morgens* in the morning; *(goede)* ~*!* (good) morning!; *om 8 uur 's morgens* at 8 a.m.; II *bw* tomorrow: *vandaag of* ~ one of these days; ~ *over een week* a week tomorrow; *tot* ~*!* see you tomorrow!, till tomorrow!; *de krant van* ~ tomorrow's (news)paper
morgenavond tomorrow evening
morgenmiddag tomorrow afternoon
morgenochtend tomorrow morning
morgenvroeg tomorrow morning
mormel mutt: *een verwend* ~ a spoilt brat
morrelen fiddle
morren grumble
morsdood (as) dead as a doornail
morse Morse (code)
morsen (make a) mess (on, of), spill: *het kind zit te* ~ *met zijn eten* the child is messing around with his food
mortel mortar
mortier mortar
mortuarium 1 mortuary; 2 *(rouwcentrum)* funeral parlour *(Am:* home)
mos moss
moskee mosque
Moskou Moscow
moslim Muslim, Moslem
mossel mussel
mosterd mustard: *hij weet waar Abraham de* ~ *haalt* he knows what's what
mot moth
motel motel
motie motion
motief 1 motive; 2 *(vorm, figuur)* motif, design
motivatie motivation
motiveren 1 explain, account for, *(verdedigen)* defend, *(rechtvaardigen)* justify; 2 *(stimuleren)* motivate
motor 1 engine, *(elektromotor)* motor: *de* ~ *starten* (of: *afzetten)* start *(of:* turn off) the engine; 2 *(motorfiets)* motorcycle; 3 *(drijvende kracht)* driving force
motoragent motorcycle policeman
motorblok engine block
motorboot motorboat
motorcoureur motorcycle racer, *(motorsport)* rider
motorcross motocross
motorfiets motorcycle, motorbike, bike: ~ *met zijspan* sidecar motorcycle
motorhelm crash helmet, safety helmet
motoriek (loco)motor system; locomotion
motoriseren motorize
motorkap bonnet, *(Am)* hood

motorpech engine trouble
motorrace motorcycle race
motorrijtuigenbelasting *(ongev)* road tax
motorsport motorcycle racing
motorvoertuig motor vehicle, *(Am)* automobile
motregen drizzle
motregenen drizzle
mottenbal mothball
mottig moth-eaten, scruffy
motto motto, *(vnl. pol)* slogan
mountainbike mountain bike
mousse mousse
mousseren sparkle, fizz
mouw sleeve: *de ~en opstropen* roll up one's sleeves; *ergens een ~ aan weten te passen* find a way (a)round sth
mozaïek mosaic
Mozambique Mozambique
Mozes Moses
MP 1 *afk van minister-president* PM; **2** *afk van militaire politie* MP
mts *afk van middelbare technische school* intermediate technical school
muezzin muezzin
muf musty, stale, stuffy *(kamer)*
mug mosquito, *(klein)* gnat: *ve ~ een olifant maken* make a mountain out of a molehill
muggenbeet mosquito bite
muggenziften niggle, split hairs, nit-pick
muggenzifter niggler, hairsplitter, nit-picker
muil mouth, muzzle
muildier mule
muilezel hinny
muilkorf muzzle
muis mouse; *(van hand)* ball
muisarm mouse arm
muismatje mouse mat
muisstil (as) still *(of:* quiet) as a mouse
muiterij mutiny: *er brak ~ uit* a mutiny broke out
muizenissen worries
muizenval mousetrap
mul loose, sandy
mulat mulatto
multicultureel multicultural
multimedia multimedia
multimiljonair multimillionaire
multiple multiple
multiplex multi-ply (board)
mum: *in een ~ (van tijd)* in a jiffy *(of:* trice)
mummie mummy
München Munich
munitie (am)munition, ammo
munt 1 coin: *iem met gelijke ~ terugbetalen* give s.o. a taste of their own medicine; **2** *(voor automaten)* token
munteenheid monetary unit
muntgeld coin, coinage
muntsoort currency
muntstuk coin

munttelefoon payphone
muntzijde tail
murmelen mumble, murmur
murw tender, soft
mus sparrow
museum museum, *(mbt beeldende kunst ook)* (art) gallery
museumjaarkaart annual museum pass
musical musical
musiceren make music
musicoloog musicologist
musicus musician
muskaatwijn muscatel
musketier musketeer
muskiet mosquito
muskusrat muskrat
müsli muesli
mutant mutant
mutatie 1 mutation; *(comp, boekhouden)* transaction; **2** *((om)wisseling)* mutation, turnover *(van personeel)*
mutualiteit *(Belg)* health insurance scheme
muur wall: *een blinde ~* a blank wall; *de muren komen op mij af* the walls are closing in on me; *(sport) een ~tje vormen (opstellen)* make a wall; *uit de ~ eten, iets uit de ~ trekken (ongev)* eat from a vending machine
muurbloempje wallflower
muurschildering mural
muurvast firm, solid, *(onbuigzaam)* unyielding, *(onbuigzaam)* unbending: *de besprekingen zitten ~* the talks have reached total deadlock
muzak muzak
muze 1 muse; **2** *(mv)* (the) Muses: *zich aan de muzen wijden* devote oneself to the arts
muziek music: *op de maat van de ~ dansen* dance in time to the music; *op ~ dansen* dance to music; *dat klinkt mij als ~ in de oren* it's music to my ears
muziekbalk stave, staff
muziekcassette musicassette
muziekinstrument musical instrument
muzieknoot (musical) note
muziekschool school of music
muziekstuk piece of music, composition
muziekuitvoering musical performance
muzikaal musical: *~ gevoel* feel for music
muzikant musician
mw. *afk van mevrouw of mejuffrouw* Ms
mysterie mystery
mysterieus mysterious
mystiek 1 mystic, mysterious; **2** *(mbt de mystiek)* mystical: *een ~e ervaring* a mystical experience
mythe myth, *(persoon)* legend
mythisch mythic(al)
mythologie mythology
mythologisch mythological

n

na after: *de ene blunder ~ de andere maken* make one blunder after the other (*of:* another); *wat eten we ~?* what's for dessert?; *op een paar uitzonderingen ~* with a few exceptions; *de op één ~ grootste* (*of: sterkste*) the second biggest (*of:* strongest); *het op drie ~ grootste bedrijf* the fourth largest company

naad seam; *(mbt planken ook)* joint || *zich uit de ~ werken* work oneself to death

naadje: *het naadje van de kous willen weten* want to know all the ins and outs

naadloos seamless

naaf hub

naaidoos sewing box

naaien *(vervaardigen)* sew

naaigaren sewing thread (*of:* cotton): *een klosje ~* a reel of thread (*of:* cotton)

naaimachine sewing machine

naakt 1 naked, nude: *~ slapen* sleep in the nude; **2** *(onbedekt, onbegroeid)* bare

naaktloper nudist

naaktloperij nudism

naald needle: *het oog van een ~* the eye of a needle; *dat is zoeken naar een ~ in een hooiberg* that's like looking for a needle in a haystack

naaldboom conifer

naaldhak stiletto(heel), *(Am)* spike heel

naaldhout softwood, coniferous wood

naaldvakken sewing, needlework

naam name, *(faam ook)* reputation: *een goede* (*of: slechte*) *~ hebben* have a good (*of:* bad) reputation; *zijn ~ eer aandoen* live up to one's reputation (*of:* name); *dat mag geen ~ hebben* that's not worth mentioning; *~ maken* make a name for oneself (with, as); *de dingen bij de ~ noemen* call a spade a spade; *een cheque uitschrijven op ~ van* make out a cheque to; *ten name van, op ~ van* in the name of; *wat was uw ~ ook weer?* what did you say your name was?

naambord nameplate

naamkaartje calling-card, business card

naamloos anonymous, unnamed

naamplaatje nameplate

naamval case

naamwoord noun: *een bijvoeglijk ~* an adjective; *een zelfstandig ~* a noun

na-apen ape, mimic

na-aper mimic, copycat

¹naar 1 to, for: *~ huis gaan* go home; *~ de weg vragen* ask the way; *op zoek ~* in search of; *~ iem vragen* ask for (*of:* after) s.o.; **2** *(overeenkomstig)* (according) to: *ruiken* (*of: smaken*) *~* smell (*of:* taste) of

²naar nasty, horrible

naargeestig gloomy, dismal

naarmate as: *~ je meer verdient, ga je ook meer belasting betalen* the more you earn, the more tax you pay

naast I *vz* **1** next to, beside, *(mis)* wide of: *~ iem gaan zitten* sit down next to (*of:* beside) s.o.; **2** *(op één lijn met)* alongside, next to: *~ elkaar* side by side, next to one another; **3** *(onmiddellijk volgend op)* after, next to; **II** *bn* **1** near(est), closest, immediate *(omgeving, tijd):* *de ~e bloedverwanten* the next of kin; **2** *(mis)* out, off (target): *hij schoot ~* he shot wide

naaste neighbour

naastenliefde charity

nabespreken discuss afterwards

nabestaande (surviving) relative, *(mv)* next of kin

nabestellen reorder, have copies made of

nabij near (to), close to: *om en ~ de duizend euro* roughly (*of:* around, about) a thousand euros; *de ~e omgeving* the immediate surroundings

nabijgelegen nearby

nabijheid neighbourhood, vicinity

nablijven stay behind

nabootsen imitate, copy, *(spottend)* mimic

nabootsing imitation, copying; copy

naburig neighbouring, nearby

nacht night: *de afgelopen ~* last night; *de komende ~* tonight; *het werd ~* night (*of:* darkness) fell; *tot laat in de ~* deep into the night; *'s ~s* at night; *om drie uur 's ~s* at three o'clock in the morning, at three a.m.

nachtclub nightclub

nachtdienst night shift

nachtdier nocturnal animal

nachtegaal nightingale

nachtelijk 1 night; **2** nocturnal, of night; **3** *(bij nacht)* night(time)

nachtfilm late-night film

nachtjapon nightgown, nightdress, nightie

nachtkastje night table, bedside table

nachtkluis night safe

nachtlampje nightlight, nightlamp

nachtmerrie nightmare

nachtmis midnight mass

nachtpon nightdress, nightgown, nightie

nachtslot double lock

nachtvoorstelling late-night performance

nachtvorst night frost, *(aan de grond)* ground frost

nachtwake vigil, night watch

nachtwerk nightwork

nachtzoen good-night kiss: *iem een ~ geven* kiss s.o. good night

nachtzuster night nurse

nacompetitie *(voetbal)* play-offs

nadarafsluiting *(Belg)* crush barrier

nadat after: *het moet gebeurd zijn ~ ze vertrokken waren* it must have happened after they left

nadeel disadvantage, *(schade)* damage, drawback: *zo zijn voor- en nadelen hebben* have its pros and cons; *al het bewijsmateriaal spreekt in hun ~* all the evidence is against them; *ten nadele van* to the detriment of

nadelig adverse, harmful

nadenken 1 think: *even ~* let me think; *ik heb er niet bij nagedacht* I did it without thinking; *ik moet er eens over ~* I'll think about it; **2** *(nader overwegen)* think, reflect (on, upon), consider: *zonder erbij na te denken* without (even, so much as) thinking; *stof tot ~* food for think

nader 1 closer, nearer: *partijen ~ tot elkaar proberen te brengen* try to bring parties closer together; **2** *(nauwkeuriger)* closer; *(gegevens)* further, more detailed *(of:* specific): *bij ~e kennismaking* on further *(of:* closer) acquaintance

naderbij closer, nearer

naderen approach

naderhand afterwards

nadoen 1 copy; **2** *(imiteren)* imitate, copy; *(spottend)* mimic: *de scholier deed zijn leraar na* the schoolboy mimicked his teacher

nadruk emphasis, stress

nadrukkelijk emphatic; express

na

nafluiten whistle at: *een meisje ~* give a girl a wolf whistle

nagaan 1 *(controleren)* check (up): *we zullen die zaak zorgvuldig ~* we will look carefully into the matter; **2** work out (for oneself), examine: *voor zover we kunnen ~* as far as we can gather *(of:* ascertain); **3** *(zich voorstellen)* imagine: *kun je ~!* just imagine!

nageboorte afterbirth

nagedachtenis memory: *ter ~ aan mijn moeder* in memory of my mother

nagel nail; *(van dier)* claw

nagelbijten bite one's nails

nagellak nail polish *(of:* varnish)

nagerecht dessert (course)

nageslacht offspring, descendants

naïef naive

najaar autumn

najaarsmode autumn fashion(s)

nakijken 1 watch, follow (with one's eyes): *zij keek de wegrijdende auto na* she watched the car drive off; **2** *(controleren, nazien)* check, have *(of:* take) a look at: *zich laten ~* have a check-up; **3** *(corrigeren)* correct: *veel proefwerken ~* mark *(Am:* grade) a lot of papers

nakomeling descendant; *(mv)* offspring

nakomen I *intr* come later, arrive later, come after(wards); **II** *tr* *(van afspraken e.d.)* observe, *(uitvoeren)* perform, *(uitvoeren)* fulfil: *een belofte ~* keep a promise

nalaten 1 leave (behind), *(schenken)* bequeath (to); **2** *(niet doen)* refrain from (-ing): *hij kan het niet ~ een grapje te maken* he cannot resist making a joke

nalatenschap estate, inheritance

naleven observe, comply with *(wet)*

nalezen read again

nalopen 1 walk after, run after; **2** *(controleren)* check

namaak imitation, copy, *(vervalst)* fake, *(vervalst)* counterfeit

namaken 1 imitate, copy; **2** *(van waardepapieren e.d.)* fake, counterfeit

name: *met ~* especially, particularly; *ze heeft je niet met ~ genoemd* she didn't mention your name (specifically)

namelijk 1 *(te weten)* namely; **2** *(immers)* you see, as it happens, it so happens (that): *ik had ~ beloofd dat …* it so happens I had promised that …

namens on behalf of

namiddag afternoon

naoorlogs postwar

napalm napalm

Napels Naples

nappa nap(p)a (leather), sheepskin

napraten echo, parrot

nar fool, idiot

narcis *(wit)* narcissus; *(geel)* daffodil

narcose narcosis, *(middel)* anaesthetic

narekenen go over *(of:* through) (again), check

narigheid trouble

naroepen 1 call after; **2** *(najouwen)* jeer at

nasaal nasal

nascholing refresher course, continuing education

nascholingscursus continuing-education course, *(herhalingscursus)* refresher course

naschrift postscript

naseizoen late season

nasi rice: *~ goreng* fried rice

naslagwerk reference book *(of:* work)

nasleep aftermath, (after)effects, consequences

nasmaak aftertaste

naspelen *(muz)* repeat (by ear), play (sth) after (s.o.); *(theat)* represent, play (out), act (out)

nastreven aim for, aim at, strive for *(of:* after): *geluk ~* seek happiness

nasturen send after: *iemands post ~* forward s.o.'s mail

nasynchroniseren dub

nat I *bn, bw* **1** wet, *(vochtig)* moist, damp: *~ worden* get wet; *door en door ~* drenched *(of:* soaked) (to the skin); **2** *(regenachtig)* wet, rainy *(weer)*; **II** *zn* liquid, *(van vlees, fruit)* juice

natekenen draw

natellen count again, check

natie nation, country

nationaal national

nationaal-socialisme National Socialism, *(in Duitsland ook)* Nazism

nationaal-socialist National Socialist, Nazi
nationalisatie nationalization
nationaliseren nationalize
nationalisme nationalism
nationalist nationalist
nationalistisch nationalist(ic)
nationaliteit nationality: *hij is van Britse ~* he has the British nationality
natmaken wet; *(vochtig)* moisten
natrekken check (out); *(naspeuren)* investigate
natrium sodium
nattevingerwerk guesswork
nattigheid damp: *~ voelen* smell a rat, be uneasy (about sth)
natura: *in ~* in kind
naturalisatie naturalization
naturaliseren naturalize: *zich laten ~* be naturalized
naturisme naturism, nudism
natuur 1 nature; *(landschap)* country(side), scenery: *wandelen in de vrije ~* (take a) walk (out) in the country(side); *terug naar de ~* back to nature; **2** *(geaardheid)* nature, character: *twee tegengestelde naturen* two opposite natures (*of:* characters); *dat is zijn tweede ~* that's become second nature (to him)
natuurbeheer (nature) conservation
natuurbeschermer conservationist
natuurbescherming (nature) conservation, protection of nature
natuurgebied scenic area; *(natuurleven)* nature reserve, wildlife area
natuurgenezer healer
natuurkunde physics
natuurkundig physical, physics
natuurkundige physicist
natuurliefhebber nature lover, lover of nature
natuurlijk natural; *(mbt weergave)* true to nature (*of:* life): *maar ~!* why, of course! (*of:* naturally!)
natuurmonument nature reserve
natuurproduct natural product
natuurtalent *(talent)* gift, natural talent, born talent; *(persoon)* gifted (*of:* naturally talented) person
natuurverschijnsel natural phenomenon
natuurvoeding organic food, natural food, wholefood
natuurwetenschapper scientist, *(mbt natuurkunde)* physicist
¹nauw 1 narrow; **2** *(dicht aaneensluitend; innig)* close: *een ~e samenhang* a close connection; **3** *(precies)* precise, particular: *wat geld betreft kijkt hij niet zo ~* he's not so fussy (*of:* strict) when it comes to money; **4** *(mbt kleren e.d.)* narrow, close-fitting, *(te nauw)* tight
²nauw (tight) spot (*of:* corner): *iem in het ~ drijven* drive s.o. into a corner, put s.o. in a (tight) spot
nauwelijks hardly, scarcely, barely || *ik was ~ thuis, of ...* I'd only just got home when ...
nauwgezet painstaking; conscientious, scrupu-

lous; *(stipt)* punctual
nauwkeurig *(nauwgezet)* accurate, precise, *(zorgvuldig)* careful, *(oplettend)* close: *tot op de millimeter ~* accurate to (within) a millimetre
nauwkeurigheid accuracy, precision, exactness: *met de grootste ~* with clockwork precision
nauwlettend close; *(plichtsgetrouw)* conscientious; *(zorgvuldig)* careful: *~ toezien op* keep a close watch on
nauwlettendheid accuracy, precision, exactness
n.a.v. *afk van naar aanleiding van* in connection with, with reference to
navel navel
navelstreng umbilical cord, navel string
navertellen repeat, retell: *hij zal het niet ~* he won't live to tell the tale
navigatie navigation
navigeren navigate
NAVO *afk van Noord-Atlantische Verdragsorganisatie* NATO
navolger follower, imitator, copier
navolging imitation, following
navraag inquiry: *~ doen bij* inquire with
navragen inquire (about, into)
navulbaar refillable
navulpak refill pack
naweeën 1 afterpains, aftereffects; **2** *(vervelende gevolgen)* aftereffects, *(van oorlog, geweld)* aftermath
nawerking aftereffect(s)
nawijzen point at (*of:* after): *iem met de vinger ~* point the finger at s.o.
nawoord afterword, epilogue
nawuiven wave at (*of:* after)
nazeggen repeat: *zeg mij na* repeat after me
nazenden send on (*of:* after), forward
nazi Nazi
nazicht *(Belg) (controle)* check
nazien look over (*of:* through), check
nazisme Nazi(i)sm
nazitten pursue, chase
nazomer late summer
NB *afk van nota bene* N.B., NB
Neanderthaler Neanderthal (man)
nectar nectar
nectarine nectarine
nederig humble, modest
nederlaag defeat; *(tegenslag)* setback: *een ~ lijden* suffer a defeat, be defeated
Nederland the Netherlands, Holland
Nederlander Dutchman: *de ~s* the Dutch
Nederlands Dutch: *het Algemeen Beschaafd ~* Standard Dutch
Nederlandstalig Dutch-speaking: *een ~ lied* a song in Dutch
nederzetting settlement, post
nee 1 no: *geen ~ kunnen zeggen* not be able to say no; *daar zeg ik geen ~ tegen* I wouldn't say no (to that); *~ toch* you can't mean it, really?, surely not; **2** *(mbt verrassing, verontwaardiging)* really, you're

joking (of: kidding)

neef 1 *(zoon van broer of zuster)* nephew; **2** *(zoon van oom of tante)* cousin: *zij zijn ~ en nicht* they are cousins

neer down

neerbuigend condescending, patronizing

neerdalen come down, go down, descend

neerdrukken push *(of:* press, weigh) down

neergaan: *de straat* (of: *trap) op- en ~* go up and down the street *(of:* stairs)

neergooien throw down, toss down: *het bijltje er bij ~* throw in the towel

neerhalen 1 take down, pull down, lower; **2** *(omverhalen)* pull *(of:* take, knock) down, raze; **3** *(neerschieten)* take down, bring down

neerkijken look down (on), look down one's nose (at)

neerkomen 1 come down, descend, fall, land: *waar is het vliegtuig neergekomen?* where did the aeroplane land?; **2** *(treffen)* fall (on): *alles komt op mij neer* it all falls on my shoulders; **3** *(de bedoeling hebben)* come *(of:* boil) down (to), amount (to): *dat komt op hetzelfde neer* it comes *(of:* boils down) to the same thing

neerlandicus Dutch specialist, student of *(of:* authority on) Dutch

neerleggen 1 put (down), lay (down), set (down): *een bevel naast zich ~* disregard *(of:* ignore) a command; **2** *(afstand doen van)* put aside, lay down: *zijn ambt ~* resign (from) one's office

neerploffen flop down, plump down

neerschieten 1 shoot (down); **2** *(neerhalen)* bring down, down

neerslaan I *intr* fall down; drop down *(klep): een wolk van stof sloeg neer op het plein* a cloud of dust settled on the square; **II** *tr* **1** *(naar beneden slaan)* turn down *(rand, kraag),* let down, lower *(klep): de ogen ~* lower one's eyes; **2** *(tegen de grond slaan)* strike down, knock down, *(sport)* floor

neerslachtig dejected, depressed

neerslag 1 precipitation, *(regen ook)* rain, rainfall, *(hagel)* layer, *(sneeuw ook)* fall: *kans op ~* chance of rain; **2** *(verzinksel)* deposit

neersteken stab (to death)

neerstorten crash down, thunder down, crash *(vliegtuig): ~d puin* falling rubble

neerstrijken 1 *(mbt vogels)* alight, settle (on), perch (on); **2** *(mbt mensen)* descend (on); *(zich vestigen)* settle (on): *op een terrasje ~* descend on a terrace

neertellen pay (out), fork out

neervallen 1 *(op de grond vallen)* fall down, drop down: *werken tot je erbij neervalt* work till you drop; **2** *(gaan zitten)* drop (down), flop (down)

neerwaarts downward(s), down

neerzetten put down, lay down, place, *(koffers ook)* set down, *(gebouw ook)* erect: *een goede tijd ~* record a good time

negatief I *bn, bw* **1** negative, *(vnl. wisk, nat)* minus: *een ~ getal* a negative *(of:* minus) (number); **2** *(mbt*

personen) negative, critical; **II** *zn* negative (plate, film)

negen nine: *~ op (van) de tien keer* nine times out of ten

negende ninth

negentien nineteen

negentiende nineteenth

negentiende-eeuws nineteenth-century

negentig ninety: *hij was in de ~* he was in his nineties

neger (African, American) black (person), *(min; hist)* Negro

negeren ignore, take no notice of, *(persoon ook)* give the cold shoulder, *(naast zich neerleggen)* disregard, *(naast zich neerleggen)* brush aside: *iem volkomen ~* cut s.o. dead

neigen incline (to, towards), be inclined (to, towards), tend (to, towards)

neiging inclination, tendency

nek nape *(of:* back) of the neck: *je ~ breken over de rommel* trip over the rubbish; *zijn ~ uitsteken* stick one's neck out; *tot aan zijn ~ in de schulden zitten* be up to one's ears in debt

nek-aan-nekrace neck-and-neck race

nekken break *(of:* wring) s.o.'s neck

nekkramp spotted fever

nekvel scruff of the neck: *iem* (of: *een hond) in zijn ~ pakken* take s.o. *(of:* a dog) by the scruff of the neck

nemen 1 take: *maatregelen ~* take steps *(of:* measures); *de moeite ~ om* take the trouble to; *ontslag ~* resign; *een kortere weg ~* take a short cut; *iem iets kwalijk ~* take sth ill of s.o.; *iem (niet) serieus ~* (not) take s.o. seriously; *strikt genomen* strictly (speaking); *iem (even) apart ~* take s.o. aside; *voor zijn rekening ~* deal with, account for; **2** *(iets eten, drinken)* have: *wat neem jij?* what are you having?; *neem nog een koekje* (do) have another biscuit; **3** *(zich verschaffen)* take, get, have, take out: *een dag vrij ~* have *(of:* take) a day off; **4** *(zich bedienen van)* take, use: *de bus ~* catch *(of:* take) the bus, go by bus; **5** *(af-, wegnemen)* take, *(oorlog, schaakspel enz. ook)* seize, capture

neofascist neo-fascist

neon neon

neonazi neo-Nazi

neonreclame neon sign(s)

nep sham, fake, swindle, *(afzetterij)* rip-off

Nepal Nepal

Nepalees Nepalese, Nepali

Neptunus Neptune

nerf *(mbt hout)* grain(ing), texture; *(mbt blad)* vein, rib

nergens 1 nowhere: *met onbeleefdheid kom je ~* being rude will get you nowhere; *ik kon ~ naar toe* I had nowhere to go; **2** *(niets)* nothing: *~ aan komen!* don't touch!; *ik weet ~ van* I know nothing about it

nerts mink

nerveus nervous, tense, high(ly)-strung

nest 1 nest, *(roofvogel ook)* eyrie, *(hol)* den, hole; **2** *(worp)* litter, nest, brood *(vnl. vogels, insecten);* **3** *(ingewikkelde zaak)* jam, spot, fix: *in de ~en zitten* be in a fix

nestelen nest

¹net 1 net: *achter het ~ vissen* miss out, miss the boat; **2** *(netwerk)* network, system, *(communicatie ook)* net, mains *(elektrisch)*, grid *(gas, elektriciteit): een ~ van telefoonverbindingen* a network of telephone connections

²net I *bn* **1** *(netjes)* neat, tidy, *(goed onderhouden)* trim: *iets in het ~ schrijven* copy out sth; **2** *(beschaafd)* respectable, decent: *een ~te buurt* a respectable *(of:* genteel) neighbourhood; **II** *bw (juist)* just, exactly: *~ goed* serves you/him *(of:* her, them) right; *het gaat maar ~* it's a tight fit; *zij ging ~ vertrekken* she was about to leave; *~ iets voor hem: a) (net wat hij zoekt)* just the thing for him; *b) (kenmerkend voor hem)* just like him, him all over; *~ wat ik dacht* just as I thought; *dat is ~ wat ik nodig heb* that's exactly what I need; *ze is ~ zo goed als hij* she's every bit as good as he is; *zo is het maar ~* right you are!, just as you say!; *we hadden ~ zo goed niets kunnen doen* we might just as well have done nothing; *we kwamen ~ te laat* we came just too late; *~ echt* just like the real thing; *wij zijn ~ thuis* we've (only) just come home

netbal netball

netheid neatness, tidiness, cleanliness *(van aard); (kleding ook)* smartness

netjes 1 neat, tidy, clean; **2** *(keurig)* neat, smart: *~ gekleed* all dressed up; **3** *(zoals het hoort)* decent, respectable, proper: *gedraag je ~* behave yourself

netnummer dialling code; *(Am)* area code

netsurfen surfing (the Net)

nettiquette netiquette

netto net, nett, clear, real: *het ~ maandsalaris* the take-home pay; *de opbrengst bedraagt ~ €2000,-* the net(t) profit is €2,000

nettobedrag net(t) (amount)

nettogewicht net(t) weight

netvlies retina

netwerk *(mbt relaties)* network, criss-cross pattern, *(fig ook)* system: *een ~ van intriges* a web of intrigue

netwerken network

neuken *(inform)* screw, fuck

neuraal neural

neuriën hum

neurochirurgie neurosurgery

neurologie neurology, neuroscience

neuroloog neurologist

neuroot neurotic, psycho, nutcase

neurose neurosis

neurotisch neurotic

neus 1 nose, scent, *(fig ook)* flair: *een fijne ~ voor iets hebben* have a good nose for sth, have an eye for sth; *een frisse ~ halen* get a breath of fresh air; *doen alsof zijn ~ bloedt* play *(of:* act) dumb; *(Belg) van zijn ~*

maken show off, make a fuss; *de ~ voor iem (iets) ophalen* turn up one's nose at s.o. (sth), look down one's nose at s.o. (sth); *zijn ~ snuiten* blow one's nose; *zijn ~ in andermans zaken steken* stick one's nose into other people's affairs; *iem met zijn ~ op de feiten drukken* make s.o. face the facts; *niet verder kijken dan zijn ~ lang is* be unable to see further than (the end of) one's nose; **2** *(uiteinde van een voorwerp)* nose, *(spuit ook)* nozzle, (toe)cap *(schoen),* toe *(schoen): dat examen is een wassen ~* that exam is just a mere formality

neusdruppels nose drops

neusgat nostril

neushoorn rhinoceros, rhino

neuslengte nose, hair('s breadth)

neuspeuteren pick one's nose

neusvleugel nostril

neut drop, snort(er)

neutraal neutral, impartial

neutralisatie neutralization

neutraliseren neutralize, counteract

neutronenbom neutron bomb

neuzen browse, nose around *(of:* about)

nevel mist, *(licht)* haze, *(druppeltjes)* spray

nevelig misty, hazy

nevenactiviteit sideline

neveneffect side effect

nevenfunctie additional job

neveninkomsten additional income

newfoundlander Newfoundland (dog)

Niagara Niagara

Nicaragua Nicaragua

nicht 1 *(dochter van broer of zuster)* niece; **2** *(dochter van oom of tante)* cousin; **4** *(homo)* fairy, queen, poofter, *(Am)* faggot

nichterig fairy, poofy

nicotine nicotine

niemand no one, nobody: *voor ~ onderdoen* be second to none; *~ anders dan* none other than

niemandsland no man's land

nier kidney: *gebakken ~(tjes)* fried kidney(s)

niersteen kidney stone

niesbui attack *(of:* fit) of sneezing

¹niet not: *~ geslaagd (of:* gereed) unsuccessful *(of:* unprepared); *ik hoop van ~* I hope not; *hoe vaak heb ik ~ gedacht...* how often have I thought ...; *geloof jij dat verhaal niet? ik ook ~* don't you believe this story? neither *(of:* nor) do I; *~ alleen ..., maar ook ...* not only ... but also ...; *het betaalt goed, daar ~ van* it's well-paid, that's not the point, but; *helemaal ~* not at all, no way; *denk dat maar ~* don't you believe it!; *ik neem aan van ~* I don't suppose so, I suppose not; *ze is ~ al te slim* she is none too bright

²niet nothing, nought: *dat is ~ meer dan een suggestie* that's nothing more than a suggestion

niet-bestaand non-existent

nieten staple

nietes it isn't: *het is jouw schuld! ~! welles!* it's your fault! - oh no it isn't! - oh yes it is!

nietig 1 invalid, null (and void); **2** *(klein)* puny

nietje staple

nietmachine stapler

niet-roken non-smoking

niets 1 not at all: *dat bevalt mij* ~ I don't like that at all; **2** nothing, not anything: *weet je* ~ *beters?* don't you know (of) anything better?; *zij moet* ~ *van hem hebben* she will have nothing to do with him; *verder* ~? is that all?; *ik geloof er* ~ *van* I don't believe a word of it; *voor* ~: *a) (gratis)* for nothing, gratis, free (of charge); *b) (tevergeefs)* for nothing; *niet voor* ~ *(niet zonder reden)* not for nothing, for good reason; *dat is* ~ *voor mij* that's not my cup of tea; *dit is* ~ *dan opschepperij* that's just *(of:* mere) boasting; *in het* ~ *verdwijnen* disappear into thin air

nietsvermoedend unsuspecting

niettemin nevertheless, nonetheless, even so, still: ~ *is het waar dat …* it is nevertheless true that …

nietwaar is(n't) it?, do(n't) you?, have(n't) we?: *jij kent zijn pa,* ~? you know his dad, don't you?; *dat is mogelijk,* ~? it's possible, isn't it?

nieuw 1 *(pas gemaakt)* new, recent: *het* ~*ste op het gebied van* the latest thing in; **2** *(niet gebruikt)* new, *(ongedragen)* unworn, *(ongebruikt)* unused: *zo goed als* ~ as good as new; **3** *(vers)* fresh; *(jong)* young: ~*e haring* early-season herring(s); **4** *(ander)* new, fresh, *(origineel)* original, *(baanbrekend)* novel: *een* ~ *begin maken* make a fresh start; *ik ben hier* ~ I'm new here; **5** *(modern)* new, modern *(mbt geschiedenis, techniek)*

nieuwbouwwijk new housing estate *(of:* development)

nieuweling 1 novice, beginner; **2** *(op school e.d.)* new boy *(of:* girl, pupil)

nieuwemaan new moon

Nieuw-Guinea New Guinea

nieuwjaar New Year; New Year's Day: *een gelukkig (zalig)* ~*!* a Happy New Year!

nieuwjaarsdag New Year's Day

nieuwjaarswens New Year's greeting(s)

nieuwkuis *(Belg)* dry cleaning

nieuws news; *(één bericht)* piece of news: *buitenlands* (of: *binnenlands)* ~ foreign *(of:* domestic) news; *ik heb goed* ~ I have (some) good news; *dat is oud* ~ that's stale news, that's ancient history; *het* ~ *van acht uur* the eight o'clock news; *is er nog* ~? any news?, what's new?

nieuwsbericht news report; *(via radio, tv ook)* news bulletin, *(kort)* news flash

nieuwsbrief newsletter

nieuwsdienst news service, press service

nieuwsgierig curious (about), inquisitive, nosy

nieuwsgierigheid curiosity, inquisitiveness: *branden van* ~ be dying from curiosity

nieuwsgroep newsgroup

nieuwslezer newsreader

nieuwsoverzicht news summary: *kort* ~ rundown on the news

nieuwsuitzending news broadcast, newscast

nieuwszender news network

nieuwtje *(bericht)* piece *(of:* item, bit) of news

Nieuw-Zeeland New Zealand

niezen sneeze

Nigeria Nigeria

Nigeriaan Nigerian

nihil nil, zero

nijd envy, jealousy: *groen en geel worden van* ~ *over iets* be green with envy at sth

nijdig angry, annoyed, cross

Nijl Nile

nijlpaard hippopotamus, *(inform)* hippo

nijpend pinching, biting: *het* ~ *tekort aan* the acute shortage of

nijptang (pair of) pincers

nijverheid industry

nikkelen 1 nickel; **2** *(vernikkeld)* nickel-plated

niks nothing, *(Am)* zilch: *dat wordt* ~ that won't work; *nou, ik vind het maar* ~*!* well I don't think much of it

niksen sit around, loaf about, laze about, do nothing

niksnut good-for-nothing, layabout

nimf nymph

nimmer never

nippen sip (at), take a sip

nippertje: *op het* ~ at the very last moment *(of:* second), in the nick of time; *dat was op het* ~ that was a close *(of:* near) thing; *de student haalde op het* ~ *zijn examen* the student only passed by the skin of his teeth

nirwana nirvana

nis niche, alcove

nitraat nitrate

nitriet nitrite

niveau level, standard: *rugby op hoog* ~ top-class rugby; *het* ~ *daalt* the tone (of the conversation) is dropping

nivellering levelling (out), evening out

nl. *afk van* namelijk viz.

n.m. *afk van* namiddag p.m.

Noach Noah: *de ark van* ~ Noah's ark

nobel *(edelmoedig)* noble(-minded); generous

Nobelprijs Nobel prize: *de* ~ *voor de vrede* the Nobel Peace prize

noch neither, nor: ~ *de een* ~ *de ander* neither the one nor the other

no-claimkorting no claim(s) bonus

nodig I *bn, bw* **1** necessary, needful: *zij hadden al hun tijd* ~ they had no time to waste *(of:* spare); *iets* ~ *hebben* need *(of:* require) sth; *er is moed voor* ~ *om* it takes courage to; *dat is hard (dringend)* ~ that is badly needed, that is vital; *zo (waar)* ~ if need be, if necessary; **2** *(gebruikelijk)* usual, customary; **II** *bw (dringend)* necessarily, needfully, urgently ‖ *dat moet jij* ~ *zeggen* look who's talking

noemen 1 call, name: *noem jij dit een gezellige avond?* is this your idea of a pleasant evening?; *dat*

noem ik nog eens moed that's what I call courage!;
iem bij zijn voornaam ~ call s.o. by his first name;
een kind naar zijn vader ~ name a child after his father; 2 *(vermelden)* mention; cite; name *((op)noemen): om maar eens iets te ~* to name (but) a few *(van namen, voorbeelden)*

noemenswaard(ig) appreciable, considerable, noticeable, worthy of mention: *niet ~* inappreciable, nothing to speak of

noemer denominator

nog 1 still, so far: *niemand heeft dit ~ geprobeerd* no one has tried this (as) yet; *zelfs nu ~* even now; *tot ~ toe* so far, up to now; 2 *(voortdurend)* still; 3 even, still: *~ groter* even larger, larger still; 4 *(van nu af)* from now (on), more: *~ drie nachtjes slapen* three (more) nights; 5 *(opnieuw)* again, (once) more: *~ één woord en ik schiet* one more word and I'll shoot; *neem er ~ eentje!* have another (one)!; *ik zag hem vorige week ~* I saw him only last week; *verder ~ iets?* anything else?; *ze zijn er ~ maar net* they've only just arrived; *~ geen maand geleden* less than a month ago

noga nougat

nogal rather, fairly, quite, pretty: *ik vind het ~ duur* I think it is rather *(of:* quite) expensive; *er waren er ~ wat* there were quite a few (of them)

nogmaals once again *(of:* more)

nok ridge, crest, peak

nomade nomad

nominaal nominal

nominatie nomination (list)

nomineren nominate

non nun, sister

non-actief: *(tijdelijk) op ~ staan* be suspended

nonchalance nonchalance, casualness

nonchalant nonchalant, casual

nonnenschool convent (school)

nonsens nonsense, rubbish

nood distress; *(uiterste nood)* extremity; *(noodgeval)* (time(s) of) emergency: *uiterste ~* dire need; *mensen in ~* people in distress *(of:* trouble); *in de ~ leert men zijn vrienden kennen* a friend in need is a friend indeed

noodgang breakneck speed

noodgebouw temporary building, makeshift building

noodgedwongen out of *(of:* from) (sheer) necessity: *wij moeten ~ andere maatregelen treffen* we are forced to take other measures

noodgeval (case of) emergency

noodhulp emergency relief, emergency aid

noodklok alarm (bell)

noodkreet cry of distress, call for help

noodlanding forced landing, emergency landing, belly landing, crash landing

noodlot fate

noodlottig fatal (to), disastrous (to), ill-fated: *een ~e reis* an ill-fated journey

noodmaatregel emergency measure

noodrem emergency brake, safety brake

noodsituatie emergency (situation), difficult position, precarious position

noodsprong desperate move *(of:* measure)

noodstop emergency stop

noodtoestand emergency (situation), crisis

nooduitgang emergency exit; *(brandtrap)* fire-escape

noodvaart breakneck speed

noodverband first-aid *(of:* emergency, temporary) dressing

noodweer I *het* heavy weather, storm, filthy weather; **II** *de (zelfverdediging)* self-defence

noodzaak necessity, need: *ik zie de ~ daarvan niet in* I don't see the need for this

noodzakelijk necessary; imperative, essential, vital: *het hoogst ~e* the bare necessities

noodzakelijkerwijs necessarily, inevitably, of necessity

noodzaken force, oblige, compel

nooit 1 never: *bijna ~* hardly ever, almost never; *~ van mijn leven* never in my life; *~ van gehoord!* never heard of it *(of:* him); 2 *(in geen geval)* never, certainly not, definitely not, no way: *je moet het ~ doen* you must never do that; *~ ofte nimmer* absolutely not, never ever; *dat ~!* never!

Noor Norwegian

noord north(erly), northern

Noord-Afrika North Africa

Noord-Amerika North America

Noord-Amerikaans North American

Noord-Atlantisch North Atlantic

Noord-Brabant North Brabant

noordelijk north(erly); northern, northerly, northward: *de wind is ~* the wind is northerly; *een ~e koers kiezen* steer a northerly course; *het ~ halfrond* the northern hemisphere

noorden north; *(gebied, land)* North: *ten ~ van* (to the) north of

noordenwind north(erly) wind

noorderbreedte north latitude: *Madrid ligt op 40 graden ~* Madrid lies in 40° north latitude

noorderkeerkring Tropic of Cancer

noorderlicht aurora borealis, northern lights

noorderling northerner

noorderzon: *met de ~ vertrekken* do a moonlight flit, abscond, skeddadle

Noord-Ierland Northern Ireland

Noordkaap North Cape, Arctic Cape

noordkust north(ern) coast

noordoosten north-east

Noordoostpolder North-east Polder

noordpool North Pole; *(gebied bij de noordpool)* Arctic

noordpoolcirkel Arctic Circle

noordwaarts northward(s); northward

noordwesten north-west

Noordzee North Sea

Noorman Norseman, Viking

No

Noors Norwegian

Noorwegen Norway

noot 1 nut: *een harde ~ (om te kraken)* a tough (*of:* hard) nut (to crack); **2** (*muz*) note: *hele* (of: *halve*) *noten spelen* play semibreves (*of:* minims); *een kwart ~* a crotchet; *een valse ~* a wrong note; **3** (*voetnoot*) (foot)note: *ergens een kritische ~ bij plaatsen* comment (critically) on sth

nootmuskaat nutmeg

nop nix: *voor ~* for nothing, for free

noppes: *je kunt er voor ~ naar binnen* you can go there for nothing (*of:* for free); *heb ik nou alles voor ~ gedaan?* has it all been an utter waste of time?

nor clink, nick

noren racing skates

norm standard; norm

normaal normal: *~ ben ik al thuis om deze tijd* I am normally (*of:* usually) home by this time

normaalschool (*Belg*) training college for primary school teachers

normaliter normally, usually, as a rule

Normandië Normandy

Normandiër Norman

Normandisch Norman

normbesef sense of standards (*of:* values)

normering (*normstelling*) standard

normvervaging blurring of (moral) standards

nors surly, gruff, grumpy

nostalgie nostalgia

nostalgisch nostalgic

nota 1 account, bill; **2** (*geschrift*) memorandum

notabele dignitary, leading citizen

notariaat 1 office of notary (public); **2** notary's practice

notarieel notarial: *een notariële akte* a notarial act (*of:* deed)

notaris notary (public)

notatie notation, (*manier ook*) notation system

notenbalk staff, stave

notenboom walnut (tree)

notendop nutshell

notenhout walnut

notenschrift (musical) notation; (*op notenbalk*) staff notation

noteren I *tr* **1** note (down), make a note of, record, register, book (*bestellingen*): *een telefoonnummer ~* jot down (*of:* make a note) of a telephone number; **2** (*bepalen, opgeven*) quote: *aan de beurs genoteerd zijn* be listed on the (stock) market; **II** *intr* (*in vaste lijsten opnemen*) list; (*op lijsten noteren*) quote

notering (*in vaste lijst*) quotation; (*prijs, koers*) quoted price, rate

notie notion, idea: *geen flauwe ~* not the faintest notion

notitie note; (*memo*) memo(randum)

notitieblok notepad, memo pad; scribbling pad

notitieboekje notebook, memorandum book

notulen minutes

notuleren take (the) minutes

nou I *bw* **1** now: *wat moeten we ~ doen?* what do we (have to) do now?; **2** now (that): *~ zij het zegt, geloof ik het* now that she says so I believe it; **II** *tw* **1** now, well: *kom je ~?* well, are you coming?; **2** (*mbt verbazing, bevestiging*) well, really: *meen je dat ~?* do you really mean it?; *hoe kan dat ~?* how on earth can that be? (*of:* have happened?); *~ dan!* exactly, couldn't agree more!; *~, en of!* you bet!; **3** (*mbt onzekerheid*) again: *wanneer ga je ~ ook weer weg?* when were you leaving again?; *~ ja, zo erg is 't niet* never mind, it's not all that bad; *dat is ~ niet bepaald eenvoudig* well, that's not so easy; **5** (*mbt ongepastheid*) oh, now, … on earth, … ever: *waar bleef je ~?* where on earth have you been?; *~ en? (wat zou dat?)* so what?; *~, dat was het dan* well (*of:* so), that was that

Nova Zembla Novaya Zemlya

novelle short story, novella

november November

NPA *afk van Nederlandse Politie-academie* Netherlands Police Academy

nu 1 now, at the moment: *~ en dan* now and then, at times, occasionally; *ik kan ~ niet* I can't (right, just) now; *~ nog niet* not yet; *tot ~ (toe)* up to now, so far; **2** (*tegenwoordig*) now(adays), these days: *het hier en het ~* the here and now

nuance nuance

nuchter 1 fasting; newborn (*dier*): *voor de operatie moet je ~ zijn* you must have an empty stomach before surgery; **2** (*niet dronken*) sober: *~ worden* sober up; **3** sober, plain: *de ~e waarheid* the plain (*of:* simple) truth; **4** (*verstandig*) sober(-minded), sensible, level-headed

nucleair nuclear

nudist nudist, naturist

nuffig prim, prissy

nuk mood, quirk

nukkig quirky, moody, sullen

nul nought, (*Am en wtsch*) zero, o: *tien graden onder ~* ten (degrees) below zero; *PSV heeft met 2-0 verloren* PSV lost two-nil

nulmeridiaan prime meridian

nulpunt zero (point)

numeriek numerical, numeric

numero number

nummer 1 number, figure: *~ één van de klas zijn* be top of one's class; **2** (*tijdschrift enz.*) number, issue: *een ~ van een tijdschrift* a number (*of:* issue) of a periodical; *een oud ~* a back issue (*of:* number); **3** (*liedje*) number, (*bijv. op cd*) track: *een ~ draaien* play a track; **4** (*act*) act, routine, number: *een ~ brengen* do a routine (*of:* an act)

nummerbord number plate; (*Am*) license plate

nummeren number

nummertje 1 number; **2** (*inform*) screw, fuck

nut use(fulness), (*voordeel*) benefit, (*waarde*) point, (*waarde*) value, (*zin*) purpose: *het heeft geen enkel ~ om …* it is useless (*of:* pointless) to …; *ik zie er het*

~ *niet van in* I don't see the point of it

nutsbedrijf: *openbare nutsbedrijven* public utilities

nutteloos 1 useless: *een nutteloze vraag* a pointless question; **2** *(zonder resultaat)* fruitless

nutteloosheid uselessness, futility

nuttig 1 useful: *zich* ~ *maken* make oneself useful; **2** *(voordeel opleverend)* advantageous: *zijn tijd* ~ *besteden* make good use of one's time

nuttigen consume, take, partake of

NV *afk van Naamloze Vennootschap* plc (public limited company), *(Am)* Inc. (incorporated)

n.v.t. *afk van niet van toepassing* n/a

nylon nylon

nymfomane nymphomaniac

ny

O

o O, oh, ah ‖ ~ *zo verleidelijk* ever so tempting

o.a. *afk van onder andere* among other things, for instance

oase oasis

o-benen bandy legs, bow-legs: *met* ~ bandy-legged, bow-legged

ober waiter

object object

objectief objective

objectiviteit objectiveness, objectivity, impartiality

obligatie bond, debenture

obsceen obscene

obscuur 1 obscure, dark; 2 *(min)* shady, obscure: *een ~ zaakje* a shady (*of*: doubtful) business

obséderen obsess

observatie observation

observatorium observatory

observeren observe, watch

obsessie obsession, hang-up

obstakel obstacle, obstruction, impediment: *een belangrijk ~ vormen* constitute a major obstacle

obus *(Belg) (granaat)* shell

occasie *(Belg)* bargain

occasion used car

occult occult

oceaan ocean, sea: *de Stille (Grote) Oceaan* the Pacific (Ocean)

Oceanië Oceania

och oh, o, ah: ~ *kom* oh, go on (with you)

ochtend morning; *(heel vroeg)* dawn, daybreak: *de hele* ~ all morning; *om 7 uur 's* ~*s* at 7 o'clock in the morning, at 7 a.m.

ochtendjas dressing gown, *(voor vrouwen)* housecoat

ochtendkrant morning (news)paper

ochtendploeg morning shift

octaaf octave, eighth

octaan octane

octopus octopus

octrooi patent: ~ *aanvragen* apply for a patent

ode ode: *een ~ brengen aan iem* pay tribute to s.o.

Oedipuscomplex Oedipus complex

oef phew, whew, oof

oefenen I *tr* train, coach, *(mil)* drill: *zich ~ in het zwemmen* practise swimming; II *intr (trainen, re-*

peteren) train; practise; rehearse *(rol);* drill *(mil):* ~ *voor een voorstelling* rehearse for a performance

oefening 1 exercise: *dat is een goede ~ voor je* it is good practice for you; 2 *(opgave)* exercise, drill

oefenstuk practice piece

oefenterrein {practice, training} ground

oefenwedstrijd training (*of*: practice, warm-up) match, *(boksen)* sparring match

oeh phew, whew

oei oops; *(pijn)* ouch

Oekraïens Ukrainian

Oekraïne: *de* ~ the Ukraine

Oekraïner Ukrainian

oer- primal, primitive, primordial *(mens)*, primeval *(zee, bos); (geol, dierk)* prehistoric

Oeral: *de* ~ the Urals, the Ural Mountains

oerbos primeval forest

oerknal Big Bang

oeroud ancient, prehistoric, primeval

oerwoud 1 primeval forest, virgin forest, *(tropisch)* jungle; 2 *(fig)* jungle, chaos, hotchpotch

OESO *afk van Organisatie voor Economische Samenwerking en Ontwikkeling* O.E.C.D.

oester oyster

oesterzwam oyster mushroom

oestrogeen oestrogen

OETC *afk van onderwijs in hun eigen taal en cultuur* vernacular education for ethnic minorities

oeuvre oeuvre, works, body of work

oever bank *(van rivier, vijver, kanaal);* shore *(van zee, meer): de rivier is buiten haar ~s getreden* the river has burst its banks

oeverloos *(zonder begrenzing)* endless, interminable: ~ *gezwets* blather, claptrap

Oezbeek Uzbek

Oezbeeks Uzbek

Oezbekistan Uzbekistan

of 1 (either …) or: *je krijgt ~ het een ~ het ander* you get either the one or the other; *het is óf het een óf het ander* you can't have it both ways; *Sepke zei weinig ~ niets* Sepke said little or nothing; *min ~ meer* more or less; *vroeg ~ laat* sooner or later, eventually; 2 *(verklarend)* or: *de influenza ~ griep* influenza, or flu; 3 *(na ontkenning of beperking)* (hardly …) when; (no sooner …) than: *ik weet niet beter ~ …* for all I know …; 4 *(toegevend)* although, whether … or (not), no matter (how, what, where): ~ *je het nu leuk vindt of niet* whether you like it or not; 5 *(alsof)* as if, as though: *hij doet ~ er niets gebeurd is* he is behaving (*of*: acts) as if nothing has happened; *het is net ~ het regent* it looks just as though it were raining; 6 *(bij twijfel, onzekerheid)* whether, if: *ik vraag me af ~ hij komen zal* I wonder whether (*of*: if) he'll come; *ik weet niet, wie ~ het gedaan heeft* I don't know who did it; *wanneer ~ ze komt, ik weet 't niet* when she is coming I don't know; *een dag ~ tien* about ten days, ten days or so

offensief offensive: *in het ~ gaan* go on the offensive

offer offering, sacrifice, gift, donation: *zware ~s eisen* take a heavy toll

offeren sacrifice, offer (up)

offerfeest ceremonial offering

offerte offer, *(geschreven)* tender, quotation

officieel 1 official, formal: *iets ~ meedelen* announce sth officially; **2** *(formeel)* formal, ceremonial

officier officer

officieus unofficial, semi-official

ofschoon (al)though; even though

ofte: *nooit ~ nimmer* not ever

of(te)wel 1 *(tegenstellend)* either ... or; **2** *(verklarend)* or, that is, i.e.: *de cobra ~ brilslang* the cobra, or hooded snake

ogenblik 1 moment, instant, minute, second: *een ~ rust* a moment's peace; *in een ~* in a moment; *juist op dat ~* just at that very moment *(of:* instant); *(heeft u) een ~je?* just a moment *(of:* minute), *(aan de telefoon)* would you mind waiting a moment?; **2** *(tijdstip)* moment, time, minute

ogenblikkelijk immediately, at once, this instant: *ga ~ de dokter halen* go and fetch the doctor immediately *(of:* at once)

o.g.v. *afk van op grond van* on the basis of

ohm ohm

okay OK

oker ochre

oksel armpit

oktober October

olie oil

olielamp oil lamp

oliemaatschappij oil company

oliën oil, lubricate, *(invetten)* grease

olieraffinaderij oil refinery

oliesel anointing, extreme unction, last rites: *het laatste (Heilig) ~ toedienen* administer extreme unction *(of:* the last rites)

olieverfschilderij oil (painting), painting in oils

olifant elephant

olijf olive

Olijfberg Mount of Olives

olijfboom olive (tree)

olm elm (tree)

o.l.v. *afk van onder leiding van* conducted by

olympiade Olympiad, Olympics, Olympic Games

olympisch Olympic

om I *vz* **1** *(rondom)* (a)round, about: *~ de hoek* (just) round the corner; **2** *(mbt tijdstippen)* at: *ik zie je vanavond ~ acht uur* I'll see you tonight at eight (o'clock); *~ een uur of negen* around nine (o'clock); **3** *(telkens na)* every: *~ beurten* in turn; *~ de twee uur* every two hours; **4** *(mbt reden)* for (reasons of), on account of, because of: *~ deze reden* for this reason; **5** *(mbt doel)* to, in order to, so as to: *niet ~ te eten* not fit to eat, inedible; **II** *bw* **1** *(rond)* roundabout, circuitous: *een straatje (blokje) ~* round the block; **2** *(voorbij)* over, up, finished: *voor het jaar ~ is* before the year is out; *uw tijd is ~* your time is up;

III *bw* **1** *(ergens omheen)* (a)round, about, on *(kleding e.d.):* *doe je das ~* put your scarf on; *toen zij de hoek ~ kwamen* when they came (a)round the corner; **2** *(mbt doel)* about: *waar gaat het ~?* what's it about?, *(onenigheid ook)* what's the matter?

oma gran(ny), grandma, grandmother

ombinden tie on *(of:* round)

ombouwen convert; *(moderniseren)* reconstruct; *(veranderen)* rebuild, alter

ombrengen kill, murder

ombudsman ombudsman

ombuigen 1 restructure, adjust, change (the direction of); **2** bend (round, down, back) *(draad, enz.)*

omcirkelen (en)circle, ring, *(fig ook)* surround: *de politie omcirkelde het gebouw* the police surrounded the building

omdat because, as: *juist ~ ...* precisely because ...; *waarom ga je niet mee? ~ ik er geen zin in heb* why don't you come along? because I don't feel like it

omdoen put on: *zijn veiligheidsgordel ~* fasten one's seat belt

omdraaien I *tr* **1** turn (round), turn over: *zich ~* roll over (on one's side); **2** *(mbt situaties)* reverse, swing round; **II** *intr* **1** *(een draai maken om)* turn (round): *de brandweerauto draaide de hoek om* the fire engine turned the corner; **2** *(omkeren)* turn back *(of:* round)

omduwen push over, *(ongewild)* knock over

omega omega

omelet omelette

omgaan 1 go round, *(hoek, bocht ook)* turn, round: *de hoek ~* turn the corner; *een blokje ~* (go for a) walk around the block; **2** *(leven met, hanteren)* go about (with), associate (with), *(hanteren)* handle, manage: *zo ga je niet met mensen om* that's no way to treat people

omgang contact, association: *hij is gemakkelijk (of: lastig) in de ~* he is easy *(of:* difficult) to get on with

omgangsvormen manners, etiquette

omgekeerd I *bn* **1** turned round, *(ondersteboven)* upside down, *(binnenstebuiten)* inside out, *(achterstevoren)* back to front: *~ evenredig* inversely proportional (to); **2** *(tegenovergesteld)* opposite, reverse; **II** *bw* the other way round: *het is precies ~* it's just the other way round

omgeving neighbourhood, vicinity, surrounding area *(of:* districts)

omgooien 1 knock over, upset; **2** *(veranderen)* change round

omhakken chop down, cut down, fell

omhalen *(Belg)* collect, make a collection

omhaling *(Belg)* collection

omhangen hang over *(of:* round)

omheen round (about), around: *ergens ~ draaien* talk round sth, beat about the bush

omheining fence, enclosure

omhelzen embrace, hug: *iem stevig ~* give s.o. a good hug

omhelzing embrace, hug

om

omhoog 1 up (in the air); 2 *(naar boven)* up(wards), *(de lucht in)* in(to) the air: *handen ~!* hands up!

omhoogduwen push up(wards)

omhooggaan go up(wards), rise: *de prijzen gaan omhoog* prices are going up *(of:* are rising)

omhooghouden hold up

omhulsel covering, casing, envelope, shell, *(zaadje)* husk, *(peulvrucht, graan)* hull, *(peulvrucht ook)* pod

omkadering *(Belg)* staff-pupil ratio

omkantelen tip over

omkappen chop down, cut down, fell

omkeerbaar reversible

omkeren I *tr* 1 *(omdraaien)* turn (round), turn *(hooi, kaas enz.),* invert: *zich ~* turn (a)round; 2 *(mbt situaties)* switch (round), change (round), *(verdraaien)* twist (round); II *intr (keren)* turn back, turn round

omkijken 1 look round: *hij keek niet op of om* he didn't even look up; 2 *(aandacht besteden)* look after, worry about, bother about *(meestal negatief):* *niet naar iem ~* not worry *(of:* bother) about s.o., leave s.o. to his own devices; *je hebt er geen ~ naar* it needs no looking after

omkleden change, put other clothes on

omkomen 1 die, *(gedood worden ook)* be killed: *~ van honger* starve to death; 2 *(om iets heen komen)* come round, turn: *hij zag haar juist de hoek ~* he saw her just (as she was) coming round *(of:* turning) the corner

omkopen bribe, buy (over), corrupt: *zich laten ~* accept a bribe

omkoperij bribery, corruption

omlaag down, below: *naar ~* down(wards)

omlaaggaan go down

omleiden divert, re-route, train *(plant)*

omleiding *(verkeer)* (traffic) diversion, detour, *(vervangende route)* relief route, alternative route

omliggend surrounding

omlijnd defined, definite: *een vast* (of: *scherp) ~ plan* a clear-cut *(of:* well-defined) plan

omlijsting frame, *(fig)* setting

omloop circulation

omlopen I *intr* walk round, go round: *ik loop wel even om* I'll go round the back; II *tr (omverlopen)* (run into and) knock over

ommekeer turn(about), *(180 graden)* about-turn, about-face, U-turn, revolution

ommezien: *in een ~ was hij terug* (of: *klaar)* he was back *(of:* finished) in a jiffy

ommezijde reverse (side), back, other side: *zie ~* see overleaf

omnibus omnibus

omnivoor omnivore

omploegen 1 *(met de ploeg werken)* plough (up); 2 *(onderploegen)* plough in *(of:* under)

ompraten persuade, bring round, talk round, *(om iets te doen)* talk into, *(om iets niet te doen)* talk out of

omrastering fencing, fence(s)

omrekenen convert (to), turn (into)

omrijden I *intr* make a detour, take a roundabout route, take the long way round; II *tr (omverrijden)* knock down, run down

omringen surround, enclose

omroep broadcasting corporation *(of:* company), (broadcasting) network

omroepen 1 broadcast, announce (over the radio, on TV); 2 *(oproepen)* call (over the P.A., intercom): *iemands naam laten ~* have s.o. paged

omroeper announcer

omroeren stir, churn

omruilen exchange, trade (in), change (over, round, places), swap

omschakelen convert, change *(of:* switch) over (to)

omschakeling switch, shift, changeover

omscholen retrain, re-educate: *waarom laat je je niet ~?* why don't you get retrained?

omscholing retraining, re-education

omschoppen kick over

omschrijven 1 describe, determine; 2 *(definiëren)* define, specify, state: *iemands bevoegdheden nader ~* define s.o.'s powers

omschrijving 1 description, paraphrase; 2 definition, specification, characterization

omsingelen surround, besiege

omslaan I *tr* 1 *(omvouwen)* fold over *(of:* back), turn down *(broekspijp),* turn back *(mouw);* 2 *(mbt een pagina)* turn (over); II *intr* 1 *(om iets heen gaan)* turn *(hoek);* round *(boei, paal);* 2 *(radicaal veranderen)* change, break *(weer),* swing (round), veer (round): *het weer slaat om* the weather is breaking; 3 *(kantelen)* overturn, topple, keel (over), capsize *(schip)*

omslachtig laborious, time-consuming *(procedure),* lengthy *(verhaal),* wordy *(spreker),* long-winded *(spreker),* roundabout *(methode)*

omslag 1 *(rand, boord)* cuff *(mouw);* 2 *(kaft)* cover, *(los)* dust jacket

omslagartikel cover story

omslagdoek shawl, wrap

omsmelten melt down, re-melt

omspitten dig up, break up, turn over

omspoelen rinse (out), wash out, wash up

omspringen deal (with): *slordig met andermans boeken ~* be careless with s.o. else's books

omstander bystander, onlooker, spectator: *de ~s* bystanders

omstandigheid circumstance, *(mv ook)* situation, condition: *in de gegeven omstandigheden* under *(of:* in) the circumstances

omstoten knock over

omstreden controversial, *(figuur, idee ook)* debatable, contentious, contested *(gebied),* disputed *(gebied):* *een ~ boek* a controversial book

omstreeks *(rond, tegen)* (round) about, (a)round, towards, in the region *(of:* neighbourhood) of

omstreken neighbourhood, district, *(mv)* environs, *(mv)* surroundings: *de stad Brugge en* ~ the city of Bruges and (its) environs

omstrengeling clasp, grasp, embrace

omtrek 1 *(wisk)* perimeter *(van willekeurige figuur);* circumference, periphery *(van cirkel);* 2 contour(s), outline(s), silhouette, skyline *(stad);* 3 *(nabijheid, omgeving)* surroundings, vicinity, environs, surrounding district *(of:* area): *in de wijde* ~ for miles around

omtrent I *vz* 1 *(mbt tijdstip)* about, (a)round; 2 concerning, with reference to, about; **II** *bw* about, approximately

omvallen fall over *(of:* down); turn over *(of:* on its side) *(bijv. auto):* ~ *van de slaap* be dead tired

omvang 1 girth, circumference, bulk(iness); 2 *(grootte)* dimensions, size, volume, magnitude, scope: *de volle* ~ *van de schade* the full extent of the damage

omvangrijk sizeable, bulky *(boek),* extensive *(gebied)*

omvatten contain, comprise, include, cover

omver over, down

omvergooien knock over, bowl over, upset, overturn

omverlopen knock, run down *(of:* over), bowl over: *omvergelopen worden* be knocked off one's feet

omverrijden run, knock down *(of:* over)

omverwerpen 1 knock over *(of:* down), throw down; 2 *(fig)* overthrow *(bijv. regering)*

omvliegen 1 *(snel voorbijgaan)* fly past, fly by, rush by: *een bocht* ~ tear round a corner; 2 fly round, tear round, race round: *de tijd vloog om* the time flew by

omvouwen *((ten dele) vouwen)* fold down *(of:* over), turn down *(bladzijde in boek)*

omwaaien be *(of:* get) blown down, blow down, *(mens)* be blown off one's feet

omweg detour, roundabout route, roundabout way: *langs een* ~ indirectly

omwenteling 1 rotation, revolution, turn, orbit *(van hemellichaam);* 2 *(pol)* revolution, upheaval

omwisselen I *tr* exchange (for), swap: *dollars* ~ *in euro* change dollars into euros; **II** *intr* change places, swap places, change seats

omzeilen skirt, get round, by-pass *(obstakel)*

omzendbrief *(Belg) (rondschrijven)* circular (letter)

omzet 1 turnover, volume of trade *(of:* business); 2 *(som vd opbrengsten)* returns, sales, business

omzetbelasting sales tax, turnover tax

omzetten 1 turn over, sell: *goederen* ~ sell goods; 2 *(veranderen)* convert (into), turn (into): *een terdoodveroordeling in levenslang* ~ commute a sentence from death to life imprisonment

omzichtig cautious, circumspect, prudent

omzien look (after)

onaangekondigd unannounced: *een* ~ *bezoek* a surprise visit

onaangenaam unpleasant, disagreeable

onaannemelijk implausible, incredible, unbelievable

onaantastbaar unassailable, impregnable

onaantrekkelijk unattractive, unprepossessing, unappealing

onaanvaardbaar unacceptable

onaardig *(onvriendelijk)* unpleasant, unfriendly, unkind

onacceptabel unacceptable

onachtzaam inattentive, careless, *(nalatig)* negligent

onaf unfinished, incomplete

onafgebroken 1 continuous, sustained: *40 jaar* ~ *dienst* 40 years continuous service; 2 *(voortdurend)* unbroken, uninterrupted: *we hebben drie dagen* ~ *regen gehad* the rain hasn't let up for three days

onafhankelijk independent (of)

onafhankelijkheid independence

onafscheidelijk inseparable (from)

onafzienbaar immense, vast

onbarmhartig merciless, unmerciful, ruthless

onbedachtzaamheid thoughtlessness, rashness

onbedekt uncovered, exposed

onbedoeld unintentional, inadvertent: *iem* ~ *kwetsen* hurt s.o. unintentionally

onbedorven *(gaaf, fris)* unspoilt, untainted

onbeduidend insignificant, trivial, inconsequential

onbegaanbaar impassable

onbegonnen hopeless, impossible

onbegrensd unlimited, boundless, infinite

onbegrijpelijk incomprehensible, unintelligible

onbeheerd abandoned, unattended, ownerless: *laat uw bagage niet* ~ *achter* do not leave your baggage unattended

onbeheerst uncontrolled, unrestrained

onbeholpen awkward, clumsy, inept

onbekend unknown, out-of-the-way, unfamiliar: *met* ~*e bestemming vertrekken* leave for an unknown destination

onbekende unknown (person), stranger

onbekwaam incompetent, incapable

onbelangrijk unimportant, insignificant, inconsiderable *(mate, bedrag): iets* ~*s* sth trivial

onbeleefd impolite, rude

onbeleefdheid impoliteness, rudeness, incivility, discourtesy, *(belediging)* insult

onbemand unmanned

onbenul fool, idiot

onbenullig inane, stupid, fatuous

onbepaald 1 indefinite, unlimited; 2 *(niet precies vastgesteld)* indefinite, indeterminate, undefined

onbeperkt unlimited, unbounded

onbereikbaar 1 inaccessible; 2 *(door geen moeite verkrijgbaar)* unattainable, out of *(of:* beyond) reach: *een* ~ *ideaal* an unattainable ideal

onberekenbaar unpredictable

onbeschaafd 1 uncivilized; 2 *(mbt omgangsvormen)* uneducated, unrefined

on

onbeschadigd undamaged, intact

onbescheiden 1 immodest, forward; **2** *(nieuwsgierig)* indiscreet, indelicate; **3** *(brutaal)* presumptuous, bold: *zo ~ zijn om …* be so bold as to …

onbeschoft rude, ill-mannered, boorish

onbeschoftheid rudeness, boorishness

onbeschrijfelijk indescribable, beyond description *(of:* words) *(na ww); (min)* unspeakable: *het is ~* it defies *(of:* beggars) description

onbeslist undecided, unresolved: *de wedstrijd eindigde ~* the match ended in a draw

onbespeelbaar unplayable, *(sportveld ook)* not fit *(of:* unfit) for play

onbespoten unsprayed

onbesproken: *van ~ gedrag* of irreproachable *(of:* blameless) conduct

onbestuurbaar 1 uncontrollable, out of control, unmanageable *(ook paard, schip);* **2** *(mbt land, organisatie)* ungovernable

onbetaalbaar 1 prohibitive, impossibly dear; **2** *(onschatbaar)* priceless, invaluable; **3** *(kostelijk)* priceless, hilarious

onbetaald unpaid (for), *(rekeningen, bedragen ook)* outstanding, unsettled, *(schuld ook)* undischarged

onbetrouwbaar unreliable, *(persoon ook)* untrustworthy, shady *(malafide),* shifty *(malafide)*

onbetwist undisputed: *de ~e kampioen* the unrivalled champion

onbevlekt immaculate

onbevoegd unauthorized, unqualified *(ook zonder diploma)*

onbevoegde unauthorized person, unqualified person *(ook zonder diploma)*

onbevooroordeeld unprejudiced, open-minded

onbevredigend unsatisfactory

onbewaakt unguarded, unattended

onbeweeglijk motionless

onbewerkt unprocessed, raw

onbewogen 1 immobile; **2** *(onaangedaan)* unmoved

onbewolkt cloudless, clear

onbewoonbaar uninhabitable

onbewoond *(mbt land, streek)* uninhabited: *een ~ eiland* a desert island

onbewust unconscious (of): *iets ~ doen* do sth unconsciously

onbezoldigd unpaid

onbezorgd carefree, unconcerned: *een ~e oude dag* a carefree old age

onbillijk unfair, unreasonable

onbrandbaar incombustible, non-flammable

onbreekbaar unbreakable, non-breakable

onbruikbaar unusable, *(nutteloos)* useless

onbuigzaam inflexible

oncomfortabel uncomfortable

oncontroleerbaar unverifiable

onconventioneel unconventional

ondankbaar ungrateful: *een ondankbare taak* a thankless *(of:* an unrewarding) task

ondankbaarheid ingratitude

ondanks in spite of, contrary to: *~ haar inspanningen lukte het (haar) niet* for *(of:* despite) all her efforts, she didn't succeed

ondenkbaar inconceivable, unthinkable

onder I *vz* **1** *(lager dan, beneden)* under, below, underneath: *hij zat ~ de prut* he was covered with mud; *de tunnel gaat ~ de rivier door* the tunnel goes *(of:* passes) under(neath) the river; *zes graden ~ nul* six degrees below zero; **2** *(te midden van)* among(st): *er was ruzie ~ de supporters* there was a fight among the supporters; *~ andere* among other things; *~ ons gezegd (en gezwegen)* between you and me (and the doorpost); *~ toezicht van de politie* under police surveillance; *zij leed erg ~ het verlies* she suffered greatly from the loss; **II** *bw* below, at the bottom: *~ aan de bladzijde* at the foot *(of:* bottom) of the page

onderaan at the bottom, below: *~ op de bladzijde* at the bottom *(of:* foot) of the page

onderaannemer subcontractor

onderaards subterranean

onderaf: *hij heeft zich van ~ opgewerkt* he has worked his way up from the bottom of the ladder

onderarm forearm

onderbeen (lower) leg, *(voorkant)* shin, *(kuit)* calf

onderbewuste subconscious, unconscious

onderbouw the lower classes of secondary school

onderbouwen build, found, *(fig ook)* substantiate

onderbreken 1 interrupt, break; **2** *(storen, afbreken)* interrupt, cut short, *(gesprek ook)* break in (on)

onderbreking 1 interruption; **2** *(pauze)* break

onderbrengen 1 accommodate, *(van slaapplaats)* lodge, *(van woon-, werkplaats)* house, *(tijdelijk)* put up: *zijn kinderen bij iem ~* lodge one's children with s.o.; **2** *(categoriseren)* class(ify) (with, under, in)

onderbroek *(mannen)* underpants; *(vrouwen)* panties

onderbuik abdomen

onderdaan subject

onderdak accommodation, *(toevluchtsoord)* shelter, *(slaapplaats)* lodging: *~ vinden* find accommodation

onderdanig submissive, humble

onderdeel part, (sub)division, *(tak)* branch: *het volgend ~ van ons programma* the next item on our programme

onderdirecteur assistant manager: *~ van een school* deputy headmaster

onderdoen be inferior (to): *voor niemand ~* yield/be second to none *(of:* no one)

onderdompelen immerse, submerge

onderdoor under

onderdrukken 1 oppress; **2** *(bedwingen)* suppress, repress: *een glimlach ~* suppress a smile

onderdrukking oppression

onderduiken 1 go into hiding, go underground; **2**

(onder water duiken) dive (in)
onderduiker person in hiding
onderen 1 (met *naar*) down(wards), *(in huis)* downstairs; **2** (met *van*) *(aan de onderkant)* below, underneath; **3** (met *van*) *(van beneden)* from below, *(in huis)* from downstairs: *van ~ af beginnen* start from scratch (*of:* the bottom)
¹ondergaan undergo, go through
²ondergaan go down, *(zon ook)* set: *de ~de zon* the setting sun
ondergang 1 ruin, (down)fall: *dat was zijn ~* that was his undoing; **2** *(het dalen)* setting
ondergeschikt 1 subordinate; **2** *(van weinig betekenis)* minor, secondary
ondergeschikte subordinate
ondergetekende 1 undersigned: *ik, ~* I, the undersigned; **2** *(ik)* yours truly
ondergoed underwear
ondergrond base, *(vnl. abstr)* basis, foundation: *witte sterren op een blauwe ~* white stars on a blue background
ondergronds underground
ondergrondse 1 underground, *(Am)* subway; **2** *(verzetsbeweging)* underground, resistance
onderhand meanwhile
onderhandelaar negotiator
onderhandelen negotiate, *(geldzaken ook)* bargain
onderhandeling 1 negotiation, *(geldzaken ook)* bargaining; **2** *(bespreking)* negotiation, *(mv ook)* talks
onderhands 1 *(in het geheim)* underhand(ed), backstairs, underhand: *iets ~ regelen* make hole-and-corner arrangements; **2** *(niet in het openbaar)* private; **3** *(sport)* underhand, underarm: *een bal ~ ingooien* throw in a ball underarm
onderhavig present, in question, in hand
onderhevig liable (to), subject (to)
onderhoud maintenance, upkeep
onderhouden 1 maintain, keep up, *(auto ook)* service: *het huis was slecht ~* the house was in bad repair; **2** *(verzorgen)* maintain, support
onderhoudend entertaining, amusing
onderhoudsbeurt overhaul, service
onderhuurder subtenant
onderin I *bw* below, at the bottom; **II** *vz* at the bottom of: *het ligt ~ die kast* it's at the bottom of that cupboard
onderjurk slip
onderkaak lower jaw, *(dieren ook)* mandible
onderkant underside, bottom
onderkin double chin
onderkomen somewhere to go (*of:* sleep, stay), accommodation, *(schuilplaats)* shelter
onderkruiper 1 *(bij staking)* scab; **2** *(klein persoon)* squirt, shrimp
onderlangs along the bottom (*of:* foot), underneath
onderlichaam lower part of the body
onderling mutual, among ourselves, among

them(selves), together: *de partijen konden de kwestie ~ regelen* the parties were able to arrange the matter between (*of:* among) themselves
onderlip lower lip: *de ~ laten hangen (ongev)* pout
onderlopen be flooded
ondermijnen undermine, subvert
ondernemen undertake, take upon oneself
ondernemend enterprising
ondernemer entrepreneur, employer, *(exploitant)* operator, *(eigenaar)* owner
onderneming 1 undertaking, enterprise, *(met risico's)* venture: *het is een hele ~* it's quite an undertaking; **2** *(bedrijf)* company, business, *(groot)* concern: *een ~ drijven* carry on an enterprise
ondernemingsraad works council, employees council
onderofficier NCO, non-commissioned officer
onderontwikkeld underdeveloped, backward
onderop at the bottom, below
onderpand pledge, security, collateral: *tegen ~ lenen* borrow on security
onderpastoor *(Belg; r-k)* curate, priest in charge
onderricht instruction, tuition
onderschatten underestimate
onderscheid difference, distinction: *een ~ maken tussen ... distinguish ... from ... (of:* between) ...
onderscheiden I *tr* **1** distinguish); discern: *niet te ~ zijn van* be indistinguishable from; **2** *(orde verlenen)* decorate: *~ worden met een medaille* be awarded a medal; **II** *zich ~* distinguish oneself (for)
onderscheiding decoration, honour: *(Belg) met ~* with distinction
onderscheppen intercept
onderschrift caption, legend
onderspit: *het ~ delven* get the worst (of it)
onderst bottom(most), under(most)
onderstaand (mentioned) below
ondersteboven 1 upside down: *je houdt het ~* you have it the wrong way up; **2** *(van streek)* upset
ondersteek bedpan
onderstel chassis, undercarriage; *(van vliegtuig ook)* landing gear
ondersteunen support, *(bijstaan ook)* back (up)
ondersteuning 1 *(het steunen)* support; **2** *(hulp, bijstand)* support, (public) assistance
onderstrepen underline
onderstuk base, lower part
ondertekenen sign
ondertekening 1 signing; **2** *(handtekening)* signature
ondertitelen subtitle
ondertiteling subtitles
ondertussen meanwhile, in the meantime
onderuit 1 (out) from under: *je kunt er niet ~ haar ook te vragen* you can't avoid inviting her, too; **2** *(omver)* down *(gaan);* flat, over *(vallen);* **3** *(met de benen uitgestrekt)* sprawled, sprawling
onderuitgaan topple over, be knocked off one's feet, *(struikelen, uitglijden)* trip, slip

on

onderuithalen 1 *(sport)* bring down, take down; 2 *(doen afgaan)* trip up, floor: *hij werd volledig onderuitgehaald* they wiped the floor with him

ondervangen overcome

onderverdelen (sub)divide, break down *(in rubrieken)*

onderverdeling subdivision, breakdown

ondervinden experience: *medeleven* ~ meet with sympathy; *moeilijkheden* (of: *concurrentie*) ~ be faced with difficulties (of: competition)

ondervinding experience

ondervoed undernourished

ondervoeding undernourishment, *(wat betreft hoeveelheid)* malnutrition

ondervraagde interviewee; *(politie)* person heard (of: questioned)

ondervragen 1 interrogate, question *(verdachte, kandidaat)*, examine *(getuigen)*, hear *(getuigen)*; 2 *(in vraaggesprek)* interview

ondervraging questioning, interrogation, examination, interview

onderwaarderen underestimate

onderweg 1 on (of: along) the way, *(tijdens vervoer)* in transit, *(tijdens vervoer)* en route: *we zijn het* ~ *verloren* we lost it on the way; 2 *(nog niet aangekomen)* on one's (of: its, the) way

onderwereld underworld

onderwerp subject (matter)

onderwerpen subject

onderwijl meanwhile

onderwijs education, teaching: *academisch* ~ university education; *bijzonder* ~ private education, *(Belg)* special needs education; *buitengewoon* ~ special needs education; *hoger* ~ higher education; *lager* ~ primary education; *middelbaar (voortgezet)* ~ secondary education; *openbaar* ~ state education; *algemeen secundair* ~ general secondary education; *speciaal* ~ special needs education; *(Belg) technisch secundair* ~ secondary technical education; *(Belg) vernieuwd secundair* ~ comprehensive school system; *voortgezet* ~ secondary education

onderwijsinspecteur school inspector

onderwijsinspectie schools inspectorate

onderwijsinstelling educational institution

onderwijskunde didactics, theory of education

onderwijsprofiel educational profile

onderwijzen teach, instruct: *iem iets* ~ instruct s.o. in sth, teach s.o. sth

onderwijzer (school)teacher, schoolmaster, schoolmistress

onderzeeër submarine

onderzetter 1 mat, coaster; 2 *(onder hete pannen)* mat, stand

onderzijde underside

onderzoek 1 *(bestudering)* investigation, examination, study, research: *bij nader* ~ on closer examination (of: inspection); 2 investigation; *(door politie)* inquiry; 3 *(med)* examination, check-up

onderzoeken 1 examine, inspect, investigate, *(doorzoeken)* search, *(op samenstelling)* test (for): *de dokter onderzocht zijn ogen* the doctor examined his eyes; 2 *(bestuderen)* investigate, examine, inquire into: *mogelijkheden* ~ examine (of: investigate) possibilities; 3 *(nagaan)* inquire into, investigate, examine: *het bloed* ~ carry out a blood test

onderzoeker researcher, research worker (of: scientist), investigator

ondeugd vice

ondeugend naughty, mischievous

ondiep shallow, superficial *(wond)*: *een ~e tuin* a short garden

ondier monster, beast

onding rotten thing, useless thing

ondoenlijk unfeasible, impracticable

ondoordacht inadequately considered, rash

ondoordringbaar impenetrable, impermeable (to) *(voor water, stof, lucht)*: *ondoordringbare duisternis* (of: *wildernis*) impenetrable darkness (of: wilderness)

ondoorzichtig 1 non-transparent, opaque; 2 *(fig)* obscure

ondraaglijk unbearable

ondrinkbaar undrinkable

onduidelijk indistinct, *(onverklaard)* obscure, *(onverklaard)* unclear: *de situatie is* ~ the situation is obscure (of: unclear); ~ *spreken* speak indistinctly

onduidelijkheid indistinctness, lack of clarity, *(sterker)* obscurity

onecht 1 *(niet wettig)* illegitimate; 2 *(onnatuurlijk, niet echt)* false; 3 *(vals)* fake(d)

oneens in disagreement, at odds: *het met iem ~ zijn over iets* disagree with s.o. about sth

oneerbaar indecent, improper

oneerbiedig disrespectful

oneerlijk dishonest, unfair

oneerlijkheid dishonesty, unfairness

oneetbaar inedible, not fit to eat *(na ww)*: *dit oude brood is* ~ this stale bread is not fit to eat

oneffen uneven

oneindig infinite, endless: ~ *groot* (of: *klein*) infinite(ly large), infinitesimal(ly)

oneindigheid infinity

onenigheid discord, disagreement

onervaren inexperienced

onervarenheid inexperience, lack of experience (of: skill)

oneven odd, uneven

onevenwichtig unbalanced, unstable

onfatsoenlijk ill-mannered, bad-mannered, *(aanstootgevend)* offensive, *(onbetamelijk)* improper, indecent

onfeilbaar infallible

onfris 1 unsavoury, stale *(lucht)*, musty *(ruimte)*, stuffy *(ruimte)*: *er* ~ *uitzien* not look fresh, *(mbt personen)* look unsavoury; 2 *(bedenkelijk)* unsavoury, shady: *een ~se affaire* an unsavoury (of: a shady) business

ongev *afk van ongeveer* approx.

ongeacht irrespective of, regardless of

ongeboren unborn

ongebruikelijk unusual

ongebruikt unused; *(nieuw)* new

ongecompliceerd uncomplicated

ongedaan undone: *dat kun je niet meer ~ maken* you can't go back on it now

ongedeerd unhurt, uninjured, unharmed

ongedekt uncovered

ongedierte vermin

ongeduld impatience

ongeduldig impatient

ongedurig restless, restive, fidgety

ongedwongen relaxed, informal

ongeëvenaard unequalled, unmatched

ongefrankeerd unstamped

ongegrond unfounded, groundless: *~e klachten* unfounded complaints

ongehinderd unhindered: *~ werken* work undisturbed

ongehoorzaam disobedient

ongehoorzaamheid disobedience

ongehuwd single, unmarried

ongeïnteresseerd uninterested: *~ toekijken* watch with indifference

ongekend unprecedented

ongekookt raw, uncooked

ongeldig invalid

ongelegen inconvenient, awkward

ongelijk I *bn, bw* **1** unequal: *het is ~ verdeeld in de wereld* there's a lot of injustice in the world; **2** *(oneffen, onregelmatig)* uneven; **II** *zn* wrong: *ik geef je geen ~* I don't blame you

ongelijkheid 1 inequality; *(niet gelijkend)* difference; **2** *(oneffenheid, ongelijkmatigheid)* unevenness

ongelijkmatig uneven, unequal, *(onregelmatig)* irregular

ongelofelijk incredible, unbelievable

ongelood unleaded

ongeloof disbelief

ongeloofwaardig incredible, implausible

ongeloofwaardigheid incredibility, implausibility

ongelovig 1 disbelieving, incredulous; **2** *(niet gelovend)* unbelieving

ongeluk accident: *een ~ krijgen* have an accident; *per ~ iets verklappen* inadvertently let sth slip

ongelukkig 1 unhappy: *iem diep ~ maken* make s.o. deeply unhappy; **2** *(geen geluk hebbend)* unlucky; **3** *(mbt zaken)* unfortunate: *hij is ~ terechtgekomen* he landed awkwardly

ongeluksgetal unlucky number

ongemak inconvenience, discomfort

ongemakkelijk uncomfortable

ongemerkt unnoticed: *~ (weten te) ontsnappen* (manage to) escape without being noticed

ongemotiveerd unmotivated; without motivation

ongenade 1 disgrace, disfavour: *in ~ vallen* fall into disfavour; **2** *(woede)* displeasure

ongeneeslijk incurable: *~ ziek* incurably ill

ongenoegen displeasure, dissatisfaction

ongeoorloofd illegal, illicit, improper

ongepast improper

ongerechtigheid 1 *(onrechtvaardigheid)* injustice; **2** *(gebrek)* flaw

ongeregeld 1 disorderly, disorganized; **2** *(onregelmatig)* irregular: *op ~e tijden* at odd times

ongeregeldheden disturbances, disorders

ongerept untouched, unspoilt

ongerust worried, anxious (for): *ik begin ~ te worden* I'm beginning to get worried

ongerustheid concern, worry

ongeschikt unsuitable

ongeschiktheid unsuitability; *(onbekwaamheid)* inaptitude

ongeschonden intact, undamaged

ongeschoold unskilled, untrained

ongesteld: *zij is ~* she is having a period

ongestoord 1 undisturbed; **2** *(zonder storing)* clear: *~e ontvangst* clear reception

ongestraft unpunished: *iets ~ doen* get away with sth

ongetrouwd unmarried, single: *~e oom* bachelor uncle; *~e tante* maiden aunt

ongetwijfeld no doubt, without a doubt, undoubtedly

ongevaarlijk harmless, safe

ongeval accident

ongevallenverzekering accident insurance

ongeveer about, roughly, around: *dat is het ~* that's about it

ongevoelig insensitive (to), insensible (to)

ongevoeligheid insensitivity

ongevraagd unasked(-for), uninvited

ongewapend unarmed

ongewenst unwanted, undesired, *(onwenselijk)* undesirable

ongewerveld invertebrate: *~e dieren* invertebrates

ongewild 1 *(onopzettelijk)* unintentional, unintended; **2** *(ongewenst)* unwanted

ongewisse (state of) uncertainty: *iem in het ~ laten* keep s.o. guessing *(of:* in the dark)

ongewoon unusual

ongezellig 1 unsociable; **2** *(onbehaaglijk)* cheerless, comfortless; **3** *(onprettig)* unenjoyable, dreary, no fun

ongezien 1 unseen, unnoticed; **2** *(zonder het gezien te hebben)* (sight) unseen: *hij kocht het huis ~* he bought the house (sight) unseen

ongezond 1 unhealthy; **2** *(zwak, wankel)* unsound, unhealthy

ongrijpbaar elusive

ongunstig unfavourable: *in het ~ste geval* at (the) worst; *op een ~ moment* at an awkward moment

onguur 1 *(ruw, gemeen)* unsavoury; **2** *(mbt het weer)* rough

on

onhandig clumsy, awkward: *zij is erg ~* she's all fingers and thumbs
onhandigheid clumsiness, awkwardness
onheil calamity, disaster, *(ondergang)* doom
onheilspellend ominous
onherkenbaar unrecognizable
onherroepelijk irrevocable
onherstelbaar irreparable: *~ beschadigd* damaged beyond repair
onhoorbaar inaudible
onhoudbaar 1 unbearable, intolerable; 2 *(niet tegen te houden)* unstoppable
onhygiënisch unhygienic, insanitary
onjuist 1 inaccurate, false; 2 *(fout, verkeerd)* incorrect, mistaken
onkosten 1 expense(s), expenditure: *~ vergoed* (all) expenses covered; 2 *(buitengewone kosten)* extra expense(s)
onkostendeclaratie expenses claim
onkostenvergoeding payment (*of:* reimbursement) of expenses, *(mbt auto)* mileage allowance
onkruid weed(s): *~ vergaat niet* ill weeds grow apace
onkwetsbaar invulnerable
onlangs recently, lately: *ik heb hem ~ nog gezien* I saw him just the other day
onleesbaar 1 illegible; 2 *(mbt de inhoud)* unreadable
onlogisch illogical
onlusten riots, disturbances
onmacht impotence, powerlessness
onmeetbaar immeasurable
onmens brute, beast
onmenselijk inhuman
onmerkbaar unnoticeable, imperceptible
onmetelijk immense, immeasurable
onmiddellijk immediate; immediately, directly, at once, straightaway: *ik kom ~ naar Utrecht* I'm coming to Utrecht straightaway (*of:* at once, immediately)
onmisbaar indispensable, essential
onmogelijk impossible: *een ~ verhaal* an preposterous story; *ik kan ~ langer blijven* I can't possibly stay any longer
onnatuurlijk unnatural
onnauwkeurig inaccurate
onnauwkeurigheid inaccuracy
onnodig unnecessary, needless, superfluous: *~ te zeggen dat ...* needless to say ...
onnozel foolish, silly: *met een ~e grijns* with a sheepish grin
onnozelaar *(Belg; min)* Simple Simon, birdbrain
onofficieel unofficial
onomstotelijk indisputable, conclusive
ononderbroken continuous, uninterrupted
onontbeerlijk indispensable
onopgemerkt unnoticed, unobserved
onophoudelijk continuous, ceaseless, incessant
onoplettend inattentive, inadvertent

onoplettendheid inattention, inadvertence
onoplosbaar 1 insoluble, indissoluble; 2 *(mbt problemen)* unsolvable
onopvallend inconspicuous, nondescript, *(niet opdringerig)* unobtrusive, *(niet opdringerig)* discreet: *~ te werk gaan* act discreetly
onopzettelijk unintentional, inadvertent
onoverkomelijk insurmountable
onoverwinnelijk invincible
onoverzichtelijk cluttered; poorly organized (*of:* arranged)
onpaar unpaired, odd
onpartijdig impartial, unbiased
onpartijdigheid impartiality
onpasselijk sick
onpersoonlijk impersonal
onplezierig unpleasant, nasty
onprettig unpleasant, disagreeable, nasty
onraad trouble, danger: *~ bespeuren* smell a rat
onrealistisch unrealistic
onrecht injustice, wrong: *iem ~ (aan)doen* do s.o. wrong
onrechtmatig unlawful, illegal; *(ten onrechte)* wrongful, unjust
onrechtvaardig unjust
onrechtvaardigheid injustice, wrong
onredelijk unreasonable, unfounded
onregelmatig irregular
onrijp 1 *(nog niet rijp)* unripe, unseasoned; 2 *(mbt personen)* immature
onroerend immovable: *makelaar in ~ goed* estate agent
onroerendgoedbelasting property tax
onrust restlessness, agitation: *~ zaaien* stir up trouble
onrustbarend alarming
onrustig restless, turbulent
onruststoker troublemaker, agitator
¹**ons** quarter of a pound, four ounces: *een ~ ham* a quarter of ham
²**ons** 1 us: *het is ~ een genoegen* (it's) our pleasure; *onder ~ gezegd* (just) between ourselves; *dat is van ~* that's ours, that belongs to us; 2 *(mbt eigendom)* our: *~ huis* our house; *uw boeken en die van ~* your books and ours
onsamenhangend incoherent, disconnected
onschadelijk harmless, *(niet kwaadaardig)* innocent, *(mbt chemicaliën)* non-noxious: *een bom ~ maken* defuse a bomb
onschendbaar immune
onschendbaarheid immunity
onscherp out of focus, blurred
onschuld innocence
onschuldig 1 innocent, guiltless; 2 *(onschadelijk)* innocent, harmless
onsmakelijk 1 distasteful, unpalatable; 2 *(mbt het gemoed, gevoel)* distasteful, disagreeable, unsavoury
onsportief unsporting, unsportsmanlike: *hij heeft*

zich ~ gedragen he behaved unsportingly
onstabiel unstable
onsterfelijk immortal
onsterfelijkheid immortality
onsympathiek uncongenial: *een ~e houding* an un-engaging manner
onszelf ourselves
ontaarden degenerate (into), deteriorate
ontactisch impolitic
ontbering hardship, (de)privation
ontbieden summon, send for
ontbijt breakfast: *een kamer met ~* bed and breakfast, B & B
ontbijten (have) breakfast
ontbijtkoek *(ongev)* gingercake, gingerbread
ontbijtspek *(ongev)* bacon
ontbinden *(opheffen)* dissolve, disband *(genootschap, leger)*, annul *(contract, huwelijk enz.)*
ontbinding 1 annulment *(contract, huwelijk enz.)*; 2 *(bederf, ook fig)* decomposition, decay, corruption *(ook fig)*: *tot ~ overgaan* decompose, decay
ontbloot bare, naked
ontbrandbaar ignitable, combustible
ontbreken 1 be lacking (in): *waar het aan ontbreekt is …* what's lacking is …; *er ontbreekt nog veel aan* there's still much to be desired; 2 *(mbt personen)* be absent, be missing
ontcijferen decipher
ontdaan upset, disconcerted
ontdekken discover: *iets bij toeval ~* hit upon *(of:* stumble on) sth
ontdekker discoverer
ontdekking discovery, find: *een ~ doen* make a discovery
ontdekkingsreiziger explorer, discoverer
ontdoen: *zich ~ van* dispose of, get rid of, remove
ontdooien thaw, defrost, *(sneeuw ook)* melt
ontduiken evade, elude, dodge
ontegenzeglijk undeniable, incontestable
ontelbaar countless, innumerable
onterecht undeserved, unjust
ontevreden dissatisfied (with): *je mag niet ~ zijn* (you) mustn't grumble
ontevredenheid dissatisfaction (about, with)
ontfermen, zich (met *over)* take pity on
ontfutselen filch, pilfer
ontgaan 1 escape, pass (by): *de overwinning kon ons niet meer ~* victory was ours; 2 *(aan het oog, oor ontsnappen)* escape, miss, fail to notice: *het kon niemand ~ dat* no one could fail to notice that; 3 *(niet duidelijk zijn)* escape, elude: *de logica daarvan ontgaat mij* the logic of it escapes me
ontginnen reclaim, *(cultiveren)* cultivate
ontginning exploitation, development; *(mbt grond ook)* reclamation
ontgroeien outgrow: *(fig) de kinderschoenen (of: schoolbanken) ontgroeid zijn* have left one's childhood *(of:* schooldays) behind
ontgroening ragging, *(Am)* hazing

onthaal 1 welcome, reception; 2 *(Belg)* reception
onthaalmoeder *(Belg)* babysitter, child minder
onthaalouder *(Belg)* temporary host to (foreign) children
onthaasten slow down
ontharen depilate
ontheffen exempt, release
ontheffing exemption; release *(van verplichting)*: *~ hebben van* be released from
onthoofden behead, decapitate
onthoofding decapitation, beheading
onthouden I *tr* remember: *goed gezichten kunnen ~* have a good memory for faces; *ik zal het je helpen ~* I'll remind you of it; II *zich ~* abstain (from), refrain (from)
onthouding 1 *(van stemming)* abstention; 2 *(mbt geslachtsverkeer)* continence, abstinence
onthullen 1 *(laten zien)* unveil; 2 *(bekendmaken)* reveal, disclose, divulge
onthulling 1 *(mbt een standbeeld)* unveiling; 2 *(openbaarmaking)* revelation, disclosure: *opzienbarende ~en* startling disclosures
onthutst disconcerted, dismayed
ontkennen I *tr* deny, negate: *hij ontkende iets met de zaak te maken te hebben* he denied any involvement in the matter; II *intr (niet bekennen)* plead not guilty
ontkennend negative
ontkenning denial, negation
ontketenen let loose; unchain *(krachten)*; unleash *(energie)*
ontkiemen germinate, *(fig ook)* bud
ontkleden undress: *zich ~* undress
ontknoping ending, dénouement: *zijn ~ naderen* reach a climax
ontkomen 1 escape, get away; 2 *(zich onttrekken)* evade, get round
ontlading 1 *(mbt emoties)* release; 2 *(nat)* discharge
ontlasting stools, (human) excrement, *(med)* faeces
ontleden 1 dissect, anatomize; 2 *(analyseren)* analyse: *een zin ~* analyse *(of:* parse) a sentence
ontleding 1 dissection; 2 *(analyse)* analysis
ontlenen 1 (met *aan) (overnemen uit)* derive (from), borrow (from), take; 2 (met *aan) (te danken hebben)* take (from), derive (from)
ontlopen differ from: *die twee ~ elkaar niet veel* they don't differ greatly
ontmaagden deflower
ontmantelen dismantle, strip
ontmaskeren unmask, expose
ontmoedigen discourage, demoralize, *(afschrikken)* deter: *we zullen ons niet laten ~ door …* we won't let … get us down
ontmoeten 1 *(onvoorzien)* meet, run into, bump into; 2 *(volgens afspraak)* meet, see
ontmoeting meeting, encounter: *een toevallige ~* a chance meeting *(of:* encounter)
ontmoetingsplaats meeting place

ontmoetingspunt meeting point
ontoegankelijk inaccessible, impervious (to)
ontoelaatbaar inadmissible
ontoerekeningsvatbaar not responsible, *(jur)* of unsound mind
ontploffen explode, blow up: *ik dacht dat hij zou* ~ I thought he'd explode
ontploffing explosion
ontrafelen unravel, disentangle
ontregeld unsettled, disordered
ontregelen disorder, disorganize, dislocate
ontroeren move, touch
ontroerend moving, touching, *(sentimenteel)* tear-jerking
ontroering emotion
ontroostbaar inconsolable, broken-hearted
ontrouw I *bn* 1 disloyal (to), untrue (to); 2 *(overspelig)* unfaithful; II *zn* 1 disloyalty, unfaithfulness; 2 *(overspel)* unfaithfulness, infidelity
ontruimen 1 *(verlaten)* clear, vacate; 2 *(doen verlaten)* clear, evacuate: *de politie moest het pand* ~ the police had to clear the building
ontruiming 1 *(het (doen) verlaten)* evacuation; 2 *(de bewoners uitzetten)* eviction
ontschieten slip, elude
ontslaan 1 dismiss, discharge: *ontslagen worden* be dismissed; *iem op staande voet* ~ dismiss s.o. on the spot; 2 *(vrijstellen)* relieve, discharge
ontslag 1 dismissal, discharge: *eervol* ~ honourable discharge; 2 *(verzoek, verklaring)* resignation, notice; 3 *(vrijstelling)* exemption
ontslagbrief notice *(aan werknemer)*; (letter of) resignation *(van werknemer)*
ontsmetten disinfect
ontsmetting disinfection, decontamination
ontsmettingsmiddel disinfectant, antiseptic
ontsnappen 1 escape (from): *aan de dood* ~ escape death; 2 *(mbt gevangenschap)* escape, get away, get out: *weten te* ~ make one's getaway; 3 *(niet opmerken)* escape, elude: *aan de aandacht* ~ escape notice; 4 *(een voorsprong nemen)* pull *(of:* break) away (from)
ontsnapping escape
ontspannen I *bn* relaxed, easy: *zich* ~ *gedragen* have an easy manner; II *tr* 1 *(weer slap maken)* slacken, unbend; 2 *(tot rust brengen)* relax: *zich* ~ relax
ontspanning relaxation, recreation
ontsporen 1 be derailed; 2 *(fig)* go *(of:* run) off the rails
ontsporing derailment; *(fig)* lapse
ontstaan I *intr* 1 come into being, arise: *door haar vertrek ontstaat een vacature* her departure has created a vacancy; 2 *(beginnen)* originate, start; II *zn* origin, creation *(vd aarde)*, development, coming into existence
ontsteken *(med)* be(come) inflamed
ontsteking 1 *(med)* inflammation; 2 *(mbt een verbrandingsmotor)* ignition

ontstemd untuned, out of tune
ontstoken inflamed
ontstopper plunger
onttrekken, zich withdraw (from), back out of
ontucht illicit sexual acts, sexual abuse
ontuchtig lewd, lecherous
ontvangen 1 receive, collect *(geld)*, draw *(loon)*: *in dank* ~ received with thanks; 2 *(onthalen)* receive, *(hartelijk)* welcome: *iem hartelijk (of: met open armen)* ~ receive s.o. with open arms, make s.o. very welcome
ontvanger 1 receiver, recipient; 2 *(toestel)* receiver
ontvangst 1 receipt: *betalen na* ~ *van de goederen* pay on receipt of goods; *na* ~ *van uw brief* on receipt of your letter; *tekenen voor* ~ sign for receipt; 2 *(mbt geld)* collection; 3 *(gasten, radiosignalen)* reception: *een hartelijke (of: gunstige)* ~ a warm *(of:* favourable) reception
ontvang(st)bewijs receipt
ontvlambaar inflammable
ontvluchten 1 escape (from), run away from; 2 *(wegvluchten)* flee
ontvoerder kidnapper
ontvoeren kidnap
ontvoering kidnapping
ontvreemden steal
ontwaken awake, (a)rouse
ontwapenen disarm: *een* ~*de glimlach* a disarming smile
ontwennen get out of the habit
ontwenningskuur detoxification
ontwerp draft; *(techn)* design
ontwerpen 1 design *(kleding, meubels, gebouw)*, plan *(stad, wegen)*; 2 *(opstellen)* devise, plan, formulate *(stelsel, regeling)*; draft, draw up *(contract, document)*
ontwerper designer, planner
ontwijken avoid
ontwijkend evasive
ontwikkeld 1 developed, mature; 2 *(geestelijk gevormd)* educated, informed, *(beschaafd)* cultivated, *(beschaafd)* cultured
ontwikkelen I *tr* 1 develop; 2 *(kennis bijbrengen)* educate: *zich* ~ educate oneself; *foto's* ~ *en afdrukken* process a film; II *zich* ~ develop (into): *we zullen zien hoe de zaken zich* ~ we'll see how things develop
ontwikkeling 1 development, growth: *tot* ~ *komen* develop; 2 *(het kundig zijn)* education: *algemene* ~ general knowledge
ontwikkelingshulp foreign aid, development assistance
ontwikkelingsland developing country
ontwrichten 1 *(mbt samenleving e.d.)* disrupt; 2 *(mbt ledematen)* dislocate
ontzag awe, respect
ontzenuwen refute, disprove
ontzet relief
ontzettend I *bn* 1 *(vreselijk)* appalling; 2 *(geweldig)*

terrific, immense, tremendous; **II** *bw* awfully, tremendously: *het spijt me ~* I'm terribly (*of:* awfully) sorry

ontzien spare: *iem ~* spare s.o.

onuitputtelijk inexhaustible

onuitstaanbaar unbearable, insufferable: *die kerel vind ik ~* I can't stand that guy

onvast unsteady, unstable

onveilig unsafe, dangerous

onveiligheid danger(ousness)

onveranderd unchanged, unaltered

onverantwoord irresponsible

onverantwoordelijk irresponsible, *(niet te verdedigen)* unjustifiable

onverbeterlijk incorrigible

onverbiddelijk unrelenting, implacable

onverdiend undeserved

onverdraagzaam intolerant (towards)

onverdraagzaamheid intolerance

onvergeeflijk unforgivable, inexcusable

onvergelijkbaar incomparable

onvergetelijk unforgettable

onverhard unpaved

onverklaarbaar inexplicable, unaccountable: *op onverklaarbare wijze* unaccountably

onverlicht unlit, unlighted

onvermijdelijk inevitable: *~e fouten* unavoidable mistakes

onvermoeibaar indefatigable, tireless

onvermogen impotence, powerlessness, inability *(om iets te doen)*

onverschillig I *bn* indifferent (to): *hij zat daar met een ~ gezicht* he sat there looking completely indifferent (*of:* unconcerned); **II** *bw* indifferently: *iem ~ behandelen* treat s.o. with indifference

onverschilligheid indifference

onverslijtbaar indestructible, durable *(goederen)*

onverstaanbaar unintelligible; *(onduidelijk sprekend)* inarticulate; *(zacht sprekend)* inaudible

onverstandig foolish, unwise

onverstoorbaar imperturbable, unflappable

onvervalst pure, unadulterated, broad *(dialect)*

onvervangbaar irreplaceable

onverwacht unexpected, surprise: *dat soort dingen gebeurt altijd ~* that sort of thing always happens when you least expect it

onverwachts unexpected, sudden, surprise

onverwarmd unheated

onverwoestbaar indestructible; *(stof, tapijt ook)* tough, durable

onverzoenlijk irreconcilable *(tegenstanders)*

onverzorgd careless, untidy; *(niet verzorgd)* uncared-for, untended: *zij ziet er ~ uit* she neglects her appearance

onvindbaar untraceable, not to be found *(na ww)*

onvoldoende I *zn* unsatisfactory mark (*Am:* grade), fail: *een ~ halen* fail (an exam, a test); *hij had twee ~s* he had two unsatisfactory marks; **II** *bn, bw* insufficient, unsatisfactory: *een ~ hoeveelheid*

an insufficient amount

onvolledig incomplete

onvolmaaktheid imperfection

onvolwassen immature: *~ reageren* react in an adolescent way

onvolwassenheid immaturity

onvoorbereid I *bn* unprepared; **II** *bw* unaware(s), by surprise

onvoordelig unprofitable, uneconomic(al): *~ uit zijn* pay too high a price

onvoorspelbaar unpredictable

onvoorstelbaar inconceivable, unimaginable, unthinkable: *het is ~!* it's unbelievable!, it's incredible!

onvoorwaardelijk unconditional, unquestioning: *~e straf* non-suspended sentence

onvoorzichtig careless, *(sterker)* reckless: *je hebt zeer ~ gehandeld* you have acted most imprudently

onvoorzichtigheid carelessness, *(sterker)* recklessness, lack of caution

onvoorzien I *bn* unforeseen: *~e uitgaven* incidental expenditure(s); **II** *bw* accidentally

onvrede dissatisfaction (with)

onvriendelijk unfriendly, hostile

onvrij unfree

onvrijwillig involuntary

onvruchtbaar infertile, barren

onvruchtbaarheid infertility

onwaar untrue, false

onwaarschijnlijk unlikely, improbable: *het is hoogst ~ dat* it is most (*of:* highly) unlikely that

onwaarschijnlijkheid improbability, unlikelihood

onweer thunderstorm: *we krijgen ~* we're going to have a thunderstorm

onweersbui thunder(y) shower

onweerstaanbaar irresistible, compelling

onwel unwell, ill, indisposed

onwelkom unwelcome

onwennig unaccustomed, ill at ease: *zij staat er nog wat ~ tegenover* she has not quite got used to the idea

onweren thunder: *het heeft geonweerd* there has been a thunderstorm

onwerkelijk unreal

onwetendheid ignorance: *uit* (*of: door*) *~* out of (*of:* through) ignorance

onwetenschappelijk unscientific, unscholarly

onwettig 1 illegal; *(verboden)* illicit; unlawful; **2** *(mbt kinderen)* illegitimate

onwijs awfully, fabulously, terrifically, ever so: *~ gaaf* brill; *~ hard werken* work like mad (*of:* crazy)

onwil unwillingness

onwillekeurig 1 involuntary; **2** inadvertently, unconsciously || *~ lachte hij* he laughed in spite of himself

onzakelijk unbusinesslike

onzedelijk indecent, obscene

onzedelijkheid immorality, indecency, immodesty

onzedig immodest

onzeker 1 insecure, unsure; **2** *(niet vaststaand)* uncertain, unsure, precarious *(positie)*: *het aantal gewonden is nog ~* the number of injured is not yet known; *hij nam het zekere voor het ~e* he decided to play safe

onzekerheid uncertainty, doubt: *in ~ laten* (of: *verkeren)* keep *(of*: be) in a state of suspense

Onze-Lieve-Heer (the good) God

onzelieveheersbeestje ladybird

Onze-Lieve-Vrouw Our Lady

onzevader Lord's Prayer: *het ~ bidden* say the Lord's Prayer

onzichtbaar invisible

onzijdig neutral

onzin nonsense: *klinkklare ~* utter nonsense

onzindelijk not toilet-trained

onzinnig absurd, senseless, nonsensical *(gepraat)*

onzorgvuldig careless, negligent

onzuiver I *bn* **1** impure; **2** *(bruto)* gross; **3** *(afwijkend)* inaccurate, imperfect; **II** *bw* out of tune

oog 1 eye: *een blauw ~* a black eye; *dan kun je het met je eigen ogen zien* then you can see for yourself; *goede ogen hebben* have good eyesight; *geen ~ dichtdoen* not sleep a wink; *zijn ogen geloven* (of: *vertrouwen)* believe *(of*: trust) one's eyes; *hij had alleen ~ voor haar* he only had eyes for her; *aan één ~ blind* blind in one eye; *iem iets onder vier ogen zeggen* say sth to s.o. in private; *goed uit zijn ogen kijken* keep one's eyes open; *kun je niet uit je ogen kijken?* can't you look where you're going?; *zijn ogen de kost geven* take it all in; *~ om oog, tand om tand* an eye for an eye, a tooth for a tooth; **2** *(blik)* look, glance, eye: *zij kon haar ogen niet van hem afhouden* she couldn't take *(of*: keep) her eyes off him; *(zo) op het ~* on the face of it; *iem op het ~ hebben (denken aan)* have s.o. in mind, have one's eye on s.o.; *wat mij voor ogen staat* what I have in mind; **3** *(gezichtskring, ook fig)* view, eye: *zo ver het ~ reikt* as far as the eye can see; *in het ~ lopend* conspicuous, noticeable; *iets uit het ~ verliezen* lose sight of sth; *uit het ~, uit het hart* out of sight, out of mind; *in mijn ogen* in my opinion *(of*: view); *met het ~ op* with a view to, in view of

oogappel apple of one's eye: *hij was zijn moeders ~* he was the apple of his mother's eye

oogarts ophthalmologist, eye specialist

oogbol eyeball

ooggetuige eyewitness

ooghoek corner of the eye

ooghoogte eye level

oogje 1 eye: *een ~ dichtknijpen* (of: *dichtdoen)* close *(of*: shut) one's eyes (to); **2** *(blik)* glance, look, peep: *een ~ in het zeil houden* keep a lookout; *een ~ hebben op* have one's eye on

ooglid (eye)lid

oogluikend: *iets ~ toelaten (toestaan)* turn a blind eye to sth

oogmeting eye test(ing)

oogopslag glance, look, glimpse

oogpunt viewpoint, point of view

oogschaduw eyeshadow

oogst 1 harvesting, reaping; **2** *(gewas)* harvest, crop: *de ~ binnenhalen* bring in the harvest

oogsten harvest, pick *(fruit)*

oogsttijd harvest(ing) time

oogverblindend blinding, dazzling: *een ~e schoonheid* a raving beauty

oogwit white of the eye

ooi ewe

ooievaar stork

ooit ever, at any time: *Jan, die ~ een vriend van me was* John, who was once a friend of mine; *groter dan ~ tevoren* bigger than ever (before)

ook 1 also, too: *zijn er ~ brieven?* are there any letters?; *morgen kan ~ nog* tomorrow will be all right too; *ik hou van tennis en hij ~* I like tennis and so does he; *ik ben er ~ nog* I'm here too; *hij kookte, en heel goed ~* he did the cooking and very well too; *hij heeft niet gewacht, en ik trouwens ~ niet* he didn't wait and neither did I; *zo vreselijk moeilijk is het nu ~ weer niet* it's not all that difficult (after all); *dat hebben we ~ weer gehad* so much for that, that's over and done with; *opa praatte ~ zo* grandpa used to talk like that (too); *dat is waar ~!* that's true, of course!, *(bij het plots te binnen schieten)* oh, I almost forgot!; **2** *(zelfs)* even: *~ al is hij niet rijk* even though he's not rich; **3** *(als versterking)* anyhow, anyway: *hoe jong ik ~ ben …* (as) young as I may be *(of*: am) …; *hoe het ~ zij*, laten we nu maar gaan anyway, let's go now; *wat je ~ doet* whatever you do; *wie (dan) ~* whoever; *hoe zeer zij zich ~ inspande* however she tried; **4** *(in wenszinnen, uitroepen)* again, too: *dat gezanik ~* all that fuss (too); *jij hebt ~ nooit tijd!* you never have any time!; *hoe heet hij ~ weer?* what was his name again?

oom uncle

oor 1 ear: *met een half ~ meeluisteren* listen with only an ear; *dat gaat het ene ~ in, het andere uit* it goes (at) in one ear and out (at) the other; *zijn oren (niet) geloven* (not) believe one's ears; *een en al ~ zijn* be all ears; *(Belg)* op *zijn beide* (of: *twee) oren slapen* have no worries, sleep the sleep of the just; *doof aan één ~* deaf in one ear; *gaatjes in de oren hebben* have pierced ears; *iets in de oren knopen* get sth into one's head; *ik stond wel even met mijn oren te klapperen* I couldn't believe my ears *(of*: what I was hearing); *iem met iets om de oren slaan* blow s.o. up over sth; *tot over de oren verliefd zijn* be head over heels in love; **2** *(aan voorwerp)* handle, ear: *iem een ~ aannaaien* fool s.o., take s.o. for a ride

oorarts otologist, ear specialist

oorbel earring

oordeel judg(e)ment, *(vonnis)* verdict, sentence

oordelen 1 judge, pass judgement, *(veroordelen)* sentence; **2** *(tot een gevolgtrekking komen)* judge, make up one's mind oordopje earplug

oordruppels eardrops

oorkonde document, charter, deed

oorlel lobe (of the ear)

oorlog war: *het is* ~ there's a war on; ~ *voeren* wage war

oorlogsfilm war film

oorlogsheld war hero

oorlogspad: *op het* ~ *zijn* be on the warpath

oorlogstijd time(s) of war, wartime

oorlogvoering conduct (*of:* waging) of the war, warfare

oorontsteking inflammation of the ear

oorpijn earache

oorring earring

oorsprong origin, source: *van* ~ originally

oorspronkelijk **I** *bn* original; innovative: *een* ~ *kunstenaar* an original (*of:* innovative) artist; **II** *bw* originally, initially

oorspronkelijkheid originality

oorverdovend deafening

oorvijg box on the ear

oorworm earwig

oorzaak cause, origin; ~ *en gevolg* cause and effect

oost east: ~ *west, thuis best* east, west, home's best

oostelijk 1 eastern; 2 (*naar het oosten*) easterly, eastward; (*uit het oosten*) easter(ly) (*mbt wind*): *een* ~*e wind* an easterly wind

oosten east: *ten* ~ *van* (to the) east of; *het* ~ *van Frankrijk* eastern France

Oostende Ostend

Oostenrijk Austria

Oostenrijker Austrian

Oostenrijks Austrian

oostenwind east wind, easterly

oosterlengte eastern longitude

oosters oriental

Oost-Indisch East Indian ‖ ~ *doof zijn* pretend not to hear

oostkust east(ern) coast

oostwaarts eastward

Oostzee Baltic (Sea)

oostzijde east side

op **I** *vz* 1 in, on, at: ~ *een motor rijden* ride a motorcycle; ~ *de hoek wonen* live on the the corner; *later* ~ *de dag* later in the day; ~ *negenjarige leeftijd* at the age of nine; ~ *maandag* (on) Monday; ~ *een maandag* on a Monday; ~ *vakantie* on holiday; ~ *zijn vroegst* at the earliest; ~ *haar eigen manier* in her own way; ~ *zijn minst* at (the very) least; ~ *zijn snelst* at the quickest; 2 (*mbt een verhouding*) in, to: ~ *de eerste plaats* in the first place, first(ly), in first place (*wedstrijd*); *de auto loopt* 1 ~ 8 the car does 8 km to the litre; *één* ~ *de duizend* one in a thousand; ~ *één na de laatste* the last but one; **II** *bw* up: *trap* ~ *en trap af* up and down the stairs; *de straat* ~ *en neer lopen* walk up and down the street; *zij had een nieuwe hoed* ~ she had a new hat on; **III** *bn* (*op-, verbruikt*) used up, gone: *het geld* (of: *mijn geduld*) *is*

~ the money (*of:* my patience) has run out; *hij is* ~ *van de zenuwen* he is a nervous wreck

opa grandpa, grandad

opaal opal

opbellen (tele)phone, call, ring (up): *ik zal je nog wel even* ~ I'll give you a call (*of:* ring)

opbergen put away, store, (*documenten e.d.*) file (away)

opbeuren cheer up

opbiechten confess: *alles eerlijk* ~ make a clean breast of it

opblaasbaar inflatable

opblazen blow up, inflate

opblijven stay up

opbloeien 1 bloom; 2 (*toenemen in bloei*) flourish, prosper

opbod: *iets bij* ~ *verkopen* sell sth by auction

opboksen compete

opbouw 1 construction; 2 structure

opbouwen build up, set up: *het weefsel is uit cellen opgebouwd* the tissue is made up (*of:* composed) of cells

opbouwend constructive

opbranden be burned up (*of:* down)

opbreken 1 break up, take down (*of:* apart); 2 (*openbreken*) break up, tear up: *de straat* ~ dig (*of:* break) up the street

opbrengen 1 bring in, yield; 2 (*in staat zijn tot*) work up: *begrip* (of: *belangstelling*) ~ *voor* show understanding for (*of:* an interest in); 3 (*bedekken met*) apply

opbrengst yield, profit, (*van belasting*) revenue

opdagen turn up, show up

opdienen serve (up), dish up

opdoeken shut down

opdoemen loom (up), appear

opdoen 1 gain, get: *kennis* ~ acquire knowledge; 2 apply, put on

opdoffen, zich doll oneself up

opdonder punch

opdonderen get lost

opdraaien: *ik wil hier niet voor* ~ I don't want to take any blame for this; *voor de kosten* ~ foot the bill; *iem voor iets laten* ~ land (*of:* saddle) s.o. with sth

opdracht assignment, order: *we kregen* ~ *om ...* we were told to ..., given orders to ...

opdrachtgever client, customer

opdragen charge, commission, assign

opdraven show up, put in an appearance

opdreunen rattle off, reel off, drone

opdrijven force up, drive up

opdringen **I** *intr* push forward, press forward; press on, push on (*verder*); **II** *tr* force on, press on, (*raad, mening ook*) intrude on, impose on: *dat werd ons opgedrongen* that was forced on us; **III** *zich* ~ force oneself on, impose oneself (on), impose one's company (on): *ik wil me niet* ~ I don't want to intrude

opdringerig obtrusive; (*persoon ook*) pushy: ~*e re-*

clameboodschappen aggressive advertising

opdrinken drink (up)

opdrogen dry (up), *(rivier, bron, fig ook)* run dry

opdruk (im)print

opdrukken 1 print on(to), impress on(to), stamp on(to) *(met stempel);* **2** push up, press up: *zich ~ do* press-ups

opduikelen dig up

opduiken 1 surface, rise *(of:* come) to the surface; **2** *(verschijnen)* turn up

opduwen push up, press up

opdweilen mop up

opeen together

opeens suddenly, all at once, all of a sudden

opeenstapeling accumulation, build-up

opeenvolgend successive, consecutive

opeenvolging succession

opeisen claim, demand: *de aandacht ~* demand *(of:* compel) attention; *een aanslag ~* claim responsibility for an attack

open open, *(niet op slot ook)* unlocked, *(niet bezet)* vacant: *de deur staat ~* the door is ajar *(of:* open); *met ~ ogen* with one's eyes open; *een ~ plek in het bos* a clearing in the woods; *tot hoe laat zijn de winkels ~?* what time do the shops close?; *~ en bloot* openly, for all (the world) to see

openbaar public, open: *de openbare orde verstoren* disturb the peace; *in het ~* in public, publicly

openbaarheid publicity

openbaarmaking publication, disclosure

openbaarvervoerkaart public transport pass; travel card

openbaring revelation

openbarsten burst open

openbreken break (open), force open, prise open: *een slot ~* force a lock

opendeurdag *(Belg)* open day

opendoen I *tr* open; **II** *intr* open the door, answer the door *(of:* bell, ring) *(na bellen, kloppen): er werd niet opengedaan* there was no answer

opendraaien open, turn on *(kraan),* unscrew *(deksel, dop)*

openen I *intr* open, begin: *(kaartspel) met schoppen ~* lead spades; **II** *tr* **1** open, turn on *(kraan),* unscrew *(deksel, dop);* **2** *(beginnen)* open, start

opener opener

opengaan open

openhalen tear: *ik heb mijn jas opengehaald aan een spijker* I tore my coat on a nail

openhartig frank, candid, *(oprecht)* straightforward: *een ~ gesprek* a heart-to-heart (talk)

openhartigheid frankness, candour

openheid openness, sincerity: *in alle ~* in all candour

openhouden keep open: *de deur voor iem ~* hold the door (open) for s.o.

opening opening, *(gat ook)* gap

openingsplechtigheid opening ceremony, inauguration

openingstijd opening hours, *(van kantoor, winkel ook)* business hours

openlaten 1 leave open, leave on, leave running *(kraan);* **2** *(niet invullen)* leave blank, *(datum)* leave open

openlijk 1 open, overt: *~ voor iets uitkomen* openly admit sth; **2** *(in het openbaar)* public: *iets ~ verkondigen* declare sth in public

openlucht open air

openmaken open (up)

openscheuren tear open, rip open

openslaan open

openslaand: *~e deuren* double doors

opensnijden cut (open)

openstaan be open, *(niet op slot ook)* be unlocked: *mijn huis staat altijd voor jou open* my door will always be open to *(of:* for) you; *de kraan staat open* the tap is on *(of:* is running)

opentrappen kick open

opentrekken pull open, open: *een grote bek ~* open one's big mouth

openvallen fall open, drop open

openvouwen unfold, open (out)

openzetten open, turn on *(kraan)*

opera opera

operatie operation, surgery: *een grote* (of: *kleine) ~ ondergaan* undergo major *(of:* minor) surgery

operatief surgical, operative

operatiekamer operating room

operatietafel operating table

opereren 1 work; *(werken met)* use; **2** *(med)* operate, perform surgery *(of:* an operation): *iem ~ operate on s.o.; zij is geopereerd aan de longen* she has had an operation on the lungs

operette light opera

opeten eat (up), finish

opfleuren cheer up, brighten up

opflikkeren flare up, flicker

opfokken work up, whip up, stir up

opfrissen freshen (up): *zijn Engels ~* brush up (on) one's English; *zich ~* freshen up, *(Am)* wash up

opgaan 1 go up, *(trap, heuvel ook)* climb; **2** *(mbt de zon)* come up, rise; **3** *(opgegeten, opgedronken worden)* go, be finished; **4** *(juist zijn)* hold good *(of:* true), apply: *dit gaat niet op voor arme mensen* this doesn't apply to *(of:* this is not true of) poor people; *als het die kant opgaat met de maatschappij dan …* if that is the way society is going …

opgaand rising

opgave 1 statement, specification: *zonder ~ van redenen* without reason given; **2** *(vraagstuk)* question *(vnl. mbt huiswerk, examen e.d.): schriftelijke ~n* written assignments; **3** *(taak)* task, assignment

opgeblazen puffy, bloated, swollen

opgebrand burnt-out, worn-out

opgefokt worked up

opgekropt pent-up, bottled up

opgelucht relieved: *~ ademhalen* heave a sigh of relief

opgemaakt 1 made up: *een ~ gezicht* a made-up face; **2** *(gerangschikt)* made (up), laid out: *een ~ bed* a made (up) bed

opgeruimd tidy, neat: *~ staat netjes* good riddance (to bad rubbish)

opgescheept: *met iem (iets) ~ zitten* be stuck with s.o. (sth)

opgeschoten lanky

opgetogen delighted, overjoyed

opgeven 1 give up, abandon: *(het) niet ~* not give in *(of:* up), hang on; *je moet nooit (niet te gauw) ~* never say die; **2** *(opnoemen)* give, state: *zijn inkomsten ~ aan de belasting* declare one's income to the tax inspector; **3** *(opdragen)* give, assign; **4** *(aanmelden)* enter: *zich ~ voor een cursus* enrol *(of:* sign up) for a course; *als vermist ~* report (as) missing; **5** *(overgeven)* give (up), surrender

opgewassen equal (to), *(tegen zaak ook)* up (to): *hij bleek niet ~ tegen die taak* the task proved beyond him *(of:* too much for him)

opgewekt cheerful, good-humoured: *hij is altijd heel ~* he is always in good spirits *(of:* bright and breezy)

opgewonden 1 excited; **2** *(zenuwachtig)* agitated, in a fluster

opgezet 1 swollen, bloated; **2** *(Belg)* happy, content: *~ zijn met iets* be pleased about sth

opgooien throw up, toss up

opgraven dig up, unearth, *(archeologie)* excavate, exhume *(lijk)*

opgraving 1 dig(ging), *(archeologisch ook)* excavation, exhumation *(lijk): opgravingen vonden plaats in …* excavations were carried out in …; **2** *(plaats)* excavation, dig, (archaeological) site

opgroeien grow (up)

ophaalbrug lift bridge, drawbridge

ophaaldienst collecting service, collection service

ophalen 1 raise, draw up, pull up, hoist *(vlag, zeil)*; **2** *(afhalen)* collect: *(comp) een bestand ~* download a file; *vuilnis ~* collect refuse *(of:* rubbish), *(Am)* collect garbage; *kom je me vanavond ~?* are you coming round for me tonight?; **3** *(in herinnering brengen)* bring up, bring back, recall: *herinneringen ~ aan de goede oude tijd* reminisce about the good old days; **4** *(inzamelen)* collect; **5** *(verbeteren)* brush up (on), polish up: *rapportcijfers ~* improve on one's (report) marks

ophangen I *tr* hang (up), *(mededeling ook)* post: *de was ~* hang out the wash(ing); **II** *intr (van telefoon)* hang up, ring off

ophebben 1 wear, have on; **2** *(gegeten, gedronken hebben)* have finished, have had

ophef fuss, noise, song (and dance): *zonder veel ~* without much ado

opheffen 1 raise, lift: *met opgeheven hoofd* with (one's) head held high; **2** *(tenietdoen)* cancel (out), neutralize: *het effect ~ van iets* counteract sth; **3** *(doen ophouden)* remove, discontinue *(dienst,*

zaak, cursus): de club werd na een paar maanden opgeheven the club was disbanded after a couple of months

opheffing removal, discontinuance *(dienst, zaak, cursus),* adjournment *(zitting): de ~ van het faillissement* the annulment of the bankruptcy

ophefmakend *(Belg) (sensationeel)* sensational

ophelderen clear up, clarify

opheldering explanation

ophemelen praise to the skies, extol

ophijsen pull up, hoist (up), raise *(vlag, zeil)*

ophitsen 1 egg on, goad: *een hond ~* tease *(of:* bait) a dog; *iem ~* get s.o.'s hackles up; **2** *(opruien)* incite, stir up: *de mensen tegen elkaar ~* set people at one another's throats

ophoepelen *(plat)* get lost, clear *(of:* push, buzz) off

ophopen, zich pile up, accumulate: *de sneeuw heeft zich opgehoopt* the snow has banked up

ophoping accumulation, pile

ophouden I *intr* stop, quit *(niet doorgaan met),* (come to an) end: *de straat hield daar op* the street ended there; *dan houdt alles op* then there's nothing more to be said; *plotseling ~* break off; *ze hield maar niet op met huilen* she (just) went on crying (and crying); *~ met roken* give up *(of:* stop) smoking; *het is opgehouden met regenen* the rain has stopped; *even ~ met werken* have a short break in one's work; *hou op!* stop it!, cut it out!; *laten we er over ~* let's leave it at that; **II** *tr* **1** hold up, delay, *(persoon ook)* keep, *(persoon ook)* detain: *iem niet langer ~* not take up any more of s.o.'s time; *dat houdt de zaak alleen maar op* that just slows things down; *ik werd opgehouden* I was delayed *(of:* held up); **2** *(van hoed, muts)* keep on

opinie opinion, view

opinieblad *(ongev)* news magazine

opiniepeiling (opinion) poll: *(een) ~(en) houden (over)* canvass opinion (on)

opium opium

opjagen hurry, rush, *(niet met rust laten)* hound

opkalefateren patch (up), doctor (up)

opkijken 1 look up: *~ tegen iem* look up to s.o.; **2** *(verrast worden)* sit up, be surprised: *daar kijk ik van op* I'd never have thought it

opklapbed foldaway bed

opklappen fold up

opklaren brighten up, clear up: *de lucht klaart op* the sky's clearing up

opklimmen climb

opknapbeurt redecoration, facelift

opknappen I *intr* pick up, revive: *het weer is opgeknapt* the weather has brightened up; *hij zal er erg van ~* it'll do him all the good in the world; **II** *tr* **1** tidy up, do up, redecorate, *(restaureren)* restore: *het dak moet nodig eens opgeknapt worden* the roof needs repairing *(of:* fixing); **2** *(uitvoeren)* fix, carry out: *dat zal zij zelf wel ~* she'll take care of it herself; **III** *zich ~* freshen (oneself) up

opknopen string up

op

opkomen 1 come up *(gewas enz.)*, rise *(deeg, getijde)*, come in *(getijde): spontaan (vanzelf)* ~ crop up; 2 *(boven de horizon komen)* rise, ascend; 3 *(in gedachte komen)* occur, *(weer opkomen)* recur: *het komt niet bij hem op* it doesn't occur to him; *het eerste wat bij je opkomt* the first thing that comes into your mind; 4 *(beginnen te ontstaan)* come on *(koorts, storm)*, set in *(koorts)*, rise *(wind): ik voel een verkoudheid* ~ (of: *de koorts)* ~ I can feel a cold (of: the fever) coming on; 5 *(theat)* enter, come on (stage); 6 *(verdedigen)* fight (for), stand up (for): *steeds voor elkaar* ~ stick together; *kom op, we gaan* come on, let's go; *kom maar op als je durft!* come on if you dare!

opkomst 1 *(mbt de zon, maan)* rise; 2 *(aantal verschenen mensen)* attendance, *(bij verkiezingen)* turnout; 3 *(mbt het toneel)* entrance; 4 *(vooruitgang)* rise, boom

opkopen buy up

opkrikken 1 jack up; 2 *(opvijzelen)* hype up, pep up: *het moreel* ~ boost morale

opkroppen bottle up, hold back

opkuisen *(Belg)* clean (up), tidy (up)

oplaadbaar rechargeable

oplaaien flare (of: flame, blaze) up

opladen charge

oplader charger

oplage edition, issue, *(van krant)* circulation: *een krant met een grote* ~ a newspaper with a wide circulation

oplappen patch up

oplaten fly *(vlieger)*; release *(vogel)*; launch *(ballon, zweefvliegtuig)*

oplawaai wallop

opleggen enforce; impose *(straf, belasting, boete): wetten* ~ enforce (of: impose, lay down) laws

oplegger semi-trailer, trailer: *truck met* ~ articulated lorry (*Am*: truck)

opleiden educate, instruct: *hij is tot advocaat opgeleid* he has been trained as a lawyer

opleiding 1 education, training: *een wetenschappelijke* ~ an academic (of: a university) education; *een* ~ *volgen (krijgen)* receive training, train; *zij volgt een* ~ *voor secretaresse* she is doing a secretarial course; 2 institute; *(training)* college; *(school voor speciale opleidingen)* academy

opleidingscentrum training centre

opletten 1 watch, take care: *let op waar je loopt* look where you're going; *let maar eens op* mark my words, wait and see; 2 *(aandachtig luisteren)* pay attention: *opgelet!, let op!* attention please!, take care!

oplettend 1 observant, observing: *zij sloeg hem* ~ *gade* she watched him carefully (of: closely); 2 *(aandachtig luisteren)* attentive

oplettendheid attention, attentiveness

opleven revive

opleveren 1 *(afleveren)* deliver, surrender *(onroerend goed): tijdig* ~ deliver on time; 2 *(opbrengen)* yield: *wat levert dat baantje op?* what does (of: how

much does) the job pay?; *voordeel* ~ yield profit; *het schrijven van boeken levert weinig op* writing (books) doesn't bring in much; 3 *(voortbrengen)* produce: *het heeft me niets dan ellende opgeleverd* it brought me nothing but misery

oplevering delivery; *(mbt gebouw)* completion

opleving revival; *(herstel)* recovery; upturn, pick-up: *een plotselinge* ~ an upsurge

oplezen read (out), call (out, off)

oplichten swindle, cheat, con: *iem* ~ *voor 2 ton* swindle (of: con) s.o. out of 200,000 euros

oplichter swindler, crook, con(fidence) man (woman)

oplichterij swindle, con(-trick)

oplichting fraud, con(-trick)

oplikken lick up, lap up

oploop 1 crowd; 2 *(relletje)* riot, tumult

oplopen I *intr* 1 go up, run up, walk up: *de trap* ~ run (of: go, walk) up the stairs; 2 *(toenemen)* increase, mount, rise: *de spanning laten* ~ build up the tension; 3 *(botsen op)* bump into, run into: *tegen een mooi huis* ~ chance to come upon a nice house; II *tr (opdoen)* catch, get: *een verkoudheid* ~ catch a cold

oplopend 1 rising, sloping (upwards); 2 *(toenemend)* increasing, mounting: *een hoog* ~*e ruzie* a flaming row

oplosbaar solvable

oploskoffie instant coffee

oplosmiddel solvent, thinner *(voor verf)*

oplossen I *intr* dissolve: *die vlekken lossen op als sneeuw voor de zon* those stains will vanish in no time; II *tr* 1 *(een oplossing vinden)* solve; 2 *(tot een goed einde brengen)* (re)solve: *dit zou het probleem moeten* ~ this should settle (of: solve) the problem

oplossing solution *(ook chem, nat)*; answer

opluchten relieve: *dat lucht op!* what a relief!

opluchting relief: *tot mijn grote* ~ to my great relief, much to my relief

opmaak 1 layout, set-out, mock-up, *(comp)* format; 2 *(versiering)* embellishment *(versiering)*; trimming *(garnering)*

opmaken 1 finish (up), use up: *al zijn geld* ~ spend all one's money; 2 *(gezichtsverfraaiing)* make up: *zich* ~ make oneself up; 3 *(samenstellen)* draw up: *de balans* ~ weigh the pros and cons, take stock; 4 lay out, make up; 5 *(concluderen)* gather: *moet ik daaruit* ~ *dat* ... do I gather (of: conclude) from it that ...

opmerkelijk remarkable, striking

opmerken 1 observe, note *(bespeuren)*; 2 *(bemerken, de aandacht vestigen op)* note, notice; 3 *(een opmerking maken)* observe, remark: *mag ik misschien even iets* ~? may I make an observation?

opmerking remark, observation, comment: *hou je brutale* ~*en voor je* keep your comments to yourself

opmerkzaam attentive, observant

opname 1 *(in een ziekenhuis)* admission; 2 *(foto)* shot; *(film)* shooting, take; *(van geluid)* recording;

3 *(mbt geld)* withdrawal

opnamestudio recording studio; *(voor filmopnamen)* film studio; *(geluiddicht)* sound stage

opnemen 1 *(mbt tegoed)* withdraw: *een snipperdag ~* take a day off; **2** *(beoordelen)* take: *iets (te) gemakkelijk ~* be (too) casual about sth; **3** *(geluid, beeld)* record, *(film)* shoot: *een concert ~* record a concert; **4** *(grootte, waarde bepalen)* measure: *de gasmeter ~* read the (gas)meter; *de tijd ~ (van)* time a person; **5** *(noteren)* take down; **6** *(een plaats geven)* admit, introduce, include: *laten ~ in een ziekenhuis* hospitalize; *in het ziekenhuis opgenomen worden* be admitted to hospital; **7** *(ergens deel van doen uitmaken)* admit, receive: *ze werd snel opgenomen in de groep* she was soon accepted as one of the group; **8** *(mbt telefoon)* answer: *er wordt niet opgenomen* there's no answer; **9** *(absorberen)* absorb: *het tegen iem ~* take s.o. on; *hij kan het tegen iedereen ~* he can hold his own against anyone; *het voor iem ~* speak *(of:* stick) up for s.o.

opnieuw 1 (once) again, once more: *telkens (steeds) ~* again and again, time and (time) again; **2** *(van voren af)* (once) again, once more: *nu moet ik weer helemaal ~ beginnen* now I'm back to square one

opnoemen name, call (out), *(opsommen)* enumerate: *te veel om op te noemen* too much *(of:* many) to mention

opoe gran(ny), gran(d)ma

opofferen sacrifice

opoffering sacrifice, *(fig)* expense *(moeite)*

oppakken run in, pick up, round up

oppas babysitter, childminder

oppassen 1 look out, be careful: *pas op voor zakkenrollers* beware of pickpockets; **2** *(op kinderen)* babysit

oppasser keeper

oppeppen pep (up) *(nieuwe energie geven)*

opperbest splendid, excellent: *in een ~ humeur* in high spirits

opperbevel supreme command, high command

opperbevelhebber commander-in-chief, supreme commander

opperhoofd chief, chieftain

oppermachtig supreme

opperman bricklayer's assistant *(of:* labourer)

opperst supreme, complete

oppervlak 1 surface, face; **2** *(grootte in m²)* (surface) area

oppervlakkig superficial, shallow: *(zo) ~ beschouwd* on the face of it

oppervlakkigheid superficiality, shallowness

oppervlakte 1 surface, face; **2** *(buitenvlakken van een lichaam)* surface (area)

oppervlaktemaat square measure, area measure

oppiepen bleep

oppikken pick up, collect: *ik pik je bij het station op* I will pick you up at the station

opplakken stick (on), glue (on), paste (on), affix

oppompen pump up *(band)*, blow up *(voetbal)*, inflate *(luchtbed)*

oppositie opposition

oppositieleider opposition leader, leader of the opposition

opprikken pin up, hang up: *een bericht ~* put up a notice

oppuntstellen *(Belg)* arrange, fix up

oprapen pick up, gather

oprecht sincere, heartfelt

oprennen 1 run (onto etc.): *hij rende het veld op* he ran onto the field; **2** run up *(trap)*

oprichten set up, establish, start *(zaak, club)*, found *(vereniging)*: *een onderneming ~* establish *(of:* start) a company

oprichter founder

oprichting foundation, *(mbt een zaak)* establishment, *(mbt een vereniging)* formation

oprijden *(voortrijden)* ride along, *(auto ook)* drive along: *een oprijlaan ~* turn into a drive; *tegen iets ~* crash into *(of:* collide with) sth

oprijlaan drive(way)

oprit 1 drive, access; **2** *(ve autoweg)* approach road, slip road

oproep call, appeal

oproepen 1 summon, call (up), page *(iemands naam omroepen)*: *opgeroepen voor militaire dienst* conscripted *(of:* drafted) into military service; **2** *(in gedachten)* call up, evoke, conjure up, *(iets negatiefs ook)* arouse

oproepkracht stand-by employee *(of:* worker)

oprollen 1 *(in elkaar rollen)* roll up, curl up, coil up *(touw)*, wind; **2** *(arresteren)* round up

opruimen clean (out), clear (out), tidy (up), clear (up): *de rommel ~* clear *(of:* tidy) away the mess; *opgeruimd staat netjes: a)* that's things nice and tidy again; *b) (iron)* good riddance (to bad rubbish)

opruiming clearance, *(winkel)* (clearance) sale, clear-out

opruimingsuitverkoop (stock-)clearance sale

oprukken advance

opschepen saddle with, palm off on: *iem met iets ~* saddle s.o. with sth, plant sth on s.o.

opscheppen I *tr* dish up, serve out, spoon out, ladle out *(soep)*: *mag ik je nog eens ~?* may I give you *(of:* will you have) another helping?; **II** *intr (pochen)* brag, boast: *~ met (over) zijn nieuwe auto* show off one's new car

opschepper boaster, braggart

opschepperig boastful

opschepperij bragging, exhibitionism *(vertoon)*, show *(vertoon)*

opschieten 1 hurry up, push on *(of:* ahead); **2** *(vorderen)* get on, make progress *(of:* headway): *daar schiet je niks mee op* that's not going to get you anywhere; **3** *(overweg kunnen)* get on *(of:* along)

opschrift 1 legend, inscription *(munt, gebouw, standbeeld)*; lettering *(deur, vliegtuig)*; **2** *(mbt boeken, geschriften)* headline *(boven krantenbericht)*;

heading *(titel, kop)*; caption *(illustratie)*; direction *(adres)*

opschrijven write/take/put *(of:* note, jot) down: *schrijf het maar voor mij op* charge it to *(of:* put it on) my account

opschrikken start, startle, jump

opschudding commotion, disturbance

opschuiven move up *(of:* over), shift up, shove up

opslaan 1 lay up, store; 2 *(omhoog slaan)* hit up, serve *(serveren)*; 3 *(mbt de ogen)* lift, raise; 4 *(comp)* save: *bewaren als tekstbestand* save as text file

opslag 1 rise, *(Am; vnl. mbt loon)* raise, *(op premie, bedrag, prijs)* surcharge: ~ *krijgen* get *(of:* receive) a rise; 2 *(sport)* serve, service *(service)*, ball *(worp)*; 3 *(van goederen)* storage

opslagplaats warehouse, (storage) depot, store *(graan, munitie)*, depository *(goederen)*

opslagtank storage tank

opsluiten I *tr* shut up, lock up, confine *(gevangenen)*, put *(of:* place) under restraint *(psychiatrische patiënten)*, cage *(dier)*, pound *(in asiel, kennel)*: *opgesloten in zijn kamertje zitten* be cooped up in one's room; II *zich* ~ shut oneself in, lock oneself up

opsluiting confinement, imprisonment: *eenzame* ~ solitary confinement

opsnuiven sniff (up), snuff, inhale *(geneesmiddel, rook)*, snort *(cocaïne)*

opsolferen *(Belg)* palm off (on): *iem iets* ~ palm sth off on s.o.

opsommen enumerate, recount

opsomming enumeration, list, run-down

opsparen save up, *(oppotten)* hoard (up)

opspelen play up

opsplitsen split up (into), break up (into)

opsporen track, trace, detect *(fout, lek)*, track down, hunt down *(misdadiger, wild)*

opsporing location, tracing

opspraak discredit: *in* ~ *komen* get oneself talked about

opspringen jump/leap *(of:* spring, start) up, *(opveren)* spring *(of:* jump, start) to one's feet, bounce *(bal)*

opstaan stand up, get up, get *(of:* rise) to one's feet, get on one's feet: *met vallen en* ~ with ups and downs; *hij staat altijd vroeg op* he's an early riser *(of:* bird), he is always up early

opstand (up)rising, revolt, rebellion, insurrection

opstandig rebellious, mutinous, insurgent

opstanding resurrection: *de* ~ *van Christus* the Resurrection of Christ

opstap step: *struikel niet over het* ~*je* don't stumble over the step, mind the step

opstapelen I *tr* pile up, heap up, stack (up), *(vergaren)* amass, accumulate; II *zich* ~ pile up, accumulate, mount up

opstappen go away, move on; be off; *(ontslag nemen)* resign

opsteken 1 put up, hold up, raise; 2 *(wijzer worden)* learn, pick up *(ideeën, taal, gewoonte)*: *zij hebben*

er niet veel van opgestoken they have not taken much of it in; 3 *(mbt haar)* gather up, pin up

opsteker *(meestal -tje)* windfall, piece of (good) luck

opstel (school) essay, composition: *een* ~ *maken over* write/do an essay *(of:* a paper) on

opstellen I *tr* 1 set up *(of:* erect) *(materiaal)*; post, place (sth, s.o.); *(in formatie)* arrange, dispose, line up; deploy *(leger, wapens)*: *(sport) opgesteld staan* be lined up; 2 *(ontwerpen)* draw up, formulate, draft *(vnl. van voorlopige versie)*: *een plan* ~ draw up a plan; II *zich* ~ 1 take up a position, *(in een formatie)* form, line up, station oneself, post oneself; 2 *(houding aannemen)* take up a position (on), adopt an attitude (towards); *(zich voordoen)* pose (as): *zich keihard* ~ take a hard line

opstelling 1 placing, erection, deployment *(wapens)*; *(arrangement)* position, arrangement; 2 *(standpuntbepaling)* position, attitude; 3 *(sport)* line-up

opstijgen 1 ascend, rise, *(klimmen ook)* go up, *(luchtv)* take off, *(luchtv, ruimtev)* lift off; 2 *(te paard stijgen)* mount

opstoken incite (to), put up (to sth)

opstopping stoppage, blockage, *(verkeer)* traffic jam, congestion

opstrijken pocket, rake in, scoop in, scoop up

opstropen roll up, turn up

opsturen send, post, mail

optellen add (up), count up, total up: *twee getallen (bij elkaar)* ~ add up two numbers

optelling 1 *(het optellen)* addition; 2 *(optelsom)* (addition) sum

opticien optician

optie 1 option *(ook handel)*, choice, alternative: *een* ~ *op een huis hebben* have an option on a house; 2 *(Belg)* optional subject

optiebeurs options market

optiek point of view, angle

optillen lift (up), raise

optimaal I *bw* optimal; II *bn* optimum

optimaliseren optimize

optimisme optimism

optimist optimist

optimistisch optimistic: *de zaak* ~ *bekijken* look on the bright side

optisch optic(al), visual

optocht procession, parade, *(manifestatie)* march

optreden I *zn* 1 action; *(handelwijze)* way of acting, behaviour; *(houding)* attitude, manner; *(voorkomen)* bearing, demeanour: *het* ~ *van de politie werd fel bekritiseerd* the conduct of the police was strongly criticized; 2 *(uitvoering)* appearance, performance, *(voorstelling)* show; II *intr* 1 appear, perform *(vnl. in clubs)*: *in een film* ~ appear in a film; 2 *(een functie vervullen)* act (as), serve (as); 3 *(handelen)* act, take action: *streng* ~ take firm action

optrekken I *intr* 1 *(mbt auto's)* accelerate; 2 *(zich bezighouden met) (zorgen voor)* be busy (with), take care (of); *(omgaan met)* hang around (with); 3 *(omhoog stijgen)* rise, lift; II *tr* pull up, haul up, raise, *(hijsen)* hoist (up): *met opgetrokken knieën* with one's knees pulled up

optuigen dress up, tart up

opvallen strike, be conspicuous, attract attention *(of:* notice): *~ door zijn kleding* attract attention because of *(of:* on account of) one's clothes

opvallend striking, conspicuous, marked: *het ~ste kenmerk* the most striking feature

opvang relief, emergency measures

opvangen 1 catch, receive; 2 *(horen)* overhear, pick up, catch: *flarden van een gesprek ~* overhear scraps of conversation; 3 *(helpen)* take care of, receive *(vluchtelingen): de kinderen ~ als ze uit school komen* take care of *(of:* look after) the children after school; 4 *(in iets verzamelen)* catch, collect

opvanghuis reception centre, relief centre

opvatten take, interpret: *iets verkeerd (fout) ~* misinterpret *(of:* misunderstand) sth

opvatting view, notion, opinion

opvegen sweep up

opvoeden bring up, raise: *goed* (of: *slecht) opgevoed* well-bred *(of:* ill-bred), well *(of:* badly) brought up

opvoeder educator, tutor, governess

opvoeding upbringing, education: *een strenge ~* a strict upbringing

opvoedkundig educational, educative, pedagogic(al)

opvoeren 1 *(kracht, omvang doen toenemen)* increase, step up, speed up *(de gang van iets)*, accelerate *(de gang van iets): een motor ~* tune (up) an engine; 2 *(theat)* perform, put on, present

opvoering 1 production, presentation; 2 *(keer, gelegenheid)* performance

opvolgen 1 *(mbt de troon)* succeed; 2 *(mbt belofte enz.)* follow up; observe, comply with *(regels);* obey *(geboden): iemands advies ~* follow *(of:* take) s.o.'s advice

opvolger successor (to)

opvouwbaar folding, fold-up, foldaway, collapsible *(doos, boot)*

opvouwen fold up, *(om op te bergen)* fold away

opvragen claim, ask for, *(terugvragen)* reclaim, *(terugvragen)* ask for (sth) back

opvreten eat up, devour

opvrolijken cheer (s.o.) up, brighten (s.o., sth) up

opvullen stuff, fill

opwaarderen revalue, upgrade, uprate

opwaarts upward, *(bw ook)* upwards: *~e druk* upward pressure, upthrust, *(als hoedanigheid ve vloeistof)* buoyancy

opwachten lie in wait for

opwarmen I *tr* warm up, heat up, reheat; II *intr* 1 warm up, heat up; 2 *(sport)* warm up, loosen up, limber up

opwegen be equal (to), *(goedmaken)* make up (for), compensate (for)

opwekken 1 arouse, excite *(belangstelling, gevoelens)*, stir: *de eetlust (van iem) ~* whet (s.o.'s) appetite; 2 *(mbt energie)* generate, create

opwelling impulse: *in een ~ iets doen* do sth on impulse

opwerken, zich work one's way up, climb the ladder

opwinden I *tr* 1 *(mbt klok enz.)* wind up; 2 *(mbt draad enz.)* wind; 3 *(enthousiast maken)* excite, wind *(of:* key, tense) up; II *zich ~* become incensed, fume: *zich ~ over iets* get worked up about sth

opwindend 1 exciting, thrilling: *het was heel ~* it was quite a thrill; 2 *(prikkelend)* sexy, suggestive

opwinding excitement, *(spanning)* tension: *voor de nodige ~ zorgen* cause quite a stir

opzeg *(Belg)* cancellation, termination, resignation *(van een betrekking)*

opzeggen 1 cancel, terminate, resign *(betrekking, lidmaatschap); (op termijn)* give notice: *zijn betrekking ~* resign from one's job, resign one's post; 2 *(mbt gedicht, gebed)* read out, recite *(gedicht, les)*

opzegtermijn (period, term of) notice

opzet I *de* 1 organization; *(plan)* scheme, idea; *(ontwerp)* layout, design, plan; *(structuur, toestand)* set-up; 2 *(beoogd doel)* intention, aim; II *het (bedoeling)* intention, purpose: *met ~* on purpose

opzettelijk deliberate, intentional, *(bw)* on purpose: *hij deed het ~* he did it on purpose

opzetten I *intr* blow up, arise *(storm);* gather *(nevel, wolken);* rise; set in; II *tr* 1 *(overeind zetten)* put up, raise, *(verticaal zetten)* stand (sth, s.o.) up: *een tent ~* pitch *(of:* put up) a tent; 2 *(op iets plaatsen)* put on: *zijn hoed ~* put one's hat on; *theewater ~* put the kettle on (for tea); 3 *(op touw zetten)* set up, start (off): *een zaak ~* set up in business, set up shop; 4 *(mbt dode dieren)* stuff

opzicht respect, aspect: *ten opzichte van: a) (in vergelijking met)* compared with *(of:* to), in relation to; *b) (rekening houdend met)* with respect *(of:* regard) to, as regards; *in geen enkel ~* in no way, not in any sense

opzichter 1 supervisor, overseer *(van werken)*, superintendent; 2 *(mbt de bouw(werken))* inspector, *(op bouwterrein)* (site) foreman

opzichtig showy *(kleur);* blatant *(daad)*

opzien I *intr* 1 look up: *daar zullen ze van ~* that'll make them sit up (and take notice); 2 *(met tegen) (vrezen)* not be able to face, shrink from: *ergens als (tegen) een berg tegen ~* dread sth; II *zn* stir, fuss, *(verbazing)* amazement: *veel ~ baren* cause quite a stir *(of:* fuss)

opzienbarend sensational, spectacular, stunning

opziener supervisor, inspector

opzij 1 aside, out of the way; 2 *(aan de zijde)* at *(of:* on) one side

opzitten *(mbt honden)* sit up (and beg) ‖ *hij heeft er 20 jaar tropen ~* he's been in the tropics 20 years

opzoeken 1 look up, find: *een adres ~* look up an

op

address; 2 *(bezoeken)* look up, call on

opzuigen suck up, *(met stofzuiger)* hoover up, vacuum up: *limonade door een rietje* ~ drink lemonade through a straw

opzwellen swell (up, out), bulge, billow *(ve zeil, kleren)*, balloon *(ve zeil, kleren)*

oraal oral

orakel oracle

orang-oetang orang-utan

oranje orange, *(mbt verkeerslicht)* amber

Oranje-Nassau Orange Nassau

orchidee orchid

orde 1 order: *voor de goede* ~ *wijs ik u erop dat ...* for the record, I would like to remind you that ...; *iem tot de* ~ *roepen* call s.o. to order; 2 *(geregelde toestand, rust)* order, *(discipline ook)* discipline: *verstoring van de openbare* ~ disturbance of the peace; *dat komt (wel) in* ~ it will turn out all right *(of:* OK); *in* ~*!* all right!, fine!, OK!; *iem een* ~ *verlenen* invest s.o. with a decoration, decorate s.o.

ordelijk neat, tidy

ordenen arrange, sort (out)

ordening 1 arrangement, organization; 2 *(volgens voorschriften)* regulation, structuring

order order; instruction, command: *uitstellen tot nader* ~ put off until further notice; *een* ~ *plaatsen voor twee vrachtauto's bij D.* order two lorries from D.

ordeverstoring disturbance, disturbance *(of:* breach) of the peace

ordinair 1 common, vulgar, *(grof)* coarse, crude; 2 *(alledaags)* common, ordinary, normal

ordner *(document)* file

orgaan organ

orgaandonatie organ donation

orgaantransplantatie organ transplant(ation)

organisatie 1 organization, arrangement; 2 *(vereniging)* organization, society, association

organisator organizer

organisatorisch organizational

organiseren 1 organize, arrange; 2 *(op touw zetten)* organize, fix up, stage

organisme organism

organist organist, organ player

orgasme orgasm, climax

orgel (pipe) organ: *een* ~ *draaien* grind an organ

orgelman organ-grinder

orgie orgy, revelry

Oriënt Orient

oriëntaal oriental

oriëntatie orientation, information: *zijn* ~ *kwijtraken* lose one's bearings

oriënteren, zich 1 orientate oneself; 2 *(informatie vergaren)* look around

originaliteit originality

origine origin: *zij zijn van Franse* ~ they are of French origin *(of:* extraction)

origineel original

orkaan hurricane

orkest orchestra

os bullock, ox: *slapen als een* ~ sleep like a log

ossenstaartsoep oxtail soup

otter otter

oubollig corny, waggish

oud 1 old: *zo'n veertig jaar* ~ fortyish; *vijftien jaar* ~ fifteen years old *(of:* of age), aged fifteen; *hij werd honderd jaar* ~ he lived to (be) a hundred; *de* ~*ste zoon: a) (van twee)* the elder son; *b) (van meer dan twee)* the oldest son; *haar* ~*ere zusje* her elder *(of:* big) sister; *hoe* ~ *ben je?* how old are you?; *toen zij zo* ~ *was als jij* when she was your age; *zij zijn even* ~ they are the same age; *hij is vier jaar* ~*er dan ik* he is four years older than me; *kinderen van zes jaar en* ~*er* children from six years upwards; 2 *(bejaard)* old, aged: *de* ~*e dag* old age; *men is nooit te* ~ *om te leren* you are never too old to learn; 3 *(reeds lang bestaand)* old, ancient, long-standing *(situatie): een* ~*e mop* a corny joke; ~ *papier* waste paper; ~*er in dienstjaren* senior; 4 *(uit vroeger tijd afkomstig)* ancient, *(verouderd)* outdated, *(verouderd)* archaic: ~ *nummer (van tijdschrift)* back issue; 5 *(voormalig)* ex-, former, old: ~ *en jong* young and old; ~ *en nieuw vieren* see in the New Year

oudejaarsavond New Year's Eve

ouder parent: *mijn* ~*s* my parents, my folks

ouderavond parents' evening

ouderdom age; (old) age

ouderejaars older student, senior student

ouderlijk parental

ouderling church warden, elder

ouderraad parents' council

ouderwets old-fashioned, *(verouderd)* outmoded

oudheid antiquity, ancient times

oudjaar New Year's Eve

oudje old person, old chap, old fellow, old dear, old girl

oud-leerling former pupil

oudoom great-uncle

oudsher: *van* ~ of old, from way back

oudste 1 oldest, eldest: *wie is de* ~, *jij of je broer?* who is older, you or your brother?; 2 *(in rang)* (most) senior

oudtante great-aunt

ouverture overture, prelude

ouwe 1 *(baas)* chief, boss; 2 *(vader)* old man ‖ *een gouwe* ~ a golden oldie

ouwehoer *(inform)* windbag

ouwel wafer

ovaal oval

ovatie ovation

oven oven

over I *vz* 1 over, above: ~ *een periode van ...* over a period of ...; 2 *(op, langs, aan de andere kant van)* across, over: *hij werkt* ~ *de grens* he works across *(of:* over) the border; ~ *de heuvels* over *(of:* beyond) the hills; ~ *straat lopen* walk around; ~ *de hele lengte* all along; 3 *(wat betreft)* about: *de winst* ~ *het vierde kwartaal* the profit over the fourth quarter; 4

(via) by way of, via: *zij communiceren ~ de mobilofoon* they communicate by mobile telephone; *zij reed ~ Nijmegen naar Zwolle* she drove to Zwolle via Nijmegen; *een brug ~ de rivier* a bridge over *(of:* across) the river; **5** *(wegens)* about: *verheugd ~* delighted at *(of:* with); **6** *(boven, langs iets heen)* over, across; **7** *(na verloop van)* after, in: *zaterdag ~ een week* a week on Saturday; **8** *(meer, verder dan)* over, past: *zij is twee maanden ~ tijd* she is two months overdue; *tot ~ zijn oren in de problemen zitten* be up to one's neck in trouble; *het is kwart ~ vijf* it is a quarter past five; *het is vijf ~ half zes* it is twenty-five to six; **II** *bn (voorbij)* over, finished: *de pijn is al ~* the pain has gone; **III** *bw* **1** *(van de ene plaats naar de andere)* across, over: *zij zijn ~ uit Ankara* they are over from Ankara; *~ en weer* back and forth, *(van weerskanten)* from both sides; **2** *(resterend)* left, over: *als er genoeg tijd ~ is* if there is enough time left

overal **1** everywhere, *(om 't even waar)* anywhere: *~ bekend* widely known; *van ~* from everywhere, from all over the place; **2** *(alles)* everything: *zij weet ~ van* she knows about everything

overall overalls

overbelast overloaded, overburdened

overbelasten overload, overburden, overtax

overbelasting stress, strain

overbelichten overexpose

overbevolking overpopulation

overbezet overcrowded: *mijn agenda is al ~* my programme is already overbooked

overblijfsel **1** relic, *(restant)* remnant, *(mv)* remains; **2** *(afval, restant)* *(mv)* remains, *(vnl. mbt eten; mv)* leftovers, remnant *(ve stof)*

overblijven **1** be left, remain: *van al mijn goede voornemens blijft zo niets over* all my good intentions are coming to nothing now; **2** *(nog te doen)* be left (over)

overblijver school-luncher

overbodig superfluous, redundant, *(niet nodig)* unnecessary: *~ te zeggen* needless to say

overboeken transfer

overboeking transfer (into, to)

overboord overboard: *man ~!* man overboard!

overbrengen **1** take *(of:* bring, carry) (across), move, transfer; **2** *(meedelen)* convey, communicate: *boodschappen* (of: *iemands groeten) ~* convey messages *(of:* s.o.'s greetings); **3** *(overdragen)* pass (on)

overbruggen bridge, *(mbt tijd, kloof, verschil)* tide over

overdaad excess

overdadig excessive, profuse, *(verkwistend)* extravagant, *(verkwistend)* lavish, *(verkwistend)* wasteful

overdag by day, during the daytime

overdekken cover

overdekt covered: *een ~ zwembad* an indoor swimming pool

overdenken consider, think over

overdoen do again: *een examen ~* resit an examination

overdosis overdose

overdragen hand over, assign, delegate *(belangen, taken)*

overdreven exaggerated: *hij doet (is) wel wat ~* he lays it on a bit thick; *dat is sterk ~* that is highly *(of:* grossly) exaggerated, that's a bit thick

overdrijven **1** overdo (it, sth), go too far (with sth): *je moet (het) niet ~* you mustn't overdo it *(of:* things); **2** *(te sterk weergeven)* exaggerate

overdrijving exaggeration; *(mbt taal ook)* overstatement

overeen **1** to the same thing; **2** *(over elkaar)* crossed || *(Belg)* *de armen ~* arms crossed

overeenkomen **I** *intr* **1** correspond (to): *~ met de beschrijving* fit the description; **2** *(identiek zijn)* be similar (to): *geheel ~ met* fully correspond to *(of:* with); **II** *tr* agree (on), arrange: *zoals overeengekomen* as agreed; *iets met iem ~* arrange sth with s.o.

overeenkomst **1** similarity, resemblance: *~ vertonen met* show similarity to, resemble; **2** *(afspraak)* agreement

overeenkomstig in accordance with, according to: *~ de verwachtingen* in line with expectations

overeenstemming **1** harmony, conformity, agreement: *niet in ~ met* out of line *(of:* keeping) with, inconsistent with; **2** *(eensgezindheid)* agreement: *tot (een) ~ komen* come to terms, reach an agreement

overeind **1** upright, *(staande op uiteinde)* on end: *~ gaan staan* stand up (straight), get to one's feet; **2** standing: *~ blijven* keep upright, *(mbt personen ook)* keep one's footing

overgaan **1** move over *(of:* across), go over, cross (over): *de brug ~* go over the bridge, cross (over) the bridge; **2** *(van eigenaar veranderen)* transfer, pass; **3** *(bevorderd worden)* move up: *van de vierde naar de vijfde klas ~* move up from the fourth to the fifth form; **4** *(veranderen in)* change, convert, turn: *de kleuren gingen in elkaar over* the colours shaded into one another; **5** *(beginnen met, gaan gebruiken)* *(beginnen met)* move on to, proceed to, turn to; *(gaan gebruiken)* change (over) (to), switch (over) (to): *~ tot de aanschaf van (of: het gebruik van) ...* start buying *(of:* using) ...; **6** *(voorbijgaan)* pass (over, away), *(van gevoelens ook)* wear off, *(van weer ook)* blow over: *de pijn zal wel ~* the pain will wear off; **7** ring *(ve bel)*

overgang **1** transitional stage, link; **2** *(verandering, wisseling)* transition, change(over); **3** *(menopauze)* change of life, menopause: *in de ~ zijn* be at the change of life

overgangsperiode transition(al) period

overgangsrapport end-of-year report

overgave **1** *(capitulatie)* surrender, capitulation; **2** *(toewijding)* dedication, devotion, abandon(ment)

overgeven **I** *intr* be sick, vomit, throw up; **II** *zich ~* surrender

overgevoelig hypersensitive, oversensitive

overgewicht overweight, extra (weight)

¹**overgieten** bathe *(licht)*; cover

²**overgieten** pour (into)

overgooier pinafore dress

overgordijn (long, heavy, lined) curtain

overgroot vast, huge: *met overgrote meerderheid* by an overwhelming majority

overgrootmoeder great-grandmother

overgrootvader great-grandfather

overhaast rash, hurried, (over)hasty

overhaasten rush, hurry

overhalen 1 persuade, talk (s.o.) into (sth): *iem tot iets* ~ talk s.o. into doing sth; 2 *(trekken aan)* pull (on): *de trekker* ~ pull the trigger

overhand upper hand, advantage

overhandigen hand (over), present: *iem iets* ~ hand sth over to s.o.

overhangen hang over, overhang

overheadsheet overhead sheet, transparency

overhebben 1 *(beschikbaar stellen)* have (for), be prepared to give (for), *(kunnen missen)* not begrudge (s.o. sth): *ik zou er alles voor* ~ I would do *(of: give)* anything for it; 2 *(meer hebben dan nodig is)* have over, have left: *geen geld meer* ~ have no more money left

overheen 1 over: *daar groeit hij wel* ~ he will grow out of it; 2 *(langs de oppervlakte)* across, over: *er een doek* (of: *dweil*) ~ *halen* run a cloth *(of: mop)* over it; 3 *(verder dan)* past: *ergens* ~ *lezen* miss *(of: overlook)* sth

overheersen dominate, predominate

overheersing rule, oppression

overheid 1 government; 2 *(college)* authority: *de plaatselijke* ~ the local authorities

overheidsbedrijf public enterprise, state enterprise, *(nutsbedrijf)* a public utility company

overheidsdienst government service, public service, the civil service

overheidsinstelling government institution *(of:* agency)

overhellen lean (over), tilt (over)

overhemd shirt

overhevelen transfer

overhoop in a mess, upside down ‖ *met elkaar* ~ *liggen* be at odds with each other

overhoophalen turn upside down

overhoopliggen 1 be in a mess; 2 *(onenigheid hebben met)* be at loggerheads (with): *ze liggen altijd met elkaar overhoop* they're always at loggerheads (with one another)

overhoren test

overhoring test

overhouden have left, still have

overig remaining, other

overigens anyway, for that matter, though

overkant other side, opposite side: *zij woont aan de* ~ she lives across the street

overkijken look over: *zijn les* ~ look through one's lesson

overkoepelend coordinating

overkoken boil over

¹**overkomen** 1 come over: *oma is uit Marokko overgekomen* granny has come over from Morocco; 2 *(begrepen worden)* come across, get across

²**overkomen** happen to, come over: *dat kan de beste* ~ that could happen to the best of us; *ik wist niet wat mij overkwam* I didn't know what was happening to me

¹**overladen** transfer, *(trein, schip ook)* trans-ship

²**overladen** I *bn* overloaded, overburdened; II *tr* shower, heap on *(of:* upon): *hij werd* ~ *met werk* he was overloaded with work

overlangs lengthwise, *(wtsch)* longitudinal: *iets* ~ *doorsnijden* cut sth lengthwise

overlappen overlap

overlast inconvenience, nuisance: ~ *veroorzaken* cause trouble *(of:* annoyance)

overlaten 1 leave: *laat dat maar aan mij over!* just leave that to me!; 2 *(achterlaten)* leave (over): *veel* (of: *niets*) *te wensen* ~ leave much *(of:* nothing) to be desired

overleden dead

overledene deceased

overleg 1 thought, consideration; 2 *(met anderen)* consultation, deliberation: *in (nauw)* ~ *met* in (close) consultation with; *in onderling* ~ by mutual agreement

overleggen 1 consider: *hij overlegt wat hem te doen staat* he is considering what he has to do; 2 *(met anderen)* consult, confer: *iets met iem* ~ consult (with) s.o. on sth

overleven survive, outlive

overlevende survivor

overleveren hand over, turn over, turn in

overlezen read over *(of:* through): *een artikel vluchtig* ~ skim through an article

overlijden die

overlijdensadvertentie death announcement *(of:* notice)

overlijdensakte death certificate

overloop landing

overlopen 1 walk over *(of:* across); 2 *(naar een andere partij gaan)* go over, defect: ~ *naar de vijand* desert *(of:* defect) to the enemy; 3 *(overstromen)* overflow

overloper deserter, defector

overmacht 1 superior numbers *(of:* strength, forces): *tegenover een geweldige* ~ *staan* face fearful odds; 2 circumstances beyond one's control; force majeure, Act of God *(mbt verzekeringen)*

overmaken *(mbt een bedrag)* transfer, remit

overmeesteren overpower, overcome

overmoed overconfidence, recklessness

overmoedig overconfident, reckless

overmorgen the day after tomorrow

overnachten stay *(of:* spend) the night, stay (over)

overnachting 1 stay; 2 *(keer dat men overnacht)*

night: *het aantal ~en* the number of nights (spent, slept)

overname takeover, purchase, taking-over

overnemen 1 receive; 2 *(op zich nemen)* take (over): *de macht ~* assume power; 3 *(navolgen)* adopt: *de gewoonten van een land ~* adopt the customs of a country; 4 *(kopen)* take over, buy

overplaatsen transfer

overplaatsing transfer, move

overplanten 1 *(verplanten)* transplant; 2 *(med)* transplant, graft

overproductie overproduction

¹**overrijden** run over, knock down

²**overrijden** *(over iets heen rijden)* drive over, *(op fiets, paard)* ride over

overrijp overripe

overrompelen (take by) surprise, catch off guard, catch napping

overschakelen 1 switch over; 2 *(overstappen)* switch *(of:* change, go) over: *op de vierdaagse werkweek ~* go over to a four-day week

overschakeling switch-over, changeover

overschatten overestimate, overrate

overschatting overestimation, overrating *(van belang of invloed)*

overschieten dash over *(of:* across): *het kind was plotseling de weg overgeschoten* the child had suddenly dashed (out) across the road

overschilderen repaint

overschot remainder; *(niet meer te gebruiken rest)* remains, residue; *(kleine rest)* remnant(s) || *(Belg) ~ van* be absolutely right

¹**overschrijven** *(comp)* overwrite

²**overschrijven** 1 *(mbt een tekst)* copy; *(min)* crib: *iets in het net ~* copy sth out neatly; 2 transfer; *(op andermans naam zetten)* put in (s.o.'s) name

overschrijving 1 *(op een andere naam)* putting in s.o. (else)'s name; *(sport)* transfer; 2 *(bedrag)* remittance

overslaan I *intr* 1 jump (over), *(ziekte)* be infectious, be catching; 2 *(mbt de stem)* break, crack: *met ~de stem* with a catch in one's voice; II *tr* miss (out), skip, leave out, omit: *één beurt ~* miss one turn; *een bladzijde ~* skip a page; *een jaar overslaan* skip a year

overspannen 1 overstrained, overtense(d); 2 *(overwerkt)* overwrought: *hij is erg ~* he is suffering from severe (over)strain

overspel adultery

overspelen 1 replay: *de wedstrijd moest overgespeeld worden* the match had to be replayed; 2 *(sport)* play on (to), pass the ball on to

overstap changeover, switch-over

overstappen 1 step over, cross; 2 *(mbt een vervoermiddel)* change, transfer: *~ op de trein naar Groningen* change to the Groningen train

overste 1 lieutenant-colonel; 2 *(in klooster)* (father, mother) superior, prior, prioress

oversteek crossing

oversteekplaats crossing(-place), *(voor voetgangers ook)* pedestrian crossing

oversteken cross (over), go across, come across

overstemmen drown (out), *(overschreeuwen)* shout down

¹**overstromen** 1 flow over, flood; 2 *(overlopen)* overflow

²**overstromen** 1 flood, inundate; 2 flood, swamp: *de markt ~ met* flood the market with

overstroming flood

overstuur upset, *(persoon ook)* shaken

overtocht crossing, *(lange afstand)* voyage

overtollig 1 surplus, excess; 2 *(overbodig)* superfluous; redundant

overtreden break, violate

overtreder offender, wrongdoer

overtreding offence, violation *(of:* breach) (of the rules), *(sport)* foul: *een zware ~* a bad foul; *een ~ begaan tegenover een tegenspeler* foul an opponent

overtreffen exceed, surpass, excel

overtrek cover, case

¹**overtrekken** I *intr* pass (over); II *tr* *(overtekenen)* trace: *met inkt ~* trace in ink

²**overtrekken** cover, *(meubelen ook)* upholster

overtuigd confirmed, convinced: *hij was ervan ~ te zullen slagen* he was confident *(of:* sure) that he would succeed; *ik ben er (vast, heilig) van ~ dat ...* I'm (absolutely) convinced that ...

overtuigen convince, persuade

overtuigend convincing; *(argument, reden ook)* cogent; *(argument ook)* persuasive; *(bewijs ook)* conclusive

overtuiging conviction, belief, persuasion: *godsdienstige ~* religious persuasion *(of:* beliefs); *vol (met) ~* with conviction

overtypen *(opnieuw)* retype; type out *(klad)*

overuur overtime hour; *(mv vnl.)* overtime: *overuren maken* work overtime

overval surprise attack, *(politie ook)* raid, *(beroving)* hold-up, *(met vuurwapens)* stick-up

overvallen 1 raid, *(vooral beroven)* hold up, assault *(persoon)*, surprise *(vijand)*; 2 *(verrassen)* surprise, take by surprise, overtake *(storm, ongeluk)*

overvaller raider, attacker

overvaren I *intr* cross (over), sail across; II *tr* *(overzetten)* ferry, take across, put across

oververhit overheated: *de gemoederen raakten ~* feelings ran high

oververhitten overheat

oververhitting overheating

oververmoeid overtired, exhausted

oververven paint over, repaint, redye *(stof, haar)*

overvloed abundance

overvloedig abundant, plentiful, copious

overvoeren glut, overstock, oversupply, surfeit

overvol overfull, *(met mensen ook)* overcrowded, packed

overwaaien blow over *(ook fig)*

overwaarderen overvalue, overrate

¹**overweg**: *met een nieuwe machine ~ kunnen* know how to handle a new machine; *goed met elkaar ~ kunnen* get along well

²**overweg** level crossing: *een bewaakte ~* a guarded (*of:* manned) level crossing

overwegen consider, think over, think out: *de nadelen (risico's) ~* count the cost; *wij ~ een nieuwe auto te kopen* we are thinking of (*of:* considering) buying a new car

overwegend predominantly, mainly, for the most part

overweging 1 consideration, thought; 2 *(reden)* consideration, ground, reason

overweldigen overwhelm, overcome

overweldigend overwhelming, overpowering: *een ~e meerderheid halen* win a landslide victory

overwerk overtime (work)

overwerken work overtime

overwerkt overworked, overstrained

overwicht ascendancy, preponderance, *(gezag)* authority

overwinnaar victor, winner, *(veroveraar)* conqueror

overwinnen 1 defeat, overcome; 2 *(bedwingen)* conquer, overcome; 3 *(te boven komen)* conquer, overcome, surmount

overwinning victory, conquest, triumph, *(sport ook)* win: *een verpletterende ~* a sweeping victory

overwinteren 1 (over)winter; 2 *(de winter overleven)* hibernate

overwintering (over)wintering, hibernation

overwoekeren overgrow, overrun: *overwoekerd worden door onkruid* become overgrown with weeds

overzees oversea(s)

overzetten take across (*of:* over); *(met veer)* ferry (across, over): *iem de grens ~* deport s.o.

overzicht 1 survey, view: *~ vanuit de lucht* bird's-eye view; *ik heb geen enkel ~ meer* I have lost all track of the situation; 2 *(samenvatting)* survey, (over)view, summary, *(van wat voorafging ook)* review

overzichtelijk well-organized; *(te overzien)* clearly set out

overzichtelijkheid clear organization: *ter wille van de ~* for easy reference, for convenience of comparison

overzien survey; *(van boven af)* overlook, command (a view of); review *(wat voorafging)*: *de gevolgen zijn niet te ~* the consequences are incalculable

overzijde other side, opposite side: *aan de ~ van het gebouw* opposite the building

overzwemmen swim (across): *het Kanaal ~* swim the Channel

OV-jaarkaart annual season ticket, travel card

OVSE *afk van Organisatie voor Veiligheid en Samenwerking in Europa* OSCE

ovulatie ovulation

oxidatie oxidation

oxide oxide

ozon ozone

ozonlaag ozone layer

p

pa dad(dy), pa: *haar ~ en ma* her mum and dad(dy)

p.a. *afk van per adres* c/o

paadje path; *(door wildernis)* trail

paal 1 post, stake, pole, *(heipaal)* pile; **2** *(doelpaal)* (goal)post: *hij schoot tegen (op) de ~* he hit the (goal)post; *voor ~ staan* look foolish *(of:* stupid)

paar 1 pair, couple: *twee ~ sokken* two pairs of socks; **2** *(enkele stuks)* (a) few, (a) couple of

paard 1 horse: *op het verkeerde ~ wedden* back the wrong horse; *men moet een gegeven ~ niet in de bek zien* never look a gift horse in the mouth; **2** *(gymnastiektoestel)* (vaulting) horse; **3** *(schaakstuk)* knight

*****paardenbloem** *(Wdl: paardebloem)* dandelion

*****paardenkastanje** *(Wdl: paardekastanje)* horse chestnut

paardenkracht horsepower

paardenrennen horse races

paardensport equestrian sport(s); *(rennen)* horse racing

paardenstaart 1 horsetail; **2** *(haardracht)* ponytail

paardentram horse tram

paardrijden ride (horseback): *zij zit op ~* she is taking riding lessons

paars purple

paartijd mating season, *(van herten enz.)* rut

paartje couple, pair: *een pas getrouwd ~* a newly wed couple, newly-weds

paasbest: *op zijn ~ zijn* be all dressed up

paasdag Easter Day: *Eerste paasdag* Easter Sunday

paasfeest Easter

paashaas Easter bunny *(of:* rabbit)

paasvakantie Easter holidays

paasviering Easter service

paaszaterdag Holy Saturday, Easter Saturday

pabo *afk van pedagogische academie voor het basisonderwijs* teacher training college (for primary education)

pacht lease: *in ~ nemen* lease, take on lease

pachten lease, rent

pachter leaseholder, lessee, *(van boerderij ook)* tenant (farmer)

pachtgeld rent

pacifisme pacifism

pacifist pacifist

pacifistisch pacifist(ic)

pact pact, treaty

¹pad 1 path; walk; *(niet aangelegd)* track; *(spoor)* trail; *(in kerk, schouwburg enz.)* gangway, aisle: *platgetreden ~en bewandelen* walk the beaten path *(of:* tracks); **2** *(levensweg)* path, way: *iem op het slechte ~ brengen* lead s.o. astray; *hij is het slechte ~ opgegaan* he has taken to crime; *op ~ gaan* set off

²pad toad || *(Belg)* *een ~ in iemands korf zetten* thwart s.o., set off

paddestoel *(alg)* fungus; *(giftig)* toadstool; *(eetbaar)* mushroom

padvinder (boy) scout; girl guide

padvinderij scouting

paffen puff

pag. *afk van pagina* p.

pagina page: *~ 2 en 3* pages 2 and 3

pagode pagoda

pak 1 pack(age); *(pakje)* packet; *(pakketje)* parcel; *(kartonnen doos)* carton: *een ~ melk* a carton of milk; *een ~ sneeuw* a layer of snow; **2** *(kostuum)* suit; **3** *(bij elkaar gebonden)* *(baal)* bale; *(partij)* batch; *(bundel, pakket)* bundle; *(stapeltje)* packet: *een ~ oud papier* a batch *(of:* bundle) of waste paper; *een kind een ~ slaag geven* spank *(of:* wallop) a child, give a child a spanking

pakhuis warehouse, storehouse

Pakistaan Pakistani

Pakistaans Pakistan(i), of Pakistan, from Pakistan

Pakistan Pakistan

pakje parcel, present

pakken I *tr* **1** get, take, fetch: *een pen ~* get a pen; *pak een stoel* grab a chair; **2** *(vastnemen)* catch, grasp, grab, *(grijpen)* seize: *een kind (eens lekker) ~ (knuffelen)* hug *(of:* cuddle) a child; *de daders zijn nooit gepakt* the offenders were never caught; *proberen iem te ~ te krijgen* try to get hold of s.o.; *iets te ~ krijgen* lay one's hands on sth; *(fig) iem te ~ nemen* have a go at s.o.; *nou heb ik je te ~* got you!; *als ik hem te ~ krijg* if I catch him, if I lay hands on him; *iem op iets ~* get s.o. on sth; *pak me dan, als je kan!* catch me if you can!; **3** *(inpakken)* pack, wrap up *(cadeautje):* *zijn boeltje bij elkaar ~* pack (one's bags); **II** *intr* hold, grip *(anker, rem);* bite *(sleutel, wiel);* take *(verf)*

pakkend catching, catchy *(liedje);* fascinating, appealing, fetching *(stijl);* arresting *(krantenkop);* gripping *(verhaal, boek);* catching, attractive *(reclame):* *een ~e titel* a catchy *(of:* an arresting) title

pakkerd hug and a kiss

pakket 1 *((post)pakje)* parcel; **2** *(set)* pack, *(gereedschap)* kit, *(fig)* package

pakketpost parcel post

pakkie-an *(inform):* *dat is niet mijn ~* that's not my department

pakking gasket, packing

pakpapier packing paper, wrapping paper

paksoi pak-choi cabbage

pakweg roughly, approximately, about, around

paleis 1 palace, *(hof)* court; **2** *(groot openbaar ge-*

bouw) hall
Palestijn Palestinian
Palestijns Palestinian, Palestine
Palestina Palestine
palet palette
paling eel; eels
pallet pallet (board)
palm palm
palmboom palm
Palmpasen Palm Sunday
pamflet pamphlet, *(vlugschrift)* broadsheet
Pampus: *voor ~ liggen* be dead to the world, be out cold
pan 1 pan: *(fig) dat swingt de ~ uit* that's really far out; **2** *(dakbedekking)* (pan)tile: *in de ~ hakken* cut to ribbons *(of:* pieces), make mincemeat of
Panama Panama
Panamees Panamanian
pand 1 premises, property, building, house; **2** *(onderpand)* pawn, pledge, security
panda panda
pandjesjas tailcoat
paneel panel
paneermeel breadcrumbs
panel panel
panfluit pan pipe(s)
pang pow, bang
paniek panic, alarm, *(gevoel)* terror: *er ontstond ~* panic broke out; *geen ~!* don't panic
panisch panic, frantic: *een ~e angst hebben voor iets (of: om iets te doen)* be terrified (of doing) sth
panne breakdown: *~ hebben* have a breakdown, have engine trouble
pannenkoek pancake
pannenkoekmix *(ongev)* batter mix
pannenlap oven cloth, *(want)* oven glove
pannenset set of (pots and) pans
panorama panorama
pantalon (pair of) trousers, *(voor sport en vrije tijd)* (pair of) slacks: *twee ~s* two pair(s) of trousers
panter panther, *(Afrikaanse)* leopard
pantoffel (carpet) slipper
pantomime mime, dumbshow
pantser 1 (plate) armour, armour-plating; **2** *(harnas)* (suit of) armour
pantserauto armoured car
pantserdivisie armoured division
pantseren armour(-plate)
panty (pair of) tights: *drie panty's* three pairs of tights
pantykous nylon knee-socks, pop sock
pap porridge; *(voor zieken, zuigelingen)* pap: *ik lust er wel ~ van* this is meat and drink to me; *geen ~ meer kunnen zeggen: a) (vermoeid)* be (dead)beat, be whacked (out), be fagged (out); *b) (veel gegeten hebben)* be full up
papa papa, dad(dy)
papaver poppy
papegaai parrot

paperassen papers, paperwork, *(inform)* bumf
paperclip paperclip
Papiamento Papiamento
papier 1 paper: *zijn gedachten op ~ zetten* put one's thoughts down on paper; **2** *(officieel bewijsstuk) (vnl. mv)* paper, document
papieren paper
papiergeld paper money: *€100,- in ~* 100 euros in notes
papiertje piece of paper, *(van snoepje)* wrapper
papierversnipperaar (paper) shredder
papil papilla
paplepel: *dat is hem met de ~ ingegeven* he learned it at his mother's knee
Papoea Papuan
Papoea-Nieuw-Guinea Papua New Guinea
pappa papa, dad, daddy
pappie daddy
paprika (sweet) pepper
paps dad, daddy
papyrus papyrus
paraaf initials
paraat ready, prepared
parabel parable
parachute parachute
parachutespringen parachuting
parachutist parachutist
paracommando *(Belg)* peacekeeper
parade parade
paradepaard showpiece
paradijs paradise
paradox paradox
paradoxaal paradoxical
paraferen initial
paragnost psychic
paragraaf section
parallel I *zn* parallel: *deze ~ kan nog verder doorgetrokken worden* this parallel *(of:* analogy) can be carried further; **II** *bn, bw* **1** parallel (to, with): *die wegen lopen ~ aan (met) elkaar* those roads run parallel to each other; **2** *(vergelijkbaar)* parallel (to), analogous (to, with)
parallellogram parallelogram
paranoia paranoia
paranoïde paranoid
paranormaal paranormal, psychic
paraplu umbrella
parapsychologie parapsychology, psychic research
parasiet 1 *(biol)* parasite; **2** *(klaploper)* parasite, sponge(r)
parasiteren parasitize, *(fig)* sponge (on, off)
parasol sunshade, parasol
paratyfus paratyphoid (fever)
parcours track
pardoes bang, slap, smack
pardon I *zn* pardon, mercy; **II** *tw* pardon (me), I beg your pardon, excuse me, (so) sorry: *stond ik op uw tenen? ~!* sorry, did I step on your toe?

parel pearl
paren I *intr* mate (with); **II** *tr (fig)* combine (with), couple (with): *gepaard gaan met* go (hand in hand) with
parfum perfume, scent
paria pariah, outcast
Parijs Paris
Parisienne Parisian
park 1 park; **2** *(auto's)* fleet; *(machines)* plant
parka parka
parkeerautomaat (car-park) ticket machine *(of:* dispenser), *(Am)* (parking lot) ticket machine
parkeerboete parking fine
parkeerbon parking ticket
parkeergarage (underground) car park, *(Am)* (underground) parking garage
parkeergeld parking fee
parkeerplaats parking place *(of:* space), *(parkeerterrein)* car park, *(Am)* parking lot
parkeerschijf (parking) disc
parkeerterrein car park, *(Am)* parking lot
parkeerverbod parking ban, *(opschrift)* No Parking: *hier geldt een ~* this is a no-parking zone
parkeren park, *(stoppen)* pull in *(of:* over)
parket 1 *(parketvloer)* parquet (floor); **2** *(het Openbaar Ministerie)* public prosecutor
parkiet parakeet
parkinson Parkinson's disease
parlement parliament: *in het ~* in parliament
parlementair parliamentary
parlementariër member of (a) parliament, parliamentarian, *(afgevaardigde)* representative
parlofoon *(Belg)* intercom
parmantig jaunty, dapper
Parmezaans: *~e kaas* Parmesan cheese
parochiaal parochial
parochiaan parishioner
parochie parish
parodie parody (of, on), *(ongewenst)* travesty (of)
parool watchword, slogan: *opletten is het ~* pay attention is the motto
part share, portion ‖ *voor mijn ~* for all I care, as far as I'm concerned
particulier I *zn* private individual *(of:* person): *geen verkoop aan ~en* trade (sales) only; **II** *bn, bw* private: *het ~ initiatief* private enterprise
partij 1 party, side: *de strijdende ~en* the warring parties; *~ kiezen* take sides; **2** *(mbt goederen)* set, batch, lot, *(zending)* consignment, *(zending)* shipment: *bij (in) ~en verkopen* sell in lots; **3** *(muz)* part; **4** *(spel)* game
partijdig bias(s)ed, partial
partijleider party leader
partituur score
partizaan partisan
partner 1 partner, companion; **2** *(compagnon)* (co-)partner, associate
partnerregister register in which cohabitation contracts are officially recorded

parttimebaan part-time job
pas I *zn* **1** step, pace, *(manier van lopen)* gait: *iem de ~ afsnijden* cut *(of:* head) s.o. off; **2** *(in gebergte)* pass; **3** *(legitimatiebewijs)* pass, passport *(paspoort)*: *het leger moest er aan te ~ komen* the army had to step in; *goed van ~ komen (bijv. geld)* come in handy *(of:* useful); *dat komt uitstekend van ~* that's just the thing; *altijd wel van ~ komen* always come in handy; **II** *bw* **1** *(zojuist; nog maar net)* (only) just, recently: *hij begint ~* he is just beginning, he has only just started; *~ geplukt* freshly picked; *een ~ getrouwd stel* a newly-wed couple; *~ geverfd* wet paint; *ik werk hier nog maar ~* I'm new here *(of:* to this job); **2** *(niet meer dan)* only, just: *hij is ~ vijftig (jaar)* he's only fifty; **3** *(niet eerder dan)* only, not until: *~ toen vertelde hij het mij* it was only then that he told me; *~ toen hij weg was, begreep ik ...* it was only after he had left that I understood ...; *~ geleden, ~ een paar dagen terug* only recently, only the other day; **4** *(nog)* really: *dat is ~ een vent* he's (what I call) a real man; *dat is ~ hard werken!* now, that really is hard work!
Pasen Easter
pasfoto passport photo(graph)
pasgeboren newborn, newly born
pasgetrouwd newly married
pashokje fitting room
pasje 1 step; **2** *(legitimatiebewijs)* pass
paskamer fitting room
pasklaar (made) to measure, fitted *(kleed); (fig)* ready-made
paspoort passport
paspoortcontrole passport control
passaatwind trade wind
passage passage; extract: *een ~ uit een gedicht voorlezen* read an extract from a poem
passagier passenger
passagiersschip passenger ship
passant: *en ~* in passing; *(schaakspel) en passant slaan* take (a pawn) en passant
passen I *intr* **1** fit: *het past precies* it fits like a glove; *deze sleutel past op de meeste sloten* this key fits most locks; **2** *(met bij)* fit, go (with), match: *deze hoed past er goed bij* this hat is a good match; *ze ~ goed (of: slecht) bij elkaar* they are well-matched *(of:* ill-matched); **3** *(met op) (letten (op), (ervoor) waken)* look after, take care of: *op de kinderen ~* look after the children; *pas op het afstapje (of: je hoofd)* watch/mind the step *(of:* your head); **4** *(kaartspel)* pass; **II** *tr* **1** fit: *~ en meten* try it in all different ways; *met wat ~ en meten komen we wel rond* with a bit of juggling we'll manage; **2** *(precies genoeg betalen)* pay with the exact money: *hebt u het niet gepast?* haven't you got the exact change? *(of:* money?); **3** *(mbt kleren)* try on
passend 1 suitable (for), suited (to), appropriate: *niet bij elkaar ~e partners* incompatible partners; *niet bij elkaar ~e sokken* odd socks; *slecht bij elkaar ~* ill-matched; **2** *(gepast, correct)* proper, becoming:

pa

een ~ gebruik maken van make proper use of
passer compass
passeren I *intr, tr* pass, overtake: *de auto passeerde (de fietser)* the car overtook (the cyclist); *een huis ~* pass (by) a house; II *tr* 1 *(door)* pass through; *(over)* cross: *de grens* (of: *een brug) ~* cross the border *(of:* a bridge); *de vijftig gepasseerd zijn* have turned fifty; 2 *(overslaan)* pass over
passie *(hartstocht)* passion (for), *(voor een zaak)* zeal (for), enthusiasm (for)
passief passive
passievrucht passion fruit
passiva liabilities
pasta 1 *(mengsel)* paste; 2 *(deegwaar)* pasta
pastei pasty, pie
pastel pastel
pasteltint pastel shade (of: tone)
pasteuriseren pasteurize
pastoor (parish) priest, *(mil; in gevangenis)* padre: *Meneer Pastoor* Father
pastor pastor, minister, *(r-k)* priest
pastorie parsonage; *(r-k)* presbytery
pasvorm fit
pat stalemate: *iem ~ zetten* stalemate s.o.
patat chips, French fries: *een zakje ~* a bag of chips; *~ met* chips with mayonnaise
patatgeneratie couch potato generation
patatje (portion of) chips
patattent chip shop
paté pâté
patent patent
pater father
pathetisch pathetic
patience patience, *(Am)* solitaire
patiënt patient: *zijn ~en bezoeken* do one's rounds
patio patio
patisserie 1 pastries; 2 *(winkel)* pastry shop
patrijs partridge
patrijspoort porthole
patriottisch patriotic
patronaat *(Belg)* employers
patrones 1 patron (saint); 2 *(beschermvrouwe)* patron(ess)
¹**patroon** 1 *(beschermer, -heer)* patron; 2 *(baas)* boss
²**patroon** *(mbt wapen, vulpen)* cartridge: *een losse ~* a blank
³**patroon** 1 *(model, voorbeeld)* pattern, design: *volgens een vast ~* according to an established pattern; 2 pattern, style
patrouille patrol
patrouilleren patrol
pats wham, bang: *pats-boem* wham bam
patser show-off
patserig flashy
pauk kettledrum, *(mv)* timpani
pauper pauper
paus pope
pauw peacock, *(vrouwtje ook)* peahen
pauze interval, break, intermission, *(sport)*

(half-)time: *een kwartier ~ houden* take (of: have) a fifteen-minute break
pauzeren pause, take a break, have a rest
paviljoen pavilion
pc *afk van personal computer* pc
pech 1 bad *(of:* hard, tough) luck: *~ gehad* hard (of: tough) luck; 2 *(panne)* breakdown: *~ met de auto* car trouble
pechdienst *(Belg)* breakdown service
pechstrook *(Belg)* hard shoulder
pechvogel unlucky person: *hij is een echte ~* he's a walking disaster area
pedaal treadle; *(mbt muziekinstrument, fiets)* pedal
pedaalemmer pedal bin
pedagogie(k) (theory of) education, educational theory *(of:* science), *(vaktaal)* pedagogy
pedagogisch pedagogic(al): *~e academie* teacher(s') training college
pedagoog education(al)ist
peddel paddle
peddelen paddle
pedicure chiropodist, pedicure
pedofiel paedophile
peen carrot ‖ *~tjes zweten* be in a cold sweat
peer 1 pear; 2 *(lampje)* bulb
pees tendon, sinew
peetmoeder godmother
peetoom godfather
peettante godmother
peetvader godfather
pegel icicle
peignoir dressing gown, housecoat
peil 1 level, standard: *het ~ van de conversatie daalde* the level of conversation dropped; 2 *(bepaalde stand)* mark, level: *zijn conditie op ~ brengen* (of: *houden)* get oneself into condition, keep fit *(of:* in shape)
peilen 1 sound; fathom; 2 *(fig)* gauge *(karakter); (gevoelens, meningen):* sound (out) *ik zal Bernard even ~, kijken wat die ervan vindt* I'll sound Bernard out, see what he thinks
peiling sounding
peinzen (met *over)* think about, contemplate: *hij peinst er niet over* he won't even contemplate *(of:* consider) it; *hij peinst zich suf over een oplossing* he is racking his brains to find a solution
pek pitch
pekel salt, grit
pekinees pekinese
pelgrim pilgrim
pelgrimstocht pilgrimage
pelikaan pelican
pellen peel, skin, blanch *(amandelen),* husk *(rijst),* hull *(rijst),* shell *(pinda's)*
peloton 1 platoon; 2 *(sport)* pack, (main)bunch
pels fleece, fur
pelsdier furred animal, furbearing animal
pen 1 pen; 2 *(metalen stift)* pin, *(breipen)* needle
penalty penalty (kick, shot): *een ~ nemen* take a

penalty

pendelaar commuter

pendelen commute

pendule (mantel) clock (with pendulum)

penibel painful, awkward

penicilline penicillin

penis penis

pennen scribble, pen

penning token

penningmeester treasurer

pens *(buik)* paunch, belly, gut

penseel (paint)brush

pensioen pension, retirement (pay), *(bedrijfspensi-oenfonds ook)* superannuation: ~ *aanvragen* apply for a pension; *met ~ gaan* retire

pension 1 guest house, boarding house; 2 *(kost en inwoning)* bed and board: *vol ~* full board; *in ~ zijn* be a lodger; 3 *(mbt huisdieren)* kennel

pensionaat boarding school

pensionhouder landlord

pensionhoudster landlady

peper pepper: *een snufje ~* a dash of pepper

peperduur very expensive, pricey

peperkoek *(ongev)* gingerbread, gingercake

pepermunt peppermints: *een rolletje ~* a tube of peppermints

pepernoot *(ongev)* spiced ginger nut

pepmiddel pep pill

per 1 per, a, by: *iets ~ post verzenden* send sth by post *(of:* mail); *het aantal inwoners ~ vierkante kilometer* the number of inhabitants per square kilometre; *iets ~ kilo* (of: *paar) verkopen* sell sth by the kilo (*of:* in pairs); *ze kosten 3 euro ~ stuk* they cost 3 euros apiece (*of:* each); *~ uur betaald worden* be paid by the hour; 2 *(met ingang van)* from, as of: *de nieuwe tarieven worden ~ 1 februari van kracht* the new rates will take effect on February 1

perceel 1 *(pand)* property; 2 *(stuk land)* parcel, lot, section

percent per cent

percentage percentage

percussie percussion

perenboom pear (tree)

perfect perfect: *hij gaf een ~e imitatie van die zangeres* he did a perfect imitation of that singer; *in ~e staat: a) (auto's, toestellen enz.)* in mint condition; *b) (huis)* in perfect condition; *alles is ~ in orde* everything is perfect

perfectionist perfectionist

perfectionistisch perfectionist

perforator perforator, punch

pergola pergola

periode period, time, *(fase)* phase, episode, chapter: *~n met zon* sunny periods; *verkozen voor een ~ van twee jaar* elected for a two-year term (of office)

periscoop periscope

perk 1 bed, *(voor bloemen ook)* flower bed; 2 *(begrenzing)* bound, limit: *binnen de ~en houden* limit, contain; *dat gaat alle ~en te buiten* that's the very

limit

perkament parchment

permanent I *bn* 1 permanent, perpetual; 2 *(duurzaam)* permanent, enduring, lasting *(vrede, gevaar)*, standing *(commissie, tentoonstelling)*; II *bw* permanently, perpetually, all the time; III *zn* permanent (wave)

permanenten give a permanent wave, perm

permissie permission, leave

permitteren permit, grant permission, allow: *ik kan me niet ~ dat te doen (het is mij te duur)* I can't afford to do that

perplex perplexed, baffled, flabbergasted

perron platform

pers 1 press: *de ~ te woord staan* talk to the press; 2 *(drukpers)* (printing) press

Pers Persian

persagent press agent

persbericht press report, newspaper report

persbureau news agency, press agency, press bureau

perscommuniqué news release

persconferentie press conference, news conference

per se at any price, at all costs: *hij wilde haar ~ zien* he was set on seeing (*of:* determined to see) her

persen I *intr, tr* press, compress: *je moet harder ~* you must press harder; II *tr* 1 *(drukken)* press, *(stempelen)* stamp (out); 2 *(door drukken uit iets halen)* press (out), squeeze (out); 3 *(door drukken verplaatsen)* press, squeeze, push: *zich door een nauwe doorgang ~* squeeze (oneself) through a narrow gap

persfotograaf press photographer, newspaper photographer

persiflage *(met op)* parody (of)

personage character, role

personeel personnel, staff, *(werknemers ook)* employees, workforce, *(bemanning ook)* crew, *(fabrieksarbeiders ook)* (factory) hands: *tien man ~* a staff of ten; *wij hebben een groot tekort aan ~* we are badly understaffed (*of:* short-staffed); *onderwijzend ~* teaching staff

personeelschef personnel manager, staff manager

personeelslid staff member, member of (the) staff

personeelszaken 1 personnel matters, staff matters; 2 *(afdeling)* personnel department

personenauto (private, passenger) car

personenlift passenger lift

persoon person, individual, *(mv meestal)* people: *een tafel voor één ~* a table for one; *ze kwam in (hoogst)eigen ~* she came personally (*of:* in person)

persoonlijk I *bn* 1 personal, private: *om ~e redenen* for personal (*of:* private) reasons, for reasons of one's own; *een ~ onderhoud* a personal talk; 2 *(individueel)* personal, individual; II *bw* personally || *~ vind ik hem een kwal* personally, I think he's a pain

persoonlijkheid personality; character

pe

persoonsbeschrijving personal description
persoonsbewijs identity card
persoonsvorm finite verb
perspectief 1 *(vooruitzicht)* prospect, perspective; 2 perspective, context: *iets in breder ~ zien* look at *(of:* see) sth in a wider context; *in ~ tekenen* draw in perspective
persvrijheid freedom of the press
pertinent definite(ly), emphatic(ally)
Peru Peru
Peruaan Peruvian
pervers perverted, degenerate, *(abnormaal, tegennatuurlijk)* unnatural
Perzië Persia
perzik peach
Perzisch Persian
peseta peseta
pessimisme pessimism
pessimist pessimist
pessimistisch pessimistic, gloomy
pest 1 (bubonic) plague, pestilence; 2 *(klein)* miserable ‖ *de ~ in hebben* be in a foul mood; *de ~ aan iets (iem) hebben* loathe/detest sth (s.o.)
pesten pester, tease: *hij zit mij altijd te ~* he is always on at me
pet 1 cap: *daar neem ik mijn ~je voor af* I take my hat off for that *(of:* you); *met de ~ naar iets gooien (met weinig inzet)* make a half-hearted attempt at sth, have a shot at sth; *met de ~ rondgaan* pass the hat round; 2 *(fig) (hersens)* upstairs: *dat gaat boven mijn ~* that is beyond me; *ik kan er met mijn ~ niet bij* it beats me; *geen hoge ~ op hebben van* not think much of, have a low opinion of
petekind godchild
peter godfather
peterselie parsley
petitie petition: *een ~ indienen* file a petition
petroleum petroleum, mineral oil
petticoat petticoat
petto: *iets in ~ hebben* have sth in reserve *(of:* in hand)
petunia petunia
peuk 1 butt, stub; 2 *(sigaret)* fag
peul pod, capsule
peulenschil trifle: *dat is maar een ~(letje) voor hem: a) (mbt bedrag)* that's peanuts *(of:* chicken feed) to him; *b) (mbt karwei)* he can do it standing on his head
peuter pre-schooler; toddler
peuteren *(wroeten)* pick: *in zijn neus ~* pick one's nose
peuterleidster nursery-school teacher
peuterspeelzaal playgroup
peutertuin day nursery, crèche
pfeiffer glandular fever
pH-waarde pH value
pi pi
pianist pianist, piano player
piano piano

pianoles piano lesson
pias clown, buffoon
piccalilly piccalilli
piccolo 1 bell-boy; 2 *(fluit)* piccolo
picknick picnic
picknicken picnic
picknickmand picnic hamper *(of:* basket)
pick-up record player
*****picobello** *(Wdl: pico bello)* splendid, outstanding
pictogram pictogram
piek 1 *(plukje haar)* spike: *een ~ haar* a spike of hair; 2 *(bergtop)* peak, summit; 3 *(kerstversiering)* top
pieken be spiky, stand out
piekeren worry, brood
piekfijn posh; smart
piemel willie
pienter bright, sharp, shrewd
piep squeak *(muizen);* peep, cheep *(vogels)*
piepen squeak *(muizen);* peep, cheep *(vogels);* creak *(scharnieren, deuren);* pipe *(schril stemgeluid)*
pieper 1 b(l)eeper; 2 *(aardappel)* spud
piepjong: *niet (zo) ~ meer zijn* be no chicken
piepklein teeny(-weeny), teensy
piepschuim styrofoam, polystyrene foam
pieptoon bleep, beep
pier 1 worm, earthworm; 2 *(in zee)* pier
pierenbad paddling pool
pies *(inform)* pee, wee
piesen *(inform)* pee, wee
piespot *(inform)* chamber pot
piet geezer, feller: *hij vindt zichzelf een hele ~* he thinks he's really s.o.
Piet: *Jan, ~ en Klaas* Tom, Dick and Harry; *er voor ~ Snot bijzitten* sit there like a fool; *een ~je precies zijn* be a fusspot
pietje *(ongev)* budgie
pietluttig meticulous, petty, niggling
pigment pigment
pigmentvlek birthmark, mole
pijl arrow: *nog meer ~en op zijn boog hebben* have more than one string to one's bow
pijler pillar
pijlsnel (as) swift as an arrow
pijltje dart
pijn pain, *(aanhoudend)* ache: *~ in de buik hebben* have (a) stomach-ache, have a pain in one's stomach; *~ in de keel hebben* have a sore throat
pijnappel pine cone
pijnbank rack
pijnboom pine (tree)
pijnlijk I *bn* 1 painful; sore: *~ aanvoelen* hurt, be painful; 2 *(krenkend)* painful, hurtful: *een ~e opmerking* an embarrassing remark; 3 *(onaangenaam)* painful, awkward, embarrassing: *er viel een ~e stilte* there was an uncomfortable silence; II *bw* painfully: *~ getroffen zijn* be pained
pijnloos painless
pijnstiller painkiller

pijp 1 pipe, tube; 2 *(broekspijp)* leg
pijpleiding piping, *(over grote afstand)* pipeline
pijplijn pipeline: *dat zit in de* ~ that's in the pipeline
pik penis: *(plat) een stijve* ~ a hard-on
pikant piquant
pikdonker pitch-dark; pitch-black
pikken I *tr* 1 *(stelen)* lift, pinch: *zij heeft dat geld ge-pikt* she stole that money; 2 *(accepteren)* take, put up with; II *intr, tr (met de snavel)* peck
pikzwart pitch-black: ~ *haar* raven(-black) hair
pil pill: *het is een bittere* ~ *voor hem* it is a bitter pill for him to swallow; *de* ~ *slikken* be on the pill
pilaar pillar
piloot pilot: *automatische* ~ automatic pilot
pils beer, lager
pimpelen tipple, booze
pin peg, pin
pincet (pair of) tweezers
pincode PIN code
pinda peanut
pindakaas peanut butter
pindasaus peanut sauce
pineut dupe: *de* ~ *zijn* be the dupe
pingelaar 1 *(voetbal)* player who holds on to the ball; 2 *(afdinger)* haggler
pingelen 1 *(afdingen)* haggle (over, about); 2 *(mbt voetbal)* hold on to the ball
pingpong ping-pong
pingpongen play ping-pong
pinguïn penguin
pink little finger
pinksterbloem cuckoo flower, lady's smock
pinksterdag Whit Sunday, Whit Monday
Pinksteren Whitsun(tide)
pinksterfeest (feast of) Whitsun
pinkstervakantie Whitsun holiday
pinnen 1 *(betalen met pasje)* pay by switch card; 2 *(uit automaat)* withdraw cash from a cashpoint
pinpas cash card; *(om in winkel te betalen)* switch card
pint pint
pioen peony
pion pawn
pionier pioneer
pipet pipette
piraat pirate
piramide pyramid
piranha piranha
piratenzender pirate (radio station)
pirouette pirouette
pis piss
pisang banana
pissebed woodlouse
pissen piss
pissig pissed off, bloody annoyed
pistache pistachio (nut)
piste 1 ring; 2 *(wielersp)* track; 3 *(skisport)* piste
pistolet bread roll
pistool pistol, gun: *nietpistool* staple gun

pit I *de* 1 seed, pip *(van appel, sinaasappel enz.)*, stone *(van kers, perzik enz.)*; 2 *(in kaars)* wick; 3 *(brander)* burner; II *het, de* spirit: *er zit* ~ *in die meid* she's a girl with spirit
pitabroodje pitta (bread)
pitbullterriër pit bull (terrier)
pits pit(s)
pitten turn in, kip: *gaan* ~ hit the sack
pittig 1 lively, pithy, *(taal)* racy; 2 *(fig)* stiff; 3 *(kruidig)* spicy, hot, strong; 4 *(moeilijk)* tough
pizza pizza
pizzakoerier pizza deliverer, pizza delivery boy
pizzeria pizzeria
pk *afk van paardenkracht* h.p.
plaag plague
plaaster *(Belg)* plaster of Paris
plaat 1 plate, sheet *(van dun glas, metaal)*, slab *(van marmer, steen, beton)*; 2 *(grammofoonplaat)* record; 3 *(prent)* plate, print
plaatje 1 plate, *(hout, glas)* sheet, *(marmer)* slab, *(om nek)* identity disc; 2 *(foto)* snapshot, photo; 3 *(verklarende tekening e.d.)* picture
plaats 1 place, position: *de* ~ *van bestemming* the destination; *de juiste man op de juiste* ~ the right man in the right place; *op uw* ~*en! klaar, af* on your marks, get set, go; *in (op) de eerste* ~ in the first place; *op de eerste* ~ *komen* come first, take first place; *op de eerste* ~ *eindigen* be (placed) first; 2 *(ingenomen, nodige ruimte)* room, space, *(zitplaats)* seat: ~ *maken (voor iem)* make room (for s.o.); 3 *(stad, dorp)* town; 4 *(zit-, staan-, ligplaats)* place, *(zitplaats ook)* seat: *neemt u a.u.b.* ~ please take your seats; *in* ~ *van* instead of
plaatsbewijs ticket
plaatselijk I *bn* local: *een* ~*e verdoving* a local anaesthetic; II *bw* 1 *(ter plaatse)* locally, on the spot: *iets* ~ *onderzoeken* investigate sth on the spot; 2 *(op enkele plaatsen)* in some places: ~ *regen* local showers
plaatsen I *tr* 1 place, put: *de ladder tegen het schuurtje* ~ lean *(of:* put) the ladder against the shed; 2 *(klasseren)* rank: *een order* ~ place an order; II *zich* ~ qualify (for)
plaatsgebrek lack of space
plaatshebben take place
plaatsing 1 placement, positioning; 2 *(sport)* ranking; *(kwalificatie)* qualification
plaatsnaam place name
plaatsnemen take a seat
plaatsvervanger substitute, replacement, deputy *(met volmacht)*
plaatsvinden take place, happen
placemat place mat
placenta placenta
pladijs *(Belg)* plaice
plafond ceiling
plag sod, turf
plagen tease: *iem met iets* ~ tease s.o. about sth
plagerig teasing

plagiaat plagiarism: ~ *plegen* plagiarize
plak 1 slice: *iets in ~ken snijden* slice sth; 2 *(tand-aanslag)* (dental) plaque
plakband adhesive tape
plakboek scrapbook
plakbord noticeboard
plakkaatverf poster paint
plakken I *intr* stick, *(comp)* paste; II *tr* 1 stick (to, on), glue (to, on); 2 *(herstellen)* repair: *een band ~* repair a puncture
plakker billsticker
plakkerig sticky
plakplaatje transfer
plaksel paste
plakwerk sticking, glueing
plamuren fill
plamuur filler
plan 1 plan: *een ~ uitvoeren* carry out a plan; *een ~ maken (voor ...)* draw up a plan for sth, plan sth; *zijn ~ trekken (Belg)* manage, cope; *wat ben je van ~?* what are you going to do?; *we waren net van ~ om ...* we were just about (*of*: going) to ...; 2 *(ontwerp)* plan, design
planeet planet
plank plank; *(dun)* board, *(schap)* shelf: *de ~ mis-slaan* be wide of the mark
plankenkoorts stage fright
plankgas *(ongev)* full throttle: ~ *geven* step on the gas
plankton plankton
plannen plan
planning plan, planning
plant plant
plantaardig vegetable
plantage plantation
planten plant, *(uitplanten)* plant out
planteneter herbivore
plantenkas greenhouse
planter planter
plantkunde botany
plantsoen public garden(s), park
plas 1 puddle, pool; 2 *(urine)* water, pee: *een ~je (moeten) doen* (have to) go (to the toilet, loo), *(kindertaal)* (have to) do a wee(-wee); 3 *(poel)* pool, pond
plasma plasma
plassen I *intr* 1 *(urineren)* go (to the toilet, loo), (have a) pee: *ik moet nodig ~* I really have to go; 2 *(knoeien)* splash; II *tr* pass: *bloed ~* pass blood (in one's urine)
plastic plastic
plasticlijm (a) plastic adhesive, plastic cement
plastificeren plasticize
plastisch plastic
plat I *bn* 1 flat; 2 *(door staking)* closed down, shut down: *de haven gaat morgen ~* tomorrow the port will be shut down; II *bn, bw* broad || ~ *uitgedrukt* to put it crudely (*of*: coarsely)
plataan plane (tree)

platbranden burn to the ground
plateau 1 *(bord)* dish, platter; 2 *(hoogvlakte)* plateau
plateauzool platform sole
platenmaatschappij record(ing) company
platenspeler record player
platenzaak record shop
platform platform
platgaan be bowled over by (s.o.): *de zaal ging plat (mbt lachen)* the audience was rolling in the aisles
platina platinum
platleggen 1 lay flat; 2 *(door een staking)* bring to a standstill
platliggen *(door een staking)* be at a standstill
plattegrond 1 (street) map; 2 *(van gebouwen enz.)* floor plan
plattekaas *(Belg)* cottage cheese, cream cheese
platteland country(side)
platvis flatfish
platvloers coarse, crude
platvoet flatfoot
plausibel plausible
plaveisel paving, pavement
plavuis (floor) tile; *(stenen)* flag(stone)
playback miming
playbacken mime (to one's own, another person's voice)
playboy playboy
plechtig solemn: ~ *beloven (te)* solemnly promise (to)
plechtigheid ceremony
plectrum plectrum
plee loo, *(Am)* john: *op de ~ zitten* be in the loo
pleegdochter foster-daughter
pleeggezin foster home
pleegkind foster-child: *(iem) als ~ opnemen* take (s.o.) in as foster-child
pleegmoeder foster-mother
pleegouders foster-parents
pleegvader foster-father
pleegzoon foster-son
plegen commit
pleidooi 1 plea: *een ~ houden voor* make a plea for; 2 *(van advocaat)* counsel's speech (*of*: argument)
plein square, plaza: *op (aan) het ~* in the square
pleister I *de* (sticking) plaster; II *het (kalkmengsel)* plaster
pleisteren 1 plaster; 2 *(pleisters leggen op)* put a plaster on
pleiten plead: *dat pleit voor hem* that is to his credit
pleiter counsel
plek 1 spot: *een blauwe ~* bruise; *iemands zwakke ~ raken* find s.o.'s weak spot; 2 *(plaats)* spot, place
plensbui downpour
plenzen I *intr* pour; II *tr* splash
pleonasme pleonasm
pletter *te ~ slaan tegen de rotsen* be dashed against the rocks; *zich te ~ vervelen* be bored stiff (*of*: to death)

plevier plover
plexiglas plexiglass
plezant *(Belg)* pleasant
plezier 1 pleasure, fun: *iem een ~ doen* do s.o. a favour; *veel ~!* enjoy yourself!; **2** *(genoegen)* pleasure, enjoyment: *met alle ~* with pleasure; *ik heb hier altijd met ~ gewerkt* I have always enjoyed working here
plezierig pleasant
plezierjacht pleasure yacht
plicht duty: *het is niet meer dan je ~ (om ...)* you are in duty bound (to ...); *de ~ roept* duty calls
plichtsbesef sense of duty
plichtsgetrouw dutiful
plint skirting board, *(Am)* baseboard
ploeg 1 gang, shift *(in ploegendienst): in ~en werken* work (in) shifts; **2** *(sport)* team; side *(vooral voetbal);* **3** *(landbouwwerktuig)* plough
ploegen plough: *een akker* (of: *het land) ~* plough a field (of: the land)
ploegendienst shift work: *in ~ werken* work (in) shifts
ploeggeest team spirit
ploegleider *(sport)* team manager; *(aanvoerder)* captain
ploegverband *(sport): in ~* as a team
ploeteren plod (away, along)
plof thud, bump, plop
ploffen 1 thud, flop; **2** *(ontploffen)* pop, bang || *in een stoel ~* plump down (of: flop) into a chair
plomp *(log)* plump, squat *(mensen);* cumbersome *(zaken)*
plons splash || *~! daar viel de steen in het water* splash! went the stone into the water
plonzen splash
plooi pleat, fold
plooien fold, pleat, crease
plotseling I *bn* sudden, unexpected; **II** *bw* suddenly, unexpectedly
pluche plush
plug plug
pluim 1 plume, feather; **2** *(toef)* plume, *(klein)* tuft: *een ~ van rook* a plume of smoke; *iem een ~ geven* pat s.o. on the back
pluimage plumage
pluimvee poultry
pluimveehouderij 1 poultry farm; **2** *(bedrijfstak)* poultry farming
pluis bit of fluff || *het is daar niet ~* there's sth fishy there
pluizen give off fluff; *(op trui)* pill
pluk 1 tuft, wisp; **2** *(oogst)* crop
plukken 1 pick: *pluk de dag* live for the moment; **2** *(mbt veren)* pluck
plumpudding plum pudding
plunderaar plunderer, looter
plunderen 1 plunder, loot; **2** *(leegroven)* plunder, raid, rifle through *(iemands zakken, geldlade): de koelkast ~* raid the fridge

plundering plundering, looting
plunjezak kitbag
plus plus: *twee ~ drie is vijf* two plus (*of:* and) three is five; *vijfenzestig ~* over-65
²**plus 1** plus (sign); **2** *(op batterijen e.d.)* plus (pole)
plusminus approximately, about: *~ duizend euro* approximately (*of:* about) a thousand euros
pluspunt plus, asset: *ervaring is bij sollicitaties een ~* experience is a plus (*of:* an asset) when applying for a job
plusteken plus (sign)
plutonium plutonium
pneumatisch pneumatic
po chamber pot, po
pochen boast, brag
pocheren poach
pochet dress-pocket handkerchief, breast-pocket handkerchief
pocketboek paperback
podium 1 stage, *(gedeelte vh toneel)* apron; **2** *(verhoging)* platform, podium
poedel poodle
poeder powder
poederdoos compact
poederen powder: *zich (het gezicht) ~* powder one's face (*of:* nose)
poederkoffie instant coffee
poedermelk dried milk, powdered milk
poedersuiker icing sugar
poef hassock
poel pool, puddle *(op straat)*
poelier poulterer('s)
poema puma
poen dough, dosh
poep *(inform)* crap, shit, *(honden-, vogelpoep)* dog-do, bird-do
poepen *(inform)* (have a) crap: *in zijn broek ~* do it in one's pants
poes (pussy)cat: *een jong ~je* a kitten; *mis ~!* wrong!
poeslief suave, bland, smooth, honeyed *(woorden),* sugary *(woorden, glimlach),* silky *(glimlach, toon, manieren): iets ~ vragen* purr a question, ask sth in the silkiest tones
poespas hoo-ha, song and dance: *laat die ~ maar achterwege* stop making such a song and dance about it
poëtisch poetic
poetsdoek cleaning cloth, cleaning rag
poetsen clean, polish *(polijsten): zijn tanden ~* brush one's teeth
poetsvrouw cleaning woman
poëzie poetry
pofbroek knickerbockers *(mv)*
poffen roast, pop *(maïs)*
poffertje kind of small pancake
poging attempt, try, *(met krachtsinspanning)* effort: *een ~ wagen* have a try at sth; *~ tot moord* attempted murder
poken poke

poker poker
pokeren play poker
pokergezicht poker face
pokken smallpox
pokkenprik smallpox vaccination
pokkewerk nasty work, unpleasant work
pol clump
polariseren polarize
polaroid polaroid
polder polder
poldermodel polder model
polderpop Dutch pop music
polemiek polemic: *een ~ voeren* engage in a polemic (*of*: controversy)
polemist polemicist
Polen Poland
poli outpatients'
polijsten polish (up), *(met schuurpapier ook)* sand(paper)
polikliniek outpatient clinic
poliklinisch: *~e patiënt* outpatient
polio polio
polis (insurance) policy
polishouder policyholder
polisvoorwaarden terms (*of*: conditions) of a policy
politicologie political science
politicus politician
politie police (force)
politieacademie police college (*Am*: academy)
politieagent police officer, policeman
politieauto police car, patrol car
politiebureau police station
politiecommissaris Chief of Police
politiek I *zn* 1 politics: *in de ~ zitten* be in politics, be a politician; 2 *(beleid)* policy: *binnenlandse* (of: *buitenlandse*) ~ internal (*of*: foreign) policy; II *bn, bw* political
politiekordon police cordon
politiekorps police (force), constabulary
politieman policeman, police officer
politierechter magistrate
politieschool police college
politiestaat police state
politieverordening by-law, (*Am*) local ordinance
polka polka
pollen pollen
pollepel wooden spoon
polo 1 *(balspel)* polo; 2 *(kledingstuk)* sports shirt
polonaise 1 conga: *een ~ houden* do the conga; 2 *(dans, muziek(stuk))* polonaise
pols 1 wrist; 2 *(polsslag)* pulse: *iem de ~ voelen* feel (*of*: take) s.o.'s pulse
polsen: *iem ~ over iets* sound s.o. out on (*of*: about) sth
polsgewricht wrist (joint)
polshorloge wristwatch
polsslag pulse
polsstok (jumping) pole

polsstokhoogspringen pole vaulting
polyester polyester
polyether polyether, *(schuimrubber ook)* foam rubber
Polynesisch Polynesian
pomp pump
pompbediende service (*of*: petrol) station attendant
pompelmoes grapefruit
pompen pump
pomphouder petrol (*Am*: gas) station owner
pompoen pumpkin
pompstation filling station, service station
poncho poncho
pond half a kilo(gram), 500 grams, *(ongeveer)* pound; *(munteenheid)* pound: *het weegt een ~* it weighs half a kilo; *het volle ~ moeten betalen* have to pay the full price
ponsen punch
pont ferry(boat)
pontonbrug pontoon bridge
pony 1 pony; 2 *(haar)* fringe
pooier pimp
pook 1 poker; 2 *(versnellingshendel)* gear lever, (gear)stick
pool pole
Pool Pole
poolcirkel polar circle
poolen (*Am*) carpool
poolexpeditie polar expedition
poolgebied polar region
Pools Polish
poolshoogte latitude, altitude of the pole: *~ nemen: a) (scheepv)* take one's bearings; *b) (fig)* size up the situation
Poolster (the) Pole Star, Polaris
poon gurnard
poort gate, gateway
poos while, time: *een hele ~* a good while, a long time
poot paw, leg: *de poten van een tafel* the legs of a table; *(fig) zijn ~ stijf houden* stand firm, stick to one's guns; *geen ~ hebben om op te staan* not have a leg to stand on; *de ~ van een bril* the arms of a pair of glasses; *(fig) alles kwam op zijn ~s terecht* everything turned out all right
pootjebaden paddle
pop 1 doll; 2 *(marionet)* puppet: *daar heb je de ~pen al aan het dansen* here we go, now we're in for it; 3 *(etalagepop, paspop)* dummy: *zij is net een aangeklede ~* she looks like a dressed-up doll
popconcert rock concert, pop concert
popcorn popcorn
popelen quiver: *zitten te ~ om weg te mogen* be raring (*of*: itching) to go
popfestival pop festival, rock festival
popgroep pop group, rock group, rock band
popmuziek rock music, pop music
poppengezicht baby face

poppenhuis doll's house
poppenkast 1 puppet theatre; 2 puppet show
poppenwagen doll's pram, *(Am)* baby carriage
populair popular
populair-wetenschappelijk popular-science
populariteit popularity
populatie population
populier poplar
popzanger pop singer, rock singer
por jab, prod, dig
poreus porous
porie pore
porno porn(o)
pornografie pornography
porren prod: *iem in de zij ~* poke s.o. in the ribs
porselein china(ware), porcelain
porseleinen china, porcelain
¹port 1 postage; 2 *(strafport)* surcharge
²port *(wijn)* port (wine)
portaal porch, hall, *(kerk ook)* portal
portefeuille wallet
portemonnee purse, wallet
portfolio portfolio
portie 1 share, portion: *zijn ~ wel gehad hebben* have had one's fair share; 2 *(gedeelte)* portion, *(aan tafel)* helping: *een grote (flinke) ~ geduld* a good deal of patience
portiek porch; *(ingebouwd)* doorway
¹portier doorkeeper, gatekeeper
²portier *(van auto)* door
portierraampje car window
porto postage
portofoon walkie-talkie
portokosten postage charges *(of:* expenses)
portret portrait
Portugal Portugal
Portugees Portuguese
portvrij post-paid, postage free
pose pose, posture: *een ~ aannemen* assume a pose
poseren pose, sit
positie 1 position, posture: *~ kiezen (of: innemen)* choose *(of:* take) up a position; 2 *(mening, houding)* position, attitude: *in een conflict ~ nemen (of: kiezen)* take *(of:* choose) sides in a conflict; 3 *(toestand)* position, situation; 4 *(betrekking)* position, post; 5 *(maatschappelijke rang, rol)* (social) position, status, (social) rank: *een hoge ~* a high position *(of:* rank) (in society)
positief 1 positive, affirmative; 2 *(opbouwend)* positive, favourable: *positieve kritiek* constructive criticism; *iets ~ benaderen* approach sth positively
positiekleding maternity clothes
positieven: *weer bij zijn ~ komen* come to one's senses
post 1 post office, postal services; 2 *(poststukken, postbestelling)* post; mail: *aangetekende ~* registered mail; *elektronische ~* electronic mail, e-mail; 3 post, *(kantoor)* post office, *(bus)* letterbox; 4 *(raam-, deurstijl)* post, jamb; 5 *(mbt boekhouding,*

begroting) item *(op rekening)*, entry *(boekhouding)*: *de ~ salarissen* the salary item; 6 post, position: *een ~ bekleden* hold a post, occupy a position
postadres address
postagentschap sub-post office
postbank *(fin)* (Dutch) Post Office Bank
postbeambte postal employee *(of:* worker)
postbestelling postal delivery, *(Am)* mail delivery, delivery of the post *(Am:* mail)
postbode postman, *(Am)* mailman
postbus postoffice box, P.O. Box
postcheque giro cheque
postcode postal code; *(Am)* ZIP code
postduif carrier pigeon, homing pigeon
postelein purslane
posten I *tr* post, *(Am)* mail, send off; II *intr (op wacht staan)* stand guard
poster poster
poste restante poste restante, *(Am)* general delivery: *De heer H. de Vries, ~ Hoofdpostkantoor Brighton* Mr H. de Vries, c/o Main Post Office, Brighton
posterijen Post Office, Postal Services
postgiro (Post Office) giro
postkantoor post office
postkoets stagecoach
postmeester *(Belg)* postmaster
postmodern postmodern
postnataal postnatal
postnummer *(Belg)* postcode, postal code
postorder mail order
postorderbedrijf mail-order firm *(of:* company), catalogue house
postpakket parcel, parcel-post package
postpapier writing paper, letter paper, notepaper: *~ en enveloppen* stationery
postreclame direct mail advertising
postrekening giro bank account
postspaarbank post office savings bank
poststempel postmark
postuum posthumous
postuur figure, shape, *((lichaams)bouw)* build, *((lichaams)lengte)* stature
postvak pigeon-hole
postwissel postal order, money order
postzegel stamp: *voor een euro aan ~s bijplakken* stamp an excess amount of one euro; *voor drie euro aan ~s bijsluiten* enclose three euros in stamps
postzegelverzameling stamp collection
¹pot 1 pot *(aardewerk)*, jar *(glas)*: *een ~ jam* a jar of jam; 2 *(po)* pot, chamber pot: *hij kan (me) de ~ op* he can get stuffed; 3 *(kookpot)* pot, saucepan: *eten wat de ~ schaft* eat whatever's going; 4 *(inzet bij spellen)* kitty, pool: *dat is één ~ nat* you can't really tell the difference, *(mbt personen)* they're birds of a feather
²pot *(inform) (lesbienne)* dyke, dike, *(neutraal)* gay
potdicht tight, locked, sealed: *de deur is ~* the door is shut tight

po

poten plant, *(zaaien, planten)* set, *(zaaien, uitzetten)* put in

potent potent, virile

potentieel I *zn* potential, *(aanleg, talent)* capacity; **II** *bn, bw* **1** potential: *potentiële koper* prospective *(of:* would-be) buyer; **2** *(in aanleg)* latent, potential

potentiepil anti-impotence drug

potig burly, sturdy, husky

potje 1 (little) pot, *(cul)* terrine: *zijn eigen ~ koken (fig)* fend for oneself; **2** *(partijtje)* game; **3** *(opzij gelegd geld)* fund: *er een ~ van maken* mess *(of:* muck) things up

potlood pencil: *met ~ tekenen* draw in pencil

potloodventer flasher

potplant pot plant, potted plant

potpourri potpourri, medley

potsierlijk clownish, ridiculous, grotesque

pottenbakken pottery(-making), ceramics

pottenbakker potter

pottenbakkerij pottery

pottenkijker Nosy Parker, snooper

potverteren squander

potvis sperm whale

poule group

pover poor, meagre, miserable: *een ~ resultaat* a poor result

pr *afk van public relations* PR

Praag Prague

praat talk: *veel ~(s) hebben* be all talk; *met iem aan de ~ raken* get talking to s.o.; *een auto aan de ~ krijgen* get a car to start

praatgroep discussion group

praatje 1 chat, talk; **2** *(woorden)* talk, speech: *mooie ~s* fine words; **3** *(mv) (kapsones)* airs: *~s krijgen* put on airs

praatjesmaker 1 boaster, braggart; **2** *(zwetser)* windbag, gasbag

praatpaal emergency telephone

praatshow *(tv)* chat show, talk show

pracht 1 magnificence, splendour; **2** *(fig)* beauty, gem

prachtig 1 splendid, magnificent; **2** *(van grote schoonheid)* exquisite, gorgeous || *~!* excellent!

practicum practical, lab(oratory): *ik heb vanmiddag ~* I've got a practical this afternoon

prairie prairie

prak mash, mush || *een auto in de ~ rijden* smash (up) a car

prakken mash

prakkeseren 1 muse, think; **2** *(piekeren)* brood, worry: *zich suf ~* worry oneself sick

prakkiseren brood (on, over), have a think

praktijk practice, *(ervaring)* experience: *echt een man van de ~* a doer (rather than a thinker); *een eigen ~ beginnen* start a practice of one's own; *in de ~* in (actual) practice

praktijkervaring practical experience

praktijkgericht practically-oriented

praktisch I *bn, bw* **1** practical; handy, useful: *~e*

kennis working knowledge; **2** *(nuchter)* practical, realistic, businesslike *(zakelijk)*; **II** *bw (bijna)* practically, almost: *de was is ~ droog* the laundry's practically dry

praktiseren practise

praline chocolate (praline)

prat proud: *~ gaan op zijn intelligentie* boast *(of:* brag) about one's intelligence

praten talk, speak: *we ~ er niet meer over* let's forget it, let's leave it at that; *je hebt gemakkelijk ~* it's easy *(of:* it's all right) for you to talk; *daarover valt te ~* that's a matter for discussion; *iedereen praat erover* it's the talk of the town, everyone is talking about it

prater talker: *hij is geen grote ~* he isn't much of a talker

prauw proa

precedent precedent: *een ~ scheppen* establish *(of:* create) a precedent

precies I *bn, bw* precise, exact, accurate, specific: *~ een kilometer* one kilometre exactly; *dat is ~ hetzelfde* that is precisely *(of:* exactly) the same (thing); *om ~ te zijn* to be precise; *~ in het midden* right in the middle; *~ om twaalf uur* at twelve (o'clock) sharp, on the stroke of twelve; *~ op tijd* right on time; *~ drie jaar geleden* exactly *(of:* precisely) three years ago; **II** *tw* precisely, exactly

precisie precision, accuracy

predikant 1 *(protestant)* minister, pastor; vicar, rector, parson *(anglicaanse Kerk)*; clergyman; **2** *(r-k)* preacher

preek 1 sermon, homily (on): *een ~ houden* deliver a sermon; **2** *(vermaning)* sermon, lecture (on)

preekstoel pulpit

prefabriceren prefabricate

prefereren prefer: *dit is te ~ boven dat* this is preferable to that

prehistorie prehistory

prehistorisch prehistoric

prei leek

preken 1 preach, deliver *(of:* preach) a sermon; **2** *(mbt zedenpreek)* preach, moralize

premie 1 premium, bonus, gratuity; **2** *(mbt verzekeringen)* premium, *(vnl. mbt sociale verzekering)* (insurance) contribution: *de sociale ~s* social insurance *(of:* security) contributions

premier prime minister, premier

première première, *(mbt toneel ook)* first night, opening performance

preminiem *(Belg)* junior member (6-10 years) of sports club

prent print, illustration, *(satirisch)* cartoon

prentbriefkaart (picture) postcard

prepareren prepare

presbyteriaan Presbyterian

preselectie *(Belg)* qualifying round

present I *zn* present, gift; **II** *bn* present, *(vergadering, officiële functie)* in attendance: *ze waren allemaal ~* they were all present; *~!* present!, here!

presentatie presentation, introduction: *de ~ is in*

handen van Joris the programme is presented by Joris

presentator presenter *(van nieuws, actualiteiten)*, host, hostess, anchorman

presenteerblaadje tray, platter: *de baan werd hem op een ~ aangeboden* the job was handed to him on a silver platter

presenteren 1 present, introduce; **2** *(aanbieden)* present, *(mbt etenswaren enz.)* offer; **3** *(doen voorkomen)* pass off (as); **4** *(als presentator optreden)* present, host

presentie presence

presentielijst attendance list, (attendance) roll, (attendance) register

president President

president-directeur chairman (of the board)

presidentsverkiezing presidential election

prestatie performance, achievement, feat: *een hele ~* quite an achievement

prestatieloon merit pay

presteren achieve, perform: *hij heeft nooit veel gepresteerd* he has never done anything to speak of

prestige prestige

pret 1 fun, hilarity: *~ hebben* (of: *maken)* have fun, have a good time; *dat mag de ~ niet drukken* never mind; **2** *(genoegen)* fun, enjoyment; **3** *(vermaak)* fun, entertainment: *(het is) uit met de ~!* the party is over

pretje bit of fun: *dat is geen ~* that's no picnic

pretogen twinkling eyes

pretpark amusement park

prettig pleasant, nice: *~ weekend!* have a pleasant (of: nice) weekend; *deze krant leest ~* this paper is nice to read

preuts prudish, prim (and proper)

preutsheid prudishness, primness

prevelen mumble, murmur

preventie prevention

preventief preven(ta)tive, precautionary

pr-functionaris PR officer

prieel summerhouse, arbour

priegelen do fine (of: delicate) (needle)work

priegelwerk close work, delicate work

priem awl, bodkin

priemgetal prime (number)

priester priest

prijken be resplendent, adorn

prijs 1 price, *(voor vervoer)* fare, *(volgens tarief)* charge: *voor een zacht ~je* at a bargain price; *tot elke ~* at any price (of: cost), at all costs; **2** *(prijskaartje)* price (tag): *het ~je hangt er nog aan* it has still got the price on; **3** *(wat men wint)* prize, award: *een ~ uitloven* put up a prize; *in de prijzen vallen* be among the winners; **4** *(uitgeloofde beloning)* reward, prize

prijsbewust cost-conscious

prijsdaling fall (of: drop, decrease) in price

prijskaartje price tag

prijsklasse price range, price bracket

prijslijst price list

prijsopgave estimate; *(offerte)* quotation, tender

prijsuitreiking distribution of prizes, *(ceremonie)* prize-giving (ceremony)

prijsverhoging price increase, rise

prijsverlaging price reduction, price cut

prijsvraag competition, (prize) contest

prijswinnaar prizewinner

prijzen I *tr* praise, commend: *een veelgeprezen boek* a highly-praised book; **II** *tr* price, *(met prijskaartje ook)* ticket, mark: *vele artikelen zijn tijdelijk lager geprijsd* many articles have been temporarily marked down

prijzig expensive, pricey

prik 1 prick, prod; **2** *(injectie)* injection, shot; **3** *(limonade)* pop, fizz: *mineraalwater zonder ~* still mineral water

prikactie lightning strike

prikbord noticeboard, *(Am)* bulletin board

prikje: *iets voor een ~ kopen* buy sth dirt cheap (of: for next to nothing)

prikkaart time card

prikkel incentive, stimulant, stimulus

prikkelbaar touchy, irritable

prikkeldraad barbed wire

prikkelen I *tr (ergeren)* irritate, vex; **II** *intr (prikkelend gevoel geven)* prickle, tingle, sting *(bijv. door brandnetel)*: *mijn been prikkelt* my leg is tingling

prikken I *tr* **1** prick, *(met vork ook)* prod: *een ballon lek ~* pop a balloon; **2** *(vasthechten)* stick (to), affix (to): *een poster op de muur ~* pin a poster on the wall; **3** *(injectie geven)* inject; **II** *intr (mbt insecten, rook enz.)* sting, tingle: *de rook prikt in mijn ogen* the smoke is making my eyes smart

prikklok time clock

priklimonade pop

pril early, fresh, young

prima I *bn, bw* excellent, great, terrific, fine: *een ~ vent* a nice chap, *(Am)* a great guy; **II** *tw* great

primair I *bn, bw* **1** primary, initial, first; **2** *(de eerste plaats innemend)* primary, principal, essential, chief; **II** *bn (elementair)* primary, basic

primeur something new, scoop *(voor krant)*

primitief 1 primitive, elemental; **2** *(gebrekkig)* primitive, makeshift: *het ging er heel ~ toe* it was very rough and ready there

principe principle: *een man met hoogstaande ~s* a man of high principles; *uit ~* on principle, as a matter of principle

principieel 1 fundamental, essential, basic; **2** *(mbt een overtuiging)* on principle, of principle: *een ~ dienstweigeraar* a conscientious objector (to military service)

prins prince

prinses princess

prinsjesdag *(ongev)* day of the Queen's (of: King's) speech

printen print

printer printer

prior prior

prioriteit priority: *~en stellen* establish priorities, get one's priorities right

prisma prism

privacy privacy, seclusion

privatiseren privatize, denationalize

privé private, confidential, personal: *ik zou je graag even ~ willen spreken* I'd like to talk to you privately (*of:* in private) for a minute

privédetective private detective

privéleven private life

privérekening personal account

privilege privilege

pr-man PR-man, public relations officer

pro pro(-) || *het ~ en het contra horen* hear the pros and cons

probeersel experiment, try-out

proberen 1 try (out), test: *het met water en zeep ~* try soap and water; 2 (*een poging doen*) try, attempt: *dat hoef je niet eens te ~* you needn't bother (trying that)

probleem problem, difficulty, trouble: *in de problemen zitten* be in difficulties (*of:* trouble); *geen ~!* no problem!

probleemloos uncomplicated, smooth, trouble-free: *alles verliep ~* things went very smoothly (*of:* without a hitch)

problematiek problem(s), issue

problematisch problematic(al)

procédé process, technique

procederen litigate, take legal action, proceed (against), (*strafrecht*) prosecute: *gaan ~* go to court

procedure 1 procedure, method; 2 (*proces*) (law)suit, action, legal proceedings (*of:* procedure): *een ~ tegen iem aanspannen* start legal proceedings against s.o.

procedurefout procedural mistake; mistake in procedure

procent per cent, percent: *honderd ~ zeker* dead certain (*of:* sure)

proces 1 (law)suit, (*mbt strafrecht*) trial, action, legal proceedings: *iem een ~ aandoen* take s.o. to court; 2 (*ontwikkelingsgang*) process

proceskosten (legal) costs

processie procession

proces-verbaal charge, (*dagvaarding*) summons, ticket: *een ~ aan zijn broek krijgen* be booked, get a ticket

pro Deo free (of charge), for nothing

producent producer

produceren produce, make, manufacture, generate (*warmte, elektriciteit*)

product product, production, (*handelsproduct ook*) commodity: *het bruto nationaal ~* the gross national product, the G.N.P.

productie 1 production: *uit de ~ nemen* stop producing (*of:* production); 2 (*wat geproduceerd is*) production, (*opbrengst*) output, yield, (*agrarisch ook*) produce

productief 1 productive, fruitful; 2 (*veel voortbrengend*) productive, prolific: *een ~ dagje* a good day's work

productiekosten cost(s) of production, production manager; (*theat, film*) producer

productiemaatschappij film production company

productieproces production process, manufacture

productiviteit productivity, productive capacity

proef 1 test, examination, trial: *op de ~ stellen* put to the test; *proeven nemen* carry out experiments; 2 (*probeersel*) test, try, trial, probation: *iets een week op ~ krijgen* have sth on a week's trial; *op ~* on probation; 3 (*typ*) proof

proefdier laboratory animal

proefdraaien (*mbt machines*) trial run, test run

proefkonijn guinea pig

proefperiode trial period, (*ook mbt baan*) probationary period, probation

proefpersoon (experimental, test) subject

proefrit test drive, (*mbt trein enz.*) trial run: *een ~ maken met de auto* test-drive the car

proefschrift (doctoral, Ph.D.) thesis, dissertation

proeftijd probation, probationary period, trial period: (*jur*) *voorwaardelijk veroordeeld met een ~ van twee jaar* a suspended sentence with two years' probation

proeftuin experimental garden (*of:* field)

proefwerk test (paper): *een ~ opgeven* set a test

proesten 1 sneeze; 2 (*snuivend blazen*) snort, splutter

proeven taste, try, sample, test: *van het eten ~* try some of the food

prof 1 (*professor*) prof; 2 (*professional*) pro

profclub professional club

profeet prophet, prophetess

professionalisme professionalism

professioneel professional || *iets ~ aanpakken* approach sth in a professional way

professor professor: *~ in de taalwetenschap* a professor of linguistics

profetisch prophetic

proficiat congratulations: *~ met je verjaardag* happy birthday!

profiel profile

profielschets profile

profielzool grip sole, sole with a tread

profijt profit, benefit

profijtig (*Belg*) economical, cheap

profiteren profit (from, by), take advantage (of), exploit: *zoveel mogelijk ~ van* make the most of

profiteur profiteer

profvoetbal professional football

prognose prognosis; forecast

programma 1 programme: *het hele ~ afwerken* go (*of:* get) through the whole programme; 2 (*comp*) program

programmaboekje programme

programmamaker programme maker (*of:* writer), producer

programmeertaal computer language

programmeren I *intr, tr (comp)* program; II *tr (programma opstellen)* programme, schedule: *de uitzending is geprogrammeerd voor woensdag* the programme is to be broadcast on Wednesday

programmeur programmer

progressief progressive, *(pol ook)* liberal

project project

projecteren project

projectie projection

projectiel missile, projectile

projectonderwijs project learning

projectontwikkelaar property (*Am:* real estate) developer

projectontwikkeling 1 *(exploitatie van bouwprojecten)* property (*Am:* real estate) development; 2 *(het opzetten van nieuwe ondernemingen)* project planning (*of:* development)

projector projector

promenade shopping precinct, shopping mall

promillage *(mbt alcohol)* blood alcohol level

promille per thousand, per mil(le): *acht promille* 0.8 percent

prominent prominent

promotie promotion: ~ *maken* get promotion

promotieklasse *(sport)* promotion division

promoveren 1 *(aan universiteit)* take one's doctoral degree (*of:* one's Ph.D.): *hij is gepromoveerd op een onderzoek naar ...* he obtained his doctorate with a thesis on ...; 2 *(sport)* be promoted, go up

prompt 1 *(snel)* prompt, speedy; 2 *(stipt)* punctual, prompt: ~ *op tijd* right (*of:* dead) on time

pronken flaunt (oneself, sth); *(lopen te pronken)* prance, strut: *zij loopt graag te* ~ *met haar zoon* she likes to show off her son

prooi 1 prey, *(jacht)* quarry; 2 *(slachtoffer)* prey, victim: *ten* ~ *vallen aan* become prey to

proost cheers

proosten toast, raise one's glass

prop ball: *een* ~ *watten* a wad of cotton wool; *met iets op de ~pen komen* come up with sth

propaganda propaganda

propedeuse foundation course

propedeutisch preliminary, introductory

propeller (screw) propeller, (air)screw

proper neat, tidy; clean

proportie 1 proportion, relation: *iets in (de juiste)* ~*(s) zien* keep sth in perspective; 2 *(afmeting)* proportion, dimension

proportioneel proportional

proppen shove, stuff, cram, pack: *iedereen werd in één auto gepropt* everyone was squeezed (*of:* packed) into one car

propvol full to the brim (*of:* to bursting), chock-full, crammed, *(vol mensen ook)* packed (tight): *een* ~*le bus* an overcrowded bus

prospectus prospectus

prostaat prostate (gland)

prostaatkanker cancer of the prostate

prostituee prostitute

prostitutie prostitution

proteïne protein

protest protest: *uit* ~ *(tegen)* in protest (against)

protestant Protestant

protestants Protestant, *(niet-anglicaans)* dissenting, Nonconformist

protesteren protest

prothese prothesis, prosthesis, *(gebit)* dentures, *(gebit)* false teeth

protocol 1 protocol; 2 *(verslag)* record

protonkaart *(Belg)* rechargeable smart card

prototype prototype

proviand provisions

provinciaal provincial: *een provinciale weg (ongev)* a secondary road

provincie province, region: *de* ~ *Limburg* the Province of Limburg

provisie *(loon)* commission, *(makelaar)* brokerage

provoceren provoke, incite

provocerend provocative, provoking

proza prose

pruik wig, toupee

pruilen pout, sulk

pruim 1 plum, prune *(gedroogd);* 2 *(pluk tabak)* plug, wad

pruimen chew tobacco

pruimenboom plum (tree)

Pruisen Prussia

Pruisisch Prussian

prul 1 *(papiertje)* piece of waste paper; 2 *(waardeloos voorwerp)* (piece of) trash, piece of rubbish (*of:* junk)

prullenmand waste paper basket, wastebasket

prut 1 mud, ooze, sludge; 2 *(brij)* mush; 3 *(koffiedik)* grounds

pruts *(Belg)* trinket

prutsen mess about (*of:* around), potter (about), tinker (about): *je moet niet zelf aan je tv gaan zitten* ~ you shouldn't mess about with your TV-set yourself

prutser botcher, bungler

prutswerk botch(-up)

pruttelen simmer; perk, percolate *(koffie)*

PS *afk van postscriptum* PS

psalm psalm

psalmboek psalm-book, psalter

pseudoniem pseudonym

psoriasis psoriasis

psyche psyche

psychedelisch psychedelic

psychiater psychiatrist: *je moet naar een* ~ you should see a psychiatrist

psychiatrie psychiatry

psychiatrisch psychiatric: *een* ~*e inrichting* a mental hospital

psychisch psychological, mental: ~ *gestoord* emo-

ps

tionally disturbed; *dat is ~, niet lichamelijk* that is psychological, not physical

psychoanalyse psychoanalysis

psychologie psychology

psychologisch psychological

psycholoog psychologist

psychoot psychotic

psychopaat psychopath

psychose psychosis

psychosomatisch psychosomatic

psychotherapeut psychotherapist

psychotherapie psychotherapy, psychotherapeutics

psychotisch psychotic

PTT *afk van Post, Telegrafie, Telefonie* Post Office

puber adolescent

puberaal adolescent

puberen reach puberty

puberteit puberty, adolescence: *in de ~ zijn* be going through one's adolescence

publicatie publication

publiceren publish

publiciteit publicity: *~ krijgen* attract attention, get publicity; *iets in de ~ brengen* bring sth to public notice

publiciteitsstunt publicity stunt

publiek I *zn* 1 public, *(sport)* crowd, *(film, toneel)* audience, *(boek, krant)* readership, *(klanten)* clientele, *(museum)* visitors: *een breed ~ proberen te bereiken* try to cater for a broad public; *veel ~ trekken* draw a good crowd; 2 *(de massa)* (general) public: *toegankelijk voor (het) ~* open to the (general) public; **II** *bn, bw* public: *er was veel ~e belangstelling* it was well attended

publiekstrekker crowd-puller, *(mbt theater, concert enz. ook)* (good) box-office draw, *(mbt film, toneelstuk ook)* box-office success, box-office hit

publiekswissel *(mbt sport)* last-minute substitution

pudding pudding

puf (get up and) go, energy: *ergens de ~ niet meer voor hebben* not feel up to sth any more

puffen pant: *~ van de warmte* pant with the heat

pui (lower) front, (lower) façade; *(van winkel)* shopfront

puik 1 choice *(eten)*, top quality; 2 *(voortreffelijk)* great, first-rate

puilen bulge

puin rubble: *~ ruimen: a)* clear up the rubble; *b) (fig)* pick up the pieces, sort sth out; *in ~ liggen* lie *(of:* be) in ruins, be smashed (up, to bits)

puinhoop 1 heap of rubble *(of:* rubbish); 2 *(rotzooi)* mess, shambles: *jij hebt er een ~ van gemaakt* you have made a mess of it

puist pimple, spot: *~jes uitknijpen* squeeze spots

puit frog

pukkel pimple, spot

pul tankard, mug

pulken pick: *zit niet zo in je neus te ~* stop picking

your nose

pull(over) pullover, sweater

pulp 1 pulp: *tot ~ geslagen* beaten to a pulp; 2 *(mbt boeken, films)* pulp, junk (reading)

pump pump

pump(schoen) court (shoe), *(Am)* pump

punaise drawing pin, *(Am)* thumbtack

punctueel punctual

punk punk

punker punk

punt I *het* 1 *(plaats)* point, place: *het laagste ~ bereiken* reach rock-bottom; 2 *(moment)* point, moment: *hij stond op het ~ om te vertrekken* he was (just) about to leave; 3 *(onderdeel)* point, *(van programma, agenda ook)* item, *(van aanklacht ook)* count, *(kwestie, onderwerp ook)* matter, *(kwestie, onderwerp ook)* question, *(kwestie, onderwerp ook)* issue: *zijn zwakke ~* his weak point; *tot in de ~jes verzorgd: a) (uitstekend gekleed)* impeccably dressed; *b) (zeer goed georganiseerd)* shipshape; *geen ~!* no problem!; **II** *het, de* 1 *(leesteken)* full stop; *(decimaalpunt ook)* decimal (point): *~en en strepen* dots and dashes; *de dubbelepunt* the colon; *ik was gewoon kwaad, ~, uit!* I was just angry, full stop; 2 *(mbt waardering)* point: *hoeveel ~en hebben jullie?* what's your score?; *op ~en winnen (verslaan)* win on points; *hij is twee ~en vooruitgegaan* he has gone up (by) two marks; 3 *(cijfer)* mark *(bijv. door jury)*; **III** *de* 1 *(uiteinde)* point, tip, *(hoek)* corner, *(hoek)* angle: *het ligt op het ~je van mijn tong* it's on the tip of my tongue; *een ~ aan een potlood slijpen* sharpen a pencil; *op het ~je van zijn stoel zitten* be (sitting) on the edge of his seat; 2 *(puntig gesneden)* wedge

puntdak gable(d) roof, peaked roof

puntendeling draw

puntenklassement points classification

puntenlijst *(bij spel)* scorecard, scoresheet; *(op school)* report

puntenslijper (pencil) sharpener

puntensysteem points system, scoring system

puntentelling scoring

puntgaaf perfect, flawless

punthoofd: *ik krijg er een een ~ van* it is driving me crazy *(of:* up the wall)

puntig pointed, sharp: *~e uitsteeksels* sharp points; *~e bladeren* pointed leaves

puntje 1 (small, little) point, tip, dot: *de ~s op de i zetten* dot the i's and cross the t's; 2 *(broodje) (ongev)* roll; 3 *(vlek, stip)* dot, *(ook op lichaam)* spot: *als ~ bij paaltje komt* when it comes to the crunch *(of:* point)

puntkomma semicolon

puntmuts pointed cap, pointed hat

puntsgewijs point by point, step by step

puntzak cornet, cone

pupil 1 pupil, student; 2 *(sport; ongev)* junior

puppy puppy

puree puree, *(aardappels)* mashed potatoes ‖ *in de*

~ *zitten* be in hot water (*of:* the soup)

pureren puree, mash

purper purple

pus pus

put 1 well: *dat is een bodemloze* ~ it's a bottomless pit; *diep in de* ~ *zitten* be down, feel low; *iem uit de* ~ *halen* cheer s.o. up; **2** *(afvoerput)* drain: *geld in een bodemloze* ~ *gooien* pour (*of:* throw) money down the drain

putten draw (from, on)

puur 1 pure: *pure chocola* plain chocolate; ~ *goud* solid gold; *een whisky* ~ *graag* a straight whisky, please; **2** *(zuiver en alleen; geheel en al)* pure, absolute, sheer

puzzel puzzle

puzzelen do puzzles; solve crossword, jigsaw puzzles

pvc PVC

pygmee pygmy

pyjama pyjamas: *twee* ~'*s* two pairs of pyjamas

pyjamabroek pyjama trousers

Pyreneeën Pyrenees

pyromaan pyromaniac, firebug

Pythagoras Pythagoras: *stelling van* ~ Pythagoras theorem

python python

q

qua as regards, as far as ... goes
quadrafonie quadraphonics, quadraphony
quarantaine quarantine: *in ~ gehouden worden* be
  kept in quarantine
quasi 1 *(pseudo-)* quasi(-), pseudo-: *een ~ intellec-*
  tueel a pseudo-intellectual; 2 *(Belg)* almost, nearly:
  het is ~ onmogelijk it is scarcely (*of:* hardly) possible
quatre-mains (piano) duet, composition for four
  hands
quatsch nonsense, rubbish: *ach, ~!* nonsense!
quiche quiche
quitte quits, even: *~ spelen* break even; *~ staan met*
  be quits with
quiz quiz
quizleider quizmaster
quota quota, share
quotiënt quotient

r

¹ra *(scheepv)* yard

²ra: ~, ~, *wie is dat?* guess who?

raad 1 *(advies)* advice: *iem ~ geven* advise s.o.; *luister naar mijn ~* take my advice; 2 *(adviserend college)* council, board: *de ~ van bestuur* (of: *van commissarissen)* the board (of directors, of management); *met voorbedachten rade* intentionally, deliberately; *moord met voorbedachten rade* premeditated (of: wilful) murder; *hij weet overal ~ op* he's never at a loss; *geen ~ weten met iets* not know what to do with sth, not know how to cope with sth; *ten einde ~ zijn* be at one's wits' end

raadhuis town hall, city hall

raadplegen consult, confer with

raadsel 1 riddle: *een ~ opgeven* ask a riddle; 2 *(mysterie, geheim)* mystery: *het is mij een ~ hoe dat zo gekomen is* it's a mystery to me how that could have happened

raadselachtig mysterious, puzzling

raadsheer *(schaak)* bishop

raadslid councillor

raadsman legal adviser

raadsverkiezing municipal election

raadzaal council chamber

raadzaam advisable, wise

raaf raven

raak home: *~ schieten* hit the mark; *ieder schot was ~* every shot went home; *(iron) het is weer ~* they're at it again; *maar ~* at random; *maar ~ slaan* hit right and left; *klets maar ~* say what you like

raaklijn tangent (line)

raam window, casement: *het ~pje omlaag draaien* wind down the car window

raamkozijn window frame

raamvertelling frame story

raap turnip ‖ *recht voor zijn ~* straight from the shoulder

raapstelen turnip tops (of: greens)

raar I *bn* odd, funny, strange: *een rare* an odd fish, an oddball; II *bw (vreemd)* oddly, strangely: *daar zul je ~ van opkijken* you'll be surprised

raaskallen rave, talk gibberish, talk rot

raat (honey)comb

rabarber rhubarb

rabbi rabbi

rabbijn rabbi

rabiës rabies

race race: *nog in de ~ zijn* still be in the running; *een ~ tegen de klok* a race against time

raceauto racing car

racebaan (race)track

racefiets racing bicycle (of: bike)

racen race

racepaard racehorse

racisme racism

racist racist

racistisch racist

rad *((tand)wiel)* (cog)wheel: *het ~ van avontuur* the wheel of Fortune; *iem een ~ voor (de) ogen draaien* pull the wool over s.o.'s eyes

radar radar

radeloos desperate

raden guess: *raad eens wie daar komt* guess who's coming; *goed geraden!* you've guessed it; *mis (fout) ~* guess wrong; *je raadt het toch niet* you'll never guess; *je mag driemaal ~ wie het gedaan heeft* you'll never guess who did it; *dat is je geraden* you'd better

radertje cog(wheel): *een klein ~ in het geheel zijn* be just a cog in the machine

radiaalband radial (tyre)

radiator radiator

radicaal radical, drastic: *een ~ geneesmiddel* a radical cure; *een radicale partij* a radical party

radijs radish

radio radio, radio set: *de ~ uitzetten* switch off (of: turn off) the radio

radioactief radioactive: *~ afval* radioactive waste

radioactiviteit radioactivity

radiojournaal radio news (programme)

radionieuwsdienst radio news department (of: service)

radio-omroep broadcasting service

radio-omroeper radio announcer

radiotherapie radiotherapy, radiation therapy

radiotoestel radio (set)

radio-uitzending radio broadcast (of: transmission)

radioverslag radio report, *(van sportwedstrijd)* commentary

radius radius

radslag cartwheel: *~en maken* turn cartwheels

rafelen fray: *een gerafeld vloerkleed* a frayed carpet

raffinaderij refinery

raffineren refine

rag cobweb(s)

rage craze, rage: *de nieuwste ~* the latest craze

ragebol ceiling mop

ragfijn as light (of: fine, thin) as gossamer

ragout ragout: *~ van rundvlees* beef ragout (of: stew)

rail 1 rail: *iets (iem) weer op de ~s zetten* put sth (s.o.) back on the rails; 2 *(spoorweg)* rail(way): *vervoer per ~* rail transport

rakelings closely, narrowly: *de steen ging ~ langs*

zijn hoofd the stone narrowly missed his head
raken I *tr* 1 hit; 2 *(beroeren)* affect, hit: *dat raakt me totaal niet* that leaves me cold; 3 *(aanraken)* touch: *de auto raakte heel even het paaltje* the car grazed the post; **II** *intr (geraken (tot), worden)* get, become: *betrokken ~ bij* become involved in; *gewend ~ aan* get used to; *achterop ~* get *(of:* fall) behind; *op ~: a) (benzine, geld, voorraden)* run out *(of:* short, low), be low; *b) (fig; geduld)* run out; *(sport) uit vorm ~* lose one's form
raket missile, rocket: *een ~ lanceren* launch a missile *(of:* rocket)
raketbasis missile base, rocket base
rakker rascal
ram ram
Ram Aries, the Ram
ramadan Ramadan
rammel beating: *een pak ~* a beating
rammelaar rattle
rammelen I *intr* 1 rattle: *aan de deur ~* rattle the door; *met z'n sleutels ~* clink one's keys; 2 *(onsamenhangend in elkaar zitten)* be ramshackle: *dit plan rammelt aan alle kanten* this plan is totally unsound; *ik rammelde van de honger* my stomach was rumbling with hunger; **II** *tr (schudden)* shake: *een kind door elkaar ~* give a child a shaking
rammen ram, bash in *(of:* down): *de deur ~* bash the door down; *de auto ramde een muur* the car ran into a wall
ramp disaster: *een ~ voor het milieu* an environmental disaster; *ik zou het geen ~ vinden als hij niet kwam* I wouldn't shed any tears if he didn't come; *tot overmaat van ~* to make matters worse
rampen(bestrijdings)plan contingency plan
rampenfilm disaster film
rampgebied disaster area
rampzalig disastrous
rand 1 edge, rim: *de ~ van een bord* (of: *schaal)* the rim of a plate *(of:* dish); *een opstaande ~* a raised edge; *een brief met een zwarte ~* a black-edged letter; *aan de ~ van de stad* on the outskirts of the town; *aan de ~ van de samenleving* on the fringes of society; 2 *(versiering)* border, edge: *een ~ langs het tafelkleed* a border on the tablecloth; 3 *(omlijsting)* frame, rim: *de ~ van een spiegel* the frame of a mirror; *een bril met gouden ~en* gold-rimmed glasses; 4 *(mbt een holte, diepte)* edge, brink, (b)rim, verge: *aan de ~ van de afgrond: a)* on the brink of the precipice; *b) (fig)* on the verge of disaster; *tot de ~ gevuld* filled to the brim; 5 *(Zuid-Afrikaanse munt)* rand: *zwarte ~en onder zijn nagels hebben* have dirt under one's fingernails
randapparatuur peripheral equipment
randgemeente suburb
randgroepjongere young drop-out
randje edge, border, rim, *(fig)* verge, *(fig)* brink || *op het ~ (af)* on the borderline; *dat was op het ~* that was close *(of:* touch and go)
randstad: *de ~ (Holland)* the cities *(of:* conurba-

tion) of western Holland
randverschijnsel marginal phenomenon
randvoorwaarde precondition
rang 1 rank, position: *een ~ hoger dan hij* one rank above him; *mensen van alle ~en en standen* people from all walks of life; 2 *(mbt plaatsen)* circle: *we zaten op de tweede ~* we were in the upper circle
rangeerder shunter *(ook loc)*
rangeerterrein marshalling yard
rangeren shunt: *een trein op een zijspoor ~* shunt a train into a siding
ranglijst (priority) list, list (of candidates); *(sport ook)* (league) table: *bovenaan de ~ staan* be at the top of the list
rangschikken 1 classify, order, class; 2 *(ordenen)* order, arrange: *alfabetisch ~* arrange in alphabetical order
rangtelwoord ordinal (number)
ranja orange squash, orangeade
rank tendril
ranselen flog, thrash
rantsoen ration, allowance: *een ~ boter* a ration *(of:* an allowance) of butter
ranzig rancid
rap quick, swift: *iets ~ doen* do sth quickly
rapen pick up
rapmuziek rap music
rappen rap
rapport report, despatch: *~ uitbrengen* (of: *opmaken) over* produce *(of:* make) a report on; *een onvoldoende op zijn ~ krijgen* get a fail mark in one's report
rapportcijfer report mark
rapportenvergadering meeting to discuss pupils' reports
rapporteren report, *(door journalist)* cover: *~ aan* report to
rapsodie rhapsody
ras race *(mensen)*, breed *(dieren)*, variety *(planten)*: *van gemengd ~* of mixed race
rasartiest born artist
rashond pedigree dog, pure-bred dog
rasp grater
raspaard thoroughbred
raspen grate: *kaas ~* grate cheese
rassendiscriminatie racial discrimination
rasta Rasta(farian)
raster fence, lattice
raszuiver pure-blooded, *(van dieren)* pure-bred
rat rat: *hij zat als een ~ in de val* he was caught out
ratel rattle
ratelen rattle: *de wekker ratelt* the alarm clock is jangling
ratelslang rattlesnake
ratio 1 reason; 2 *(evenredige verhouding)* ratio
rationeel rational
ratjetoe hotchpotch, mishmash
rats: *in de ~ zitten (over)* have the wind up (about)
rauw I *bn* 1 raw: *~e biefstuk* raw steak; 2 *(mbt li-*

chaamsdelen, keel) sore: *een ~e plek* a raw spot; 3 *(mbt personen)* rough, tough: *dat viel ~ op mijn dak* that was an unexpected blow; **II** *bw* rawly, sorely, roughly

rauwkost vegetables eaten raw

ravage 1 ravage(s), havoc: *die hevige storm heeft een ~ aangericht* that violent storm has wreaked havoc; 2 *(puinhoop)* debris

ravijn ravine, gorge

ravioli ravioli

ravotten romp, horse around

rayon district, territory *(van verkoper)*: *hij heeft Limburg als zijn ~* he works Limburg

rayonchef area supervisor

razen race, tear: *de auto's ~ over de snelweg* the cars are racing along the motorway

razend 1 furious: *iem ~ maken* infuriate s.o.; *als een ~e tekeergaan* rave like a madman; 2 *(mateloos)* terrific: *hij heeft het ~ druk* he's up to his neck in work; *~ snel, in ~e vaart* at a terrific pace, at breakneck speed

razendsnel super-fast, high-speed

razernij frenzy, rage: *in blinde ~* in a blind rage; *iem tot ~ brengen* infuriate s.o.

razzia razzia

re re, D

reactie reaction, response: *als ~ op* in reaction to; *snelle ~s* sharp reflexes

reactiesnelheid speed of reaction

reactor reactor: *snelle ~* fast reactor

reageerbuis test tube: *bevruchting in een ~* test-tube *(of:* in vitro*)* fertilization

reageerbuisbaby test-tube baby

reageerbuisbevruchting test-tube *(of:* in vitro*)* fertilization

reageren react (to), respond *(op medische behandeling)*: *te sterk ~* overreact; *moet je eens kijken hoe hij daarop reageert* look how he reacts to that; *ze reageerde positief op de behandeling* she responded to the treatment

realiseerbaar realizable, feasible

realiseren **I** *tr* realize: *dat is niet te ~* that is impracticable; **II** *zich ~ (beseffen)* realize

realisme realism

realist realist

realistisch realistic: *~ beschrijven* (of: *schilderen)* describe (of: paint) realistically

realiteit reality: *we moeten de ~ onder ogen zien* we must face facts *(of:* reality)

reanimatie resuscitation, reanimation

reanimeren resuscitate, revive

rebel rebel

rebellenleider rebel leader

rebelleren rebel: *~ tegen …* rebel against …

rebels rebellious

rebus rebus

recensent reviewer, critic

recensie review, notice: *lovende (juichende) ~s krijgen* get rave reviews

recent recent

recept 1 *(med)* prescription: *alleen op ~ verkrijgbaar* available only on prescription; 2 *(mbt gerechten)* recipe *(voor koken)*

receptie 1 reception: *staande ~* stand-up reception; 2 *(ontvangstbalie)* reception (desk): *melden bij de ~* report to the reception (desk)

receptionist receptionist

recessie recession

recherche criminal investigation department

rechercheur detective

¹**recht** 1 justice, right: *iem ~ doen* do s.o. justice; *iem (iets) geen ~ doen* be unfair to s.o. (sth); *het ~ handhaven* uphold the law; *het ~ aan zijn kant hebben* be in the right; 2 *(rechtsregels)* law: *student (in de) ~en* law student; *burgerlijk ~* civil law; *het ~ in eigen handen nemen* take the law into one's own hands; *~en studeren* read *(of:* study) law; *volgens Engels ~* under English law; 3 *(bevoegdheid)* right: *~ van bestaan hebben* have a right to exist; *het ~ van de sterkste* the law of the jungle; *dat is mijn goed ~* that is my right; *het volste ~ hebben om …* have every right to …; *niet het ~ hebben iets te doen* have no right to do sth; *goed tot zijn ~ komen* show up well; *voor zijn ~(en) opkomen* defend one's right(s); 4 *(mv) (bevoegdheden behorend bij een stand, positie)* rights: *de ~en van de mens* human rights; 5 *(aanspraak)* right, claim: *~ op uitkering* entitlement to a benefit; *~ hebben op iets* have the right to sth; 6 *(mv) (bevoegdheid tot reproductie van een boek, film enz.)* (copy)right(s): *alle ~en voorbehouden* all rights reserved

²**recht** 1 straight: *de auto kwam ~ op ons af* the car was coming straight at us; *iets ~ leggen* put sth straight; *~ op iem (iets) afgaan* go straight for s.o. (sth); *iem ~ in de ogen kijken* look s.o. straight in the eye; *~ voor zich uitkijken* look straight ahead; *hij woont ~ tegenover mij* he lives straight across from me; *~ tegenover elkaar* face-to-face; 2 *(rechtop)* straight (up), upright: *~ zitten* (of: *staan)* sit *(of:* stand) up straight; *~ overeind* straight up, bolt upright; *~ hebben op iets* have the right to; 3 right *(kant van stof)*; direct *(evenredigheid)*; directly: *de ~e zijde van een voorwerp* the right side of an object; 4 *(juist)* right *(woord, pad)*; true *(oorzaak)*: *op het ~e pad blijven* keep to the straight and narrow; *~e hoek* right angle

rechtbank 1 court (of law, justice), lawcourt: *voor de ~ moeten komen* have to appear in court *(of:* before the court); 2 *(gebouw)* court, law courts, magistrates' court, *(Am)* courthouse

rechtbreien put right, rectify

rechtbuigen straighten (out), bend straight

rechtdoor straight on *(of:* ahead)

rechtdoorzee straight, honest, sincere

¹**rechter** judge, magistrate: *naar de ~ stappen* go to court; *voor de ~ moeten verschijnen* have to appear in court

²**rechter** right; *(mbt zaken)* right(-hand): *de ~ deur* the door on the *(of:* your) right

rechterarm right arm

rechterbeen right leg

rechter-commissaris examining judge (of: magistrate)

rechterhand right hand: *de tweede straat aan uw ~* the second street on your right

rechterkant right(-hand) side: *aan de ~* on the right(-hand) side

rechterlijk judicial, court: *de ~e macht* the judiciary

rechtervoet right foot

rechterzijde right(-hand) side: *pijn in de ~ hebben* have a pain in one's right side; *aan de ~* on the right(-hand side)

rechthoek rectangle, oblong

rechthoekig 1 right-angled; at right angles: *een ~e driehoek* a right-angled triangle; 2 *(met de vorm ve rechthoek)* rectangular, oblong: *een ~e kamer* a rectangular room

rechtmatig rightful *(erfgenaam enz.)*; lawful *(handeling)*; legitimate *(bewind, erfgenaam): de ~e eigenaars* the rightful (of: legitimate) owners

rechtop upright, straight (up), on end *(van langwerpige voorwerpen): ~ lopen* walk upright; *~ zitten* sit up straight

rechts 1 right(-hand): *de eerste deur ~* the first door on (of: to) the right; *~ afslaan* turn (off to the) right; *~ houden* keep (to the) right; *~ rijden* drive on the right; *~ boven* (of: beneden) top (of: bottom) right; *hij zat ~ van mij* he sat on my right(-hand side); 2 *(rechtshandig)* right-handed: *~ schrijven* write with one's right hand; 3 *(pol)* right-wing

rechtsachter right back

rechtsaf (to the, one's) right: *bij de splitsing moet u ~* you have to turn right at the junction

rechtsbescherming legal protection

rechtsbijstand legal aid

rechtsbuiten right-winger, outside right

rechtsgebouw law courts, magistrates' court, *(Am)* court-house

rechtsgeldig (legally) valid, lawful

rechtsgeldigheid legality, legal force (of: validity)

rechtsgelijkheid equality before the law, equality of rights (of: status)

rechtshandig right-handed

rechtshulp legal aid: *bureau voor ~* legal advice centre

rechtsomkeert: *~ maken: a) (mil)* do an about-turn; *b) (fig)* make a U-turn

rechtsongelijkheid inequality of status, legal inequality

rechtsorde legal order, system of law(s)

rechtspersoon legal body (of: entity, person)

rechtspositie legal position

rechtspraak 1 administration of justice (of: of the law); 2 *(rechtspleging)* jurisdiction: *de ~ in strafzaken* criminal jurisdiction

rechtspreken administer justice: *de ~de macht* the judicature, the judiciary; *~ in een zaak* judge a case

rechtsstaat constitutional state

rechtstreeks 1 direct, straight(forward): *een ~e verbinding* a direct connection; *~ naar huis gaan* go straight (of: right) home; 2 *(zonder tussenschakel)* direct, immediate: *een ~e uitzending* a direct broadcast; *hij wendde zich ~ tot de minister* he went straight to the minister

rechtsvervolging legal proceedings, prosecution: *een ~ tegen iem instellen* institute legal proceedings against s.o.; *ontslaan van ~* acquit

rechtswinkel law centre (of: clinic)

rechtszaak lawsuit: *ergens een ~ van maken* take a matter to court

rechtszaal courtroom

rechtszitting sitting (of: session) of the court

rechttoe: *~, rechtaan* straightforward; *het was allemaal ~ rechtaan* it was plain sailing all the way

rechttrekken *(goedmaken)* set right, put right

rechtuit straight on (of: ahead): *~ lopen* walk straight on

rechtvaardig just, fair: *een ~ oordeel* a fair judg(e)ment; *iem ~ behandelen* treat s.o. fairly

rechtvaardigen justify, *(wettigen ook)* warrant: *zich tegenover iem ~* justify oneself to s.o.

rechtvaardigheid justice

rechtvaardiging justification

rechtzetten 1 put right, set right, rectify; 2 *(in de juiste stand zetten)* adjust; 3 *(overeind zetten)* set up, put up, raise

recital recital

reclame 1 advertising, publicity: *~ maken (voor iets)* advertise (sth); 2 *(bericht)* ad(vertisement), sign

reclameaanbieding special offer

reclameblaadje advertising leaflet, pamphlet, *(krantje ook)* free sheet

reclameboodschap commercial

reclamebord billboard, *(groot)* hoarding, (advertising) sign *(tegen muur)*

reclamebureau advertising agency

reclamecampagne advertising campaign: *een ~ voeren* run (of: conduct) an advertising campaign

reclamedrukwerk advertising leaflets (of: brochures): *mijn brievenbus zat vol ~* my letterbox was full of advertisements

reclamefolder advertising brochure (of: pamphlet)

reclameren complain, put in a claim

reclamespot commercial, (advertising) spot

reclamestunt advertising stunt, publicity stunt

reclassering after-care and rehabilitation

reclasseringsambtenaar probation officer

reclasseringswerk after-care and resettlement (of discharged prisoners)

reconstructie reconstruction

reconstrueren reconstruct

record record: *een ~ breken* (of: vestigen) break (of: establish) a record

recordhouder record-holder

recordpoging attempt on a record

recreatie recreation, leisure

recreatief recreational

rectificatie rectification

rector 1 headmaster, *(vnl. Am)* principal; 2 *(van universiteit enz.)* rector

reçu receipt

recyclen recycle

redacteur editor

redactie editors, editorial staff

redactioneel editorial: *een ~ artikel* an editorial

redden I *tr* 1 save, rescue, *(bij ramp ook)* salvage: *de ~de hand toesteken* be the saving of a person; *we moeten zien te ~ wat er te ~ valt* we must make the best of a bad job; *gered zijn* be helped *(bijv. door iets te krijgen)*; 2 (met *het) (gedaan krijgen)* manage: *de zieke zal het niet ~* the patient won't pull through; *Jezus redt* Jesus saves; II *zich ~* manage, cope: *ik red me best!* I can manage all right!

redder rescuer, saviour

redding rescue, salvation

reddingsactie rescue operation

reddingsboot lifeboat

reddingsbrigade rescue party *(of:* team)

reddingsoperatie rescue operation

reddingsploeg rescue party *(of:* team), *(om iem te zoeken)* search party

reddingspoging rescue attempt *(of:* bid, effort): *hun ~en mochten hem niet baten* their attempts *(of:* efforts) to rescue him were in vain

rede 1 reason, sense: *hij is niet voor ~ vatbaar* he won't listen to *(of:* see) reason; 2 *(redevoering)* speech, address *(toespraak)*: *een ~ houden* make a speech; 3 *(begripsvermogen)* reason, intelligence, intellect: *iem in de ~ vallen* interrupt s.o.

redelijk I *bn* 2 rational, sensible; 3 *(billijk; acceptabel)* reasonable, fair: *binnen ~e grenzen* within (reasonable) limits; *een ~e prijs* a reasonable price; *een ~e kans maken* stand a reasonable chance; II *bw* 1 rationally: *~ denken* think rationally; 2 *(tamelijk)* reasonably, fairly: *ik ben ~ gezond* I am in reasonably good health

redelijkerwijs in fairness: *~ kunt u niet meer verlangen* in all fairness you cannot expect more

redeloos 1 irrational; 2 *(dwaas)* unreasonable

reden 1 reason, cause, occasion: *om persoonlijke ~en* for personal reasons; *ik heb er mijn ~ voor* I have my reasons; *om die ~* for that reason; *geen ~ tot klagen hebben* have no cause *(of:* ground) for complaint; *een ~ te meer om …* all the more reason why …; 2 *(motief, argument)* reason, motive: *zonder opgaaf van ~en* without reason; *~ geven tot* give cause for

redenaar speaker, orator

redeneren reason, argue (about): *daartegen is (valt) niet te ~* there is no arguing with that

redenering reasoning, argumentation: *een fout in de ~* a flaw in the reasoning

reder shipowner

rederij shipping company, shipowner(s)

redevoering speech, address: *een ~ houden* make

(of: deliver) a speech

reduceren reduce, decrease: *gereduceerd tarief* reduced rate

reductie reduction, decrease, *(vnl. besnoeiing)* cut, cutback: *~ geven* give a discount

ree roe(deer)

reebok roebuck

reëel 1 real, actual: *reële groei van het inkomen* growth of real income; 2 *(zakelijk, nuchter)* realistic, reasonable: *een reële kijk op het leven hebben* have a realistic outlook on life

reeks 1 series, row, string *(woorden, tekens)*; 2 *(opeenvolging)* series, succession, sequence: *een ~ ongelukken* a string *(of:* succession) of accidents

reep 1 strip, thong *(leer)*; *(band)* band, *(reepje)* sliver: *de komkommer in ~jes snijden* slice the cucumber thinly; 2 *(van chocolade)* (chocolate) bar

reet 1 crack, chink; 2 *(plat) (achterste)* arse, *(Am)* ass, backside

referentie *((opgave van) personen)* reference, *(persoon ook)* referee: *mag ik u als ~ opgeven?* may I use you as a reference?

reflecteren reflect, mirror

reflectie reflection

reflector reflector, *(op wegdek)* Catseye

reflex reflex: *een aangeboren ~* an innate reflex

reformartikel health food product, wholefood product

reformwinkel health food shop, wholefood shop

refrein refrain, chorus: *iedereen zong het ~ mee* everybody joined in the chorus

refter refectory

regeerakkoord coalition agreement

regeerperiode period of office, period of government

regel 1 line: *een ~ overslaan* skip a line, *(bij schrijven ook)* leave a line blank; *tussen de ~s door lezen* read between the lines; 2 *(gewoonte)* rule: *het is ~ dat …* it is a (general) rule that …; *in de ~* as a rule, ordinarily; 3 *(voorschrift)* rule, regulation, *(van spel ook)* law: *tegen alle ~s in* contrary to *(of:* against) all the rules

regelafstand line space, spacing: *op enkele ~* single-spaced

regelen 1 regulate, *(organiseren)* arrange, fix (up), settle *(zaken, schulden)*, control *(verkeer)*; *(techn ook)* adjust, *(orde scheppen)* order: *de geluidssterkte ~* adjust the volume; *de temperatuur ~* regulate *(of:* control) the temperature; *het verkeer ~* direct the traffic; *ik zal dat wel even ~* I'll take care of that; 2 *(bepalen, vaststellen)* regulate, lay down rules for

regeling 1 regulation, arrangement, settlement, ordering, control *(verkeer)*; *(afstelling)* adjustment: *de ~ van de geldzaken* the settling of money matters; *een ~ treffen* make an arrangement *(of:* a settlement); 2 *(schikking)* arrangement, settlement, scheme *(pensioen, sparen)*

regelmaat regularity: *met de ~ van de klok* as regular as clockwork

re

regelmatig 1 regular, orderly: *een ~e ademhaling* regular (*of:* even) breathing; *een ~ leven leiden* lead a regular (*of:* an orderly) life; 2 (*geregeld*) regular, (*vaak*) frequent: *~ naar de kerk gaan* be a regular churchgoer; *dat komt ~ voor* that happens regularly

regelrecht straight, direct, (*bw ook*) right: *de kinderen kwamen ~ naar huis* the children came straight home

regen 1 rain: *aanhoudende ~* persistent rain; *in de stromende ~* in the pouring rain; *zure ~* acid rain; 2 (*bui*) rain, (*buitje*) shower

regenachtig rainy, showery: *een ~e dag* a rainy day

regenboog rainbow

regenboogtrui (*sport*) rainbow jersey

regenboogvlies iris

regenbui shower (of rain), (*zwaar*) downpour

regendruppel raindrop

regenen rain, (*licht*) shower, drizzle: *het heeft flink geregend* there was quite a downpour; *het regent dat het giet* it is pouring

regenjas raincoat, mackintosh

regenkleding rainproof clothing, rainwear

regenmeter rain gauge

regenpijp drainpipe

regent 1 regent; 2 (*Belg*) teacher for lower classes in secondary school

regentijd rainy season, rains: *in de ~* during the rainy season

regenval rain(fall), (*bui*) shower

regenworm earthworm

regenwoud rainforest

regeren rule (over), reign (*vnl. vorst*), govern, control: *de ~de partij* the party in power

regering government: *de ~ is afgetreden* the government has resigned

regeringsbeleid government policy

regeringsleider leader of the government

regeringspartij party in office (*of:* power), government party

regie direction, production

regieassistent (*film, tv*) assistant to the director

regime regime

regiment regiment

regio region, area

regiokorps regional police force

regionaal regional

regisseren direct, produce

regisseur director, producer

register 1 register, record: *de ~s van de burgerlijke stand* the register of births, deaths and marriages; *een alfabetisch ~* an alphabetical register; 2 (*inhoudsopgave*) index, table of contents

registeraccountant chartered accountant; certified public accountant

registratie registration

registreren register, record

reglement regulation(s), rule(s), (*concr*) rule book, (*concr*) rules and regulations: *huishoudelijk ~* regulations

reguleren regulate, control, adjust

regulier regular, normal

rehabilitatie rehabilitation, vindication

rehabiliteren rehabilitate, vindicate

rei (*Belg*) (*stadsgracht*) town canal, city canal

reiger heron

reiken reach, extend: *zo ver het oog reikt* as far as the eye can see

reikwijdte range, scope

reïncarnatie reincarnation

reinigen clean (up), wash, cleanse (*wonden*): *chemisch ~* dry-clean

reiniging cleaning, cleansing, washing, purification: *chemische ~* dry-cleaning

reinigingsdienst cleansing service (*of:* department)

reinigingsmiddel cleansing agent, clean(s)er, ((*af*)*wasmiddel*) detergent

reis trip, journey, voyage (*per boot*), passage (*per boot*), flight (*per vliegtuig*): *enkele ~* single (journey), (*Am*) one-way; *goede ~* have a good (*of:* pleasant) journey; *een ~ om de wereld maken* go round the world; *op ~ gaan* go on a journey; 2 (*arrangement*) trip, tour: *een geheel verzorgde ~* a package tour (*of:* holiday)

reisbureau travel agency, (*winkel*) travel agent's

reischeque traveller's cheque

reisdeclaratie claim for travelling expenses

reis- en kredietbrief circular letter of credit

reisgezelschap tour(ing) group (*of:* party); (*in bus ook*) coach party

reisgids 1 travel brochure (*of:* leaflet); 2 (*boek*) guidebook, (travel) guide; 3 (*persoon*) (travel) guide, courier

reiskaart ticket

reiskosten travelling expenses: *reis- en verblijfkosten* travel and living expenses

reiskostenvergoeding travelling allowance

reisleider (travel, tour) guide, courier

reisorganisatie travel organization (*of:* company), tour operator

reisorganisator tour operator

reisverzekering travel insurance

reiswieg carrycot, portable crib

reizen travel, go on a trip (*of:* journey): *op en neer ~* travel up and down; *per spoor ~* travel by train

reiziger 1 traveller, tourist, (*passagier*) passenger: *~s naar Londen hier overstappen* passengers for London change here; 2 (*handelsreiziger*) travelling salesman

¹**rek** rack, shelves (*mv*)

²**rek** elasticity, give, flexibility: *de ~ is er uit* the party is over

rekenen I *intr* 1 calculate, do sums (*of:* figures), reckon: *goed kunnen ~* be good at figures; *in euro ~* reckon in euros; 2 (*rekening houden met*) consider, include, take into consideration (*of:* account): *daar had ik niet op gerekend* I hadn't counted on (*of:* expected) that; *daar mag je wel op* ~ you'd better allow for that; 3 *(met op) (vertrouwen)* rely, count on, trust: *kan ik op je* ~? can I count (*of:* depend) on you?; *reken maar niet op ons* count us out; 4 *(met op) (verwachten)* expect: *je kunt op 40 gasten* ~ you can expect 40 guests; **II** *tr* **1** count: *alles bij elkaar gerekend* all told, in all; 2 *((geld) vragen)* charge, ask: *hoeveel rekent u daarvoor?* how much do you charge for that?; 3 *(begrijpen onder)* count, number: *zich* ~ *tot* count oneself as (*of:* among); 4 *(in aanmerking nemen)* bear in mind, remember, allow for: *reken maar!* you bet!

rekening 1 bill; *(Am ook)* check, invoice: *een hoge* ~ a stiff bill; *een* ~ *betalen* (of: *voldoen)* pay/settle an account (*of:* a bill); *ober, mag ik de* ~? waiter, may I have the bill please?; 2 *(staat met debet- en creditzijde)* account: *een* ~ *openen (bij een bank)* open an account (at a bank); *op* ~ *van* at the expense of; *dat is voor mijn* ~ I'll take care of that, leave that to me; *kosten voor zijn* ~ *nemen* pay the costs; 3 *(met voor)* expense: *voor eigen* ~ at one's own expense; ~ *houden met iets* take sth into account; *je moet een beetje* ~ *houden met je ouders* you should show some consideration for your parents

rekening-courant current account
rekeninghouder account holder
rekeningnummer account number
Rekenkamer audit office, auditor's office
rekenkunde arithmetic, maths
rekenkundig arithmetic(al)
rekenliniaal slide rule
rekenmachine calculator
rekensom 1 sum; *(mv ook)* number work; 2 *(fig)* problem, question: *het is een eenvoudig* ~*metje* it's just a matter of adding two and two; *een eenvoudige* ~ *leert dat* … it is easy to calculate that …
rekken I *intr* stretch: *dat elastiek rekt niet goed meer* that elastic has lost its stretch; **II** *tr* **1** *(wijder maken)* stretch (out) *(schoenen, linnen)*; 2 *(mbt duur)* drag out, draw out, prolong *(onderhandelingen, leven)*: *het leven van een stervende* ~ prolong a dying person's life; *(voetbal) tijd* ~ use delaying tactics
rekruut recruit
rekstok horizontal bar, high bar
rekwisiet (stage-)property, prop
rel disturbance; riot: *een* ~ *schoppen* kick up (*of:* cause) a row
relais relay
relatie 1 relation(s), connection, relationship, contact: ~*s onderhouden (met)* maintain relations (with); *in* ~ *staan tot* have relations with; 2 *(liefdesverhouding)* affair, relationship: *een* ~ *hebben met iem* have a relationship with s.o.
relatief relative, comparative
relatiegeschenk business gift
relativeren put into perspective
relaxen relax
relevant relevant: *die vraag is niet* ~ that question is irrelevant

relevantie relevance
reliëf relief
religie religion
religieus religious
relikwie relic
reling rail
relschopper rioter, hooligan
rem brake: *op de* ~ *gaan staan* slam (*of:* jam) on the brakes
rembekrachtiging power(-assisted) brakes
rembours cash on delivery, COD: *onder* ~ *versturen* send (sth) COD
remise draw, tie, drawn game
remlicht brake light
remmen brake, *(fig ook)* curb, check *(stuiten, afremmen)*, inhibit *(vertragen, ook psychisch)*: *geremd in zijn ontwikkeling* curbed in its development
remming check, *(fig)* inhibition
rempedaal brake pedal
remspoor skid mark
remweg braking distance
ren *(voor kippen enz.)* run
renaissance renaissance
renbaan (race)track, (race)course
rendabel profitable, cost-effective
rendement 1 return, yield, output: *het* ~ *van obligaties* the return (*of:* yield) on bonds; 2 *(nuttig effect)* efficiency, output, performance: *het* ~ *van een elektrische lamp* the efficiency (*of:* output) of an electric lamp
rendier reindeer
rennen run, race: *we zijn laat, we moeten* ~ we're late; we must dash (off) (*of:* must fly)
renner rider
renovatie renovation, redevelopment
renoveren renovate; *(hele wijk)* redevelop
renpaard racehorse, thoroughbred
rentabiliteit productivity, cost-effectiveness, profitability
rente interest: ~ *opbrengen* yield interest; ~ *op* ~ compound interest; *een lening tegen vijf procent* ~ a loan at five per cent interest
rentenieren 1 live off one's investments; 2 *(niets uitvoeren)* lead a life of leisure
rentepercentage interest rate
renteverhoging rise in interest rates
renteverlaging fall in interest rates
rentevoet interest rate, rate of interest
reorganisatie reorganization
reorganiseren reorganize: *het onderwijs* ~ reorganize the educational system
rep: *het hele land was in* ~ *en roer* the entire country was in (an) uproar
reparateur repairer; repairman; *(monteur)* service engineer
reparatie repair: *mijn horloge is in (de)* ~ my watch is being repaired
repareren repair, mend, fix: *dat is niet meer te* ~ it's

re

beyond repair

repertoire repertoire, repertory: *het klassieke ~* the classics; *zijn ~ afwerken* do one's repertoire

repeteren I *intr* 1 *(instuderen)* rehearse; 2 *(zich herhalen)* repeat; circulate; II *tr* rehearse, *(oefenen)* run through, go through

repetitie rehearsal, run-through *(toneel-, muziekstuk),* practice *(vooral van koren):* generale ~ dress rehearsal *(toneel),* final *(of:* last) rehearsal *(muziek)*

reportage report, coverage, *(commentaar)* commentary: *de ~ van een voetbalwedstrijd* the coverage of a football match

reporter reporter

reppen 1 mention; 2 hurry, rush

represaille reprisal, retaliation: *~s nemen (tegen)* retaliate *(of:* take reprisals) (against)

representatief 1 representative (of), typical (of): *een representatieve groep van de bevolking* a cross-section of the population; *een representatieve steekproef* a representative sample; 2 *(goede indruk makend)* representative, presentable

representeren represent

reproduceren reproduce, copy

reproductie reproduction, copy

reptiel reptile

republiek republic

republikein republican

reputatie reputation, name, fame *((goede) naam): een goede* (of: *slechte) ~ hebben* have a good *(of:* bad) reputation; *iemands ~ schaden, slecht zijn voor iemands ~* damage s.o.'s reputation

requiem requiem (mass)

research research

reservaat reserve, preserve: *indianenreservaat* Indian reservation; *natuurreservaat* nature reserve

reserve 1 reserve(s): *zijn ~s aanspreken* draw on one's reserves; 2 *(terughoudendheid)* reserve, reservation: *zonder enige ~* without reservations

reserveband spare tyre

reservebank reserve(s') bench; sub bench

reserveonderdeel spare part

reserveren 1 reserve, put aside *(of:* away, by): *1000 euro ~ voor* set aside 1000 euros for; *een artikel voor iem ~* put aside an article for s.o.; 2 *(bespreken)* book; reserve: *een tafel ~* reserve *(of:* book) a table

reservering booking, reservation

reservesleutel spare key

reservespeler reserve (player), substitute (player)

reservewiel spare wheel

reservoir reservoir, tank

resoluut resolute, determined

resoneren resonate

respect respect, *(achting)* regard, *(eerbied)* deference: *~ afdwingen* command respect; *voor iets (iem) ~ tonen* show respect for sth (s.o.); *met alle ~* with all (due) respect

respectabel respectable, *(aanzienlijk)* considerable

respecteren respect; appreciate: *zichzelf ~d* self-respecting; *iemands opvattingen ~* respect s.o.'s views

respectievelijk respective: *bedragen van ~ 10, 20 en 30 euro* sums of 10, 20 and 30 euros respectively

respons response, reaction

rest rest, remainder: *de ~ van het materiaal* the remainder of the material; *voor de ~ geen nieuws* otherwise no news

restant remainder, remnant

restaurant restaurant

restauratie restoration

restaureren restore

resten remain, be left: *hem restte niets meer dan ...* there was nothing left for him but to ...; *nu rest mij nog te verklaren ...* now it only remains for me to say ...

resteren be left, remain

restje: *ik heb nog een ~ van gisteren* I've got a few scraps (left over) from yesterday

restwarmte residual heat *(of:* warmth)

resultaat 1 result, effect, outcome: *het plan had het beoogde ~* the plan had the desired effect; *resultaten behalen* achieve results; *met het ~ dat ...* with the result that ...; *zonder ~* with no result; 2 *(opbrengst)* result, *(winst)* returns

retorisch rhetorical: *een ~e vraag* a rhetorical question

retort retort

retoucheren retouch, touch up

retour I *zn* return (ticket), *(Am)* round-trip (ticket): *een ~ eerste klas Utrecht* a first-class return (ticket) to Utrecht; *op zijn ~* past his *(of:* its) best; II *bw* back || *~ afzender* return to sender; *drie euro ~* three euros change

retourbiljet return ticket, *(Am)* round-trip ticket

retourenveloppe self-addressed envelope

retourneren return

retourtje return, *(Am)* round-trip

retourvlucht 1 return flight; 2 *(heen en weer)* return flight, *(Am)* round-trip flight

reu male dog

reuk 1 smell, odour: *een onaangename ~ verspreiden* give off an unpleasant smell; 2 *(reukzin)* smell, *(van dieren ook)* scent: *op de ~ afgaan* hunt by scent

reukloos odourless *(gas e.d.);* scentless *(bloem)*

reukzin (sense of) smell

reuma rheumatism

reumatisch rheumatic

reünie reunion

reus giant

reusachtig 1 gigantic, huge; 2 *(prachtig)* great, terrific

reuze *(in hoge mate)* enormously: *~ veel* an awful lot; *~ bedankt* thanks awfully

reuzel lard

reuzenrad Ferris wheel

revalidatie rehabilitation

revalidatiecentrum rehabilitation centre

revalideren recover, convalesce

revalueren revalue
revanche 1 revenge: *~ nemen op iem* take revenge on s.o.; **2** *(sport)* return (game, match); *(boksen)* return bout: *iem ~ geven* give s.o. a return game
revers lapel
reviseren overhaul
revolutie revolution: *de Amerikaanse Revolutie* the American War of Independence
revolutionair revolutionary: *een ~e ontdekking* a revolutionary discovery
revolver revolver
revue 1 revue, show; **2** review
Rhodos Rhodes
riant ample, spacious: *een ~e villa* a spacious villa
rib rib: *de zwevende ~ben* the floating ribs; *je kunt zijn ~ben tellen* he is a bag of bones
ribbel rib, ridge, *(in zand enz.)* ripple
ribbenkast rib cage
ribbroek cord(uroy) trousers
ribfluweel cord(uroy)
ribkarbonade rib chop
richel ledge, ridge
richten I *intr, tr* **1** direct, aim, orient: *gericht op* aimed at, directed at, oriented towards; *zijn ogen op iets ~* focus one's eyes on sth; *het geweer op iem ~* aim a gun at s.o.; **2** *(sturen)* direct, address, extend *(uitnodiging, dankwoord enz.)*: *een brief, aan mij gericht* a letter addressed to me; *een vraag ~ tot de voorzitter* direct a question to the chairman; **3** *(in bepaalde richting brengen)* align: *naar het oosten gericht* facing east; **II** *zich ~* **1** *(met tot) (zich wenden tot)* address (oneself to): *richt u met klachten tot ons bureau* address any complaints to our office; **2** *(met naar) (als voorbeeld nemen)* conform to: *zich ~ naar de omstandigheden* be guided by circumstances
richting direction: *zij gingen ~ Amsterdam* they went in the direction of *(of:* they headed for*)* Amsterdam; *iem een zetje in de goede ~ geven* give s.o. a push in the right direction; *(verkeer) ~ aangeven* indicate direction, signal; *dat komt aardig in de ~* that's looks something like it; *van ~ veranderen* change direction
richtingaanwijzer (direction) indicator
richtinggevoel sense of direction
richtlijn guideline, *(mv)* directions: *iets volgens de ~en uitvoeren* do sth in the prescribed way
richtmicrofoon directional microphone
ridder knight: *iem tot ~ slaan* dub s.o. a knight, knight s.o.
ridderlijk chivalrous ‖ *hij kwam er ~ voor uit* he frankly *(of:* openly*)* admitted it
ridderorde knighthood, order
ridicuul ridiculous
riedel tune, jingle
riek (three-pronged) fork
riem 1 belt; **2** strap *(aan horloge e.d.)*, belt *(over schouder)*, sling *(van fototoestel, kijker, geweer)*, leash *(van hond)*; **3** *(mv)* *(veiligheidsgordels)* seat belts

riet reed, *(dik)* cane
rieten reed; *(van biezen)* rush; *(van bamboe)* cane; *(van tenen)* wicker(work): *~ stoel* cane *(of:* wicker*)* chair; *~ dak* thatched roof
rietje 1 straw; **2** *(muz)* reed
rietsuiker cane sugar
rif reef
rigoureus rigorous
rij 1 row, line: *~en auto's* rows of cars, *(files)* queues of cars; *een ~ bomen* a line of trees; *een ~ mensen: a) (naast elkaar)* a row of people; *b) (achter elkaar)* a line *(of:* queue*)* of people; *in de eerste (of:* voorste*) ~en* in the front seats *(of:* rows*)*; *in de ~ staan* queue, *(Am)* stand in line; **2** *(volgorde)* row, *(cijfers)* string: *een ~ getallen: a) (onder elkaar)* a column of figures; *b) (naast elkaar)* a row of figures; *ze niet allemaal op een ~tje hebben* have a screw loose
rijbaan roadway, *(strook)* lane: *weg met gescheiden rijbanen* dual carriageway
rijbewijs driving licence, *(Am)* driver's license: *z'n ~ halen* pass one's driving test
rijbroek jodhpurs, riding breeches
rijden 1 *(besturen)* drive *(auto, bus, trein)*; ride *((motor)fiets, paard)*: *honderd kilometer per uur ~* drive *(of:* do*)* a hundred kilometres an hour; *het is twee uur ~* it's a two-hour drive; *hij werd bekeurd omdat hij te hard reed* he was fined for speeding; *door het rode licht ~* go through a red light; *in een auto ~* drive (in) a car; *op een (te) paard ~* ride a horse *(of:* on horseback*)*; **2** drive *(auto)*; ride *((motor)fiets, rolstoel)*; *(snelheid hebben)* move, *(volgens dienstregeling)* run *(trein, bus)*, do *(mbt snelheid, afstand)*: *hoeveel heeft je auto al gereden?* how many miles *(of:* kilometres*)* has your car done?; *(te) dicht op elkaar ~* not keep one's distance; *de tractor rijdt op dieselolie* the tractor runs *(of:* operates*)* on diesel oil; *die auto rijdt lekker* that car is pleasant to drive
rijdend 1 mobile: *~e bibliotheek* mobile *(of:* travelling*)* library, *(Am)* bookmobile; **2** *(in beweging zijnd)* moving
rijder rider *(racefietser)*; driver *(auto)*; *(fietser)* cyclist
rijexamen driving test: *~ doen* take one's driving test
rijgedrag driving (behaviour), motoring performance
rijgen thread, string
rijglaars lace-up boot
rijhoogte maximum vehicle height
rij-instructeur driving instructor
¹rijk 1 realm: *het ~ der hemelen* the Kingdom of Heaven; *het Britse Rijk* the British Empire; **2** *(land, natie)* state, kingdom, empire; **3** *(landelijke overheid)* government, State: *door het Rijk gefinancierd* State-financed
²rijk 1 rich, wealthy: *stinkend ~ zijn* be filthy rich; **2** *(overvloedig)* rich; fertile *(grond enz.)*; generous

(maal): hij heeft een ~e verbeelding he has a fertile imagination

rijkdom 1 wealth, affluence; 2 *(iets dat de mens van nut is)* resource: *natuurlijke ~men* natural resources

rijkelijk lavish, liberal

rijkelui rich people

rijksambtenaar public servant

rijksbegroting (national) budget

rijksdaalder two-and-a-half guilder coin

rijksinstelling government institution *(of:* institute)

rijksinstituut national institute

rijksluchtvaartdienst Civil Aviation Authority

Rijksmunt Mint

rijksmuseum national museum, *(voor kunst ook)* national gallery

rijksoverheid central government, national government

rijkspolitie national police (force)

rijksrecherche national department of criminal investigation

rijksuniversiteit state university

rijksvoorlichtingsdienst government information service

rijkswacht *(Belg)* state police

rijkswachter *(Belg)* state policeman

rijkswaterstaat *(ongev)* Department *(of:* Ministry) of Waterways and Public Works

rijksweg national trunk road, *(Am)* state highway

rijles driving lesson; *(paard)* riding lesson: *~ nemen* take driving *(of:* riding) lessons

rijm rhyme, *(gedicht ook)* verse: *op ~* rhyming, in rhyme

rijmen 1 be in rhyme *(of:* verse); rhyme (with): *deze woorden ~ op elkaar* these words rhyme (with each other); 2 *(verzen maken)* rhyme, versify

rijmpje rhyme, short verse

Rijn Rhine

rijnaak Rhine barge

¹rijp 1 ripe: *~ maken (worden)* ripen, mature; 2 *(mbt personen)* mature: *op ~ere leeftijd* at a ripe age; 3 *(met voor) (geschikt geworden)* ripe (for), ready (for): *~ voor de sloop* ready for the scrap heap; 4 *(goed overwogen)* serious: *na ~ beraad* after careful consideration

²rijp (white) frost, hoarfrost

rijpen ripen; *(mbt personen, zaken)* mature

rijpheid ripeness, maturity: *tot ~ komen* ripen, mature

rijschool driving school; *(manege)* riding school *(of:* academy)

rijst rice

rijstebrij rice pudding

rijstijl driving style

rijstkorrel grain of rice

rijstoogst rice crop *(of:* harvest)

rijstrook (traffic) lane

rijsttafel (Indonesian) rice meal

rijtjeshuis terrace(d) house, *(Am)* row house

rijtuig 1 carriage; 2 *(treinstel)* carriage, *(Am)* car

rijvaardigheid driving ability *(of:* proficiency)

rijven *(Belg) (harken)* rake

rijweg road(way)

rijwiel (bi)cycle

rijwielhandel bicycle shop

rijwielhandelaar bicycle dealer

rijwielpad cycle path, cycle track

rijwielstalling (bi)cycle lock-up

rijzen rise: *laat het deeg ~* leave the dough to rise; *de prijzen ~ de pan uit* prices are soaring

rijzweep (hunting, riding) crop, riding whip

rikketik ticker

riks two-and-a-half guilder (coin)

riksja rickshaw

rillen shiver, shudder, tremble: *hij rilde van de kou* he shivered with cold

rilling shiver, shudder, tremble: *koude ~en hebben* have the shakes *(of:* shivers); *er liep een ~ over mijn rug* a shiver ran down my spine

rimboe jungle

rimpel wrinkle: *een gezicht vol ~s* a wrinkled face

rimpelen 1 wrinkle (up): *het voorhoofd ~* wrinkle one's forehead; 2 *(plooien (maken in))* crinkle (up)

rimpelig wrinkled: *een ~e appel* a wizened apple

ring ring

ringbaard fringe of beard

ringband ring-binder

ringmap ring-binder

ringslang grass snake, ring(ed) snake

ringvinger ring finger

ringweg ring road

ringworm ringworm

rinkelen jingle, tinkle, ring *(bel)*, chink *(glas, metaal)*: *~de ruiten* rattling panes of glass; *de ~de tamboerijn* the jingling tambourine

rinoceros rhinoceros, rhino

riolering sewerage, sewer system

riool sewer: *een open ~* an open sewer

rioolbuis sewer

rioolwaterzuiveringsinrichting sewage plant

risico risk: *dat behoort tot de ~'s van het vak* that's an occupational hazard; *het ~ lopen (van)* run the risk (of); *te veel ~'s nemen* run *(of:* take) too many risks; *op eigen ~* at one's own risk; *voor ~ van de eigenaar* at the owner's risk; *geen ~ willen nemen* not want to take any chances

risicodragend risk-bearing

risicogroep high-risk group

riskant risky: *een ~e onderneming* a risky enterprise

riskeren risk

rit 1 ride, run, *(met auto ook)* drive: *een ~je maken* go for a ride; 2 *(wielersport)* stage, ride

ritme rhythm: *uit zijn ~ raken* lose one's rhythm

ritmisch rhythmic(al): *~ bewegen* move rhythmically

rits 1 zipper, zip; 2 *(serie, rij)* bunch, string *(namen,* auto's), batch *(schriften, brieven)*, battery *(camera's, vragen)*: een ~ kinderen a whole string of children

ritselen rustle: *ik hoor een muis ~ achter het behang* I can hear a mouse scuffling behind the wallpaper; *~ met een papiertje* rustle a paper

ritssluiting zipper, zip: *kun je me even helpen met mijn ~?* can you help zip me up? *(of:* unzip me?*)*

ritueel I *zn* ritual; **II** *bn* ritual

ritzege stage victory: *een ~ behalen* win a stage

rivaal rival

rivaliteit rivalry

rivier river: *een ~ oversteken* cross a river; *een huis aan de ~* a house on the river

Rivièra Riviera

riviermond river mouth, *(breed)* estuary

rivierpolitie river police

rob seal

robbenjacht seal hunting

robe gown

robijn ruby

robot robot: *hij lijkt wel een ~* he is like a robot

robuust robust, solid *(dingen)*: *een ~e gezondheid* robust health

rochelen hawk (up)

rockzanger rock singer

rococo rococo

roddel gossip: *de nieuwste ~s uit de showwereld* the latest gossip in show business

roddelblad gossip magazine

roddelen gossip (about)

roddelpers gutter press, gossip papers

rode 1 redhead; **2** *(socialist, communist)* red

rodehond German measles, rubella

rodekool red cabbage

Rode Kruis Red Cross

rodeo rodeo

roe rod

roebel rouble

roedel *(herten e.d.)* herd; *(honden, wolven)* pack

roeiboot rowing boat

roeien row: *met grote slagen ~* take big strokes

roeier rower, oarsman

roeispaan oar, *(lichte riem)* scull, *(kort, met breed blad)* paddle

roeister rower, oarswoman

roeivereniging rowing club

roeiwedstrijd boat race, rowing race, *(groot concours)* regatta

roekeloos reckless: *~ rijden* drive recklessly

roem glory, fame, renown: *op zijn ~ teren* rest on one's laurels

Roemeen Romanian

Roemeens Romanian

Roemenië Romania

roemer rummer

roep call, *(van vogel ook)* cry, shout

roepen I *intr, tr* call, cry, shout; *(dringend vragen)* clamour: *om hulp ~* call *(of:* cry*)* out for help; *een*

~de in de woestijn a voice (crying) in the wilderness; **II** *tr (ontbieden)* call, summon: *de ober ~* call the waiter; *de plicht roept (mij)* duty calls; *je komt als geroepen* (you're) just the person we need; *ik zal je om zeven uur ~* I'll call you at seven

roepia rupiah

roeping vocation, mission, calling

roepnaam nickname

roer 1 rudder; **2** *(stuurmiddelen)* helm, *(roerpen ook)* tiller: *het ~ niet uit handen geven* remain at the helm; *het ~ omgooien (fig)* change course *(of:* tack*)*

roerbakken stir-fry

roerei scrambled eggs *(mv)*

roeren stir, mix: *de soep ~* stir the soup; *door elkaar ~* mix together

roerend moving, touching

roerig lively, active, restless

roerloos motionless, immovable, immobile

roerspaan stirrer

roerstaafje coffee stirrer

roes 1 *(toestand van bedwelming)* flush, high *(drugs e.d.)*: *in een ~* in a whirl (of excitement); **2** *(bedwelming)* fuddle, intoxication, high *(drank, drugs)*: *zijn ~ uitslapen* sleep it off

roest rust: *een laag ~* a layer of rust; *oud ~* scrap iron

roestbruin rust, rust-coloured

roesten rust, get rusty

roestig rusty

roestvrij rustproof, rust-resistant: *~ staal* stainless steel

roet soot: *zo zwart als ~* as black as soot

roffel roll; *(langzamer)* ruffle

rog ray

rogge rye: *brood van ~* bread made from rye

roggebrood rye bread, pumpernickel

rok 1 skirt, petticoat *(onderrok)*: *Schotse ~* kilt; *een wijde ~* a full skirt; **2** *(jas voor mannen)* tail coat, tails: *de heren waren in ~* the men wore evening dress

rokade castling: *de korte (of: lange) ~* castling on the king's side *(of:* queen's side*)*

roken 1 smoke, puff (at): *stoppen met ~* stop *(of:* give up*)* smoking; *verboden te ~* no smoking; *minder gaan ~* cut down on smoking; *de schoorsteen rookt* the chimney is smoking; **2** *(in de rook hangen)* smoke, cure

roker smoker

rokeren castle: *kort (lang) ~* castle on the king's *(of:* queen's*)* side

rokerig smoky

rokkenjager womanizer

rol 1 *(theat)* part, role: *zijn ~ instuderen* learn one's part; *de ~len omkeren* reverse roles, *(wraak)* turn the tables; **2** *(opgerolde hoeveelheid)* roll; *(hol)* cylinder; *(perkament)* scroll; *(camera)* reel, spool: *een ~ behang* a roll of wallpaper; *een ~ beschuit* a packet of rusks; **3** *(rolrond stuk materiaal)* roller; *(deegrol)* rolling pin

rolgordijn (roller) blind: *een ~ ophalen* (of: *laten zakken)* let up (*of:* down) a blind

rollade rolled meat

rollen I *intr* roll: *er gaan koppen ~* heads will roll; *de zaak aan het ~ brengen* set the ball rolling; **II** *tr* 1 *(oprollen)* roll (up): *een sigaret ~* roll a cigarette; 2 *(wikkelen)* wrap, roll (up): *zich in een deken ~* wrap oneself up in a blanket; 3 *(stelen)* lift: *zakken ~* pick pockets

rollenspel role-playing

roller curler, roller

rolletje (small) roll; *(rolrond voorwerp)* roller: *een ~ drop* a packet of liquorice; *alles liep op ~s* everything went like clockwork (*of:* went smoothly)

rolluik roll-down shutter

rolschaats roller skate

rolschaatsen roller skate

rolschaatser roller skater

rolstoel wheelchair: *toegankelijk voor ~en* with access for wheelchairs

rolstoelgebruiker wheelchair user

roltrap escalator, moving staircase

rolverdeling cast(ing), *(fig)* division of roles

Romaans 1 Latin: *de ~e volken* the Latin peoples; 2 *(mbt taal)* Romance, Latin

roman novel

romance romance

romanschrijver novelist, fiction writer

romanticus romantic

romantiek romance: *een vleugje ~* a touch of romance

romantisch romantic

romantiseren romanticize

Rome Rome: *het oude ~* Ancient Rome; *zo oud als de weg naar ~* as old as the hills

Romein Roman

Romeins Roman: *uit de ~e Oudheid* from Ancient Rome; *het ~ recht* Roman law

romig creamy

rommel 1 mess, shambles: *~ maken* make a mess; 2 *(ondeugdelijke waar)* junk, rubbish, trash

rommelen 1 rumble, roll: *de donder rommelt in de verte* the thunder is rumbling in the distance; 2 rummage: *in zijn papieren ~* shuffle one's papers

rommelig messy, untidy

rommelmarkt flea market, jumble sale

romp 1 trunk, *(van mens, standbeeld ook)* torso; 2 *(mbt grote voorwerpen)* shell; *(van schip)* hull

rompslomp fuss, bother: *ambtelijke ~* red tape, bureaucracy; *papieren ~* paperwork

rond I *bn, bw* 1 round, circular; 2 *(zo dat er niets ontbreekt)* arranged, fixed (up): *de zaak is ~* everything is arranged (*of:* fixed); 3 *(ongeveer)* around, about: *een mooi ~ bedrag* a nice round figure; **II** *vz* 1 round, *(fig)* surrounding: *in de berichtgeving ~ de affaire* in the reporting of the affair; 2 *(ongeveer)* around, about: *~ de middag* around midday; *~ de 2000 betogers* approximately (*of:* about, some) 2000 demonstrators

rondbazuinen broadcast, trumpet (around)

rondbrengen bring round

ronddraaien turn (round), *(snel)* spin (round): *~ in een cirkel, kringetje* go round in circles

ronde 1 rounds; *(politie)* beat: *de ~ doen* go on one's rounds; 2 *(rondgang; sessie)* round(s): *de eerste ~ van onderhandelingen* the first round of talks; *de praatjes doen de ~* stories are going around; 3 *(omtrek ve wedstrijdbaan)* lap, circuit: *laatste ~* bell lap; *twee ~n voor* (of: *achter) liggen* be two laps ahead (*of:* behind); 4 *(wielerwedstrijd)* tour *(meerdaags),* race: *de ~ van Frankrijk* the Tour de France

rondetijd lap time: *de snelste ~* the fastest lap

rondgaan 1 go round: *~ als een lopend vuurtje* spread like wildfire; 2 *(beurtelings langskomen)* go round, pass round: *laat de schaal nog maar eens ~* pass the plate round again

rondgang 1 circuit; 2 *(het bezoeken van afdelingen)* tour

rondhangen hang around (*of:* about)

ronding curve

rondje 1 round: *een ~ van de zaak* (a round of) drinks on the house; *hij gaf een ~* he stood a round (of drinks); 2 *(ronde) (sport)* lap, circuit

rondkijken look round: *goed ~ voor je iets koopt* shop around

rondkomen manage, get by, *(geld ook)* live: *hij kan er net mee ~* he can just manage (*of:* get by) on it

rondleiden 1 lead round; 2 *(overal heen leiden)* show round, take round: *mensen in een museum ~* show (*of:* take) people round a museum

rondleiding (guided, conducted) tour

rondlopen go around, walk around: *je moet daar niet mee blijven ~* you shouldn't let that weigh (*of:* prey) on your mind

rondom I *bw* all round, on all sides: *het plein met de huizen ~* the square with houses round it; **II** *vz* (a)round

rondpunt *(Belg)* roundabout

rondreis tour; circular tour: *op haar ~ door de Verenigde Staten* on her tour of America

rondreizen travel around (*of:* about): *de wereld ~* travel round the globe (*of:* world)

rondrennen run around, chase about

rondrijden go for a drive (*of:* run, ride)

rondrit tour

rondslingeren lie about (*of:* around): *zijn boeken laten ~* leave his books lying around (*of:* about)

rondsluipen prowl about, prowl (a)round

rondsturen send round: *circulaires ~* distribute circulars

rondte circle, round(ness): *in de ~ zitten* sit in a circle

rondtrekken travel (a)round: *~de seizoenarbeiders* migrant seasonal workers

ronduit plain, straight(forward), frank: *het is ~ belachelijk* absolutely (*of:* simply) ridiculous; *iem ~ de waarheid zeggen* tell s.o. the plain truth

rondvaart round trip, circular trip (*of:* tour), *(lange afstand)* cruise: *een ~ door de grachten maken* make (*of:* go) for a tour of the canals

rondvaartboot boat for canal trips

rondvliegen fly about (*of:* around): *geraakt worden door ~de kogels* be hit by flying bullets

rondvraag: *iets voor de ~ hebben* have sth for any other business

rondweg ring road; bypass; relief road: *een ~ aanleggen om L.* by-pass L.

rondzwerven roam about, wander about: *op straat ~: a) (kinderen)* hang about the streets; *b) (zwervers)* roam the streets

ronken 1 *(snurken)* snore; 2 *(van motoren)* throb

röntgen roentgen

röntgenafdeling radiography department, X-ray department

röntgenapparaat X-ray machine

röntgenfoto X-ray, roentgenogram, roentgenograph: *een ~ laten maken* have an X-ray taken

röntgenonderzoek X-ray

röntgenstralen X-rays, roentgen rays

rood red, ginger *(haar)*, ruddy *(wangen)*; *(rood-geel)* copper(y), ginger: *met een ~ hoofd van de inspanning* flushed with exertion; *iem de rode kaart tonen* show s.o. the red card; *door ~ (licht) rijden* jump the lights; *~ worden* go red (*of:* scarlet), flush, blush; *het licht sprong op ~* the light changed to red; *over de rooie gaan (boos zijn)* flip one's lid, lose one's cool; *~ staan* be in the red; *in het ~ (gekleed)* dressed in red

roodbont red and white *(vee)*; skewbald *(paard)*

roodborstje robin (redbreast)

roodbruin reddish brown, russet, sorrel *(paard)*: *het ~ van herfstbladeren* the russet (colour) of autumn leaves

roodgloeiend red-hot: *de telefoon staat ~* the telephone hasn't stopped ringing

roodharig red-haired, red-headed

roodhuid redskin

Roodkapje Little Red Riding Hood

roodvonk scarlet fever

roof 1 robbery: *op ~ uitgaan* commit robbery; 2 *(het bejagen)* preying, hunting

roofbouw exhaustion, overuse: *~ plegen op zijn gezondheid* undermine one's health; *~ plegen op zijn lichaam* wear oneself out

roofdier animal (*of:* beast) of prey, predator

roofmoord robbery with murder

roofoverval robbery, hold-up: *een ~ plegen op een juwelierszaak* rob a jeweller's

roofvogel bird of prey

rooien dig up; lift, raise *(aardappels, bieten enz.)*; uproot *(boom)*: *een bos ~* clear a wood (*of:* forest)

rook smoke; *(rook en gassen)* fume(s): *men kan er de ~ snijden* it's thick with smoke in here; *in ~ opgaan* go up in smoke; *waar ~ is, is vuur* there's no smoke without fire

rookartikelen smokers' requisites

rookbom smoke bomb

rookgordijn smokescreen: *een ~ leggen* put up (*of:* lay) a smokescreen

rookkanaal flue

rooklucht smell of smoke

rookmelder smoke alarm, smoke detector

rookpauze cigarette break: *een ~ inlassen* take a break for a cigarette

rooksignaal smoke signal

rookverbod ban on smoking

rookvlees *(ongev)* smoke-dried beef (*of:* meat)

rookvrij no(n)-smoking

rookwolk cloud (*of:* pall) of smoke

rookworst *(ongev)* smoked sausage

room cream: *dikke ~* double cream; *zure ~* sour cream

roomboter butter

roomklopper cream whipper, *(garde)* whisk

rooms Roman Catholic

Rooms Roman

roomsaus cream sauce

rooms-katholicisme Roman Catholicism

rooms-katholiek Roman Catholic

roomsoes cream puff

roos 1 rose: *(fig) op rozen zitten* lie on a bed of roses; 2 *(van een schietschijf)* bull's-eye: *in de ~ schieten* score a bull's-eye; *(midden) in de ~* bang in the middle; 3 *(hoofdroos)* dandruff

rooskleurig rosy, rose-coloured: *een ~e toekomst* a rosy (*of:* bright) future

rooster 1 grid, grating, grate, *(vnl. versiering)* grille, gridiron *(van barbecue enz.)*: *het ~ van de kachel* the stove grate; *(Belg) iem op het ~ leggen* grill s.o.; 2 *(tabel)* grid; 3 *(programma, schema)* schedule *(ook school)*, timetable, roster: *een ~ opstellen (opmaken)* draw up a roster (*of:* rota)

roosteren 1 grill, roast, broil; 2 *(mbt brood)* toast

ros steed

rosbief roast beef

rosé rosé (wine)

roskammen groom, curry(comb)

rossig reddish, ruddy, sandy *(haar)*

rot 1 rotten, bad, decayed *(kies)*, putrid *(ei)*: *door en door ~, zo ~ als een mispel* rotten to the core; 2 *(ellendig)* rotten, lousy, wretched: *zich ~ lachen* split one's sides laughing; *zich ~ vervelen* be bored to tears

rotanstoel cane rattan chair

rotbaan lousy job

rotding damn thing, bloody thing

rotgang breakneck speed: *met een ~ door de bocht gaan* go round the bend at a breakneck speed

rotje (fire)cracker, squib, banger

rotjong brat, little pest

rotmeid bitch, cow

rotonde roundabout

rotopmerking nasty remark

rotor rotor

rots rock, cliff, *(steil)* crag: *als een ~ in de branding*

as steady as a rock; *het schip liep op de ~en* the ship struck the rocks
rotsachtig rocky, rugged
rotsblok boulder
rotskust rocky coast
rotsschildering cave painting, wall painting
rotstreek dirty trick, mean trick: *iem een ~ leveren* play a dirty trick on s.o.
rotstuin rock garden, rockery
rotsvast rock-solid, rocklike: *een ~e overtuiging* a deep-rooted conviction
rotswand rock face, cliff face
rotten rot, decay: *~d hout* rotting wood
rottig rotten, nasty
rottigheid misery, wretchedness
rottweiler Rottweiler
rotvent bastard, jerk
rotwerk nasty work
rotwijf bitch
rotzak *(scheldw., inform)* bastard, jerk
rotzooi 1 (piece of) junk, trash; **2** *(wanorde)* mess, shambles
rotzooien mess about: *~ met de boekhouding* tamper with the accounts
rouge rouge, blusher
roulatie circulation: *in ~ brengen* bring into circulation *(film)*
roulatiesysteem rotation system
rouleren 1 circulate, be in circulation; **2** *(om beurten doen)* rotate, take turns, *(ploegendienst)* work in shifts
roulette roulette (table)
route route, way, round *(melkboer)*
routebeschrijving itinerary, route description
routine 1 *(vaardigheid)* practice, skill, knack; **2** *(sleur)* routine, grind: *de dagelijkse ~* the daily grind
routineklus routine job
routinematig routine
routineonderzoek routine check-up
routineus routine
rouw mourning, *(droefheid ook)* sorrow, grief: *in de ~ zijn* be in mourning
rouwadvertentie death announcement
rouwen mourn, grieve
rouwig regretful, sorry: *ergens niet ~ om zijn* not regret sth
rouwkrans funeral wreath
rouwproces mourning process
rouwstoet funeral procession
roven steal, rob
rover robber
royaal 1 generous, open-handed: *een royale beloning* a handsome *(of: generous)* reward; **2** *(voldoende)* spacious, ample: *een royale meerderheid* a comfortable majority
roze pink, rose
rozemarijn rosemary
rozenbottel rose hip

rozengeur smell *(of: scent)* of roses: *het is er niet alleen ~ en maneschijn* it's not all sweetness and light there
rozenkrans rosary: *de ~ bidden* say the rosary
rozenstruik rose bush
rozijn raisin
rozijnenbrood raisin loaf
rubber rubber
rubberboot (rubber) dinghy
rubberen rubber
rubberlaars rubber boot, wellington
rubriceren class, classify
rubriek 1 column, feature, section: *de advertentierubriek(en)* the advertising columns; **2** *(categorie)* section, group
rug back: *iem de ~ toekeren* turn one's back on s.o.; *achter de ~ van iem kwaadspreken* talk about s.o. behind his back; *ik zal blij zijn als het achter de ~ is* I'll be glad to get it over and done with; *hij heeft een moeilijke tijd achter de ~* he had a difficult time; *het (geld) groeit mij niet op de ~* I am not made of money
rugby rugby
rugbybal rugger ball, rugby (foot)ball
rugbyen play rugby *(of: rugger)*
ruggengraat backbone, spine
ruggenmerg spinal marrow *(of: cord)*
rugklachten back trouble, backache
rugleuning back (of a chair)
rugnummer (player's) number
rugpijn pain in the back, backache
rugslag backstroke, back-crawl
rugvin dorsal fin
rugwind tail wind, following wind
rugzak rucksack; backpack
rui 1 moult(ing); **2** *(Belg)* covered canal, roofted-over canal
ruien moult, shed one's feathers
ruif rack
ruig 1 rough: *een ~ feest* a rowdy party; **2** *(harig)* shaggy, hairy
ruiken I *intr* **1** smell: *aan iets ~* have a smell *(of: sniff)* at sth; **2** *(stinken)* smell, stink, reek; **II** *tr (ook fig)* smell, scent: *onraad ~* scent *(of: sense)* danger; *hoe kon ik dat nu ~!* how could I possibly know!
ruiker posy, bouquet
ruil exchange, swap
ruilen I *intr, tr* exchange, swap; **II** *intr* change: *ik zou niet met hem willen ~* I would not change places with him
ruilhandel barter (trade): *~ drijven* barter
ruilmiddel means *(of: medium)* of exchange
ruim I *zn* hold; **II** *bn, bw* **1** spacious, large; roomy: *een ~ assortiment* a large assortment; *~ wonen* live spaciously; **2** *(open, onbelemmerd)* free: *~ baan maken* make way; *in de ~ste zin* in the broadest sense; **3** *(met tussenruimte, wijd)* wide, roomy, loose: *die jas zit ~* that coat is loose-fitting; **4** *(meer dan voldoende)* ample, liberal: *een ~e meerderheid*

a big majority; **III** *bw* (rather) more than, something over, well over: *~ een uur* well over an hour; *dat is ~ voldoende* that is amply sufficient

ruimdenkend broad(-minded)

ruimen 1 clear out; **2** *(wegruimen)* clear away

ruimschoots amply, plentifully: *~ de tijd* (of: *gelegenheid) hebben* have ample time (*of:* opportunity); *~ op tijd aankomen* arrive in ample time

ruimte room, *(plaats)* space: *wegens gebrek aan ~* for lack of room (*of:* space); *de begrippen ~ en tijd* the concepts of time and space; *te weinig ~ hebben* be cramped for space; *~ uitsparen* save space; *iem de ~ geven* give s.o. elbow room

ruimtegebrek lack (*of:* shortage) of space

ruimtelijk 1 spatial, spacial, space: *~e ordening* environmental (*of:* town and country) planning; **2** *(driedimensionaal)* three-dimensional

ruimtepak space suit

ruimtesonde space probe

ruimtestation space station

ruimtevaarder spaceman, astronaut

ruimtevaart space travel

ruimtevaartuig spacecraft

ruimteveer (space) shuttle

ruïne ruins; ruin, *(persoon)* wreck

ruis noise, *(mbt hart)* murmur

ruisen rustle; *(van water enz.)* gurgle

ruisfilter noise filter

ruit 1 (window)pane, window; **2** *(vierhoek)* diamond *(ook kaartspel); (patroon in textiel e.d.)* check

ruiten I *zn* diamonds: *ruitenvrouw* queen of diamonds; *ruitenboer* jack (*of:* knave) of diamonds; *~ is troef* diamonds are trumps; **II** *bn* check(ed), chequered

ruitenwisser windscreen wiper, wiper

ruiter horseman, rider

ruiterij cavalry, horse

ruiterpad bridle path

ruitersport equestrian sport(s); riding

ruitjespapier squared paper

ruk 1 jerk, tug; **2** *(windvlaag)* gust (of wind); **3** *(afstand)* distance, way; **4** *(tijdsduur)* time, spell: *in één ~ doorwerken* work on at one stretch

rukken I *intr* jerk (at), tug (at); **II** *tr* tear, wrench: *iem de kleren van het lijf ~* tear the clothes from s.o.'s body

rukwind squall, gust (of wind)

rul loose, sandy

rum rum

rumboon rum bonbon

rum-cola rum and coke

rumoer noise; *(kabaal)* din, racket, row: *~ maken* make a noise

rumoerig noisy

rund 1 cow; *(mv)* cattle, *(trekdier)* ox; **2** *(koe)* cow; *(stier)* bull; *(mv)* cattle; **3** *(stommeling)* idiot, fool: *een ~ van een vent* a prize idiot

rundergehakt minced beef, mince

runderhaas tenderloin, fillet of beef

runderlap braising steak

runderrollade collared beef, rolled beef

rundvee cattle: *twintig stuks ~* twenty head of cattle

rundvlees beef

rune rune

rups caterpillar

rupsband caterpillar (track)

Rus Russian

Rusland Russia

Russisch Russian ‖ *een ~ ei* egg mayonnaise

rust 1 rest, *(ontspanning)* relaxation; **2** rest; *((middag)slaapje)* lie-down; **3** *(het vrij zijn van drukte)* quiet: *gun hem wat ~* give him a break; *nooit (geen ogenblik) ~ hebben* never have a moment's peace; *wat ~ nemen* take a break; *laat me met ~!* leave me alone!; *tot ~ komen* settle (*of:* calm) (down); **4** *(stilte)* (peace and) quiet; *(stilte, kalmte)* still(ness): *alles was in diepe ~* all was quiet; **5** *(sport)* half-time, interval

rustdag rest day; *(vrije dag)* day off, holiday

rusteloos restless

rusteloosheid restlessness

rusten 1 rest, relax, take (*of:* have) a rest: *even ~* have (*of:* take) a break; **2** *(slapen)* rest, sleep: *hij ligt te ~* he is resting; **3** *(vrij zijn)* rest, pause; **4** *(als iets bezwarends)* weigh; *(gebukt gaan onder)* be burdened (*of:* encumbered) with: *op hem rust een zware verdenking* he is under strong suspicion

rustgevend 1 comforting; **2** *(kalmerend)* restful, calming

rustig I *bn, bw* **1** peaceful, quiet; **2** *(niet in beweging)* calm, still: *het water is ~* the water's calm; **3** *(niet haastig)* steady: *een ~e ademhaling* even breathing; **4** *(kalm)* calm: *~ weer* calm weather; *~ antwoorden* answer calmly; *zich ~ houden* keep calm; *hij komt ~ een uur te laat* he quite happily (*of:* cheerfully) comes an hour late; *ze zat ~ te lezen* she sat quietly reading; *het ~ aan doen* take it easy; **5** *(ongestoord)* quiet, smooth *(verloop); (zonder voorvallen)* uneventful: *daar kan ik ~ studeren* I can study there in peace; *het is hier lekker ~* it's nice and quiet here; **II** *bw (zonder bezwaar)* safely: *je kunt me ~ bellen* feel free to call me; *dat mag je ~ weten* I don't mind if you know that

rustplaats resting place: *de laatste ~* the final resting place; *naar zijn laatste ~ brengen* lay to rest

rustpunt pause, period *(aan het eind vd zin)*

ruststand *(sport)* half-time score

ruw 1 rough: *een ~e plank* a rough plank; *een ~e schets* a rough draft; *een ~ spel* a rough game; *iets ~ afbreken* break sth off abruptly; *iem ~ behandelen* treat s.o. roughly; **2** *(niet afgewerkt)* raw, crude, rough-hewn *(steen)*: *~e olie* crude oil

ruwweg roughly: *~ geschat* at a rough estimate (*of:* guess)

ruzie quarrel, argument: *slaande ~ hebben* have a blazing row; *een ~ bijleggen* patch up a quarrel; *~ krijgen met iem* have an argument with s.o.; *~ zoe-*

ken look for trouble (*of:* a fight); ~ *hebben met iem*
(of: om iets) quarrel with s.o. (*of:* over sth)
ruziën quarrel

S

saai boring, dull
sabbat sabbath
sabbelen suck: *~ aan een lolly* suck a lollipop
sabel sabre
sabotage sabotage
saboteren 1 *(sabotage plegen)* commit sabotage (on); **2** *(in de war sturen)* sabotage, undermine
saboteur saboteur
sacrament sacrament
sadisme sadism
sadist sadist
sadistisch sadistic
sadomasochisme sadomasochism
safari safari: *op ~ gaan* go on safari
safaripark safari park
safe safe, safe-deposit box
saffier sapphire
sage legend
Sahara Sahara
Saksisch Saxon
salade salad
salamander salamander
salami salami
salaris salary, pay
salarisverhoging (salary) increase, (pay) rise
saldo balance: *een positief ~* a credit balance; *een negatief ~* a deficit; *per ~* on balance
saldotekort deficit, *(op giro-, bankrekening)* overdraft
Salomo Solomon
salon drawing room, salon
salontafel coffee table
salto somersault: *een ~ maken* turn a somersault
salueren salute
salvo salvo, volley
Samaritaan Samaritan ‖ *een barmhartige ~* a good Samaritan
sambal sambal
samen 1 together, in chorus *(zingen, spreken)*: *zij hebben ~ een kamer* they share a room; **2** *(onderling)* with each other, with one another: *het ~ goed kunnen vinden* get on well (together); **3** *(in sommen)* in all, altogether: *~ is dat 21 euro* that makes 21 euros altogether *(of:* in all)
samendoen be partners, *(samen delen)* go shares
samengaan go together, go hand in hand: *niet ~*

met not go (together) with
samenhang connection
samenhangen be connected, be linked: *dat hangt samen met het klimaat* that has to do with the climate
samenhangend related, connected: *een hiermee ~ probleem* a related problem
samenknijpen squeeze together, screw up *(ogen)*
samenkomen come together, meet (together), converge (on) *(in één punt, op één plaats)*
samenkomst meeting
samenleven live together
samenleving society: *de huidige ~* modern society
samenlevingscontract cohabitation agreement
samenloop concurrence, conjunction: *een ~ van omstandigheden* a combination of circumstances
samenpersen compress, press together
samenraapsel pack, *(vnl. ideeën)* ragbag
samenscholing gathering, assembly
samensmelten fuse (together)
samenspannen conspire, plot (together)
samenspelen play together
samenstellen 1 put together, make up, compose: *samengesteld zijn uit* be made up *(of:* composed) of; **2** *(opstellen, schrijven)* draw up, compose, compile *(lijst, woordenboek enz.)*
samensteller compiler, *(auteur)* composer
samenstelling composition, make-up
samentrekken contract, shrink
samenvallen coincide (with), *(overeenkomen)* correspond: *gedeeltelijk ~* overlap
samenvatten summarize, sum up: *kort samengevat* (to put it) in a nutshell; *iets in een paar woorden ~* sum sth up in a few words
samenvatting summary, *(mbt wedstrijd ook)* highlights *(mv)*
samenwerken cooperate, work together: *gaan ~* join forces (with); *nauw ~* cooperate closely
samenwerking cooperation, teamwork: *in nauwe ~ met* in close collaboration with
samenwonen 1 live together, cohabit; **2** *(onder hetzelfde dak wonen)* live (together) with, share a house *(of:* flat)
samenzweerder conspirator
samenzweren conspire, plot: *tegen iem ~* conspire *(of:* plot) against s.o.
samenzwering conspiracy, plot
samsam fifty-fifty: *~ doen* go halves (with s.o.)
sanatorium sanatorium
sanctie sanction: *~s verbinden aan* apply sanctions to
sandaal sandal
sandwich 1 sandwich; **2** *(Belg)* bridge roll
saneren 1 put in order, see to: *zijn gebit laten ~* have one's teeth seen to; **2** *(op orde stellen)* reorganize, redevelop: *de binnenstad ~* redevelop the town centre
sanering 1 *(mbt gebit)* *(ongev)* course of dental treatment; **2** reorganization, *(stedenbouw)* redevel-

opment, *(milieu)* clean-up (operation)

sanitair I *zn* sanitary fittings, bathroom fixtures; II *bn* sanitary: *~e artikelen* bathroom equipment; *~e voorzieningen* toilet facilities

Sanskriet Sanskrit: *dat is ~ voor hem* that is Greek to him

Saudi-Arabië Saudi Arabia

Saudi-Arabisch Saudi (Arabian)

sap juice *(vrucht);* sap *(plant);* fluid *(lichaam): het ~ uit een citroen knijpen* squeeze the juice from a lemon

sapje (fruit) juice

sappig *(mbt vrucht)* juicy: *~ vlees* juicy *(of:* succulent) meat

sarcasme sarcasm

sarcastisch sarcastic: *~e opmerkingen* snide remarks

sarcofaag sarcophagus

sardine sardine

Sardinië Sardinia

sarong sarong

sarren bait, (deliberately) provoke, needle

satan devil, fiend

Satan Satan

satanisch satanic(al), diabolic: *een ~e blik (*of: *lach)* a fiendish look *(of:* laugh)

saté satay

satelliet satellite

satellietschotel satellite dish

satellietverbinding satellite link(-up)

satéstokje skewer

satijn satin

satire satire: *een ~ schrijven op* satirize, write a satire on

satirisch satiric(al)

Saturnus Saturn

saucijs sausage

saucijzenbroodje sausage roll

sauna sauna (bath)

saus sauce, *(jus)* gravy, *(op sla)* (salad) dressing: *zoetzure ~ (mbt oosterse gerechten)* sweet and sour (sauce)

savanne savannah

savooikool savoy (cabbage)

sax sax(ophone)

saxofoon saxophone

scala scale, range: *een breed ~ van artikelen* a wide range of items

scalp scalp

scalpel scalpel

scalperen scalp

Scandinavië Scandinavia

Scandinaviër Scandinavian

Scandinavisch Scandinavian

scannen scan

scenario scenario, screenplay *(film)*, script *(drama)*

scène scene: *hij had de overval zelf in ~ gezet* he had faked the robbery himself

scepter sceptre: *de ~ voeren (zwaaien)* hold sway

(over)

sceptisch sceptical

schaaf 1 *(voor hout)* plane; 2 *(om plakjes te snijden)* slicer

schaafwond graze, scrape

schaak I *zn* chess: *een partij ~* a game of chess; II *bn* in check: *~ staan* be in check; *iem ~ zetten* put s.o. in check

schaakbord chessboard

schaakcomputer chess computer

schaakmat checkmate: *~ staan* be checkmated; *iem ~ zetten* checkmate s.o.

schaakpartij game of chess

schaakspel 1 chess; 2 *(bord en stukken)* chess set

schaakspelen play chess

schaakstuk chessman, piece

schaaktoernooi chess tournament

schaal 1 *(maatstaf)* scale: *er wordt op grote ~ misbruik van gemaakt* it is misused on a large scale; *op ~ tekenen* draw to scale; *~ 4:1* a scale of four to one; 2 *(schotel)* dish, plate *(ook voor collecte): een ~ met fruit* a bowl of fruit

schaaldier crustacean

schaalmodel scale model

schaalverdeling graduation, scale division: *een ~ op iets aanbrengen* graduate sth

schaambeen pubis, pubic bone

schaamdeel genital(s), private part(s): *de vrouwelijke (*of: *mannelijke) schaamdelen* the female *(of:* male) genitals

schaamhaar pubic hair

schaamlippen labia: *de grote (*of: *de kleine) ~* the labia majora *(of:* minora)

schaamte shame: *blozen (*of: *rood worden) van ~* blush *(of:* go red) with shame

schaap sheep: *een kudde schapen* a flock of sheep; *het zwarte ~ (van de familie) zijn* be the black sheep (of the family); *~jes tellen* count sheep

schaapachtig silly: *iem ~ aankijken* look stupidly at s.o.; *~ lachen* grin sheepishly

schaapherder shepherd

schaar 1 (pair of) scissors *(mv): de ~ in iets zetten* take the scissors *(of:* a pair of scissors) to sth; *één ~* one pair of scissors; *twee scharen* two (pairs of) scissors; 2 *(van dieren e.d.)* pincers *(mv)*, claws *(mv)*

schaars I *bw* sparingly, sparsely, *(mbt kleding)* scantily: *~ verlicht* dimly lit; II *bn* scarce: *mijn ~e vrije ogenblikken* my rare free moments

schaarste scarcity, shortage

schaats skate: *de ~en aanbinden* put on one's skates

schaatsbaan (skating) rink

schaatsen skate

schaatser skater

schacht 1 shaft; *(sleutel)* shank; *(plantk)* stem; 2 *(Belg)* fresher, first-year student

schade 1 loss(es): *de ~ inhalen* recoup one's losses; *~ lijden* suffer a loss; 2 *(beschadiging)* damage, *(persoon ook)* harm: *~ aanrichten* damage sth; *~*

aan iets toebrengen (of: *berokkenen*) do (*of*: cause) damage to sth; *zijn auto heeft heel wat ~ opgelopen* his car has suffered quite a lot of damage; *de ~ loopt in de miljoenen* the damage runs into millions

schadeclaim insurance claim (for damage): *een ~ afhandelen* settle a claim

schadeformulier claim form

schadelijk harmful, damaging: *~e dieren* pests, vermin; *~e gewoonten* pernicious habits

schadeloos unharmed, undamaged

schadeloosstellen compensate, *(mbt onkosten ook)* repay, *(mbt onkosten ook)* reimburse: *zich ergens voor ~* compensate (oneself) for sth

schadeloosstelling compensation: *volledige ~ betalen* pay full damages

schaden damage, harm: *roken schaadt de gezondheid* smoking damages your health

schadepost loss, (financial) setback

schadevergoeding compensation; damages *(mv)*: *volledige ~ betalen* pay full damages; *~ eisen voor* claim compensation (*of*: damages) for; *€1000,- ~ krijgen* receive 1000 euros in damages

schaduw shade, shadow: *in iemands ~ staan* be outshone (*of*: overshadowed) by s.o.

schaduwen shadow, tail: *iem laten ~* have s.o. shadowed (*of*: tailed)

schaduwkabinet shadow cabinet

schaduwzijde 1 shady side; 2 *(nadelige kant)* drawback: *de ~ van een overigens nuttige maatregel* the drawback to an otherwise useful measure

schaften *(pauzeren)* break (for lunch, dinner)

schakel link: *een belangrijke ~* a vital link; *de ontbrekende ~* the missing link

schakelaar switch

schakelarmband chain bracelet

schakelen 1 connect: *parallel* (of: *in serie*) *~* connect in parallel (*of*: in series); 2 *(mbt motorvoertuigen)* change, change gear(s): *naar de tweede versnelling ~* change to second (gear)

schakeling 1 connection; circuit; 2 *(mbt een auto)* gear change: *automatische ~* automatic gear change

schaken play chess: *een partijtje ~* play a game of chess; *simultaan ~* play simultaneous chess

schaker chess player

schalks mischievous, sly

schamel poor, shabby: *een ~ pensioentje* a meagre (*of*: miserable) pension

schamen, zich be ashamed (of), be embarrassed: *zich dood* (of: *rot*) *~ die* with shame; *daar hoef je je niet voor te ~* there's no need to be ashamed of that; *zich nergens voor ~* not be ashamed of anything

schamper scornful, sarcastic, sneering

schandaal 1 scandal, outrage: *een publiek* (of: *een politiek*) *~* a public outrage, a political scandal; 2 *(schande)* shame, disgrace: *een grof ~* a crying shame

schandalig scandalous, outrageous, disgraceful: *~ duur* outrageously expensive; *het is ~ zoals hij ons*

behandelt it's disgraceful the way he treats us

schande disgrace, shame: *het is (een) ~* it's a disgrace; *~ van iets spreken* cry out against sth

schandelijk scandalous, outrageous: *een ~ boek* an infamous book

schandpaal: *iem aan de ~ nagelen* pillory s.o.

schans ski jump

schansspringen ski jump

schap shelf: *de ~pen bijvullen* re-stock the shelves

schapenfokkerij 1 sheep breeding; 2 *(bedrijf)* sheep farm

schapenscheerder sheepshearer

schapenvacht sheepskin, fleece

schapenvlees mutton, lamb

schapenwol sheep's wool

schappelijk reasonable, fair

schar dab; sheepdog

scharminkel scrag(gy person): *een mager ~* a bag of bones

scharnier hinge: *om een ~ draaien* hinge

scharnieren hinge

scharrelei free-range egg

scharrelen 1 rummage (about): *hij scharrelt de hele dag in de tuin* he potters about in the garden all day (long); 2 *(mbt kippen)* scratch

scharrelkip free-range chicken

scharrelvlees free-range meat

schat 1 treasure: *een verborgen ~* a hidden treasure; 2 *(groot bezit aan geld)* treasure, riches: *~ten aan iets verdienen* make a fortune out of sth; *een ~ aan gegevens* (of: *materiaal*) a wealth of data (*of*: material); 3 *(lieverd)* darling, dear, honey: *zijn het geen ~jes?* aren't they sweet?

schatbewaarder *(Belg)* *(penningmeester)* treasurer

schateren roar (with laughter): *de kinderen ~ van plezier* the children shouted with pleasure

schatkamer treasury, treasure house

schatkist 1 treasure chest; 2 *(staatskas)* treasury, (the) Exchequer

schatrijk wealthy: *ze zijn schat- en schatrijk* they are fabulously wealthy

schatten value, estimate *(verlies, schade)*, assess *(inkomen, schade ook)*, appraise *(mbt taxateur)*: *de afstand ~* estimate the distance; *hoe oud schat je hem?* how old do you take him to be?; *de schade ~ op* assess the damage at

schattig sweet, lovely: *zij ziet er ~ uit* she looks lovely

schatting estimate, assessment: *een voorzichtige ~* a conservative estimate; *naar ~ drie miljoen* an estimated three million

schaven 1 plane: *planken ~* plane boards; 2 *(licht verwonden)* graze, scrape; 3 *(fijn snijden met een schaaf)* slice, shred: *komkommers ~* slice cucumbers

schavot scaffold: *iem op het ~ brengen: a)* condemn s.o. to the scaffold; *b)* *(fig)* cause s.o.'s downfall

schede 1 *(voor mes, zwaard e.d.)* sheath; 2 *(anat)* vagina

sc

schedel skull

scheef 1 crooked *(rug, boomstam); (schuin)* oblique, leaning *(toren)*, slanting *(oppervlak)*, sloping *(oppervlak): scheve hoeken* oblique angles; *een ~ gezicht trekken* pull a wry face; *een scheve neus hebben* have a crooked nose; *het schilderij hangt ~* the picture is crooked; 2 *(verkeerd)* wrong, distorted: *de zaak gaat (loopt) ~* things are going wrong

scheel cross-eyed

scheen shin: *iem tegen de schenen schoppen* tread on s.o.'s toes

scheenbeen shinbone

scheenbeschermer shinguard

scheepsbouwer shipbuilder

scheepshut (ship's) cabin

scheepslading shipload, (ship's) cargo

scheepsramp shipping disaster

scheepsruim (ship's) hold

scheepswerf shipyard

scheepvaart shipping (traffic), navigation

scheepvaartbericht shipping news *(of: report)*

scheepvaartverkeer shipping (traffic)

scheerapparaat shaver

scheermes razor

scheermesje razor blade

scheerwol (virgin) wool: *zuiver ~* pure new wool

scheet fart: *een ~ laten* fart

scheiden I *tr* 1 separate, divide: *dooier en eiwit ~* separate the yolk from the (egg) white; *het hoofd van de romp ~* sever the head from the body; *twee vechtende jongens ~* separate two fighting boys; 2 *(echtscheiding uitspreken)* divorce, separate *(van tafel en bed): zich laten ~* get a divorce; II *intr* 1 part (company), separate: *hier ~ onze wegen* here our ways part; *~ van* part *(of:* separate) from; *als vrienden ~* part (as) friends; 2 *(mbt huwelijk)* divorce, separate *(van tafel en bed): zij gaan ~* they are getting divorced

scheiding 1 separation, detachment: *een ~ maken (veroorzaken) (in)* rupture, disrupt; 2 *(mbt huwelijk)* divorce: *~ van tafel en bed* legal separation, separation from bed and board; 3 *(mbt haar)* parting

scheid(ing)slijn dividing line, *(fig)* borderline

scheidsrechter umpire *(tennis, cricket, honkbal)*; referee *(voetbal, hockey): als ~ optreden bij een wedstrijd* umpire *(of:* referee) a match

scheikunde chemistry

scheikundig chemical

schel shrill: *een ~le stem* a shrill *(of:* piercing) voice

Schelde Scheldt

schelden curse, swear: *vloeken en ~* curse and swear; *op iem ~* scold s.o., call s.o. names

scheldnaam term of abuse

scheldwoord term of abuse

schelen 1 differ: *ze ~ twee maanden* they are two months apart; 2 *(ter harte gaan)* concern, matter: *het kan mij niets (of:* geen bal) *~* I don't give a hoot *(of:* care two hoots); *het kan me niet ~* I don't care,

(geen bezwaar) I don't mind; *kan mij wat ~!* why should I care!; *het scheelde geen haar* it was a close shave; *het scheelde weinig, of hij was verdronken* he narrowly escaped being drowned; *dat scheelt (me) weer een ritje* that saves (me) another trip

schelp 1 shell; 2 *(deel van het oor)* auricle

schelpdieren shellfish

schelvis haddock

schema 1 diagram, plan; 2 plan, outline; 3 *(tijdsplanning)* schedule: *we liggen weer op ~* we're back on schedule; *achter (of:* voor) *op het ~* behind *(of:* ahead of) schedule

schematisch schematic, diagrammatic: *iets ~ voorstellen (aangeven)* represent sth in diagram form

schemeren *('s avonds)* grow dark; *('s ochtends)* become light: *het begint te ~* it is getting dark *(of:* light), twilight is setting in

schemerig dusky

schemerlamp *(op vloer)* floor lamp, standard lamp

schenden 1 damage, violate: *een verdrag (of:* mensenrechten) *~* violate a treaty *(of:* human rights)

schending violation *(eer, verdrag, rechten)*; breach *(vertrouwen)*

schenken 1 pour (out); 2 *(cadeau geven)* give: *zijn hart ~ aan* give one's heart to

schenking gift, donation: *een ~ doen* make a gift *(of:* donation)

schep 1 scoop, *(groter)* shovel; 2 *(hoeveelheid)* (table)spoon(ful), scoop(ful): *drie ~pen ijs* three scoops of ice cream

schepen *(Belg)* alderman

schepijs (easy-scoop) ice cream

schepje 1 (small) spoon; 2 *(hoeveelheid)* spoon(ful): *een ~ suiker* a spoonful of sugar

scheppen 1 create: *God schiep de hemel en de aarde* God created heaven and earth; 2 *(met een schep, emmer enz.)* scoop, shovel: *een emmer water ~* draw a bucket of water; *leeg ~* empty; *vol ~* fill; *zand op een kruiwagen ~* shovel sand into a wheelbarrow

schepper creator

schepping creation

schepsel creature

scheren shave; *(mbt dieren)* shear: *zich ~* shave; *geschoren schapen* shorn sheep

scherf fragment, splinter *(ook mbt granaten): in scherven (uiteen)vallen* fall to pieces

scherm 1 screen, shade; 2 *(toneeldoek)* curtain: *de man achter de ~en* the man behind the scenes; 3 *(beeldscherm)* screen, display

schermen fence

schermutseling skirmish, clash

scherp I *zn* 1 edge: *op het ~ van de snede balanceren* be on a knife-edge; 2 *(kogels)* ball: *met ~ schieten* fire (with) live ammunition; *op ~ staan* be on edge; II *bn* 1 sharp, pointed, *(wisk)* acute *(hoek): een ~e kin* a pointed chin; 2 *(mbt de zintuigen)* sharp, pungent, hot, spicy *(voedsel)*, cutting, biting *(kou,* wind); 3 *(streng)* strict, severe: ~ *toezicht* close control; 4 *(vinnig)* sharp, harsh: ~*e kritiek* sharp criticism; 5 *(duidelijk uitkomend)* sharp, clear-cut: *een ~ contrast vormen* be in sharp contrast with; *(foto)* ~ *stellen* focus; 6 *(met vermogen te doden)* live *(munitie)*; armed *(bom)*

scherpomlijnd clear-cut, well-defined

scherpschutter sharpshooter, *(verdekt)* sniper

scherpte sharpness, keenness: *de ~ van het beeld (van kijker, tv)* the sharpness of the picture; *de ~ van een foto* the focus of a picture

scherpzinnig 1 acute, discerning, sharp(-witted): *een ~e geest* a subtle mind; 2 *(spitsvondig)* shrewd, clever: ~ *antwoorden* give a shrewd answer

scherpzinnigheid 1 acuteness, discernment; 2 *(spitsvondigheid)* shrewdness, wit

scherts joke, jest

schertsen joke, jest

schertsvertoning joke

schets sketch: *een eerste* ~ a first draft; *een ruwe* (of: *korte)* ~ *van mijn leven* a rough (of: brief) outline of my life

schetsboek sketchbook

schetsen sketch: *ruw (in grote lijnen)* ~ give a rough sketch (of)

schetteren blare

scheur 1 crack, crevice, *(spleet)* split: *een ~ in een muur* a crack in a wall; 2 *(mbt weefsel, papier)* tear: *hij heeft een ~ in mijn nieuwe boek gemaakt* he is torn my new book

scheuren I *tr* tear: *zijn kleren* ~ tear one's clothes; II *intr (een scheur krijgen)* tear (apart) *(stof, papier)*; crack *(iets hards); (hout ook)* split: *pas op, het papier zal* ~ be careful, the paper will tear; *de auto scheurde door de bocht* the car came screeching round the corner

scheut 1 *(van plant)* shoot, sprout; 2 *(korte pijn)* twinge, stab (of pain); 3 *(hoeveelheid vloeistof)* dash, shot *(sterkedrank): een ~ melk* a dash of milk

scheutig generous

schichtig nervous, timid, skittish *(paard)*

schielijk quickly, rapidly

schiereiland peninsula

schietbaan shooting range

schieten I *intr* 1 shoot, *(met vuurwapen ook)* fire: *op iem* ~ shoot (of: take a shot) at s.o.; 2 *(snel bewegen)* shoot, dash: *de prijzen* ~ *omhoog* prices are soaring; 3 (met *laten) (niet langer tegenhouden)* let go, release, drop *(persoon),* forget *(persoon): laat hem* ~ forget (about) him; *de tranen schoten haar in de ogen* tears rushed to her eyes; *weer te binnen* ~ come back (to mind); II *tr* shoot: *hij kon haar wel* ~ he could (cheerfully) have murdered her; *zich een kogel door het hoofd* ~ blow out one's brains; *naast* ~ miss; *in het doel* ~ net (the ball)

schietgebed short prayer, quick prayer: *een ~je doen* say a quick prayer

schietschijf target

schietstoel ejector seat, ejection seat

schiettent rifle gallery, shooting gallery

schietwedstrijd shooting-match, *(boogschieten)* archery contest

schiften I *tr* sort (out), sift (through); II *intr (mbt melk)* curdle, turn

schifting 1 sifting: *Jan is bij de eerste ~ afgevallen* Jan was weeded out in the first round; 2 curdling *(van melk)*

schijf 1 disc; 2 *(draaiend)* disc, plate, *(van pottenbakker)* (potter's) wheel; 3 *(plak)* slice: *een ~je citroen* a slice of lemon; 4 *(geheugenschijf)* disk

schijn 1 appearance, semblance: *op de uiterlijke ~ afgaan* judge by (outward) appearances; ~ *bedriegt* appearances are deceptive; *de ~ ophouden tegenover de familie* keep up appearances in front of the family; 2 *(vertoon)* show, appearances: *schone ~* glamour, cosmetics, gloss; 3 *(zeer kleine hoeveelheid)* shadow, gleam: *geen ~ van kans hebben* not have the ghost of a chance

schijnbaar seeming, apparent: ~ *oprecht* seemingly sincere

schijnbeweging feint, dummy (movement, pass): *een ~ maken* (make a) feint

schijndood I *zn* apparent death, suspended animation; II *bn* apparently dead, in a state of suspended animation

schijnen 1 shine: *de zon schijnt* the sun is shining; *met een zaklantaarn in iemands gezicht* ~ flash a torch in s.o.'s face; 2 *(lijken)* seem, appear: *het schijnt zo* it looks like it; *hij schijnt erg rijk te zijn* apparently he is very rich

schijnheilig hypocritical, sanctimonious: *met een ~ gezicht* sanctimoniously

schijnheilige hypocrite

schijnsel shine, light

schijntje *ik kocht het voor een* ~ I bought it for a song

schijnwerper floodlight, *(op het toneel)* spotlight: *iem in de ~s zetten* spotlight s.o.

schijt *(inform)* shit, crap

schijten *(inform)* shit, crap

schijter(d) funk, scaredy-cat

schijterig chicken-hearted

schijterij *(inform)* shits *(mv),* trots, runs *(beide mv): aan de ~ zijn* have the shits *(of:* trots, runs)

schik contentment; fun: ~ *hebben in zijn werk* enjoy one's work

schikken arrange, order: *de boeken in volgorde* ~ put the books in order

schikking arrangement, ordering ‖ *een ~ treffen (met)* reach an understanding (with)

schil *(dun)* skin; *(dik)* rind *(sinaasappel);* peel *(banaan, sinaasappel)*

schild 1 shield; *(kreeft, schildpad)* shell; 2 *(bord met opschrift)* sign

schilder 1 (house-)painter, (house-)decorator *(binnenshuis);* 2 *(kunstschilder(es))* painter

schilderachtig picturesque, scenic *(route)*

schilderen paint, decorate: *zijn huis laten ~* have one's house painted

schilderij painting, picture: *een ~ in olieverf* an oil painting

schildering painting, picture: *~en op een wand* murals

schilderkunst (art of) painting

schildersbedrijf painter and decorator's business

schildersezel (painter's) easel

schilderstuk painting, picture

schilderwerk 1 painting: *het ~ op de wand* the mural (painting); **2** *(werk voor, ve huisschilder)* paintwork: *het ~ aanbesteden* give out the paintwork by contract

schildklier *(med)* thyroid gland

schildknaap shield-bearer, squire

schildpad tortoise, turtle *(vnl. zee)*

schildwacht sentry, guard: *~en aflossen* change the guard

schilfer scale, flake *(van zacht oppervlak)*, chip *(van hard oppervlak)*, sliver *(scherp, bijv. glas)*

schilferen flake (off), peel (off)

schillen peel: *aardappels ~* peel potatoes

schim shadow: *~men in het donker* shadows in the dark

schimmel 1 mould; mildew: *de ~ van kaas afhalen* scrape the mould off cheese; *er zit ~ op die muur* there is mildew on the wall; **2** *(plantk)* fungus; **3** *(paard)* grey

schimmelen mould, become mouldy *(of:* mildewed)

schimmelinfectie fungal infection

schimmenspel shadow theatre, shadow play

schimmig shadowy

schip ship, *(vnl. voor op zee)* vessel, *(voor binnenvaart)* barge, boat: *zijn schepen achter zich verbranden* burn one's boats; *het zinkende ~ verlaten* leave the sinking ship; *per ~* by ship *(of:* boat)

schipbreuk shipwreck, wreck: *~ lijden: a) (schip zelf)* founder, be wrecked; *b) (opvarenden)* be shipwrecked

schipbreukeling shipwrecked person

schipper 1 master (of a ship), captain, skipper; **2** *(bestuurder ve binnenvaartuig)* captain of a barge

schipperen give and take: *je moet een beetje weten te ~* you've got to give and take (a bit)

schippersjongen bargehand, deckhand (on a barge)

schipperstrui seaman's pullover

schitteren 1 glitter, shine, twinkle: *zijn ogen schitterden van plezier* his eyes twinkled with amusement; **2** *(uitblinken)* shine (in, at), excel (in, at): *~ in gezelschap* be a social success

schitterend 1 brilliant, sparkling: *het weer was ~* the weather was gorgeous; **2** *(prachtig)* splendid, magnificent: *een ~ doelpunt* a marvellous goal

schittering brilliance, radiance

schizofreen schizophrenic

schizofrenie schizophrenia

schlager (schmalzy) pop(ular) song

schlemiel wally

schmink greasepaint, make-up

schminken make (s.o.) up: *zich ~* make (oneself) up

schnabbel (bit of a) job on the side: *daar heb ik een leuke ~ aan* it brings in a bit extra for me

schnabbelaar *(ongev)* moonlighter

schnabbelen have a (bit of a) job on the side, *(na het gewone werk)* moonlight

schnitzel (veal, pork) cutlet, schnitzel

schoeisel footwear

schoen shoe: *twee paar ~en* two pairs of shoes; *hoge ~en* boots; *(Belg) in nauwe ~tjes zitten* be in dire straits; *zijn ~en aantrekken* put on one's shoes; *zijn ~en uittrekken* take off one's shoes; *ik zou niet graag in zijn ~en willen staan* I wouldn't like to be in his shoes

schoenenzaak shoe shop

schoener schooner

schoenlepel shoehorn

schoenmaat shoe size

schoenmaker cobbler, shoemaker: *die schoenen moeten naar de ~* those shoes need repairing

schoenpoets shoe polish

schoenpoetsen cleaning *(of:* polishing) of shoes

schoenpoetser shoeshine boy

schoenveter shoelace: *zijn ~s strikken* (of: *vastmaken)* lace up *(of:* tie) one's shoes

schoenzool sole

schoffel hoe

schoffelen weed

schoft 1 bastard; **2** *(schouder ve dier)* shoulder, *(ve paard ook)* withers *(mv)*

schoftenstreek dirty trick, nasty trick

schok 1 shock: *dat nieuws zal een ~ geven* that news will come as quite a shock; *de ~ te boven komen* get over the shock; **2** *(stoot)* jolt: *de ~ken van een aardbeving* earthquake tremors; *de ~ was zo hevig dat …* the (force of the) impact was so great that …

schokbreker shock absorber

schokeffect shock, impact: *voor een ~ zorgen* create a shock

schokken I *intr* shake, jolt; **II** *tr* shock: *~de beelden* shocking scenes

schol I *zn* plaice; **II** *tw (Belg)* cheers!

scholen school, train

scholengemeenschap *(ongev)* comprehensive school

scholier 1 pupil, *(Am)* student; **2** *(Belg)* junior member (14, 15 years) of sports club

scholing training, schooling: *een man met weinig ~* a man of little schooling *(of:* education)

schommel swing

schommelbeweging swing, swinging motion, rocking motion

schommelen 1 swing, *(stoel, trein)* rock, *(boot)* roll; **2** *(met een schommel spelen)* swing, rock: *ze zijn aan het ~* they are playing on the swings; **3** *(mbt*

waarden, bedragen) fluctuate
schommeling fluctuation, swing
schommelstoel rocking chair
schone beauty
schooien beg: *die hond schooit bij iedereen om een stukje vlees* that dog begs a piece of meat from everybody
schooier tramp, vagrant, *(Am)* bum
school school: *een ~ haringen* a school of herring; *een bijzondere ~* a denominational school; *hogere ~* college for higher education; *de lagere ~* primary school; *de middelbare ~* secondary school; *(Am:* high) school; *een neutrale ~* a non-denominational school; *een openbare ~* a state *(Am:* public) school; *Vrije School* Rudolf Steiner School; *een witte ~* a predominantly white school; *naar ~ gaan* go to school; *de kinderen zijn naar ~* the children are at school; *op de middelbare ~ zitten* go to *(of:* attend) secondary school; *uit ~ komen* come home from school; *als de kinderen van ~ zijn* when the children have finished school; *zij werd van ~ gestuurd* she was expelled from school; *een ~ voor voortgezet onderwijs* a secondary school
schoolagenda school diary
schoolartikelen school supplies
schoolbank school desk: *ik heb met hem in de ~en gezeten* we went to school together, we were schoolmates
schoolbegeleidingsdienst education advisory service
schoolbel school bell
schoolbestuur board of governors
schoolblijven stay in (after school), be kept in (after school)
schoolboek school book, textbook
schoolbord blackboard
schoolbus school bus
schooldag school day: *de eerste ~* the first day of school
schooldiploma diploma, school (leaving) certificate
schooldirecteur principal, headmaster, headmistress
schoolfeest school party
schoolgaand schoolgoing
schoolgebouw school (building)
schoolgeld tuition, fee(s)
schoolhoofd principal, headmaster, headmistress
schoolinspecteur school inspector
schooljaar school year: *het eerste ~ over moeten doen* have to repeat the first year
schooljongen schoolboy
schooljuf *(inform)* schoolmarm
schooljuffrouw (school)teacher
schoolkeuze choice of school
schoolkind schoolchild
schoolklas class, form
schoolkrant school (news)paper
schoolleiding school management

schoollokaal schoolroom
schoolmeester 1 schoolteacher; **2** *(pedant type)* pedant, prig: *de ~ spelen (uithangen)* be a pedant
schoolmeisje schoolgirl
schoolonderzoek exam(ination)
schoolopleiding education: *een goede ~ genoten hebben* have had the advantage of a good education
schoolplein (school) playground: *de kinderen spelen op het ~* the children were playing in the playground
schoolradio educational radio
schoolreglement school regulations (*of:* rules)
schoolreis school trip
schoolreünie school reunion
schools *(weinig zelfstandig)* scholastic
schoolschrift school notebook
schoolslag breaststroke
schooltas schoolbag, *(met schouderband)* satchel
schooltelevisie educational television
schooltijd school time (*of:* hours): *de ~en variëren soms van school tot school* school hours can vary from school to school; *buiten* (of: *na) ~* outside (*of:* after) school; *gedurende de ~, onder ~* during school (time)
schooluitgave school edition
schoolvak school subject
schoolvakantie school holidays
schoolverlater school leaver, *(Am)* recent graduate, *(zonder diploma)* drop-out
schoolverzuim school absenteeism
schoolvoorbeeld classic example: *dit is een ~ van hoe het niet moet* this is a classic example of how it shouldn't be done
schoolziek shamming, malingering
schoon I *zn* beauty: *het vrouwelijk ~* female beauty; **II** *bn* **1** clean, *(netjes, opgeruimd)* neat: *~ water* clean (*of:* fresh) water; **2** *(mooi)* beautiful, fine: *de schone kunsten* the fine arts; **3** *(vrij van onkosten)* clear, *(mbt belasting)* after tax: *50 pond ~ per week verdienen* make 50 pounds a week net (*of:* after tax); **4** *(Belg)* fine, pretty
schoonbroer brother-in-law
schoondochter daughter-in-law
schoonfamilie in-laws
schoonheid beauty
schoonheidsfoutje little slip, flaw
schoonheidssalon beauty salon (*of:* parlour)
schoonheidsspecialiste beautician, *(make-up)* cosmetician
schoonheidsvlekje beauty spot
schoonheidswedstrijd beauty contest
schoonhouden clean: *een kantoor ~* clean an office
schoonmaak (house) cleaning, clean-up: *de grote ~* the spring-cleaning; *grote ~ houden* spring-clean, make a clean sweep
schoonmaakartikelen cleaning products, cleanser(s)
schoonmaakbedrijf cleaning agency (*of:* service), (professional) cleaners

sc

schoonmaken clean
schoonmaker cleaner
schoonmoeder mother-in-law
schoonouders in-laws
schoonschrift calligraphy
schoonschrijven calligraphy
schoonspoelen rinse (out)
schoonspringen platform diving
schoonvader father-in-law
schoonzoon son-in-law
schoonzus sister-in-law
schoonzwemmen synchronized swimming
schoorsteen chimney: *de ~ trekt niet goed* the chimney doesn't draw well; *de ~ vegen* sweep the chimney
schoorsteenbrand chimney fire
schoorsteenmantel mantelpiece
schoorsteenveger chimney sweep
schoorvoetend reluctantly
schoot lap: *bij iem op ~ kruipen* clamber onto s.o.'s lap
schoothondje lapdog
schop 1 kick: *een vrije ~* a free kick; *iem een ~ onder zijn kont geven* kick s.o. on (*of:* up) the behind; 2 *(schep)* shovel, *(spade)* spade
¹**schoppen** kick: *tegen een bal ~* kick a ball; *het ver ~* go far (in the world)
²**schoppen** spades: *schoppenaas* ace of spades; *~ is troef* spades are trump; *één ~* one spade
schor hoarse, husky
schorem riff-raff, scum
schorpioen scorpion
Schorpioen Scorpio
schors bark
schorsen 1 *(tijdelijk sluiten)* adjourn *(vergadering)*; 2 *(uitsluiten)* suspend: *een speler voor drie wedstrijden ~* suspend a player for three games; *als lid ~* suspend s.o. from membership
schorsing suspension: *door zijn gedrag een ~ oplopen* be suspended for bad conduct
schort apron: *een ~ voordoen* put on an apron
schot 1 shot *(knal)*: *een ~ in de roos* a bull's-eye; *een ~ op goal* a shot at goal; 2 *(bereik)* range: *buiten ~ blijven, zich buiten ~ houden* keep out of range; *iem (iets) onder ~ hebben* have s.o. (sth) within range; *onder ~ houden* keep covered; *onder ~ nemen* cover; 3 *(voortgang)* movement: *er komt (zit) ~ in de zaak* things are beginning to get going (*of:* to move); 4 *(afscheiding)* partition
Schot Scot
schotel 1 dish, *(klein)* saucer: *een vuurvaste ~* an ovenproof dish; 2 *(gerecht)* dish: *een warme ~* a hot dish; *een vliegende ~* a flying saucer
schotelantenne *(reclame)* satellite dish
Schotland Scotland
schots (ice) floe ‖ *~ en scheef* higgledy-piggledy, topsy-turvy
Schots *(uit, van Schotland)* Scottish, Scots, *(niet voor personen; wel in vaste uitdrukkingen)* Scotch:

~e whisky Scotch (whisky)
schotwond bullet wound, gunshot wound
schouder shoulder: *de ~s ophalen* shrug one's shoulders; *iem op zijn ~ kloppen* pat s.o. on the back
schouderband shoulder strap: *zonder ~jes* strapless
schouderblad shoulder blade (*of:* bone)
schouderklopje pat on the back
schouderophalen shrug
schoudervulling shoulder pad
schouw mantel(piece)
schouwburg theatre: *naar de ~ gaan* go to the theatre
schouwspel spectacle, *(aanblik)* sight, *(spektakel)* show: *een aangrijpend ~* a touching sight
schraagtafel trestle table
schraal 1 *(mager)* lean; 2 *(mbt grond)* poor, arid *(dor)*; 3 *(mbt het weer)* bleak; cutting *(wind)*; 4 *(mbt huid)* dry: *schrale handen* chapped hands
schram scratch, scrape: *vol ~men zitten* be all scratched
schrander clever, sharp
schransen gormandize, stuff oneself
schrap braced: *zich ~ zetten* brace oneself, *(weigeren toe te geven)* dig (one's heels) in
schrapen 1 clear: *de keel ~* clear one's throat; 2 *(bij elkaar halen)* scrape: *geld bij elkaar ~* scrape money together
schrappen 1 scrape *(worteltjes e.d.)*, scale *(vis)*; 2 *(doorhalen)* strike off, strike out, delete: *iem als lid ~* drop s.o. from membership
schrede pace, step
schreef: *over de ~ gaan* overstep the mark
schreeuw shout, cry: *een ~ geven* (let out a) yell, give a cry
schreeuwen I *tr* shout (out), yell (out): *een bevel ~* shout (*of:* yell) (out) an order; II *intr* 1 *(gillen)* scream, cry (out), yell (out); 2 *(roepen (om))* cry out (for): *deze problemen ~ om een snelle oplossing* these problems are crying out for a quick solution; 3 *(hevig tekeergaan)* scream, shout: *hij schreeuwt tegen iedereen* he shouts at everyone; 4 *(mbt dieren)* cry, screech *(pauw, uil)*, squeal *(varken)*
schreeuwlelijk 1 loudmouth, bigmouth; 2 *(kind)* squaller, screamer
schreien weep; cry (out) ‖ *bittere (of: hete) tranen ~* weep bitter (*of:* hot) tears
schriel thin, meagre
schrift 1 writing: *iets op ~ stellen* put sth in writing; *ik heb het op ~* I have it in writing; 2 *(handschrift)* (hand)writing: *duidelijk leesbaar ~* legible handwriting; 3 *(cahier)* exercise book, notebook
Schrift Scripture(s): *de Heilige ~* (Holy) Scripture, the Scriptures
schriftelijk written; in writing: *een ~e cursus* a correspondence course; *~ bevestigen* confirm in writing; *iets ~ vastleggen* put sth in writing; *voor het ~ zakken* fail one's written exams

schrijden stride, stalk

schrijfbenodigdheden stationery, writing materials

schrijfblok writing pad, (note)pad

schrijfgerei stationery

schrijfkramp writer's cramp

schrijfmachine typewriter

schrijfster writer

schrijftaal written language

schrijfvaardigheid writing skill

schrijlings straddling; astride: *~ op een paard zitten* sit astride a horse

schrijnen 1 chafe; 2 *(mbt wonden)* smart

schrijven write: *een vriend ~* write to a friend; *voluit ~* write (out) in full; *op een advertentie ~* answer an advertisement; *op het moment waarop ik dit schrijf* at the time of writing

schrijver writer, author

schrik 1 terror, shock, fright: *iem ~ aanjagen* give s.o. a fright; *van de ~ bekomen* get over the shock; *met de ~ vrijkomen* have a lucky escape; *tot mijn ~* to my alarm (*of:* horror); *tot hun grote ~* to their horror; 2 *(vrees)* fright, fear; 3 *(wie, wat schrik veroorzaakt)* terror: *hij is de ~ van de buurt* he is the terror of the neighbourhood

schrikaanjagend terrifying, frightening

schrikbarend alarming, shocking: *~ hoge prijzen* staggering prices

schrikbeeld phantom, spectre, bogey: *het ~ van de werkloosheid* the spectre of unemployment

schrikdraad electric fence

schrikkeldag leap day

schrikkeljaar leap year

schrikkelmaand February

schrikken be shocked (*of:* scared, frightened): *ik schrik me kapot (dood)* I'm scared stiff (*of:* to death); *wakker ~* wake with a start; *iem laten ~* frighten s.o.; *hij schrok ervan* it frightened him; *van iets ~* be frightened by sth; *iem aan het ~ maken* give s.o. a fright

schril 1 shrill, *(piepend)* squeaky: *een ~le stem* a shrill voice; 2 *(scherp afstekend)* sharp, glaring *(kleuren)*

schrobben scrub

schroef 1 screw: *alles staat weer op losse schroeven* everything's unsettled (*of:* up in the air) again; *(fig) de schroeven aandraaien* put the screws on; *een ~ vastdraaien* (of: *losdraaien*) tighten (*of:* loosen) a screw; *er zit een ~je bij hem los* he has a screw loose; 2 *(voor voortstuwing)* screw propeller

schroefdeksel screw cap, screw-on lid

schroefdop screw cap, screw top: *de ~ van een fles losdraaien* screw the top off a bottle

schroefdraad (screw) thread

schroeien 1 singe, sear *(vlees)*: *zijn kleren ~* singe one's clothes; 2 *(sterk uitdrogen)* scorch: *de zon schroeide het gras* the sun scorched the grass

schroeven screw: *iets in elkaar ~* screw sth together; *iets uit elkaar ~* unscrew sth

schroevendraaier screwdriver

schrokken cram down, gobble: *zit niet zo te ~* don't bolt your food like that

schromelijk gross: *~ overdreven* grossly exaggerated

schromen hesitate

schrompelen shrivel

schroom hesitation; diffidence

schroot I *het* 1 scrap (iron, metal); 2 *(brokstukken)* lumps *(mv);* II *de (strook hout)* lath: *een muur met ~jes betimmeren* lath a wall

schroothandelaar scrap (iron, metal) dealer, junk dealer

schroothoop scrap heap: *deze auto is rijp voor de ~* this car is fit for the scrap heap

schrootjeswand lathed wall

schub scale

schuchter shy, timid: *een ~e poging* a timid attempt

schudden shake, shuffle *(kaarten):* *~ voor gebruik* shake before use; *iem flink de hand ~* pump s.o.'s hand; *nee ~ (met het hoofd)* shake one's head; *iem van zich af ~* shake s.o. off; *iem door elkaar ~* shake s.o. up; *dat kun je wel ~!* forget it!, nothing doing!

schuier brush

schuif 1 *(grendel)* bolt; 2 *(Belg)* drawer

schuifdak sunroof

schuifdeur sliding door

schuifelen shuffle: *met de voeten ~* shuffle one's feet

schuifje (small) bolt

schuifladder extension ladder

schuifpui sliding French window (*Am:* door), sliding patio doors

schuiftrombone slide trombone

schuiftrompet trombone

schuifwand sliding wall

schuilen 1 hide: *daarin schuilt een groot gevaar* that carries a great risk (with it); 2 *(beschutting zoeken)* shelter (from)

schuilkelder air-raid shelter

schuilnaam pseudonym, pen-name

schuilplaats 1 hiding place, (place of) shelter, hideout *(vnl. van misdadigers):* *iem een ~ verlenen* give shelter to s.o.; 2 *(plaats om te schuilen)* shelter: *een ~ zoeken* take shelter

schuim foam, froth *(op bier enz.),* lather *(zeep)*

schuimbad bubble bath

schuimblusapparaat foam extinguisher

schuimen foam, froth, lather *(zeep):* *die zeep schuimt niet* that soap does not lather

schuimkraag head

schuimpje meringue

schuimplastic foam plastic

schuimrubber foam rubber

schuimspaan skimmer

schuimwijn sparkling wine

schuin 1 slanting, sloping: *~e rand* bevelled edge; *een ~e streep* a slash; *een stuk hout ~ afzagen* saw a piece of wood slantwise; *iets ~ houden* slant sth; *~*

sc

oversteken cross diagonally; *~ schrijven* write in italics; *hier ~ tegenover* diagonally across from here; 2 *(onfatsoenlijk)* smutty, dirty

schuinschrift sloping handwriting, slanting handwriting

schuit barge, boat

schuitje boat: *in hetzelfde ~ zitten* be in the same boat

schuiven I *tr* push, shove: *een stoel bij de tafel ~* pull up a chair; *iets (iem) terzijde ~* brush sth (s.o.) aside; *iets voor zich uit ~* put sth off, postpone sth; **II** *intr* **1** slide: *de lading ging ~* the cargo shifted; *in elkaar ~* slide into one another, telescope; **2** *(zich met een stoel verplaatsen)* move *(of:* bring) one's chair: *dichterbij ~* bring one's chair closer; *laat hem maar ~* let him get on with it; *met data ~* rearrange dates

schuiver skid, lurch: *een ~ maken* skid, lurch

schuld 1 debt: *zijn ~en afbetalen* pay off *(of:* settle) one's debts; *~en hebben* have debts, be in debt; **2** *(verantwoordelijkheid)* guilt, blame: *iem de ~ van iets geven* blame s.o. for sth; *het is mijn eigen ~* it is my own fault

schuldbekentenis 1 *(document)* bond, IOU *(I owe you)*; **2** *(schuld toegeven)* admission *(of:* confession) of guilt: *een volledige ~ afleggen* make a full confession

schuldbelijdenis *(r-k)* confession

schuldeiser creditor

schuldgevoel feeling of guilt, guilty conscience

schuldig 1 owing: *hoeveel ben ik u ~?* how much do I owe you?; **2** *(schuld hebbend)* guilty: *de rechter heeft hem ~ verklaard* the judge has declared him guilty

schuldige culprit, guilty party, *(overtreder)* offender

schuldvraag the question of guilt

schulp shell: *in zijn ~ kruipen* withdraw *(of:* retire) into one's shell

schunnig shabby, *(taal)* filthy

schuren 1 grate, scour; **2** *(met schuurpapier)* sand(paper)

schurft scabies, mange *(vnl. dieren)*: *de ~ aan iem hebben* hate s.o.'s guts

schurk scoundrel, villain

schut shelter, cover || *iem voor ~ zetten* make s.o. look a fool; *voor ~ staan* look a fool *(of:* an idiot)

schutkleur camouflage

schutter *(met geweer)* rifleman, marksman || *hij is een goede ~* he is a crack shot

schutting fence: *een ~ om een bouwterrein zetten* fence off a construction site

schuttingtaal foul language, obscene language: *~ uitslaan* use foul *(of:* obscene) language

schuttingwoord four-letter word, obscenity

schuur shed, barn *(van boerderij)*: *de oogst in de ~ brengen* bring in the harvest

schuurmachine sander, sanding machine

schuurmiddel abrasive

schuurpapier sandpaper

schuurpoeder scouring powder

schuurspons scourer

schuw shy, timid

schuwen shun, shrink from

sclerose sclerosis: *multiple ~* multiple sclerosis

scooter (motor) scooter

score score: *een gelijke ~* a draw *(of:* tie); *een ~ behalen van …* make a score of …

scorebord scoreboard

scoren score: *een doelpunt ~* score (a goal)

scrabbelen play Scrabble

scriptie thesis, term paper: *een ~ schrijven over* write a thesis about *(of:* on)

seance seance *(van spiritisten)*

sec *afk van seconde* sec

seconde 1 second: *in een onderdeel van een ~* in a split second; **2** *(ogenblik)* second, moment: *hij houdt geen ~ zijn mond* he never stops talking

secondewijzer second hand

secretaresse secretary

secretariaat secretariat, *(kantoor ook)* secretary's office

secretarie office, town clerk's office *(bij gemeente)*

secretaris secretary, clerk *(in gemeente, rechtbank)*

sectie 1 *(mbt lijk)* autopsy, post-mortem (examination); dissection: *~ verrichten* carry out a post-mortem *(of:* an autopsy); **2** *(afdeling)* section, department *(mbt een organisatie, school)*: *de ~ betaald voetbal* the Football League; *de ~ Frans* the French department

sector sector: *de agrarische ~* the agricultural sector; *de zachte ~* the social sector

secundair secondary, minor: *van ~ belang* of minor importance

secuur precise, meticulous

sedert since *(vanaf)*; for *(gedurende)*: *~ enige tijd* for some time

seffens *(Belg)* at once, straightaway

segment segment: *de ~en van een tunnel* the sections of a tunnel

sein 1 signal, sign: *het ~ op veilig stellen* set the sign at clear; **2** *(waarschuwing, tip)* tip, hint: *geef me even een ~tje als je hulp nodig hebt* just let me know if you need any help

seinen 1 signal, flash *(met lichten)*; **2** *(berichten afzenden)* telegraph, *(draadloos)* radio

seinwachter signalman

seismisch seismic

seismograaf seismograph

seizoen season: *weer dat past bij het ~* seasonable weather; *buiten het ~* in the off-season, out of season, off-season

seizoenarbeid seasonal work *(of:* employment)

seizoenartikel seasonal article

seizoenkaart season ticket

seks sex: *~ bedrijven* have sex

seksblad sex magazine

sekse sex: *iem van de andere ~* s.o. of the opposite

sex
seksfilm sex film, *(plat)* skin-flick
seksisme sexism, *(van man(nen) ook)* male chauvinism
seksist sexist, *(man)* male chauvinist
seksistisch sexist; like a sexist: *een ~e opmerking* a sexist remark
sekslijn sex line
seksmaniak sex maniac
seksnummer sex line, erotic line
seksualiteit sexuality
seksueel sexual: *seksuele voorlichting* sex education; *~ overdraagbare aandoeningen* sexually transmitted disease(s)
seksuoloog sexologist
sekte sect
selderij celery
selecteren select, pick (out): *hij werd niet geselecteerd voor die wedstrijd* he was not picked *(of: selected)* for that match
selectie selection: *(sport) de ~ bekendmaken* announce the selection, name the squad
selectief selective
selectieprocedure selection procedure
selectiewedstrijd selection match, *(voorronde wedstrijd)* preliminary match
semafoon *(ongev)* radio(tele)phone
semester six months, semester, term (of six months)
Semieten Semites
seminarie seminary: *op het ~ zitten* be at a seminary
semi-overheidsbedrijf semi state-controlled company
senaat senate
senator senator: *tot ~ gekozen worden* be elected (as) senator
Senegal Senegal
seniel senile
seniliteit senility
senior senior
seniorenpas pensioner's ticket *(of:* pass), senior citizen's pass *(of:* reduction card)
sensatie sensation, feeling, *(opwinding)* thrill, *(opschudding)* stir: *op ~ belust zijn* be looking for sensation
sensatiepers gutter press
sensationeel sensational, *(opzienbarend)* spectacular
sentiment sentiment: *vals ~* cheap sentiment
sentimenteel sentimental: *een sentimentele film* a sentimental film, a tear-jerker
seponeren dismiss, drop
september September
septisch septic
sereen serene
serenade serenade: *iem een ~ brengen* serenade s.o.
sergeant sergeant
sergeant-majoor sergeant major

serie series; *(feuilleton)* serial: *een Amerikaanse ~ op de tv* an American serial on TV
seriemoordenaar serial killer
serieproductie serial production, series production
serieus serious, straight *(zonder grapjes): een serieuze zaak* no laughing matter; *~?* seriously?, really?
sering lilac: *een boeket ~en* a bouquet of lilac
seropositief HIV-positive
serpentine streamer
serre 1 sunroom; **2** *(broeikas) (aan huis, gebouw vast)* conservatory *(voor planten)*
serum serum
serveerder *(bediende) (aan tafel)* waiter; *(achter toonbank)* server
serveerster waitress
serveren serve: *koel ~* serve chilled; *onderhands (of: bovenhands) ~* serve underarm *(of:* overarm)
servet napkin
service 1 service: *dat is nog eens ~!* that is what I call service!; **2** *(bedieningsgeld)* service charge: *~ inbegrepen* service charges included
servicebeurt service: *met je auto naar de garage gaan voor een ~* take the car to be serviced
serviceflat service flat
servicekosten service charge(s)
servicelijn service line
servicevak service court
Servië Serbia
Serviër Serb(ian)
servies service: *theeservies* tea service *(of:* set); *30-delig ~* 30-piece service
serviesgoed crockery
Servisch Serbian
sesamzaad sesame seed(s)
sessie session, sitting, *(van muzikanten)* jam session
set set
setter setter: *Ierse ~* Irish setter
sexshop sex shop, porn shop
Seychellen the Seychelles
sfeer 1 atmosphere; **2** *(karakteristieke eigenschap)* atmosphere, character *(plaats, gebouw)*, ambience *(plaats): een huis met een heel eigen ~* a house with a distinctive character; **3** *(gebied)* sphere: *in hogere sferen zijn* have one's head in the clouds
sfeervol attractive
sfinx sphinx
shag hand-rolling tobacco: *~ roken* roll one's own
shampoo shampoo
sheriff sheriff
sherry sherry
Shetlander Shetland (pony)
shirt shirt, *(bloes)* blouse
shirtreclame shirt advertising
shoarma doner kebab: *een broodje ~* a doner kebab
shoarmabroodje pitta bread
shock shock
shocktoestand state of shock: *hij is in ~* he is in (a

state of) shock
short shorts *(mv)*
shotten *(Belg)* play football
show show; display
si *(muz)* ti, si
siamees Siamese (cat)
Siamees Siamese
Siberië Siberia
Siberisch Siberian
Siciliaan Sicilian
Sicilië Sicily
sidderen tremble, shiver: *ik sidderde bij de gedachte alleen al* the very thought of it made me shudder
sieraad jewel, *(mv)* jewellery
sieren adorn: *dat siert hem* it is to his credit
sierlijk elegant, graceful
sierlijkheid elegance, grace(fulness)
sierplant ornamental plant
sierstrip trim *(op auto)*
siësta siesta: *~ houden* have a siesta
sigaar cigar: *een ~ opsteken* light a cigar; *de ~ zijn* have had it, get the blame
sigarenbandje cigar band
sigarenboer tobacconist
sigarenwinkel cigar shop, tobacconist's
sigaret cigarette: *een pakje ~ten* a packet (*Am:* pack) of cigarettes; *een ~ opsteken* (of: *uitmaken*) light (*of:* put out) a cigarette
sigarettenautomaat cigarette (vending) machine
sigarettenpeuk cigarette end (*of:* butt)
sigarettenvloei cigarette paper
signaal 1 signal, sign: *het ~ voor de aftocht geven* sound the retreat; 2 *(instrument)* signal: *het ~ stond op rood* the signal was red
signalement description: *hij beantwoordt niet aan het ~* he doesn't fit the description
signaleren 1 see, spot: *hij was in een nachtclub gesignaleerd* he had been seen in a nightclub; 2 *(wijzen op)* point out: *problemen* (of: *misstanden*) *~* point out problems (*of:* evils)
signalisatie *(Belg)* traffic signs, road signs
signeren sign, autograph: *een door de auteur gesigneerd exemplaar* a signed (an autographed) copy
significant significant
sijpelen trickle, ooze, seep
sik goatee bird
sikkel sickle
sikkeneurig peevish, grouchy
sikkepit whit, bit
silhouet silhouette
silicium silicon
siliconenkit silicone paste, fibre-glass paste
silo silo
simpel simple: *~e kost* simple (*of:* modest) fare; *zo ~ ligt dat!* it's as simple as that!
simuleren simulate, sham
simultaan simultaneous: *(sport) ~ spelen* give a simultaneous display
simultaanpartij simultaneous game

sinaasappel orange
sinaasappelkist orange crate, orange box
sinaasappelsap orange juice
sinas orangeade, orange soda
sinds I *vz (voor tijdstip)* since; *(voor periode)* for: *ik ben hier al ~ jaren niet meer geweest* I haven't been here for years; *ik heb hem ~ maandag niet meer gezien* I haven't seen him since Monday; *~ kort* recently, for a short time now; II *vw* since, *(onafgebroken)* ever since: *~ ik Jan ken* since I met (*of:* have known) Jan
singel 1 canal; 2 *(band, riem)* webbing
single single
singlet singlet, *(Am)* undershirt
sinister sinister: *~e plannen* sinister designs
sint 1 saint; 2 *(Sinterklaas)* St Nicholas
sint-bernardshond St Bernard (dog)
sintel cinder: *gloeiende ~s* glowing embers
Sinterklaas *zie* Sint-Nicolaas
sinterklaasavond St Nicholas' Eve
sinterklaasgedicht St Nicholas' poem
sint-juttemis: *wachten tot ~* wait till the cows come home
Sint-Nicolaas 1 St Nicholas; 2 *(feest)* feast of St Nicholas
sinus sine (of angle)
sip glum, crestfallen
Sire your Majesty, Sire
sirene siren: *met loeiende ~* with wailing sirens
Sirius Sirius
siroop syrup: *vruchten op lichte* (of: *zware*) *~* fruit in light (*of:* heavy) syrup
sisklank sibilant
sissen 1 hiss: *een ~d geluid maken* make a hissing noise; 2 *(mbt vocht, vet)* sizzle: *het spek siste in de pan* the bacon was sizzling in the pan
sisser met *een ~ aflopen* blow over *(iets dreigends)*, fizzle out *(tegenvallen)*
sitar sitar
situatie situation, position: *een moeilijke ~* a difficult situation; *in de huidige ~* as things stand, in the present situation
sjaal scarf: *een ~ omslaan* put on a scarf
sjabloon stencil (plate), template *(voor snijden, boren); (fig)* stereotype
sjacheraar haggler, horse-trader
sjah shah
sjalot shallot
sjansen flirt, make eyes at s.o.: *~ met de buurman* flirt with the neighbour
sjasliek shashlik
sjeik sheikh
sjekkie (hand-rolled) cigarette, roll-up: *een ~ draaien* roll a cigarette
sjerp sash
sjiek *zie* chic
sjilpen cheep, chirp
sjoelen play at shovelboard
sjofel shabby

sjokken trudge
sjonnie greaser
sjorren lug, heave
sjouwen lug, drag: *lopen* ~ trudge, traipse
sjouwer porter, *(in haven)* docker
skai imitation leather
skateboard skateboard
skaten skateboard
skeeler skeeler
skeeleren rollerblade
skelet skeleton, *(bouwk ook)* frame
skelterbaan go-kart (race)track
skelteren go-kart: *het* ~ go-karting
sketch sketch
ski ski
skicentrum ski resort
skiën ski: *gaan* ~ go skiing
skiër skier
skigebied skiing area (*of:* centre)
skileraar ski instructor
skilift ski lift
skipiste ski run
skischans ski jump
skischoen ski boot
skistok ski stick (*Am:* pole)
sla lettuce, *(als koud gerecht)* salad: *een krop* ~ a
  head of lettuce; *de* ~ *aanmaken* dress the salad
slaaf slave
slaafs slavish, servile: ~*e gehoorzaamheid* servile
  obedience
slaag *(ook fig)* iem *(een pak)* ~ *geven* give s.o. a beating
slaan 1 hit, strike, slap *(met vlakke hand)*, beat *(een
  pak slaag geven)*: *de klok slaat ieder kwartier* the
  clock strikes the quarters; *zich ergens doorheen* ~
  pull through; *zijn hart ging sneller* ~ his heart beat
  faster; *een paal in de grond* ~ drive a stake into the
  ground; *met de vleugels* ~ flap one's wings; *met de
  deur* ~ slam the door; *iem in elkaar* ~ beat s.o. up;
  hij is er niet (bij) weg te ~ wild horses couldn't drag
  him away; 2 *(mbt spel)* take, capture; 3 *(met op) (betreffen)* refer to: *waar slaat dat nu weer op?* what do
  you mean by that?; *dat slaat op mij* that is meant for
  (*of:* aimed at) me; *dat slaat nergens op* that makes
  no sense at all; *over de kop* ~ overturn; *een mantel
  om iem heen* ~ wrap a coat round s.o.; *de armen om
  de hals van iem* ~ fling one's arms around s.o.'s
  neck; *de benen over elkaar* ~ cross one's legs
slaap 1 sleep: *in* ~ *vallen* fall asleep; 2 *(neiging)*
  sleepiness: ~ *hebben* be (*of:* feel) sleepy; ~ *krijgen*
  get sleepy; 3 *(aan het hoofd)* temple
slaapbank sofa bed
slaapgelegenheid sleeping accommodation, place
  to sleep
slaapje nap, snooze
slaapkamer bedroom
slaapkop 1 *(slaperig persoon)* sleepyhead; 2 *(sufferd)* dope
slaapliedje lullaby

slaapmiddel sleeping pill
slaapmuts nightcap
slaapmutsje *(borrel)* nightcap
slaappil sleeping pill
slaapplaats place to sleep, bed
slaapstad dormitory suburb; *(satellietstad)* dormitory town
slaapster: *de schone* ~ Sleeping Beauty
slaaptrein sleeper, overnight train
slaapverwekkend sleep-inducing, *(fig)* soporific:
  een ~ *boek* a tedious book
slaapwandelaar sleepwalker
slaapwandelen walk in one's sleep: *het* ~ sleep-
  walking
slaapzaal dormitory, dorm
slaapzak sleeping bag
slaatje salad || *hij wil overal een* ~ *uit slaan* he tries
  to cash in on everything
slab bib: *een kind een* ~ *voordoen* put a child's bib
  on
slabak salad bowl
slabakken *(Belg) (slecht gaan)* hang fire, do badly:
  de ~*de economie* the stagnating economy
slacht slaughter(ing)
slachtafval offal
slachtbank: *naar de* ~ *geleid worden* be led to the
  slaughter
slachten slaughter, butcher: *geslachte koeien*
  slaughtered cows
slachthuis slaughterhouse
slachting slaughter(ing), *(massamoord ook)* massacre
slachtoffer victim, *(vnl. mv ook)* casualty *(in oorlog, bij ramp)*: ~ *worden van* fall victim (*of:* prey) to
slachtofferhulp help (*of:* aid) to victims
slachtpartij slaughter, massacre
slachtvee stock (*of:* cattle) for slaughter(ing), beef
  cattle
¹**slag** 1 blow, *(vuistslag ook)* punch, *(met zweep ook)*
  lash: *iem een (zware)* ~ *toebrengen* deal s.o. a heavy
  blow; 2 *(klap tegen een bal)* stroke, *(golf ook)* drive:
  een ~ *in de lucht* a shot in the dark; 3 *(mil)* battle: *in
  de* ~ *bij Nieuwpoort* at the Battle of Nieuwpoort;
  (Belg) zich uit de ~ *trekken* get out of a difficult situation; 4 *(geluid)* bang, bump; 5 *(golvende beweging)* wave: *hij heeft een mooie* ~ *in zijn haar* he has
  a nice wave in his hair; 6 *(het slaan, keer)* stroke,
  (muz; van pols, hart) beat: *(totaal) van* ~ *zijn* be
  (completely) thrown out; 7 *(handigheid)* knack: *de*
  ~ *van iets te pakken krijgen* get the knack (*of:* hang)
  of sth; 8 *(kaartspel)* trick: *iem een* ~ *voor zijn* be one
  up on s.o.; 9 *(damspel)* take, capture; 10 *(zwemmen,
  roeien)* stroke: *(zwemmen) vrije* ~ freestyle; *een* ~
  naar iets slaan have a shot (*of:* stab) at sth; *een goede* ~ *slaan* make a good deal; *aan de* ~ *gaan* get to
  work; *hij was op* ~ *dood* he was killed instantly
²**slag** *(aard, soort)* sort, kind: *dat is niet voor ons* ~
  mensen that's not for the likes of us; *iem van jouw*
  ~ s.o. like you

sl

slagader artery: *grote* ~ aorta
slagboom barrier
slagen 1 *(met in, met) (het er goed afbrengen) (met persoon als onderwerp)* succeed (in), be successful (in): *ben je erin geslaagd?* did you pull it off, did you manage?; **2** *(met in en ww) (weten te)* succeed in (-ing), manage (to): *ik slaagde er niet in de top te bereiken* I failed to make it to the top; **3** *(met voor) (examen halen)* pass, qualify (as, for) *(mbt bevoegdheid): hij is voor zijn Frans geslaagd* he has passed (his) French; **4** *(succes hebben)* be successful: *de operatie is geslaagd* the operation was successful; *de tekening is goed geslaagd* the drawing has turned out well
slager butcher
slagerij butcher's (shop)
slaggitaar rhythm guitar
slaghout bat
slaginstrument percussion instrument
slagpen 1 *(vogelveer)* flight feather; **2** *(in vuurwapen)* firing pin
slagroom: *aardbeien met* ~ strawberries and whipped cream
slagschip battleship
slagtand 1 tusk *(olifant);* **2** fang *(wolf, hond)*
slagveld battlefield
slagwerk *(slaginstrumenten)* percussion (section), *(jazz)* rhythm section
slagwerker percussionist, drummer *(alleen trommels)*
slagzij list *(schip);* bank *(vliegtuig: dat schip maakt zware* ~ that ship is listing heavily
slagzin slogan, catchphrase
slak 1 snail *(met huisje);* slug *(zonder huisje);* **2** *(afval van metalen, verbrande steenkool)* slag, dross
slaken give, utter: *een kreet* ~ give a cry, shriek; *een zucht* ~ *(of:* heave) a sigh
slakkengang snail's pace
slakkenhuis 1 snail's shell; **2** *(med)* cochlea
slalom slalom
slang 1 snake: *giftige* ~*en* poisonous snakes; **2** *(buigzame buis)* hose
slank slender, slim *(mensen): aan de* ~*e lijn doen* be slimming *(of:* dieting)
slaolie salad oil
slap 1 slack: *(fig) een* ~*pe tijd* a slack season; *het touw hangt* ~ the rope is slack; **2** *(niet stijf)* soft, limp; **3** *(mbt het lichaam)* weak, flabby: ~*pe spieren* flabby muscles; *we lagen* ~ *van het lachen* we were in stitches; **4** *(inhoudloos)* empty, feeble: *een* ~ *excuus* a lame *(of:* feeble) excuse
slapeloos sleepless
slapeloosheid insomnia, sleeplessness: *aan* ~ *lijden* suffer from insomnia
slapen 1 sleep: *gaan* ~ go to bed *(naar bed),* go to sleep *(inslapen); hij kon er niet van* ~ it kept him awake; *slaap lekker* sleep well; *bij iem blijven* ~ spend the night at s.o.'s house *(of:* place), *(in hetzelfde bed)* spend the night with s.o.; *ik wil er een nachtje over* ~ I'd like to sleep on it; *hij slaapt als een os (een roos)* he sleeps like a log; **2** *(geslachtsgemeenschap hebben)* sleep (with): *mijn been slaapt* I've got pins and needles in my leg
slapend sleeping: ~*e rijk worden* make money without any effort
slaperig sleepy, *(soezerig ook)* drowsy
slapjanus wimp, weed
slappeling weakling, softie
slapte *(mbt handel)* slackness
slasaus salad dressing
slavenarbeid slave labour
slavenhandel slave trade
slavernij slavery: *afschaffing van de* ~ abolition of slavery
slavin (female) slave
slecht 1 bad, poor *(van kwaliteit): een* ~ *gebit* bad teeth; ~ *betaald* badly *(of:* low) paid; ~*er worden (van kwaliteit e.d.)* worsen, deteriorate; ~ *ter been zijn* have difficulty (in) walking; **2** *(ongunstig)* bad, unfavourable: *hij heeft het* ~ *getroffen* he has been unlucky; **3** *(in moreel, zedelijk opzicht)* bad, wrong: *zich op het* ~*e pad begeven* go astray; **4** *(niet voorspoedig)* bad, ill: *het loopt nog eens* ~ *met je af* you will come to no good
slechterik baddie, bad guy, villain
slechtgehumeurd bad-tempered
slechthorend hard of hearing
slechts only, merely, just: *in* ~ *enkele gevallen* in only *(of:* just) a few cases
slechtziend visually handicapped: ~ *zijn* have bad eyesight
slee sledge, *(Am)* sled
sleeën sledge, *(Am)* sled, sleigh
sleep tow: *iem een* ~*(je) geven, iem op* ~ *nemen* give s.o. a tow, take s.o. in tow
sleepboot tug(boat)
sleepkabel tow rope
sleeptouw tow rope: *iem op* ~ *nemen* take s.o. in tow
sleepwagen breakdown truck; breakdown van, *(Am)* tow truck
slenteren stroll, amble: *op straat* ~ loaf about the streets
slepen 1 drag, haul: *iem door een examen* ~ pull s.o. through an exam; *iem voor de rechter* ~ take s.o. to court; **2** *(mbt auto enz.)* tow
slepend 1 dragging: *een* ~*e gang hebben* drag *(of:* shuffle) one's feet; **2** *(lang van duur)* lingering, long-drawn-out
slet slut
sleuf 1 slot, slit *(langwerpig): de* ~ *van een spaarpot* the slot in a piggybank; **2** *(smalle groef)* groove, trench *(in grond)*
sleur rut, grind: *de alledaagse* ~ the daily grind
sleuren drag, haul
sleutel 1 key; **2** *(fig)* key, clue; **3** *(werktuig, gereedschap)* spanner, *(Am)* wrench: *een Engelse* ~ a monkey wrench; **4** *(muz)* clef

sl

sleutelbeen collarbone, clavicle

sleutelbos bunch of keys

sleutelen 1 work (on), repair; **2** *(fig)* fiddle (with), tinker (with): *er moet nog wel wat aan de tekst gesleuteld worden* the text needs a certain amount of touching up

sleutelgat keyhole: *aan het ~ luisteren* listen *(of:* eavesdrop) at the keyhole; *door het ~ kijken* peep through the keyhole

sleutelhanger keyring

sleutelpositie key position

sleutelring keyring

sleutelrol key role, central role *(of:* part)

slib silt; *(bezinksel)* sludge

slibberig slippery, slimy *(door slijm)*

sliding sliding tackle

sliert 1 string, thread, wisp *(haar):* *~en rook* wisps of smoke; **2** *(een heleboel)* pack, bunch: *een hele ~ a* whole bunch

slijk mud, mire: *iem* (of: *iemands naam) door het ~ sleuren* drag s.o. *(of:* s.o.'s name) through the mud/mire

slijm mucus, phlegm *(fluim)*

slijmbal toady, bootlicker

slijmen butter up, soft-soap: *~ tegen iem* butter s.o. up

slijmerig slimy

slijmvlies mucous membrane

slijpen 1 sharpen; **2** *(effen maken, polijsten)* grind, polish, *(edelsteen ook)* cut: *diamant ~* cut diamonds; **3** *(mbt glaswerk)* cut

slijpsteen grindstone

slijtage wear (and tear): *tekenen van ~ vertonen* show signs of wear; *aan ~ onderhevig zijn* be subject to wear

slijten 1 wear (out): *die jas is kaal gesleten* that coat is worn bare; **2** wear away, wear off, *(vermageren, verzwakken)* waste (away); **3** *(doorbrengen)* spend, pass: *zijn leven in eenzaamheid ~* spend one's days in solitude

slijter wine merchant, *(Am)* liquor dealer ‖ *ik ga naar de ~* I'm going to the wine shop

slijterij wine shop, *(Am)* liquor store

slijtvast hard-wearing, wear-resistant

slikken 1 swallow, gulp (down) *(haastig);* **2** *(accepteren)* swallow, put up with: *je hebt het maar te ~* you just have to put up with it

slim clever, smart: *~me oogjes* shrewd eyes; *een ~me zet* a clever move; *iem te ~ af zijn* be too clever for s.o.

slimheid cleverness

slimmigheid dodge, trick: *hij wist zich door een ~je eruit te redden* he weaseled his way out of it

slinger 1 festoon, streamer, garland *(bloemen);* **2** *(zwaai)* swing, sway; **3** *(van een klok)* pendulum

slingerbeweging 1 swing; **2** *(van lichaam)* swerve

slingeren I *intr* **1** swing, sway: *~ op zijn benen* sway on one's legs; **2** *(zigzaggen)* sway, lurch, yaw *(schip);* **3** *(ordeloos neergelegd zijn)* lie about *(of:*

around): *laat je boeken niet altijd op mijn bureau ~!* don't always leave your books lying around on my desk!; **4** *(kronkelen)* wind; **II** *tr* **1** *(werpen)* sling, fling: *bij de botsing werd de bestuurder uit de auto geslingerd* in the crash the driver was flung out of the car; **2** *(zwaaiende beweging doen maken)* swing, sway; **III** *zich ~* wind; *(om een voorwerp)* wind (oneself)

slinken shrink: *de voorraad slinkt* the supply is dwindling

slinks cunning, devious: *op ~e wijze* by devious means

slip skid: *in een ~ raken* go into a skid

slipje (pair of) briefs *(of:* panties), (pair of) knickers

slippen slip; *(van voertuig, fiets)* skid

slipper mule, slipper *(pantoffel)*

slippertje: *een ~ maken* have a bit on the side

sliptong slip, sole

slissen lisp

slobberen 1 bag, sag: *zijn jasje slobbert om zijn lijf* his baggy coat hangs around his body; **2** *(slurpen)* slobber, slurp

sloddervos slob

sloeber: *een arme ~* a poor wretch *(of:* devil)

sloep cutter: *de ~ strijken* lower the boat

slof 1 slipper, mule: *zij kan het op haar ~fen af* she can do it with her eyes shut *(of:* with one hand tied behind her back); **2** *(pak met pakjes sigaretten)* carton: *uit zijn ~ schieten* hit the roof

sloffen shuffle: *loop niet zo te ~!* don't shuffle *(of:* drag) your feet!

slogan slogan

slok 1 drink, sip *(klein):* *grote ~ken nemen* gulp; **2** *(een keer slikken)* swallow, gulp

slokdarm gullet

slons slattern, sloven, slut

slonzig slovenly, sloppy

sloom listless, slow: *doe niet zo ~ (opschieten)* come on, I haven't got all day

¹sloop pillowcase: *lakens en slopen* bedlinen

²sloop 1 demolition; **2** *(bedrijf)* demolition firm; scrapyard *(mbt auto's)*

sloopauto scrap car, wreck

sloopbedrijf demolition firm *(of:* contractors); scrapyard, *(Am)* wrecker *(mbt auto's)*

sloot ditch, *(sport)* water jump

slootjespringen leap (over) ditches

slootwater ditchwater, *(fig)* dishwater

slop alley(way), *(doodlopend)* blind alley: *in het ~ raken* come to a dead end

slopen 1 demolish; **2** *(uit elkaar nemen)* break up, scrap *(schip, auto);* **3** *(verteren)* undermine *(gezondheid):* *~d werk* exhausting *(of:* back-breaking) work; *een ~de ziekte* a wasting disease

sloper demolition contractor

sloperij demolition firm *(of:* contractors) *(mbt gebouwen);* scrapyard *(mbt auto's)*

sloppenwijk slums, slum area

slordig careless, *(onordelijk)* untidy, *(werk, kleding* *ook)* sloppy: *wat zit je haar* ~ how untidy your hair is; ~ *schrijven* scribble

slordigheid carelessness, sloppiness

slot 1 lock, fastening *(ve armband):* *iem achter* ~ *en grendel zetten* put s.o. behind bars; *achter* ~ *en grendel* under lock and key; *een deur op* ~ *doen* lock a door; *alles op* ~ *doen* lock up; **2** *(einde)* end, conclusion: ~ *volgt* to be concluded; **3** *(kasteel)* castle

slotenmaker locksmith

slotfase final stage

slotgracht (castle) moat

slotscène final scene

slotsom conclusion

Sloveen Slovene, Slovenian

sloven drudge

Slovenië Slovenia

Slowaak Slovak

Slowakije Slovakia

sluier veil

sluik straight, lank

sluikreclame clandestine advertising

sluikstorten *(Belg) (clandestien afval storten)* dump (illegally)

sluimeren slumber

sluipen 1 steal, sneak, stalk *(bij de jacht):* *naar boven* ~ steal *(of:* sneak) upstairs; **2** *(mbt zaken)* creep

sluiproute short cut

sluipschutter sniper

sluis *(voor schepen)* lock; *(voor uitwatering)* sluice: *door een* ~ *varen* pass through a lock

sluiswachter lock-keeper

sluiten I *tr* **1** shut, close, *(voorgoed)* close down: *de grenzen* ~ close the frontiers; *het raam* ~ shut *(of:* close) the window; *de winkel (zaak)* ~: *a) (voorgoed)* close (the shop) down; *b) (ook 's avonds)* shut up shop; *dinsdagmiddag zijn alle winkels gesloten* it is early closing day on Tuesday; **2** *(aangaan)* conclude, enter into: *een verbond* ~ *(met)* enter into an alliance (with); *vrede* ~ make peace, *(na ruzie)* make up (with s.o.); **3** *(beëindigen)* close, conclude; **II** *intr* balance: *de begroting* ~*d maken* balance the budget; *(reclame) over en* ~ over and out

sluiting 1 shutting (off); closure *(van debat, bedrijf);* conclusion *(van vrede, debat):* ~ *van de rekening* balancing of the account; **2** *(wat dient om te sluiten)* fastening, fastener, *(slot)* lock, clasp *(armband e.d.):* *de* ~ *van deze jurk zit op de rug* this dress does up at the back

sluitingsdatum closing date

sluitingstijd closing time: *na* ~ after hours

sluitspier sphincter

sluitstuk final piece

sluizen channel, transfer

slungel beanpole

slungelig lanky

slurf trunk

slurpen slurp

sluw sly, crafty, cunning: *de* ~*e vos* the sly *(of:* cunning) old fox

sluwheid slyness, cunning

smaad defamation (of character), libel

smaak taste, *(mbt voedsel ook)* flavour: *een goede* ~ *hebben* have good taste; *van goede* (of: *slechte)* ~ *getuigen* be in good *(of:* bad) taste; *de* ~ *van iets te pakken hebben* have acquired a taste for; *in de* ~ *vallen bij* … appeal to …, find favour with …; *over* ~ *valt niet te twisten* there is no accounting for taste(s)

smaakje taste: *er zit een* ~ *aan dat vlees* that meat has a funny taste

smaakstof flavour(ing), seasoning

smaakvol tasteful, in good taste *(alleen na ww):* ~ *gekleed zijn* be tastefully dressed

smachten 1 languish: *iem* ~*de blikken toewerpen* look longingly at s.o.; **2** *(met naar)* long (for), yearn (for)

smadelijk humiliating; *(honend)* scornful

smak 1 fall: *een* ~ *maken* fall with a bang; **2** *(slag, klap)* crash, smack: *met een* ~ *neerzetten* slam *(of:* slap) down; **3** *(grote menigte, hoeveelheid)* heap, pile: *dat kost een* ~ *geld* that costs a load of money

smakelijk tasty, appetizing: *eet* ~*!* enjoy your meal

smakeloos tasteless, *(alleen na ww)* lacking in taste

smaken taste: *hoe smaakt het?* how does it taste?; *heeft het gesmaakt, meneer?* (of: *mevrouw?)* did you enjoy your meal, sir? (of: *madam?);* *naar iets* ~ taste of sth

smakken 1 smack one's lips: *smak niet zo!* don't make so much noise (when you're eating); **2** *(vallen)* crash: *tegen de grond* ~ crash to the ground

smal narrow: ~*le opening* small opening; *een* ~ *gezichtje* a pinched face; *de* ~*le weg (fig)* the straight and narrow (path)

smalend scornful

smalfilm cinefilm, *(Am)* movie film

smaragd emerald

smart 1 sorrow, grief, pain: *gedeelde* ~ *is halve smart* a sorrow shared is a sorrow halved; **2** *(verlangen)* yearning, longing: *met* ~ *op iets (iem) wachten* wait anxiously for sth (s.o.)

smartengeld damages *(mv)*, (financial, monetary) compensation

smartlap tear-jerker

smeden forge: *twee stukken ijzer aan elkaar* ~ weld two pieces of iron (together); *uit één stuk gesmeed* forged in one piece

smederij forge

smeedijzer wrought iron

smeer grease, oil, polish *(voor schoenen)*

smeerbaar spreadable

smeerbeurt 2000-mile service

smeerboel mess

smeergeld bribe(s)

smeerkaas cheese spread

smeerlap 1 skunk, bastard; **2** *(vunzig, ontuchtig persoon)* pervert; dirty old man *(oud)*

smeerleverworst liver pâté *(of:* sausage)

smeerolie lubricant

smeerworst pâté

smeken implore, beg: *iem om hulp ~* beg (for) s.o.'s help

smelten melt, *(metalen ook)* melt down: *de sneeuw smelt* the snow is melting *(of:* thawing); *deze reep chocolade smelt op de tong* this bar of chocolate melts in the mouth

smeltpunt melting point, point of fusion

smeren 1 grease, oil, lubricate *(met olie)*; **2** *(uitstrijken)* smear: *crème op zijn huid ~* rub cream on one's skin; **3** *(van boter, vet voorzien)* butter: *brood ~* butter bread, make sandwiches

smerig dirty, *(sterker)* filthy: *een ~e streek (truc)* a dirty *(of:* shabby) trick

smering lubrication

smeris cop

smeuïg 1 smooth, creamy; **2** *(smakelijk)* vivid

smeulen smoulder

smid smith

smiespelen whisper

smijten throw, fling: *met de deuren ~* slam the doors; *(fig) iem iets naar het hoofd ~* throw sth in s.o.'s teeth

smikkelen tuck in

smoel 1 trap: *houd je ~!* shut your trap!; **2** *(grimas)* face: *~en trekken* pull faces

smoes excuse: *een ~je bedenken* think up a story *(of:* an excuse)

smoezelig grubby, dingy

smoezen 1 invent *(of:* cook up) excuses; **2** *(zacht praten)* whisper

smog smog

smoking dinner jacket

smokkel smuggling

smokkelaar smuggler

smokkelarij smuggling

smokkelen smuggle

smokkelwaar contraband

smoorverliefd smitten (with s.o.)

smoren 1 smother, choke; **2** *(gaar laten worden)* braise

smout *(Belg) (reuzel)* lard

smullen feast (on): *dat wordt ~!* yum-yum!

snaar string; chord; *(van trommel)* snare: *een gevoelige ~ raken* touch a tender spot; *de snaren spannen* string, snare *(trommel)*

snaarinstrument stringed instrument

snack snack

snackbar snack bar

snakken 1 gasp, pant: *naar adem ~* gasp for breath; **2** crave: *~ naar aandacht* be craving (for) attention

snappen get: *snap je?* (you) see?; *ik snap 'm* I get it; *ik snap niet waar het om gaat* I don't see it; *ik snap er niets van* I don't get it, it beats me

snateren honk

snauwen snarl, growl, snap

snauwerig snappish, *(korzelig)* gruff

snavel bill; *(groot, krom)* beak: *hou je ~!* shut up!

snee 1 slice: *een dun ~tje koek* a thin slice of cake; **2** *(snijwond)* cut, *(diepe wond)* gash; **3** *(med)* incision

sneeuw snow: *een dik pak ~* (a) thick (layer of) snow; *natte ~* sleet; *(Belg) zwarte ~ zien* be destitute, live in poverty; *smeltende ~* slush; *vastzitten in de ~* be snowbound

sneeuwbal snowball

sneeuwbui snow (shower)

sneeuwen snow: *het sneeuwt hard (of: licht)* it is snowing heavily *(of:* lightly)

sneeuwgrens snowline

sneeuwketting (snow) chain

sneeuwklokje snowdrop

sneeuwman snowman

sneeuwruimen clear snow, shovel (away) snow

sneeuwruimer snowplough

sneeuwschuiver 1 snow shovel; **2** *(auto)* snowplough

sneeuwstorm snowstorm

sneeuwval snowfall

sneeuwvlok snowflake

sneeuwvrij clear of snow: *de wegen ~ maken* clear the roads of snow

Sneeuwwitje Snow White

snel 1 fast, rapid; **2** quick, swift; *(ook bw)* fast *(vaart)*; speedy *(genezing, vooruitgang)*: *een ~ besluit* a quick decision; *~ achteruitgaan* decline rapidly; *~ van begrip zijn* be quick (on the uptake)

snelbinder carrier straps *(mv)*

sneldienst fast service, express service

snelfilter coffee filter

snelheid speed, pace, tempo, *(licht, geluid ook)* velocity: *bij hoge snelheden* at high speeds; *de maximum ~* the speed limit *(op weg)*; *op volle ~* (at) full speed; *~ minderen* reduce speed, slow down

snelheidsbegrenzer governor, speed limiting device

snelheidscontrole speed(ing) check

snelkookpan pressure cooker

snelrecht summary justice *(of:* proceedings)

sneltrein express (train), intercity (train)

sneltreinvaart tearing rush *(of:* hurry): *hij kwam in een ~ de hoek om* he came tearing round the corner

snelweg motorway; *(Am)* freeway ‖ *elektronische (of: digitale) ~* electronic *(of:* digital) highway

snerpen 1 bite, cut: *een ~de kou* cutting *(of:* piercing) cold; **2** *(van geluid)* squeal, shriek

snert pea soup

sneu unfortunate

sneuvelen 1 fall (in battle), be killed (in action): *~ in de strijd* be killed in action; **2** *(kapotgaan)* break, get smashed

snibbig snappy, snappish

snijbloem cut flower

snijboon *(groente)* French bean, *(Am)* string bean

snijden I *intr, tr* **1** cut, carve, *(in plakken snijden)* slice *(bijv. ham, brood)*; **2** *(verkeer)* cut in (on s.o.); **II** *tr* **1** cut: *uit hout een figuur ~* carve a figure out of wood; **2** *(mbt lijnen)* cross, intersect

snijdend cutting: *een ~e wind* a piercing *(of:* biting)

wind
snijkant (cutting) edge
snijmachine cutter, cutting machine; *(vlees)* slicer, *(groente, afvalpapier)* shredder
snijmaïs green maize (fodder)
snijplank breadboard; *(van groente e.d.)* chopping board; *(vleesplank)* carving board
snijpunt crossing; *(wisk ook)* intersection
snijtand incisor
snijwond cut
snik gasp: *de laatste ~ geven* breathe one's last; *tot aan zijn laatste ~* to his dying day; *niet goed ~* cracked, off one's rocker
snikheet sizzling (hot), scorching (hot)
snikken sob
snipper snip, shred; *(het afgeknipte)* clipping: *in ~s scheuren* tear (in)to shreds
snipperdag day off
snipverkouden (all) stuffed up: *~ zijn* have a streaming cold
snob snob
snoeien 1 trim; *(mbt takken)* prune; 2 *(inkorten)* cut back, prune: *in een begroting ~* prune a budget
snoeischaar pruning shears
snoek pike
snoekbaars pikeperch
snoep sweets, *(Am)* candy
snoepen eat sweets *(Am:* candy)
snoepgoed confectionery; sweets; *(Am ook)* candy
snoepje *(stukje snoep)* sweet, *(Am)* candy
snoepwinkel sweetshop, *(Am)* candy store
snoer 1 string, rope: *kralen aan een ~ rijgen* string beads; 2 *(elektrische leiding)* flex, lead, *(Am)* cord
snoes sweetie, pet, poppet
snoet 1 snout; 2 face, mug: *een aardig ~je* a pretty little face
snoezig cute, sweet
snol tart
snor 1 moustache: *zijn ~ laten staan* grow a moustache; 2 *(van dieren)* whiskers
snorfiets moped
snorhaar 1 (hair of a) moustache; 2 *(mbt dieren)* whisker
snorkel snorkel
snorkelen snorkel
snorren whirr, buzz, hum: *een ~de kat* a purring cat
snorscooter (motor) scooter
snot (nasal) mucus *(of:* discharge), *(inform)* snot
snotlap nose rag
snotneus 1 runny nose; 2 *(klein kind)* (tiny) tot, (little) kid; 3 *(kwajongen)* brat
snotteren 1 *(neus ophalen)* sniff(le); 2 *(huilen)* blubber
snowboarden go snowboarding
snuffelen 1 sniff (at); 2 *(mbt personen)* nose (about), pry (into): *in laden ~* rummage in drawers
snuffelhond sniffer dog
snufferd hooter ‖ *ik gaf hem een klap op zijn ~* I gave him one on the kisser

snufje 1 novelty, *(technisch)* newest device *(of:* gadget): *het nieuwste ~* the latest thing; 2 *(kleine hoeveelheid)* dash: *een ~ zout* a pinch of salt
snugger bright, clever
snuit snout: *de ~ van een varken* a pig's snout
snuiten blow (one's nose)
snuiven 1 sniff(le), snort: *cocaïne ~* sniff cocaine; *~ als een paard* snort like a horse; 2 *(ruiken, snuffelen)* sniff (at)
snurken snore
sober austere, frugal: *in ~e bewoordingen* in plain words *(of:* language); *hij leeft zeer ~* he lives very austerely *(of:* frugally)
soberheid austerity, frugality
sociaal I *bn* social: *iemands sociale positie* s.o.'s social position; II *bw* 1 socially; 2 *(gevoelig voor andermans nood)* socially-minded: *~ denkend* humanitarian, socially aware
sociaal-democratisch social democratic
socialisatie socialization
socialisme socialism
socialist socialist
socialistisch socialist(ic)
sociëteit 1 association, club: *lid van een ~ worden* become a member of *(of:* join) an association; 2 *(gebouw)* association (building), club(house); 3 *(genootschap)* society
sociologie sociology
sociologisch sociological
socioloog sociologist
soda 1 (washing) soda; 2 *(sodawater)* soda (water): *een whisky-soda* a whisky and soda
Sudan (thé) Sudan
soenniet Sunni
soep soup, *(helder)* consommé: *een ~ laten trekken* make a stock *(of:* broth)
soepballetje meatball
soepbord soup bowl
soepel 1 supple, pliable; 2 *(plooibaar)* supple, flexible; *(meegaand)* (com)pliant: *een ~e regeling* a flexible arrangement; 3 *(lenig)* supple: *~e bewegingen* supple *(of:* lithe) movements
soepelheid suppleness, flexibility
soepgroente vegetables for soup
soeplepel 1 *(opscheplepel)* soup ladle; 2 *(eetlepel)* soup spoon
soesa fuss, to-do, bother
soeverein sovereign
soevereiniteit sovereignty
soezen doze, drowse
sof flop, washout
sofa sofa, couch
sofinummer *(ongev)* National Insurance Number; *(Am; ongev)* Social Security Number
softballen play softball
softijs soft ice-cream, Mr. Softy
softporno soft porn(ography)
software software
soigneur helper; *(boksen; ongev)* second

soja (sweet) soy (sauce)
sojaboon soya bean
sojaolie soya bean oil
sojasaus soy sauce
sojavlees soya meat
sok sock: *hij haalde het op zijn ~ken* he did it effortlessly; *iem van de ~ken rijden* bowl s.o. over, knock s.o. down
sokkel pedestal
sol *(muz)* so(h), sol, G
solarium solarium
soldaat 1 (common) soldier, private: *de gewone soldaten* the ranks; 2 *(elke militair)* soldier, *(mv ook)* troops: *de Onbekende Soldaat* the Unknown Soldier
soldaatje toy soldier, tin soldier: *~ spelen* play (at) soldiers
soldeer solder
soldeerbout soldering iron
soldeerpistool soldering gun
solden *(Belg)* sale
solderen solder
soldij pay(ment)
solfège solfeggio
solidair sympathetic: *~ zijn* show solidarity (with)
solidariteit solidarity: *uit ~ met* in sympathy with
solide 1 solid, hard-wearing *(schoenen enz.);* 2 *(degelijk)* steady
solist *(musicus)* soloist
sollen *(met met)* trifle with: *hij laat niet met zich ~* he won't be trifled with
sollicitant applicant
sollicitatie application
sollicitatiebrief (letter of) application
sollicitatieformulier application form
sollicitatiegesprek interview (for a position, job)
sollicitatieprocedure selection procedure
solliciteren apply (for)
solo solo
solocarrière solo career
soloconcert solo concert
solotoer: *op de ~ gaan* go it alone
som sum: *een ~ geld* a sum of money; *~men maken* do sums; *8-5=3* eight minus five equals three; *5+3=8* five plus *(of:* and) three is eight; *3×5=15* three times five is *(of:* makes) six; *15:3=5* fifteen divided by three is five; *3²=9* three squared equals nine; *3³=27* three squared three equals twenty-seven; *√9=3* the square root of nine is three; *de derdemachtswortel van 27=3* the cube root of twenty-seven is three
Somalië Somalia
somber 1 dejected, gloomy: *het ~ inzien* take a sombre *(of:* gloomy) view (of things); 2 *(donker)* gloomy, dark *(ook kleur): ~ weer* gloomy weather
somma sum
sommige some, certain: *~n* some (people)
soms 1 sometimes; 2 *(misschien)* perhaps, by any chance: *heb je Jan ~ gezien?* have you seen John by

any chance?; *dat is toch mijn zaak, of niet ~?* that's my business, or am I mistaken?
sonar sonar
sonate sonata
sonde 1 *(meetinstrument)* probe; 2 *(med)* catheter
sondevoeding drip-feed
songfestival song contest: *het Eurovisie ~* the Eurovision Song Contest
songtekst lyric(s)
sonnet sonnet
soort I *de (biol)* species: *de menselijke ~* the human species; II *het, de* 1 sort, kind, type: *ik ken dat ~* I know the type; *in zijn ~* in its way, of its kind; *in alle ~en en maten* in all shapes and sizes; 2 *(ongeveer)* sort (of), kind (of): *als een ~ vis* (rather) like some kind of a fish
soortelijk specific
soortgelijk similar, of the same kind *(alleen na ww)*
soos club
sop (soap)suds
sopje (soap)suds: *zal ik de keuken nog een ~ geven?* shall I give the kitchen a(nother) wash?
soppen dunk
sopraan soprano
sorbet sorbet
sorteren sort (out): *op maat ~* sort according to size
sortering selection, range, assortment
SOS *afk van Save our Souls* SOS: *een ~(-signaal) uitzenden* broadcast an SOS (message)
soufflé soufflé
souffleren prompt
souffleur prompter
soulmuziek soul music
souper supper, dinner
souteneur pimp
souterrain basement
souvenir souvenir
sovjet soviet: *de opperste ~* the Supreme Soviet
Sovjet-Unie Soviet Union
sowieso in any case, anyhow: *het wordt ~ laat op dat feest* that party will in any case go on until late
spa 1 mineral water; 2 spade
spaak spoke: *iem een ~ in het wiel steken* put a spoke in s.o.'s wheel
spaan 1 chip (of wood): *er bleef geen ~ van heel* there was nothing left of it; 2 *(keukengereedschap)* skimmer
spaander chip, splinter
spaanplaat chipboard
Spaans *(uit Spanje)* Spanish || *zeg het eens op z'n ~* say it in Spanish
spaarbank savings bank: *geld op de ~ hebben* have money in a savings bank *(of:* savings account)
spaarbankboekje deposit book
spaarcenten savings
spaargeld savings
spaarhypotheek (type of) endowment mortgage
spaarlamp low-energy light bulb

sp

spaarpot 1 money box, piggy bank; **2** *(gespaard geld)* savings, nest egg: *een ~je aanleggen* start saving for a rainy day; *zijn ~ aanspreken* draw on one's savings

spaarrekening savings account

spaartegoed savings balance

spaarvarken piggy bank

spaarzaam 1 thrifty, economical: *hij is erg ~ met zijn lof* he's very sparing in *(of:* with) his praise; *~ zijn met zijn woorden* not waste words; **2** *(schaars)* scanty, sparse: *de doodstraf wordt ~ toegepast* the death penalty is seldom imposed

spaarzegel trading stamp

spade spade

spagaat splits

spaghetti spaghetti: *een sliert ~* a strand of spaghetti

spalk splint

spalken put in splints

span team; *(mbt personen)* couple: *een ~ paarden* a team of horses

spandoek banner: *een ~ met zich meedragen* carry a banner

spaniël spaniel

Spanjaard Spaniard

Spanje Spain

spannen I *tr* **1** stretch, tighten: *een draad ~* stretch *(of:* tighten) a string; *zijn spieren ~* tense *(of:* flex) one's muscles; **2** *(vastmaken)* harness: *een paard voor een wagen ~* harness *(of:* hitch) a horse to a cart; **II** *intr (spannend zijn)* be tense: *het zal erom ~ wie er wint* it will be a close match *(of:* race)

spannend exciting, thrilling: *een ~ ogenblik* a tense moment; *een ~ verhaal* an exciting story

spanning 1 tension; *(fig ook)* suspense: *~ en sensatie* excitement and suspense; *de ~ stijgt* the tension mounts; *de ~ viel van haar af* that was a load off her shoulders; *ze zaten vol ~ te wachten* they were waiting anxiously; *in ~ zitten* be in suspense; **2** *(elektriciteit)* tension: *een ~ van 10.000 volt* a charge of 10,000 volts

spant rafter, truss

spanwijdte wingspan *(vliegtuig);* wingspread *(vogel)*

spar spruce

sparappel fir cone

sparen I *intr, tr* save (up): *voor een nieuwe auto ~* save up for a new car; **II** *tr* **1** *(zuinig zijn met)* save, spare; **2** *(verzamelen)* collect

sparren work out; *(vechtsporten)* spar

spartelen flounder, thrash about: *het kleine kind spartelde in het water* the little child splashed about in the water

spastisch spastic

spat 1 splash; **2** *(vlek)* speck, spot

spatader varicose vein

spatbord mudguard, *(Am)* fender

spatel spatula

spatie space, spacing, interspace: *iets typen met een ~ type* sth with interspacing

spatiebalk space bar

spatlap mud flap

spatten splash, sp(l)atter: *vonken ~ in het rond* sparks flew all around; *er is verf op mijn kleren gespat* some paint has splashed on my clothes; *zij spatte (mij) met water in mijn gezicht* she spattered water in my face; *uit elkaar ~* burst

specerij spice, seasoning

specht woodpecker

speciaal I *bn* special: *in dit speciale geval* in this particular case; **II** *bw* especially, particularly, specially: *ik doel ~ op hem* I mean him in particular; *~ gemaakt* specially made

speciaalzaak specialist shop

special special (issue): *een ~ over de Stones* a special on the Stones

specialisatie specialization

specialiseren, zich (met *in)* specialize (in)

specialisme specialism

specialist specialist

specialiteit speciality

specie cement, mortar

specificatie specification: *~ van een nota vragen* request an itemized bill

specificeren specify, itemize

specifiek specific

specimen specimen, exemplar

spectaculair spectacular

spectrum spectrum

speculaas: *gevulde ~ (ongev)* spiced cake filled with almond paste

speculaaspop *(ongev)* gingerbread man

speculant speculator

speculatie speculation

speculeren 1 (met *op)* speculate (on); **2** *(veronderstellen)* speculate

speech speech: *een ~ afsteken* deliver a speech

speedboot speedboat

speeksel saliva

speelautomaat slot machine

speeldoos music box

speelduur playing time

speelfilm (feature) film

speelgoed toy(s): *een stuk ~* a toy

speelgoedafdeling toy department

speelgoedtrein (toy) train

speelhal amusement arcade

speelhelft half

speelhol gambling den, gaming den

speelkaart playing card

speelkamer playroom

speelkameraad playfellow, playmate

speelkwartier playtime; *(voor oudere leerlingen)* break

speelplaats playground, play area: *op de ~* in the playground

speelruimte 1 play, latitude: *~ hebben* have some play; *iem ~ geven* leave s.o. a bit of elbow room; **2**

(voor kinderen) play area, room to play

speels 1 *(dartel)* playful, *(vnl. dier)* frisky; **2** *(luchtig)* playful

speelschuld gambling debt

speeltafel gaming table

speeltuin playground

speelveld (sports, playing) field

speen 1 (rubber) teat, *(Am)* nipple; **2** *(tepel)* teat

speer spear, *(werpspeer)* javelin ‖ *als een ~* like a rocket

speerpunt spearhead

speerwerpen throw(ing) the javelin: *het ~ winnen* win the javelin (event)

speerwerper javelin thrower

spek bacon; *(mbt mensen)* fat

spekken lard: *zijn verhaal met anekdotes ~* spice one's story with anecdotes

spekkie *(ongev)* marshmallow

speklap thick slice of fatty bacon

spektakel 1 spectacle, show: *het ~ is afgelopen* the show is over; **2** *(opschudding)* uproar, fuss: *het was me een ~* it was a tremendous fuss

spel 1 game, *(kansspel)* gambling; **2** *(partij, wedstrijd)* game, match: *(kaartspel) een goed (sterk) ~ in handen hebben* have a good hand; *doe je ook een ~letje mee?* do you want to join in? *(of:* play?); *het ~ meespelen* play the game, play along (with s.o.); *zijn ~ slim spelen* play one's cards well; **3** *(manier van spelen)* play *(ook toneel): hoog ~ spelen* play for high stakes, play high; *vals ~* cheating; *vuil (onsportief) ~* foul play; **4** *(wijze van acteren)* acting, performance: *een ~ kaarten* a pack *(of:* deck) of cards; *buiten ~ blijven* stay *(of:* keep) out of it; *in het ~ zijn* be involved, *(het onderwerp vormen)* be in question, be at stake; *er is een vergissing in het ~* there is an error somewhere; *zijn leven (of: alles) op het ~ zetten* risk/stake one's life *(of:* everything)

spelbreker spoilsport

speld pin: *men kon er een ~ horen vallen* you could have heard a pin drop; *daar is geen ~ tussen te krijgen* there's no flaw in that argument

spelden pin

speldenkussen pincushion

speldje 1 pin; **2** pin, badge

spelen I *tr* **1** play: *al ~d leren* learn through play; *vals ~: a) (spel)* cheat; *b) (muz)* play out of tune; *(sport) voor ~* play up front; **2** *(toneelspelen)* act, play; **3** *(bespelen)* play: *piano ~* play the piano; **4** *(uitvoeren)* play, perform; **5** *(van invloed zijn)* be of importance, count: *dat speelt geen rol* that is of no account; *die kwestie speelt nog steeds* that is still an (important) issue; **II** *intr* **1** be set (in), take place (in): *de film speelt in New York* the film is set in New York; **2** play: *de wind speelde met haar haren* the wind played *(of:* was playing) with her hair

spelenderwijs without effort, with (the greatest of) ease

speler player, *(gokker ook)* gambler

spelfout spelling mistake *(of:* error)

speling 1 play: *een ~ van de natuur* a freak of nature; **2** *(vrije beweging; speelruimte)* play, *(van touw)* slack; *(marge)* margin

spellen spell: *hoe spelt hij zijn naam?* how does he spell his name?; *een woord verkeerd ~* misspell a word

spelletje game

spelling spelling

spelonk cave, cavern

spelregel rule of play *(of:* the game): *je moet je aan de ~s houden* you must stick to the rules; *de ~s overtreden* break the rules

spelshow game show

spelverdeler *(sport)* playmaker

spenderen spend

sperma sperm

spermabank sperm bank

spermadonor sperm donor

sperwer sparrowhawk

sperzieboon green bean

spetter 1 spatter; **2** *(knappe man)* hunk

spetteren sp(l)atter, crackle *(geluid)*

speurder detective, sleuth

speuren investigate, hunt: *naar iets ~* hunt *(of:* search) for sth

speurhond tracker (dog), bloodhound

speurtocht search

speurwerk investigation, detective work

spichtig lanky, spindly: *een ~ meisje* a skinny girl

spie pin; *(wig)* wedge

spieden: *~d om zich heen kijken* look furtively around

spiegel mirror: *vlakke* (of: *holle, bolle) ~s* flat *(of:* concave, convex) mirrors; *in de ~ kijken* look at oneself (in the mirror)

spiegelbeeld 1 reflection; **2** *(omgekeerde afbeelding)* mirror image

spiegelei fried egg

spiegelen reflect, mirror

spiegelglad as smooth as glass, icy *(van wegen)*, slippery *(van wegen)*

spiegeling reflection

spiegelruit plate-glass window

spiegelschrift mirror writing

spiekbriefje crib (sheet)

spieken copy, use a crib: *bij iem ~* copy from s.o.

spier muscle: *de ~en losmaken* loosen up the muscles, limber up, warm up; *hij vertrok geen ~ (van zijn gezicht)* he didn't bat an eyelid

spierbal: *zijn ~len gebruiken* flex one's muscle(s)

spierkracht muscle (power), muscular strength

spiernaakt stark naked

spierpijn sore muscles, aching muscles, muscular pain

spierweefsel muscular tissue

spierwit (as) white as a sheet

spies skewer

spijbelaar truant

spijbelen play truant

spijker nail: *de ~ op de kop slaan* hit the nail on the head; *~s met koppen slaan* get down to business

spijkerbroek (pair of) jeans: *ik heb een nieuwe ~* I've got a new pair of jeans; *waar is mijn ~?* where are my jeans?

spijkerhard (as) hard as a rock; *(fig)* (as) hard as nails: *~e journalisten* hard-boiled journalists

spijkerjasje denim jacket, jeans jacket

spijkerpak denim suit

spijkerschrift cuneiform script

spijkerstof denim

spijl bar *(van kooi, kinderbed enz.)*, rail(ing) *(van hek)*

spijs foods, victuals

spijsvertering digestion: *een slechte ~ hebben* suffer from indigestion

spijt regret: *daar zul je geen ~ van hebben* you won't regret that; *geen ~ hebben* have no regrets; *daar zul je ~ van krijgen* you'll regret that, you'll be sorry; *tot mijn (grote) ~* (much) to my regret

spijten regret, be sorry: *het spijt me dat ik u stoor* I'm sorry to disturb you; *het spijt me u te moeten zeggen …* I'm sorry (to have) to tell you …

spijtig regrettable

spike spikes

spikkel fleck, speck

spiksplinternieuw spanking new, brand new

spil 1 pivot: *om een ~ draaien* pivot, swivel; 2 *(persoon)* pivot, key figure, playmaker *(voetbal)*

spillebeen spindleshanks

spin 1 spider: *nijdig als een ~* furious, absolutely wild; 2 *(snelbinder)* spider; 3 *(tollende beweging, aswenteling)* spin: *een bal veel ~ geven* give a ball a lot of spin

spinazie spinach: *~ à la crème* creamed spinach

spinet spinet

spinnen 1 spin: *garen ~* spin thread *(of:* yarn); 2 *(van katten)* purr

spinnenweb cobweb, spider('s) web

spinnewiel spinning wheel

spinrag cobweb, spider('s) web: *zo fijn* (of: *zo dun, zo teer) als ~* as fine *(of:* thin, delicate) as gossamer

spion spy

spionage espionage, spying

spioneren spy

spiraal spiral

spiraalmatras spring mattress

spiraaltje IUD, coil

spiritisme spiritualism

spiritistisch spiritualist: *een ~e bijeenkomst* a spiritualist gathering, a seance

spiritus methylated spirits; alcohol

¹**spit** spit: *aan het ~ gebraden* broiled on the spit; *kip van 't ~* barbecued chicken

²**spit** lumbago *(in rug)*

spits I *bn, bw* pointed, sharp: *~ toelopen* taper (off), end in a point; II *zn* 1 peak, point: *de ~ van een toren* the spire; 2 *(spitsuur)* rush hour; 3 *(voorhoede) (sport)* forward line; 4 *(speler)* striker: *de (het) ~ af-*

bijten open the batting; *iets op de ~ drijven* bring sth to a head

spitsen prick *(oren)*

spitskool pointed cabbage, hearted cabbage

spitstechnologie *(Belg) (zeer moderne technologie)* state-of-the-art technology

spitsuur rush hour: *buiten de spitsuren* outside the rush hour; *in het ~* during the rush hour

spitten dig: *land ~* turn the soil over

spleet crack

splijten split

splijtstof nuclear fuel, fissionable material

splinter splinter

splinternieuw brand-new

split slit, *(in kleding ook)* placket

spliterwt split pea

splitsen I *tr* 1 divide, split; 2 *(chem)* separate, split up; II *zich ~* split (up), divide: *daar splitst de weg zich* the road forks there

splitsing 1 splitting (up), division; 2 *(mbt weg e.d.)* fork, branch(ing): *bij de ~ links afslaan* turn left at the fork

spoed speed: *op ~ aandringen* stress the urgency of the matter; *met ~* with haste, urgently; *~! (op brieven)* urgent

spoedbehandeling *(med)* emergency treatment

spoedbestelling rush order; express delivery, special delivery *(van post)*

spoedcursus intensive course, crash course

spoedgeval emergency (case), urgent matter

spoedig I *bn* 1 near: *~e levering* prompt (of: swift) delivery; 2 *(met snelle voortgang)* speedy, quick: *een ~ antwoord* a quick answer; II *bw* shortly, soon: *zo ~ mogelijk* as soon as possible

spoedzending urgent shipment, *(pakket)* express parcel

spoel 1 reel, *(Am)* spool, bobbin *(op naaimachine)*; 2 *(mbt weven)* shuttle

spoelen I *intr, tr* rinse (out): *de mond ~* rinse one's mouth (out); II *intr (wegdrijven)* wash: *naar zee* (of: *aan land) ~* wash out to sea (of: ashore)

spoeling rinse *(ook van mond, haar)*, rinsing: *een ~ geven* rinse (out)

spoken 1 prowl (round, about): *nog laat door het huis ~* prowl about in the house late at night; 2 be haunted: *in dat bos spookt het* that forest is haunted

spons sponge

sponsor sponsor

sponsoren sponsor

spontaan spontaneous

spontaniteit spontaneity

spook ghost; *(hersenschim)* phantom: *overal spoken zien* see ghosts everywhere

spookachtig ghostly

spookhuis haunted house

spookrijder ghostrider

spookverschijning spectre, ghost

¹**spoor** 1 track, trail: *ik ben het ~ bijster (kwijt)* I've lost track of things; *op het goede ~ zijn* be on the

right track (*of:* trail); *de politie heeft een ~ gevonden* the police have found a clue; *iem op het ~ komen* track s.o. down, trace s.o.; *iem op het ~ zijn* be on s.o.'s track; 2 *(geluidsspoor)* track; 3 *(blijk van vroegere aanwezigheid)* trace: *sporen van geweld(pleging)* marks of violence; 4 *(gebaande weg, rails)* track, trail: *op een dood ~ komen (raken)* get into a blind alley; *uit het ~ raken* run off the rails

²**spoor** spur: *een paard de sporen geven* spur a horse

spoorboekje (train, railway) timetable

spoorboom level-crossing barrier

spoorlijn railway

spoorloos without a trace: *mijn bril is ~* my glasses have vanished

spoorweg railway (line)

spoorwegovergang level crossing: *bewaakte ~* guarded level crossing

spoorwegstation railway station

spoorzoeken tracking

sporadisch sporadic: *maar ~ voorkomen* be few and far between

sport 1 sport(s): *veel* (of: *weinig) aan ~ doen* go in for (*of:* not go in for) sports; 2 *(trede)* rung: *de hoogste ~ bereiken* reach the highest rung (of the ladder)

sportartikel sports equipment

sportarts sports doctor (*of:* physician)

sportbril protective glasses

sportbroek shorts

sportclub sports club

sportdag sports day

sporten: *Jaap sport veel* Jaap does a lot of sport

sporter sportsman

sportfanaat sports fanatic (*of:* freak)

sportfiets sports bicycle, racing bicycle

sporthal sports hall (*of:* centre)

sportief 1 sports, sporty: *een ~ evenement* a sports event; *een ~ jasje* a casual (*of:* sporty) jacket; 2 *(van sport houdend)* sport(s)-loving, sporty; 3 *(eerlijk, fair)* sportsmanlike: *~ zijn* be sporting (*of:* a good sport) (about sth)

sportiviteit sportsmanship

sportkleding sportswear

sportliefhebber sports enthusiast

sportman sportsman

sportpark sports park

sportprestatie sporting achievement

sportschoen sport(s) shoe

sporttas sports bag, kitbag

sportterrein sports field, playing field

sportuitslagen sports results

sportveld sports field, playing field

sportvereniging sports club

sportvliegtuig private pleasure aircraft

sportvrouw sportswoman

sportwagen sport(s) car

sportzaak sports shop

sportzaal fitness centre, gym

spot 1 mockery: *de ~ drijven met* poke fun at, mock; 2 *(reclame-uitzending)* (advertising) spot; 3 *(lamp)* spot(light)

spotgoedkoop dirt cheap

spotprijs bargain price, giveaway price

spotten 1 joke, jest; 2 *(belachelijk maken)* mock: *hij laat niet met zich ~* he is not to be trifled with; *daar moet je niet mee ~* that is no laughing matter

spouwmuur cavity wall

spraak speech

spraakgebrek speech defect

spraakherkenning speech recognition

spraakles speech training, *(bij logopedist)* speech therapy

spraaksynthese *(comp)* speech synthesis

spraakverwarring babel, confusion of tongues

spraakzaam talkative

sprake: *er is geen ~ van* that is (absolutely) out of the question; *er is hier ~ van ...* it is a matter (*of:* question) of ...; *iets ter ~ brengen* bring sth up; *ter ~ komen* come up; *geen ~ van!* certainly not!

sprakeloos speechless: *iem ~ doen staan* leave s.o. speechless

sprankelen sparkle

sprankje spark: *er is nog een ~ hoop* there is still a glimmer of hope

spray spray

spreekbeurt talk

spreekkamer consulting room, surgery

spreektaal spoken language

spreekuur office hours, *(med)* surgery (hours): *~ houden* have office hours, have surgery; *op het ~ komen* come during office hours

spreekvaardigheid fluency, speaking ability

spreekwoord proverb, saying: *zoals het ~ zegt* as the saying goes

spreeuw starling

sprei (bed)spread

spreiden 1 spread (out): *het risico ~* spread the risk; *de vakanties ~* stagger holidays; 2 *(uit elkaar plaatsen)* spread (out), space

spreiding 1 spread(ing), dispersal; 2 *(verdeling over een periode, ruimte, personen)* spacing, *(reikwijdte)* spread: *de ~ van de macht* the distribution of power

spreken I *intr* speak, talk: *de feiten ~ voor zich* the facts speak for themselves; *het spreekt vanzelf* it goes without saying; *(telefoon) daar spreekt u mee!* speaking; *(telefoon) spreek ik met Jan?* is that Jan?; **II** *tr* 1 *(uitspreken)* speak, tell: *een vreemde taal ~* speak a foreign language; 2 *(praten met)* speak, talk to (*of:* with): *iem niet te ~ krijgen* not be able to get in touch with s.o.; *niet te ~ zijn over iets* be unhappy (*of:* be not too pleased) about sth

sprekend I *bn* 1 speaking, talking: *een ~e film* a talking film; *een ~e papegaai* a talking parrot; 2 *(sterk uitkomend)* strong, striking: *een ~e gelijkenis* a striking resemblance; 3 *(met veel uitdrukking)* expressive; **II** *bw* *(precies)* exactly: *zij lijkt ~ op haar moeder* she looks exactly (*of:* just) like her mother; *dat portret lijkt ~ op Karin* that picture captures

sp

Karin perfectly
spreker speaker
spreuk maxim, saying: *oude* ~ old saying
spriet blade
springconcours jumping competition
springen 1 jump, leap, spring, *(op handen steunend)* vault: *hoog* (of: *ver, omlaag*) ~ jump high (of: far, down); *over een sloot* ~ leap a ditch; *staan te* ~ *om weg te komen* be dying to leave; *zitten te* ~ *om iets* be bursting (of: dying) for sth; 2 *(ketel, kruitvat)* burst, explode, *(brug, rots, mijn)* blast, *(ballonnetje)* pop: *mijn band is gesprongen* my tyre has burst; *een snaar is gesprongen* a string has snapped; *op* ~ *staan: a) (boos zijn)* be about to explode; *b) (nodig naar de wc moeten)* be bursting; *op groen* ~ change to green *(verkeerslicht)*
springlading explosive charge
springlevend alive (and kicking)
springplank springboard
springstof explosive
springtouw skipping rope
springveer box spring
sprinkhaan grasshopper, *(Afrika en Azië)* locust
sprinklerinstallatie sprinkler system
sprint sprint
sprinten sprint
sprinter sprinter
sproeien spray, water, *(sprenkelen)* sprinkle, *(irrigeren)* irrigate
sproeier sprinkler, jet *(carburator)*, spray nozzle *(carburator); (mbt landb)* irrigator
sproet freckle: ~*en in het gezicht hebben* have a freckled face
sprokkelen gather wood (of: kindling): *hout* ~ gather wood
sprong leap, jump, vault *(met stok, handensteun)*: *hij gaat met* ~*en vooruit* he's coming along by leaps and bounds
sprookje fairy tale || *iem* ~*s vertellen* lead s.o. up the garden path
sprookjesachtig fairy-tale, *(fig)* fairy-like: *de grachten waren* ~ *verlicht* the canals were romantically illuminated
sprot sprat
spruit 1 shoot; 2 *(kind)* sprig, sprout
spruitjes *(groente)* (Brussels) sprouts
spruw thrush
spugen 1 spit; 2 *(braken)* throw up: *de boel onder* ~ be sick all over the place
spuien spout, unload: *kritiek* ~ pour forth criticism
spuigat scupper
spuit 1 syringe, squirt; 2 *(injectiespuit)* needle; *(injectie)* shot
spuitbus spray (can)
spuiten I *tr* 1 squirt, spurt, erupt *(geiser, vulkaan)*: *lak op iets* ~ spray lacquer on sth; 2 *(spuitend lakken)* spray(-paint); 3 *(mbt geneesmiddelen, drugs)* inject: *hij spuit* he's a junkie; II *intr (naar buiten geperst worden)* squirt, spurt, *(gutsen)* gush

spuiter junkie
spuitje 1 needle; 2 *(injectie)* shot
spul 1 gear, things, *(kleren)* togs, *(persoonlijke spullen)* belongings; 2 *(waar, goed)* stuff, things
spurt spurt: *er de* ~ *in zetten* step on it
sputteren sputter, cough
spuug spittle, spit
spuugzat: *iets* ~ *zijn* be sick and tired of sth
spuwen 1 spit, spew; 2 *(braken)* spew (up), throw up
squashbaan squash court
squashen play squash
sr. *afk van senior* Sr.
Sri Lanka Sri Lanka
sst (s)sh, hush
staaf bar
staafmixer hand blender
staak stake, pole, post
staakt-het-vuren cease fire
staal 1 steel: *zo hard als* ~ as hard as iron; 2 *(monster, voorbeeld)* sample: *een (mooi)* ~*tje van zijn soort humor* a fine example of his sense of humour
staalborstel wire brush
staalindustrie steel industry
staan 1 stand: *gaan* ~ stand up; *achter* (of: *naast*) *elkaar gaan* ~ queue (of: line) up; *die gebeurtenis staat geheel op zichzelf* that is an isolated incident; 2 *(in een toestand, hoedanigheid zijn)* stand, be: *hoe* ~ *de zaken?* how are things?; *er goed voor* ~ look good; *zij* ~ *sterk* they are in a strong position; *buiten iets* ~ not be involved in sth; *de snelheidsmeter stond op 80 km/uur* the speedometer showed 80 km/h; *zij staat derde in het algemeen klassement* she is third in the overall ranking; 3 *(mbt kleren)* look; 4 *(opgetekend, gedrukt zijn)* say, be written: *er staat niet bij wanneer* it doesn't say when; *in de tekst staat daar niets over* the text doesn't say anything about it; *wat staat er op het programma?* what's on the programme?; 5 *(stilstaan)* stand still: *blijven* ~ stand still; 6 *(onaangeroerd zijn)* leave, stand: *hij kon nauwelijks spreken, laat* ~ *zingen* he could barely speak, let alone sing; *zijn baard laten* ~ grow a beard; 7 *(eisen)* insist (on): *er staat hem wat te wachten* there is sth in store for him; *ergens van* ~ *(te) kijken* be flabbergasted; *ze staat al een uur te wachten* she has been waiting (for) an hour
staanplaats standing room, *(open tribune)* terrace
staar cataract, stare, *(waas op het oog)* film
staart 1 tail: *met de* ~ *kwispelen* wag its tail; 2 *(bos neerhangend haar)* pigtail; *(opgebonden haar)* ponytail
staartbeen tail-bone, coccyx
staartdeling long division
staartster comet
staartvin tail fin
staat 1 state, condition, status: *burgerlijke* ~ marital status; *in goede* ~ *verkeren* be in good condition; *in prima* ~ *van onderhoud* in an excellent state of repair; 2 *(mogelijkheid, gelegenheid)* condition: *tot*

alles in ~ zijn be capable of anything; 3 *(rijk)* state, country, nation, power, *(het staatslichaam)* the body politic: *de ~ der Nederlanden* the kingdom of the Netherlands; 4 *(bestuurscollege)* council, board: *de Provinciale Staten* the Provincial Council; 5 *(opgave, overzicht)* statement, record, report, survey

staatsbezoek state visit

Staatsblad law gazette

staatsbosbeheer Forestry Commission

staatsburger citizen, *(in een koninkrijk ook)* subject

staatsexamen state exam(ination); university entrance examination

staatsgeheim official secret, state secret

staatsgreep coup (d'état)

staatshoofd head of state

staatsieportret official portrait

staatsinrichting civics

staatsloterij state lottery, national lottery

staatssecretaris *(in Ned en België)* State Secretary

staatsveiligheid state *(of:* national, public) security

stabiel stable, firm *(ook handel)*

stabilisatie stabilization

stabiliseren stabilize, steady, *(verstevigen)* firm (up)

stabiliteit stability, *(evenwicht)* balance, steadiness

stacaravan caravan

stad *(grote plaats)* town, *(grote, dichtbevolkte stad)* city, *(stedelijke gemeente)* borough: *~ en land aflopen* search high and low, look everywhere (for); *de ~ uit zijn* be out of town

stadbewoner city dweller, citizen

stadhuis town hall, city hall

stadion stadium

stadium stage, phase

stadsbestuur town council, city council, municipality

stadsbus local bus

stadsdeel quarter, area, part of town, *(wijk)* district

stadsmens city dweller, townsman

stadsmuur town wall, city wall

stadsplattegrond town plan, town map, street map *(of:* plan) (of a town, the city)

stadsvernieuwing urban renewal

staf 1 staff, *(walking)* stick; *(toverstaf)* wand; 2 *(leiding)* staff, *(wetenschappelijk personeel; Am)* faculty; 3 *(mil)* staff, corps

stafkaart topographic map, ordnance survey map

stage work placement; *(school)* teaching practice; *(med)* housemanship, *(Am)* intern(e)ship: *~ lopen* do a work placement practice

stageperiode traineeship, period of practical training *(of:* work experience)

stageplaats trainee post

stagiair(e) student on work placement; *(in school)* student teacher

stagnatie stagnation

stagneren stagnate, come to a standstill

staken I *tr* cease, stop, discontinue, *(tijdelijk)* suspend: *zijn pogingen ~* cease one's efforts; *het verzet ~* cease resistance; **II** *intr* 1 *(het werk neerleggen)* strike, go on strike: *gaan ~* go *(of:* come out) on strike; 2 *(mbt een stemming)* tie

staker striker

staking strike (action), walkout: *in ~ zijn* (of: *gaan)* be *(of:* come out) on strike

stakingsactie strike action

stakingsbreker strike-breaker, *(min)* scab

stakker wretch, poor soul *(of:* creature, thing): *een arme ~* a poor beggar

stal stable *(voor paarden)*, cowshed *(voor koeien)*, sty *(voor varkens)*, fold *(voor schapen)*: *iets van ~ halen* dig sth out *(of:* up) (again)

stalactiet stalactite

stalagmiet stalagmite

stalen steel, steely: *met een ~ gezicht* stony-faced

stalgeld storage charge(s) *(voor fiets, auto, enz.)*; garage charge(s) *(voor auto enz.)*

stalknecht stableman, stable hand, groom

stallen store, put up *(of:* away), garage *(motorvoertuig)*

stalletje stall, stand, booth

stalling garage *(voor auto enz.)*; shelter *(voor fiets enz.)*

stam 1 trunk, stem, stock; 2 *(geslacht)* stock, clan; 3 *(volksstam)* tribe, race

stamboek pedigree, studbook *(vnl. voor paarden)*, herdbook *(voor runderen, varkens, schapen)*

stamboekvee pedigree(d) cattle

stamboom family tree, genealogical tree; *(tekening)* genealogy, pedigree

stamcafé favourite pub *(Am:* bar); local; *(Am)* hangout

stamelen stammer, stutter, sp(l)utter

stamgast regular (customer)

stamhoofd chieftain, tribal chief, headman

stamhouder son and heir, family heir

staminee *(Belg)* pub

stammen descend (from), stem (from), *(dateren)* date (back to, from)

stammenstrijd (inter)tribal dispute; tribal war

stampen I *intr* stamp: *met zijn voet ~* stamp one's foot; **II** *tr* *(door stoten kleiner maken, mengen)* pound, crush, pulverize: *gestampte aardappelen* mashed potatoes

stamper 1 stamp(er), pounder, masher *(voor puree e.d.)*; 2 *(plantk)* pistil

stamppot *(ongev)* stew, hotchpotch, *(met kool)* mashed potatoes and cabbage

stampvol packed *(van ruimtes)*; full to the brim *(van dozen, kisten e.d.)*; full up *(met eten)*

stamtafel table (reserved) for regulars

stamvader ancestor, forefather

stand 1 posture, bearing: *een ~ aannemen* assume a position; 2 *(mbt positie, meting)* position: *de ~ van de dollar* the dollar rate; *de ~ van de zon* the position of the sun; 3 *(toestand, gesteldheid)* state, con-

st

dition: *de burgerlijke* ~ the registry office; **4** score: *de ~ is 2-1* the score is 2-1; **5** *(rang)* estate, class, station, order: *mensen van alle rangen en ~en* people from all walks of life; **6** *(het zijn)* existence, being: *tot ~ brengen* bring about, achieve; **7** *(plaats op een tentoonstelling)* stand

standaard I *zn* **1** stand, standard; **2** *(exemplaar van eenheid van maat, gewicht)* standard, prototype; **II** *bn, bw* standard

standaardisatie standardization

standaardiseren standardize: *het gestandaardiseerde type* the standard model

standaarduitvoering standard type *(of:* model, design)

standaardvoorbeeld classic example

standaardwerk standard work *(of:* book)

standbeeld statue

standhouden hold out, stand up

standje 1 position, posture; **2** *(berisping)* rebuke

standlicht *(Belg)* sidelight, parking light

standplaats stand: ~ *voor taxi's* taxi rank *(Am:* stand)

standpunt standpoint, point of view: *bij zijn ~ blijven* hold one's ground

standvastig firm, perseverant, persistent

standwerker hawker, (market, street) vendor

stang stave, bar, rod, *(van herenfiets)* crossbar || *iem op ~ jagen* needle s.o.

stank stench, bad *(of:* foul, nasty) smell

stansen punch

stap 1 step, footstep, pace, stride: *een ~ in de goede richting doen* take a step in the right direction; ~*(je) voor* ~*(je)* inch by inch, little by little; *een* ~*(je) terug doen* take a step down (in pay); **2** *(fig)* step, move, *(stadium)* grade: ~*pen ondernemen tegen* take steps against; **3** *(tred)* step, tread: *op ~ gaan* set out *(of:* off)

stapel 1 pile, heap, stack; **2** *(vee)* stock || *te hard van* ~ *lopen* go too fast

stapelbed bunk beds

stapelen pile up, heap up, stack

stapelgek 1 crazy, (as) mad as a hatter, (raving) mad; **2** *(bezeten van liefde)* mad, crazy

stapelhuis *(Belg)* warehouse

stappen 1 step, walk; **2** *(uitgaan)* go out, go for a drink

stappenplan step-by-step plan

stapvoets at a walk, at walking pace *(ook mbt paarden)*

star 1 frozen, stiff, glassy *(blik)*; **2** *(koppig, vasthoudend)* rigid, inflexible, uncompromising

staren 1 stare, gaze; **2** *(turen)* peer: *zich blind ~ op iets* be fixated on sth

start start: *(auto) de koude* ~ the cold start

startbaan runway, airstrip *(van klein vliegveld)*

startblok starting block

starten start, begin, *(vliegtuig ook)* take off, *(sport)* be off

starter starter

startkabel jump lead, *(Am)* jumper cable

startklaar ready to start *(of:* go), *(vliegtuig)* ready for take-off

startpunt starting point

stateloos stateless

Staten *(Provinciale Staten)* (Dutch) Provincial Council

Statenbijbel (Dutch) Authorized Version (of the Bible)

Staten-Generaal States General, Dutch parliament

statief tripod; stand

statiegeld deposit: *geen* ~ non-returnable

statig 1 stately, grand: *een ~e dame* a queenly woman, a woman of regal bearing; **2** *(plechtig)* solemn

station (railway) station, *(Am)* depot

stationair stationary: *een motor ~ laten draaien* let an engine idle

stationcar estate (car), *(Am)* station wagon

stationeren station, post

stationschef stationmaster

stationsgebouw station (building)

stationshal station concourse

statisch static

statistiek statistics

statistisch statistical

status 1 (social) status, standing; **2** *(plaats, positie)* (legal) status

statusregel *(comp)* status line

statussymbool status symbol

statuut statute, regulation

stedelijk municipal, urban: *de ~e bevolking* the urban population

steeds 1 always, constantly: *iem ~ aankijken* keep looking at s.o.; ~ *weer* time after time, repeatedly; **2** *(voortdurend)* increasingly, more and more: ~ *groter* bigger and bigger; ~ *slechter worden* go from bad to worse; *het regent nog* ~ it is still raining

steeg alley(way)

steek 1 stab, thrust *(van zwaard enz.)*, prick *(van naald)*; *(wond)* stab wound; **2** *(ve insect)* sting, bite *(ve mug)*; **3** *(pijnscheut)* shooting pain, stabbing pain, *(lichter)* twinge: *een ~ in de borst* a twinge in the chest; **4** *(mbt handwerken)* stitch: *iem in de ~ laten* let s.o. down

steekpartij knifing

steekpenningen bribe(s), *(inform)* kickback(s)

steekproef random check, spot check; (random) sample survey

steekproefsgewijs random; *(na ww)* at random

steeksleutel (open-end, fork) spanner *(of:* wrench)

steekvlam (jet, burst of) flame, flash

steekwond stab wound

steel 1 *(mbt planten)* stalk, stem; **2** *(handvat)* handle, stem *(van wijnglas)*

steelpan saucepan

steels stealthy

steen I *het, de* stone || ~ *en been klagen* complain bitterly; **II** *de* **1** *(stuk steen)* stone, *(Am)* rock, *(groot)* rock, *(klein, rond)* pebble; **2** *(als bouwmateriaal)* stone, *(baksteen)* brick, *(kinderhoofdje)* cobble(stone): *ergens een ~tje toe bijdragen* do one's bit towards sth, chip in with *(bedrag)*; 3 *(sport)* man, *(bij damspel ook)* piece

steenarend golden eagle

steenbok *(geit)* ibex, wild goat

Steenbok *(astrol)* Capricorn

steenbokskeerkring tropic of Capricorn

steenfabriek brickyard

steenkolenengels broken English

steenkool coal

steenpuist boil

steentijd Stone Age

steentje small stone, *(kiezelsteen)* pebble: *een ~ bijdragen* do one's bit

steenweg *(Belg)* (paved) road

steiger 1 landing (stage, place); 2 *(stelling)* scaffold(ing)

steigeren rear (up)

steil steep, *(zeer steil)* precipitous: *een ~e afgrond* a sharp drop; *~ haar* straight hair; *ergens ~ van achterover slaan* be flabbergasted by sth

stek 1 cutting, slip; 2 *(uitgekozen plekje)* niche, den: *dat is zijn liefste ~* that is his favourite spot

stekel prickle, thorn, spine *(van cactus enz.)*

stekelbaars stickleback

stekelhaar crew-cut, bristle *(vnl. op gezicht)*

stekelig 1 prickly; spiny, bristly; 2 *(fig)* sharp, cutting

stekelvarken porcupine; *(egel)* hedgehog

steken I *tr* 1 stab: *alle banden waren lek gestoken* all the tyres had been punctured; 2 *(grieven)* sting, cut; 3 *(mbt dieren, planten)* sting, prick; 4 *(in iets vastprikken)* stick; 5 *(in een omhulsel bergen)* put, place: *veel tijd in iets ~* spend a lot of time on sth; *zijn geld in een zaak ~* put one's money in(to) an undertaking; **II** *intr* 1 *(vastzitten)* stick: *ergens in blijven ~* get stuck *(of: bogged)* (down) in sth; 2 *(gevoel van pijn veroorzaken)* sting: *de zon steekt* there is a burning sun; 3 *(stekende beweging maken)* thrust, stab: *daar steekt iets achter* there is sth behind it

stekend stinging, sharp

stekken slip, strike: *planten ~* take *(of: strike)* cuttings of plants

stekker plug

stel 1 set: *ik neem drie ~ kleren mee* I'll take three sets of clothes with me; 2 *(tweetal personen)* couple: *een pasgetrouwd ~* newly-weds; 3 *(aantal)* couple, lot

stelen steal: *uit stelen gaan* go thieving

stellage stand, stage, platform

stellen 1 put, set: *iem iets beschikbaar ~* put sth at s.o.'s disposal; 2 set, adjust: *een machine ~* adjust *(of: regulate)* a machine; 3 *(veronderstellen)* suppose: *stel het geval van een leraar die ...* take the case of a teacher who ...; 4 *(klaarspelen, redden)* manage, (make) do: *we zullen het met minder moeten ~* we'll have to make do with less

stelletje 1 bunch: *een ~ ongeregeld* a disorderly bunch; 2 *(paartje)* couple, pair

stellig definite, certain

stelling 1 *(steiger)* scaffold(ing); 2 *(staand rek)* rack; 3 *(beginsel)* proposition; 4 theorem, proposition: *de ~ van Pythagoras* Pythagoras' theorem

stelpen staunch, stem

stelplaats *(Belg)* depot

stelregel principle: *een goede ~* a good rule to go by

stelsel system

stelselmatig systematic

stelt stilt || *de boel op ~en zetten* raise hell

steltloper grallatorial bird

stem 1 voice: *zijn ~ verliezen* lose one's voice; *met luide ~* out loud; *een ~ van binnen* an inner voice; 2 *(zangpartij)* part, voice; 3 *(kiesstem)* vote: *beiden behaalden een gelijk aantal ~men* it was a tie between the two; *de ~men staken* there is a tie; *de ~men tellen* count the votes; *zijn ~ uitbrengen* cast one's vote, vote

stemband vocal cord

stembiljet ballot (paper)

stembureau 1 polling station *(Am: place)*; 2 *(college van personen)* polling committee

stembus ballot box: *naar de ~ gaan* go to the polls

stemcomputer voting computer

stemdistrict constituency *(voor 2e kamer)*, borough *(voor 2e kamer, gemeenteraad)*, ward *(gemeenteraad)*

stemgerechtigd entitled to vote

stemhebbend voiced

stemhokje (voting) booth

stemloos voiceless, unvoiced

stemmen 1 *(kiezen)* vote: *ik stem voor (of: tegen)* I vote in favour *(of: against)*; 2 *(muz)* tune, tune up *(orkest)*

stemmer tuner

stemmig sober, subdued

stemming 1 mood: *in een slechte (of: goede) ~ zijn* be in a bad *(of: good)* mood; *de ~ zit erin* there's a general mood of cheerfulness; 2 *(gezindheid)* feeling: *er heerst een vijandige ~* feelings are hostile; 3 *(mbt verkiezingen; voorstellen)* vote: *een geheime ~* a secret ballot; *een voorstel in ~ brengen* put a proposal to the vote; 4 *(muz)* tuning

stempel 1 seal: *zijn ~ op iem drukken* leave one's mark on s.o.; 2 *(afdruk)* stamp, postmark *(op post)*

stempelen I *tr* stamp, postmark *(post)*; **II** *intr (Belg)* be unemployed *(of: on the dole)*

stempelgeld *(Belg)* unemployment benefit, the dole

stempelkussen inkpad

stemplicht compulsory voting

stemrecht (right to) vote, voting right, *(pol ook)* franchise, suffrage

stemvork tuning fork

stencil stencil, handout

stencilen duplicate, stencil

stenen stone, *(van baksteen)* brick

st

stengel 1 stalk, stem; 2 *(koekje)* stick
stenigen stone
steniging stoning
steno stenography, shorthand
step scooter
steppe steppe
ster star: *een vallende ~* a shooting star
stereo stereo(phony)
stereotiep stock, stereotypic(al): *een ~e uitdrukking* a cliché
stereotoren music centre
sterfbed deathbed: *op zijn ~ zal hij er nog berouw
over hebben* he'll regret it to his dying day
sterfelijk mortal
sterfgeval death
sterftecijfer mortality rate
steriel 1 sterile; 2 *(onvruchtbaar)* sterile, infertile
sterilisatie sterilization
steriliseren sterilize, *(mbt dieren)* fix
steriliteit sterility
sterk I *bn* 1 strong, powerful, tough: *~e thee* strong
tea; 2 *(hevig)* strong, sharp: *een ~e stijging* a sharp
rise; *een ~e wind* a strong wind; *~er nog* indeed,
more than that; II *bw* 1 *(zeer)* strongly, greatly,
highly: *een ~ vergrote foto* a much enlarged photograph; *iets ~ overdrijven* greatly exaggerate sth; 2
(goed) well: *zij staat (nogal) ~ (deugdelijke argumenten)* she has a strong case
sterkedrank strong drink, liquor
sterkte 1 strength, power, intensity, *(mbt geluid
ook)* volume, *(mbt geluid ook)* loudness: *de ~ ve geluid* (of: *van het licht)* the intensity of a noise (of: the
light); *op volle (of: halve) ~* at full (of: half)
strength; 2 *(kracht om smart, leed te dragen)* forti-
tude, courage: *~ (gewenst)!* all the best!, good luck!;
3 *(mbt uitwerking)* strength, potency
sterrenbeeld sign of the zodiac
sterrenkijker telescope
sterrenkunde astronomy
sterrenkundige astronomer
sterrenstelsel stellar system
sterretje 1 sparkler; 2 *(tekentje)* star, asterisk
sterveling mortal: *er was geen ~ te bekennen* there
wasn't a (living) soul in sight
sterven die: *~ aan een ziekte* die of an illness; *~ aan
zijn verwondingen* die from one's injuries; *op ~ na
dood zijn* be as good as dead
stethoscoop stethoscope
steun 1 support, prop: *een ~tje in de rug* a bit of encouragement (of: support), a helping hand; 2 *(houvast)* support, assistance: *dat zal een grote ~ voor
ons zijn* that will be a great help to us; 3 *(materiële
hulp)* support, aid, assistance
steunbeer buttress
steunen I *tr* 1 support, prop (up): *een muur ~* support (of: prop up) a wall; 2 *(fig)* support, back up:
iem ergens in ~ back up s.o. in sth; II *intr (leunen)*
lean (on), rest (on)
steunfraude social security fraud

steunzool arch support
steur sturgeon
steven *(scheepv)* stem; *(achter)* stern
stevig I *bn* 1 substantial, hearty; 2 *(fors)* robust,
hefty, *(fig)* stiff, *(fig)* heavy: *een ~e hoofdpijn* a
splitting headache; 3 *(solide, degelijk)* solid, strong,
sturdy; 4 *(krachtig)* tight, firm: *een ~ pak slaag* a
good hiding; 5 *(flink, behoorlijk)* substantial, considerable; II *bw* 1 solidly, strongly: *die ladder staat
niet ~* that ladder is a bit wobbly; 2 *(krachtig)* tightly; firmly: *we moeten er ~ tegenaan gaan* we really
need to get (of: buckle) down to it
stevigheid sturdiness, strength, solidity
stewardess stewardess, (air) hostess
stichtelijk *(vroom)* devotional, pious
stichten found, establish: *een gezin ~* start a family
stichter founder
stichting foundation, establishment
sticker sticker
stickie joint, stick
stiefbroer stepbrother
stiefdochter stepdaughter
stiefkind stepchild
stiefmoeder stepmother
stiefvader stepfather
stiefzoon stepson
stiefzuster stepsister
stiekem I *bn* 1 *(geniepig)* sneaky; 2 *(geheim)* secret;
II *bw* 1 *(geniepig)* in an underhand way, on the sly;
2 *(geheim)* in secret: *iets ~ doen* do sth on the sly; *~
weggaan* steal (of: sneak) away
stiekemerd sneak, sly dog
stielman *(Belg)* craftsman, skilled worker
stier bull
Stier *(astrol)* Taurus
stierengevecht bullfight
stierlijk: *ik verveel me ~* I'm bored stiff (of: to tears)
stift 1 *(mbt een vulpotlood, balpen)* cartridge; 2
(viltstift) felt-tip (pen)
stifttand crowned tooth
stijf I *bn* 1 stiff, rigid: *~ van de kou* numb with cold;
2 *(houterig)* stiff, wooden; II *bw* 1 stiffly, rigidly: *zij
hield het pak ~ vast* she held on to the package with
all her might; 2 *(niet hartelijk)* stiffly, formally
stijfheid stiffness
stijfjes stiff, formal
stijfkop stubborn person, pigheaded person
stijfsel paste
stijgbeugel stirrup
stijgen 1 rise, climb *(vliegtuig):* *een ~de lijn* an upward trend; 2 *(toenemen)* increase, rise: *de prijzen*
(of: *lonen)* ~ prices (of: wages) are rising
stijging rise, increase
stijl 1 style, *(taalk ook)* register: *ambtelijke ~* officialese; *journalistieke ~* journalese; *het onderwijs
nieuwe ~* the new style of education; *in de ~ van* after the fashion of; 2 *(paal)* post: *dat is geen ~* that's
no way to behave
stijldansen ballroom dancing

stijlfiguur figure of speech, trope
stijlloos 1 tasteless, lacking in style; 2 *(zonder manieren)* ill-mannered
stijlvol stylish, fashionable
stik *(plat)* oh heck, oh damn; *(verwensing)* nuts (to you), get lost
stikdonker pitch-dark, pitch-black
stikken 1 suffocate, choke, *(benauwd worden)* be stifled: *in iets ~* choke on sth; *~ van het lachen* be in stitches; 2 (met *in)* be bursting (with) *(jaloezie, trots)*, be up to one's ears (in) *(werk e.d.)*; 3 *(doodvallen)* drop dead: *iem laten ~* leave s.o. in the lurch, *(niet verschijnen)* stand s.o. up; 4 *(naaien)* stitch; 5 *(mbt overvloedigheid)* be full (of), swarm (with): *dit opstel stikt van de fouten* this essay is riddled with errors
stikstof nitrogen
stil I *bn* 1 quiet, silent; 2 *(bewegingloos)* still, motionless; 3 *(bedaard)* quiet, calm: *de ~le tijd* the slack season, the off season; *Stille Nacht* Silent Night; II *bw* 1 *(zonder (veel) geluid)* quietly; 2 *(roerloos)* still; 3 *(zonder ophef)* quietly, calmly
stiletto flick knife, *(Am)* switchblade
stilhouden I *tr* 1 keep quiet, hold still; 2 *(geheimhouden)* keep quiet, hush up: *zij hielden hun huwelijk stil* they got married in secret; II *intr (stoppen)* stop, pull up
stille plain-clothes policeman
stilleggen stop, shut down, close down
stilletjes 1 quietly; 2 *(stiekem)* secretly, on the sly
stilleven still life
stilliggen 1 lie still *(of:* quiet); 2 *(niet functioneren)* lie idle, be idle: *het werk ligt stil* work is at a standstill
stilstaan 1 stand still; pause, come to a standstill: *heb je er ooit bij stilgestaan dat ...* has it ever occurred to you that ...; 2 *(niet functioneren)* stand still, stop, be at a standstill
stilstand 1 standstill, stagnation; 2 *(Belg)* stop: *deze trein heeft ~en te Lokeren en te Gent* this train stops at Lokeren and Ghent
stilte 1 silence, quiet: *een minuut ~* a minute's silence; *de ~ verbreken* break the silence; 2 *(heimelijkheid)* quiet, privacy, secrecy
stilzetten (bring to a) stop
stilzitten sit still; sit still, stand still
stilzwijgend tacit, understood: *~ aannemen (veronderstellen) dat ...* take (it) for granted that ...; *een contract ~ verlengen* automatically renew a contract
stimulans stimulus
stimuleren stimulate, encourage, boost *(handel)*
stimulus stimulus, incentive
stinkbom stink bomb
stinkdier skunk
stinken stink, smell: *uit de mond ~* have bad breath
stinkend stinking, smelly
stip 1 dot, speck *(vlekje)*; 2 *(sport)* (penalty) spot *(of:* mark)

stippelen dot, speckle
stippellijn dotted line
stipt exact, punctual, prompt *(tijdig)*, strict *(mbt navolging van regels): ~ om drie uur* at three o'clock sharp; *~ op tijd* right on time
stiptheid accuracy, punctuality *(steeds op tijd zijn)*, promptness *(tijdigheid)*, strictness *(mbt navolging van regels)*
stiptheidsactie work-to-rule, go-slow, *(Am)* slow-down (strike)
stockeren *(Belg) (opslaan)* stock
stoeien play around: *met het idee ~* toy with the idea (of)
stoel chair, seat *(zitplaats): een luie (gemakkelijke) ~* an easy chair; *pak een ~* take a seat; *de poten onder iemands ~ wegzagen* cut the ground from under s.o.'s feet, pull the rug from under s.o.
stoelendans musical chairs
stoelgang (bowel) movement; stool(s)
stoeltjeslift chairlift
stoep 1 pavement, *(Am)* sidewalk; 2 *(stenen opstap)* (door)step: *onverwachts op de ~ staan bij iem* turn up on s.o.'s doorstep
stoeprand kerb, *(Am)* curb
stoeptegel paving stone
stoer 1 sturdy, powerful(ly built); 2 *(flink)* tough
stoet procession, parade
stoethaspel clumsy person, bungler
¹stof dust: *~ afnemen* dust; *in het ~ bijten* bite the dust; *iem in het ~ doen bijten* make s.o. grovel, make s.o. eat dirt
²stof 1 *(materie)* substance, matter *(niet-telbaar)*; 2 *(weefsel)* material, cloth, fabric; 3 *(materiaal, onderwerp)* (subject) matter, material: *~ tot nadenken hebben* have food for thought
stofdoek duster, (dust)cloth
stoffelijk material
stoffen I *bn* cloth, fabric; II *intr, tr* dust
stoffer brush: *~ en blik* dustpan and brush
stofferen 1 upholster; 2 *(mbt vloerbedekking, gordijnen) (ongev)* decorate, furnish with carpets and curtains
stoffering soft furnishings, *(Am)* fabrics, cloth, upholstery *(bekleding van stoelen)*
stofjas dustcoat, duster
stofwisseling metabolism
stofzuigen vacuum, hoover
stofzuiger vacuum (cleaner), hoover
stok stick, *(wandelstok ook)* cane: *zij kregen het aan de ~ over de prijs* they fell out over the price
stokbrood baguette, French bread
stokdoof stone-deaf, (as) deaf as a post
stoken I *tr* 1 stoke (up), *(vuur ook)* feed, *(aansteken)* light, *(aansteken)* kindle: *het vuur ~* stoke up the fire; 2 *(als brandstof gebruiken)* burn; 3 *(aanwakkeren)* stir up: *ruzie ~* stir up strife; 4 *(distilleren)* distil; II *intr* 1 *(mbt een vuur)* heat; 2 *(opruien)* make trouble
stoker 1 fireman, stoker; *(fig)* firebrand, trouble-

maker; 2 *(distilleerder)* distiller

stokje stick, perch *(voor vogel): ergens een ~ voor steken* put a stop to sth; *van zijn ~ gaan* pass out, faint

stokoud ancient

stokpaardje hobbyhorse: *iedereen heeft wel zijn ~* everyone has his fads and fancies

stokstijf (as) stiff as a rod, *(onbeweeglijk)* stock-still

stokvis stockfish

stollen solidify *(kwik, lava enz.)*, coagulate, congeal *(door o.a. kou)*, set *(ei, gelei)*, clot *(bloed)*

stolp (bell-)glass

stolsel coagulum, *(bloed ook)* clot

stom I *(niet kunnende spreken)* dumb, mute; 2 *(dom)* stupid, dumb: *ik voelde me zo ~* I felt such a fool; *iets ~s doen* do sth stupid

stomdronken dead drunk

stomen I *intr* steam; II *tr (reinigen)* dry-clean: *een pak laten ~* have a suit cleaned

stomerij dry cleaner's

stomheid dumbness, muteness, *(van emotie)* speechlessness: *met ~ geslagen zijn* be dumbfounded

stommelen stumble

stommeling fool, idiot

stommetje: *~ spelen* keep one's mouth shut

stommiteit stupidity: *~en begaan* make stupid mistakes

stomp I *zn* 1 stump, stub; 2 *(stoot)* thump, *(met vuist)* punch; II *bn* blunt: *een ~e neus* a snub nose

stompen thump, *(vuistslag geven)* punch

stompzinnig obtuse, dense, stupid: *~ werk* monotonous *(of: stupid)* work

stompzinnigheid stupidity, denseness, obtuseness

stomtoevallig accidentally; by a (mere) fluke

stomverbaasd astonished, amazed, flabbergasted

stomvervelend deadly dull, boring, *(lastig)* really annoying: *~ werk moeten doen* have to do deadly boring work

stomweg simply, just

stoned high, stoned

stoof footwarmer

stoofpan stew(ing)-pan

stoofschotel stew, casserole

stookkosten fuel costs, heating costs

stookolie fuel oil

stookplaat grate

stoom steam: *~ afblazen* let off steam

stoombad steam bath, Turkish bath

stoomboot steamboat, steamer

stoomcursus crash course, intensive course

stoornis disturbance, disorder

stoorzender jammer, jamming station

stoot thrust, *(vuistslag)* punch, *(met dolk)* stab, *(wind)* gust: *een ~ onder de gordel* a blow below the belt

stootje thrust, *(duw)* push, *(met elleboog)* nudge: *wel tegen een ~ kunnen* stand rough handling *(of: hard wear)*, *(tegen kritiek kunnen)* be

thick-skinned

stop I *zn* 1 *(zekering)* fuse: *alle ~pen sloegen bij hem door* he blew a fuse; 2 *(pauze)* stop, break: *een sanitaire ~ maken* stop to go to the bathroom; II *tw* 1 *(niet verder!)* stop!; 2 *(genoeg)* stop (it)

stopbord stop sign

stopcontact (plug-)socket, power point, electric point, outlet

stopgaren *(wol)* mending wool, *(katoen)* mending cotton, darning cotton

stoplicht traffic light(s)

stopnaald darning needle

stoppel stubble, bristle

stoppen I *intr (halt houden)* stop: *stop!* stop!; II *tr* 1 fill (up), *(volstoppen, volproppen)* stuff: *een gat ~* fill a hole; 2 *(iets in een ruimte bergen)* put (in(to)): *iets in zijn mond ~* put sth in(to) one's mouth; 3 *(tot stilstand brengen)* stop: *de keeper kon de bal niet ~* the goalkeeper couldn't save the ball; 4 *(mbt kleding e.d.)* darn, mend

stopplaats stop, stopping place

stopstreep halt line

stoptrein slow train

stopverf putty

stopwoord stopgap

stopzetten stop, bring to a standstill *(of: halt)*, discontinue *(bootdienst, subsidie)*; *(tijdelijk, werkzaamheden ook)* suspend

storen 1 disturb, *(zich opdringen)* intrude, *(onderbreken)* interrupt, *(zich ergens mee bemoeien; radio)* interfere: *de lijn is gestoord* there is a breakdown on the line; *stoor ik u?* am I in your way?, *(bij binnenkomen)* am I interrupting (you)?, am I intruding?; *niet ~!* do not disturb!; *iem in zijn werk ~* disturb s.o. at his work; 2 *(geven om)* take notice (of), mind: *zij stoorde er zich niet aan* she took no notice of it

storing 1 disturbance, *(treinverkeer, telefoon)* interruption, *(defect)* trouble, *(uitvallen)* failure, *(uitvallen)* breakdown; 2 *(reclame)* interference, static; 3 *(weerk)* disturbance, *(lage drukgebied)* depression

storm gale; storm: *een ~ in een glas water* a storm in a teacup; *het loopt ~* there is a real run on it

stormachtig 1 stormy, blustery; 2 *(onstuimig)* stormy, *(luidruchtig)* tumultuous

stormen storm, rush: *naar voren ~* rush forward *(of: ahead)*

stormloop rush, run

stormram battering-ram

stormvloed storm tide, storm flood *(of: surge)*

stort dump, tip

stortbak cistern, tank

stortbui downpour, cloudburst

storten I *intr* fall, crash: *in elkaar ~: a)* collapse, cave in *(gebouw); b) (geestelijk)* collapse, crack up; II *tr* 1 throw, dump; 2 *(overmaken)* pay, deposit: *het gestorte bedrag is ...* the sum paid is ...; III *zich ~* 1 *(zich werpen)* throw oneself: *zich in de politiek*

~ dive into politics; 2 *(met op) (met hartstocht aan-pakken)* throw oneself (into), dive (into), plunge (into)

storting payment, deposit

stortkoker (garbage) chute *(of:* shoot)

stortplaats dump, dumping ground *(of:* site)

stortregen downpour

stortregenen pour (with rain, down)

stoten I *intr, tr* bump, knock, hit: *pas op, stoot je hoofd niet* mind your head; *op moeilijkheden* ~ run into difficulties; **II** *tr* 1 *(duwen)* thrust, push: *niet* ~! handle with care!; *een vaas van de kast* ~ knock a vase off the sideboard; 2 *(biljart)* play *(of:* shoot) (a ball); **III** *zich* ~ *(botsen)* bump (oneself): *we stootten ons aan de tafel* we bumped into the table

stotteraar stutterer, stammerer

stotteren stutter, stammer

stout naughty: ~ *zijn* misbehave

stouwen stow, cram

stoven stew, simmer

stoverij *(Belg)* stew

straal 1 beam, ray; 2 *(stroom vloeistof, gas)* jet, *(straaltje)* trickle; 3 radius: *binnen een* ~ *van 10 kilometer* within a radius of 10 km

straaljager fighter jet

straalkachel electric heater

straalvliegtuig jet

straat street: *een doodlopende* ~ dead end street; *de volgende* ~ *rechts* the next turning to the right; *de* ~ *opbreken* dig up the street; *op* ~ *staan (dakloos)* be (out) on the street(s); *drie straten verderop* three streets away

straatarm penniless

straatbende street gang

straathandelaar street vendor, *(drugs)* pusher, dealer

straathond cur, mutt

straatje alley, lane

straatjongen street urchin

straatlantaarn street lamp

straatorgel barrel organ

Straatsburg Strasbourg

straatsteen paving brick

straatventer vendor

straatvuil street refuse *(Am:* garbage)

straf I *zn* punishment, *(vnl. strafmaatregel, boete)* penalty: *een zware* (of: *lichte)* ~ a heavy *(of:* light) punishment; *een* ~ *ondergaan* pay the penalty; *zijn* ~ *ontlopen* get off scot-free; *voor* ~ for punishment; **II** *bn, bw* stiff, severe: *~fe taal* hard words

strafbaar punishable: *een* ~ *feit* an offence, a punishable *(of:* penal) act; *dat is* ~ that's an offence; *iets* ~ *stellen* attach a penalty to sth, make sth punishable

strafbank 1 dock: *op het* ~*je zitten* be in the dock; 2 *(sport)* penalty box *(of:* bench)

strafblad police record, record of convictions *(of:* offences)

strafcorner penalty corner

straffen punish, penalize

strafport surcharge

strafpunt penalty point: *een* ~ *geven* award a penalty point

strafrecht criminal law, criminal justice

strafrechtelijk criminal: *iem* ~ *vervolgen* prosecute s.o.

strafschop penalty (kick), spot kick

strafschopgebied penalty area, penalty box

strafwerk lines, (school) punishment: ~ *maken* do *(of:* write) lines, do impositions *(of:* an imposition)

strafworp penalty throw; *(basketbal)* foul shot

strak 1 tight, taut *(touw, zeil):* *iem* ~ *houden* keep s.o. on a tight rein; ~ *trekken* stretch, pull tight; 2 *(onafgewend)* fixed, set, intent; 3 *(geen gevoelens uitdrukkend)* fixed, set, *(streng)* stern, *(gespannen)* tense

strakblauw clear blue, sheer blue, cloudless

straks later, soon, next: ~ *meer hierover* I'll return to this later; *tot* ~ so long, see you later *(of:* soon)

stralen 1 radiate, beam; 2 *(van geluk)* shine, beam, radiate

stralend 1 radiant, brilliant, *(sterker)* dazzling; 2 *(van geluk)* radiant, beaming; 3 *(met veel zonneschijn)* glorious, splendid

straling radiation

stram stiff, rigid

strand beach, seaside

stranden 1 *(aanspoelen)* be cast *(of:* washed) ashore; *(mbt een schip)* run aground *(of:* ashore), be stranded; 2 *(mislukken)* fail: *een plan laten* ~ wreck a project; 3 *(in een reis)* be stranded

strandhuisje beach cabin

strandjutter beachcomber, *(mbt wrakken)* wrecker

strandstoel deck chair

strandwandeling walk on *(of:* along) the beach

strateeg strategist

strategie strategy

strategisch strategic

stratengids street map *(of:* plan), A to Z

stratenmaker paviour, road worker, *(voor reparatie wegdek)* road mender

stratosfeer stratosphere

streber careerist, (social) climber

streefgetal target number *(of:* figure)

streek 1 trick, *(van kind)* prank, *(dwaze)* antic, *(dwaze)* caper: *een stomme* ~ *uithalen* do sth silly; 2 *(landstreek)* region, area: *in deze* ~ in these parts *(of:* this part) of the country; 3 *(strijkende beweging)* stroke: *van* ~ *zijn: a) (niet in zijn normale doen)* be out of sorts; *b) (nerveus)* be upset, be in a dither; *c) (van maag)* be upset, be out of order

streekbus regional *(of:* county, country) bus

streekroman regional novel

streep 1 line, score, *(teken)* mark(ing); 2 *(smalle strook)* stripe, line, *(breed)* band, *(breed)* bar, *(onregelmatig)* streak *(van licht, vuil):* *iem over de* ~ *trekken* win s.o. over; 3 *(onderscheidingsteken)* stripe, chevron

st

streepje thin line, narrow line; *(koppelteken)* hyphen; *(gedachtestreepje)* dash; *(schuin)* slash
streepjescode bar code
strekken I *intr* 1 extend, stretch, go; 2 *(genoeg zijn)* last, go; **II** *tr* stretch, unbend, extend, straighten
strekking import, *(kennelijke bedoeling, betekenis)* tenor, purport, *(bedoeling)* purpose, *(bedoeling)* intent, effect: *de ~ van het verhaal* the drift of the story
strelen caress, stroke, fondle
streling caress
stremmen block, obstruct
streng I *zn* 1 twist, twine, skein, hank; 2 *(mbt een touw)* strand; **II** *bn, bw* 1 severe, hard: *het vriest ~* there's a sharp frost; 2 *(strak, hard)* severe, strict, stringent *(bepaling, regel)*, rigid *(bepaling, regel)*; *(zeer)* harsh: *~e eisen* stern demands; *een ~e onderwijzer* a stern *(of:* strict) teacher
strepen line, streak, stripe
stress stress, strain
stressen work under stress
stretch stretchy material *(of:* fabric), elastic
stretcher stretcher
streven I *zn* 1 striving (for), pursuit (of), *(poging)* endeavour: *het ~ naar onafhankelijkheid* the pursuit of independence; 2 *(wat men zich ten doel stelt)* ambition, aspiration, aim; **II** *intr* strive (for, after), aspire (after, to), aim (at): *je doel voorbij ~* defeat your object
striem slash, score, *(met litteken)* weal, *(met litteken)* welt
strijd 1 fight, struggle, *(slag)* combat, *(slag)* battle: *hevige (zware) ~* fierce battle *(of:* struggle, fighting), battle royal; *~ leveren* wage a fight, put up a fight *(of:* struggle); *de ~ om het bestaan* the struggle for life; 2 *(onenigheid)* strife, dispute, controversy, conflict: *innerlijke ~* inner struggle *(of:* conflict); *in ~ met de wet* against the law
strijdbijl battle-axe; *(van indianen)* tomahawk: *de ~ begraven* bury the hatchet
strijden 1 struggle, fight, wage war (against, on), *(slag leveren)* battle; 2 *(mbt wedstrijd)* compete, contend
strijder fighter, *(krijgsman)* warrior, combatant
strijdig 1 contrary (to), adverse (to), inconsistent (with); 2 *(tegenstrijdig)* conflicting, *(onverenigbaar)* incompatible (with)
strijdkrachten (armed) forces *(of:* services)
strijdkreet battle cry, war cry
strijdlustig pugnacious, combative, *(voor een zaak)* militant
strijdperk arena
strijkbout iron
strijken I *intr (gaan langs, over)* brush, sweep ‖ *met de eer gaan ~* carry off the palm (for), take the credit (for); **II** *tr* 1 smooth, spread, brush; 2 *(met hand)* stroke, brush; 3 *((textiel) gladmaken)* iron
strijkijzer iron, flat-iron
strijkinstrument stringed instrument: *de ~en (in orkest)* the strings
strijkorkest string orchestra
strijkplank ironing board
strijkstok bow ‖ *er blijft veel aan de ~ hangen* the rake-off is considerable
strik 1 bow; 2 *(valstrik)* snare, trap
strikje bow tie
strikken 1 tie in a bow: *zijn das ~* knot a tie; 2 *(in een strik vangen)* snare; 3 *(overhalen)* trap (into)
strikt strict, stringent *(regel)*, rigorous: *~ vertrouwelijk* strictly confidential
strikvraag catch question, trick question
strip 1 strip, *(van papier ook)* slip, band; 2 *(stripverhaal)* comic strip, (strip) cartoon
stripboek comic (book)
stripfiguur comic(-strip) character
stripheld comic(-strip) hero
strippen strip
strippenkaart *(ongev)* bus and tram card
stripteasedanseres striptease dancer *(of:* artist), stripper
striptekenaar strip cartoonist
stripverhaal comic (strip)
stro straw *(ook mbt peulgewassen)*
strobloem strawflower, everlasting (flower)
stroef 1 rough, uneven; 2 *(moeilijk bewegend)* stiff, difficult, awkward, *(hortend)* jerky, *(hortend)* brusque, *(bijna vast)* tight; 3 *(niet vlot, toeschietelijk)* stiff, staid, *(onbeholpen)* awkward, *(stug)* stern, *(moeilijk van aard)* difficult (to get on with), *(gereserveerd)* remote, *(gereserveerd)* reserved, *(terughoudend)* stand-offish
strohalm (stalk of) straw: *zich aan een (laatste) ~ vastklampen* clutch at a straw *(of:* at straws)
stroman straw man, man of straw, puppet, figurehead
stromen 1 stream, pour, flow: *een snel ~de rivier* a fast-flowing river; 2 *(van grote massa's)* pour, flock
stroming 1 current, flow; 2 *(heersende denkwijze, werkwijze)* movement, trend, tendency
strompelen stumble, totter, limp
stronk 1 stump, stub; 2 *(ve koolplant)* stalk
stront *(inform)* shit, dung, filth: *er is ~ aan de knikker* the shit has hit the fan, we're in the shit
strooibiljet handbill, pamphlet, leaflet
strooien I *intr, tr* scatter; strew *(bloemen)*; sow *(zaad)*; sprinkle *(zout, peterselie, suiker)*; dredge *(suiker)*: *zand (pekel) ~ bij gladheid* grit icy roads; **II** *bn* straw: *een ~ dak* a thatched roof, a thatch
strooizand (road) grit
strook 1 strip, band *(stof)*; 2 *(reep papier)* strip, slip, *(etiket)* label, *(etiket)* tag, *(controlestrookje)* stub, *(controlestrookje)* counterfoil
stroom 1 stream, flow, *(stroming)* current, *(grote hoeveelheid)* flood: *de zwemmer werd door de ~ meegesleurd* the swimmer was swept away by the current *(of:* tide); 2 *(grote menigte, hoeveelheid)* stream, flood: *een ~ goederen* a flow of goods; *er kwam een ~ van klachten binnen* complaints came

pouring in; **3** *(hoeveelheid elektriciteit, spanning)* (electric) power, (electric) current: *er staat ~ op die draad* that is a live wire

stroomafwaarts downstream, downriver

stroomdraad live wire, contact wire, electric wire

stroomlijnen streamline

stroomopwaarts upstream, upriver

stroomschema flow chart *(of:* sheet, diagram)

stroomstoot (current) surge, *(puls)* pulse, transient

stroomstoring electricity failure, power failure

stroomuitval power failure

stroomverbruik electricity consumption, power consumption

stroomversnelling *(versnelling van de stroom)* rapid *(vnl. mv):* *in een ~ geraken* gain momentum, develop *(of:* move) rapidly *(plannen),* be accelerated *(ontwikkeling)*

stroop syrup, *(suikerstroop)* treacle: *~ (om iemands mond) smeren* butter s.o. up, softsoap s.o.

stroopwafel treacle waffle

strop 1 halter, (hangman's) rope, *(met schuifknoop)* noose, *(om wild te vangen)* snare, *(om wild te vangen)* trap; **2** *(pech)* bad luck, tough luck, *(mbt transactie)* raw deal, *(financieel)* financial blow *(of:* setback), *(financieel)* loss

stropdas tie

stropen 1 *(villen)* skin; **2** *(jagen zonder vergunning)* poach

stroper poacher

stroperij poaching

strot throat, *(keel)* gullet: *het komt me de ~ uit* I'm sick of it; *ik krijg het niet door mijn ~* I couldn't eat it to save my life, *(ik wil het niet zeggen)* the words stick in my throat

strottenhoofd larynx

structureel structural; *(mbt de bouw ook)* constructional

structureren structure, structuralize

structuur structure, texture, fabric

structuurverf cement paint

struif (contents of an) egg

struik 1 bush, shrub; **2** *(krop, stronk)* bunch; head *(andijvie, bleekselderij)*

struikelblok stumbling block, obstacle

struikelen stumble (over), trip (over)

struikgewas bushes, shrubs, brushwood

struikrover highwayman, footpad

struisvogel ostrich

struisvogelpolitiek ostrich policy: *een ~ volgen* refuse to face facts, bury one's head in the sand

stucwerk stucco(work)

stucwerker plasterer

student student, *(voor eerste graad)* undergraduate, *(na afstuderen)* (post)graduate: *~ Turks* student of Turkish

studentenbeweging student movement

studentencorps *(ongev)* student(s') union

studentenflat (block of) student flats, *(ongev)* hall of residence, student apartments

studententijd college days, student days

studentenvereniging *(ongev)* student union

studeren 1 study, *(aan de universiteit)* go to *(of:* be at) university/college: *Marijke studeert* Marijke is at university *(of:* college); *oude talen ~* read classics; *hij studeert nog* he is still studying *(of:* at college); *verder ~* continue one's studies; *~ voor een examen* study *(of:* revise) for an exam; **2** *(in de muziek oefenen)* practise (music): *piano ~* practise the piano

studie study: *met een ~ beginnen* take up a (course of) study

studiebegeleiding tutoring, coaching

studiebeurs grant

studieboek textbook, manual

studiebol bookworm, scholar

studiefinanciering student grant(s)

studiegids prospectus, *(Am)* catalog

studiehuis 1 space in secondary school for private study; **2** educational reform stimulating private study

studiejaar (school) year, *(aan universiteit ook)* university year, academic year

studiekosten cost(s) of studying, *(aan universiteit ook)* university expenses, college expenses

studiemeester *(Belg)* *(ongev)* supervisor

studieprogramma course programme, study programme, syllabus

studiepunt credit

studiereis study tour *(of:* trip)

studierichting subject, course(s), discipline, branch of study *(of:* studies)

studietoelage scholarship, (study) grant

studieverlof study leave, *(voor lange periode)* sabbatical (leave)

studiezaal reading room

studio studio

stuff dope, stuff; *(hasj ook)* pot; *(marihuana ook)* grass, weed

stug 1 stiff, tough; **2** *(nors)* surly, dour, stiff || *~ doorwerken* work *(of:* slog) away

stuifmeel pollen

stuip convulsion, *(klein)* twitch; *(aanval)* fit, spasm *(vnl. mv):* *iem de ~en op het lijf jagen* scare s.o. stiff, scare the (living) daylights out of s.o.

stuiptrekken convulse, be convulsed, become convulsed

stuiptrekking convulsion, spasm, *(klein)* twitch

stuitbeen tailbone, coccyx

stuiten 1 *(aantreffen)* encounter, happen upon, chance upon, stumble across; **2** *(geconfronteerd worden)* meet with, run up against; **3** *(terugspringen)* bounce, bound

stuiter big marble, taw, bonce

stuiteren play at marbles

stuitje tail bone

stuiven 1 blow, fly about, fly up; **2** *(met grote snelheid voortbewegen)* dash, rush, whiz || *(Belg) het zal* *er* ~ there'll be a proper dust-up

stuiver five-cent piece

stuk I *zn* **1** piece, part, fragment, *(land)* lot, length *(stof, plank, koord): iets in* ~*ken snijden* cut sth up (into pieces); *uit één* ~ *vervaardigd* made in (*of:* of) one piece; **2** *(één uit een verzameling)* piece, item: *een* ~ *gereedschap* a piece of equipment, a tool; *per* ~ *verkopen* sell by the piece, sell singly; *twintig* ~*s vee* twenty head of cattle; *een* ~ *of tien appels* about ten apples, ten or so apples; **3** *(poststuk)* (postal) article, (postal) item; **4** *(geschrift)* piece, article; **5** *(document)* document, paper; **6** *(kunstwerk)* piece, picture; **7** *(toneelstuk)* piece, play; **8** *(schaaksport, damsport)* piece, *(schaaksport ook)* chessman, *(damsport ook)* draughtsman: *iem van zijn* ~ *brengen* unsettle (*of:* unnerve, disconcert) s.o.; *een* ~ *in de kraag hebben* be tight (*of:* plastered); *(Belg) op het* ~ *van …* as far as … is concerned, as for …; **II** *bn* **1** apart, to pieces; **2** *(defect)* out of order, broken down, bust: *iets* ~ *maken* break (*of:* ruin) sth

stukadoor plasterer

stuken plaster

stukgaan break down, fail, *(in stukken)* break to pieces

stukje 1 small piece, little bit: ~ *bij beetje* bit by bit, inch by inch; **2** *(kort verhaal, opstel)* short piece

stukprijs unit price

stulp 1 hovel, hut; **2** *(stolp)* bell-glass

stumper wretch

stunt stunt, tour de force, feat

stuntelen bungle, flounder

stunten stunt

stuntman stunt man

stuntprijs incredibly (*of:* record) low price, price breakers *(mv)*

stuntvliegen stunt flying, aerobatics

stuntwerk stuntwork

sturen 1 steer; *(auto ook)* drive; guide *(paard, pen, iemands hand);* **2** send, forward *(goederen); (verzenden)* dispatch, address: *van school* ~ expel (from school)

stut prop, stay, support

stutten prop (up), support

stuur steering wheel, *(auto)* wheel, *(scheepv)* helm, *(scheepv, luchtv)* rudder, *(luchtv)* controls *(mv); (fiets)* handlebars *(mv): aan het* ~ *zitten* be at (*of:* behind) the wheel; *de macht over het* ~ *verliezen* lose control (of one's car, bike)

stuurboord starboard

stuurcabine cockpit

stuurknuppel control stick (*of:* lever), (joy) stick

stuurloos out of control, rudderless, adrift

stuurman 1 mate; **2** *(sport)* helmsman, *(roeiboot)* cox(swain)

stuurs surly, sullen

stuurslot steering wheel lock

stuurwiel (steering) wheel; *(mbt vliegtuig)* control wheel, *(scheepv)* helm

stuw dam, barrage, flood-control dam

stuwadoor stevedore

stuwdam dam, barrage, flood-control dam

stuwen 1 drive, push, force, propel, impel; **2** *(stouwen)* stow, pack, load

stuwkracht force, drive, *(techn)* thrust

stuwmeer (storage) reservoir

stylist *(vormgever)* stylist

subcultuur subculture, *(mbt muziek of experimentele kunst)* (the) underground

subjectief subjective, personal

subjectiviteit subjectivity

subliem sublime; fantastic, super

subsidie subsidy, *(onderwijs, ontwikkelingshulp)* (financial) aid, grant, *(regelmatige toelage)* allowance: *een* ~ *geven voor* grant a subsidy for

subsidiëren subsidize, grant (an amount)

substantie substance, matter

subtiel subtle, sophisticated, *(verfijnd)* delicate

subtopper sub-world-class player

subtotaal subtotal

subtropisch subtropical

succes success, luck: *een goedkoop* ~*je boeken* score a cheap success; *veel* ~ *toegewenst!* good luck!; ~ *met je rijexamen!* good luck with your driving test!; *een groot* ~ *zijn* be a big success, be a hit

succesnummer hit

succesvol successful

sudderen simmer

suède suede

Suezkanaal Suez Canal

suf drowsy, dozy, *(door drugsgebruik)* dopey, *(vnl. door ziekte)* groggy

suffen nod, (day)dream

sufferd dope, fathead

suggereren suggest, imply

suggestie suggestion, *(voorstel)* proposal: *een* ~ *doen* make a suggestion (*of:* proposal)

suiker sugar: ~ *doen in (de koffie e.d.)* put sugar in

suikerbiet sugar beet

suikerfabriek sugar refinery

suikerklontje lump of sugar, sugar cube

suikeroom rich uncle

suikerpatiënt diabetic

suikerpot sugar bowl

suikerriet sugar cane

suikerspin candy floss, *(Am)* cotton candy

suikertante rich aunt

suikervrij sugarless, diabetic, low-sugar *(dieet, voedsel)*

suikerzakje sugar bag

suikerziek diabetic

suikerziekte diabetes

suite suite (of rooms)

suizen rustle *(bomen, papier)*, sing *(water, oren)*, whisper *(wind, bomen)*

sukade candied peel

sukkel dope, idiot, twerp

sukkelaar wretch, poor soul (*of:* beggar)

sukkelen be ailing, be sickly, suffer (from sth): *hij*

sukkelt met zijn gezondheid he is in bad health
sukkelgangetje jog(trot), shambling gait
sul softy, sucker
sulky sulky
sultan sultan
summier summary, brief
super super, great, first class
superbenzine 4 star petrol, *(Am)* high octane gas(oline)
superette *(Belg)* small self-service shop
supergeleiding superconductivity
superieur superior
supermacht superpower
supermarkt supermarket
supermens superman, superwoman
supersonisch supersonic
supervisie supervision
supplement supplement
suppoost attendant
supporter supporter
supportersbus supporters' special (bus, coach)
supporterstrein supporters' special (train)
surfen 1 be surfing *(of:* surfboarding); *(plankzeilen)* windsurfing; 2 *(comp)* surf
surfer surfer; *(plankzeiler)* windsurfer
surfplank surfboard; *(mbt plankzeilen)* sailboard
Surinaams Surinamese, Surinam *(voor zn)*
Suriname Surinam
Surinamer Surinamese
surprise surprise (gift)
surrealisme surrealism
surrealistisch surrealist(ic)
surrogaat surrogate
surveillance surveillance, supervision *(ook op examen)*, duty *(op school, bij politie)*
surveillancewagen patrol car
surveillant supervisor, observer, invigilator *(op examen)*
surveilleren supervise, invigilate *(op examen)*, (be on) patrol *(politieagent met auto)*
sussen soothe, pacify *(persoon)*, ease *(geweten)*, hush up *(ruzie, politiek schandaal)*
s.v.p. *afk van s'il vous plaît* please
swastika swastika
Swaziland Swaziland
sweater sweater, jersey
sweatshirt sweatshirt
swingen swing
syfilis syphilis
symboliek symbolism
symbolisch symbolic(al): *een ~ bedrag* a nominal amount
symboliseren symbolize, represent
symbool symbol
symfonie symphony
symfonieorkest symphony orchestra
symmetrie symmetry
symmetrisch symmetrical
sympathie sympathy, feeling: *zijn ~ betuigen* express one's sympathy
sympathiek sympathetic, likable, congenial: *ik vind hem erg ~* I like him very much; *~ staan tegenover iem (iets)* be sympathetic to(wards) s.o. (sth)
symptomatisch symptomatic
symptoom symptom, sign: *een ~ zijn van* be symptomatic *(of:* a symptom) of
synagoge synagogue
synchronisatie synchronization
synchroon synchronous, synchronic
syndicaat syndicate
syndroom syndrome
synoniem I *zn* synonym; II *bn* synonymous (with)
syntactisch syntactic(al)
syntaxis syntax
synthese synthesis
synthesizer synthesizer
synthetisch synthetic, man-made
Syrië Syria
Syriër Syrian
Syrisch Syrian
systeem system, *(methode ook)* method: *daar zit geen ~ in* there is no system *(of:* method) in it; *(voetbal) spelen volgens het 4-3-3-systeem* play in the 4-3-3 line-up
systeembeheerder system manager
systematisch systematic, *(volgens bepaalde methode)* methodical: *een ~ overzicht* a systematic survey

sy

t

taai tough; hardy; ~ *vlees* tough meat; *houd je ~: a)* take care (of yourself); *b) (Am)* hang in there; *c) (kop op)* chin up

taaitaai gingerbread

taak 1 task, job, duty, *(verantwoordelijkheid)* responsibility, *(opdracht)* assignment: *een zware ~ op zich nemen* undertake an arduous task; *het is niet mijn ~ dat te doen* it is not my place to do that; *iem een ~ opgeven (opleggen)* set s.o. a task; *tot ~ hebben* have as one's duty; *niet voor zijn ~ berekend zijn* be unequal to one's task; 2 *(ond)* assignment

taakleerkracht remedial teacher

taakleraar *(Belg)* remedial teacher

taakomschrijving job description

taakstraf community service

taakuur non-teaching period, free period

taakverdeling division of tasks *(of:* labour)

taal 1 language, *(gesproken)* speech, *(vak op school)* language skills: *vreemde talen* foreign languages; 2 *(iemands woorden)* language: *gore ~ uitslaan* use foul language; *de ~ van het lichaam* body language

taalbarrière language barrier

taalfout language error

taalgebruik (linguistic) usage, language

taalkunde linguistics

taalkundig linguistic: ~ *ontleden* parse

taallab *(Belg, spr)* language laboratory

taalvaardigheid language proficiency, *(als schoolvak)* (Dutch) language skills

taalwetenschap linguistics

taart cake, *(vruchten)* pie, tart

taartje a (piece of) cake; *(vruchten)* a tart *(of:* pie)

tabak tobacco

tabaksartikel tobacco product

tabaksrook tobacco smoke, cigar smoke

tabaksvergunning licence to sell tobacco

tabel table

tabernakel tabernacle

tablet tablet, *(chocolade ook)* bar: *een ~je innemen tegen de hoofdpijn* take a pill for one's headache

taboe I *zn* taboo; II *bn* taboo: *iets ~ verklaren* pronounce sth taboo

taboeret tabouret

tachtig eighty: *mijn oma is ~ (jaar oud)* my grandmother is eighty (years old); *de jaren ~* the eighties; *in de ~ zijn* be in one's eighties

tachtigjarig 1 *(tachtig jaar oud)* eighty-year-old: *een ~e* an eighty-year-old; 2 *(tachtig jaar durend)* eighty years'

tachtigste eightieth

tackelen *(sport)* tackle

tact tact: *iets met ~ regelen* use tact in dealing with sth

tactiek tactics *(mv)*, strategy: *dat is niet de juiste ~ om zoiets te regelen* that is not the way to go about such a thing; *van ~ veranderen* change *(of:* alter) one's tactics

tactisch tactical; *(handig)* tactful: *iets ~ aanpakken* set about sth tactically *(of:* shrewdly)

tactvol tactful

Tadzjikistan Tadzhikistan

tafel table: *de ~s van vermenigvuldiging* the multiplication tables; *de ~ afruimen* (of: *dekken*) clear *(of:* lay) the table; *aan ~ gaan* sit down to dinner; *om de ~ gaan zitten* sit down at the table (and start talking); *iem onder ~ drinken* drink s.o. under the table; *het ontbijt staat op ~* breakfast is on the table *(of:* ready); *ter ~ komen* come up (for discussion); *van ~ gaan* leave the table

tafelkleed tablecloth

tafelpoot table-leg

tafeltennissen play table tennis

tafeltennisser table-tennis player

tafelvoetbal table football

tafelwijn table wine

tafelzilver silver cutlery, silverware

tafereel tableau, scene

taille waist: *een dunne ~ hebben* have a slender waist

Taiwan Taiwan

tak branch, *(vertakking ook)* fork, *(onderdeel, afdeling ook)* section: *een ~ van sport* a branch of sports; *de wandelende ~* the stick insect, *(Am)* the walking stick

takel tackle: *in de ~s hangen* be in the sling

takelen hoist: *een auto uit de sloot ~* hoist a car (up) out of the ditch

takelwagen breakdown lorry, *(Am)* tow truck

takenpakket job responsibilities (in a job) *(mv)*

taks regular *(of:* usual) amount, share

tal number: ~ *van voorbeelden* numbers of *(of:* numerous) examples

talenknobbel linguistic talent, gift *(of:* feel) for languages

talenpracticum language lab(oratory)

talent 1 talent, gift *(kunstzinnig)*, ability *(bijv. voor studie, zaken): ze heeft ~* she is talented; 2 *(persoon)* talent(ed person)

talentenjacht talent scouting

talentvol I *bn* talented, gifted; II *bw* ably, with great talent

talenwonder linguistic genius

talisman talisman

talkpoeder talcum powder

talloos innumerable, countless

talrijk numerous, many

talud incline, slope; bank *(van weg, spoordijk)*
tam 1 tame, tamed; domestic *(van huisdieren): een ~me vos* a tame fox; *~ maken* domesticate *(kleine dieren)*, tame *(leeuwen e.d.);* **2** *(mak)* tame, gentle: *een ~ paard* a gentle *(of:* tame) horse
tamboer drummer
tamboerijn tambourine
tamelijk fairly, rather: *~ veel bezoekers* quite a lot of visitors
Tamil Tamil
tampon tampon
tamtam 1 tom-tom; **2** *(ophef)* fanfare: *~ maken over iets* make a fuss about *(of:* a big thing) of sth
tand 1 tooth: *er breekt een ~ door* he/she is cutting a tooth *(of:* teething); *een ~ laten vullen* (of: trekken) have a tooth filled *(of:* extracted); *zijn ~en laten zien (dreigen)* show *(of:* bare) one's teeth; *zijn ~en poetsen* brush one's teeth; *iem aan de ~ voelen* grill s.o.; *tot de ~en gewapend zijn* be armed to the teeth; **2** *(van werktuigen)* tooth, *(van vork, eg)* prong, *(aan tandwiel)* cog: *de ~en van een kam* (of: *hark, zaag)* the teeth of a comb *(of:* rake, saw)
tandarts dentist
tandartsassistente dentist's assistant
tandeloos toothless
tandem tandem
tandenborstel toothbrush
tandenknarsen gnash *(of:* grind) one's teeth
tandenstoker toothpick
tandheelkunde dentistry
tandheelkundig dental
tandpasta toothpaste
tandplak (dental) plaque
tandsteen tartar
tandvlees gums *(mv)*
tandwiel gearwheel, cogwheel, *(van fiets)* chainwheel *(voor)*, sprocket wheel *(achter)*
tang 1 tongs, *(buigtang)* (pair of) pliers, *(nijptang)* (pair of) pincers; **2** *(vrouw)* shrew, bitch
tangens tangent
tango tango
tank tank: *een volle ~ benzine* a full/whole tank of petrol *(Am:* gas); *de ~ volgooien* fill up (the tank)
tankauto tank lorry *(Am:* truck)
tanken fill up (with): *ik heb 25 liter getankt* I put 25 litres in (the tank); *ik tank meestal super* I usually take four star *(Am:* super)
tanker tanker
tankschip (oil) tanker, tankship
tankstation filling station
tankwagen tank lorry *(Am:* truck)
tante 1 aunt; auntie; **2** woman, female: *een lastige ~, geen gemakkelijke ~* a fussy *(of:* difficult) lady/woman
Tanzania Tanzania
tap 1 plug, *(vnl. in fust)* bung, *(op fles)* stopper, *(in vat)* tap; **2** *(kraan)* tap, *(in vat)* spigot: *bier uit de ~* beer on tap *(of:* draught); **3** *(tapkast)* bar: *achter de ~ staan* serve at the bar

tapdansen tap-dance
tapdanser tap-dancer
tape tape
tapijt carpet, *(klein)* rug: *een vliegend ~* a magic carpet
tapijttegel carpet tile *(of:* square)
tapkraan tap
tappen 1 tap, draw (off); *(schenken)* serve: *hier wordt bier getapt* they sell beer here; *bier ~* tap beer; **2** *(vertellen)* crack: *moppen ~* crack *(of:* tell) jokes
tapvergunning licence to sell spirits, *(Am)* liquor license
tarief tariff, rate, *(openbaar vervoer)* fare: *het gewone ~ betalen* pay the standard charge *(of:* rate); *vast ~* fixed *(of:* flat) rate; *tegen verlaagd ~* at a reduced tariff *(of:* rate); *het volle ~ berekenen* charge the full rate
tarra tare(weight)
tartaar steak tartare
Tartaar Tartar
tarten defy, flout: *de dood ~* brave death; *het noodlot ~* tempt fate
tarwe wheat
tarwebloem wheat flour
tarwekorrel grain of wheat
tas 1 bag, *(school-)* satchel, *(akte-)* (brief)case, *(hand-)* (hand)bag: *een plastic ~* a plastic bag; **2** *(Belg)* cup
tasjesdief bag snatcher, purse snatcher
Tasmanië Tasmania
tast 1 touch; **2** *(zoekende handbeweging)* groping, feeling: *hij greep op de ~ naar de lamp* he groped *(of:* felt) for the lamp; *iets op de ~ vinden* find sth by touch
tastbaar tangible
tasten 1 grope; **2** *(reiken)* dip: *in zijn beurs ~* dip into one's purse
tatoeage tattoo
tatoeëren tattoo: *zich laten ~* have oneself tattooed
taugé bean sprouts
t.a.v. 1 *afk van ten aanzien van* with regard to; **2** *afk van ter attentie van* attn., (for the) attention (of)
taxateur appraiser, *(van belastingen, verzekeringen)* assessor
taxatie 1 assessment, appraisal: *een ~ verrichten* make an assessment; **2** *(raming, schatting)* estimation; **3** *(waardebepaling)* valuation
taxatiekosten cost(s) of evaluation *(of:* assessment, appraisal)
taxatiewaarde assessed value
taxeren evaluate, value (at): *de schade ~* assess the damage
taxi taxi, cab: *een ~ bestellen* call a cab
taxichauffeur taxi driver
taxistandplaats taxi rank *(Am:* stand)
taxus yew (tree)
tb(c) *afk van tuberculose* TB
T-biljet tax reclaim form
tbs *afk van terbeschikkingstelling* || *~ krijgen* be de-

tb

tained under a hospital order

t.b.v. 1 *afk van ten behoeve van* on behalf of; 2 *afk van ten bate van* in favour of

te I *bw* too: ~ *laat* too late, *(van trein enz.)* late, overdue; *dat is een beetje te* that's a bit much; ~ *veel om op te noemen* too much (*of:* many) to mention; II *vz* 1 *(voor het hele werkwoord)* to: *dreigen ~ vertrekken* threaten to leave; *zij ligt ~ slapen* she is sleeping (*of:* asleep); *een dag om nooit ~ vergeten* a day never to be forgotten; 2 *(mbt plaats)* in: ~ *Parijs aankomen* arrive in Paris; 3 *(mbt doel, bestemming)* to, for: ~ *huur* to let; ~ *voet* on foot

team team: *een ~ samenstellen* put together a team; *samen een ~ vormen* team up together

teamgeest team spirit

teamverband team: *in ~ werken* work in (*of:* as) a team

techneut boffin

technicus engineer, technician

techniek 1 technique, skill: *over onvoldoende ~ beschikken* possess insufficient skills; 2 *(bewerkingen mbt de industrie)* engineering, technology

technisch technical, technological, engineering: *een Lagere* (of: *Middelbare) Technische School* a junior (*of:* senior) secondary technical school; *een Hogere Technische School* (of: *Technische Universiteit)* a college (*of:* university) of technology; *een ~e term* a technical term; *hij is niet erg ~* he is not very technical(ly-minded)

technisch-onderwijsassistent school laboratory assistant

technokeuring inspection, AA report

technologie technology

technologisch technological

teckel dachshund

tectyleren rustproof

teddybeer teddy bear

teder tender

tederheid tenderness

teef bitch: *een loopse ~* a bitch on (*of:* in) heat

teek tick

teelt 1 culture, cultivation, production: *de ~ van druiven* the cultivation of grapes; 2 *(geteeld gewas enz.)* culture, *(landb ook)* crop, harvest: *eigen ~* home-grown

teen toe; *(knoflook)* clove: *de grote* (of: *kleine) ~* the big (*of:* little) toe; *op zijn tenen lopen (fig)* push oneself to the limit; *van top tot ~* from head to foot

teer I *bn, bw* delicate: *een tere huid* a delicate skin; II *zn* tar

teergehalte tar content

teevee TV, telly: *(naar de) ~ kijken* watch TV

tegel tile, *(in stoep)* paving stone: ~*s zetten* tile

tegelijk at the same time (*of:* moment); also, as well: ~ *met* at the same time as; *hij is dokter en ~ apotheker* he is a doctor as well as a pharmacist

tegelijkertijd at the same time (*of:* moment), simultaneously

tegelpad tile, path, *(grote tegels)* flagstone path

tegelvloer tiled floor

tegelwand tiled wall

tegelzetter tiler

tegemoet: *iem ~ gaan* (of: *komen, lopen)* go to meet s.o., go (*of:* come, walk) towards s.o.; *aan iemands wensen ~ komen* meet s.o.'s wishes; *iem een heel eind ~ komen* meet s.o. (more than) half way; *iets ~ zien* await (*of:* face) sth, look forward to sth

tegemoetkomend oncoming, approaching: ~ *verkeer* oncoming traffic

tegemoetkoming *(in kosten)* subsidy, contribution: *een ~ in* a contribution towards, a grant for

tegen I *vz* 1 against: ~ *de stroom in* against the current; 2 *(gekeerd naar)* (up) to, against: *iets ~ iem zeggen* say sth to s.o.; 3 *(ten opzichte van)* against, to, with: *vriendelijk* (of: *lomp) ~ iem zijn* be friendly towards (*of:* rude to) s.o.; *daar kun je niets op ~ hebben* you cannot object to that; *zij heeft iets ~ hem* she has a grudge against him; *daar is toch niets op ~?* nothing wrong with that, is there?; *hij kan niet ~ vliegen* flying doesn't agree with him; *ergens niet ~ kunnen* not be able to stand (*of:* take) sth; *er is niets ~ te doen* it can't be helped; *zich ~ brand verzekeren* take out fire insurance; 4 *(in strijd met)* against, counter to, in contravention of *(de wet)*: *dat is ~ de wet* that is illegal (*of:* against the law); 5 *(kort vóór)* towards, by, come: ~ *elf uur* towards eleven (o'clock), just before eleven o'clock, by eleven; *een man van ~ de zestig* a man getting (*of:* going) on for sixty; 6 *(in aanraking met)* (up) against; 7 *(in ruil voor)* against, for, at: ~ *elke prijs* whatever the cost; *een lening ~ 7,5 % rente* a loan at 7.5 % interest; 8 *(vergeleken met)* to, (as) against: *(bij weddenschap, kansrekening) tien ~ één* ten to one; II *bw* against: *zijn stem ~ uitbrengen* vote against (*of:* no); *ergens iets (op) ~ hebben* mind sth, have something against sth, be opposed to sth, object to sth; *iedereen was ~* everybody was against it; *hij was fel ~* he was dead set against it; III *zn* con(tra), disadvantage: *alles heeft zijn voor en ~* everything has its advantages and disadvantages; *de voors en ~s op een rij zetten* weigh the pros and cons; *de argumenten voor en ~* the arguments for and against

tegenaan (up) against: *er flink ~ gaan* go hard at it; *ergens (toevallig) ~ lopen* hit (*of:* chance) upon sth, run into sth

tegenaanval counter-attack: *in de ~ gaan* counter-attack, strike (*of:* hit) back

tegenargument counter-argument

tegenbericht notice (*of:* message) to the contrary: *zonder ~ reken ik op uw komst* if I don't hear otherwise, I'll be expecting you

tegenbod counter-offer

tegendeel opposite: *het bewijs van het ~ leveren* provide proof (*of:* evidence) to the contrary

tegendoelpunt goal against one('s team): *twee ~en krijgen* concede two goals; *een ~ maken* score in reply

tegeneffect 1 counter-effect; 2 *(baleffect)* backspin

tb

tegengas: ~ *geven* resist, put up a fight

tegengesteld opposite: *in ~e richting* in the opposite direction

tegengestelde opposite

tegengif antidote

tegenhanger counterpart

tegenhouden 1 stop: *ik laat me door niemand ~* I won't be stopped by anyone; **2** *(verhinderen)* prevent, stop

tegenin opposed to, against: *ergens ~ gaan* oppose sth

tegenkandidaat opponent, rival (candidate)

tegenkomen 1 meet: *iem op straat ~* run *(of:* bump) into s.o. on the street; **2** *(aantreffen)* stumble across *(of:* upon); *(van personen ook)* run across

tegenlicht backlight(ing)

tegenligger *(auto)* oncoming vehicle, approaching vehicle

tegenoffensief counter-offensive

tegenop up: *er ~ zien om …* not look forward to …; *daar kan ik niet ~* that's too much for me; *niemand kon tegen hem op* nobody could match *(of:* beat) him

tegenover 1 across, facing, opposite: *~ elkaar zitten* sit opposite *(of:* facing) each other; *de huizen hier ~* the houses across from here *(of:* opposite); **2** *(in tegenstelling met)* against, as opposed to: *daar staat ~ dat je …* on the other hand you …; **3** *(ten opzichte van)* towards, *(in tegenwoordigheid van)* before: *hoe sta je ~ die kwestie?* how do you feel about that matter?; *staat er nog iets ~?* what's in it (for me)?

tegenovergesteld opposite, *(van uitwerking)* reverse

tegenoverstellen provide *(of:* offer) (sth) in exchange *(beloning, vergoeding); (ter vergelijking)* set (sth) against: *ergens een financiële vergoeding ~* offer compensation for sth

tegenpartij opposition, *(vijand)* (the) other side: *een speler van de ~* a player from the opposing team

tegenpool opposite

tegenprestatie sth done in return *(of:* exchange): *een ~ leveren* do sth in return

tegenslag setback, reverse: *~ hebben* (of: *ondervinden)* meet with *(of:* experience) adversity

tegenspel defence; *(reactie op aanval)* response: *~ bieden* offer resistance

tegenspeler co-star

tegenspoed adversity, misfortune

tegenspraak 1 *(protest)* objection, protest, argument; **2** contradiction: *dat is in flagrante ~ met* that is in flagrant contradiction to *(of:* with)

tegenspreken 1 object, protest, argue (with), *(brutaal)* answer back, talk back; **2** *(ontkennen)* deny, contradict: *dat gerucht is door niemand tegengesproken* nobody disputed *(of:* refuted) the rumour; *zichzelf ~* contradict oneself

tegensputteren protest, grumble

tegenstaan: *dat eten staat hem tegen* he can't stomach that food; *zijn manieren staan me tegen* I can't stand his manners

tegenstand opposition, *(weerstand)* resistance: *~ bieden (aan)* offer resistance (to)

tegenstander opponent: *~ van iets zijn* be opposed to sth

tegenstelling contrast: *in ~ met* (of: *tot)* in contrast with *(of:* to), contrary to

tegenstemmen vote against

tegenstoot countermanoeuvre; countermove

tegenstrever opponent

tegenstribbelen struggle (against), resist

tegenstrijdig contradictory, conflicting

tegenstrijdigheid contradiction, inconsistency

tegenvallen disappoint: *dat valt mij van je tegen* you disappoint me

tegenvaller disappointment: *een financiële ~* a financial setback

tegenvoorstel counter-proposal

tegenwerken work against (one, s.o.), cross, oppose

tegenwerking opposition

tegenwerping objection

tegenwicht counterbalance

tegenwind headwind, *(fig)* opposition: *wij hadden ~* we had the wind against us

tegenwoordig I *bn* present, current; **II** *bw (nu)* now(adays), these days: *de jeugd van ~* today's youth

tegenzet countermove, response

tegenzin dislike; *(sterker)* aversion: *hij doet alles met ~* he does everything reluctantly

tegenzitten be against, go against

tegoed balance

tegoedbon credit note

Teheran Teh(e)ran

tehuis home, *(voor daklozen)* hostel, shelter: *~ voor ouden van dagen* old people's home

teil (wash)tub; *(afwasteil)* washing-up bowl

teint complexion

teisteren ravage, *(razen)* sweep: *door de oorlog geteisterd* war-stricken

tekeergaan rant (and rave), storm, carry on (about sth): *tegen iem ~* rant and rave at s.o.

teken 1 sign, *(aanwijzing ook)* indication: *het is een veeg ~* it promises no good; *een ~ van leven* a sign of life; **2** *(aanduiding)* sign, symbol *(ook wisk); (van tevoren vastgesteld)* signal: *een ~ geven om te beginnen (of: vertrekken)* give a signal to start *(of:* leave); *het is een ~ aan de wand* the writing is on the wall; **3** *(symbool)* mark

tekenaar artist; *(techn meestal)* draughtsman

tekenacademie academy *(of:* college, school) of art

tekenblok drawing pad, sketch pad

tekenbord drawing board

tekendoos set *(of:* box) of drawing instruments

tekenen 1 draw, *(fig)* portray, *(met woorden)* depict: *figuurtjes ~* doodle; *met potlood (of: houtskool, krijt) ~* draw in pencil *(of:* charcoal, crayon); **2**

(een handtekening zetten) sign: *hij tekende voor vier jaar* he signed on for four years

tekenfilm (animated) cartoon

tekening 1 drawing; *(bouwk ook)* design, plan: *een ~ op schaal* a scale drawing; **2** *(patroon)* pattern, marking *(huid, bladeren)*

tekenleraar art teacher

tekenles drawing lesson

tekenlokaal art room

tekentafel drawing table *(of: stand)*

tekort 1 deficit, shortfall; **2** *(hoeveelheid die ontbreekt)* shortage, deficiency: *een ~ aan vitamines* a vitamin deficiency

tekortkoming shortcoming, failing

tekst 1 text, *(theat; mv)* lines; **2** *(lied, schlager)* words, lyrics

tekstboekje book (of words), libretto *(opera, musical)*

tekstschrijver scriptwriter *(films)*, copywriter *(reclameteksten)*, songwriter *(liedjes)*

tekstverklaring close reading

tekstverwerker word processor

tekstverwerking word processing

tel 1 count: *ik ben de ~ kwijt* I've lost count; **2** moment, second: *in twee ~len ben ik klaar* I'll be ready in two ticks *(of: a jiffy)*; **3** *(aanzien)* account: *weinig in ~ zijn* not count for much; *op zijn ~len passen* watch one's step, mind one's p's and q's; *(Belg) van geen ~ zijn* be of little *(of: no)* account

telbaar countable: *~ naamwoord* count(able) noun

telebankieren computerized banking

telecommunicatie telecommunication

telefax 1 *(faxpost)* (tele)fax; **2** *(faxtoestel)* (tele)fax (machine)

telefoneren telephone, phone, call: *hij zit te ~* he's on the phone; *met iem ~* telephone s.o.

telefonisch by telephone: *~e antwoorddienst* (telephone) answering service

telefonist telephonist, (switchboard) operator

telefoon 1 telephone, phone: *draagbare (draadloze) ~* cellular (tele)phone, cellphone, mobile phone; *de ~ gaat* the phone is ringing; *blijft u even aan de ~?* would you hold on for a moment please?; *per ~* by telephone; **2** *(hoorn)* receiver: *de ~ neerleggen* put down the receiver *(of: phone)*; *de ~ opnemen* answer the phone; **3** *(oproep, gesprek)* (telephone) call: *er is ~ voor u* there's a (phone) call for you

telefoonaansluiting (telephone) connection

telefoonboek (telephone) directory, phone book

telefooncel telephone box *(of: booth)*

telefooncentrale (telephone) exchange, switchboard *(in bedrijf)*

telefoongesprek 1 telephone conversation; **2** *(verbinding)* phone call

telefoongids (telephone) directory, phone book

telefoonkaart phonecard

telefoonlijn telephone line

telefoonnummer (phone) number: *geheim ~*

ex-directory number

telefoonrekening telephone bill

telefoonseks telephone sex

telefoontik (telephone) unit

telefoontoestel telephone

telegraaf telegraph

telegraferen telegraph: *hij telegrafeerde naar Parijs* he telegraphed *(of: cabled)* Paris

telegrafie telegraphy

telegrafisch telegraphic

telegrafist telegrapher, telegraph operator

telegram telegram: *iem een ~ sturen* telegraph *(of: cable)* s.o.; *per ~* by telegram *(of: cable)*

telegramstijl telegram style

telelens telephoto lens

telemarketeer telemarketer

telen grow, cultivate

teleonthaal *(Belg) (telefonische hulpdienst)* helpline

telepathie telepathy

telepathisch telepathic

telescoop telescope

teleshoppen teleshopping

teletekst teletext

teleurstellen disappoint, let down, be disappointing: *zich teleurgesteld voelen* feel disappointed; *stel mij niet teleur* don't let me down; *teleurgesteld zijn over iets (iem)* be disappointed with sth (in s.o.)

teleurstellend disappointing

teleurstelling disappointment

televergaderen teleconferencing

televisie television, *(toestel ook)* television set: *(naar de) ~ kijken* watch television

televisieactie telethon

televisieantenne television aerial

televisiefilm TV film

televisiekijker (television) viewer

televisieomroep television company

televisieopname television recording

televisieprogramma television programme

televisieserie television series

televisietoestel television set, TV set

televisie-uitzending television broadcast *(of: programme)*

televisiezender 1 television channel *(Am: station)*; **2** *(zendmast)* television transmitter *(of: mast)*

telewerken teleworking

telewerker teleworker

telewinkelen teleshopping

telex telex: *per ~* by telex

telexbericht telex (message)

telexen telex

telg descendant

telganger ambler

telkens 1 every time, in each case: *~ en ~ weer, ~ maar weer* again and again, time and (time) again; **2** *(herhaaldelijk)* repeatedly

tellen I *intr* **1** count: *tot tien ~* count (up) to ten; **3** *(van belang zijn)* count, matter: *het enige dat telt bij* *hem* the only thing that matters to him; **II** *tr* 1 *(het aantal bepalen)* count: *wel (goed) geteld zijn er dertig* there are thirty all told; 2 number, have, *(bestaan uit)* consist of: *het huis telde 20 kamers* the house had 20 rooms

teller 1 *(wisk)* numerator: *de ~ en de noemer* the numerator and the denominator; 2 *(toestel, tikker)* counter, meter

telling count(ing): *de ~ bijhouden* keep count *(of: score)*

telraam abacus

telwoord numeral

temmen 1 tame, domesticate: *zijn driften (of: hartstochten) ~ control one's urges (of: passions); 2 (africhten)* tame, break *(paarden)*

temmer tamer

tempel temple

temperament 1 temperament, disposition; 2 *(vurigheid)* spirit

temperatuur temperature: *iemands ~ opnemen* take s.o.'s temperature; *op ~ moeten komen* have to warm up

temperatuurschommeling fluctuation in temperature

temperatuurstijging rise *(of:* increase) in temperature

temperatuurverschil difference in temperature

temperen temper, mitigate

tempex expanded polystyrene, styrofoam

tempo 1 tempo, pace: *het jachtige ~ van het moderne leven* the feverish pace of modern life; *het ~ aangeven* set the pace; *het ~ opvoeren* increase the pace; 2 *(muz)* tempo, time; 3 *(vaart)* speed: *~ maken* make good time

tempobeul pacer; stayer

tendens tendency, trend

tendentieus tendentious, biased

teneinde so that, in order to

tengel *(hand)* paw

tenger slight, delicate: *~ gebouwd* slightly built

tenminste at least: *ik doe het liever niet, ~ niet dadelijk* I'd rather not, at least not right away; *dat is ~ iets* that is sth at any rate

tennis tennis

tennisarm tennis elbow

tennisbaan tennis court: *verharde ~* hard court

tennishal indoor tennis court(s)

tennisracket tennis racket

tennissen play tennis

tennisser tennis player

tennistoernooi tennis tournament

tenor tenor

tenslotte 1 *(immers)* after all: *~ is zij nog maar een kind* after all she's only a child; 2 *(uiteindelijk)* finally; eventually; at last

tent 1 tent; *(kraam)* stand: *een ~ opslaan (of: opzetten, afbreken)* pitch *(of:* put up, take down) a tent; *iem uit zijn ~ lokken* draw s.o. out; 2 *(openbaar lokaal)* place, joint: *ze braken de ~ bijna af* you could

hardly keep them in their seats

tentakel tentacle

tentamen exam: *~ doen* take an exam

tentenkamp (en)camp(ment), campsite

tentharing tent peg

tentoonstellen exhibit, display: *tentoongestelde voorwerpen* exhibits, articles on display

tentoonstelling exhibition, show, display

tentstok tent pole

tentzeil canvas

tenue dress, uniform

tenzij unless, except(ing)

tepel nipple *(van mens),* teat *(van mens, dier)*

terdege thoroughly, properly

terecht I *bw* 1 *(teruggevonden)* found (again): *haar horloge is ~* her watch has been found; 2 *(met recht)* rightly: *hij is voor zijn examen gezakt, en ~* he failed his examination and rightly so; **II** *bn (juist)* correct, appropriate

terechtkomen 1 fall, land, end up (in, on, at): *lelijk ~* have *(of:* take) a nasty fall; 2 *(goed worden)* turn out all right: *wat is er van hem terechtgekomen?* what has happened to him?

terechtkunnen 1 go into, enter; 2 *(geholpen kunnen worden)* (get) help (from): *daarmee kun je overal terecht* that will do *(of:* be acceptable) everywhere; *iedereen kan altijd bij hem ~* everyone can call on him any time

terechtstaan stand trial, be tried: *~ wegens diefstal* be tried for theft

terechtstellen execute, put to death

terechtstelling execution

teren *(leven van)* live (on, off)

tergen provoke (deliberately), badger, bait: *iem zo ~ dat hij iets doet* provoke s.o. into (doing) sth

tergend provocative: *~ langzaam* exasperatingly slow

tering consumption, tuberculosis

terloops casual, passing

term term, expression: *in bedekte ~en iets meedelen* speak about sth in guarded terms

termiet termite, white ant

termijn 1 term, period: *op korte (of: op lange) ~* in the short *(of:* long) term; *op kortst mogelijke ~* as soon as possible; 2 *(vooraf vastgesteld tijdstip)* deadline: *een ~ vaststellen* set a deadline; 3 *(deel ve schuld)* instalment

termijnhandel futures (dealings): *~ in olie* oil futures

termijnmarkt forward market, futures market: *de ~ voor goud* the forward market in gold, gold futures

terminaal terminal, final: *terminale zorg* terminal care

terminal terminal

terminologie terminology, jargon

terminus *(Belg)* terminus

ternauwernood hardly, scarcely, barely

terp mound, terp

te

terpentine white spirit

terrarium terrarium

terras 1 pavement café, *(Am)* sidewalk café, outdoor café: *op een ~je zitten* sit in an outdoor café; **2** *(als wandel-, zitplaats)* terrace, patio; **3** *(plat dak)* terrace, sunroof

terrein 1 ground(s), territory, terrain *(ook mil): de voetbalclub speelde op eigen ~* the football team played on home turf; *eigen ~* (of: *privé ~)* private property; *het ~ verkennen: a) (lett)* explore the area; *b) (fig)* scout (out) the territory; *~ winnen* gain ground; **2** *(fig)* field, ground: *zich op bekend ~ bevinden* be on familiar ground; *zich op gevaarlijk ~ begeven* be on slippery ground, be on thin ice; *onderzoek doen op een bepaald ~* do research in a particular area (of: field)

terreur terror

terriër terrier

territoriaal territorial

territorium territory

terroriseren terrorize

terrorisme terrorism

terrorist terrorist

terroristisch terrorist(ic): *een ~e aanslag* a terrorist attack

terstond 1 at once, immediately; **2** *(zo meteen)* presently, shortly

tertiair tertiary: *~ onderwijs* higher education

terts *(muz)* tierce, third

terug 1 back: *hij wil zijn fiets ~* he wants his bike back; *ik ben zo ~* I'll be back in a minute; *heb je ~ van 25 euro?* do you have change for 25 euros?; *wij moeten ~* we have to go back; *heen en ~* back and forth; *~ naar af* back to square one; *~ uit het buitenland* back from abroad; *~ van weg geweest: a)* be back again; *b) (fig)* have made a comeback; **2** *(Belg)* again: *daar heeft hij niet van ~* that's too much for him

terugbellen call back

terugbetalen pay back, refund

terugbetaling repayment; reimbursement

terugbezorgen return: *iem iets ~* return sth to s.o.

terugblik review, retrospect(ive)

terugbrengen 1 bring back, take back, return: *een geleend boek ~* return a borrowed book; **2** *(in de oorspronkelijke toestand)* restore: *iets in de oorspronkelijke staat ~* restore sth to its original state; **3** *(mbt omvang)* reduce, cut back: *de werkloosheid* (of: *inflatie) ~* reduce unemployment (of: inflation)

terugdeinzen shrink, recoil: *voor niets ~* stop at nothing

terugdenken think back to: *met plezier aan iets ~* remember sth with pleasure

terugdoen 1 *(weer steken (in))* put back; **2** *(als antwoord)* return, do in return: *doe hem de groeten terug* return the compliments to him

terugdraaien reverse, change, undo: *een maatregel ~* reverse a measure

terugeisen demand back, claim back, reclaim

terugfluiten call back

teruggaan go back, return: *~ in de geschiedenis* (of: *tijd)* go back in history (of: time); *naar huis ~* go back home

teruggang decline, decrease: *economische ~* economic recession

teruggave restoration, return, restitution: *~ van belasting* income tax refund

teruggetrokken retired, withdrawn: *een ~ leven leiden* lead a retired (of: secluded) life

teruggeven 1 give back, return: *ik zal je het boek morgen ~* I'll return the book (to you) tomorrow; **2** *(het teveel terugbetalen)* give (back), refund: *hij kon niet ~ van vijftig euro* he couldn't change a fifty-euro note

terugkeer return, comeback, recurrence

terugkeren return, come back, go back; recur *(steeds opnieuw): naar huis ~* return home; *een jaarlijks ~d festival* a recurring yearly festival

terugkijken look back (on, upon)

terugkomen return, come back; recur: *ze kan elk moment ~* she may be back (at) any moment; *weer ~ bij het begin* come full circle; *daar kom ik nog op terug* I'll come back to that; *op een beslissing ~* reconsider a decision; *hij is er van teruggekomen* he changed his mind

terugkomst return: *bij zijn ~* on his return

terugkrabbelen back out, go back on *(belofte)*, cop out, opt out

terugkrijgen 1 get back, recover, regain: *zijn goederen ~* get one's goods (of: things) back; **2** *(als antwoord, reactie krijgen)* get in return: *te weinig (wissel)geld ~* be short-changed

terugleggen put back

terugloop fall(ing-off), decrease

teruglopen 1 walk back, flow back *(vloeistoffen)*; **2** *(achteruitgaan)* drop, fall, decline: *de dollar liep nog verder terug* the dollar suffered a further setback

terugnemen take back, *(intrekken ook)* retract: *(fig) gas ~* ease up (of: off), take things easy; *zijn woorden ~* retract (of: take back) one's words

terugreis return trip

terugrijden drive back, *(fiets, paard)* ride back

terugroepen call back, recall, call off *(honden): de acteurs werden tot driemaal toe teruggeroepen* the actors had three curtain calls

terugschakelen change down, shift down

terugschieten shoot back

terugschrijven write back

terugschrikken 1 recoil, shy *(ook paard)*; **2** *(fig) (bang zijn)* recoil, baulk: *~ van de hoge bouwkosten* baulk at the high construction costs; *nergens voor ~* be afraid of nothing

terugslaan I *intr* **1** hit back; **2** *(met kracht)* backfire: *de motor slaat terug* the engine backfires; **3** *(zich terugbewegen)* blow back, move back; **II** *tr* hit back, strike back

terugslag 1 recoil(ing), backfire *(motor): het ge-*

weer had een ontzettende ~ the gun had a terrible
kick (*of:* recoil); **2** *(negatieve reactie)* reaction,
backlash: *een ~ krijgen* be set back, experience a
backlash
terugspelen play back
terugspoelen rewind
terugsturen send back, return
terugtraprem hub brake, back-pedalling brake
terugtrekken I *tr* **1** withdraw: *troepen ~* withdraw
(*of:* pull back) troops; **2** *(naar de plaats van her-*
komst) draw back, pull back; **II** *zich ~* **1** *(naar een*
rustige plaats) retire, retreat: *zich ~ op het platte-*
land retreat to the country; **2** *(niet meer deelnemen,*
terugtreden) withdraw (from): *zich voor een exa-*
men ~ withdraw from an exam
terugval reversion, relapse, *(handel)* spin *(in prijs,*
waarde)
terugvallen *(*met *op)* fall back on
terugverdienen recover the costs on
terugverlangen recall longingly: *naar huis ~* long
to go back home
terugvinden *(weer vinden)* find again, recover
terugvragen ask back
terugwedstrijd *(Belg)* return match
terugweg way back: *op de ~ gaan we bij oma langs*
on the way back we shall drop in on grandma
terugwerken be retrospective, be retroactive: *met*
~de kracht retrospectively
terugzetten put back, set back; replace: *de wijzers*
~ put (*of:* move) back the hands; *de teller ~ op nul*
reset the counter (to zero)
terugzien see again
terwijl 1 while: *~ hij omkeek, ontsnapte de dief* while
he looked round, the thief escaped; **2** *(hoewel)*
whereas, while: *hij werkt over, ~ zijn vrouw van-*
daag jarig is he is working overtime even though
his wife has her birthday today
test test: *een schriftelijke ~* a written test
testament 1 will: *een ~ maken* (of: *herroepen)* make
(*of:* revoke) a will; **2** *(gedeelte vd bijbel)* Testament
testbeeld test card
testen test
testosteron testosterone
testpiloot test pilot
tetanus tetanus
teug draught, *(Am)* draft, pull: *met volle ~en van*
iets genieten enjoy sth thoroughly (*of:* to the full)
teugel rein *(vaak mv):* **de** *~s in handen nemen* take
(up) the reins, assume control
teut 1 dawdler; **2** bore
teveel surplus
tevens 1 *(daarbij)* also, besides, as well as; **2** *(tegelij-*
kertijd) at the same time: *hij was voorzitter en ~*
penningmeester he was chairman and treasurer at
the same time
tevergeefs in vain, vainly
tevoren before, previously: *van ~* before(hand), in
advance
tevreden satisfied, contented

tevredenheid satisfaction: *werk naar ~ verrichten*
work satisfactorily
tevredenstellen satisfy
teweegbrengen bring about, bring on *(ziekte*
enz.), produce *(verandering, onrust enz.)*
textiel textile
textielfabriek textile factory
Thailand Thailand
Thailander Thai
thans at present, now
theater 1 theatre: *die film draait in verschillende ~s*
that film is running in several cinemas (*Am:* movie
theaters); **2** *(artistieke productie)* dramatic arts,
performing arts, (the) stage
theaterschool school of dramatic arts
theatervoorstelling theatre performance
thee tea: *een kopje ~* a cup of tea; *slappe ~* weak tea;
~ drinken drink (*of:* have) tea; *~ inschenken* pour
out tea; *~ zetten* make tea
theedoek tea towel
theedrinken have tea
theelepel teaspoon
theelepeltje teaspoon, *(hoeveelheid ook)* tea-
spoonful
theelichtje *(elektrisch)* hot plate (for tea); *(waxine-*
lichtje) tea-warmer
Theems Thames
theemuts (tea-)cosy
theepauze tea break
theepot teapot
theeservies tea service
theezakje tea bag
theezeefje tea strainer
thema theme, subject (matter): *een ~ aansnijden*
broach a subject
themapark theme park
theologie theology, divinity
theologisch theological
theoloog theologian
theoreticus theoretician, theorist
theoretisch I *bn* theoretic(al); **II** *bw* theoretically, in
theory
theorie theory; hypothesis: *~ en praktijk* theory
and practice; *in ~ is dat mogelijk* theoretically
(speaking) that's possible
therapeut therapist
therapeutisch therapeutic(al)
therapie 1 therapy; **2** *(psychotherapie)* (psycho)therapy: *in ~ zijn* be having (*of:* undergoing)
therapy
thermometer thermometer: *de ~ daalt* (of: *stijgt)*
the thermometer is falling (*of:* rising); *de ~ stond*
op twintig graden Celsius the thermometer read (*of:*
stood at) twenty degrees centigrade
thermopane double glazing
thermosfles thermos (flask)
thermoskan thermos (jug)
thermostaat thermostat
thesis *(Belg)* dissertation, thesis

th

Thomas: *een ongelovige* ~ a doubting Thomas
thora Torah
thuis I *bw* **1** home: *de artikelen worden kosteloos ~ bezorgd* the articles are delivered free; *wel ~!* safe journey!; **2** *(in huis)* at home: *verzorging ~* home nursing; *doe maar of je ~ bent* make yourself at home; *zich ergens ~ gaan voelen* settle down *(of:* in); *(sport) spelen we zondag ~?* are we playing at home this Sunday?; *iem (bij zich) ~ uitnodigen* ask s.o. round *(of:* to one's house); *zich ergens ~ voelen* feel at home *(of:* ease) somewhere; *hij was niet ~* he wasn't in *(of:* at home), he was out; *bij ons ~* at our place, at home, back home; *bij jou ~* (over) at your place; **II** *zn* home, hearth: *hij heeft geen ~* he has no home; *mijn ~* my home; *bericht van ~ krijgen* receive news from home
thuisbankieren home banking
thuisbezorgen deliver (to the house, door)
thuisblijven stay at home, stay in
thuisbrengen 1 bring home, see home, *(naar zijn eigen huis brengen)* take home: *de man werd ziek thuisgebracht* the man was brought home sick; **2** *(weten te plaatsen)* place: *iets (iem) niet thuis kunnen brengen* not be able to place sth (s.o.)
thuisclub home team
thuisfront home front
thuishaven home port, port of register *(of:* registry); home base, haven
thuishoren 1 belong, go: *dat speelgoed hoort hier niet thuis* those toys don't belong here; *waar hoort dat thuis?* where does that go?; **2** *(afkomstig zijn van)* be from, come from: *waar (of:* in welke haven) *hoort dat schip thuis?* what is that ship's home port? *(of:* port of registry?)
thuishouden keep at home || *hou je handen thuis!* keep *(of:* lay) off me!, (keep your) hands off (me)!
thuiskomen come home, come back, get back: *je moet ~* you're wanted at home; *ik kom vanavond niet thuis* I won't be in tonight
thuiskomst homecoming, return: *behouden ~* safe return
thuisland homeland
thuismoeder baby minder
thuisonderwijs distance learning
thuisreis homeward journey: *hij is op de ~* he is bound for home
thuisverpleging home nursing, home care
thuiswedstrijd home game *(of:* match)
thuiswerk outwork, *(huisindustrie, nijverheid)* cottage industry: *~ doen* take in outwork
thuiswerker outworker
thuiszorg home care
ti *(muz)* te, ti
tic 1 trick, quirk: *zij heeft een ~ om alles te bewaren* she's got a quirk of hoarding things; **2** *(zenuwtrekking)* tic, jerk; **3** *(scheutje sterkedrank) (ongev)* shot: *een tonic met een ~* a tonic with a shot (of gin), a gin and tonic
ticket ticket

tiebreak tie break(er)
tien ten; *(in datum)* tenth: *zij is ~ jaar* she is ten years old *(of:* of age); *een man of ~* about ten people; *~ tegen één dat …* ten to one that …; *een ~ voor Engels* top marks for English, an A+ for English
tiende tenth, tithe: *een ~ gedeelte, een ~* a tenth (part), a tithe
tienduizend ten thousand: *enige ~en* some tens of thousands
tiener teenager
tienerjaren teens
tienjarig decennial, ten-year
tienkamp decathlon
tiental ten: *na enkele ~len jaren* after a few decades
tientallig decimal, denary
tientje ten euros, *(briefje)* ten-euro note
tienvoud tenfold
tiet *(inform)* boob, knocker
tig umpteen; *(heel veel)* zillions: *ik heb het al ~ keer gezegd* I've already said it umpteen times
tij tide: *het is hoog* (of: *laag) ~* it's high *(of:* low) tide, the tide is in *(of:* out)
tijd 1 time: *in de helft van de ~* in half the time; *in een jaar ~* (with)in a year; *na bepaalde ~* after some *(of:* a) time, eventually; *een hele ~ geleden* a long time ago; *een ~ lang* for a while *(of:* time); *vrije ~* spare *(of:* free) time, time off, leisure (time); *het duurde een ~je voor ze eraan gewend was* it took a while before *(of:* until) she got used to it; *ik geef je vijf seconden de ~* I'm giving you five seconds; *heb je even ~?* have you got a moment? *(of:* a sec?); *~ genoeg hebben* have plenty of time, have time enough; *~ kosten* take time; *de ~ nemen voor iets* take one's time over sth; *~ opnemen* record the time; *dat was me nog eens een ~!* those were the days!; *~ winnen* gain time, *(bij gevaar ook)* play for time; *uw ~ is om* your time is up; *binnen de kortst mogelijke ~* in (next to) no time; *het heeft in ~en niet zo geregend* it hasn't rained like this for ages; *sinds enige ~* for some time (past); *de ~ zal het leren* time will tell; *de ~ van aankomst* the time of arrival; *vorig jaar om dezelfde ~* (at) the same time last year; *het is ~* it's time, *(tijd om te stoppen)* time's up; *zijn ~ uitzitten* serve *(of:* do) one's time; *eindelijk! het werd ~* at last! it was about time (too)!; *het wordt ~ dat …* it is (high) time that …; *morgen om deze ~* (about, around) this time tomorrow; *op vaste ~en* at set *(of:* fixed) times; *de brandweer kwam net op ~* the fire brigade arrived just in time; *stipt op ~* punctual, on the dot; *op ~ naar bed gaan* go to bed in good time; *te zijner ~* in due course, when appropriate; *tegen die ~* by that time, by then; *van ~ tot ~* from time to time; *van die ~ af* from that time (on, onwards), ever since, since then; *veel ~ in beslag nemen* take up a lot of time; *~ te kort komen* run out *(of:* run short) of time; **2** *(tijdvak)* time(s), period, age: *de laatste ~* lately, recently; *hij heeft een moeilijke ~ gehad* he has been through *(of:* had) a hard time; *de goede oude ~* the good old days; *zijn (beste) ~ gehad*

hebben be past one's best (*of:* prime); *de ~en zijn veranderd* times have changed; *in deze ~ van het jaar* at this time of (the) year; *met zijn ~ meegaan* keep up with (*of:* move with) the times; *dat was voor mijn ~* that was before my time (*of:* day); *dat was voor die ~ heel ongebruikelijk* in (*of:* for) those days it was most unusual; *je moet de eerste ~ nog rustig aandoen* to begin with (*of:* at first) you must take it easy; *een ~je* a while; 3 *(seizoen)* season, time; 4 *(taalk)* tense: *de tegenwoordige* (of: *verleden) ~* the present (*of:* past) tense; *toekomende ~* future tense

tijdbom time bomb
tijdelijk I *bn* temporary; provisional; interim: *~ personeel* temporary staff; II *bw (voor enige tijd)* temporarily
tijdens during
tijdgebrek lack of time
tijdgenoot contemporary
tijdig I *bn* timely: *~e hulp is veel waard* timely help is of great value; II *bw (op tijd)* in time (*om iets te doen, voorkomen);* on time *(volgens een bep tijd-schema)*
tijdloos timeless, ageless
tijdnood lack (*of:* shortage) of time: *in ~ zitten* be pressed for time
tijdperk period; age, era: *het ~ van de computer* the age of the computer; *het stenen ~* the Stone Age
tijdrekken time wasting; *(milder)* playing for time
tijdrit time trial
tijdrovend time-consuming: *dit is zeer ~* this takes up a lot of time
tijdsbesparend time-saving
tijdschrift periodical; journal; *(mode enz.)* magazine
tijdsduur (length of) time
tijdslimiet time limit, deadline: *de ~ overschrijden* exceed (*of:* go over) the time limit
tijdstip (point of, in) time, *(ogenblik ook)* moment
tijdsverschil time difference
tijdverdrijf pastime
tijdverlies loss of time
tijdverspilling waste of time
tijdwaarnemer timekeeper *(ook sport)*
tijdwinst gain in time: *enige ~ boeken* gain some time
tijger tiger
tijm thyme
tik tap, *(van hand)* slap, *(van klok)* tick: *iem een ~ om de oren* (of: *op de vingers) geven* give s.o. a cuff on the ear (*of:* a rap on the knuckles)
tikfout typing error (*of:* mistake)
tikje 1 touch, clip: *de bal een ~ geven* clip the ball; 2 *(kleine hoeveelheid)* touch, shade: *zich een ~ beter voelen* feel slightly better
tikkeltje touch, shade
tikken I *tr* 1 tap: *de maat ~* tap (out) the beat; 2 *(typen)* type: *een brief ~* type a letter; II *intr (licht geluid geven)* tap, *(mechanisch)* tick: *de wekker tikte*

niet meer the alarmclock had stopped ticking; *tegen het raam ~* tap at (*of:* on) the window
tikkertje tag: *~ spelen* play tag
til: *er zijn grote veranderingen op ~* there are big changes on the way
tillen I *intr* lift (a weight): *ergens niet (zo) zwaar aan ~* not feel strongly about; II *tr (opheffen)* lift, raise: *iem in de hoogte ~* lift s.o. up (in the air)
tilt: *op ~ slaan* hit the roof
timbre *(muz)* timbre
timen time
timide timid, shy
timmeren I *intr* hammer: *goed kunnen ~* be good at carpentry; *de hele boel in elkaar ~* smash the whole place up; II *tr (iets van hout maken)* build, put together: *een boekenkast ~* build a bookcase
timmerman carpenter
timmerwerk carpentry, woodwork
tin tin
tingelen tinkle, jingle: *op de piano ~* tinkle away at the piano
tinkelen tinkle, jingle
tinnen tin, pewter: *~ soldaatjes* tin soldiers
tint tint, hue: *iets een feestelijk ~je geven* give sth a festive touch; *Mary had een frisse* (of: *gelige) ~* Mary had a fresh (*of:* sallow) complexion; *warme ~en* warm tones
tintelen tingle
tinteling tingle, tingling
tinten tint, tinge
tip 1 tip, *((zak)doek, sluier enz.)* corner: *een ~je van de sluier oplichten* lift (*of:* raise) (a corner of) the veil; 2 *(inlichting)* tip, lead, clue, *(vnl. politie)* tip-off: *iem een ~ geven* tip s.o. off, give s.o. a tip-off
tipgeld tip-off money
tipgever *(mbt politie)* (police) informer, *(mbt gokkers, speculanten)* tipster
tippelaarster streetwalker
tippelen *(mbt de prostitutie)* be on (*of:* walk) the streets, solicit
tippen 1 *(een inlichting geven)* tip (s.o.) off, *(aan politie ook; Am)* finger; 2 *(als vermoedelijke winnaar aanwijzen)* tip (as); 3 tip, touch lightly, finger lightly: *aan iets (iem) niet kunnen ~* have nothing on sth (s.o.)
tiptoets touch control
tiran tyrant
Tiroler Tyrolean
tissue paper handkerchief
titel 1 title, *(van hoofdstuk, artikel ook)* heading; 2 *(rang)* title, *(universitaire graad)* (university) degree: *een ~ behalen* get a degree, win a title; *de ~ veroveren* (of: *verdedigen)* win (*of:* defend) the title
titelhouder title-holder
titelpagina title-page, title
titelrol title role
titelsong title track
titelverdediger titleholder, defender
titularis *(Belg)* class teacher

ti

tja well

tjaptjoi chop suey

tjilpen chirp *(vogels)*, peep, tweet *(jonge vogels)*

tjirpen chirp, chirrup; *(krekels ook)* chirr

tjonge dear me

T-kruising T-junction

tl-buis strip light, neon light *(of: tube, lamp)*

tl-verlichting neon light(ing)

tmt *afk van technologie, media en telecommunicatie* TMT

toast 1 toast: *een ~ (op iem) uitbrengen* propose a toast (to s.o.); **2** *(geroosterd brood)* (piece, slice of) toast

toasten toast: *~ op* drink (a toast) to

tobbe (wash)tub

tobben 1 worry, fret; **2** *(sukkelen)* struggle: *opa tobt met zijn been* grandpa is troubled by his leg

toch 1 nevertheless, still, yet, all the same: *(na een verbod) ik doe het (lekker) ~* I'll do it anyway; *maar ~* (but) still, even so; **2** *(eigenlijk)* rather, actually; **3** *(inderdaad)* indeed; **4** *(nu eenmaal)* anyway, anyhow: *het wordt ~ niks* it won't work anyway; *nu je hier ~ bent* since you're here; *dat kunnen ze ~ niet menen?* surely they can't be serious?; *we hebben het ~ al zo moeilijk* it's difficult enough for us as it is

tocht 1 draught, *(windje)* breeze: *~ voelen* feel a draught; **2** *(reis)* journey, trip: *een ~ maken met de auto* go for a drive in the car

tochten be draughty

tochtig *(mbt ruimte)* draughty, *(winderig)* breezy

tochtje trip, ride, drive

tochtstrip draught excluder, weather strip(ping)

toe I *bw* **1** to(wards): *waar moet dit naar ~?* where will this lead us?; **2** too, as well: *dat doet er niet(s) ~* that doesn't matter; **3** *(mbt een bedoeling)* to, for: *aan iets ~ komen* get round to sth; **4** *(dicht)* shut, closed: *er slecht aan ~ zijn* be in a bad way; *tot nu ~* so far, up to now; **II** *tw* **1** *(vooruit)* come on; **2** *(alstublieft)* please, do; **3** *(och kom)* come on, go on; **4** *(kom kom)* there now

toebehoren I *zn* accessories, attachments *(bijv. van stofzuiger)*; **II** *intr* belong to

toebrengen deal, inflict, give: *iem een wond ~* inflict a wound on s.o.

toedekken cover up, *(in bed stoppen)* tuck in, tuck up: *iem warm ~* tuck s.o. in nice and warm

toedienen administer, apply: *medicijnen ~* administer medicine

toedoen I *zn* agency; doing: *dit is allemaal door jouw ~ gebeurd* this is all your doing; **II** *tr* add: *wat doet het er toe?* what does it matter?, what difference does it make?; *wat jij vindt, doet er niet toe* your opinion is of no consequence

toedracht facts, circumstances: *de ware ~ van de zaak* what actually happened

toe-eigenen, zich appropriate

toef *(bosje, pluk)* tuft: *een ~ slagroom* a blob of cream

toegaan happen, go on: *het gaat er daar ruig aan toe* there are wild goings-on there

toegang 1 entrance, entry, access: *verboden ~* no admittance; **2** *(mogelijkheid, verlof)* access, *(toelating)* admittance, *(toegang(sgeld))* admission: *bewijs van ~* ticket (of admission); *~ hebben tot een vergadering* be admitted to a meeting; *zich ~ verschaffen* gain access (to)

toegangskaartje (admission) ticket, pass

toegangsprijs entrance fee, price of admission

toegangsweg access (road), approach

toegankelijk accessible, approachable: *moeilijk (of: gemakkelijk) ~* difficult *(of: easy)* of access; *~ voor het publiek* open to the public

toegankelijkheid accessibility, approachability

toegeeflijk indulgent, lenient: *~ zijn tegenover een kind* indulge a child

toegeeflijkheid indulgence; lenience

toegeven I *intr* **1** *(geen weerstand bieden aan)* yield, give in, *(bezwijken)* give way: *onder druk ~* submit under pressure; **2** *(erkennen)* admit, own: *hij wou maar niet ~* he wouldn't own up; **II** *tr* **1** indulge, humour, *(al te veel toegeven)* pamper, spoil, allow (for), take into account: *over en weer wat ~* give and take; **2** *(als juist erkennen)* admit, grant: *zijn nederlaag ~* admit defeat; **3** *(extra geven)* throw in, add: *op de koop ~* include in the bargain

toegevend indulgent, lenient

toegewijd devoted, dedicated: *een ~e verpleegster* a dedicated nurse

toegift encore: *een ~ geven* do an encore

toehoorder listener

toejuichen 1 cheer, *(applaudisseren voor)* clap, *(applaudisseren voor)* applaud; **2** *(goedkeuren)* applaud: *een besluit ~* welcome a decision

toekennen 1 ascribe to, attribute to; **2** *(toewijzen)* award, grant: *macht ~ aan* assign authority to

toekijken 1 look on, watch; **2** *(niet meedoen)* sit by (and watch)

toekomen 1 belong to, be due: *iem de eer geven die hem toekomt* do s.o. justice; **2** *(bereiken, naderen)* approach: *daar ben ik nog niet aan toegekomen* I haven't got round to that yet

toekomend future

toekomst future: *in de nabije (of: verre) ~* in the near *(of: distant)* future; *de ~ voorspellen* tell fortunes

toekomstig future, coming ‖ *zijn ~e echtgenote* his bride-to-be; *de ~e eigenaar* the prospective owner

toekomstmuziek: *dat is nog ~* that's still in the future

toelaatbaar permissible, permitted

toelage allowance, *((studie)beurs)* grant

toelaten 1 permit, allow: *als het weer het toelaat* weather permitting; **2** *(binnenlaten)* admit, receive: *zij werd niet in Nederland toegelaten* she was refused entry to the Netherlands

toelatingsexamen entrance exam(ination)

toeleggen add (to)

toeleveringsbedrijf supplier, supply company

toelichten explain; throw light on, clarify: *zijn standpunt ~* explain one's point of view; *als ik dat even mag ~* if I may go into that briefly

toelichting explanation; clarification: *dat vereist enige ~* that requires some explanation

toelopen taper (off), come (*of:* run) to a point

toeluisteren listen (to): *aandachtig ~* listen carefully

toemaatje *(Belg)* extra, bonus

toen I *bw* 1 *(vroeger)* then, in those days, at the (*of:* that) time: *er stond hier ~ een kerk* there used to be a church here; 2 *(daarna)* then, next: *en ~?* (and) then what?, what happened next?; II *vw* when, as: *~ hij binnenkwam* when he came in

toenadering *(vaak mv)* advance; approach

toename increase, growth: *een ~ van het verbruik* an increase in consumption

toendra tundra

toenemen increase, grow, *(in omvang)* expand: *in ~de mate* increasingly, to an increasing extent; *in kracht ~* grow (*of:* increase) in strength

toenmalig then: *de ~e koning* the king at the (*of:* that) time

toepasselijk appropriate, suitable

toepassen 1 use, employ; 2 *(in praktijk brengen)* apply, adopt, *(wet ook)* enforce: *een methode ~* use a method; *in de praktijk ~* use in (actual) practice

toepassing 1 use, employment: *niet van ~ (n.v.t.)* not applicable (n/a); *van ~ zijn op* apply to; 2 *(het in praktijk brengen)* application: *in ~ brengen* put into practice

toer 1 trip, tour, *(met auto, (motor)fiets, paard)* ride, *(met auto ook)* drive; 2 *(draai)* revolution: *op volle ~en draaien* go at full speed, be in top gear; *hij is een beetje over zijn ~en* he's in a bit of a state; 3 *(lastig werk)* job, business: *op de lollige ~ gaan* act the clown

toerbeurt turn: *bij ~* in rotation, by turns; *we doen dat bij ~* we take turns at it

toerekeningsvatbaar accountable, responsible

toeren go for a ride, *(met auto)* go for a drive

toerfiets touring bicycle, sports bicycle

toerisme tourism

toerist tourist

toeristenindustrie tourist industry, tourism

toeristenklasse tourist class, economy class

toeristenplaats tourist centre

toeristenseizoen tourist season

toeristisch tourist: *een ~e trekpleister* a tourist attraction

toernooi tournament

toerusten equip, *(bevoorraden)* furnish: *een leger ~* equip an army; *toegerust met* equipped (*of:* fitted) (out) with

toeschietelijk accommodating, obliging

toeschouwer 1 spectator, *(televisie)* viewer, *(mv ook)* audience: *veel ~s trekken* draw a large audience; 2 *(iem die niet meedoet)* onlooker, bystander

toeschrijven 1 blame, attribute: *een ongeluk ~ aan het slechte weer* blame an accident on the weather; 2 *(toekennen)* attribute, ascribe: *dit schilderij schrijft men toe aan Vermeer* this painting is attributed to Vermeer

toeslaan 1 hit home, strike home; 2 *(zijn kans benutten)* strike: *inbreker slaat opnieuw toe!* burglar strikes again!

toeslag 1 surcharge; 2 *(extra inkomen)* bonus: *een ~ voor vuil werk* a bonus for dirty work

toespelen pass (to), *(onopvallend toespelen)* slip (to)

toespeling allusion, reference: *~en maken* drop hints, make insinuations

toespijs 1 dessert, sweet, pudding; 2 side dish

toespitsen intensify

toespraak speech, *(officiële)* address: *een ~ houden* make a speech

toespreken speak to, address

toestaan allow, permit: *uitstel* (*of:* een verzoek) *~* grant a respite (*of:* a request)

toestand state, condition, situation: *de ~ van de patiënt is kritiek* the patient is in a critical condition; *de ~ in de wereld* the state of world affairs

toesteken extend, put out, hold out: *de helpende hand ~* extend (*of:* lend) a helping hand

toestel 1 apparatus, appliance, *(radio, tv)* set: *vraag om ~ 212* ask for extension 212; 2 *(vliegtuig)* plane

toestelnummer extension (number)

toestemming agreement, consent, approval (of), *(vergunning)* permission: *zijn ~ geven* (*of:* verlenen, weigeren) *aan iem* give (*of:* grant, refuse) permission to s.o.

toestoppen slip

toestromen stream to(wards), flow (*of:* flock, crowd) towards

toesturen send, remit *(geld)*

toet face

toetakelen 1 beat (up), knock about: *hij is lelijk toegetakeld* he has been badly beaten (up); 2 *(op vreemde wijze kleden, versieren)* rig out

toeter 1 tooter; 2 *(claxon)* horn

toeteren I *intr* hoot, honk; II *tr (schetteren)* bellow

toetje *(mbt eten)* dessert: *als ~ is er fruit* there is fruit for dessert

toetreding joining, entry (into)

toets 1 test, check; 2 *(mbt instrumenten)* key: *een ~ aanslaan* strike a key

toetsen test, check: *iets aan de praktijk ~* test sth out in practice

toetsenbord keyboard, *(machine ook)* console

toeval coincidence, accident, chance: *door een ongelukkig ~* by mischance; *stom ~* by sheer accident, *(stom geluk)* (by) a (mere) fluke; *niets aan het ~ overlaten* leave nothing to chance

toevallig I *bn* accidental: *een ~e ontmoeting* a chance meeting; *een ~e voorbijganger* a passer-by; II *bw (bij toeval)* by (any) chance: *elkaar ~ treffen* meet by chance

toevalligheid coincidence

toevalstreffer chance hit, stroke of luck

toevertrouwen 1 entrust: *dat is hem wel toevertrouwd* leave that to him, trust him for that; **2** *(in vertrouwen meedelen)* confide (to): *iets aan het papier ~* commit sth to paper

toevlucht refuge, shelter: *dit middel was zijn laatste ~* this (expedient) was his last resort

toevluchtsoord (port, house, haven of) refuge

toevoegen add: *suiker naar smaak ~* add sugar to taste

toevoeging addition, additive *(o.a. in voedsel)*

toevoer supply

toewensen wish: *iem veel geluk ~* wish s.o. all the best *(of:* every happiness)

toewijding devotion

toewijzen assign, grant: *het kind werd aan de vader toegewezen* the father was awarded *(of:* granted, given) custody of the child; *een prijs ~* award a prize

toezeggen promise

toezegging promise: *~en doen* make promises

toezenden send (to)

toezicht supervision: *~ houden op* supervise, oversee, look after *(kinderen); onder ~ staan van* be supervised by

toezichthouder supervisor

toezien 1 look on, watch: *machteloos ~* stand by helplessly; **2** *(oppassen)* see, take care: *hij moest er op ~ dat alles goed ging* he had to see to it that everything went all right

tof 1 decent, O.K.: *een ~fe meid* a decent girl, an O.K. girl; **2** *(fijn)* great

toffee toffee

toga gown, robe: *een advocaat in ~* a robed lawyer

toilet toilet: *een openbaar ~* a public convenience, *(Am)* a restroom; *naar het ~ gaan* go to the toilet

toiletartikel toiletry, *(mv ook)* toilet requisites *(of:* things)

toiletjuffrouw lavatory attendant

toiletpapier toilet paper *(of:* tissue)

toiletreiniger toilet cleaner

toiletrol toilet paper

toilettafel dressing table

toilettas toilet bag

toiletverfrisser toilet freshener, lavatory freshener

tokkelen strum

tol 1 top: *mijn hoofd draait als een ~* my head is spinning; **2** *(tolgeld)* toll: *ergens ~ voor moeten betalen (fig)* have to pay the price for sth; *~ heffen* levy *(of:* take) (a) toll (on)

tolerant tolerant

tolereren tolerate, put up with

tolgeld toll (money)

tolk interpreter

tolken interpret

tollen 1 play with *(of:* spin) a top; **2** *(snel ronddraaien)* spin, whirl: *zij stond te ~ van de slaap* she was reeling with sleep

tolweg toll road; *(Am snelweg)* turnpike

tomaat tomato

tomatenketchup (tomato) ketchup

tomatenpuree tomato purée

tomatensap tomato juice

tomatensoep tomato soup

tombe tomb

tompoes vanilla slice

ton 1 cask, barrel; **2** *(100.000 euro)* a hundred thousand euros; **3** *(gewichtsmaat)* (metric) ton

tondeuse (pair of) clippers, trimmers, *(voor schapen)* shears

toneel 1 stage: *op het ~ verschijnen* enter the stage, appear on the stage; **2** *(tafereel)* scene, spectacle; **3** *(spel)* theatre

toneelgezelschap theatrical company, theatre company

toneelschool drama school

toneelschrijver playwright

toneelspel 1 play; **2** *(aanstellerij)* play-acting

toneelspelen 1 act, play; **2** *(zich aanstellen)* play-act, dramatize: *wat kun jij ~!* what a play-actor you are!

toneelspeler 1 actor, player; **2** *(aansteller)* play-actor

toneelstuk play: *een ~ opvoeren* perform a play

toneelvereniging drama club

tonen show, *(tentoonstellen)* display

toner toner

tong 1 tongue: *met dubbele (dikke) ~ spreken* speak thickly, speak with a thick tongue; *de ~en kwamen los* the tongues were loosened, tongues were wagging; *zijn ~ uitsteken tegen iem* put out one's tongue at s.o.; *het ligt vóór op mijn ~* it's on the tip of my tongue; **2** *(vis)* sole

tongzoen French kiss

tonijn tunny(fish), tuna (fish)

tooi decoration(s), ornament(s), plumage *(vogel)*

toom bridle, reins: *in ~ houden* (keep in) check, keep under control

toon 1 tone, *(muz; fig ook)* note: *een halve ~* a semitone, a half step; *de ~ aangeven: a)* give the key; *b) (fig)* lead *(of:* set) the tone; *c) (in mode)* set the fashion; *een ~tje lager zingen* change one's tune; *uit de ~ vallen* not be in keeping, not be incongruous, *(mbt persoon)* be the odd man out; *(fig) de juiste ~ aanslaan* strike the right note; **2** *(geluid van een stem, instrument)* tone (colour), timbre

toonaangevend authoritative, leading

toonaard: *in alle ~en* in every possible way

toonbank counter: *illegale cd's (van) onder de ~ verkopen* sell bootleg CDs under the counter

toonbeeld bearer: *een cheque aan ~* a cheque (payable) to bearer

toonhoogte pitch: *de juiste ~ hebben* be at the right pitch

toonladder scale: *~s spelen* play *(of:* practise) scales

toonsoort *(muz)* key

toonzaal showroom

toorn wrath, anger

toorts torch

top 1 top, tip, *(van berg ook)* peak: *aan (op) de ~ staan* be at the top; *van ~ tot teen* from head to foot; 2 *(hoogtepunt)* top, peak, height: *(Belg) hoge ~pen scheren* be successful

topaas topaz

topatleet top-class athlete

topconditie (tip-)top condition (*of:* form)

topconferentie summit (conference, meeting), *(gesprekken)* summit talks, top-level talks

topfunctie top position, leading position

topje 1 tip: *het ~ van de ijsberg* the tip of the iceberg; 2 *(truitje)* top

topklasse top class

topkwaliteit top quality, (the) highest quality

topman senior man (*of:* executive), top-ranking official, senior official: *~ in het bedrijfsleven* captain of industry

topografie topography

topoverleg top-level talks, summit talks

toppositie top position, leading position

topprestatie top performance, record performance: *een ~ leveren* turn in a top performance

toppunt 1 height, top: *dat is het ~!* that's the limit!, that beats everything!; 2 *(bovenste punt)* top, highest point, *(berg ook)* summit

topscorer top scorer

topsnelheid top speed: *op ~ rijden* drive at top speed

topspeler top(-class) player

topspin topspin

topsport top-class sport

top-tien top ten

topvorm top(-notch) form

topzwaar top-heavy

tor beetle

toren 1 tower, *(spitse kerktoren)* steeple, *(torenspits)* spire: *in een ivoren ~ zitten* live in an ivory tower; 2 *(schaakstuk)* rook, castle

torenflat high-rise flat(s) *(Am:* apartment(s))

torenhoog towering, *(hemelhoog)* sky-high

torenvalk kestrel, windhover

tornado tornado

tornen unsew, unstitch: *er valt aan deze beslissing niet te ~* there's no going back on this decision

torpederen torpedo

torpedo torpedo

tortelduif turtle-dove

tossen toss (up, for)

tosti toasted ham and cheese sandwich

tot 1 (up) to, as far as: *de trein rijdt ~ Amsterdam* the train goes as far as Amsterdam; *~ hoever, ~ waar?* how far?; *~ bladzijde drie* up to page three; 2 *(mbt een punt in de tijd)* to, until: *van dag ~ dag* from day to day; *~ zaterdag!* see you on Saturday!; *~ de volgende keer* until (the) next time; *~ nog (nu) toe* so far; *~ en met 31 december* up to and including 31 December; *van 3 ~ 12 uur* from 3 to (*of:* till) 12 o'clock; *van maandag ~ en met zaterdag* from

Monday to Saturday, *(Am ook)* Monday through Saturday; 3 *(tegen)* at: *~ elke prijs* at any price; *iem ~ president kiezen* elect s.o. president

totaal total, complete: *een totale ommekeer (ommezwaai)* an about-turn, an about-face; *totale uitverkoop* clearance sale; *iets ~ anders* sth completely different; *het is €33,- ~* it's 33 euro in all; *in ~* in all (*of:* total)

totaalbedrag total (sum, amount)

total loss: *een auto ~ rijden* smash (up) a car, wreck a car

totdat until

totempaal totem pole

toto *(paardenrennen)* tote; *(voetbal)* (football) pools: *in de ~ geld winnen* win money on the pools

toupet toupee

tour 1 *(uitstapje)* outing, trip; 2 *(rondgang)* tour

touringcar (motor) coach, *(Am)* bus

tournee tour: *op ~ zijn* be on tour

touw rope; (piece of) string: *ik kan er geen ~ aan vastknopen* I can't make head or tail of it; *iets met een ~ vastbinden (dichtbinden)* tie sth (up)

touwladder rope ladder

touwtje (piece of) string: *de ~s in handen hebben* be pulling the strings, be running the show

touwtjespringen skipping

touwtrekken tug-of-war

tovenaar magician, sorcerer, wizard

toveren I *intr* work magic, *(goochelen)* do conjuring tricks; II *tr* conjure (up): *iets te voorschijn ~* conjure up sth

toverfluit magic flute

toverheks sorceress, magician

toverij magic, sorcery

toverspreuk (magic) spell, (magic) charm

toverstaf magic wand

traag slow: *hij is nogal ~ van begrip* he isn't very quick in the uptake; *~ op gang komen* get off to a slow start

traagheid slowness: *de ~ van geest* slowness (of mind)

traan tear, *(een enkele)* teardrop: *in tranen uitbarsten* burst into tears, burst out crying

traangas tear-gas

traanklier tear gland

trachten attempt, try

tractor tractor

traditie tradition: *een ~ in ere houden* uphold a tradition

traditiegetrouw traditional, *(na ww)* true to tradition

traditioneel traditional

tragedie tragedy

tragiek tragedy

tragisch tragic: *het ~e is* the tragedy of it is …

trailer trailer

trainen I *intr* train, work out *(voor conditie): (weer) gaan ~* go into training (again); II *tr* train: *een elftal ~* train (*of:* coach) a team; *zijn geheugen ~* train

one's memory; *zich ~ in iets* train for sth
trainer trainer, coach
training training, practice; workout: *een zware ~* a heavy workout
trainingspak tracksuit, jogging suit
traject route, stretch, *(stuk spoorlijn)* section
traktatie treat
trakteren treat: *~ op gebakjes* treat s.o. to cake; *ik trakteer* this is my treat
tralie bar: *achter de ~s zitten* be behind bars
tram tram: *met de ~ gaan* take the *(of:* go by) tram
tramhalte tramstop
trammelant *(inform)* trouble
trampoline trampoline
trampolinespringen trampolining
trance trance: *iem in ~ brengen* send s.o. into a trance
tranen run, water: *~de ogen* running *(of:* watering) eyes
transactie transaction, deal
trans-Atlantisch transatlantic
transferlijst transfer list
transfersom transfer fee
transformator transformer
transistor transistor
transistorradio transistor (radio)
transit transit
transitief transitive
transparant I *bn* transparent; **II** *zn* transparency, overhead sheet
transpiratie perspiration
transpiratiegeur body odour
transpireren perspire
transplantatie transplant(ation)
transplanteren transplant
transport transport; *(vnl. Am)* transportation: *tijdens het ~* in *(of:* during) transit
transportbedrijf transport company, haulier
transporteren I *tr* transport; **II** *intr, tr (doordraaien)* wind (the film) (on)
transporteur carrier
transportkosten transport costs *(of:* charges)
transportonderneming *zie* transportbedrijf
transportschip transport (ship)
transportvliegtuig transport aircraft
transportwagen truck; *(klein)* van
transseksualiteit transsexualism
transseksueel transsexual
trant 1 style, manner: *in dezelfde ~* (all) in the same key; **2** *(soort)* kind: *iets in die ~* something of the kind *(of:* sort)
trap 1 (flight of) stairs; (flight of) steps *(van steen):* *een steile ~* steep stairs; *de ~ afgaan* go down(stairs); *de ~ opgaan* go upstairs; *boven (of: onder, beneden) aan de ~* at the head *(of:* at the foot, at the bottom) of the stairs; **2** *(schop)* kick: *vrije ~* free kick; *iem een ~ nageven (fig)* hit s.o. when he is down; **3** *(trede)* step; **4** *(taalk)* degree: *de ~pen van vergelijking* the degrees of comparison; *overtref-*

fende ~ superlative; *vergrotende ~* comparative
trapeze trapeze
trapezium trapezium, *(Am)* trapezoid
trapleuning (stair) handrail, banister *(met spijlen)*
traploos stepless
traploper stair carpet
trappelen stamp: *~de paarden* stamping (and pawing) horses; *~ van ongeduld* strain at the leash, be dying (to do sth, go somewhere)
trappen I *intr* step, stamp: *ergens in ~* fall for sth, rise to the bait, buy sth; **II** *intr, tr (schoppen)* kick, boot: *tegen een bal ~* kick a ball; *eruit getrapt zijn* have got the boot *(of:* sack) *(ontslagen),* have been kicked out *(klas)*
trappenhuis (stair)well
trapper pedal: *op de ~s gaan staan* throw one's weight on the pedals
trappist Trappist
trappistenbier Trappist beer
trapportaal landing
trauma trauma
traumateam medical emergency team
traumatisch traumatic
traumatiseren traumatize
travestie transvestism
travestiet transvestite
trechter funnel
tred step, pace: *gelijke ~ houden met* keep pace with
trede, tree step; rung *(van ladder)*
treden *(gaan)* step: *in bijzonderheden ~* go into detail(s); *in contact ~ met iem* contact s.o.; *in het huwelijk ~ (met)* get married (to s.o.)
treeplank footboard
treffen 1 *(raken)* hit: *getroffen door de bliksem* struck by lightning; **2** *(aantreffen)* meet: *niemand thuis ~* find nobody (at) home; **3** *(mbt iets onaangenaams)* hit, strike: *getroffen worden door* meet with *(ongeluk, ramp),* be stricken by *(ziekte, epidemie);* **4** *(tot stand brengen)* make: *voorbereidingen ~* make preparations; *je treft het (goed)* you're lucky *(of:* in luck)
treffend striking, *(raak)* apt: *een ~e gelijkenis* a striking similarity
treffer hit, *(doelpunt)* goal
trefpunt meeting place, crossroads *(van culturen)*
trefwoord headword, *(in register ook)* reference
trefwoordenregister subject index
trein train: *per ~ reizen* go by train; *iem van de ~ halen* meet s.o. at the station
treinbestuurder train driver
treinbotsing train crash
treinconducteur guard, *(Am)* conductor
treincoupé (train) compartment
treinkaartje train ticket
treinongeval train accident
treinramp train disaster
treinreis train journey
treinreiziger rail(way) passenger
treinstel train unit

treintaxi train taxi

treinverkeer train traffic, rail traffic

treiteren torment

trek 1 pull; 2 *(met een pen)* stroke; 3 *(gelaatstrek)* feature, line; 4 *(kenmerkende eigenschap)* (characteristic) feature, trait: *dat is een akelig ~je van haar* that is a nasty trait of hers; 5 *(eetlust, begeerte) (vnl. eetlust)* appetite: *~ hebben* feel *(of:* be) hungry; *heeft u ~ in een kopje koffie?* do you feel like a cup of coffee, would you care for a cup of coffee?; 6 *(populariteit)* popularity: *in ~ zijn* be popular, be in demand; 7 *(van vogels, volkeren)* migration: *Boyzone-fans komen vanavond goed aan hun ~ken* Boyzone fans will get their money's worth tonight; *een ~ aan een sigaar doen* take a puff at a cigar

trekhaak drawbar, *(aan auto enz.)* tow bar

trekharmonica accordion, *(kleiner, voor op de schoot)* concertina

trekken I *intr* 1 pull: *aan een sigaar ~* puff at *(of:* draw) a cigar; 2 go, move; *(reizen)* travel; migrate *(nomadenstammen, vogels enz.):* *in een huis ~* move into a house; 3 *(spierbewegingen maken)* stretch: *met zijn been ~* walk with a stiff leg; *deze planken zijn krom getrokken* these planks are warped; *thee laten ~* brew tea; II *tr* 1 draw, *(tandarts enz.)* extract, pull (out); 2 *(aantrekken)* draw, attract: *publiek* (of: *kopers*) *~* draw an audience *(of:* customers); 3 pull: *iem aan zijn haar ~* pull s.o.'s hair; *iem aan zijn mouw ~* pull (at) s.o.'s sleeve; 4 *(slepen)* pull, draw, tow: *de aandacht ~* attract attention; 5 *(eruit halen, afleiden)* draw, *(wisk)* extract *(wortel):* *een conclusie ~* draw a conclusion; *gezichten ~* make *(of:* pull) (silly) faces

trekker 1 *(iem op trektocht)* hiker; 2 *(mbt een vuurwapen)* trigger: *de ~ overhalen* pull the trigger; 3 *(mbt een vrachtwagen)* truck, lorry: *~ met oplegger* truck and trailer; 4 tractor

trekking draw

trekkracht tractive power, pulling power

trekpleister draw, attraction: *een toeristische ~* a tourist attraction

trekschuit tow barge

trektocht hike, hiking tour

trekvogel migratory bird; bird of passage

trema diaeresis

tremolo tremolo

trend trend

trendgevoelig subject to trends

trendsettend trendsetting

treuren 1 sorrow, mourn, grieve: *~ om een verlies* mourn a loss; 2 *(bedrukt zijn)* be sorrowful, be mournful

treurig sad, tragic, unhappy: *een ~ gezicht* a sorry (of: gloomy) sight, *(gelaat)* a sad *(of:* dejected) face

treurigheid sorrow, sadness

treurspel tragedy

treuzelen dawdle: *~ met zijn werk* dawdle over one's work

triangel triangle

triatlon triathlon

tribunaal tribunal

tribune stand *(vaak mv);* *(voor publiek bij vergadering)* gallery

tricot tricot

triest 1 sad; 2 *(droevig stemmend)* melancholy, depressing, dreary

triktrak backgammon

triktrakken play backgammon

trillen vibrate, *(huizen enz. ook)* tremble, shake: *met ~de stem* in a trembling voice

trilling 1 vibration, tremor *(aardbeving);* 2 *(siddering, beving)* trembling, shaking

trilogie trilogy

trimbaan keep-fit trail

trimester trimester; term *(school):* *midden in het ~* (in) mid-term

trimmen I *intr* do keep-fit (exercises), *(buiten)* jog, *(binnen)* work out; II *tr (haar bijknippen)* trim

trimmer jogger

trimoefening (keep-fit) exercise

trimpak tracksuit

trimschoen training shoe, jogging shoe

trimtoestel exerciser

trio trio

triomf triumph

triomfantelijk triumphant

trip 1 trip; 2 *(mbt drugs)* (acid) trip

triphop trip hop

triplex plywood

triplo: *in ~* in triplicate

trippelen trip, patter

trippen trip (out): *hij tript op hardrockmuziek* he gets off on hard rock (music)

triptiek triptych

troebel turbid, cloudy: *in ~ water vissen* fish in troubled waters

troef trumps; trump (card): *welke kleur is ~?* what suit is trumps?; *zijn laatste ~ uitspelen* play one's trump card

troep 1 troop, pack *(wolven);* 2 *(rommel)* mess: *gooi de hele ~ maar weg* just get rid of the whole lot; *~ maken* make a mess; 3 *(mil)* troop; 4 *(gezelschap)* company

troepenmacht (military) force

troeteldier cuddly toy, soft toy

troetelkind darling, pet; spoiled child

troetelnaam pet name

troeven *(kaartspel)* trump, play trumps

trofee trophy

troffel trowel

trog trough

Trojaans Trojan

Troje Troy

trol troll

trolley *(kar met etenswaar)* (tea) trolley

trolleybus trolleybus

trom drum

trombone trombone

tr

trombonist trombonist

trombose thrombosis

trommel 1 drum: *de ~ slaan* beat the drum; 2 *(blikken doos)* box

trommeldroger tumble-dryer

trommelen drum: *op de tafel ~* drum (on) the table; *een groep mensen bij elkaar ~* drum up a group of people

trommelrem drum brake

trommelvlies eardrum, tympanum

trompet trumpet

trompettist trumpet player

tronie mug

troon throne: *de ~ beklimmen (bestijgen)* come to *(of:* ascend) the throne

troonopvolger heir (to the throne)

troonopvolgster heiress

troonrede Queen's speech, King's speech

troost comfort, consolation: *een bakje ~: a) (in Ned)* a cup of coffee; *b) (in Engeland)* a cuppa; *een schrale ~* cold *(of:* scant) comfort/consolation

troosteloos disconsolate *(vnl. van mensen),* cheerless: *een ~ landschap* a dreary *(of:* desolate) landscape/scene

troosten comfort, console: *zij was niet te ~* she was beyond (all) consolation

troostprijs consolation prize

tropen tropics

tropenuitrusting tropical gear, *(kleding)* tropical outfit

tropisch tropical: *het is hier ~ (warm)* it is sweltering here

tros 1 cluster, bunch *(druiven, bananen);* 2 *(touw, kabel)* hawser: *de ~sen losgooien* cast off, unmoor

trostomaat vine tomato

trots I *zn* pride; glory: *ze is de ~ van haar ouders* she is her parents' pride and joy; II *bn, bw* proud

trotseren 1 defy *(weer enz.),* brave: *de blik(ken) ~ (van)* outface, outstare; 2 *(bestand zijn tegen)* stand up (to)

trottoir pavement, *(Am)* sidewalk

troubadour troubadour

trouw I *zn* fidelity, loyalty, faith(fulness), allegiance *(aan land, partij):* *te goeder ~ zijn* be bona fide, be in good faith; *te kwader ~* mala fide, in bad faith; II *bn, bw* faithful: *~e onderdanen* loyal subjects; *elkaar ~ blijven* be *(of:* remain) faithful/true to each other

trouwdag wedding day

trouwen I *intr* get married: *ik ben er niet mee getrouwd* I'm not wedded *(of:* tied) to it; *ze trouwde met een arts* she married a doctor; *voor de wet ~* get married in a registry office; II *tr* marry

trouwens 1 mind you: *ik vind haar ~ wel heel aardig* mind you, I do think she's very nice; *hij komt niet; ik ~ ook niet* he isn't coming; neither am I for that matter; 2 *(tussen haakjes)* by the way: *~, was Jan er ook?* by the way, was Jan there as well?

trouwerij wedding

trouwjurk wedding dress

trouwpartij 1 wedding (party); 2 *(plechtigheid)* wedding ceremony, marriage ceremony

trouwplannen: *~ hebben* be going *(of:* planning) to get married

trouwreportage wedding photos

trouwring wedding ring

truc trick: *een ~ met kaarten* a card trick

trucage trickery

truck articulated lorry, *(Am)* trailer truck; *(open)* truck

trucopname special effect

truffel truffle

trui 1 jumper, *(dik)* sweater; 2 *(shirt)* jersey, shirt: *de gele ~* the yellow jersey

trust trust, cartel

trut cow: *stomme ~!* silly cow!

tsaar tsar, czar

T-shirt T-, tee shirt

Tsjaad Chad

Tsjech Czech

Tsjechië Czech Republic

tso *(Belg) afk van technisch secundair onderwijs* secondary technical education

tuba tuba

tube tube

tuberculose tuberculosis

tucht discipline: *de ~ handhaven* maintain *(of:* keep) discipline

tuchtcollege disciplinary tribunal

tuchtschool youth custody centre

tuig 1 *(mbt trekdieren)* harness; 2 *(slecht volk)* riff-raff: *langharig werkschuw ~* long-haired workshy layabouts; 3 *(om te vissen)* tackle

tuigen harness *(trekpaard);* tackle (up) *(rijpaard);* bridle *(alleen hoofdstel)*

tuigje safety harness

tuimelaar *(speelgoed)* tumbler, wobbly clown, wobbly man

tuimelbeker training cup

tuimelen tumble, topple

tuin garden || *iem om de ~ leiden* lead s.o. up the garden path

tuinboon broad bean

tuinbouw horticulture, market gardening

tuinbouwbedrijf market garden

tuinbouwschool horticultural school *(of:* college)

tuinbroek dungarees, overalls

tuincentrum garden centre

tuinder market gardener

tuinfeest garden party

tuingereedschap garden(ing) tools

tuinhuis garden house

tuinier gardener

tuinieren garden

tuinkabouter garden gnome

tuinman gardener

tuinslang (garden) hose

tuinstoel garden chair

tuit 1 spout; **2** *(spits toelopend einde)* nozzle

tuiten I *tr* purse: *de lippen ~* purse one's lips; **II** *intr* *(suizen)* tingle, ring: *mijn oren ~* my ears are ringing

tuk keen (on): *daar ben ik ~ op* I'm keen on (*of*: mad about) that; *ik had je lekker ~ gisteren, hè?* I really had you fooled yesterday, didn't I?; *iem ~ hebben* pull s.o.'s leg

tukje nap: *een ~ doen* take a nap

tukken nap, doze

tulband turban

tulp tulip

tulpenbol tulip bulb

tulpvakantie half-term holiday, spring holiday

tumor tumour: *kwaadaardige* (of: *goedaardige*) *~* malignant (*of*: benign) tumour

tumtum dolly mixture

tumult tumult, uproar

tuner-versterker tuner-amplifier

Tunesië Tunisia

Tunesiër Tunisian

tunnel tunnel

turbine turbine

turbo 1 *(krachtversterker)* turbo((super)charger); **2** *(auto)* turbo(-car) ‖ *turbostofzuiger* high-powered vacuum cleaner

tureluurs mad, whacky, crazy: *het is om ~ (van) te worden* it's enough to drive anybody mad (*of*: up the wall)

turen peer, gaze, stare: *in de verte ~* gaze into the distance

turf 1 *(brandstof)* peat; **2** *(vijf streepjes als rekenhulp)* tally; **3** *(dik boek)* tome

Turijn Turin

Turk Turk

Turkije Turkey

Turkmeens Turkoman, Turkman

Turkmenistan Turkmenistan

turkoois turquoise

Turks Turkish: *~ bad* Turkish bath

turnen practise gymnastics, perform gymnastics

turner gymnast

turquoise turquoise

turven tally

tussen 1 between: *~ de middag* at lunchtime; *dat blijft ~ ons (tweeën)* that's between you and me; **2** *(te midden van)* among: *het huis stond ~ de bomen in* the house stood among(st) the trees; *~ vier muren* within four walls; *iem er (mooi) ~ nemen* have s.o. on, take s.o. in; *als er niets ~ komt, dan ...* unless something unforeseen should occur

tussenbeide between, in: *~ komen* interrupt, butt in *(met woorden)*, step in, intervene *(handelend)*, intercede *(bemiddelend)*

tussendeur communicating door, dividing door

tussendoor 1 through; *(twee dingen)* between them; **2** *(tussentijds)* between times: *proberen ~ wat te slapen* try to snatch some sleep

tussendoortje snack

tussenhandel distributive trade(s)

tussenhandelaar middleman

tussenin in between, between the two, in the middle

tussenkomst 1 intervention; **2** *(bemiddeling)* mediation

tussenlanding stop(over)

tussenliggend intervening *(tijd, gebied)*

tussenmuur *(tussen vertrekken)* partition; *(tussen huizen)* dividing wall

tussenperiode intervening period

tussenpersoon go-between, intermediary: *als ~ fungeren* act as an intermediary

tussenpoos: *met korte tussenpozen* at short intervals; *met tussenpozen* every so often

tussenruimte space: *met gelijke ~n plaatsen* space evenly

tussenstand *(ongev)* score (so far), *(ruststand)* half-time score

tussenstop stop(over)

tussenstuk joint, connecting-piece

tussentijd interim: *in de ~* in the meantime, meanwhile

tussentijds interim: *~e verkiezingen* by-elections

tussenuit out (from between two things) ‖ *er ~ knijpen* do a bunk, cut and run

tussenuur 1 free hour; **2** *(vrij lesuur)* free period

tussenvoegen insert

tussenwand partition

tussenweg middle course

tussenwoning terraced house; town house

tut frump

tuthola silly old cow (*of*: bitch)

tutoyeren be on first-name terms

tutu tutu

tv TV, television: *~ kijken* watch TV; *wat komt er vanavond op (de) ~?* what's on (TV) tonight?

tv-serie TV series

twaalf twelve; *(data)* twelfth: *~ dozijn* gross; *om ~ uur 's nachts* at midnight; *om ~ uur 's middags* at (twelve) noon; *de grote wijzer staat al bijna op de ~* the big hand is nearly on the twelve

twaalfde twelfth

twaalfjarig 1 twelve-year-old; **2** *(twaalf jaar durend)* twelve-year

twaalftal dozen, twelve

twaalfuurtje midday snack, lunch

twee two; *(in data)* second: *~ keer per week* twice a week}; *een stuk of ~* a couple of; *~ weken* a fortnight, two weeks; *in ~ën delen* divide in two, halve *(etenswaren, geld)*; *zij waren met hun ~ën* there were two of them; *hij eet en drinkt voor ~* he eats and drinks (enough) for two; *~ aan ~* in twos

tweebaansweg 1 two-lane road; **2** *(met gescheiden rijbanen)* dual carriageway, *(Am)* divided highway

tweedaags two-day

tweede I *rangtelw* second: *de ~ Kamer* the Lower House (*of*: Chamber); *~ keus* second rate, seconds; *als ~ eindigen: a)* finish second, be runner-up *(in* *wedstrijd); b) (fig)* come off second best; *ten ~ in the second place;* II *zn* half: *anderhalf is gelijk aan drie ~n* one and a half is the same as three halves

tweedegraads second-degree: *tweedegraadsbevoegdheid* lower secondary school teaching qualification; *tweedegraadsverbranding* second-degree burn

tweedehands second-hand

tweedejaars second-year

Tweede-Kamerlid member of the Lower House

tweedekansonderwijs secondary education for adults

tweedelig two-piece: *een ~ badpak* a two-piece (bathing-suit)

tweederangs second-class

tweeduizend two thousand

twee-eiig fraternal

tweehonderd two hundred

tweehonderdste two-hundredth

tweehoog on the second (*Am:* third) floor

tweejarig 1 two-year(-old); **2** *(twee jaar durend; om de twee jaar)* biennial

tweekamerwoning two-room flat

tweekamp *(reeks wedstrijden)* twosome

tweekwartsmaat two-four time

tweeledig double, twofold

tweeling 1 twins: *eeneiige* (of: *twee-eiige) ~en* identical (*of:* fraternal) twins; **2** *(één kind ve tweeling)* twin

tweelingbroer twin brother

Tweelingen *(sterrenk)* Gemini, Twins

tweelingzus(ter) twin sister

tweemaal twice: *zich wel ~ bedenken* think twice

tweemaandelijks 1 bimonthly: *een ~ tijdschrift* a bimonthly; **2** *(twee maanden durend)* two-month

twee-onder-een-kapwoning semi-detached house, *(Am)* (one side of a) duplex

tweepersoonsbed double bed

tweepersoonskamer double(-bedded) room *(met één tweepersoonsbed);* twin-bedded room *(met twee bedden)*

tweestrijd internal conflict: *in ~ staan* be torn between (two things)

tweetal pair, couple

tweetalig bilingual

tweetallig binary

tweetjes: *wij ~* we two; *zij waren met hun ~* there were two of them

tweeverdiener two-earner, *(mv)* two-earner family, double-income family

tweevoud 1 double, duplicate: *in ~* in duplicate; **2** *(door twee deelbaar getal)* binary, double (of a number)

tweevoudig double, twofold

tweewieler two-wheeler

tweezitsbank two-person settee, two-seater settee

twijfel doubt: *het voordeel van de ~* the benefit of the doubt; *boven (alle) ~ verheven zijn* be beyond all doubt; *iets in ~ trekken* cast doubt on sth, question sth; *zonder ~* no doubt, doubtless, undoubtedly

twijfelachtig 1 doubtful; **2** *(dubieus)* dubious: *de ~e eer hebben om …* have the dubious honour of (doing sth)

twijfelen doubt: *daar valt niet aan te ~* that is beyond (all) doubt

twijfelgeval dubious case, doubtful case

twijg twig

twinkelen twinkle

twinkeling twinkling

twintig twenty; *(data)* twentieth: *de jaren ~* the Twenties, the 1920s; *zij was in de ~* she was in her twenties; *er waren er in de ~* there were twenty odd

twintiger person in his (*of:* her) twenties

twintigste twentieth: *een shilling was een ~ pond* an shilling was a twentieth of a pound

twist quarrel: *een ~ bijleggen* settle a quarrel (*of:* dispute)

twisten 1 dispute: *daarover wordt nog getwist* that is still a moot point (*of:* in dispute); *over deze vraag valt te ~* this is a debatable (*of:* an arguable) question; **2** *(ruzie hebben)* quarrel: *de ~de partijen* the contending parties

tyfoon typhoon

tyfus typhoid

type type, character: *een onguur ~* a shady customer; *hij is mijn ~ niet* he's not my type

typefout typing error, typo

typekamer typing pool

typemachine typewriter

typen type: *een getypte brief* a typed (*of:* typewritten) letter; *blind ~* touch-type

typeren typify, characterize: *dat typeert haar* that is typical of her

typerend typical (of)

typewerk typing

typisch 1 typical: *dat is ~ mijn vader* that's typical of my father; *~ Amerikaans* typically American; *het ~e van de zaak* the curious part of the matter; **2** *(eigenaardig)* peculiar

typist(e) typist

tyrannosaurus tyrannosaurus

u

u you: *als ik ~ was* if I were you

ufo *afk van unidentified flying object* UFO

Uganda Uganda

Ugandees Ugandan

ui onion

uiensoep onion soup

uier udder

uil owl

uilenbal 1 (owl's) pellet; 2 *(sufferd)* dimwit, nincompoop

uilskuiken *(fig)* ninny, nitwit

uit I *vz* 1 out (of), from: *~ het raam kijken* look out of the window; *een speler ~ het veld sturen* order a player off (the field); 2 *(verwijderd van)* off: *2 km ~ de kust* 2 kilometres off the coast; 3 *(afkomstig van, door middel van)* (out) of: *iets ~ ervaring kennen* know sth from experience; *~ zichzelf* of itself *(ding)*, of one's own accord *(persoon)*; 4 *(vanwege)* out of, from: *~ bewondering* out of (*of:* in) admiration; *zij trouwden ~ liefde* they married for love; II *bw* out: *hij liep de kamer ~* he walked out of the room; *Ajax speelt volgende week ~* Ajax are playing away next week; *moet je ook die kant ~?* are you going that way, too?; *voor zich ~ zitten kijken* sit staring into space; *ik zou er graag eens ~ willen* I would like to get away sometime; *de aankoop heb je er na een jaar ~* the purchase will save its cost in a year; III *bn na ww* 1 *(elders, niet thuis)* out, away: *de bal is ~* the ball is out; *die vlek gaat er niet ~* that stain won't come out; 2 *(afgelopen)* over: *de school gaat ~* school is over, school is out *(einde vh schooljaar)*; *het is ~ tussen hen* it is finished between them; *het is ~ met de pret* the game *(of:* party) is over now; 3 *(niet brandend)* (gone) out: *de lamp is ~* the light is out *(of:* off); 4 *(bedacht op, zoekend naar)* out, after: *op iets ~ zijn* be out for *(of:* after) sth; *dit boek is pas ~* this book has just been published

uitademen breathe out, exhale

uitademing exhalation

uitbalanceren balance

uitbarsten 1 burst out: *in lachen ~* burst out laughing; *in tranen ~* burst into tears; 2 *(mbt vulkaan)* erupt

uitbarsting 1 outburst, eruption *(vulkaan)*; 2 *(het uitbarsten)* bursting out: *tot een ~ komen* come to a head

uitbeelden portray, represent: *een verhaal ~* act out a story

uitbeelding portrayal, representation

uitbesteden 1 board out: *de kinderen een week ~* board the children out for a week; 2 *(aan anderen overdoen)* farm out, contract (out)

uitbetalen pay (out), *(cheque ook)* cash

uitbetaling payment

uitbijten 1 bite (out); 2 *(van een bijtende stof)* eat away: *dat zuur bijt uit* that acid is corrosive

uitblazen I *tr* 1 blow (out), *(uitademen)* breathe out: *de laatste adem ~* breathe one's last; 2 *(doven)* blow out; II *intr (op adem komen)* take a breather, catch one's breath

uitblijven 1 stay away, *(van huis)* stay out; 2 *(niet gebeuren)* fail to occur *(of:* appear, materialize): *de gevolgen bleven niet uit* the consequences (soon) became apparent

uitblinken excel: *~ in* excel in

uitblinker brilliant person *(of:* student): *in sport was hij geen ~* he did not shine in sports

uitbloeien leave off flowering: *de rozen zijn uitgebloeid* the roses have finished flowering

uitbouw extension, addition

uitbouwen 1 build out, *(huis ook)* add on to; 2 *(verder ontwikkelen)* develop, expand

uitbraak break, jailbreak

uitbranden I *intr* 1 burn up; 2 *(door vuur verwoest worden)* be burnt down *(of:* out); II *tr (door vuur verwoesten)* burn down, burn out

uitbrander dressing down, telling-off

uitbreiden I *tr* extend, expand: *zijn kennis ~* extend one's knowledge; II *zich ~ (groeien)* extend, expand, spread *(ziekte, gewoonte, brand enz.)*

uitbreiding 1 extension, expansion; 2 *(gedeelte waarmee uitgebreid is)* extension, addition, *(stadswijk)* development

uitbreken break out: *er is brand* (of: *een epidemie) uitgebroken* a fire *(of:* an epidemic) has broken out; *een muur ~* knock down (a part of) a wall

uitbrengen 1 bring out, say: *een toast ~ op iem* propose a toast to s.o.; 2 *(kenbaar maken)* make, give: *verslag ~ van een vergadering* give an account of a meeting; 3 *(op de markt brengen)* bring out, *(plaat, film ook)* release, *(publiceren)* publish: *een nieuw merk auto ~* put a new make of car on the market

uitbroeden hatch (out): *eieren ~* hatch (out) eggs; *hij zit een idee uit te broeden* he is brooding over an idea

uitbuiten exploit, use: *een gelegenheid ~* make the most of an opportunity

uitbuiter exploiter

uitbuiting exploitation

uitbundig exuberant

uitdagen challenge: *tot een duel ~* challenge s.o. to a duel

uitdagend defiant: *~ gekleed gaan* dress provocatively

uitdager challenger

uitdaging challenge, provocation

uitdelen distribute, hand out

uitdeuken beat out (a dent, dents)

uitdijen expand, swell, grow

uitdoen 1 take off, remove: *zijn kleren ~* take off one's clothes; 2 *(doven)* turn off, switch off

uitdokteren work out, figure out

uitdossen dress up, deck out

uitdoven extinguish, *(sigaret ook)* stub out

uitdraai print out

uitdraaien 1 *(uitdoen)* turn off, switch off, *(licht ook)* turn out, put out; 2 *(comp)* print out

uitdragen propagate, spread

uitdrijven drive out, expel, *(kwade geest ook)* exorcize

uitdrogen dry out, dry up *(rivier, vijver)*

uitdrukkelijk express, distinct: *iets ~ verbieden* expressly forbid sth

uitdrukken 1 express, put: *zijn gedachten ~* express *(of:* convey, voice) one's thoughts; *om het eenvoudig uit te drukken* in plain terms, to put it plainly *(of:* simply); 2 *(doven)* stub out, put out: *de waarde van iets in geld ~* express the value of sth in terms of money

uitdrukking 1 expression, idiom, *(benaming)* term: *een vaste ~* a fixed expression; 2 *(mbt het gezicht)* expression, look: *een verwilderde ~ in zijn ogen* a wild *(of:* haggard) look in his eyes

uitdunnen thin (out), deplete

uiteenlopen vary, differ, diverge: *de meningen liepen zeer uiteen* opinions were sharply *(of:* much) divided; *sterk ~* vary *(of:* differ) widely

uiteenlopend various, varied

uiteenzetting explanation, account: *een ~ houden over een kwestie* give an account of sth

uiteinde 1 extremity, tip, (far) end; 2 *(afloop)* end, close, *(jaareinde)* end of the year: *iem een zalig ~ wensen* wish s.o. a happy New Year

uiteindelijk I *bn, bw* final, ultimate, last: *de ~e beslissing* the final decision; II *bw (ten slotte)* finally, eventually, in the end: *~ belandde ik in Rome* eventually I ended *(of:* landed) up in Rome

uiten utter, express, speak

uitentreuren over and over again, continually

uiteraard of course; *(van nature)* naturally

uiterlijk I *zn* 1 appearance, looks: *hij heeft zijn ~ niet mee* his looks are against him; *mensen op hun ~ beoordelen* judge people by their looks; 2 *(schijn)* (outward) appearance, show: *dat is alleen maar voor het ~* that's just for appearance's sake *(of:* for show); II *bn* outward, external: *op de ~e schijn afgaan* judge by appearances; III *bw* 1 *(naar buiten toe)* outwardly, from the outside, externally: *~ scheen hij kalm* outwardly he seemed calm enough; 2 *(op zijn laatst)* at the (very) latest, not later than: *~ (op) 1 november* not later than November 1; *tot ~ 10 juli* until July 10 at the latest

uiterst I *bn* 1 far(thest), extreme, utmost: *het ~e puntje* the (extreme) tip, the far end; *~ rechts* (the)

far right; 2 *(hoogst)* greatest, utmost: *zijn ~ best doen om te helpen* do one's level best to help, bend over backwards to help; 3 *(laatst)* final, last: *een ~ poging* a last-ditch effort; II *bw* extremely, most

uiterste 1 extreme, utmost, limit: *tot ~n vervallen* go to extremes; *van het ene ~ in het andere (vervallen)* go from one extreme to the other; 2 *(mbt een rangorde, intensiteit)* utmost, extreme, last: *bereid zijn tot het ~ te gaan* be prepared to go to any length; 3 *(einde)* extremity, end

uitfluiten hiss (at), give (s.o.) the bird: *uitgefloten worden* receive catcalls, get the bird

uitgaan 1 go out, leave: *het huis (de deur) ~* leave the house; *een avondje ~* have a night out; *met een meisje ~* go out with a girl, take a girl out, date a girl; 2 *(verlaten worden)* be over, be out, break up *(vergadering, school)*, go out: *de school* (of: *de bioscoop) gaat uit* school (of: the film) is over; 3 *(met van) (als uitgangspunt nemen)* start (from), depart (from), take for granted, assume: *men is ervan uitgegaan dat …* it has been assumed (of: taken for granted) that …; *die vlekken gaan er niet uit* these spots won't come out

uitgaand outgoing, outward, *(schepen, verkeer ook)* outbound, outward bound: *~e brieven* (of: *post)* outgoing letters (of: post)

uitgaansavond (regular) night out

uitgaansgelegenheid place of entertainment

uitgaansleven nightlife: *een bruisend ~* a bustling nightlife

uitgang exit, way out

uitgangspositie point of departure: *zich in een goede* (of: *slechte) ~ bevinden om …* be in a good (of: bad) position for sth

uitgangspunt point of departure, starting point

uitgave 1 outlay; *(mv)* spending, expenditure, costs: *de ~n voor defensie* defence expenditure; 2 *(druk)* edition, issue *(van tijdschrift)*; 3 *(publicatie)* publication, production

uitgavepatroon pattern of spending

uitgeblust washed out: *een ~e indruk maken* look washed out

uitgebreid *(veelomvattend)* extensive, comprehensive, detailed *(onderzoek)*

uitgehongerd famished, starving

uitgekiend sophisticated, cunning

uitgekookt sly, shrewd

uitgelaten elated, exuberant

uitgemaakt established, settled

uitgemergeld emaciated, gaunt

uitgeput 1 exhausted, worn out: *~ van pijn* exhausted with pain; 2 *(leeg)* empty, flat *(batterij)*; 3 *(op)* exhausted, at an end: *onze voorraden zijn ~* our supplies have run out (of: are exhausted)

uitgerekend precisely, of all (people, things), very: *~ jij!* you of all people!; *~ vandaag* today of all days

uitgeslapen wide awake, rested

uitgesloten out of the question, impossible

uitgestorven 1 deserted, desolate; 2 *(niet meer be-*

staand) extinct

uitgestrekt vast, extensive

uitgeteld exhausted, deadbeat, *(sport)* (counted) out ‖ *wanneer is zijn vrouw ~?* when is their baby due?

uitgeven 1 spend, pay: *geld aan boeken* (of: *als water)* ~ spend money on books (of: like water); 2 *(in omloop brengen)* issue, emit: *vals geld* ~ pass counterfeit money; 3 *(in druk)* publish; 4 *(laten doorgaan voor)* pass off (as): *zich voor iem anders ~* impersonate s.o., pose as s.o. else

uitgever publisher

uitgeverij publishing house (of: company), publisher('s)

uitgewerkt elaborate, detailed

uitgewoond run-down, dilapidated

uitgezakt flopped down: *~ in een luie stoel zitten* lie slumped in an armchair

uitgezonderd I *vw* except(ing), apart from, but, except for the fact that: *iedereen ging mee, ~ hij* everyone came (along), except for him, everybody but him came (along); **II** *vz* except for, apart from: *niemand ~* with no exceptions, bar none

uitgifte issue, distribution

uitgillen scream (out), shriek (out): *hij gilde het uit van de pijn* he screamed with pain

uitglijden 1 slip, slide; 2 *(glijdend vallen)* slip (and fall): *~ over een bananenschil* slip on a banana peel

uitgooien throw out, eject (from): *een anker ~ cast* (of: drop) anchor

uitgraven 1 dig up, excavate; 2 *(gravend dieper maken)* dig out: *een sloot ~ deepen* (of: dig out) a ditch

uitgroeien grow (into), develop (into)

uithaal hard shot, sizzler

uithakken 1 chop (of: cut, hack) away; 2 *(een beeld enz.)* cut out

uithalen I *tr* 1 take out, pull out, remove, unpick, undo *(breiwerk)*, extract *(bijv. tand)*; 2 *(leeghalen)* empty, clear out, clean out, draw *(gevogelte)*: *een vogelnest ~* take the eggs from a bird's nest; 3 *(uitvoeren)* play, do: *een grap met iem ~* play a joke on s.o.; *wat heb je nu weer uitgehaald!* what have you been up to now!; 4 *(resultaat hebben)* be of use, help: *het haalt niets uit* it is no use (of: all in vain); **II** *intr (een arm, been uitstrekken)* (take a) swing: *~ in de richting van de bal* take a swing (of: swipe) at the ball

uithangbord sign(board): *mijn arm is geen ~* I can't hold this forever

uithangen I *intr* 1 hang out; 2 *(zich bevinden)* be, hang out; **II** *tr* 1 *(naar buiten hangen)* hang out, put out; 2 *(zich voordoen als)* play, act

uitheems exotic, foreign

uithoek remote corner, outpost: *tot in de verste ~en van het land* to the farthest corners of the country; *in een ~ wonen* live in the back of beyond

uithollen 1 scoop out, hollow out; 2 erode: *de democratie ~ undermine* (of: erode) democracy

uithongeren starve (out): *de vijand ~ starve the*

enemy out (of: into submission)

uithoren interrogate, question

uithouden 1 stand, endure: *hij kon het niet langer ~* he could not take (of: stand) it any longer; 2 *(volhouden)* stick (it) out: *het ergens lang ~ stay* (of: stick it out) somewhere for a long time

uithoudingsvermogen staying power, endurance: *geen ~ hebben* lack stamina

uithuilen cry to one's heart's content

uithuwelijken marry off, give in marriage

uiting utterance, expression, word(s): *~ geven aan zijn gevoelens* express (of: vent, air) one's feelings; *tot ~ komen in* manifest (of: reveal) itself in

uitje 1 outing, (pleasure) trip, excursion; 2 *(zilverui)* cocktail onion

uitjouwen, uitjoelen boo, hoot at, jeer at

uitkammen comb (out), search

uitkauwen chew (up)

uitkeren pay (out), remit

uitkering payment, remittance; *(sociaal)* benefit, allowance, pension: *recht hebben op een ~* be entitled to benefit; *een maandelijkse ~* a monthly allowance; *van een ~ leven* live on social security, be on the dole

uitkiezen choose, select: *je hebt het maar voor het ~* (you can) take your pick

uitkijk lookout, watch: *op de ~ staan* be on the watch (of: lookout) (for), keep watch (for)

uitkijken 1 watch out, look out, be careful: *~ met oversteken* take care crossing the street; 2 *(uitzicht hebben)* overlook, look out on: *dit raam kijkt uit op de zee* this window overlooks the sea; 3 *(voortdurend kijken)* look out (for), watch (for): *naar een andere baan ~ watch* (of: look) out for a new job; 4 *(verlangend wachten)* look forward (to): *naar de vakantie ~* look forward to the holidays; 5 *(kijken tot men er genoeg van heeft)* tire (of: sth): *gauw uitgekeken zijn op iets* quickly tire (of: get tired) of sth

uitkijkpost lookout *(ook persoon)*, observation post *(voor de vijand)*

uitkijktoren watchtower

uitklapbaar folding, collapsible: *deze stoel is ~ tot een bed* this chair converts into a bed

uitklappen fold (out)

uitklaren clear (through customs)

uitkleden undress, strip (off): *zich ~ undress, strip* (off)

uitkloppen beat (out), shake (out): *een kleed ~ beat* a carpet

uitknijpen squeeze (out, dry): *een puistje ~ squeeze* out a pimple

uitknippen cut, clip: *prentjes ~ cut out pictures*

uitkomen 1 end up, arrive at: *op de hoofdweg ~ join* (onto) the main road; 2 *(toegang geven tot)* lead (to), give out (into, on to): *die deur komt uit op de straat ~* this door opens (out) on to the street; 3 *(planten)* come out, sprout; 4 *(uit het ei)* hatch (out); 5 *(bekend worden)* be revealed (of: disclosed): *het kwam uit* it was revealed, it transpired;

6 *(met voor)* admit: *voor zijn mening durven ~* stand up for one's opinion; *eerlijk ~ voor* admit openly, be honest about; **7** *(kloppen)* prove to be true *(of:* correct), come true, *(berekening)* come out, work out, be right: *die som komt niet uit* that sum doesn't add up; *mijn voorspelling kwam uit* my prediction proved correct *(of:* came true); **8** *(sport)* play; *(kaartspel)* lead: *met klaveren* (of: *troef) ~* lead clubs *(of:* trumps); **9** *(verschijnen)* appear, be published: *een nieuw tijdschrift laten ~* publish a new magazine; **10** *(tot slot, resultaat hebben)* turn out, work out: *bedrogen ~* be deceived; *dat komt (me) goed uit* that suits me fine, that's very timely *(of:* convenient); **11** *(waarneembaar zijn)* show up, stand out, come out, be apparent: *iets goed laten ~* show sth to advantage; *tegen de lichte achtergrond komen de kleuren goed uit* the colours show up *(of:* stand out) well against the light background

uitkomst (final, net) result, outcome

uitkopen buy out

uitkotsen *(inform)* throw up, spew up

uitkrijgen 1 get off, get out of: *zijn laarzen niet ~* not be able to get one's boots off; **2** *(ten einde lezen)* finish, get to the end of

uitlaat exhaust (pipe), *(Am)* muffler *(van auto);* funnel

uitlaatgas exhaust fumes *(of:* gases)

uitlaatgassen exhaust fumes

uitlaatklep 1 outlet valve *(vloeistof);* exhaust valve, escape valve *(gas);* **2** *(fig)* outlet

uitlaatpijp *(auto)* exhaust pipe

uitlachen laugh at, deride, scoff (at), ridicule: *iem in zijn gezicht ~* laugh in s.o.'s face

uitladen unload, discharge *(schip)*

uitlaten show out *(of:* to the door), see out *(of:* to the door), let out, discharge *(ook gevangene):* een bezoeker ~ show a visitor out *(of:* to the door); *de hond ~* take the dog out (for a walk)

uitleentermijn lending period

uitleg explanation, account: *haar ~ van wat er gebeurd was* her account of what had happened

uitleggen explain, interpret: *dromen ~* interpret dreams; *verkeerd ~* misinterpret, misconstrue

uitlekken 1 drain, drip dry *(wasgoed):* groente laten *~* drain vegetables; **2** *(bekend worden)* get out, leak out

uitlenen lend (out), loan

uitleven, zich live it up, let oneself go

uitleveren extradite *(naar ander land),* hand over: *iem aan de politie ~* hand s.o. over *(of:* turn s.o. in) to the police

uitlevering extradition

uitlezen 1 read to the end, read through, finish (reading); **2** *(comp)* read out

uitlikken lick clean, lick out

uitloggen *(comp)* log off; log out

uitlokken provoke, elicit, stimulate: *een discussie ~* provoke a discussion; *hij lokt het zelf uit* he is asking for it *(of:* trouble)

uitloop extension: *een ~ tot vier jaar* an extension to four years

uitlopen 1 run out (of), walk out (of), leave: *de straat ~* walk down the street; **2** *(planten, knoppen)* sprout, shoot, come out; **3** *(leiden tot)* result in, end in: *dat loopt op niets* (of: *een mislukking) uit* that will come to nothing *(of:* end in failure); *die ruzie liep uit op een gevecht* the quarrel ended in a fight; **4** *(een voorsprong nemen)* draw ahead (of): *hij is al 20 seconden uitgelopen* he's already in the lead by 20 seconds; **5** *(meer tijd in beslag nemen)* overrun its *(of:* one's) time: *de receptie liep uit* the reception went on longer than expected; **6** *(uitvloeien)* run: *uitgelopen oogschaduw* smeared *(of:* smudged) eyeshadow; *de verf is uitgelopen* the paint has run

uitloten 1 eliminate by lottery; **2** *(door loting trekken)* draw, select

uitloven offer, put up: *een beloning ~* offer *(of:* put up) a reward

uitmaken 1 break off *(relatie); (beëindigen ook)* finish, terminate: *het ~ (mbt paar)* break *(of:* split) up; **2** *(vormen)* constitute, make up: *deel ~ van* be (a) part of; *een belangrijk deel van de kosten ~* form *(of:* represent) a large part of the cost; **3** *(van belang zijn)* matter, be of importance: *het maakt mij niet(s) uit* it is all the same to me, I don't care; *wat maakt dat uit?* what does that matter?; *weinig ~* make little difference; **4** *(beslissen)* determine, establish, *(ontcijferen)* make out: *dat maakt hij toch niet uit* that's not for him to decide; *dat maak ik zelf nog wel uit* I'll be the judge of that; **5** *(met voor) (noemen)* call, brand: *iem voor dief ~* call s.o. a thief

uitmelken bleed dry *(of:* white), strip bare: *een onderwerp ~* flog a subject to death

uitmergelen emaciate, starve, exhaust: *een uitgemergeld paard* a wasted horse

uitmesten 1 clean out, muck out: *een stal ~* muck out a stable; **2** *(ontdoen van rommel)* clean up, tidy up: *een kast ~* tidy up *(of:* clear out) a cupboard

uitmonden 1 flow (out), discharge, run into; **2** *(uitlopen op)* lead to, end in: *het gesprek mondde uit in een enorme ruzie* the conversation ended in a fierce quarrel

uitmoorden massacre, butcher

uitmuntend excellent, first-rate

uitnemen remove, take out

uitnodigen invite, ask: *iem op een feestje ~* invite *(of:* ask) s.o. to a party

uitnodiging invitation: *een ~ voor de lunch* an invitation to lunch

uitoefenen 1 practise, pursue, be engaged in; **2** *(laten gelden)* exert, exercise *(gezag),* wield *(macht):* kritiek *~ op* criticize, censure

uitoefening exercise, *(macht ook)* exertion, practice *(beroep, kunst): in de ~ van zijn ambt* in the performance *(of:* discharge, exercise) of his duties

uitpakken unwrap, unpack

uitpersen squeeze *(citroen),* crush *(druiven, olij-*

ven)

uitpluizen unravel *(geheimen),* sift (out, through) *(feiten): iets helemaal ~* get to the bottom of sth

uitpraten I *intr* finish (talking), have one's say: *iem laten ~* let s.o. finish, hear s.o. out; **II** *tr (tot een oplossing brengen)* talk out *(of:* over), have out: *we moeten het ~* we'll have to talk this out *(of:* over)

uitprinten print (out)

uitproberen try (out), test

uitpuilen bulge (out), protrude: *~de ogen* bulging *(of:* protruding) eyes

uitputten 1 exhaust, finish (up): *de voorraad raakt uitgeput* the supply is running out; 2 *(afmatten)* exhaust, wear out

uitputting exhaustion, fatigue: *de ~ van de olievoorraden* the exhaustion of oil supplies

uitrangeren sidetrack, shunt

uitrazen let *(of:* blow) off steam, blow out *(storm): de kinderen laten ~* let the children have their fling

uitreiken distribute, give out, present *(prijs, medaille enz.): diploma's ~* present diplomas; *iem een onderscheiding ~* confer a distinction on s.o.

uitreiking distribution, presentation *(prijs, medaille enz.)*

uitreisvisum exit visa

uitrekenen calculate, compute || *zij is begin maart uitgerekend* the baby is due at the beginning of March

uitrekken I *tr* stretch (out), elongate *(langer): een elastiek ~* stretch out a rubber band; *zich ~* stretch oneself (out); **II** *intr (langer worden)* stretch: *de trui is in de was uitgerekt* the sweater has stretched in the wash

uitrichten do, accomplish: *dat zal niet veel ~* that won't help much

uitrijden drive to the end (of) *(auto, bus enz.);* ride to the end (of) *(fiets, paard)* || *mest ~* spread manure *(of:* fertilizer)

uitrijstrook deceleration lane

uitrit exit: *~ vrijhouden s.v.p.* please keep (the) exit clear

uitroeien *(verdelgen)* exterminate, wipe out

uitroeiing extermination

uitroep exclamation, cry

uitroepen 1 exclaim, shout, cry (out), call (out); 2 *(afkondigen)* call, declare: *een staking ~* call a strike; *hij werd tot winnaar uitgeroepen* he was declared *(of:* voted) the winner

uitroepteken exclamation mark

uitroken smoke out: *vossen ~* smoke out foxes

uitrollen unroll: *de tuinslang ~* unreel the garden hose

uitruimen clear out, tidy out, turn out: *een kast ~* tidy *(of:* turn) out a cupboard

uitrukken I *tr* tear out, pull out: *planten ~* root up *(of:* uproot) plants; **II** *intr* turn out: *de brandweer rukte uit* the fire brigade turned out

uitrusten I *intr* rest; **II** *tr (voorzien van)* equip, fit out: *(techn) uitgerust met 16 kleppen* fitted with 16

valves

uitrusting equipment, kit, outfit, gear: *zijn intellectuele ~* his intellectual baggage; *ze waren voorzien van de modernste ~* they were fitted out with the latest equipment

uitschakelen 1 switch off: *de motor ~* cut *(of:* stop) the engine; 2 *(fig)* eliminate, *(sport ook)* knock out: *door ziekte uitgeschakeld zijn* be out of circulation through ill health

uitscheiden *(inform)* (met met) (ophouden) stop (-ing), cease (to, -ing): *ik schei uit met werken als ik zestig word* I'll stop working when I turn sixty; *schei uit!* cut it out!, knock it off!

uitschelden abuse, call names: *iem ~ voor dief* call s.o. a thief

uitscheuren I *tr* tear out; **II** *intr (scheurend kapotgaan)* tear: *het knoopsgat is uitgescheurd* the buttonhole is torn

uitschieten shoot out, dart out: *het mes schoot uit* the knife slipped

uitschieter peak, highlight

uitschijnen *(Belg): iets laten ~* let it be understood, hint at sth

uitschoppen kick out

uitschot 1 refuse; 2 *(tuig)* scum, dregs

uitschreeuwen cry out: *het ~ van pijn* cry out *(of:* yell, bellow) with pain

uitschrijven 1 write out, copy out: *aantekeningen ~* write out notes; 2 *(uitvaardigen)* call *(vergadering, verkiezing);* hold, organize *(wedstrijd);* 3 *(invullen, ondertekenen)* write out *(cheque): een recept ~* write out a prescription; *rekeningen ~* make out accounts; *iem als lid ~* strike s.o.'s name off the membership list

uitschudden shake (out)

uitschuifbaar extending

uitschuiven 1 slide out, pull out; 2 *(door uit elkaar te schuiven vergroten)* extend: *een tafel ~* extend *(of:* pull out) a table

uitslaan I *tr* 1 beat out, strike out: *het stof ~* beat *(of:* shake) out the dust; 2 *(zuiveren)* shake out, beat out: *een stofdoek ~* shake out a duster; 3 *(uiten)* utter, talk: *onzin ~* talk rot; **II** *intr (bedekt worden met aanslag)* grow mouldy, become mouldy, sweat *(muren)* || *een ~de brand* a blaze

uitslag 1 *(mbt huid)* rash; *(vocht)* damp: *daar krijg ik ~ van* that brings out *(of:* gives me) a rash; 2 *(resultaat)* result, outcome: *de ~ van de verkiezingen (of: van het examen)* the results of the elections *(of:* examination)

uitslapen have a good lie-in, sleep late: *goed uitgeslapen zijn (fig)* be pretty astute *(of:* shrewd); *tot 10 uur ~* stay in bed until 10 o'clock

uitsloven slave away, work oneself to death

uitsluiten 1 shut out, lock out: *zij wordt van verdere deelname uitgesloten* she has been disqualified; 2 *(onmogelijk maken)* exclude, rule out: *die mogelijkheid kunnen we niet ~* that is a possibility we can't rule out *(of:* ignore); *dat is uitgesloten* that is out of the question

uitsluitend only, exclusively *(alleen bw): ~ volwassenen* adults only

uitsluiting 1 exclusion; *(sport)* disqualification; **2** *(uit-, afzondering)* exception: *met ~ van* exclusive of, to the exclusion of

uitsmijter 1 *(persoon)* bouncer; **2** *(gerecht)* fried bacon and eggs served on slices of bread; **3** *(slotnummer)* final number of a show

uitsnijden cut (out), carve (out) *(hout): een laag uitgesneden japon* a low-cut *(of:* low-necked) dress

uitsparen 1 save (on), economize (on): *dertig euro ~* save thirty euros; **2** *(openlaten)* leave blank *(of:* open): *openingen ~* leave spaces

uitsparing cutaway; *(inkeping)* notch

uitspatten live it up

uitspatting splurge; *(financieel)* extravagance: *zich overgeven aan ~en* indulge in excesses

uitspelen 1 finish, play out; **2** *(in het spel werpen)* play, lead: *mensen tegen elkaar ~* play people off against one another

uitsplitsen itemize, break down

uitsplitsing itemization, breakdown

uitspoelen rinse (out), wash (out)

uitspoken be *(of:* get) up to

uitspraak 1 pronunciation, accent: *de ~ van het Chinees* the pronunciation of Chinese; **2** *(oordeel)* pronouncement, judgement; **3** *(jur)* judg(e)ment, sentence, verdict *(mbt jury): ~ doen* pass judg(e)ment, pass *(of:* pronounce) sentence

uitspreiden spread (out), stretch (out)

uitspreken 1 pronounce, articulate *(duidelijk uitspreken): hoe moet je dit woord ~?* how do you pronounce this word?; **2** *(uiten)* say, express: *iem laten ~* let s.o. have his say, hear s.o. out; **3** *(bekendmaken)* declare, pronounce: *een vonnis ~* pronounce judgement

uitspringen *(opvallen)* stand out

uitspugen, uitspuwen spit out

uitstaan I *intr* stand *(of:* stick, jut) out, protrude; **II** *tr* stand, endure, bear: *hitte (of:* lawaai) *niet kunnen ~* not be able to endure the heat *(of:* noise); *iem niet kunnen ~* hate s.o.'s guts; *ik heb nog veel geld ~* I have a lot of money out (at interest)

uitstalkast show case, display case

uitstallen display, expose (for sale), *(fig)* show off

uitstalraam *(Belg) (etalage)* shop window, display window

uitstapje trip, outing, excursion: *een ~ maken* take *(of:* make) a trip, go on an outing

uitstappen get off *(of:* down), step out, get out

uitsteeksel projection, protuberance

uitsteken I *intr* stick out, jut out, project, protrude; **2** *(reiken, komen)* stand out: *de toren steekt boven de huizen uit* the tower rises (high) above the houses; *boven alle anderen ~* tower above all the others; **II** *tr* **1** *(naar buiten steken)* hold out, put out; **2** *(uitstrekken)* reach out, stretch out: *zijn hand naar iem ~* extend one's hand to s.o.

uitstekend excellent, first-rate: *van ~e kwaliteit* of high quality

uitstel delay, postponement, deferment: *~ van betaling* postponement *(of:* extension) of payment; *zonder ~* without delay; *(Belg; jur) met ~* suspended

uitstellen put off, postpone, defer: *voor onbepaalde tijd ~* postpone indefinitely

uitsterven die (out), *(geslacht, diersoort enz. ook)* become extinct: *het dorp was uitgestorven* the village was deserted

uitstijgen surpass

uitstippelen outline, map out, trace out, work out *(plan, beleid): een route ~* map out a route

uitstoot discharge, emissions

uitstorten 1 pour out *(of:* forth), empty (out); **2** *(uiten)* pour out: *zijn woede ~ over iem* vent one's rage upon s.o.

uitstorting 1 pouring out, outpouring *(fig);* **2** *(mbt bloed)* effusion

uitstoten 1 expel, cast out: *iem ~ uit de groep* expel *(of:* banish) s.o. from the group; **2** *(spreken)* emit, utter: *onverstaanbare klanken ~* emit *(of:* utter) unintelligible sounds; **3** *(naar buiten stoten)* eject, emit *(rook, gassen enz.)*

uitstralen I *tr (ook fig)* radiate, give off, exude: *zelfvertrouwen ~* radiate *(of:* exude, ooze) self-confidence; **II** *intr ((als) stralen uitgaan van)* radiate, emanate

uitstraling radiation, emission, *(fig)* aura: *een enorme ~ hebben (ongev)* possess charisma, have a certain magic

uitstrekken I *tr* **1** stretch (out), reach (out), extend: *met uitgestrekte armen* with outstretched arms; **2** *(doen reiken)* extend; **II** *zich ~* extend, stretch (out): *zich ~ over* extend over

uitstrijken spread, smear

uitstrijkje (cervical) smear, swab

uitstromen 1 stream out, pour out; **2** *(uitmonden)* flow *(of:* discharge, empty) into

uitstrooien scatter, spread

uitsturen send out, *(sport)* send off (the field): *iem op iets ~* send s.o. for sth

uittekenen draw, trace out: *ik kan die plaats wel ~* I know every detail of that place

uittesten test (out), try (out), put to the test

uittikken type out

uittocht exodus, trek

uittrap goal kick

uittrappen 1 kick (the ball) into play, take a goal kick; **2** *(uit het speelveld trappen)* put out of play *(of:* into touch, over the line); **3** *(uitdoen)* kick off

uittreden resign (from): *vervroegd ~ (met pensioen)* retire early, take early retirement

uittrekken I *tr* **1** take off, *((hand)schoenen, sokken ook)* pull off: *zijn kleren ~* take off one's clothes, undress; **2** *(bestemmen)* put aside, set aside, reserve: *een bedrag voor iets ~* put *(of:* set) aside a sum (of money) for sth; **II** *intr (naar buiten trekken)* go out, march out: *erop ~ om* set out to

uittreksel excerpt, extract
uittypen type out
uitvaardigen issue, put out, *(wet, decreet ook)* make
uitvaart funeral (service), burial (service)
uitvaartcentrum funeral parlour, mortuary
uitvaartdienst funeral service, burial service
uitvaartmis funeral mass
uitvaartstoet funeral procession
uitval 1 *(van woede enz.)* outburst, explosion; 2 *(van haar)* (hair) loss
uitvallen 1 burst out, explode, blow up; 2 *(van haar)* fall *(of:* drop, come) out: *zijn haren vallen uit* he is losing his hair; 3 *(wegvallen)* drop out, fall out, *(verbinding)* break down: *de stroom is uitgevallen* there's a power failure; 4 *(aflopen)* turn out, work out: *we weten niet hoe de stemming zal ~* we don't know how *(of:* which way) the vote will go
uitvaller person who drops out, casualty
uitvalsweg main traffic road (out of a town)
uitvaren sail, put (out) to sea, leave port
uitvechten fight out: *iets met iem ~* fight *(of:* have) sth out with s.o.
uitvegen 1 sweep out, clean out; 2 *(wissen)* wipe out; *(wrijven)* erase: *een woord op het schoolbord ~* wipe *(of:* rub) out a word on the blackboard
uitvergroten enlarge, magnify, blow up
uitvergroting enlargement, blow-up
uitverkocht 1 sold out: *onze kousen zijn ~* we have run out of stockings; 2 *(vol)* sold out, booked out, fully booked: *voor een ~e zaal spelen* play to a full house
uitverkoop (clearance, bargain) sale
uitverkopen sell off, clear, *(hele voorraad)* sell out
uitvinden 1 invent; 2 *(te weten komen)* find out, discover
uitvinder inventor
uitvinding invention; *(ding)* gadget: *een ~ doen* invent sth
uitvissen dig *(of:* fish, ferret) out
uitvlucht excuse, pretext: *~en zoeken* make excuses, *(ook)* dodge *(of:* evade) the question
uitvoegen *(via uitvoegstrook)* exit
uitvoegstrook deceleration lane
uitvoer 1 export: *de in- en ~ van goederen* the import and export of goods; 2 *(wat uitgevoerd wordt)* exports; 3 *(uitvoering)* execution: *een opdracht ten ~ brengen* carry out an instruction *(of:* order)
uitvoerartikel export product
uitvoerbaar feasible, workable, practicable
uitvoerder works foreman
uitvoeren 1 export; 2 *(doen)* do: *hij voert niets uit* he doesn't do a stroke (of work); 3 *(volbrengen)* perform, carry out: *plannen ~* carry out *(of:* execute) plans
uitvoerend executive: *~ personeel* staff carrying out the work
uitvoerhaven port of export *(of:* shipment), shipping port
uitvoerig comprehensive, full; *(gedetailleerd)* elab-

orate, detailed: *iets ~ beschrijven* (of: *bespreken*) describe/discuss sth at great *(of:* some) length
uitvoering 1 carrying out, performance: *werk in ~* road works (ahead), men at work, work in progress; 2 *(het spelen)* performance, *(muziekstuk ook)* execution; 3 *(wijze van bewerking)* design, construction, *(mbt kwaliteit vh werk)* workmanship: *wij hebben dit model in twee ~en* we have two versions of this model
uitvoerrecht export duty
uitvoerverbod prohibition of export(s), ban on export(s)
uitvoervergunning export licence
uitvouwen unfold, fold out, spread out
uitvreten be up to: *wat heeft hij nou weer uitgevreten?* what has he been up to now?
uitwaaien 1 blow out, be blown out; 2 *(een frisse neus halen)* get a breath of (fresh) air
uitwas excrescence, morbid growth, *(mv)* excesses
uitwasemen 1 evaporate; 2 *(damp afgeven)* steam, *(van huid)* perspire
uitwassen 1 wash (out); swab (out) *(een wond);* 2 *(doen verdwijnen)* wash out *(of:* away)
uitwedstrijd away match *(of:* game)
uitweg way out, *(oplossing, ook)* answer: *hij zag geen andere ~ meer dan onder te duiken* he had no choice but to go into hiding
uitweiden expatiate (on), hold forth
uitwendig external, outward, exterior: *een geneesmiddel voor ~ gebruik* a medicine for external use
uitwerken I *tr* 1 work out, elaborate: *zijn aantekeningen ~* work up one's notes; *een idee ~* develop an idea; *uitgewerkte plannen* detailed plans; 2 *(helemaal berekenen)* work out, compute: *sommen ~* work out sums; II *intr* wear off, *(geen kracht meer hebben)* have spent one's force: *de verdoving is uitgewerkt* (the effect of) the anaesthetic has worn off
uitwerking 1 effect, result: *de beoogde ~ hebben* have the desired *(of:* intended) effect, be effective; *de medicijnen hadden geen ~* the medicines had no effect *(of:* didn't work); 2 *(bewerking)* working out, elaboration; 3 *(berekening)* working out, computation
uitwerpen 1 throw out: *zijn hengel ergens ~* cast one's line somewhere; 2 *(door werpen verwijderen)* throw out
uitwerpselen excrement; *(van dieren ook)* droppings
uitwijkeling *(Belg)* emigrant
uitwijken get out of the way (of); *(plaats maken)* make way (for): *rechts ~* swerve to the right; *men liet het luchtverkeer naar Oostende ~* air traffic was diverted to Ostend
uitwijzen 1 show, reveal: *de tijd zal het ~* time will tell; 2 *(mbt vreemdelingen)* deport, expel
uitwijzing *(mbt vreemdelingen)* deportation, expulsion
uitwisselbaar interchangeable, exchangeable
uitwisselen exchange, *(inform)* swap: *ervaringen ~*

compare notes

uitwisseling exchange, swap

uitwissen wipe out, erase, *(vnl. fig)* efface: *een opname* ~ wipe *(of:* erase) a recording; *sporen* ~ cover up one's tracks

uitwonend (living) away from home: *een ~e dochter* one daughter living away from home

uitworp throw(-out)

uitwrijven 1 rub, *(schoenen enz.)* polish (up): *zijn ogen* ~ rub one's eyes; **2** *(uitspreiden)* spread, rub over

uitwringen wring out

uitzaaien *(med)* **I** *tr* sow, disseminate; **II** *zich* ~ metastasize, *(niet technisch)* spread: *de kanker had zich uitgezaaid* the cancer had spread *(of:* formed secondaries)

uitzaaiing *(med)* spread, dissemination

uitzakken sag, give way: *een uitgezakt lichaam* a sagging body

uitzeilen sail (away, off), set sail

uitzendbureau (temporary) employment agency, temp(ing) agency: *voor een ~ werken* temp, do temping

uitzenden broadcast, transmit: *de tv zendt de wedstrijd uit* the match will be televised *(of:* be broadcast)

uitzending broadcast, transmission: *een rechtstreekse* ~ a direct *(of:* live) broadcast; *u bent nu in de* ~ you're on the air now

uitzendkracht temporary worker *(of:* employee); temp

uitzet outfit; *(van bruid)* trousseau

uitzetten 1 throw out, put out, expel, *(uit land)* deport: *ongewenste vreemdelingen* ~ deport *(of:* expel) undesirable aliens; **2** *(uitschakelen)* switch off, turn off: *het gas* ~ turn the gas off; **3** *(mbt omvang)* expand, enlarge, *(langer maken)* extend

uitzetting ejection, expulsion, *(uit land ook)* deportation, *(uit huis)* eviction

uitzicht 1 view, prospect, panorama: *vrij* ~ unobstructed view; *met* ~ *op* with a view of, overlooking, looking (out) onto; **2** *(vooruitzicht)* prospect, outlook: ~ *geven op promotie* hold out prospects *(of:* the prospect) of promotion

uitzichtloos hopeless, dead-end

uitzien *(tot uitzicht hebben)* face, front, look out on: *een kamer die op zee uitziet* a room with a view of the sea, a room facing the sea

uitzingen hold out, manage

uitzinnig delirious, wild: *een ~e menigte* a frenzied *(of:* hysterical) crowd

uitzitten sit out, stay until the end of: *zijn tijd* ~ sit out *(of:* wait out) one's time

uitzoeken 1 select, choose, pick out; **2** *(sorteren)* sort (out); **3** *(uitpuzzelen)* sort out, figure out

uitzonderen except, exclude

uitzondering exception: *een ~ maken voor* make an exception for; *een ~ op de regel* an exception to the rule; *met ~ van* with the exception of, excepting,

save

uitzonderlijk exceptional, unique

uitzuigen 1 *(uitbuiten)* squeeze dry, bleed dry, exploit; **2** *(met stofzuiger)* vacuum (out)

uitzuiger bloodsucker, extortionist

uitzwaaien send off, wave goodbye to

uitzweten sweat out

uk toddler, kiddy

ultiem ultimate, last-minute

ultimatum ultimatum: *een ~ stellen* give (s.o.) an ultimatum

ultramodern ultramodern

ultraviolet ultraviolet

unaniem unanimous: ~ *aangenomen* adopted unanimously

unie union, association: *Europese Unie* European Union

unief *(Belg) (verkorting van universiteit)* university

uniek unique

uniform uniform: *een ~ dragen* wear a uniform

uniseks unisex

universeel universal: *de universele rechten van de mens* the universal rights of man

universitair university: *iem met een ~e opleiding* s.o. with a university education

universiteit university: *hoogleraar aan de ~ van Oxford* professor at Oxford University; *naar de ~ gaan* go to the university, *(Am ook)* go to college

universum universe

unzippen *(comp)* unzip, decompress, unpack

uranium uranium: *verrijkt* ~ enriched uranium

urgent urgent

urgentie urgency

urgentieverklaring certificate of urgency *(of:* need)

urine urine

urineonderzoek urine analysis

urineren urinate

urinoir urinal

urn urn

urologie urology

uroloog urologist

Uruguay Uruguay

utopie utopia, utopian dream

utopisch utopian

uur 1 hour: *lange uren maken* put in *(of:* work) long hours; *verloren ~(tje)* spare time *(of:* hour); *het duurde uren* it went on for hours, it took hours; *over een* ~ in an hour; €25 *per* ~ *verdienen* earn 25 euros an hour; *100 kilometer per* ~ 100 kilometres per *(of:* an) hour; *per* ~ *betaald worden* be paid by the hour; *kun je hier binnen twee* ~ *zijn?* can you be here within two hours?; *het is een* ~ *rijden* it is an hour's drive; *een* ~ *in de wind stinken* stink to high heaven; **2** *(lesuur)* hour, period, lesson: *we hebben het derde uur natuurkunde* we have physics for the third lesson; **3** *(punt op een wijzerplaat)* o'clock: *op het hele* ~ on the hour; *op het halve* ~ on the half hour; *hij kwam tegen drie* ~ he came around three

o'clock; *om ongeveer acht* ~ round about eight
(o'clock); *om negen ~ precies* at nine o'clock sharp;
4 *(ogenblik)* hour, moment: *het ~ van de waarheid
is aangebroken* the moment of truth is upon us;
zijn laatste ~ heeft geslagen his final hour has come,
his number is up
uurloon hourly wage, hourly pay: *zij werkt op* ~ she
is paid by the hour
uurtarief hourly rate
uurtje hour: *in de kleine ~s thuiskomen* come home
in the small hours
uurwerk *(klok)* clock, timepiece
uurwijzer hour hand
uw your: *het ~e* yours
uzelf yourself, yourselves

V

vaag vague, faint, dim: *ik heb zo'n ~ vermoeden dat ...* I have a hunch (*of*: a sneaking suspicion) that ...

vaagheid vagueness

vaak often, frequently: *dat gebeurt niet ~* that doesn't happen very often; *steeds vaker* more and more (frequently)

vaal faded

vaan flag, standard

vaandel banner, flag

vaantje (small) flag, pennant

vaarbewijs navigation licence

vaardig skilful, proficient

vaardigheid skill, skilfulness, *(mbt vreemde talen)* proficiency: *sociale vaardigheden* social skills; *~ in het schrijven* writing skill

vaargeul channel, waterway

vaarroute sea lane

vaars heifer

vaart 1 speed, *(ook fig)* pace: *in volle ~* at full speed (*of*: tilt); *de ~ erin houden* keep up the pace; *het zal zo'n ~ niet lopen* it won't come to that (*of*: get that bad); *~ minderen* reduce speed, slow down; *ergens ~ achter zetten* hurry (*of*: speed) things up, get a move on; 2 *(het varen)* navigation, (sea) trade: *de wilde ~* tramp shipping

vaartijd sailing time

vaartuig vessel, craft

vaarwater water(s): *in rustig ~* in smooth water(s)

vaarwel farewell: *iem ~ zeggen* bid s.o. farewell

vaas vase

vaat washing-up, dishes

vaatdoek dishcloth

vaatwasmachine dishwasher

vaatwasser dishwasher

vacant vacant, free, open: *een ~e betrekking* a vacancy, an opening

vacature vacancy, opening: *voorzien in een ~* fill a vacancy

vacaturebank job vacancy department

vaccin vaccine

vaccinatie vaccination

vaccineren vaccinate

vacht 1 *(van een schaap)* fleece; *(van andere dieren)* fur, coat; 2 *(geprepareerde schapenhuid)* sheepskin; 3 *(pels)* fur, pelt: *de ~ van een beer* a bearskin

vacuüm vacuum

vader father: *~tje en moedertje spelen* play house; *het Onze Vader* the Lord's Prayer; *natuurlijke* (of: *wettelijke*) *~* natural (*of*: legal) father; *hij zou haar ~ wel kunnen zijn* he is old enough to be her father; *van ~ op zoon* from father to son; *zo ~, zo zoon* like father, like son

vaderdag Father's Day

vaderland (native) country: *voor het ~ sterven* die for one's country; *een tweede ~* a second home

vaderlands national, native: *de ~e geschiedenis* national history

vaderlandsliefde patriotism, love of (one's) country

vaderlijk I *bn* 1 paternal; 2 *(als (van) een vader)* fatherly; II *bw* in a fatherly way, like a father

vaderschap paternity, fatherhood

vaderszijde father's side, paternal side: *grootvader van ~* paternal grandfather

vadsig (fat and) lazy

vagebond vagabond, tramp

vagelijk vaguely, faintly

vagevuur purgatory

vagina vagina

vaginaal vaginal

vak 1 section, square, space; box *(formulier, puzzel)*; 2 *(deel ve kast, doos)* compartment, *(postvak)* pigeon-hole, shelf *(winkel, bibliotheek)*: *de ~ken bijvullen* fill the shelves; 3 *(beroep)* trade; *(hoger)* profession: *een ~ leren* learn a trade; *een ~ uitoefenen* practise a trade, be in a trade (*of*: business); *zijn ~ verstaan* understand one's business, know what one is about; 4 *(op school enz.)* subject, *(vnl mbt hoger onderwijs)* course: *exacte ~ken* (exact) sciences, science and maths

vakantie holiday(s), *(vnl Am)* vacation: *een week ~* a week's holiday; *de grote ~* the summer holidays; *prettige ~!* have a nice holiday!; *een geheel verzorgde ~* a package tour; *~ hebben* have a holiday; *~ nemen* take a holiday; *met ~ gaan* go on holiday

vakantieadres holiday address

vakantiebestemming holiday destination

vakantiedag (day of one's) holiday

vakantieganger holidaymaker

vakantiegeld holiday pay

vakantiehuis holiday cottage

vakantietijd holiday period (*of*: season)

vakantiewerk holiday job, summer job

vakbekwaam skilled

vakbekwaamheid (professional) skill

vakbeurs trade fair

vakbeweging trade unions

vakblad trade journal

vakbond (trade) union

vakbondsleider (trade) union leader

vakbondslid (trade) union member

vakcentrale trade union federation

vakdidactiek teaching method(ology)

vakdiploma (professional) diploma

vakgebied field (of study)

vakjargon (technical) jargon

vakje 1 compartment; **2** *(van formulier, puzzel)* box; **3** *(van bureau, geheugen)* pigeon-hole

vakkennis professional knowledge, expert knowledge, *(praktisch)* know-how

vakkenpakket chosen set of course options

vakkenvuller stock clerk, grocery clerk

vakkleding working clothes

vakkundig I *bn* skilled, competent; **II** *bw* competently, with great skill: *het is ~ gerepareerd* it has been expertly done

vakman expert, professional, *(arbeider)* skilled worker

vakmanschap skill, *(vaardigheid)* craftsmanship: *het ontbreekt hem aan ~* he lacks skill

vakonderwijs vocational education *(of:* training)

vakopleiding vocational training

vaktechnisch technical

vakterm technical term

vakwerk craftsmanship, workmanship: *~ afleveren* produce excellent work

val 1 fall (off, from), *(misstap)* trip: *een vrije ~ maken* skydive; *hij maakte een lelijke ~* he had a nasty fall; *ten ~ komen* fall (down), have a fall; *iem ten ~ brengen* bring s.o. down; **2** *(ondergang)* (down)fall, collapse: *de regering ten ~ brengen* overthrow *(of:* bring down) the government; **3** *(om dieren te vangen)* trap, *(strik)* snare: *een ~ opzetten* set *(of:* lay) a trap; **4** *(hinderlaag)* trap, frame-up: *in de ~ lopen* walk *(of:* fall) into a trap, *(erin lopen)* rise to *(of:* swallow) the bait

valavond *(Belg)* dusk, twilight

Valentijnsdag St Valentine's Day

valhelm (crash) helmet

valies (suit)case

valium Valium

valk falcon

valkuil pitfall, trap

vallei valley

vallen 1 fall, drop: *er valt sneeuw* (of: *hagel)* it is snowing (of: *hailing); uit elkaar ~* fall apart, drop to bits; *zijn blik laten ~ op* let one's eye fall on; **2** *(omvallen)* fall (over), *(struikelen)* trip (up): *iem doen ~* make s.o. fall, *(doen struikelen)* trip s.o. up; *zij kwam lelijk te ~* she had a bad fall; *met ~ en opstaan* by trial and error; *van de trap ~* fall *(of:* tumble) down the stairs; **3** *(mbt bevoegdheid enz.)* come, fall: *dat valt buiten zijn bevoegdheid* that falls outside his jurisdiction; **4** *(verloren gaan)* drop: *iem laten ~* drop *(of:* ditch) s.o.; *hij liet de aanklacht ~* he dropped the charge; **5** *(zich aangetrokken voelen tot)* go (for), take (to): *zij valt op donkere mannen* she goes for dark men; *Kerstmis valt op een woensdag* Christmas (Day) is on a Wednesday; *het ~ van de avond* nightfall; *er vielen doden* (of: *gewonden)* there were fatalities *(of:* casualties); *er viel een stilte* there was a hush, silence fell; *met haar valt niet te praten* there is no talking to her; *er valt wel iets voor te zeggen om ...* there is

sth to be said for ...

valling slope, gradient

valluik trapdoor

valnet safety net

valpartij spill, fall

valreep gangway, gangplank ‖ *op de ~* right at the end, at the final *(of:* last) moment

vals I *bn* **1** false, fake, phoney, *(voor zn)* pseudo-; **2** *(foutief)* wrong, false: *een ~ spoor* a false trail; **3** *(muz)* flat *(te laag);* sharp *(te hoog);* false; **4** *(gemeen)* mean, vicious: *een ~ beest* a vicious animal; **5** *(vervalst)* forged, fake, false, counterfeit: *een ~e Vermeer* a forged *(of:* fake) Vermeer; **6** *(kunst-, namaak-)* false, artificial, *(voor zn)* mock, *(voor zn)* imitation: *~ haar* false hair; **II** *bw* falsely: *~ spelen* play out of tune, cheat (at cards); *~ zingen* sing out of tune, sing off key

valsemunter counterfeiter, forger

valsemunterij counterfeiting, forgery

valsheid 1 spuriousness: *overtuigd van de ~ van het schilderij* convinced that the painting is a fake; **2** *(het vervalsen)* forgery, fraud, counterfeiting: *~ in geschrifte* forgery

valstrik snare, trap: *iem in een ~ lokken* lead *(of:* lure) s.o. into a trap

valuta currency

vampier vampire

van I *vz* **1** *(mbt plaats, oorsprong)* from: *hij is ~ Amsterdam* he's from Amsterdam; *~ dorp tot dorp* from one village to another; *~ een bord eten* eat from *(of:* off) a plate; **2** *(vanaf, sinds)* from: *~ de vroege morgen tot de late avond* from (the) early morning till late at night; *~ tevoren* beforehand, in advance; *~ toen af* from then on, from that day *(of:* time) (on); **3** *(om bezit of relatie aan te geven)* of: *het hoofd ~ de school* the head(master) of the school; *de trein ~ 9.30 uur* the 9.30 train; *een foto ~ mijn vader:* a) *(eigendom)* a picture of my father's; b) *(hem voorstellend)* a picture of my father; *~ wie is dit boek? het is ~ mij* whose book is this? it's mine; **4** *(gemaakt, bestaande uit)* (made, out) of: *een tafel ~ hout* a wooden table; **5** *(mbt maker, auteur)* by, of: *dat was niet slim ~ Jan* that was not such a clever move of Jan's; *het volgende nummer is ~ Van Morrison* the next number is by Van Morrison; *een plaat ~ de Stones* a Stones record, a record by the Stones; *drie ~ de vier* three out of four; *een jas met ~ die koperen knopen* a coat with those brass buttons; *~ dat geld kon hij een auto kopen* he was able to buy a car with that money; *daar niet ~* that's not the point; *ik geloof ~ niet* I don't think so; *ik verzeker u ~ wel* I assure you I do; *het lijkt ~ wel* it seems *(of:* looks) like it; **II** *bw* of, from: *je kunt er wel een paar ~ nemen* you can have some (of those)

vanaf 1 from; as from, *(Am)* as of, beginning, since *(punt in het verleden):* ~ *de 16e eeuw* from the 16th century onward(s); *~ vandaag* as from *(Am:* as of) today; **2** *(mbt een volgorde)* from, over: *prijzen ~ ...* prices (range) from ...

va

vanavond tonight, this evening
vanbinnen (on the) inside
vanboven 1 on the top, on the upper surface, above;
2 *(van een hoger punt)* from above
vanbuiten 1 from the outside; 2 *(aan de buitenzijde)* on the outside; 3 *(uit het hoofd)* by heart: *iets ~ kennen* (of: *leren*) know (of: learn) sth by heart
vandaag today: *~ de dag* nowadays, these days, currently; *tot op de dag van ~* to this very day, to date; *~ is het maandag* today is Monday; *~ over een week* a week from today, in a week's time, a week from now; *de krant van ~* today's paper; *liever ~ dan morgen* the sooner the better; *~ of morgen* one of these days, soon
vandaal vandal
vandaan 1 away, from: *we moeten hier ~!* let's go away!; 2 *(uit)* out of, from: *waar heb je die oude klok ~?* where did you pick up (of: get) that old clock?; *waar kom (ben) jij ~?* where are you from?, where do you come from?; *hij woont overal ver ~* he lives miles from anywhere
vandaar therefore, that's why
vandalisme vandalism
vandoor off, away: *ik moet er weer ~* I have to be off; *hij is er met het geld ~* he has run off with the money
vaneen separated, split up
vangen 1 catch, *(gevangennemen ook)* capture, *(in een val)* (en)trap: *een dief ~* catch a thief; 2 *(opvangen)* catch *(blik, wind)*; 3 *(verdienen)* make: *twintig piek per uur ~* make five quid *(Am:* ten bucks) an hour
vangnet 1 (trap-)net; 2 *(om mensen op te vangen)* safety net
vangrail crash barrier
vangst catch, capture, *(buit)* haul: *de politie deed een goede ~* the police made a good catch (of: haul)
vanille vanilla
vanilleijs vanilla ice cream
vanillevla *(ongev)* vanilla custard
vanmiddag this afternoon
vanmorgen this morning, *(later in de dag gezegd; ook)* in the morning: *~ vroeg* early this morning
vannacht tonight, *(de afgelopen nacht)* last night: *je kunt ~ blijven slapen, als je wil* you can stay the night, if you like; *hij kwam ~ om twee uur thuis* he came home at two o'clock in the morning
vanouds: *het was weer als ~* it was just like old times again
vanuit 1 from, *(door iets heen)* out of: *ik keek ~ mijn raam naar beneden* I looked down from (of: out of) my window; 2 *(uitgaande van)* starting from
vanwaar 1 from where; 2 *(om welke reden)* why: *~ die haast?* what's the hurry?
vanwege because of, owing to, due to, on account of
vanzelf 1 by oneself, of oneself, of one's own accord; 2 *(automatisch)* as a matter of course, automatically: *alles ging (liep) als ~* everything went smoothly; *dat spreekt ~* that goes without saying
vanzelfsprekend I *bn* obvious, natural, self-evi-

dent; **II** *bw* obviously, naturally, of course: *als ~ aannemen* take sth for granted
¹varen sail: *het schip vaart 10 knopen* the ship sails at 10 knots; *hij wil gaan ~* he wants to go to sea (of: be a sailor)
²varen fern
variabel variable, flexible: *~e werktijden* flexible working hours
variabele variable
variant variant, variation: *een ~ op* a variant of, a variation on
variatie variation, change: *voor de ~* for a change
variëren vary, differ: *sterk ~de prijzen* widely differing prices
variété variety, music hall
variëteit variety, diversity
varken pig, *(gecastreerd)* hog; *(als scheldwoord ook)* swine: *zo lui als een ~* bone idle (of: lazy)
varkensfokkerij pig farm
varkenshaas pork tenderloin (of: steak)
varkenshok pigsty
varkenskotelet pork chop
varkensleer pigskin
varkensstal pigsty, *(modern)* pig house
varkensvlees pork
varkensvoer pigfeed, pigfood, *(vloeibaar)* (pig)swill
vaseline vaseline
vast I *bn* 1 fixed, immovable: *~e vloerbedekking* wall-to-wall carpet(ing); 2 *(niet van plaats, richting veranderend)* fixed, stationary: *~ raken* get stuck (of: caught, jammed); *~e datum* fixed date; *~e inkomsten* a fixed (of: regular) income; *~e kosten* fixed (of: standing) charges; *een ~e prijs* a fixed (of: set) price; 3 *(niet weifelend)* firm, steady: *met ~e hand* with a steady (of: sure) hand; *~e overtuiging* firm conviction; 4 *(permanent)* permanent, regular *(werk)*, steady *(vriend(in))*: *~ adres* fixed address; *een ~e betrekking* a permanent position; 5 *(compact)* solid: *~ voedsel* solid food; 6 *(stevig)* firm: *~e vorm geven* shape; 7 *(goed bevestigd)* tight, firm; 8 *(mbt gewoonten, afspraken)* established, standing: *een ~ gebruik* a (set) custom; *een ~e regel* a fixed (of: set) rule; **II** *bw* 1 fixedly, firmly; 2 *(stellig)* certainly, for certain (of: sure): *hij is het ~ vergeten* he must have forgotten (it); *~ en zeker* definitely, certainly; 3 *(alvast)* for the time being, for the present: *begin maar ~ met eten* go ahead and eat (of: start eating)
vastberaden resolute, firm; determined
vastbesloten determined
vastbinden tie (up, down), bind (up), fasten: *zijn armen werden vastgebonden* his arms were tied (of: bound) (up)
vasteland 1 continent; 2 *(de vaste wal)* mainland, *(vasteland van Europa)* Continent
vasten I *zn* fast(ing); **II** *intr* fast
vastentijd 1 Lent; 2 fast, time of fasting
vastgeroest stuck: *in zijn gewoonten ~* set in his ways

vastgoed real estate (*of:* property)

vasthouden hold (fast), (*stevig vasthouden*) grip, (*in arrest*) detain: *iemands hand ~* hold s.o.'s hand; *hou je vast!* brace yourself (for the shock)!

vasthoudend tenacious, (*niet aflatend*) persistent, (*volhardend*) persevering

vastklemmen clip (on), tighten: *de deur zat vastgeklemd* the door was jammed

vastleggen 1 tie up: *zich niet ~ op iets, zich nergens op ~* refuse to commit oneself, leave one's options open, (*zich vrijblijvend opstellen*) be non-committal; **2** set down, record: *iets schriftelijk ~* put sth down in writing

vastliggen be tied up, be fixed: *die voorwaarden liggen vast in het contract* those conditions have been laid down in the contract

vastlijmen glue (together), stick (together)

vastlopen 1 jam, get jammed (*verkeer, machine, motor*): *het schip is vastgelopen* the ship has run aground; **2** (*fig*) get stuck, be bogged down: *de onderhandelingen zijn vastgelopen* negotiations have reached a deadlock

vastmaken fasten, tie up (*boot, veter, pakje*), do up, button up (*jas*); (*stevig*) secure

vastpakken grip, grasp, (*vastgrijpen*) grab

vastplakken stick together, glue together

vastroesten rust

vastspijkeren nail (down), tack (*met duimspijkertjes*)

vaststaan 1 (*geheel zeker zijn*) be certain: *het staat nu vast, dat* it is now definite (*of:* certain) that; *de datum stond nog niet vast* the date was still uncertain (yet); **2** (*onveranderlijk zijn*) be fixed: *zijn besluit staat vast* his mind is made up

vaststaand certain, final (*beslissing*): *een ~ feit* an established (*of:* a recognized) fact

vaststellen 1 fix, determine, settle, arrange: *een datum ~* settle on (*of:* fix) a date; *een prijs ~* fix a price; **2** (*voorschrijven, besluiten*) decide (on), specify, lay down (*wetten*): *op vastgestelde tijden* at stated times (*of:* intervals); **3** (*constateren*) find, conclude; **4** (*zich zekerheid verschaffen over*) determine, establish: *de doodsoorzaak ~* establish (*of:* determine) the cause of death; *de schade ~* assess the damage

vastvriezen freeze (in)

vastzetten 1 fix, fasten, (*goed vast doen staan*) secure; **2** tie up, lock up, settle (on): *zijn spaargeld voor vijf jaar ~* tie up one's savings for five years

vastzitten 1 be stuck, (*van deur enz. ook*) be jammed: *~ in de file* be stuck in a tailback; **2** (*vastgehecht zijn*) be stuck (*of:* fixed): *daar zit heel wat aan vast* there is (a lot) more to it (than meets the eye); **3** (*in gevangenschap*) be locked up, be behind bars: *hij heeft een jaar vastgezeten* he has been inside for a year; **4** (*in moeilijkheden*) be in a fix; **5** (*gebonden zijn aan*) be tied (down) (to), be committed (to): *hij heeft het beloofd; nu zit hij eraan vast* he made that promise, he can't get out of it now

¹vat (*ton*) barrel (*ook als maat, vnl. van aardolie*); (*fust*) cask, (*van ijzer*) drum: *een ~ petroleum* an oil drum; *bier van het ~* draught beer

²vat hold, grip, (*handgreep*) handle: *geen ~ op iem hebben* have no hold over s.o.

vatbaar 1 susceptible to, liable to: *hij is zeer ~ voor kou* he is very prone to catching colds; **2** (*ontvankelijk*) amenable (to), open to: *hij is niet voor rede ~* he's impervious (*of:* not open) to reason

Vaticaan Vatican

Vaticaanstad Vatican City

vatten catch: *kou ~* catch cold

vbo *afk van voorbereidend beroepsonderwijs* junior secondary vocational education

v.Chr. *afk van voor Christus* BC

vechten 1 fight, (*bestrijden*) combat: *wij moesten ~ om in de trein te komen* we had to fight our way into the train; **2** (*zich weren voor, tegen*) fight (for, against): *tegen de slaap ~* fight off sleep

vechter fighter, combatant

vechtlustig pugnacious

vechtpartij fight, brawl

vechtsport combat sport

vector vector

vedergewicht featherweight

vedette star, celebrity

vee cattle: *een stuk ~* a head of cattle

veearts veterinary (surgeon), (*Am*) veterinarian, vet

veeg I *bn* **1** fatal; **2** (*onheilspellend*) ominous; fateful: *een ~ teken* a bad sign (*of:* omen); **II** *zn* **1** wipe, (*lik*) lick; **2** (*vlek, streep*) streak, (*vlek*) smudge: *er zit een zwarte ~ op je gezicht* there's a black smudge on your face

veehouder cattle breeder, cattle farmer, (*Am*) rancher

veehouderij cattle farm (*Am:* ranch)

veel I *bw* much, a lot: *hij was kwaad, maar zij was nog ~ kwader* he was angry, but she was even more so; *ze lijken ~ op elkaar* they are very much alike; **II** *onbep vnw, bn* much, many, a lot, lots: *~ geluk!* good luck!; *weet ik ~* how should I know?; *~ te ~* far too much (*of:* many); *één keer te ~* (just) once too often; *het zijn er ~* there's a lot of them

veelbelovend promising: *~ zijn* show great promise

veeleisend demanding, particular (about)

veelvoud multiple: *zijn salaris bedraagt een ~ van het hare* his salary is many times larger than hers

veelvraat glutton

veelvuldig frequently, often

veelzijdig many-sided, versatile: *haar ~e belangstelling* her varied interests; *een ~e geest* a versatile mind

veelzijdigheid versatility

veemarkt cattle market

veen peat

veenbes cranberry

¹veer 1 feather; **2** (*draad*) spring

²**veer** ferry
veerdienst ferry (service, line)
veerkracht elasticity, resilience
veerkrachtig elastic, springy, resilient
veerpont ferry(boat)
veertien fourteen: *vandaag over ~ dagen* in a fortnight('s time), two weeks from today; *~ dagen* fourteen days, a fortnight; *het zijn er ~* there are fourteen (of them)
veertiendaags 1 biweekly; fortnightly: *een ~ tijdschrift* a biweekly (magazine); **2** *(voor zn)* two-week, fourteen-day; **3** *(veertien dagen oud)* two weeks (*of:* fourteen days) old
veertiende fourteenth
veertiende-eeuws fourteenth-century
veertig forty: *in de jaren ~* in the forties; *hij loopt tegen de ~* he is pushing forty; *~ plus* more than 40 % fat
veertiger man of forty: *hij is een goede ~* he is somewhere in his forties
veertigjarig 1 forty years', fortieth: *~e bruiloft* fortieth wedding anniversary; **2** *(veertig jaar oud)* forty-year-old
veertigplusser over-40
veertigste fortieth
veertigurig forty-hour: *de ~e werkweek* the forty-hour week
veestal cowshed
veestapel (live)stock
veeteelt stock breeding, cattle breeding
veevervoer transport of livestock (*of:* cattle)
veevoer feed
veewagen *(spoorwegen)* cattle truck; *(wegverkeer)* cattle lorry
vegen 1 sweep, brush: *de schoorsteen ~* sweep the chimney; **2** *(afvegen, schoonmaken)* wipe: *voeten ~ a.u.b.* wipe your feet please
veger (sweeping) brush: *~ en blik* dustpan and brush
vegetariër vegetarian
vegetarisch vegetarian: *ik eet altijd ~* I'm a vegetarian
vehikel vehicle
veilen sell by auction: *antiek* (of: *huizen)* ~ auction antiques (*of:* houses)
veilig safe, secure, *(mbt signaal)* (all-)clear: *~ verkeer (ongev)* road safety; *iets ~ opbergen* put sth in a safe place; *~ thuiskomen* return home safe(ly); *~ en wel* safe and sound
veiligheid safety, security: *de openbare ~* public security; *iets in ~ brengen* bring sth to (a place of) safety
veiligheidsagent security officer
veiligheidsbril safety goggles, protective goggles
veiligheidsdienst security forces *(leger, politie)*: *binnenlandse ~* (counter)intelligence
veiligheidsgordel safety belt, *(autogordel ook)* seat belt
veiligheidshelm safety helmet, *(inform)* hard hat

(op bouwterrein e.d.)
veiligheidsmaatregel security measure
Veiligheidsraad Security Council
veiligheidsslot safety lock
veiligheidsspeld safety pin
veiling auction
veilinghuis auctioneering firm
veilingmeester auctioneer
vel 1 skin: *het is om uit je ~ te springen* it is enough to drive you up the wall; *~ over been zijn* be all skin and bone; **2** *(blad papier)* sheet
veld field, *(open land)* open country (*of:* fields), *(sport ook)* pitch, *(schaakbord)* square: *in geen ~en of wegen was er iem te zien* there was no sign of anyone anywhere; *een speler uit het ~ sturen* send a player off (the field)
veldbed camp bed
veldboeket bouquet of wild flowers
veldfles water bottle
veldloop cross-country (race)
veldmaarschalk Field Marshal, *(Am)* General of the Army
veldmuis field vole, field mouse
veldrijder cyclo-cross rider
veldsla lamb's lettuce
veldslag (pitched) battle
veldspeler fielder
veldsport outdoor sports
veldwerk fieldwork: *het ~ verrichten* do the donkey work, do the spadework
velg rim
vellen cut down, fell: *bomen ~* cut down trees
ven pool, *(droog)* hollow
Venetië Venice
Venezuela Venezuela
venijn *(gif)* poison, venom: *het ~ zit in de staart* the sting is in the tail
venijnig vicious, venomous *(kritiek)*: *~e blikken* malicious look
venkel fennel
vennoot partner
vennootschap 1 partnership, firm, *(Am ook)* company; **2** *(overeenkomst op handelsgebied)* trading partnership: *besloten ~* private limited company; *naamloze ~* public limited company
venster window
vensterbank windowsill
vensterenveloppe window envelope
vensterglas window glass; *(ruit ook)* window-pane
vent 1 fellow, guy, bloke: *een leuke ~ (aantrekkelijke)* a dishy bloke (*of:* guy); **2** *(jochie)* son(ny), lad(die)
venten hawk, peddle
venter street trader, hawker, pedlar
ventiel valve
ventilatie ventilation
ventilator fan, ventilator
ventileren I *intr* air; **II** *tr (de lucht verversen in; uiten)* ventilate, air

ventweg service road

ver I *bw* 1 *(vnl. in ontkennende en vragende zinnen)* far; *(in bevestigende zinnen)* a long way: *hij sprong zeven meter* ~ he jumped a distance of seven metres; ~ *gevorderd zijn* be well advanced; *het zou te* ~ *voeren om …* it would be going too far to …; ~ *vooruitzien* look well *(of:* way) ahead; *hoe* ~ *is het nog?* how much further is it?; *hoe* ~ *ben je met je huiswerk?* how far have you got with your homework?; *dat gaat te* ~*!* that is the limit!; ~ *weg* a long way off, far away; *het is zo* ~*!* here we go, this is it; *ben je zo* ~*?* (are you) ready?; *van* ~ *komen* come a long way, come from distant parts; 2 *(in hoge mate)* (by) far, way: ~ *heen zijn* be far gone; *zijn tijd* ~ *vooruit zijn* be way ahead of one's time; **II** *bn* distant; far, *(voor zn)* far-off, *(na ww)* far off, a long way: ~*re landen* distant *(of:* far-off) countries; *de* ~*re toekomst* the distant future; *in een* ~ *verleden* in some distant *(of:* remote) past; *een* ~*re reis* a long journey

verachten despise, scorn

verademing relief

veraf far away, far off, a long way away *(of:* off)

verafgelegen *(voor zn)* far-away; *(na ww)* far away, remote

veranda veranda

veranderen I *tr* 1 alter, change: *een jurkje* ~ alter a dress; *dat verandert de zaak* that changes things; *daar is niets meer aan te* ~ nothing can be done about that; 2 *(in het genoemde overbrengen)* change, turn (into): *Jezus veranderde water in wijn* Jesus turned water into wine; **II** *intr* 1 *(anders worden)* change: *de tijden* ~ times are changing; 2 *(wisselen (van))* change, switch: *van huisarts* ~ change one's doctor; *van onderwerp* ~ change the subject

verandering 1 change, *(afwisseling)* variation: ~ *van omgeving* change of scene(ry); *voor de* ~ for a change; 2 *(wijziging)* alteration: *een* ~ *aanbrengen in* make an alteration *(of:* a change) to

veranderlijk changeable, variable; *(weer ook)* unsettled, *(wispelturig)* fickle

verantwoord 1 safe, *(verstandig)* sensible; 2 *(weloverwogen)* well-considered, sound: ~*e voeding* a well-balanced *(of:* sensible) diet

verantwoordelijk responsible: *de* ~*e minister* the minister responsible; *iem voor iets* ~ *stellen* hold s.o. responsible for sth

verantwoordelijkheid responsibility: *de* ~ *voor iets op zich nemen* take *(of:* assume) responsibility for sth; *de* ~ *voor een aanslag opeisen* claim responsibility for an attack

verantwoordelijkheidsgevoel sense of responsibility

verantwoorden I *tr* justify, account for: *ik kan dit niet tegenover mijzelf* ~ I cannot square this with my conscience; **II** *zich* ~ *(rekenschap afleggen)* justify, answer (to s.o. for sth)

verantwoording 1 account: ~ *afleggen* render account; *aan iem* ~ *verschuldigd zijn* be accountable

(of: answerable) to s.o.; *iem ter* ~ *roepen* call s.o. to account; 2 *(verantwoordelijkheid)* responsibility: *op jouw* ~ you take the responsibility

verassen incinerate; cremate

verbaal I *bn* verbal; **II** *zn (proces-verbaal)* booking, ticket

verbaasd surprised, astonished, amazed: ~ *zijn over iets* be surprised *(of:* amazed) at sth

verband 1 bandage: *een* ~ *aanleggen* put on a bandage; 2 *(samenhang, betrekking)* connection; *(zinsverband)* context, relation(ship): *in landelijk (of:* Europees) ~ at a national *(of:* European) level; *in ruimer* ~ in a wider context; ~ *houden met iets* be connected with sth; *dit houdt* ~ *met het feit dat* this has to do with the fact that; *de woorden uit hun* ~ *rukken* take words out of context

verbandtrommel first-aid kit, first-aid box

verbannen banish, exile: ~ *zijn* be banished, be under a ban

verbanning banishment, exile

verbazen I *tr* amaze, surprise, astonish: *dat verbaast me niets* that doesn't surprise me in the least; **II** *zich* ~ be surprised *(of:* amazed) (at)

verbazing surprise, amazement, astonishment: *wie schetst mijn* ~ imagine my surprise; *dat wekte* ~ that came as a surprise; *tot mijn* ~ *hoorde ik …* I was surprised to hear …

verbazingwekkend astonishing, surprising, *(sterker)* amazing

verbeelden I *zich* ~ imagine, fancy: *dat verbeeld je je maar* you are just imagining it *(of:* things); *hij verbeeldt zich heel wat* he has a high opinion of himself; *verbeeld je maar niets!* don't go getting ideas (into your head)!; **II** *tr (uitbeelden)* represent, be meant *(of:* supposed) to be: *dat moet een badkamer* ~*!* that is supposed to be a bathroom!

verbeelding 1 imagination: *dat spreekt tot de* ~ that appeals to one's imagination; 2 *(verwaandheid)* conceit(edness), vanity: ~ *hebben* be conceited, think a lot of oneself

verbergen hide, conceal: *zij hield iets voor hem verborgen* she was holding sth back from him

verbeten grim, dogged

verbeteren I *tr* 1 improve: *zijn Engels* ~ improve *(of:* brush up) one's English; 2 *(corrigeren)* correct; 3 *(overtreffen)* beat, improve on: *een record* ~ break a record; **II** *intr (beter worden)* improve, get better: *verbeterde werkomstandigheden* improved working conditions

verbetering 1 improvement: *het is een hele* ~ *vergeleken met …* it's a great improvement on …; 2 *(correctie)* correction, *(van fouten ook)* rectification, *(van huiswerk, examens)* marking

verbieden forbid, ban *(film, boek)*, suppress *(publicatie)*: *verboden toegang* no admittance; *verboden in te rijden* no entry *(of:* access); *verboden te roken* no smoking; *verboden voor onbevoegden* no unauthorized entry, *(op terrein)* no trespassing

verbijsterd bewildered, amazed, baffled

verbijsteren bewilder, amaze
verbijstering bewilderment, amazement
verbinden 1 join (together), connect (to, with): ~ *met* join to, link up to (*of:* with); **2** (*in samenhang brengen*) connect, link; **3** (*omzwachtelen*) bandage; **4** (*door een overeenkomst, band koppelen aan*) connect, attach, join (up): *er zijn geen kosten aan verbonden* there are no expenses involved; **5** (*mbt telefoonverbinding*) connect (with), put through (to): *ik ben verkeerd verbonden* I have got a wrong number; *kunt u mij met de heer Jefferson ~?* could you put me through to Mr Jefferson?
verbinding 1 connection, link: *een ~ tot stand brengen* establish (*of:* make) a connection; **2** (*mogelijkheid tot verkeer*) connection: *een directe ~* a direct connection, (*trein ook*) a through train; *de ~en met de stad zijn uitstekend* (*het vervoer*) connections with the city are excellent; **3** (*mbt telefoon*) connection: *geen ~ kunnen krijgen* not be able to get through; *de ~ werd verbroken* the connection was broken, we (*of:* they) were cut off
verbindingsstreepje hyphen
verbitterd bitter (at, by), embittered (at, by)
verbittering bitterness
verbleken 1 (turn, go) pale, turn white, go white; **2** (*mbt kleuren, vervagen*) fade
verblijf 1 stay; **2** (*onderkomen*) residence, (*tijdelijk ook*) accommodation: *de verblijven voor de bemanning* (of: *het personeel*) the crew's (*of:* servants') quarters
verblijfkosten accommodation expenses, living expenses
verblijfplaats (place of) residence, address: *iem zonder vaste woon- of ~* s.o. with no permanent home or address
verblijfsvergunning residence permit
verblijven stay: *hij verbleef enkele maanden in Japan* he stayed in Japan for several months; **2** (*onderdak hebben, wonen*) live
verblinden dazzle, blind: *een ~de schoonheid* a dazzling (*of:* stunning) beauty
verbloemen disguise, gloss over, cover up
verbluffend staggering, astounding: *~ snel handelen* act amazingly (*of:* incredibly) quickly
verbluft staggered, stunned: *~ staan kijken* be dumbfounded
verbod ban, prohibition, (*mbt handel ook*) embargo: *een ~ uitvaardigen* impose (*of:* declare) a ban
verboden forbidden, banned, prohibited: *tot ~ gebied verklaren* declare (*of:* put) out of bounds; *~ wapenbezit* illegal possession of arms
verbond 1 treaty, pact: *een ~ sluiten* (of: *aangaan*) *met* make (*of:* enter) into a treaty with; **2** (*vereniging*) union
verbonden 1 committed, bound; **2** (*verenigd*) allied, joined (together); **3** (*met verband omzwachteld*) bandaged, dressed; **4** (*gebonden*) joined (to), united (with), bound (to), wedded (to) (*bijv. aan beroep*): *zich met iem ~ voelen* feel a bond with s.o.;

verkeerd ~ wrong number
verborgen hidden, concealed
verbouwen 1 cultivate, grow; **2** (*mbt gebouwen*) carry out alterations, renovate
verbouwereerd dumbfounded, flabbergasted
verbouwing alteration, renovation: *gesloten wegens ~* closed for repairs (*of:* alterations)
verbranden I *tr* **1** burn (down), incinerate; **2** (*verwonden*) burn, scald (*hete vloeistof*): *zijn gezicht is door de zon verbrand* his face is sunburnt; **II** *intr* **1** (*opbranden*) burn down, burn up: *hij is bij dat ongeluk levend verbrand* he was burnt alive in that accident; **2** (*aanbranden*) burn, scorch (*oppervlakte*): *het vlees staat te ~* the meat is burning
verbranding 1 burning, incineration; **2** (*verwonding, beschadiging*) burn, scald (*door vloeistof*)
verbrandingsmotor (internal-)combustion engine
verbreden I *tr* broaden, widen; **II** *zich ~* (*breder worden*) broaden (out): *de weg verbreedt zich daar* the road broadens (out) there
verbreken 1 break (up): *een zegel ~* break a seal; **2** (*afbreken*) break (off), sever: *een relatie ~* break off a relationship
verbrijzelen shatter, crush
verbrodden (*Belg*) botch (up), mess up
verbrokkelen crumble
verbruik consumption
verbruiken consume, use up
verbruiker consumer, user
verbuigen bend, twist
verdacht I *bn* **1** suspected: *iem ~ maken* cast a slur on s.o., smear s.o.; **2** (*verdenking wekkend*) suspicious, questionable: *een ~ zaakje* a questionable (*of:* shady) business; **II** *bw* suspiciously: *dat lijkt ~ veel op ...* that looks suspiciously like ...
verdachte suspect
verdachtenbank dock, witness box (*Am:* stand)
verdachtmaking imputation, (*toespeling*) insinuation, slur
verdagen adjourn: *een zitting ~* adjourn a session
verdaging postponement, (*mbt iets wat al begonnen is*) adjournment
verdampen evaporate, vaporize
verdamping evaporation, vaporization
verdedigen 1 defend: *een ~de houding aannemen* be on the defensive; **2** (*pleiten voor*) defend, support: *zijn belangen ~* stand up for (*of:* defend) one's interests; *zich ~* defend (*of:* justify) oneself
verdediger 1 defender, advocate; **2** (*advocaat*) counsel (for the defence); **3** (*sport*) defender, back: *centrale ~* central defender; *vrije ~* libero
verdediging 1 defence: (*sport*) *in de ~ gaan* go on the defensive; **2** (*advocaat*) counsel (for the defence), defence
verdeeld divided: *hierover zijn de meningen ~* opinions are divided on this (problem, issue, question)
verdeeldheid discord, dissension: *er heerst ~ bin-*

nen de partij the party is divided (*of:* split); *~ zaaien* spread discord

verdekt concealed, hidden: *zich ~ opstellen* conceal oneself, take cover

verdelen I *tr* 1 divide, split (up); 2 *(afmeten)* divide (up), distribute: *de buit ~* divide the loot; 3 *(evenwichtig spreiden)* spread: *de taken ~* allocate (*of:* share) (out) the tasks; **II** *zich ~ (splitsen)* divide, split (up): *de rivier verdeelt zich hier in twee takken* the river divides (*of:* forks) here

verdelgingsmiddel *(tegen dieren)* pesticide; *(tegen insecten)* insecticide; *(tegen onkruid)* weedkiller

verdeling 1 division; 2 *(uitdeling)* distribution

verdenken suspect (of): *zij wordt ervan verdacht, dat ...* she is under the suspicion of ...; *iem van diefstal ~* suspect s.o. of theft

verdenking suspicion: *iem in hechtenis nemen op ~ van moord* arrest s.o. on suspicion of murder

verder I *bn* 1 (the) rest of; 2 *(nader)* further, subsequent; **II** *bw* 1 farther, further: *twee regels ~* two lines (further) down; *hoe ging het ~?* how did it go on?; *~ lezen* go on (*of:* continue) reading, read on; 2 *(bovendien)* further, furthermore, in addition, moreover: *~ verklaarde zij ...* she went on (*of:* proceeded) to say ...; 3 *(overigens)* for the rest, apart from that: *is er ~ nog iets?* anything else?

verderf ruin, destruction: *iem in het ~ storten* ruin s.o., bring ruin upon s.o.

verderfelijk pernicious: *~e invloeden* baneful influences

verderop further on, farther on: *zij woont vier huizen ~* she lives four houses (further) down; *~ in de straat* down (*of:* up) the street

verderven deprave, corrupt

verdiend I *bn* deserved: *volkomen ~* richly deserved; **II** *bw* deservedly: *de thuisclub won ~ met 3-1* the home team won deservedly by 3 to 1

verdienen I *tr* 1 earn, make, be paid: *een goed salaris ~* earn a good salary; *zuur verdiend* hard-earned, hard-won; 2 *(waard zijn)* deserve, merit: *dat voorbeeld verdient geen navolging* that example ought not to be followed; **II** *intr* 1 *(mbt salaris)* earn, make money: *zij verdient uitstekend* she is very well paid; 2 *(salaris opleveren)* pay: *dat baantje verdient slecht* that job does not pay well

verdienste 1 wages, pay, earnings; *(winst)* profit: *zonder ~n* zijn be out of a job, earn no money; 2 *(verdienstelijkheid)* merit: *een man van ~* a man of (great) merit

verdienstelijk deserving, (praise)worthy: *zich ~ maken* make oneself useful

verdiepen I *zich ~ in* go (deeply) into, be absorbed in: *verdiept zijn in* be engrossed (*of:* absorbed) in; **II** *tr* deepen, broaden: *zijn kennis ~* gain more in-depth knowledge

verdieping floor, storey: *een huis met zes ~en* a six-storeyed house; *op de tweede ~* on the second floor, *(Am)* on the third floor

verdikking thickening, bulge

verdoemd damned

verdoen waste (away), fritter (away), squander: *ik zit hier mijn tijd te ~* I am wasting my time here

verdoezelen blur, disguise: *de ware toedracht ~* fudge (*of:* disguise) the real facts

verdonkeremanen embezzle *(geld)*, suppress

verdoofd stunned, stupefied, numb

verdord shrivelled, *(verwelkt)* withered, parched: *~e bladeren* withered leaves

verdorren shrivel (up), parch, *(verwelken)* wither (up), *(verwelken)* wilt

verdorven depraved, perverted: *een ~ mens* a wicked person, a pervert

verdoven stun, stupefy, benumb *(door kou; geest)*: *~de middelen* drugs, narcotic(s); *de patiënt wordt plaatselijk verdoofd* the patient receives a local anaesthetic

verdoving 1 anaesthesia, anaesthetic; 2 *(gevoelloosheid)* stupor

verdovingsmiddel anaesthetic

verdraaglijk bearable, tolerable

verdraagzaam tolerant: *~ jegens elkaar zijn* be tolerant of each other

verdraagzaamheid tolerance

verdraaien 1 turn; 2 *(verkeerd weergeven)* distort, *(woorden ook)* twist: *de waarheid ~* distort the truth; 3 *(opzettelijk anders voordoen)* disguise: *zijn stem ~* disguise (*of:* mask) one's voice

verdraaiing distortion, twist

verdrag treaty, agreement: *een ~ sluiten* enter into (*of:* make) a treaty

verdragen 1 bear, endure, stand: *hij kan de gedachte niet ~, dat ...* he cannot bear (*of:* stand) the idea that ...; 2 *(velen, uithouden)* bear, stand, put up with, take: *ik kan veel ~, maar nu is 't genoeg* I can stand (*of:* take) a lot, but enough is enough

verdriet grief (*of:* distress) (at, over), sorrow (at): *iem ~ doen (aandoen)* distress s.o., give s.o. pain (*of:* sorrow); *~ hebben* be in distress, grieve

verdrietig sad, grieved: *~ maken* sadden

verdrievoudigen triple, treble: *de winst is verdrievoudigd* profit has tripled

verdrijven drive away, chase away, dispel: *de pijn ~* dispel the pain

verdringen I *tr* 1 push away (*of:* aside); 2 *(naar de achtergrond verdrijven)* shut out, *(psych ook)* repress *(onbewust)*, suppress *(bewust)*; **II** *zich ~ (elkaar van de plaats dringen)* crowd (round): *de menigte verdrong zich voor de etalage* people crowded round the shop window

verdrinken I *intr* drown: *~ in het huiswerk* be swamped by homework; **II** *tr (door alcoholgebruik)* drink away *(geld, bezit)*; drown *(zorgen, verdriet enz.)*

verdrinkingsdood death by drowning

verdrogen 1 dry out, dry up, dehydrate: *dat brood is helemaal verdroogd* that loaf (of bread) has completely dried out; 2 *(door droogte tenietgaan)* shrivel (up), wither (away, up)

ve

verdrukken oppress, repress

verdrukking: *in de ~ raken (komen)* get into hot water *(of:* a scrape)

verdubbelen double: *met verdubbelde energie* with redoubled energy

verduidelijken explain, make (more) clear, clarify

verduidelijking explanation: *ter ~* by way of illustration

verduisteren 1 darken, dim: *de zon ~* blot out the sun; 2 *(achteroverdrukken)* embezzle

verduistering 1 darkening; 2 eclipse; 3 *(mbt goed, geld)* embezzlement

verdunnen 1 thin, *(vloeistof ook)* dilute: *melk met water ~* dilute milk with water; 2 *(mbt omvang)* thin (out)

verdunning thinning, dilution

verduren bear, endure, suffer: *heel wat moeten ~* have to put up with a great deal; *het zwaar te ~ hebben: a) (in moeilijkheden)* have a hard *(of:* rough) time of it; *b) (ontberen)* suffer great hardship(s)

verduurzamen preserve, cure

verdwaald lost, *(van dieren ook)* stray: *een ~e kogel* a stray bullet; *~ raken* lose one's way

verdwaasd foolish, *(verdoofd)* groggy: *~ voor zich uit staren* stare vacantly into space

verdwalen lose one's way, get lost, go astray

verdwijnen disappear, *(vlug, geheimzinnig)* vanish: *een verdwenen boek* a missing *(of:* lost) book; *mijn kiespijn is verdwenen* my toothache has worn off *(of:* disappeared); *geleidelijk ~* fade out *(of:* away), melt away; *spoorloos ~* vanish without (leaving) a trace

verdwijning disappearance

verdwijntruc disappearing act, vanishing trick

veredelen ennoble, elevate, refine

veredeling refinement, *(techn ook)* improvement, upgrading

vereenvoudigen simplify: *de vereenvoudigde spelling* simplified spelling

vereenvoudiging simplification, reduction *(breuk)*

vereenzamen grow lonely, become lonely

vereenzaming (social) isolation, (enforced) loneliness

vereenzelvigen identify: *zij vereenzelvigde zich met Julia Roberts* she identified (herself) with Julia Roberts

vereerder worshipper, admirer

vereffenen settle, square, smooth out *(verschillen): iets* (of: *een rekening) met iem te ~ hebben* have to settle an account

vereffening settlement; payment

vereisen require, demand: *ervaring vereist* experience required; *de vereiste zorg aan iets besteden* give the necessary care *(of:* attention) to sth

vereiste requirement: *aan de ~n voldoen* meet *(of:* fulfil) the requirements; *dat is een eerste ~* that is a prerequisite *(of:* a must)

veren I *bn* feather: *een ~ pen* a quill (pen); II *intr* 1

be springy: *het veert niet meer* it has lost its spring *(of:* bounce); 2 *(als door een veer)* spring: *overeind ~* spring to one's feet

verend springy, elastic: *een ~ matras* a springy *(of:* bouncy) mattress

verenigbaar compatible (with), consistent (with)

verenigd united, allied

Verenigde Arabische Emiraten United Arab Emirates

Verenigde Staten (van Amerika) United States (of America)

Verenigd Koninkrijk United Kingdom

verenigen *(samenvoegen)* unite (with), combine, join (to, with): *zich ~ in een organisatie* form an organisation; *het nuttige met het aangename ~* mix *(of:* combine) business with pleasure

vereniging club, association, society: *een ~ oprichten* found an association

vereren worship, adore

verergeren I *tr* worsen, make worse, aggravate; II *intr (erger worden)* worsen, become worse, grow worse, deteriorate: *de toestand verergert* the situation is deteriorating *(of:* growing worse)

verering 1 worship, veneration; 2 *(godsd)* devotion, cult: *de ~ van Maria* the devotion to Maria, the Maria cult

verf paint, *(voor stoffen, haar)* dye: *pas op voor de ~!* (watch out,) fresh *(of:* wet) paint!; *het huis zit nog goed in de ~* the paintwork (on the house) is still good; *niet uit de ~ komen* not live up to its promise, not come into its own

verfdoos paint box, (box of) paints

verffabriek paint factory

verfijnen refine: *zijn techniek ~* refine *(of:* polish (up)) one's technique

verfijning refinement, sophistication

verfilmen film, turn *(of:* make) into a film: *een roman ~* film a novel, adapt a novel for the screen

verfilming film version, screen version

verfkwast paintbrush

verflaag coat *(of:* layer) of paint: *bovenste ~* topcoat

verfoeien detest, loathe

verfomfaaid dishevelled, tousled

verfomfaaien crumple (up), rumple

verfpot paint pot

verfraaien embellish (with)

verfraaiing embellishment

verfrissen refresh, freshen up: *zich ~* freshen up, refresh (oneself)

verfrissend refreshing, invigorating

verfrissing refreshment: *enige ~en gebruiken* take *(of:* have) some refreshments

verfrol(ler) paint roller

verfrommelen crumple (up), rumple (up)

verfspuit paint spray(er), spray gun

verfstof paint, *(voor stoffen, haar)* dye (base), *(grondstof)* pigment

verfverdunner thinner

verfwinkel paint shop

vergaan 1 fare: *vergane glorie* lost (*of:* faded) glory; **2** *(ophouden)* perish, pass away: *horen en zien vergaat je erbij* the noise is enough to waken the dead; **3** *(verteren)* perish, decay, rot; **4** *(ten onder gaan)* perish, *(fig)* be consumed with, *(scheepv ook)* be wrecked (*of:* lost), *(scheepv ook) van de verga van de kou* I am freezing to death; ~ *van de honger* be starving to death; ~ *van de dorst* be dying of thirst

vergaand far-reaching, drastic

vergaderen meet, assemble: *hij heeft al de hele ochtend vergaderd* he has been in conference all morning; *de raad vergaderde twee uur lang* the council sat for two hours

vergadering meeting, assembly: *het verslag van een* ~ the minutes of a meeting; *gewone (algemene)* ~ general meeting (*of:* assembly); *een* ~ *bijwonen (of: houden)* attend (*of:* hold) a meeting; *de* ~ *sluiten* close (*of:* conclude) the meeting; *een* ~ *leiden* chair a meeting

vergaderzaal meeting hall, assembly room, conference room

vergallen embitter, spoil

vergankelijk transitory, transient, fleeting *(leven, schoonheid, roem enz.)*

vergapen, zich gaze at, gape at: *zich* ~ *aan een motor* gape (in admiration) at a motorbike

vergaren gather

vergassen 1 gas; **2** *(in gas omzetten)* gasify

vergassing 1 *(mbt stoffen)* gasification; **2** *(mbt mensen)* gassing

vergeefs I *bw* in vain: ~ *zoeken* look in vain; **II** *bn (vruchteloos)* vain, futile, *(na ww ook)* in vain: *een* ~*e reis* a futile (*of:* useless) journey

vergeetachtig forgetful

vergeet-mij-niet forget-me-not

vergelden repay, *(belonen)* reward, *(wraak nemen)* take revenge on: *kwaad met kwaad* ~ pay back (*of:* repay) evil with evil

vergelding repayment, *(beloning)* reward, *(uit wraak)* revenge, *(oog om oog)* retaliation: *ter* ~ *werden krijgsgevangenen doodgeschoten* prisoners of war were shot in retaliation (*of:* reprisal)

vergeldingsactie reprisal (attack, raid)

vergelen yellow, go yellow, turn yellow

vergelijkbaar comparable: *meel en vergelijkbare producten* flour and similar products; ~ *zijn met* be comparable to

vergelijken compare; *(nadruk op onderlinge verschillen)* compare with sth; *(nadruk op overeenkomst)* compare to sth: *vergelijk artikel 12, tweede lid* see (*of:* cf.) article 12, subsection two; *niet te* ~ *zijn met* be (*of:* bear) no comparison with, not be comparable to

vergelijking 1 comparison, *(overeenkomsten)* analogy: *de trappen van* ~ the degrees of comparison; *in* ~ *met* in (*of:* by) comparison with; *ter* ~ by way of comparison, for comparison; **2** *(wisk)* equation

vergemakkelijken simplify, facilitate: *dat dient om*

het leven te ~ that serves to make life easier

vergemakkelijking simplification, facilitation

vergen demand, require, *(belasten)* tax: *het uiterste* ~ *van iem* strain (*of:* try) s.o. to the limit

vergeten I *tr* **1** forget, slip one's mind: *alles is* ~ *en vergeven* everything is forgiven and forgotten, (there are) no hard feelings; *dat ben ik glad* ~ clean forgot(ten); *dat kun je wel* ~ you can kiss that goodbye!; **2** *(verzuimen te doen, noemen)* forget, overlook, *(laten liggen)* leave behind: *ze waren* ~ *zijn naam op de lijst te zetten* they had forgotten to put his name on the list; *niet te* ~ not forgetting (*of:* omitting); **3** *(van zich afzetten)* forget, put out of one's mind: *zijn zorgen* ~ forget one's worries; *vergeet het maar!* forget it!, no way!; **II** *bn* forgotten, *(onopgemerkt)* neglected: ~ *schrijvers* forgotten (*of:* obscure) writers

vergeven 1 forgive: *ik kan mezelf nooit* ~, *dat ik …* I can never forgive myself for (…ing); **2** *(doordrenkt zijn van)* poison: *het huis is* ~ *van de stank* the house is pervaded by the stench; ~ *van de luizen* lice-ridden, crawling with lice; **3** *(uitdelen)* give (away): *zij heeft zes vrijkaartjes te* ~ she has six free tickets to give away

vergeving forgiveness, *(ook jur)* pardon, *(door priester)* absolution: *iem om* ~ *vragen voor iets* ask s.o.'s forgiveness for sth

vergevorderd (far) advanced

vergezellen accompany, *(volgelingen)* attend (on): *iem op (de) reis* ~ accompany s.o. on a journey

vergezicht *(panorama)* (panoramic, wide) view, vista

vergezocht far-fetched

vergiet colander, *(vloeistoffen)* strainer: *zo lek als een* ~ leak like a sieve

vergif *(gif)* poison, *(mbt dieren)* venom: *dodelijk* ~ lethal (*of:* deadly) poison

vergiffenis forgiveness, *(ook jur)* pardon, *(door priester)* absolution

vergiftig poisonous, *(mbt dieren)* venomous

vergiftigen poison

vergiftiging poisoning: *hij stierf door* ~ he died of poisoning

vergissen, zich be mistaken (*of:* wrong), make a mistake: *zich lelijk* ~ be greatly mistaken; *vergis je niet* make no mistake; *als ik mij niet vergis* if I'm not wrong (*of:* mistaken); *zich in de persoon* ~ mistake s.o.; *zich in iem* ~ be mistaken (*of:* wrong) about s.o.; *als hij dat denkt, vergist hij zich* if he thinks that he'll have to think again; ~ *is menselijk* to err is human

vergissing mistake, error: *iets per* ~ *doen* do sth by mistake (*of:* inadvertently)

vergoeden 1 make good, compensate for, refund: *onkosten* ~ pay expenses; *iem de schade* ~ compensate (*of:* pay) s.o. for the damage; **2** *(als compensatie dienen voor)* compensate, make up (for): *dat vergoedt veel* that makes up for a lot

vergoeding 1 compensation, reimbursement: ~ *ei-*

ve

sen claim damages; *een ~ vragen voor* charge for; **2** *(bedrag)* allowance, fee, expenses *(voor gemaakte onkosten, bewezen diensten): tegen een geringe ~* for a small fee

vergokken gamble away

vergooien throw away, waste: *zijn leven ~* throw *(of:* fritter) away one's life

vergrendelen bolt, (double) lock

vergrijp offence: *een licht ~* a minor offence

vergrijpen, zich assault, *(schenden)* violate: *zich aan iem ~* assault s.o.

vergrijzen age, get old: *Nederland vergrijst* the population of the Netherlands is ageing

vergrijzing ageing

vergroeien grow crooked, *(mbt mensen ook)* grow deformed, become deformed

vergroeiing 1 deformity; **2** crooked growth: *~ van de ruggengraat* curvature of the spine

vergrootglas magnifying glass

vergroten 1 increase: *de kansen* (of: *risico's) ~* increase the chances (of: risks); **2** *(groter maken)* enlarge: *de kamer ~* extend (of: enlarge) the room; **3** *(groter weergeven)* magnify, enlarge, *(zeer sterk vergroten van foto's; ook fig)* blow up

vergroting 1 increase: *~ van de omzet* increase in the turnover; **2** *(het groter maken, worden)* enlargement *(ook van foto)*

vergruizen pulverize, crush

verguld 1 gilded, gilt, gold-plated; **2** *(gevleid)* pleased, flattered: *Laurette was er vreselijk mee ~* Laurette was absolutely delighted with it

vergulden gild, gold-plate

vergunning 1 *(toestemming)* permission; **2** *(officiële machtiging)* permit, *(mbt drank, vuurwapens, vervoer)* licence: *een restaurant met volledige ~* a fully licensed restaurant; *een ~ verlenen* (of: *intrekken)* grant (of: suspend) a licence

vergunninghouder licensee, licence-holder

verhaal story: *de kern van het ~* the point of the story; *om een lang ~ kort te maken* to cut a long story short; *sterke verhalen* tall stories; *zijn ~ doen* tell (of: relate) one's story; *~tjes vertellen* tell tales; *het is weer het bekende ~* it's the same old story; *iem op ~ laten komen* let s.o. get one's breath back

verhalen recover, recoup: *de schade op iem ~* recover the damage from s.o.

verhandelen trade (in), sell

verhandeling *(Belg) (scriptie)* (mini-)dissertation

verhangen, zich hang oneself

verhard 1 hard, *(mbt grond)* paved: *~e wegen* metalled *(Am:* paved) roads; **2** *(fig)* hardened, callous

verharden I *intr* harden: *in het kwaad ~* become set in evil ways; **II** *tr (hard maken)* harden, *(mbt grond)* metal, pave: *een tuinpad ~* pave a garden path

verharding hardening, *(mbt grond)* metalling *(materiaal ook)*, paving: *een ~ van standpunten* a hardening of points of view

verharen moult, *(pels, kleed)* shed (hair): *de kat is aan het ~* the cat is moulting

verheffen I *tr* **1** raise, lift; **2** *(fig)* raise, elevate, *(mbt smaak, moraliteit)* uplift, lift up: *iets tot regel ~* make sth the rule; **II** *zich ~* rise: *zich hoog ~ boven de stad* rise (of: tower) above the city

verhelderen I *intr* clear (up): *de lucht verhelderde* the sky cleared (of: brightened up); **II** *tr (verduidelijken)* clarify: *een ~d antwoord* an illuminating answer

verhelpen put right, remedy

verhemelte palate, roof of the mouth: *een gespleten ~* a cleft palate

verheugd glad, pleased: *zich bijzonder ~ tonen (over iets)* take great pleasure in sth

verheugen, zich be glad, be pleased (of: happy): *zich ~ op* look forward to

verheugend joyful: *~ nieuws* good news

verheven elevated; *(fig)* above (to), superior (to): *boven iedere verdenking ~* above (of: beyond) all suspicion

verhevigen intensify

verhinderen prevent: *iemands plannen ~* obstruct (of: foil) s.o.'s plans; *dat zal mij niet ~ om tegen dit voorstel te stemmen* that won't prevent me from voting against this proposal; *verhinderd zijn* be unable to come (of: attend)

verhindering absence, inability to come: *bij ~* in case of absence

verhit 1 hot, *(mbt gezicht)* flushed; **2** heated: *~te discussies* heated discussions

verhitten 1 heat; **2** inflame, stir up: *dat verhitte de gemoederen* that made feelings run high

verhitting heating(-up)

verhoeden prevent, forbid: *God verhoede dat je ziek wordt* God forbid that you should be ill

verhogen 1 raise: *een dijk ~* raise a dike; **2** *(vermeerderen)* increase: *de prijzen ~* raise (of: increase) prices

verhoging 1 raising; **2** *(verhoogde plaats)* elevation, platform, *(mbt grond)* rise: *de spreker stond op een ~* the speaker stood on a (raised) platform; **3** *(bedrag)* increase, rise; **4** *(hogere lichaamstemperatuur)* temperature, fever: *ik had wat ~* I had a slight temperature

verhongeren I *intr* **1** starve (to death), die of starvation; **2** *(erge honger lijden)* starve, go hungry; **II** *tr (uithongeren)* starve (to death): *de kinderen waren half verhongerd* the children were famished (of: half starved)

verhoogd increased, raised *(belasting, zitplaats):* *~e bloeddruk* high blood pressure

verhoor interrogation, examination

verhoren 1 interrogate, question, cross-examine *(zeer streng): getuigen ~* hear witnesses; **2** *(toestaan, vervullen)* hear, answer, grant *(wens): een gebed ~* answer (of: hear) a prayer

verhouden, zich be as, be in the proportion of: *60 verhoudt zich tot 12 als 5 tot 1* 60 is to 12 as 5 to 1

verhouding 1 relation(ship), proportion: *in ~ tot* in proportion to; *naar ~ is dat duur* that is comparatively expensive; **2** *(liefdesbetrekking)* affair, relationship; **3** *(mv) (afmetingen)* proportions: *gevoel voor ~en bezitten* have a sense of proportion

verhoudingsgewijs comparatively, relatively
verhuisbedrijf removal firm (*of:* company)
verhuisbericht change of address card
verhuiswagen removal van
verhuizen move (house), relocate || *iem ~* move s.o.
verhuizer remover
verhuizing move; moving
verhullen veil, conceal (from): *niets ~de foto's* revealing photos
verhuren let *(huis); (Am)* rent, lease out *(land, huis op contract)*
verhuur letting, *(Am)* rental
verhuurbedrijf leasing company; hire company (*of:* firm); *(vnl. Am ook)* rental company (*of:* agency)
verhuurder letter, *(Am)* renter, landlord, landlady *(land, huis e.d.)*
verifiëren verify, examine, audit, prove
verijdelen frustrate, defeat: *een aanslag ~* foil an attempt on s.o.'s life
vering springs, *(auto)* suspension
verjaard time-barred, superannuated
verjaardag birthday: *vandaag is het mijn ~* today is my birthday
verjaardagscadeau birthday present
verjaardagsfeest birthday party
verjaardagskaart birthday card
verjaardagskalender birthday calendar
verjagen drive away, chase away
verjaren become prescribed, become (statute-)barred, become out-of-date
verjaring prescription *(van recht);* limitation *(van vordering)*
verjongen rejuvenate, make young
verkalking calcification, hardening *(bloedvaten)*
verkassen move (house)
verkavelen parcel out, (sub)divide
verkaveling allotment, subdivision
verkeer 1 traffic: *handel en ~* trade (*of:* traffic) and commerce; *druk ~* heavy traffic; *veilig ~* road safety; *het overige ~ in gevaar brengen* be a danger to other road-users; **2** *(omgang)* association: *in het maatschappelijk ~* in society; *in het dagelijks ~* in everyday life; **3** *(het gaan en komen) movement: er bestaat vrij ~ tussen die twee landen* there is freedom of movement between the two countries
verkeerd 1 wrong: *een verdediger op het ~e been zetten* wrong-foot a defender; *een ~e diagnose* a faulty diagnosis; *de ~e dingen zeggen* say the wrong things; *het eten kwam in mijn ~e keelgat* the food went down the wrong way; *op een ~ spoor zitten* be on the wrong track; *iets ~ aanpakken* go about sth the wrong way; *hij doet alles ~* he can't do a thing right; *pardon, u loopt ~* pardon me, but you're going the wrong way (*of:* in the wrong direction); *het liep ~ met hem af* he came to grief (*of:* to a bad end); *iets ~ spellen* (of: *uitspreken, vertalen*) misspell (*of:*

mispronounce, mistranslate) sth; *~ verbonden zijn* have dialled a wrong number; *we zitten ~* we must be wrong; *hij had iets ~s gegeten* sth he had eaten had upset him; *je hebt de ~e voor* you've mistaken your man; **2** *(omgekeerd)* wrong; *(binnenste buiten)* inside out: *zijn handen staan ~* he's all thumbs; *~ om* the other way round, *(onderste boven)* upside down
verkeersagent traffic policeman (*of:* policewoman)
verkeersbord road sign, traffic sign
verkeersbrigadier lollipop man (*of:* lady)
verkeerscontrole (road) traffic surveillance
verkeersdrempel speed ramp
verkeersdrukte (amount of) traffic
verkeersleider air-traffic controller
verkeersleiding traffic department, *(luchtv)* air-traffic control, ground control
verkeerslicht traffic lights: *het ~ sprong op groen* the traffic lights changed to green
verkeersongeval road accident, traffic accident
verkeersopstopping traffic jam
verkeersovertreding traffic offence
verkeersplein roundabout, *(Am)* rotary (intersection)
verkeerspolitie traffic police
verkeersregel traffic rule
verkeerstoren control tower
verkeersveiligheid road safety, traffic safety
verkeersweg traffic route, *(in stad ook)* thoroughfare
verkeerswisselaar *(Belg) (klaverblad)* cloverleaf junction
verkennen explore, scout (out), *(mil)* reconnoitre: *de boel ~* explore the place; *de markt ~* feel out the market
verkenner 1 scout; **2** *(padvinder)* (Boy) Scout; Girl Scout
verkenning exploration, scout(ing)
verkeren *(zich bewegen (in))* be (in): *in de hoogste kringen ~* move in the best circles
verkering courtship: *vaste ~ hebben* go steady; *~ krijgen met iem* start going out with s.o.
verkiesbaar eligible (for election): *zich ~ stellen als president* run for president; *zich ~ stellen* stand for office
verkiezen prefer (to): *lopen boven fietsen ~* prefer walking to cycling
verkiezing election: *algemene ~en* general elections; *tussentijdse ~en (ongev)* by-elections; *~en uitschrijven* call (for) an election
verkiezingscampagne election campaign
verkiezingsdebat election debate
verkiezingsprogramma (electoral) platform: *iets als punt in het ~ opnemen* make sth a plank in one's platform
verkiezingsstrijd electoral struggle
verkiezingsuitslag election result: *de ~ bekendmaken* declare the poll

ve

verkijken I *zich* ~ make a mistake, be mistaken: *ik heb me op hem verkeken* I have been mistaken in him; II *tr (verloren, voorbij laten gaan)* give away, let go by: *die kans is verkeken* that chance has gone by

verkikkerd nuts (on, about), gone (on)

verklaarbaar explicable, explainable, *(begrijpelijk)* understandable: *om verklaarbare redenen* for obvious reasons

verklappen give away, let out: *een geheim* ~ tell a secret

verklaren I *tr* 1 explain, elucidate: *iemands gedrag* ~ account for s.o.'s conduct; 2 *(plechtig)* declare; *(officieel)* certify: *iem krankzinnig* ~ certify s.o. insane; *iets ongeldig* ~ declare sth invalid; *een huis onbewoonbaar* ~ condemn a house; II *zich* ~ explain oneself: *verklaar je nader* explain yourself

verklaring 1 explanation: *dat behoeft geen nadere* ~ that needs no further explanation; 2 *(mededeling)* statement, *(vnl. onder ede)* testimony: *een beëdigde* ~ a sworn statement; *een* ~ *afleggen* make a statement

verkleden, zich 1 change (one's clothes): *ik ga me* ~ I'm going to change (my clothes); *zich* ~ *voor het eten* dress for dinner; 2 *(vermommen)* dress up

verkleinen 1 reduce, make smaller: *op verkleinde schaal* on a reduced scale; 2 *(verminderen)* reduce, diminish, lessen

verkleining reduction

verkleinwoord diminutive

verkleumd numb (with cold)

verkleumen grow numb: *we staan hier te* ~ we are freezing in *(of:* out) here

verkleuren discolour, lose colour, *(verbleken)* fade: *deze trui verkleurt niet* this sweater will keep its colour

verkleuring fading; *(verandering van kleur)* discoloration

verklikken give away, squeal on *(iem)*: *iets* ~ blab sth, spill the beans

verklikker telltale, tattler; *(politiespion)* informer, grass

verknallen blow, spoil: *je hebt het mooi verknald* you've made a hash of it

verknipt hung-up, kooky, nutty: *een* ~*e figuur* a weirdo, a nut(case)

verknocht devoted (to), attached (to)

verknoeien botch (up), spoil, mess up: *de boel lelijk* ~ make a fine mess of things

verkoelend cooling, refreshing

verkoeling cooling

verkommeren sink into poverty, pine away

verkondigen proclaim, put forward

verkondiging proclamation, *(prediken)* preaching

verkoop sale(s): ~ *bij opbod* (sale by) auction; *iets in de* ~ *brengen* put sth up for sale *(of:* on the market)

verkoopafdeling sales department

verkoopakte sales document

verkoopbaar saleable, marketable

verkoopbaarheid saleability, marketability

verkoopcijfers sales figures

verkoopdatum date of sale: *uiterste* ~ sell-by date

verkoopleider sales manager

verkoopovereenkomst sales agreement

verkooppraatje sales pitch

verkooppunt (sales) outlet, point of sale

verkoopresultaat sales figure *(of:* result) *(vaak mv)*

verkoop(s)prijs selling price

verkoopster saleswoman, *(in winkel ook)* shop assistant

verkooptechniek salesmanship

verkoopvoorwaarden terms and conditions of sale

verkoopwaarde selling value, market value

verkopen 1 sell: *nee* ~ give (s.o.) no for an answer; *met winst* (of: *verlies*) ~ sell at a profit *(of:* loss); *éénmaal! andermaal! verkocht!* going! going! gone!; 2 *(toedienen)* give: *iem een dreun* ~ clobber s.o.

verkoper salesman, *(in winkel ook)* shop assistant

verkoping (public) sale, auction: *bij openbare* ~ by auction

verkort shortened, abridged, condensed

verkorten shorten, abridge, condense, *(van duur)* reduce

verkouden: ~ *worden* catch (a) cold; ~ *zijn* have a cold

verkoudheid (common) cold: *een* ~ *opdoen* catch (a) cold

verkrachten rape, (sexually) assault

verkrachter rapist

verkrachting rape

verkrampt contorted, *(fig)* constrained

verkreukelen I *intr* crumple: *een verkreukeld pak* a creased suit; II *tr (door kreuken bederven)* rumple (up), crumple (up): *papier* ~ crumple up paper

verkrijgbaar available: *het formulier is* ~ *bij de administratie* the form can be obtained from the administration; *zonder recept* ~ over-the-counter

verkrijgen 1 receive, get; 2 *(bemachtigen)* obtain, come by, secure: *een betere positie* ~ secure a better position; *moeilijk te* ~ hard to come by

verkromming bend, twist: ~ *van de ruggengraat* curvature of the spine

verkroppen: *iets niet kunnen* ~ be unable to take sth

verkrotten decay, become run-down: *verkrotte huizen* slummy *(of:* dilapidated) houses

verkruimelen crumble

verkwanselen bargain away, fritter away; squander

verkwikkend refreshing, invigorating, stimulating

verkwisten waste, *(geld ook)* squander

verkwisting waste(fulness), squandering: *het is pure* ~ it's an utter waste

verlagen lower, *(verminderen ook)* reduce: *(met) 30 %* ~ lower *(of:* reduce) by 30 %

verlaging lowering, *(vermindering ook)* reduction

verlammen I *intr* become paralysed *(of:* numb); II *tr (lam maken)* paralyse: *de schrik verlamde mij* I was paralysed with fear

verlammend paralysing

verlamming paralysis

verlangen I *intr* (met *naar*) (vervuld zijn ve begeerte) long (for), crave: *ik verlang ernaar je te zien* I long to see you, (*sterker*) I'm dying to see you; **II** *tr* (begeren) want, wish for, (*eisen*) demand: *wat kun je nog meer ~* what more can you ask for?; *dat kunt u niet van mij ~* you can't expect me to do that; **III** *zn* longing, desire, (*sterk verlangen*) craving: *aan iemands ~ voldoen* comply with s.o.'s wish

verlanglijst list of gifts wanted

verlaten I *tr* **1** leave: *het land ~* leave the country; *de school ~* leave school; **2** (*in de steek laten*) abandon, leave: *vrouw en kinderen ~* leave (*of:* abandon) one's wife and children; **II** *bn* **1** deserted: *een ~ huis* an abandoned house; **2** (*eenzaam, afgelegen*) desolate, lonely; **3** (*achtergelaten*) abandoned

verlatenheid desolation, abandonment: *een gevoel van ~* a feeling of desolation

verleden I *zn* past: *het ~ laten rusten* let bygones be bygones; *teruggaan in het ~* go back in time; **II** *bn* past: *het ~ deelwoord* the past (*of:* perfect) participle; *de ~ tijd* the past tense; *voltooid ~ tijd* past perfect (*of:* pluperfect) (tense); *~ week* last week

verlegen 1 shy: *~ zijn tegenover meisjes* be shy with girls; **2** (met *om*) in need of, at a loss for, pressed for: *ik zit niet om werk ~* I have my work cut out as it is

verlegenheid 1 shyness; **2** (*moeilijke omstandigheid*) embarrassment, trouble: *iem in ~ brengen* embarrass s.o.

verleggen move, shift, (*grenzen*) push back

verleidelijk tempting, inviting, seductive: *een ~ aanbod* a tempting offer

verleiden 1 tempt, invite, entice: *iem ertoe ~ om iets te doen* tempt s.o. into doing sth; **2** (*mbt geslachtsgemeenschap*) seduce

verleider seducer, tempter

verleiding temptation, (*het verleiden*) seduction: *de ~ niet kunnen weerstaan* be unable to resist (the) temptation; *in de ~ komen om* feel (*of:* be) tempted to

verleidster seducer, temptress

verlenen grant, confer: *iem onderdak ~* take s.o. in, harbour s.o. (*misdadiger*); *voorrang ~* give way (*of:* priority), (*verkeer*) give right of way, (*Am*) yield

verlengde extension: *in elkaars ~ liggen* be in line

verlengen 1 extend, lengthen; **2** (*langer laten duren*) extend, prolong: *een (huur)contract ~* renew a lease; *zijn verblijf ~* prolong one's stay; *verlengd worden (wedstrijd)* go into extra (*of:* injury) time, (*Am*) go (into) overtime

verlenging 1 extension, (*sport*) extra time, injury time, (*Am*) overtime; **2** (*het verlengen*) lengthening, extension

verlengsnoer extension lead

verlept withered, wilted

verleren forget (how to), (*opzettelijk*) unlearn: *je*

bent het schaken blijkbaar een beetje verleerd your chess seems a bit rusty; *om het niet (helemaal) te ~* just to keep one's hand in

verlevendigen revive, enliven (*voordracht, lessen enz.*)

verlicht 1 lit (up), lighted, illuminated: *helder ~* well-lit, brightly lit; **2** (*ve last bevrijd*) relieved, lightened: *met ~ gemoed* with (a) light heart

verlichten 1 light, illuminate; **2** (*minder zwaar maken*) relieve, lighten: *dat verlicht de pijn* that relieves (*of:* eases) the pain

verlichting 1 light(ing), illumination; **2** (*het minder zwaar maken*) lightening; *~ van straf* mitigation of punishment

verliefd in love (with); amorous, loving: *zwaar ~ zijn* be madly (*of:* deeply) in love; *hij keek haar ~ aan* he gave her a fond (*of:* loving) look

verliefdheid being in love; love

verlies loss: *~ lijden* suffer a loss, (*financieel*) make a loss; *met ~ verkopen* sell at a loss; *met ~ draaien* make a loss (*of:* losses); *niet tegen (zijn) ~ kunnen* be a bad loser

verliesgevend loss-making

verliezen 1 lose: *zijn bladeren ~* defoliate; *de macht ~* fall from power; *terrein ~* lose ground; **2** (*laten voorbijgaan*) lose, miss: *er is geen tijd te ~* there is no time to lose (*of:* to be lost)

verliezer loser

verlinken tell on; grass on

verloedering corruption

verlof 1 leave, permission: *~ krijgen om …* obtain permission to …; **2** (*verloftijd*) leave (of absence), (*mil ook*) furlough: *buitengewoon ~* special leave; *met ~ zijn* be on leave

verloofd engaged (to)

verloofde fiancé, (*vrl*) fiancée

verloop 1 course, passage: *na ~ van tijd* in time, after some time; **2** (*ontwikkeling, afloop*) course, progress, development: *voor een vlot ~ van de besprekingen* for smooth progress in the talks; **3** (*mbt personeel, klantenkring*) turnover, wastage: *natuurlijk ~* natural wastage

verlopen 1 (e)lapse, go by, pass; **2** (*vervallen*) expire: *mijn rijbewijs is ~* my driving licence has expired; **3** (*zijn beloop nemen*) go (off): *vlot ~* go smoothly; **4** (*minder bezocht, beoefend worden*) drop off, fall off, go down(hill)

verloren lost: *~ moeite* wasted effort; *een ~ ogenblik* an odd moment; *voor een ~ zaak vechten* fight a losing battle

verloskamer delivery room

verloskunde obstetrics

verloskundig obstetric

verloskundige (*vroedvrouw*) midwife; (*specialist*) obstetrician

verlossen 1 deliver (from), release (from), save (from): *een dier uit zijn lijden ~* put an animal out of its misery; **2** (*mbt een bevalling*) deliver (of)

verlosser saviour, rescuer: *de Verlosser* our

Saviour, the Redeemer

verlossing deliverance, release

verloten raffle (off)

verloven, zich get engaged (to)

verloving engagement: *zijn ~ verbreken* break off one's *(of:* the) engagement

verlovingsring engagement ring

verlummelen fritter away

vermaak amusement, enjoyment, pleasure: *onschuldig ~* good clean fun

vermaard renowned (for), celebrated (for), famous (for)

vermageren lose weight, become thin(ner), get thin(ner), *(als kuur)* slim: *sterk vermagerd* emaciated, wasted

vermageringskuur slimming diet: *een ~ ondergaan* be *(of:* go) on a (slimming, reducing) diet

vermaken 1 amuse, entertain: *zich ~* enjoy *(of:* amuse) oneself, have fun; **2** *(bij testament)* bequeath, make over

vermalen grind

vermanen admonish, warn

vermannen, zich screw up one's courage, take heart

vermeend supposed, alleged

vermeerderen increase, enlarge, grow: *~ met 25 %* increase by 25 per cent

vermelden 1 mention; **2** *(aangeven)* state, give

vermelding mention, statement: *eervolle ~* honourable mention; *onder ~ van ...* giving *(of:* stating, mentioning) ...

vermengen mix, blend *(thee, koffie, tabak)*

vermenging mix(ture), mixing, blend(ing)

vermenigvuldigen I *tr* **1** duplicate; **2** *(wisk)* multiply: *vermenigvuldig dat getal met 8* multiply that number by 8; **II** *zich ~ (talrijker worden)* multiply, increase; reproduce

vermenigvuldiging multiplication: *tafel van ~* multiplication table

vermicelli vermicelli

vermijden avoid: *angstvallig ~* shun, fight shy of

verminderd diminished, reduced: *~ toerekeningsvatbaar* not fully accountable for one's actions

verminderen decrease, reduce: *de uitgaven ~* cut (back on) expenses

vermindering decrease, reduction: *~ van straf* reduction of (a) sentence

verminken mutilate

verminking mutilation

vermissen miss: *iem (iets) als vermist opgeven* report s.o. missing, report sth lost

vermissing loss, absence *(ook persoon)*

vermiste missing person

vermits *(Belg) (omdat, daar, aangezien)* since, as, because

vermoedelijk supposed: *de ~e dader* the suspect; *de ~e oorzaak* the probable cause

vermoeden I *tr* suspect, suppose: *dit heb ik nooit kunnen ~* this is the last thing I expected; **II** *zn* **1**

conjecture, surmise; **2** *(gedachte)* suspicion: *ik had er geen flauw ~ van* I didn't have the slightest suspicion *(of:* the faintest idea); *ik had al zo'n ~, ik had er al een ~ van* I had my suspicions (all along)

vermoeid tired (with), weary (of): *dodelijk ~* dead tired, completely worn-out

vermoeidheid tiredness, *(grote vermoeidheid)* weariness, fatigue: *~ van de ogen* eye strain

vermoeien tire (out), weary, fatigue, *(uitputten)* exhaust

vermoeiend tiring, *(vervelend ook)* wearisome, *(vervelend ook)* tiresome

vermogen 1 fortune, *(bezit)* property, *(fin)* capital; **2** *(capaciteit)* power, capacity; **3** *(macht, kracht)* power, ability: *naar mijn beste ~* to the best of my ability

vermogend rich, wealthy: *~e mensen* people of substance

vermolmd mouldered, decayed, rotten

vermommen disguise, dress up: *vermomd als* disguised as

vermomming disguise

vermoorden murder, assassinate *(vooraanstaande personen)*

vermorzelen crush, smash up

vermout vermouth

vernauwen narrow (down), constrict, contract ‖ *zich ~* narrow

vernauwing narrowing, constriction: *~ van de bloedvaten* stricture *(of:* stenosis) of the blood vessels

vernederen humble; *(krenkend behandelen)* humiliate

vernederend humiliating, degrading *(straf enz.)*

vernedering humiliation: *een ~ ondergaan* suffer a humiliation *(of:* an indignity)

vernederlandsen become Dutch, turn Dutch

vernemen learn, be told *(of:* informed) (of)

vernielen destroy, wreck

vernieling destruction, devastation: *~en aanrichten* go on the rampage; *zij ligt helemaal in de ~* she's a complete wreck

vernielzucht destructiveness, vandalism

vernietigen destroy, ruin, *(totaal wegvagen)* annihilate: *iemands verwachtingen ~* dash s.o.'s expectations

vernietigend destructive, devastating: *een ~ oordeel* a scathing judgment

vernietiging destruction, *(totaal wegvagen)* annihilation

vernietigingskamp extermination camp

vernieuwen 1 renew, modernize, renovate *(gebouw)*; **2** *(vervangen)* renew, restore

vernieuwer 1 renewer, *(van gebouw enz.)* renovator; **2** *(iem met nieuwe ideeën)* innovator

vernieuwing 1 renewal, modernization, renovation *(gebouw)*, rebuilding; **2** *(aangebrachte aanpassing)* modernization, renovation, reform *(onderwijs)*: *allerlei ~en aanbrengen* carry out all sorts of reno-

vations *(huis)*
vernis varnish
vernissen varnish
vernuftig ingenious, witty
veronderstellen suppose, assume: *ik veronderstel van wel* I suppose so
veronderstelling assumption, supposition: *in de ~ verkeren dat ...* be under the impression that ...
verongelukken 1 have an accident, be lost, be killed *(mensen bij vliegramp, schipbreuk);* **2** *(mbt schepen, vliegtuigen)* (have a) crash, be wrecked, be lost *(schip): het vliegtuig verongelukte* the plane crashed
verontreinigen pollute, contaminate
verontreiniging pollution, contamination: *de ~ van het milieu* environmental pollution
verontrust alarmed, worried, concerned
verontrustend alarming, worrying, disturbing
verontschuldigen I *tr* excuse, pardon: *iem ~ excuse s.o.;* **II** *zich ~ (excuses aanbieden)* apologize, excuse: *zich laten ~ (formeel, bij vergadering)* beg to be excused; *zich vanwege ziekte ~* excuse oneself on account of illness
verontschuldiging 1 excuse, apology: *~en aanbieden* apologize, offer one's apologies; **2** *(rechtvaardiging)* excuse, defence: *hij voerde als ~ aan dat* he offered the excuse that
verontwaardigd indignant (about, at)
verontwaardiging indignation, outrage: *tot grote ~ van* to the great indignation of
veroordeelde condemned man *(of:* woman), convict
veroordelen 1 condemn, *(jur)* sentence, *(schuldig bevinden)* find guilty: *~ tot de betaling van de kosten* order (s.o.) to pay costs; **2** *(afkeuren)* condemn; denounce *(iem, gedrag)*
veroordeling 1 *(jur)* conviction; *(vonnis)* sentence: *voorwaardelijke ~* suspended sentence; **2** *(afkeuring)* condemnation, *(openlijk)* denunciation
veroorloven permit, allow, afford *(mbt aanschaf): zo'n dure auto kunnen wij ons niet ~* we can't afford such an expensive car
veroorzaken cause, bring about: *schade ~* cause damage
verorberen consume
verordening regulation(s), ordinance, statute
verouderd old-fashioned, (out)dated
verouderen become obsolete *(of:* antiquated); date, go out of date
veroudering obsolescence, getting *(of:* becoming) out of date
veroveraar conqueror: *Willem de Veroveraar* William the Conqueror
veroveren conquer, capture, win: *de eerste plaats ~ in de wedstrijd* take the lead
verovering conquest, capture
verpachten lease (out): *verpachte grond* land on lease
verpakken pack (up), package: *een cadeau in pa-*

pier ~ wrap a present in paper
verpakking packing, wrapping, paper
verpakkingsmateriaal packing material
verpatsen flog
verpauperen impoverish, go down (in the world), be reduced to poverty: *een verpauperde stad* a run-down town
verpaupering deterioration, impoverishment
verpesten poison, contaminate, spoil: *de sfeer ~* spoil the atmosphere
verpinken *(Belg): zonder (te) ~* without batting an eyelid
verplaatsbaar movable, *(draagbaar)* portable, mobile: *een verplaatsbare barak* a transportable shed
verplaatsen I *tr* move, shift *(dingen, gewicht): zijn activiteiten ~* shift one's activities; **II** *zich ~* **1** move, shift, change places; **2** *(zich inleven)* project oneself, put oneself in s.o. else's shoes: *zich in iemands positie ~* imagine oneself in s.o. else's position
verplanten transplant
verpleeghuis nursing home, convalescent home
verpleeghulp nurse's aide, nursing auxiliary, medical orderly
verpleegkundige nurse: *gediplomeerd ~* trained *(of:* qualified) nurse
verpleegster nurse
verplegen nurse, care for: *~d personeel* nursing staff
verpleger (male) nurse
verpleging nursing, care: *zij gaat in de ~* she is going into nursing
verpletteren 1 crush, smash; **2** *(fig)* shatter: *dit bericht verpletterde haar* the news shattered her
verpletterend crushing: *een ~e nederlaag* a crushing defeat
verplicht 1 compelled, obliged: *zich ~ voelen om* feel compelled to; **2** *(voorgeschreven)* compulsory, obligatory: *~e lectuur* required reading (matter); *~ verzekerd zijn* be compulsorily insured; *iets ~ stellen* make sth compulsory
verplichten oblige, compel: *de wet verplicht ons daartoe* the law obliges us to do that
verplichting obligation, commitment, liability *(wettelijk, financieel): financiële ~en* financial liabilities *(of:* obligations); *sociale ~en* social duties; *~en aangaan* enter into obligations *(of:* a contract); *zijn ~en nakomen* fulfil one's obligations
verpoten transplant
verprutsen bungle, botch
verpulveren pulverize, *(tr ook)* crush
verraad treason, treachery, betrayal: *~ plegen* commit treason
verraden 1 betray, commit treason: *iem aan de politie ~* squeak *(of:* rat) on s.o.; **2** *(verklappen)* betray: *een geheim ~* betray *(of:* let out) a secret; *niets ~, hoor!* don't breathe a word!
verrader traitor; betrayer; squealer *(aan politie)*
verraderlijk treacherous
verrassen (take by) surprise: *door noodweer verrast*

caught in a thunderstorm

verrassing 1 surprise; *(onaangenaam)* shock: *voor iem een ~ in petto hebben* have a surprise in store for s.o.; *het was voor ons geen ~ meer* it didn't come as a surprise to us; **2** *(verwondering)* surprise, amazement: *tot mijn ~ bemerkte ik ...* I was surprised to see that ...

verrast surprised; *(verwonderd)* amazed: *~ keek hij op* he looked up in surprise

verregaand far-reaching; outrageous; radical *(ideeën, veranderingen): in ~e staat van ontbinding* in an advanced state of decomposition

verrek gosh, (good) gracious

verrekenen settle; deduct, adjust; *(uitbetalen)* pay out: *iets met iets ~* balance sth with sth

verrekening settlement

verrekijker binoculars; telescope *(één lens)*

verrekken I *tr* strain, pull *(spier)*, twist, wrench, *(verstuiken)* sprain: *een pees ~* stretch a tendon; *zich ~* strain oneself; **II** *intr (inform) (sterven)* die; kick the bucket: *~ van de honger* starve; *~ van de pijn* be groaning with pain; *~ van de kou* perish with cold

verrekt *(ontwricht)* strained

verreweg (by) far; much, easily *(met overtreffende trap): dat is ~ het beste* that's easily *(of:* much) the best; *hij is ~ de sterkste* he's far and away the strongest

verrichten perform; conduct *(onderzoek, zaken)*; carry out *(onderzoek, zaken, reparatie): wonderen ~* work wonders, perform miracles

verrijden 1 move; *(duwend)* wheel; drive *(besturen)*; **2** *(rijden om)* compete in, compete for: *een kampioenschap ~* organize *(of:* hold) a championship; *een wedstrijd laten ~* run off a race

verrijken enrich: *zijn kennis ~* improve one's knowledge; *zich ~ ten koste van een ander* get rich at the expense of s.o. else

verrijzen (a)rise, spring up *(gebouw); (heel snel)* shoot up

verrijzenis resurrection

verroeren, zich move: *je kunt je hier nauwelijks ~* you can hardly move in here; *verroer je niet* don't move

verroest rusty

verroesten rust, get rusty: *verroest ijzer* rusty iron

verrot rotten, bad *(appel, tand)*, putrid, wretched: *iem ~ slaan* knock the living daylights out of s.o.; *door en door ~* rotten to the core

verrotten rot, decay: *doen ~* rot (down) *(composthoop)*, decay *(tanden)*

verrotting rot(ting), decay: *dit hout is tegen ~ bestand* this wood is treated for rot

verruilen (ex)change, swap

verruimen widen, broaden, liberalize *(maatregel): zijn blik ~* widen *(of:* broaden) one's outlook; *mogelijkheden ~* create more possibilities

verruiming widening, broadening, liberalization *(mbt maatregel)*

verrukkelijk delightful, gorgeous, delicious *(mbt voedsel)*

verrukt delighted, overjoyed

verruwing coarsening, vulgarization

vers I *zn* **1** verse: *Lucas 6, ~ 10* St Luke, chapter 6, verse 10; **2** *(couplet)* verse, stanza, *(twee regels)* couplet: *dat is ~ twee* that's another story; **3** *(gedicht)* verse, poem, *(rijmpje)* rhyme; **II** *bn, bw* fresh, new: *~ bloed* fresh *(of:* young, new) blood; *~e eieren* new-laid eggs; *~e sneeuw* fresh *(of:* new-fallen) snow; *~ blijven* keep fresh *(of:* good); *~ van de pers* hot from the press

verschaffen provide (with), supply (with): *het leger verschafte hem een complete uitrusting* the army issued him with a complete kit

verschansen, zich entrench oneself, barricade oneself, take cover: *zich in zijn kamer ~* barricade oneself in one's room

verscheiden several, various

verscheidenheid variety, diversity, *(verzameling ook)* assortment, range: *een grote ~ aan gerechten* a wide variety of dishes

verschepen ship (off, out)

verscheping shipping

verscherpen tighten (up): *het toezicht ~* tighten up control

verscheuren 1 tear (up); shred *(in kleine stukjes)*; rip (up) *(met kracht)*; **2** *(met de tanden vaneenrijten)* maul, tear to pieces *(of:* apart)

verschieten fade: *de gordijnen zijn verschoten* the curtains are *(of:* have) faded

verschijnen 1 appear; surface, emerge *(uit iets)*; **2** *(komen opdagen)* appear, turn up; **3** *(boeken, cd's)* appear, come out, be published

verschijning 1 appearance; publication *(mbt boeken)*; **2** *(persoon)* figure, presence: *een indrukwekkende ~* an imposing presence

verschijnsel phenomenon, symptom *(van ziekte, problemen)*, sign: *een eigenaardig ~* a strange phenomenon

verschil 1 difference, dissimilarity, distinction: *~ van mening* a difference of opinion; *een groot ~ maken* make all the difference; *~ maken tussen* draw a distinction between, differentiate between; *~ maken* make a difference; *met dit ~, dat ...* with one difference, namely that ...; *een ~ van dag en nacht* a world of difference; **2** *(uitkomst ve aftrekking)* difference, remainder: *het ~ delen* split the difference

verschillen differ (from), be different (from), vary *(ook mening): van mening ~ met iem* disagree with s.o., differ with s.o.

verschillend 1 different (from), various: *wij denken daar ~ over* we don't see eye to eye on that; **2** several, various, different: *bij ~e gelegenheden* on various occasions

verscholen hidden; secluded *(plekje): het huis lag ~ achter de bomen* the house was tucked away behind the trees

verschonen change: *de baby ~* change the baby's

nappy; *de bedden* ~ put clean sheets on the beds; *zich* ~ put on clean clothes

verschoning change of underwear

verschoppeling outcast

verschrikkelijk I *bn* terrible; devastating *(ramp, nieuws)*; excruciating *(pijn, lawaai): een ~e hongersnood* a devastating famine; *~e sneeuwman* Abominable Snowman, yeti; *een ~ kabaal* an infernal racket; **II** *bw (in hoge mate)* terribly, awfully, terrifically *(mbt iets positiefs): Sander maakte een ~ mooi doelpunt* Sander scored a terrific goal

verschrikking terror, horror: *de ~en van de oorlog* the horrors of war

verschroeien scorch; singe *(stof)*; sear: *de tactiek van de verschroeide aarde* scorched earth policy

verschrompelen shrivel (up), atrophy *(orgaan): een verschrompeld gezicht* a wizened face

verschuilen, zich hide (oneself); lurk: *zich in een hoek* ~ hide (oneself) in a corner

verschuiven 1 move, shift, *(opzij)* shove aside; **2** *(opschorten)* postpone

verschuiving 1 shift; **2** *(opschorting)* postponement

verschuldigd due, indebted *(ook mbt hulp, diensten enz.): het ~e geld* the money due; *iem iets ~ zijn* be indebted to s.o., owe s.o. sth

versheid freshness

versie version

versierder womanizer, ladykiller

versieren 1 decorate: *de kerstboom* ~ trim the Christmas tree; *straten* ~ decorate the streets; **2** *(verleiden)* pick up; get off with

versiering decoration

versimpelen (over)simplify

versjouwen drag away

verslaafd addicted (to), hooked (on): ~ *raken aan drugs* contract the drug habit; *aan de drank* (of: *het spel*) ~ *zijn* be addicted to drink (of: gambling)

verslaafde alcoholic; *(mbt drugs)* (drug) addict; *(mbt heroïne)* junkie

verslaafdheid addiction

verslaan defeat, beat *(sport): iem ~ met schaken* defeat s.o. at chess

verslag report, commentary *(op radio, tv): een direct ~ van de wedstrijd* a live commentary on the match; ~ *uitbrengen* report on, give an account of

verslagen 1 defeated, beaten; **2** *(terneergeslagen)* dismayed

verslagenheid dismay (at), consternation (at)

verslaggever reporter; commentator *(op radio, tv)*

verslaggeving (press) coverage

verslapen, zich oversleep: *hij had zich drie uur ~* he overslept and was three hours late

verslappen slacken, flag *(aandacht)*, wane *(aandacht): de pols verslapt* the pulse is getting weaker

verslavend addictive

verslaving addiction, (drug-)dependence

verslechteren get worse, worsen, deteriorate

verslepen drag (off, away); tow (away) *(met sleepboot, takelwagen enz.)*

versleten 1 worn(-out), shabby: *tot op de draad ~* threadbare; **2** *(afgeleefd)* worn-out; burnt-out *(mens, dier): een ~ paard* an old nag

versleuteling *(comp)* encryption

verslijten wear out: *hij had al drie echtgenotes versleten* he had already got through three wives

verslikken, zich 1 choke: *pas op, hij verslikt zich* watch out, it has gone down the wrong way; *zich in een graat* ~ choke on a bone; **2** *(onderschatten)* underrate, underestimate

verslinden devour, eat up *(winst, afstanden)*, eat *(geld): die auto verslindt benzine* that car drinks petrol; *een boek* ~ devour a book

verslingerd: zij is ~ aan slagroomgebakjes she is mad about cream cakes

versmallen I *intr, tr* narrow; **II** *zich* ~ narrow, become narrow(er): *ginds versmalt de weg zich* the road gets narrow(er) there

versmelten blend, merge

versnapering snack, titbit

versnellen, zich quicken; accelerate, speed up

versnelling 1 acceleration, increase (in) *(tempo)*; **2** *(mechanisme)* gear: *in de eerste ~ zetten* put into first gear; *in een hogere ~ schakelen* change up, move into gear; *een auto met automatische ~* a car with automatic transmission; *een fiets met tien ~en* a ten-speed bike

versnellingsbak gearbox

versnellingspook gear lever, gearstick

versnipperen 1 cut up (into pieces); **2** *(in te veel delen verdelen)* fragment; fritter away *(tijd, energie)*

versoepelen relax; *(wet ook)* liberalize

verspelen forfeit, lose: *een kans* ~ throw away a chance; *zijn rechten* ~ forfeit one's rights

versperren block, *(opzettelijk)* barricade: *iem de weg* ~ bar s.o.'s way; *de weg* ~ block the road

versperring barrier, barricade

verspillen waste, *(tijd ook)* fritter away

verspilling 1 wasting: ~ *van energie* wasting energy; **2** waste: *wat een ~!* what a waste!

versplinteren smash, *(hout ook)* splinter: *die plank is versplinterd* that plank has splintered

versplintering smashing; *(ook fig)* fragmentation

verspreid scattered: *een over het hele land ~e organisatie* a nationwide organization; *haar speelgoed lag ~ over de vloer* the floor was strewn with her toys; *wijd* ~ widespread, widely *(of:* commonly) held *(opvatting)*

verspreiden I *tr* **1** spread, disperse, distribute, circulate *(geschriften, informatie): een kwalijke geur* ~ give off a ghastly smell; *licht* ~ shed light; *warmte* ~ give off heat; **2** *(uiteen doen gaan)* disperse; **II** *zich* ~ spread (out): *de menigte verspreidde zich* the crowd dispersed

verspreiding spread; distribution

verspreken, zich make a slip *(of:* mistake)

verspreking slip of the tongue, mistake

¹**verspringen** do the long jump: *zij sprong zes meter ver* she jumped six metres

²**verspringen 1** jump; **2** *(niet in één lijn liggen)* stagger: *~de naden* staggered seams

verspringer long jumper, *(Am)* broad-jumper

versregel line (of poetry)

verst furthest; farthest: *het ~e punt* the farthest point; *dat is in de ~e verte niet mijn bedoeling* that's the last thing I intended

verstaan 1 *(horen)* (be able to) hear: *helaas verstond ik zijn naam niet* unfortunately I didn't catch his name; *ik versta geen woord!* I can't hear a word that is being said; *hij kon zichzelf nauwelijks ~* he could hardly hear himself speak; **2** *(begrijpen)* understand: *heb ik goed ~ dat ...* did I hear you right ...; *wel te ~* that is (to say); *te ~ geven* give (s.o.) to understand (that); **3** *(als betekenis hechten aan)* understand, mean: *wat versta jij daaronder?* what do you understand by that?; **4** *(goed kennen)* know: *zijn vak ~* know one's trade

verstaanbaar 1 audible; **2** *(begrijpelijk)* understandable: *zich ~ maken* make oneself understood

verstand 1 (power of) reason, (powers of) comprehension, *(hersenen)* brain(s): *gezond ~* common sense; *een goed ~ hebben* have a good head on one's shoulders; *iem iets aan het ~ brengen* drive sth home to s.o.; *bij zijn (volle) ~* in full possession of one's faculties; **2** *(kennis)* knowledge, understanding: *~ hebben van* know about, understand, be a good judge of; *daar heb ik geen ~ van* I don't know the first thing about that

verstandelijk I *bn* intellectual: *~e vermogens* intellect, intellectual powers; **II** *bw* rationally

verstandhouding understanding, *(contacten, betrekkingen)* relations: *een blik van ~* an understanding look; *een goede ~ hebben met* be on good terms with

verstandig sensible: *iets ~ aanpakken* go about sth in a sensible way

verstandskies wisdom tooth

verstandsverbijstering madness: *handelen in een vlaag van ~* act in a fit of madness *(of:* insanity)

verstedelijking urbanization

versteend petrified; *(ook fig)* fossilized

verstek default (of appearance): *~ laten gaan* be absent, fail to appear

verstekeling stowaway

verstelbaar adjustable

versteld stunned: *iem ~ doen staan* astonish s.o.; *~ staan (van iets)* be dumbfounded

verstellen 1 adjust; **2** *(repareren)* mend, repair

versterken 1 strengthen; intensify *(licht, gevoelens):* geluid ~ amplify sound; **2** *(tegen aanvallen)* fortify

versterker amplifier

versterking strengthening, reinforcement; amplification *(geluid): het leger kreeg ~* the army was reinforced

verstevigen strengthen, consolidate, *(stutten)* prop up: *zijn positie ~* consolidate one's position

verstijven stiffen: *~ van kou* grow numb with cold;

~ van schrik be petrified with fear

verstikken smother, choke

verstikkend suffocating: *~e hitte* stifling heat

verstikking suffocation

verstoken I *tr* spend on heating; **II** *bn* deprived (of)

verstokt hardened, confirmed: *een ~e vrijgezel* a confirmed bachelor

verstomd: *~ doen staan* strike dumb, astound; *~ staan* be dumbfounded *(of:* flabbergasted)

verstommen become silent: *het lawaai verstomde* the noise died down

verstoord annoyed, upset

verstoppen hide: *zijn geld ~ hide (of:* stash) away one's money

verstoppertje hide-and-seek: *~ spelen* play (at) hide-and-seek

verstopt blocked (up): *mijn neus is ~* my nose is all stuffed up; *het riool is ~* the sewer is clogged

verstoren disturb: *het evenwicht ~* upset the balance; *de stilte ~* break the silence

verstoring disruption: *~ van de openbare orde* disorderly conduct

verstoten cast off, cast out: *een kind ~* disown a child

verstrekken supply with, provide with; *(uitdelen)* distribute: *de bank zal hem een lening ~* the bank will grant him with a loan

verstrekkend far-reaching

verstrekking supply, provision

verstrijken go by; *(voorbijgaan)* elapse; *(aflopen)* expire: *de termijn verstrijkt op 1 juli* the term expires on the 1st of July

verstrikken entangle: *in iets verstrikt raken* get entangled in sth

verstrooid absent-minded

verstrooidheid absent-mindedness: *uit ~ iets doen* do sth from absent-mindedness

verstuiken sprain

verstuiver spray, atomizer

versturen send (off): *iets naar iem ~* send sth to s.o.; *per post ~* mail

versuft dizzy; dazed, stunned *(door schok)*

vertaalbureau translation agency

vertakken, zich *(zich uitsplitsen)* branch (off)

vertalen translate; interpret *(door tolk): vrij ~* give a free translation; *uit het Engels in het Frans ~* translate from English into French

vertaler translator: *beëdigd ~* sworn translator

vertaling translation: *een ~ maken* do a translation

verte distance: *in de verste ~ niet* not remotely; *het lijkt er in de ~ op* there is a slight resemblance; *uit de ~* from a distance

vertederen soften, move: *zij keek het kind vertederd aan* she gave the child a tender look

verteerbaar digestible, *(fig ook)* palatable, acceptable: *licht ~ voedsel* light food

vertegenwoordigen represent

vertegenwoordiger 1 representative; **2** *(agent)* (sales) representative

vertegenwoordiging 1 representation; **2** *(perso-nen)* delegation
vertekend distorted
vertekenen distort
vertekening distortion
vertellen tell: *een mop ~* crack a joke; *moet je mij ~!* you're telling me!; *dat wordt verteld* so they say; *zal ik je eens wat ~?* you know what?, *(dreigend)* let me tell you sth; *wat vertel je me nou?* I can't believe it!; *je kunt me nog meer ~* tell me another (one); *iets verder ~ aan anderen* pass sth on to others; *vertel het maar niet verder* this is just between us
verteller narrator
verteren I *tr* digest: *niet te ~* indigestible; **II** *intr (vergaan)* be consumed *(of:* eaten away): *dat laken verteert door het vocht* that sheet is mouldering away with the damp
verticaal vertical: *in verticale stand* in (an) upright position
vertier entertainment, diversion
vertikken refuse (flatly)
vertillen, zich strain oneself (in) lifting: *(fig) zich aan iets ~* bite off more than one can chew
vertimmeren alter, renovate
vertoeven sojourn, stay
vertonen I *tr* **1** show: *geen gelijkenis ~ met* bear no resemblance to; *tekenen ~ van* show signs of; **2** *(een voorstelling geven)* show, present: *kunsten ~* do tricks; **II** *zich ~ (zich laten zien)* show one's face, turn up: *je kunt je zo niet ~ in het openbaar* you're not fit to be seen in public (like this); *ik durf me daar niet meer te ~* I'm afraid to show my face there now
vertoning 1 show(ing), presentation; **2** *(wat vertoond wordt)* show, production: *het was een grappige ~* it was a curious spectacle
vertoon showing, producing: *op ~ van een identiteitsbewijs* on presentation of an ID
vertragen slow down; *(trein)* be delayed: *een vertraagde filmopname* a slow-motion film scene
vertraging delay: *~ ondervinden* be delayed
vertrappen tread on, trample underfoot
vertrek 1 departure; sailing *(boot):* *bij zijn ~* on his departure; *op het punt van ~ staan* be about to leave; **2** *(kamer)* room
vertrekdatum departure date, date of departure
vertrekhal departure hall
vertrekken I *intr* leave: *wij ~ morgen naar Londen* we are off to *(of:* leave for) London tomorrow; **II** *tr* pull, distort: *zonder een spier te ~* without batting an eyelid
vertrekpunt start(ing point), point of departure *(ook fig)*
vertreksein departure signal, green light
vertrektijd time of departure
vertroebelen I *tr* cloud, obscure *(ook fig):* *dat vertroebelt de zaak* that confuses *(of:* obscures) the issue; **II** *intr (troebel worden)* become clouded
vertroetelen pamper

vertrouwd 1 reliable, trustworthy: *een ~ persoon* a trusted person; **2** *(op de hoogte)* familiar (with): *zich ~ maken met die technieken* familiarize oneself with those techniques
vertrouwdheid familiarity
vertrouwelijk intimate; confidential: *~ met iem omgaan* be close to s.o.; *~ met elkaar praten* have a heart-to-heart talk; *een ~e mededeling* a confidential communication
vertrouwelijkheid confidentiality
vertrouwen I *zn* confidence, trust: *op goed ~* on trust; *ik heb er weinig ~ in* I'm not very optimistic; *~ hebben in de toekomst* have faith in the future; *vol ~ zijn* be confident; *iem in ~ nemen* take s.o. into one's confidence; *goed van ~ zijn* be (too) trusting; **II** *intr, tr* trust: *hij is niet te ~* he is not to be trusted; *ik vertrouw erop dat …* I trust that …; *op God ~* trust in God; *iem voor geen cent ~* not trust s.o. an inch
vertwijfeld despairing: *~ raken* (be driven to) despair
vertwijfeling despair, desperation
veruit by far: *~ de beste zijn* by far and away the best
vervaardigen make: *met de hand vervaardigd* made by hand; *deze tafel is van hout vervaardigd* this table is made of wood
vervaardiging manufacture, construction
vervagen I *intr* become faint *(of:* blurred); *(licht ook)* dim; *(zwakker worden)* fade (away); **II** *tr (vaag maken)* blur, dim: *de tijd heeft die herinneringen vervaagd* time has dimmed those memories
verval 1 decline: *het ~ van de goede zeden* the deterioration of morals; *dit gebouw is flink in ~ geraakt* this building has fallen into disrepair; **2** *(mbt waterspiegel)* fall
vervaldag expiry date
vervallen I *bn* **1** *(niet onderhouden)* dilapidated; **2** *(armoedig)* bedraggled; **II** *intr* **1** *(bouwvallig worden)* fall into disrepair; **2** *(raken tot)* lapse: *in oude fouten ~* relapse into old errors; *tot armoede ~* be reduced to poverty; **3** *(niet meer gelden)* expire: *400 arbeidsplaatsen komen te ~* 400 jobs are to go *(of:* disappear); *die mogelijkheid vervalt* that possibility is no longer open; *de vergadering vervalt* the meeting has been cancelled
vervalsen 1 forge, counterfeit; **2** *(met boze opzet veranderen)* tamper (with): *een cheque ~* forge a cheque
vervalser forger, counterfeiter
vervalsing forgery; counterfeit
vervangen replace, take the place of, substitute: *niet te ~* irreplaceable
vervanger replacement, substitute: *de ~ van de minister* the substitute minister
vervanging replacement, substitution
verveeld bored, weary: *(Belg) ~ zitten met iets* not know what to do about sth; *~ toekijken* watch indifferently
verveelvoudigen multiply

ve

vervelen I *intr, tr* bore, annoy: *tot ~s toe* ad nauseam, over and over again; II *zich ~ (niet weten wat te doen)* be(come) bored: *ik verveel me dood* I am bored stiff

vervelend 1 boring; 2 *(onaangenaam)* annoying: *een ~ karwei* a chore; *wat een ~e vent* what a tiresome fellow; *doe nu niet zo ~* don't be such a nuisance; *wat ~!* what a nuisance!

verveling boredom: *louter uit ~* out of pure boredom

vervellen peel

verven 1 paint; 2 *(stoffen, haar)* dye

verversen 1 *(weer vers maken)* refresh; 2 *(door nieuwe vervangen)* change, freshen

verversing replacement

verviervoudigen quadruple, multiply by four

vervliegen 1 *(mbt tijd)* fly; 2 *(mbt vluchtige stoffen)* evaporate

vervloeken curse: *hij zal die dag ~!* he will rue the day!

vervoer transport, transportation: *met het openbaar ~* by public transport; *tijdens het ~ beschadigde goederen* goods damaged in transit

vervoerbedrijf transport company: *het gemeentelijk ~* public transport

vervoerder transporter, carry

vervoeren transport

vervoermiddel (means of) transport: *openbare ~en* public service vehicles

vervoersacademie centre for logistics and road transport studies

vervoersbedrijf *(goederen)* haulier, haulage firm; *(personen)* passenger transport company

vervoersonderneming transport company

vervolg 1 future; 2 *(supplement)* continuation (of), sequel (to); 3 *(het vervolgen)* continuation: *~ op blz. 10* continued on page 10

vervolgcursus follow-up course

vervolgen 1 continue: *wordt vervolgd* to be continued; 2 *(achtervolgen)* pursue, persecute *(vanwege opvattingen, ras)*; 3 *(jur)* sue *(civiele zaken)*; prosecute *(strafzaken)*: *iem gerechtelijk ~* take legal action against s.o.

vervolgens then: *~ zei hij …* he went on to say …

vervolging 1 *(het vervolgd worden)* persecution; 2 *(jur)* legal action *(of:* proceedings), prosecution: *tot ~ overgaan* (decide to) prosecute

vervolgonderwijs secondary education

vervolgopleiding continuation course, *(Am)* continuing education (course), advanced training

vervolgverhaal serial (story)

vervolledigen complete, round out

vervormen 1 *(mbt vorm)* transform; *(misvormen)* deform, disfigure; 2 *(mbt klank)* distort: *geluid vervormd weergeven* distort a sound

vervorming transformation; *(misvorming)* disfiguring, deforming

vervreemden I *tr* alienate, estrange: *zich ~ van* alienate oneself from; II *intr (vreemd worden aan)*

become estranged *(of:* alienated): *van zijn werk vervreemd raken* lose touch with one's work; *van elkaar ~* drift apart

vervreemding alienation, estrangement

vervroegen advance, (move) forward: *vervroegde uittreding* early retirement

vervuild polluted, contaminated: *~e rivieren* polluted rivers; *~ water* contaminated water

vervuilen pollute, make filthy, contaminate

vervuiler polluter, contaminator: *de ~ betaalt* the polluter pays

vervuiling pollution, contamination: *de ~ van het milieu* environmental pollution

vervullen 1 fill: *dat vervult ons met zorg* that fills us with concern; *van iets vervuld zijn* be full of sth; 2 *(voldoen aan)* fulfil, perform *(taak)*: *tijdens het ~ van zijn plicht* in the discharge of his duty; 3 *(verwezenlijken)* fulfil, realize: *iemands wensen ~* comply with s.o.'s wishes

vervulling fulfilment, discharge *(van plichten)*, realization *(van dromen)*: *een droom ging in ~* a dream came true

verwaand conceited, stuck-up

verwaandheid conceit(edness), arrogance: *naast zijn schoenen lopen van ~* be too big for one's boots

verwaarloosbaar negligible

verwaarloosd neglected

verwaarlozen neglect

verwaarlozing neglect, negligence *(toestand)*

verwachten 1 expect: *daar moet je ook niet alles van ~* don't set your hopes too high; *lang verwacht* long-awaited; *dat had ik wel verwacht* that was just what I had expected; 2 *(mbt zwangerschap)* expect, be expecting: *ze verwacht een baby* she is expecting (a baby), she is in the family way

verwachting 1 anticipation: *in ~ zijn* be expecting, be an expectant mother; 2 *(wat men verwacht)* expectation, outlook *(van weer)*: *de ~en waren hoog gespannen* expectations ran high; *het overtrof haar stoutste ~en* it surpassed her wildest expectations; *~en wekken* arouse (one's) hopes; *beneden de ~en blijven* fall short of expectations, disappoint; *aan de ~ beantwoorden* come up to one's expectations

verwant I *bn* 1 *(mbt personen)* related (to); 2 *(mbt karakter, opvattingen)* kindred: *daar voel ik me niet mee ~* I feel no affinity for *(of:* with) that; II *zn* relative, relation

verward 1 confused, (en)tangled *(draad enz.)*; 2 *(onduidelijk)* confused, muddled, incoherent

verwarmen warm, heat: *de kamer was niet verwarmd* the room was unheated; *een glas hete melk zal je wat ~* a glass of hot milk will warm you up

verwarming heating (system): *centrale ~ aanleggen* put in central heating; *de ~ hoger (of: lager) zetten* turn the heat up *(of:* down)

verwarmingsbuis heating pipe

verwarmingsinstallatie heating system

verwarmingsketel (central heating) boiler

verwarren 1 tangle (up), confuse: *~d werken* lead

to confusion; **2** *(met met)* confuse, mistake: *u ver-wart hem met zijn broer* you mistake him for his brother; *niet te ~ met* not to be confused with
verwarring entanglement, confusion; muddle: *er ontstond enige ~ over zijn identiteit* some confusion arose concerning *(of:* as to) his identity; *~ stichten* cause confusion; *in ~ raken* become confused
verwateren become diluted *(of:* watered down), peter out: *de vriendschap tussen hen is verwaterd* their friendship has cooled off
verwedden bet: *ik wil er alles om ~ dat ...* I'll bet you anything that ...
verweerd weather-beaten
verwekken beget, father: *kinderen ~ beget (of:* father) children
verwekker begetter, father: *de ~ van het kind* the child's natural father
verwelken 1 wilt, wither; **2** *(fig)* fade: *~de schoonheid* fading beauty
verwelkomen welcome, greet, *((be)groeten)* salute: *iem hartelijk ~* give s.o. a hearty welcome
verwend 1 spoilt, pampered: *zij is een ~ kreng* she is a spoilt brat; **2** discriminating: *een ~ publiek* a discriminating public *(of:* audience)
verwennen spoil, indulge: *zichzelf ~* indulge *(of:* pamper) oneself
verweren I *intr* weather, erode *(rotsen)*, become weather-beaten; **II** *~ (zich verdedigen)* defend oneself, *(fysiek)* put up a fight: *voor hij zich kon ~* before he could defend himself
verwerkelijken realize: *een droom* (of: *wens) ~* make a dream *(of:* wish) come true
verwerken 1 process, handle, convert: *zijn maag kon het niet ~* his stomach couldn't digest it; *huisvuil tot compost ~* convert household waste into compost; **2** *(bij het bewerken opnemen)* incorporate: *de nieuwste gegevens zijn erin verwerkt* the latest data are incorporated (in it); **3** *(psychisch)* cope with: *ze heeft haar verdriet nooit echt goed verwerkt* she has never really come to terms with her sorrow; **4** *(aankunnen, opnemen)* absorb, cope with: *stadscentra kunnen zoveel verkeer niet ~* city centres cannot absorb so much traffic
verwerking processing, handling, assimilation, incorporation: *bij de ~ van deze gegevens* in processing *(of:* handling) these data
verwerkingseenheid: *de centrale ~* the mainframe, the processor
verwerkingstijd processing time
verwerpen reject; vote down, turn down
verwerven obtain, acquire, achieve *(roem)*
verweven (inter)weave: *hun belangen zijn nauw ~* their interests are closely knit; *met elkaar ~ zijn* be interwoven
verwezenlijken realize, fulfil *(hoop, wens)*, achieve *(doel)*: *plannen* (of: *voornemens) ~* realize one's plans *(of:* intentions)
verwezenlijking realization, fulfilment
verwijderd remote, distant: *(steeds verder) van el-*

kaar ~ raken drift (further and further) apart; *een kilometer van het dorp ~* a kilometre out of the village
verwijderen remove: *iem uit zijn huis ~* evict s.o.; *iem van het veld ~* send s.o. off (the field)
verwijdering 1 removal: *~ van school* expulsion from school; **2** *(verkoeling)* estrangement: *er ontstond een ~ tussen hen* they drifted apart
verwijding widening, *(med)* dila(ta)tion *(pupil, bloedvat)*
verwijfd effeminate, sissy
verwijsbriefje (doctor's) referral (letter)
verwijt reproach, blame: *elkaar ~en maken* blame one another; *iem ~en maken* reproach s.o.
verwijten reproach, blame: *iem iets ~* reproach s.o. with sth, blame s.o. for sth
verwijtend reproachful: *iem ~ aankijken* look at s.o. reproachfully
verwijzen refer: *een patiënt naar een specialist ~* refer a patient to a specialist
verwikkelen involve, implicate, mix up
verwikkeling complication
verwilderd 1 wild, neglected: *een ~e boomgaard* a neglected *(of:* an overgrown) orchard; **2** *(uit fatsoen gebracht)* wild, unkempt, dishevelled; **3** *(woest)* wild, mad: *er ~ uitzien* look wild *(of:* haggard)
verwisselbaar exchangeable, convertible: *onderling ~* interchangeable
verwisselen 1 (ex)change, swap; **2** *(verwarren)* mistake, confuse: *ik had u met uw broer verwisseld* I had mistaken you for your brother
verwisseling (ex)change, interchange, swap
verwittigen inform, advise, notify
verwoed passionate, ardent, impassioned: *~e pogingen doen* make frantic efforts
verwoest destroyed, devastated, ravaged
verwoesten destroy, devastate, lay waste
verwoestend devastating, destructive
verwoesting devastation; *(mv ook)* ravages; *(vernieling)* destruction
verwonden *(met opzet)* wound; *(zonder opzet)* injure
verwonderd surprised, *(sterker)* amazed, astonished
verwonderen amaze, astonish
verwondering surprise, *(sterker)* amazement, astonishment: *het hoeft geen ~ te wekken dat ...* it comes as no surprise that ...
verwonding injury, *(moedwillig)* wounding, wound: *~en oplopen* sustain injuries, be injured
verwringen twist, *(vnl. fig)* distort, contort *(lichaam)*: *een van pijn verwrongen gezicht* a face contorted with pain
verzachten *(minder hard)* soften; *(minder zwaar)* ease: *pijn ~* relieve *(of:* alleviate) pain
verzachtend mitigating, extenuating
verzadigd 1 *(na maaltijd)* satisfied, full (up); **2** *(vol)* saturated: *een ~e arbeidsmarkt* a saturated labour market

ve

verzadigen saturate

verzadiging satisfaction, saturation

verzakken subside, *(bezinken)* settle, sink, *(doorzakken)* sag: *de grond verzakt* the ground has subsided *(of:* is subsiding)

verzamelaar collector

verzamel-cd compilation CD

verzamelen I *tr* **1** collect, *(samenbrengen, oogsten)* gather, *(samenstellen)* compile: *krachten ~* summon up (one's) strength; *de verzamelde werken van ...* the collected works of ...; **2** *(uit liefhebberij)* collect, save; **II** *intr, tr (bijeenbrengen, komen)* gather (together), assemble, meet *(met opzet):* zich *~* gather, assemble, *(losser)* congregate; *we verzamelden (ons) op het plein* we assembled *(of:* met) in the square

verzameling **1** collection, *(samenkomst)* gathering, assembly, *(samenstelling)* compilation: *een bonte ~ aanhangers* a motley collection of followers; *een ~ aanleggen* build up *(of:* put together) a collection; **2** *(wisk)* set

verzamelnaam collective term, generic term, umbrella term

verzamelobject collector's item

verzamelplaats meeting place *(of:* point) *(mensen),* assembly point

verzamelwoede mania for collecting things

verzanden get bogged down

verzegelen seal, put *(of:* set) a seal on: *een woning ~* put a house under seal

verzegeling sealing; seal: *een ~ aanbrengen* (of: *verbreken)* affix *(of:* break) a seal

verzeilen: *hoe kom jij hier verzeild?* what brings you here?; *in moeilijkheden verzeild raken* run into *(of:* hit) trouble, run into difficulties

verzekeraar insurer, *(bij levensverzekering ook)* assurer

verzekerd **1** assured (of), confident (of): *succes ~!* success guaranteed!; *u kunt ervan ~ zijn dat* you may rest assured that; **2** *(mbt verzekeringen)* insured: *het ~e bedrag* the sum insured

verzekerde policyholder, *(verzekeringen ook)* insured party, assured party

verzekeren **1** ensure, assure *(personen):* iem van *iets ~* assure s.o. of sth; **2** *(bevestigen, garanderen)* guarantee, assure; **3** *(mbt verzekeringen)* insure, *(vnl. levensverzekering)* assure: *zich ~ (tegen)* insure oneself (against)

verzekering **1** assurance, guarantee: *ik kan u de ~ geven, dat ...* I can give you an assurance that ...; **2** *(assurantie)* insurance, *(vnl. levensverzekering)* assurance: *sociale ~* national insurance, social security; *een ~ aangaan (afsluiten)* take out insurance *(of:* an insurance policy); *een all-risk ~* a comprehensive insurance policy; **3** *(verzekeringsmaatschappij)* insurance company, assurance company

verzekeringsadviseur insurance adviser

verzekeringsagent insurance agent

verzekeringsmaatschappij insurance company, assurance company

verzekeringspolis insurance policy

verzekeringspremie insurance premium

verzekeringsvoorwaarden policy conditions

verzendadres dispatch address, address for delivery

verzenden send, mail, dispatch, *(goederen)* ship: *per schip ~* ship

verzender sender, shipper, consignor

verzending dispatch, mailing, shipping, forwarding

verzendkosten shipping *(of:* mailing, postage) costs

verzengen scorch: *een ~de hitte* a blistering heat

verzet resistance: *in ~ komen (tegen)* offer resistance (to)

verzetje diversion, distraction: *hij heeft een ~ nodig* he needs a bit of variety *(of:* a break)

verzetsbeweging resistance (movement), underground

verzetsgroep resistance group

verzetsstrijder resistance fighter, member of the resistance *(of:* underground)

verzetten I *tr* move (around), shift: *een vergadering ~* put off *(of:* reschedule) a meeting; **II** *zich ~ (tegenstand bieden)* resist, offer resistance *(of:* opposition)

verzieken spoil, ruin: *de sfeer ~* spoil the atmosphere

verziend long-sighted

verziendheid long-sightedness

verzilveren **1** (plate with) silver, silver-plate: *verzilverde lepels* plate(d) spoons; **2** *(innen)* cash, convert into *(of:* redeem for) cash

verzinken sink (down, away), submerge: *in gedachten verzonken zijn* be lost *(of:* deep) in thought

verzinnen invent, think/make *(of:* dream, cook) up, devise: *een smoesje ~* think up *(of:* cook up) an excuse

verzinsel fabrication, invention, figment of one's imagination

verzoek **1** request, appeal, petition: *dringend ~* urgent request, entreaty; *aan een ~ voldoen* comply with a request; *op ~ van mijn broer* at my brother's request; **2** *(verzoekschrift)* petition, appeal: *een ~ indienen* petition, appeal, make a petition *(of:* an appeal)

verzoeken request, petition *(per verzoekschrift),* ask, beg: *mag ik om stilte verzoeken* silence please, may I have a moment's silence

verzoeknummer request

verzoenen reconcile, appease: *zich met iem ~* become reconciled with s.o.

verzoenend conciliatory, expiatory

verzoening reconciliation

verzorgd well cared-for, carefully kept *(of:* tended): *een goed ~ gazon* a well-tended lawn; *er ~ uitzien* be well dressed *(of:* groomed)

verzorgen look after, (at)tend to, care for: *tot in de* *puntjes verzorgd* taken care of down to the last detail

verzorger attendant, caretaker: *ouders, voogden of* ~*s* parents or guardians

verzorging care, maintenance, nursing: *medische* ~ medical care

verzorgingsflat warden-assisted flat, *(Am)* retirement home with nursing care

verzorgingsstaat welfare state

verzorgingstehuis home, *(bejaardentehuis)* home for the elderly, old people's home, rest home

verzuim omission, non-attendance *(wegblijven)*, absence: ~ *wegens ziekte* absence due to illness

verzuimen be absent, fail to attend: *een les* ~ cut *(of:* skip) (a) class

verzuipen 1 drown, be drowned; **2** *(motor)* be flooded

verzuren sour, turn sour, go sour, *(melk ook)* go off; *(chem)* acidify: *verzuurde grond* acid soil

verzwakken weaken, grow weak, enfeeble *(persoon, economie); (aantasten)* impair

verzwaren make heavier; *(fig ook)* increase, *(sterker maken)* strengthen: *de dijken* ~ strengthen the dykes; *exameneisen* ~ make an examination stiffer

verzwarend aggravating

verzwijgen keep silent about, *(niet mededelen)* withhold, suppress, *(niet opgeven)* conceal: *iets voor iem* ~ keep *(of:* conceal) sth from s.o.; *een schandaal* ~ hush up a scandal

verzwikken sprain, twist: *zijn enkel* ~ sprain one's ankle

vest waistcoat, vest, *(gebreid)* cardigan: *een pak met* ~ a three-piece suit

vestibule hall(way), entrance hall, vestibule

vestigen I *tr* direct, focus: *ik heb mijn hoop op jou gevestigd* I'm putting (all) my hopes in you; **II** *zich* ~ settle: *zich ergens* ~ establish oneself, settle somewhere

vestiging branch, office, *(verkooppunt)* outlet

vestigingsplaats place of business, registered office, seat, *(persoon)* place of residence

vesting fortress, fort, stronghold

vet I *zn* fat, *(vloeibaar)* oil, *(smeer)* grease, *(druipvet)* dripping, *(varkensvet)* lard: *iets in het* ~ *zetten* grease sth; **II** *bn, bw* **1** fat, *(melk ook)* rich, creamy; **2** *(met veel vet)* fatty, greasy, rich; **3** *(winstgevend)* fat, plum(my) *(baantje):* *een* ~*te buit* rich spoils; **4** *(met vet verontreinigd)* greasy, oily: *een* ~*te huid* a greasy *(of:* an oily) skin; **5** *(dik door veel inkt)* bold: ~*te letters* bold *(of:* heavy) type, boldface

vetarm low-fat

vete feud, vendetta

veter lace: *zijn* ~*s vastmaken (strikken)* do up *(of:* tie) one's shoelaces; *je* ~ *zit los!* your shoelace is undone!

veteraan veteran

veteranenziekte Legionnaire's disease

vetgedrukt in bold *(of:* heavy) type

vetgehalte fat content, percentage of fat

vetkuif greased quiff

vetmesten fatten (up), feed up

veto veto: *het recht van* ~ *hebben* have the right *(of:* power) of veto; *zijn* ~ *over iets uitspreken* veto sth, exercise one's veto against sth

vetplant succulent

vettig 1 fatty, *(vet bevattend)* greasy: *een* ~*e glans* an oily sheen; **2** *(met vet bedekt)* greasy, *(haar, huid ook)* oily

vetvlek grease stain, greasy spot *(of:* mark): *vol* ~*ken* grease-stained

vetvrij 1 greaseproof: ~ *papier* greaseproof paper; **2** *(geen vet (meer) bevattend)* fat-free, non-fat

vetzak fatso, fatty

veulen foal, *(hengstveulen)* colt, *(merrieveulen)* filly

vezel fibre, *(van weefsel ook)* thread, filament *(vnl. in plant of dier)*

vezelrijk high-fibre

vgl. *afk van vergelijk* cf., cp.

V-hals V-neck

via *(over, langs)* via, by way of, by, through, *(door middel van)* by means of: ~ *de snelweg komen* take the motorway *(Am:* expressway); *ik hoorde* ~ *mijn zuster, dat …* I heard from *(of:* through) my sister that …; *iets* ~ ~ *horen* learn *(of:* hear) of sth in a roundabout way, hear sth on the grapevine

viaduct viaduct, flyover, crossover, *(Am)* overpass

vibrafoon vibraphone, vibes

vibratie vibration

vicaris vicar

vice-premier vice-premier

vice-president vice-president; *(aan bedrijf ook)* vice-chairman

vice versa vice versa

vice-voorzitter vice-chairman, deputy chairman

Victoriaans Victorian

video video (tape, recorder): *iets op* ~ *zetten* record sth on video

videoapparatuur video equipment

videobewaking closed circuit TV

videocamera video camera

videocassette video cassette

videoclip videoclip

videofilm video (film, recording)

videofoon video(tele)phone

video-opname video recording

videorecorder video (recorder), VCR, video cassette recorder

videospel video game

videotheek video shop

vief lively, energetic

vier four; *(in data)* fourth: *vier mei* the fourth of May; *een gesprek onder* ~ *ogen* a private conversation, a tête-à-tête; *zo zeker als tweemaal twee* ~ *is* as sure as I'm standing here; *half* ~ half past three; *ze waren met z'n* ~*en* there were four of them; *hij kreeg een* ~ *voor wiskunde* he got four out of ten for maths

vierbaansweg *(snelweg)* four-lane motorway;

(niet-snelweg) dual carriageway, *(Am)* divided highway

vierde fourth: *de ~ klas* the fourth form *(Am:* grade); *ten ~* fourthly, in the fourth place; *het is vandaag de ~* today is the fourth; *drie ~* three fourths, three-quarters; *als ~ eindigen* come in fourth

vierdelig four-part; four-piece *(suite, servies enz.)*

vieren 1 celebrate, observe *(feestdag, zondag); (her-denken)* commemorate: *dat gaan we ~* this calls for a celebration; 2 *(laten schieten)* pay out, slacken: *een touw (laten) ~* pay out a rope

vierhoek quadrangle, rectangle, square

viering celebration, observance *(mbt feestdag, zon-dag); (herdenking)* commemoration, *(godsd)* service: *ter ~ van* in celebration of

vierjarig four-year-old; *(vier jaren durend)* four-year(s'); *(vierjaarlijks)* four-yearly

vierkant I *zn* square, *(figuur, opstelling ook)* quadrangle; II *bn* square: *de kamer meet drie meter in het ~* the room is three metres square, the room is three by three (metres)

vierkleurendruk four-colour printing

vierkwartsmaat four-four time, quadruple time, common time *(of:* measure)

vierling quadruplets, quads

viermaal four times

vierspan four-in-hand

viersprong crossroads

viertal (set of) four, *(mensen ook)* foursome

vieruurtje *(Belg)* tea break, mid-afternoon snack

viervoeter quadruped, four-footed animal

viervoetig four-footed, quadruped

viervoud quadruple

viervoudig fourfold, quadruple

vierwielaandrijving four-wheel drive

vies 1 dirty, filthy; 2 *(onsmakelijk)* nasty, foul: *een ~ drankje* a nasty *(of:* vile) mixture; *bij een ~ zaakje betrokken zijn* be involved in dirty *(of:* funny) business; *ergens niet ~ van zijn* not be averse to sth; *die film viel ~ tegen* that film was a real let-down

viespeuk pig: *een oude ~* a dirty old man

Vietnam Vietnam

Vietnamees Vietnamese

viezerik pig, slob, dirty sod

viezigheid dirt, grime

vignet 1 device, logo, emblem; 2 *(op auto)* sticker

vijand enemy: *dat zou je je ergste ~ nog niet toewensen* you wouldn't wish that on your worst enemy; *gezworen ~en* sworn *(of:* mortal) enemies

vijandelijk enemy, hostile

vijandelijkheid hostility, act of war

vijandig hostile, inimical: *een ~e daad* a hostile act; *iem ~ gezind zijn* be hostile towards s.o.

vijandigheid hostility, animosity, enmity

vijandschap enmity, hostility, animosity: *in ~ leven* be at odds (with)

vijf five; *(data)* fifth: *vijf juni* the fifth of June; *om de ~ minuten* every five minutes; *het is over vijven* it is

past *(of:* gone) five; *een stuk of ~* about five, five or so, five-odd; *een briefje van ~* a five-pound note

vijfdaags five-day-old; *(vijf dagen durend)* five-day: *de ~e werkweek* the five-day (working) week

vijfde fifth: *auto met ~ deur* hatchback; *ten ~* fifthly, in the fifth place; *als ~ eindigen* come in fifth

vijfenzestigpluskaart senior citizen's ticket *(of:* pass)

vijfenzestigplusser senior citizen, pensioner

vijfhoek pentagon

vijfjarenplan five-year plan

vijfjarig five-year-old; *(vijf jaren durend)* five-year(s'); *(vijfjaarlijks)* five-yearly

vijfje five pound note, *(Am)* five dollar bill

vijfkamp pentathlon

vijfling quintuplets, quins: *zij kreeg een ~* she had quintuplets *(of:* quins)

vijftal (set of) five: *een ~ jaren* (about) five years, five (or so) years; *een vrolijk ~* a merry fivesome

vijftien fifteen; *(data)* fifteenth: *vijftien maart* the fifteenth of March; *rugnummer ~* number fifteen; *een man of ~* about fifteen people, fifteen or so people

vijftig fifty: *de jaren ~* the fifties; *hij is in de ~* he is in his fifties; *tegen de ~ lopen* be getting on for *(of:* be pushing) fifty

vijftiger s.o. in his fifties

vijg *(vrucht(boom))* fig (tree) ‖ *(Belg) dat zijn ~en na Pasen* that is *(of:* comes) too late to be of use

vijl file

vijlen file

vijs *(Belg)* screw

vijver pond

vijzel 1 *(krik)* jack; 2 Archimedean screw

viking Viking

villa villa: *halve ~* semi-detached house

villawijk (exclusive) residential area

villen skin, flay

vilt felt

vilten felt

viltje beer mat

viltstift felt-tip (pen)

vin 1 fin; *(van zeehond)* flipper: *geen ~ verroeren* not raise *(of:* lift) a finger, not move a muscle; 2 *(uitsteeksel, onderdeel)* fin, *(schoep)* vane

vinden 1 find, discover, come across, *(olie ook)* strike: *dat boek is nergens te ~* that book is nowhere to be found; *ergens voor te ~ zijn* be (very) ready to do sth, be game for sth; *iem (iets) toevallig ~* happen/chance upon s.o. (sth); 2 *(bedenken, uitdenken)* find, think of; 3 *(achten, oordelen)* think, find: *ik vind het vandaag koud* I think it's *(of:* I find it) cold today; *ik zou het prettig ~ als ...* I'd appreciate it if ...; *hoe vind je dat?* what do you think of that?; *zou je het erg ~ als ...?* would you mind if ...?; *ik vind het goed* that's fine by me, it suits me fine; *vind je ook niet?* don't you agree?; *daar vind ik niets aan* it doesn't do a thing for me; *het met iem kunnen ~* get on *(of:* along) with s.o.; *zich ergens in kunnen ~*

agree with sth; *zij hebben elkaar gevonden: a) (zijn het eens)* they have come to terms (over it); *b) (ze vormen een paar)* they have found each other

vinder finder, discoverer

vinding idea, invention

vindingrijk ingenious, inventive: *een ~e geest* a fertile *(of:* creative) mind

vindingrijkheid ingenuity, inventiveness, resourcefulness

vindplaats place where sth is found, site, location

vinger finger: *groene ~s hebben* have green fingers, *(Am)* have a green thumb; *lange ~s hebben* have sticky fingers; *met een natte ~* roughly, approximately *(mbt een schatting); als men hem een ~ geeft, neemt hij de hele hand* give him an inch and he'll take a mile; *hij heeft zich in de ~s gesneden (fig)* he got (his fingers) burned; *de ~ opsteken* put up *(of:* raise) one's hand; *iets door de ~s zien* turn a blind eye to sth, overlook sth; *iets in de ~s hebben* be a natural at sth; *een ~ in de pap hebben* have a finger in the pie; *met de ~s knippen* snap one's fingers; *hij had haar nog met geen ~ aangeraakt* he hadn't put *(of:* laid) a finger on her; *op de ~s van één hand te tellen zijn* be few and far between; *iem op de ~s tikken* rap s.o. over the knuckles; *iem op zijn ~s kijken* breathe down s.o.'s neck; *dat had je op je ~s kunnen natellen* that was to be expected

vingerafdruk fingerprint: *~ken nemen (van)* fingerprint s.o., take s.o.'s fingerprints

vingerhoed thimble

vingertop fingertip

vingerverf finger paint

vingerzetting fingering

vink 1 *(vogel)* finch; *(soortnaam)* chaffinch; **2** *(tekentje)* check (mark), tick

vinkenslag *(Belg): op ~ zitten* lie in wait

vinnig sharp, caustic

vinyl vinyl

violet violet

violist violinist

viool violin, fiddle; *(op de) ~ spelen* play the violin *(of:* fiddle); *eerste ~* first violin; *hij speelt de eerste ~* he is *(of:* plays) first fiddle

vioolconcert violin concerto

viooltje violet: *Kaaps ~* African violet

virtueel virtual, potential: *een ~ winkelcentrum* a virtual shopping centre

virtuoos virtuoso

virus virus

virusinfectie virus infection, viral infection

virusscanner virus scanner

vis fish: *een mand ~* a basket of fish; *(collectief) er zit hier veel ~* the fishing's good here; *zo gezond als een ~* fit as a fiddle

Vis Pisces, Piscean

visagist cosmetician, beauty specialist, beautician

visakte fishing licence

visboer fishmonger

visgraat fish bone

vishandel fish trade, *(winkel)* fish shop *(Am:* dealer)

vishandelaar fishmonger, *(Am)* fish dealer

visie view, outlook, point of view: *een man met ~* a man of vision

visioen vision: *een ~ hebben* see *(of:* have) a vision

visite 1 visit, call *(kort): bij iem op ~ gaan* pay s.o. a visit, call on s.o., visit; **2** *(personen op bezoek)* visitors, guests, company

visitekaartje visiting card; (business) card *(van zakenman): zijn ~ achterlaten* make one's mark, establish one's presence

viskom fishbowl

vismarkt fish market

visnet fish net, fishing net

visrestaurant fish restaurant, seafood restaurant

visschotel fish dish

visseizoen fishing season, *(sport ook)* angling season

vissen 1 fish, *(sport ook)* angle: *op haring ~* fish for herring; *parels ~* dive *(of:* fish) for pearls; **2** *(dreggen)* drag, dredge

Vissen Pisces

visser fisherman, *(hengelaar ook)* angler

visserij fishing, fisheries, fishery

vissersboot fishing boat

vissersvloot fishing fleet

vissoep fish soup

visstand fish stock

visstick fish finger

visueel visual: *~ gehandicapt* visually handicapped

visum visa: *een ~ aanvragen* apply for a visa

visvangst fishing, catching of fish: *van de ~ leven* fish for one's living

visvergunning fishing licence *(of:* permit)

visvijver fishpond

viswater fishing ground(s)

viswinkel fish shop *(Am:* dealer), fishmonger's (shop)

vitaal vital: *hij is nog erg ~ voor zijn leeftijd* he's still very active for his age

vitaliteit vitality, vigour

vitamine vitamin: *rijk aan ~* rich in vitamins, vitamin-rich

vitrage net curtain

vitrine 1 (glass, display) case, showcase; **2** *(etalage)* shop window, show window

vitten find fault, carp

vivisectie vivisection

vizier 1 sight: *iem in het ~ krijgen* spot s.o., catch sight of s.o.; **2** *(ve helm)* visor

vla 1 *(ongev)* custard; **2** *(vlaai)* flan, *(Am)* (open-faced) pie

vlaag 1 *(windstoot)* gust, squall; **2** *(aanval)* fit, flurry: *in een ~ van verstandsverbijstering* in a frenzy, in a fit of insanity; *bij vlagen* in fits and starts, in spurts *(of:* bursts)

vlaai flan, *(Am)* (open-faced) pie

Vlaams Flemish ‖ *~e gaai* jay

Vlaamse Flemish woman

Vlaanderen Flanders

vlag flag, *(van schip ook)* colours, *(vnl. scheepv; mil)* ensign: *met ~ en wimpel slagen* pass with *(of:* come through with) flying colours; *de Britse* ~ the Union Jack

vlaggenmast flagpole, flagstaff

vlaggenstok flagpole, flagstaff

vlak I *bn* 1 flat, level, even: *iets ~ strijken* level off sth, level sth out; 2 *(ondiep)* flat, shallow; **II** *bw* 1 *(zonder helling)* flat; 2 *(recht)* right, immediately, directly: *~ tegenover elkaar* right *(of:* straight) opposite each other; 3 *(zonder tussenruimte)* close: *~ achter je* right *(of:* just) behind you; *~ bij de school* close to the school, right by the school; *het is ~ bij* it's no distance at all; *het is hier ~ in de buurt* it's just round *(Am:* around) the corner; *het ligt ~ voor je neus* it is staring you in the face, it's right under your nose; **III** *zn* 1 *(platte kant)* surface, face, *(diamant)* facet: *het voorste* (of: *achterste)* ~ the front *(of:* rear) face; 2 *(niveau, gebied)* sphere, area, field: *op het menselijke* ~ in the human sphere

vlakaf *(Belg) (onomwonden)* plainly, bluntly

vlakbij nearby

vlakgom rubber, eraser

vlakte plain: *een golvende* ~ a rolling plain; *zich op de* ~ *houden* not commit oneself, leave *(of:* keep) one's options open; *na twee klappen ging hij tegen de* ~ a couple of blows laid him flat

vlam 1 flame: *~ vatten* catch fire, burst into flames; *in ~men opgaan* go up in flames; 2 *(geliefde)* flame

Vlaming Fleming

vlammend fiery, burning: *een ~ protest* a burning protest

vlammenwerper flame-thrower

vlammenzee sea of flame(s)

vlamverdeler stove mat

vlas flax

vlecht braid, plait, tress: *een valse* ~ a switch, a tress of false hair

vlechten braid, plait, twine

vlechtwerk plaiting

vleermuis bat

vlees 1 flesh; *(voedsel)* meat: *dat is ~ noch vis* that is neither fish, flesh, nor good red herring; *in eigen ~ snijden* queer one's own pitch; *mijn eigen ~ en bloed* my own flesh and blood; 2 *(mbt vruchten, paddestoelen)* flesh, pulp

vleesetend carnivorous

vleeseter meat-eater; *(vnl. mbt dieren)* carnivore

vleesmes carving knife

vleesschotel meat course *(of:* dish)

vleesverwerkend meat-packing

vleeswaren meat products, meats: *fijne* ~ (assorted) sliced cold meat, cold cuts

vleeswond flesh wound

vlegel brat, lout

vleien flatter, butter up: *ik voelde me gevleid door haar antwoord* I was *(of:* felt) flattered by her answer

vleiend flattering, coaxing

vleierij flattery: *met ~ kom je nergens* flattery will get you nowhere

vlek 1 spot, mark, stain, *(huidvlek)* blemish, blotch *(door ziekte, koorts):* die ~ *gaat er in de was wel uit* that spot will come out in the wash; 2 *(fig)* blot, blemish: *blinde* ~ *(in het oog)* blind spot (in the eye)

vlekkeloos spotless, immaculate

vlerk boor, lout

vleugel 1 wing: *de linker* (of: *rechter)* ~ the left *(of:* right) wing; *(sport) over de ~s spelen* play up and down the wings; 3 *(piano)* grand piano

vleugelmoer wing nut, butterfly nut

vleugelspeler *(sport)* (left, right) winger

vleugje breath, touch: *een ~ ironie* a tinge of irony; *een ~ romantiek* a romantic touch

vlieg fly: *twee ~en in één klap (slaan)* kill two birds with one stone; *hij doet geen ~ kwaad* he wouldn't harm *(of:* hurt) a fly

vliegangst fear of flying

vliegbasis airbase

vliegbiljet airline ticket

vliegbrevet pilot's licence, flying licence: *zijn ~ halen* qualify as a pilot, get one's wings

vliegdekschip (aircraft) carrier

vliegen fly, *(snel voorbijgaan ook)* race: *de dagen ~ (om)* the days are simply flying; *hij ziet ze ~* he has got bats in the belfry; *eruit ~* get sacked; *met SakkersAirlines ~* fly SakkersAirlines; *erin ~ (zich laten beetnemen)* fall for sth

vliegenier airman, aviator

vliegenmepper (fly) swatter

vliegenraam *(Belg)* gauze screen against flies

vliegensvlug I *bn* lightning; **II** *bw* as quick as lightning, like lightning *(of:* a shot)

vliegenzwam fly agaric

vlieger kite: *een ~ oplaten* fly a kite

vliegeren fly kites *(of:* a kite)

vlieghoogte altitude

vlieginstructeur flying instructor

vliegramp plane crash

vliegreis flight

vliegroute flying route, *(van trekvogels)* flyway

vliegticket airline ticket

vliegtuig aeroplane, *(Am)* airplane, aircraft, plane: *~jes vouwen* make paper aeroplanes *(of:* airplanes); *met het ~ reizen* fly, travel by air *(of:* plane)

vliegtuigbemanning aircrew

vliegtuigindustrie aircraft industry

vliegtuigkaper (aircraft) hijacker

vliegtuigkaping (aircraft) hijack(ing)

vliegveld airport

vlier elder(berry)

vliering attic, loft

vlies film, skin *(op melk, om vruchten)*

vlijen lay down, nestle

vlijmscherp razor-sharp

vlijtig diligent, industrious

vlinder butterfly: *~s in mijn buik* butterflies in my stomach

vlinderdas bow tie

vlinderslag butterfly stroke

vlo flea: *onder de vlooien zitten* be flea-ridden

vloed (high) tide, flood (tide), rising tide: *het is nu ~ the tide is in; bij vloed* at high tide; *een ~ van klachten* a flood (*of:* deluge) of complaints

vloedgolf 1 *(vd vloed)* groundswell; **2** *(door natuurramp)* tidal wave

vloei tissue paper: *een pakje shag met ~* (a packet of) rolling tobacco and cigarette papers

vloeibaar liquid, fluid: *~ voedsel* liquid food

vloeien 1 flow, stream: *in de kas ~* flow in; **3** *(mbt papier)* blot, smudge

vloeiend flowing, liquid: *~e kleuren* blending colours; *een ~e lijn* a flowing line; *hij spreekt ~ Engels* he speaks English fluently

vloeipapier 1 blotting paper; **2** *(dun papier)* tissue paper, *(voor sigaretten)* cigarette paper

vloeistof liquid, fluid

vloek curse: *er ligt een ~ op dat huis* a curse rests on that house; *een ~ uitspreken (over iem, iets)* curse s.o. (sth)

vloeken curse, swear (at): *op iets ~* curse (*of:* swear) at sth

vloer floor: *planken ~* planking, strip flooring; *met iem de ~ aanvegen* mop (*of:* wipe) the floor with s.o.; *ik dacht dat ik door de ~ ging* I didn't know where to put myself; *veel mensen over de ~ hebben* have a lot of visitors; *hij komt daar over de ~* he is a regular visitor there

vloerbedekking floor covering: *vaste ~* wall-to-wall carpet(ting)

vloerkleed carpet, *(klein)* rug

vloermat floor mat

vloertegel (paving) tile (*of:* stone): *~s leggen* pave, lay (paving) tiles

vloerverwarming underfloor heating

vlok 1 flock, *(haar ook)* tuft: *~ken stof* whirls of dust; **2** flake: *~ken op brood* bread with chocolate flakes

vlonder 1 (wooden) platform, planking; **2** pallet

vlooienband flea collar

vlooienmarkt flea market

vloot fleet

vlos floss (silk)

vlot I *bn, bw* **1** facile *(pen);* fluent, smooth *(stijl): een ~te pen* a ready pen; *~ spreken* speak fluently; **2** *(zonder oponthoud)* smooth, ready *(antwoord),* prompt *(betaling): een zaak ~ afwikkelen* settle a matter promptly; *het ging heel ~* it went off without a hitch; *~ van begrip zijn* be quick-witted; **3** *(gemakkelijk in de omgang)* sociable, easy to talk to: *hij is wat ~ter geworden* he has loosened up a little; **4** *(niet stijf)* easy, comfortable: *hij kleedt zich heel ~* he is a sharp dresser; **5** *(drijvend)* afloat; **II** *zn* raft: *op een ~ de rivier oversteken* raft across the river

vlotjes smoothly, easily, *(vlug)* promptly: *alles ~ laten verlopen* have things run smoothly

vlotten go smoothly: *het werk wil niet ~* we are not making any progress (*of:* headway)

vlucht flight, escape: *wij wensen u een aangename ~* we wish you a pleasant flight; *iem de ~ beletten* prevent s.o. from escaping; *op de ~ slaan* flee, run (for it); *iem op de ~ jagen (drijven)* put s.o. to flight; *voor de politie op de ~ zijn* be on the run from the police

vluchteling fugitive, *(pol)* refugee

vluchtelingenhulp aid to refugees

vluchtelingenkamp refugee camp

vluchten flee, escape, run away: *uit het land ~* flee (from) the country; *een bos in ~* take refuge in the woods

vluchtgedrag flight

vluchtheuvel traffic island

vluchthuis *(Belg)* refuge (*of:* shelter) for battered women

vluchtig 1 *(kort)* brief, *(min)* cursory, *(vlug)* quick: *~e kennismaking* casual acquaintance; *iets ~ doorlezen* glance over (*of:* through) sth, skim through sth; **2** *(van alcohol enz.)* volatile

vluchtleider flight controller

vluchtleiding flight (*of:* mission) control (team), ground control

vluchtmisdrijf *(Belg)* offence of failing to stop

vluchtpoging attempted escape

vluchtrecorder flight recorder, black box

vluchtstrook hard shoulder, *(Am)* shoulder

vluchtweg escape route

vlug 1 fast, quick: *~ lopen* run fast; *~ ter been zijn* be quick on one's feet; *iem te ~ af zijn* be too quick for s.o.; **2** *(vrij snel)* quick, *(vnl. van bewegingen)* nimble, agile; **3** *(spoedig)* quick, fast, prompt: *hij was ~ klaar* he was soon ready; *iets ~ doornemen* (*of:* bekijken) glance over (*of:* through) sth; *~ iets eten* have a quick snack; **5** *(alert)* quick, sharp: *hij behoort niet tot de ~sten* he's none too quick; *hij was er al ~ bij* he was quick at everything; *~ in rekenen* quick at sums

vmbo *afk van voorbereidend middelbaar beroepsonderwijs* lower secondary professional education

VN *afk van Verenigde Naties* UN

VN-vredesmacht UN peace-keeping force

vo. *afk van voortgezet onderwijs* secondary education

vocaal vocal

vocabulaire vocabulary

vocht 1 liquid, *(techn, med ook)* fluid; **2** *(vochtigheid)* moisture, damp(ness): *de hoeveelheid ~ in de lucht* the humidity in the air

vochtig damp, moist: *een ~ klimaat* a damp climate; *de lucht is ~* the air is damp; *zijn ogen werden ~* his eyes became moist

vochtigheid 1 moistness, dampness; **2** *(gehalte aan vocht)* moisture, *(lucht vnl.)* humidity

vod 1 rag: *een ~je papier* a scrap of paper; **2** *(prul)*

vo

trash, rubbish: *dit is een vod* this is trash; *iem ach-*
ter de ~den zitten keep s.o. (hard) at it
voddenboer rag-and-bone man
voeden I *tr* feed: *die vogels ~ zich met insecten* (of:
met zaden) these birds feed on insects (*of:* seeds);
zij voedt haar kind zelf she breast-feeds her baby; **II**
intr (voedzaam zijn) be nourishing (*of:* nutritious)
voeder fodder, feed
voeding 1 feeding, nutrition: *kunstmatige ~* artificial (*of:* forced) feeding; **2** *(voedsel)* food, *(voor die-*
ren) feed: *eenzijdige ~* an unbalanced diet; *gezonde*
(of: *natuurlijke) ~* health (*of:* natural) food; **3**
(techn) power supply
voedingsbodem breeding ground
voedingsindustrie food industry
voedingsmiddel food, *(vaak mv)* foodstuff: *gezon-*
de ~en healthy (*of:* wholesome) foods
voedingsstof nutrient
voedsel food: *plantaardig ~* vegetable food; *~ tot*
zich nemen take food (*of:* nourishment)
voedselhulp food aid
voedselpakket food parcel
voedselvergiftiging food poisoning
voedzaam nutritious, nourishing
voeg joint, *(naad)* seam: *de ~en van een muur*
dichtmaken (aanstrijken) point (the brickwork of)
a wall; *uit zijn ~en barsten* come apart at the seams
voege *(Belg):* in *~ treden* take effect, come into force
voegen 1 join (up): *hierbij voeg ik een biljet van*
€100,- I enclose a 100-euro note; *zich bij iem ~* join
s.o.; **2** *(toevoegen)* add: *stukken bij een dossier ~*
add documents to a file; **3** *(met specie)* point
voegwoord conjunction
voelbaar tangible, perceptible: *het ijzer wordt ~*
warmer the iron is getting perceptibly hotter
voelen I *tr* **1** feel: *leven ~* feel the baby move; *dat*
voel ik! that hurts!; *zijn invloed doen ~* make one's
influence felt; *als je niet wil luisteren, moet je maar*
~ (you'd better) do it or else!; *voel je (hem)?* get it?;
3 *(op de tast)* feel (for, after): *laat mij eens ~* let me
(have a) feel; **II** *zich ~* feel: *zich lekker ~* feel fine,
feel on top of the world; **III** *intr* **1** feel: *het voelt hard*
(of: *ruw, zacht)* it feels hard (*of:* rough, soft); **2** *(ge-*
negenheid kennen) be fond (of), like: *iets gaan ~*
voor iem grow fond of s.o.; **3** *(aantrekkelijk achten)*
feel (like), like the idea (of): *veel voor de verpleging*
~ like the idea of nursing; *ik voel wel iets voor dat*
plan I rather like that plan; *ik voel er niet veel voor*
(om) te komen I don't feel like coming
voeling touch, contact: *~ houden met* maintain
contact with, keep in touch with
voelspriet feeler, antenna
voer feed, *(ook fig)* food: *~ geven* feed; *~ voor psy-*
chologen a fit subject for a psychologist
voerbak *(feeding)* trough, manger
voeren I *intr, tr* lead, guide: *dat zou (mij, ons) te ver*
~ that would be getting too far off the subject; *de*
reis voert naar Rome the trip goes to Rome; **II** *tr* **1**
(van voering voorzien) line; **2** *(eten geven)* feed ‖

een harde politiek ~ pursue a tough policy; *een pro-*
ces ~ go to court (over)
voering lining
voertaal language of instruction *(onderwijs); (op*
congres enz.) official language
voertuig vehicle
voet 1 foot: *op blote ~en* barefoot; *iem op staande ~*
ontslaan dismiss s.o. on the spot; *iem op vrije ~en*
stellen set s.o. free; *(Belg)* met iemands *~en spelen*
make a fool of s.o.; *(Belg) ergens zijn ~en aan vegen*
drag one's feet; *de ~en vegen* wipe one's feet; *dat*
heeft heel wat ~en in de aarde that'll take some doing; *onder de ~ gelopen worden* be overrun; *iem op*
de ~ volgen follow in s.o.'s footsteps; *de gebeurte-*
nissen (of: *de ontwikkelingen) op de ~ volgen* keep a
close track of events (*of:* developments); *te ~ gaan*
walk, go on foot; *zich uit de ~en maken* take to
one's heels; *iem voor de ~en lopen* hamper s.o., get
in s.o.'s way (*of:* under s.o.'s feet); *geen ~ aan de*
grond krijgen have no success; *~ bij stuk houden*
stick to one's guns; **2** *(onderste gedeelte)* foot, base:
de ~ van een glas the stem (*of:* base) of a glass; **3**
(grondslag) footing; terms *(mv):* zij staan op goede
(of: *vertrouwelijke) ~ met elkaar* they are on good
(*of:* familiar) terms (with each other); *op ~ van oor-*
log leven be on a war footing
voetafdruk footprint
voetbad footbath
voetbal football: *Amerikaans ~* American football;
betaald ~ professional football
voetbalbond football association
voetbalclub football club
voetbalcompetitie football competition
voetbalelftal football team: *het ~ van Ajax* the Ajax
team
voetbalfan football fan
voetbalknie cartilage trouble
voetballen play football
voetballer football player
voetbalpasje football identity card
voetbalschoen football boot
voetbalsupporter football supporter
voetbaluitslagen football results
voetbalvandaal football hooligan
voetbalvandalisme football hooliganism
voetbalveld football pitch
voetbalwedstrijd football match
voeteneind foot
voetfout foot-fault
voetganger pedestrian
voetgangersbrug footbridge, pedestrian bridge
voetgangersgebied pedestrian precinct (*of:* area)
voetgangersoversteekplaats pedestrian crossing, zebra crossing
voetje *(little, small)* foot: *~ voor ~* inch by inch
voetlicht footlights *(mv):* iets voor het *~ brengen*
bring sth out into the open
voetnoot 1 footnote; **2** *(kanttekening)* note in the
margin, critical remark (*of:* comment)

voetpad footpath

voetreis walking-trip; walking-tour, hike

voetspoor footprint, *(mv ook)* track, trail

voetstap (foot)step

voetstuk base, *(hoog)* pedestal: *iem op een ~ plaatsen* put *(of:* place) s.o. on a pedestal

voettocht walking tour, hiking tour

voetvolk foot soldiers *(mv)*, infantry

voetzoeker jumping jack, *(ongev)* firecracker

voetzool sole (of the, one's foot)

vogel 1 bird: *(Belg) een ~ voor de kat zijn* be irretrievably lost; *de ~ is gevlogen* the bird has flown; **2** *(persoon)* customer, character: *het is een rare ~* he's an odd character; *Joe is een vroege ~* Joe's an early bird

vogelhandelaar bird-seller; bird-dealer

vogelhuis aviary; *(vogelkastje)* nesting box

vogelkooi birdcage

vogelnest bird's nest: *~en uithalen* go (bird-)nesting

vogelpik *(Belg)* darts

vogelpoep bird droppings

vogelverschrikker scarecrow

vogelvlucht bird's-eye view: *iets in ~ behandelen* sketch sth briefly; *iets in ~ tekenen* draw a bird's-eye view of sth

vogelvrij outlawed

vol 1 full (of), filled (with): *~ nieuwe ideeën* full of new ideas; *een huis ~ mensen* a house full of people; *met ~le mond praten* talk with one's mouth full; *iets ~ maken (gieten, stoppen)* fill sth up; *helemaal ~* full up, packed; *~ van iets zijn* be full of sth; *een ~ gezicht* a full *(of:* chubby) face; *zij is een ~le nicht van me* she's my first cousin; **2** *(over de hele oppervlakte bedekt)* full (of), covered (with, in): *de tafel ligt ~ boeken* the table is covered with books; *de kranten staan er ~ van* the papers are full of it; **3** *(waaraan niets ontbreekt)* complete, whole: *een ~le dagtaak* a full day's work, *(fig ook)* a full-time job; *het kostte hem acht ~le maanden* it took him a good *(of:* all of) eight months; *in het ~ste vertrouwen* in complete confidence; *een ~le week de tijd hebben* have a full *(of:* whole) week; *iem voor ~ aanzien* take s.o. seriously

volautomatisch fully automatic

volbloed I *zn* thoroughbred: *Arabische ~* Arab (thoroughbred); **II** *bn; alleen voor zn* **1** full-blood(ed) *(bijv. socialist); (dieren ook)* pedigree: *~ rundvee* pedigree cattle; **2** *(mbt paarden)* thoroughbred

voldaan 1 satisfied, content(ed): *een ~ gevoel* a sense of satisfaction; *~ zijn over iets* be satisfied *(of:* content) with sth; **2** *(betaald)* paid: *voor ~ tekenen* receipt, sign for receipt

voldoen I *tr* pay, settle: *een rekening* (of: *de kosten) ~* pay a bill *(of:* the costs); **II** *intr* (met *aan)* satisfy; meet *(voorwaarde)*, carry out *(plichten);* comply with *(wet, regels): aan de behoeften van de markt ~* meet the needs of the market; *niet ~ aan* fall short of

voldoende I *bn* sufficient, satisfactory: *één blik op hem is ~ om ...* one look at him is enough to ...; *jouw examen was net ~* you only just scraped through your exam; *het is niet ~ om van te leven* it is not enough to live on; *ruimschoots ~* ample, more than enough; **II** *bw* sufficiently, enough: *heb je je ~ voorbereid?* have you done enough preparation?; **III** *zn* pass (mark), *(net voldoende)* a bare pass: *een ~ halen voor wiskunde* pass (one's) maths

voldoening satisfaction

voldongen: *voor een ~ feit geplaatst worden* be presented with a fait accompli

voldragen full-term

volgeboekt fully booked, booked up

volgeling follower, *(godsd ook)* disciple

volgen I *tr* **1** follow: *een spoor* (of: *de weg) ~* follow a trail *(of:* the road); **2** *(mbt lessen, cursus)* follow, attend; **4** *(handelen naar)* follow, pursue *(koers, beleid): zijn hart ~* follow the dictates of one's heart; **II** *intr* **1** *(later komen)* follow; *(in reeks)* be next: *nadere instructies ~* further instructions will follow; *hier ~ de namen van de winnaars* the names of the winners are as follows; *op elkaar ~* follow one another; *als volgt* as follows; **2** *(voortvloeien)* follow (on): *daaruit volgt dat ...* it follows that ...

volgend following, next: *de ~e keer* next time (round); *wie is de ~e?* who's next?; *het gaat om het ~e* the problem is *(of:* the facts are) as follows

volgens according to; *(in overeenstemming met, ook)* in accordance with: *~ mijn horloge is het drie uur* it's three o'clock by my watch; *~ mij ...* I think ..., in my opinion ...

volgooien fill (up): *de tank ~* fill (up) the tank, fill her up

volgorde order; *(mbt nummers)* sequence: *in de juiste ~ leggen* put in the right order; *in willekeurige ~* at random; *niet op ~* out of order, not in order

volhouden I *tr* **1** carry on, keep up: *dit tempo is niet vol te houden* we can't keep up this pace; **2** *(blijven beweren)* maintain, insist: *zijn onschuld ~* insist on one's innocence; *iets hardnekkig ~* stubbornly maintain sth; **II** *intr* *(doorgaan)* persevere, keep on: *we zijn ermee begonnen, nu moeten we ~* now we've started we must see it through; *~!* keep it up!, keep going!

volhouder stayer

volière aviary; *(in dierentuin ook)* birdhouse

volk 1 people, nation, race; **3** *(lagere sociale klasse)* people, populace, folk: *een man uit het ~* a working(-class) man; *het gewone ~* the common people; **4** *(menigte)* people: *het circus trekt altijd veel ~* the circus always draws a crowd

volkomen I *bw* completely: *dat is ~ juist* that's perfectly true; **II** *bn* complete, total

volkorenbrood wholemeal bread, *(Am)* whole-wheat bread

volksbuurt working-class area *(of:* district)

volksdans folk dance

vo

volksdansen folk dancing
volksgeloof popular belief (*of:* superstition)
volksgezondheid public health, national health
volksheld popular hero, national hero
volkslied 1 national anthem; **2** *(traditioneel lied)* folk song
volksmond: *in de ~* in popular speech (*of:* parlance); *in de ~ heet dit* this is popularly called
volkspartij people's party
volksrepubliek people's republic: *de volksrepubliek China* the People's Republic of China
volksstam crowd, horde
volkstaal vernacular, everyday language
volkstelling census: *er werd een ~ gehouden* a census was taken
volkstuin allotment (garden)
volksuniversiteit *(ongev)* adult education centre
volksvermaak popular amusement (*of:* entertainment)
volksvertegenwoordiger representative (of the people), member of parliament, M.P., *(Am)* Congressman
volksvertegenwoordiging house (*of:* chamber) of representatives, parliament
volksverzekering national insurance, social insurance
volksvijand public enemy, enemy of the people: *roken is ~ nummer één* smoking is public enemy number one
volkswoede popular fury (*of:* anger)
volledig 1 full, complete: *~e betaling* payment in full; *het schip is ~ uitgebrand* the ship was completely burnt out; *ik lees u de titel ~ voor* I'll read you the title in full; **2** *(mbt tijd, ruimte)* full, full-time: *~e (dienst)betrekking* full-time job
volledigheid completeness
volledigheidshalve for the sake of completeness
volleerd fully-qualified
vollemaan full moon: *het is ~* there is a full moon; *bij ~* when the moon is full, at full moon
volleybal volleyball
volleyballen play volleyball
vollopen fill up, be filled: *de zaal begon vol te lopen* the hall was getting crowded; *het bad laten ~* run the bath
volmaakt I *bn* perfect, consummate; **II** *bw* perfectly: *ik ben ~ gezond* I am in perfect health
volmacht 1 power (of attorney), mandate, authority; **2** *(schriftelijk bewijs)* warrant, authorization
volmondig wholehearted, frank: *~ iets bekennen* (*of:* toegeven) confess (*of:* admit) sth frankly
volop in abundance, plenty, a lot of: *~ ruimte* ample room; *het is ~ zomer* it is the height of summer; *er was ~ te eten* there was food in abundance
volpension full board
volproppen cram, *(eten)* stuff: *volgepropte trams* overcrowded (*of:* jam-packed) trams; *zich ~* stuff oneself
volslagen complete, utter: *een ~ onbekende* a total

stranger; *~ belachelijk* utterly ridiculous
volslank plump, *(positief)* well-rounded
volstoppen stuff (full), fill to the brim (*of:* top)
volstrekt total, complete: *ik ben het ~ niet met hem eens* I disagree entirely with him
volt volt
voltage voltage
voltallig complete, full, entire: *het ~e bestuur* the entire committee; *de ~e vergadering* the plenary assembly (*of:* meeting)
voltijds full-time
voorn roach
voltmeter voltmeter
voltooid complete, finished: *een ~ deelwoord* a past (*of:* perfect) participle; *de ~ tegenwoordige* (*of:* verleden) *tijd* the perfect (*of:* pluperfect)
voltooien complete, finish
voltooiing completion
voltreffer direct hit
voltrekken execute *(vonnis, besluit);* celebrate, perform *(huwelijk)*
voltrekking celebration, performing *(huwelijk)*
voluit in full
volume volume, loudness
volumeknop volume control (*of:* knob)
volvet full-cream
volwaardig full, able(-bodied) *(arbeidskracht):* een ~ lid a full member
volwassen I *bn* adult, grown-up, mature *(mensen),* full-grown, ripe *(dieren, planten):* ~ gedrag mature (*of:* adult) behaviour; *ik ben een ~ vrouw!* I'm a grown woman!; *toen zij ~ werd* on reaching womanhood; *~ worden* grow to maturity, grow up; **II** *bw* in an adult (*of:* a mature) way: *zich ~ gedragen* behave like an adult
volwassene adult, grown-up
volwassenenonderwijs adult education
volwassenheid adulthood, maturity
volzet *(Belg) (bezet)* no vacancy
vondeling abandoned child: *een kind te ~ leggen* abandon a child
vondst invention, discovery: *een ~ doen* make a (real) find; *een gelukkige ~* a lucky strike
vonk spark ‖ *de ~ sloeg over* the audience caught on
vonken spark(le), shoot sparks
vonnis judgement, *(in strafzaken)* sentence, *(schuldig of onschuldig)* verdict: *een ~ vellen (uitspreken) over* pass (*of:* pronounce, give) judgement on
vonnissen sentence, convict; pass judgement (*of:* sentence) (on)
voodoo voodoo
voogd guardian: *toeziend ~* co-guardian, joint guardian; *~ zijn over iem* be s.o.'s guardian
voogdij guardianship: *onder ~ staan* (*of:* plaatsen) be (*of:* place) under guardianship
voogdijraad guardianship board
voogdijschap guardianship
¹voor 1 *(ploegsnede)* furrow; **2** *(rimpel)* wrinkle, furrow

²**voor I** *vz* **1** for: *zij is een goede moeder ~ haar kinderen* she is a good mother to her children; *dat is net iets ~ hem: a) (passend)* that is just the thing for him; *b) (te verwachten)* that is just like him; *dat is niets ~ mij* that is not my kind of thing (*of:* my cup of tea); **2** *(niet achter)* before, in front of: *de dagen die ~ ons liggen* the days (that lie) ahead of us; **3** *(in tegenwoordigheid van)* before, for; **4** *(vroeger dan)* before, ahead of: *~ zondag* before Sunday; *tien ~ zeven* ten to seven; **5** *(in de plaats van)* for, instead of: *ik zal ~ mijn zoon betalen* I'll pay for my son; **6** *(ten voordele, behoeve van)* for, in favour of: *ik ben ~ FC Utrecht* I'm a supporter of FC Utrecht; *wat zijn het ~ mensen?* what sort of people are they?; **II** *bw* **1** in (the) front: *een kind met een slab ~ a* child wearing a bib; *de auto staat ~* the car is at the door; *hij is ~ in de dertig* he is in his early thirties; *~ in het boek* near the beginning of the book; **2** *(mbt een volgorde; meer dan)* ahead; in the lead: *vier punten ~* four points ahead; *zij zijn ons ~ geweest* they got (t)here before (*of:* ahead of) us; **3** *(mbt een gezindheid)* for, in favour: *ik ben er niet ~* I'm not in favour of that; **III** *vw* before: *~ hij vertrok, was ik al weg* I was already gone before he left; **IV** *zn* pro; advantage: *het ~ en tegen van een voorstel* the pros and cons of a proposition

vooraan in (the) front: *~ lopen* walk at the front; *iets ~ zetten* put sth (up) in front

vooraanstaand prominent, leading

vooraanzicht front view

vooraf beforehand, in advance: *een verklaring ~* an explanation in advance; *je moet ~ goed bedenken wat je gaat doen* you need to think ahead about what you're going to do

voorafgaan precede, go before, go in front (of): *de weken ~de aan het feest* the weeks preceding the celebration

voorafgaand preceding, foregoing: *~e toestemming* prior permission

vooral especially, particularly: *dat moet je ~ doen* do that (*of:* go ahead) by all means; *ga ~ vroeg naar bed* be sure to go to bed early; *maak haar ~ niet wakker* don't wake her up whatever you do; *vergeet het ~ niet* whatever you do, don't forget it; *~ omdat* especially because

voorarrest remand, custody, detention: *in ~ zitten* be on remand, be in custody; *in ~ gehouden worden* be taken into custody

vooravond eve

voorbaat: *bij ~ dank* thank (*of:* thanking) you in advance; *bij ~ kansloos zijn* not stand a chance from the very start

voorbakken pre-fry: *voorgebakken friet* pre-fried chips (*of:* French fries)

voorbank front seats

voorbarig premature: *~ spreken* (of: *antwoorden*) speak (*of:* answer) too soon

voorbeeld example, model; instance: *een afschrikwekkend ~* a warning; *een ~ stellen* make an example of s.o.; *iemands ~ volgen* follow s.o.'s lead (*of:* example); *tot ~ dienen* serve as an example (*of:* a model) for

voorbeeldig exemplary, model: *een ~ gedrag* exemplary conduct

voorbehoedmiddel contraceptive

voorbehoud restriction, reservation; condition: *iets onder ~ beloven* make a conditional promise; *zonder ~* without reservations

voorbehouden reserve

voorbereiden prepare, get ready: *zich ~ op een examen* prepare for an exam; *op alles voorbereid zijn* be ready for anything

voorbereidend preparatory: *~ wetenschappelijk onderwijs* pre-university education; *~e werkzaamheden* groundwork

voorbereiding preparation: *~en treffen* make preparations

voorbespeeld pre-recorded

voorbespreking preliminary talk

voorbestemmen predestine, predetermine: *voorbestemd zijn om te ...* predestined (*of:* fated) to ...

voorbij I *vz* *(verder dan)* beyond, past: *we zijn al ~ Amsterdam* we've already passed Amsterdam; *hij ging ~ het huis* he went past the house; *(na ww)* over: *die tijd is ~* those days are gone; *~e tijden* bygone times; **III** *bw* **1** past, by: *wacht tot de trein ~ is* wait until the train has passed; **2** *(verder dan)* beyond, past: *hij is die leeftijd al lang ~* he is way past that age; *je bent er al ~* you have already passed it

voorbijgaan pass by, go by: *de jaren gingen voorbij* the years passed by; *een kans voorbij laten gaan* pass up a chance; *er gaat praktisch geen week voorbij of ...* hardly a week goes by when (*of:* that) ...

voorbijgaand transitory, passing: *van ~e aard* of a temporary nature

voorbijganger passer-by

voorbijkomen come past, come by, pass (by)

voorbijrijden drive past, *(op fiets, paard)* ride past

voorbijschieten whizz by || *zijn doel ~* overshoot the mark

voorbijtrekken pass: *hij zag zijn leven aan zijn oog ~* he saw his life pass before his eyes

voorbijvliegen fly (by): *de weken vlogen voorbij* the weeks just flew (by)

voorbode forerunner, herald; *(fig; voorteken)* omen: *de zwaluwen zijn de ~n van de lente* the swallows are the heralds of spring

voordat 1 *(mbt tijdstip)* before, *(met ontkenning)* until: *alles was gemakkelijker ~ hij kwam* things were easier before he came; *~ ik je brief kreeg, wist ik er niets van* I knew nothing about it until I got your letter; **2** *(alvorens)* before (that)

voordeel 1 advantage, benefit: *Agassi staat op ~* advantage Agassi; *zijn ~ met iets doen* take advantage of sth; *~ hebben bij* profit (*of:* benefit) from; *hij is in zijn ~ veranderd* he has changed for the better; *3-0 in het ~ van Nederland* 3-0 for the Dutch side

vo

(*of:* team); *iem het ~ van de twijfel gunnen* give s.o. the benefit of the doubt;**2** *(gunstige eigenschap, omstandigheid)* advantage, plus point: *de voor- en nadelen* the advantages and disadvantages; *een ~ behalen* gain an advantage

voordeelregel advantage rule

voordek foredeck

voordelig 1 profitable, lucrative: *~ kopen* get a bargain;**2** *(zuinig, goedkoop)* economical, inexpensive: *~er zijn* be cheaper; *~ in het gebruik* be economical in use, go a long way

voordeur front door

voordoen I *tr* show, demonstrate; **II** *zich ~* act, appear, pose: *zich flink voordoen* put on a bold front; *zich ~ als politieagent* pose as a policeman

voordracht lecture: *een ~ houden over* read a paper on, give a lecture on

voordragen 1 recite *(gedicht);* **2** *(als kandidaat voorstellen)* nominate, recommend

voordringen push forward (*of:* past, ahead), jump the queue

voorfilm short

voorgaan 1 go ahead (*of:* before), lead (the way): *dames gaan voor* ladies first; *iemand laten ~* let s.o. go first; *gaat u voor!* after you!, lead the way;**2** *(prioriteit hebben)* take precedence, come first: *het belangrijkste moet ~* the most important has to come first

voorgaand preceding, former, last, previous: *op de ~e bladzijde* on the preceding page

voorganger predecessor

voorgekookt pre-cooked, parboiled: *~e aardappelen* pre-cooked potatoes; *~e rijst* parboiled rice

voorgeleiden bring in

voorgenomen intended, proposed: *de ~ maatregelen* the proposed measures

voorgerecht first course, starter

voorgeschiedenis *(mbt zaken)* previous history; *(mbt personen)* ancestry, past history

voorgeschreven prescribed, required

voorgevel face

voorgevoel premonition, foreboding *(van iets slechts):* *ergens een ~ van hebben* have a premonition about sth

voorgoed for good, once and for all: *dat is nu ~ voorbij* that is over and done with now

voorgrond foreground: *op de ~ treden, zich op de ~ plaatsen* come into prominence; *iets op de ~ plaatsen* place sth in the forefront; *hij dringt zich altijd op de ~* he always pushes himself forward

voorhamer sledge(hammer)

voorhebben 1 have on, wear: *een schort ~* have on (*of:* wear) an apron;**2** *(tegenover zich hebben)* have in front of: *de verkeerde ~* have got the wrong one (in mind)

voorheen formerly, in the past

voorhoede forward line, forwards

voorhoedespeler forward

voorhoofd forehead

voorhoofdsholteontsteking sinusitis

voorhouden represent, confront: *iem zijn slechte gedrag ~* confront s.o. with his bad conduct

voorhuid foreskin

voorin in (the) front *(in bus, trein);* at the beginning *(in boek)*

voorjaar spring, springtime

voorjaarsmoeheid springtime fatigue

voorkamer front room

voorkant front: *de ~ van een auto* the front of a car

voorkauwen repeat over and over

voorkennis foreknowledge, *(mbt misbruik)* inside knowledge: *~ hebben van* have prior knowledge of

voorkeur preference: *mijn ~ gaat uit naar* I (would) prefer; *de ~ geven aan* give preference to; *bij ~* preferably

voorkeurzender pre-set station

¹voorkomen I *zn***1** appearance, bearing: *nu krijgt de zaak een geheel ander ~* things are now looking a lot different;**2** *(het aangetroffen worden)* occurrence, incidence: *het regelmatig ~ van ongeregeldheden* the recurrence of disturbances; **II** *intr***1** occur, happen;**2** *(aangetroffen worden)* occur, be found: *die planten komen overal voor* those plants grow everywhere;**3** *(voor het gerecht verschijnen)* appear: *hij moet ~* he has to appear in court;**4** *(toeschijnen)* seem, appear: *dat komt mij bekend voor* that rings a bell, that sounds familiar

²voorkomen prevent: *om misverstanden te ~* to prevent (any) misunderstandings; *we moeten ~ dat hij hier weggaat* we must prevent him from leaving; *~ is beter dan genezen* prevention is better than cure

voorkomend occurring: *dagelijks ~e zaken* everyday events, recurrent matters; *een veel ~ probleem* a common problem; *zelden ~* unusual, rare

voorkoming prevention: *ter ~ van ongelukken* to prevent accidents

voorland future: *dat is ook haar ~* that's also in store for her

voorlaten allow to go first, give precedence to

voorleggen present: *iem een plan ~* present s.o. with a plan; *een zaak aan de rechter ~* bring a case before the court

voorletter initial (letter): *wat zijn uw ~s?* what are your initials?

voorlezen read aloud, read out loud: *iem een brief* (of: *de krant) ~* read aloud a letter *(of:* the newspaper) to s.o.; *kinderen houden van ~* children like to be read to; *~ uit een boek* read aloud from a book

voorlichten 1 inform: *zich goed laten ~* seek good advice; *we zijn verkeerd voorgelicht* we were misinformed;**2** *(seksuele voorlichting geven)* tell (s.o.) the facts of life

voorlichter press officer, information officer

voorlichting information: *de afdeling ~ (ve bedrijf)* public relations department; *seksuele ~* sex education; *goede ~ geven* give good advice

voorlichtingsavond open information evening

voorlichtingsdienst (public) information service

voorlichtingsfilm information film, *(over bijv. leger ook)* publicity film

voorliefde predilection, preference, fondness

voorlopen 1 *(voorop lopen)* walk *(of:* go) in front; **2** *(te snel lopen)* be fast: *de klok loopt vijf minuten voor* the clock is five minutes fast

voorloper precursor, forerunner

voorlopig I *bn* temporary, provisional: *een ~e aanstelling* a temporary appointment; ~ *verslag* interim report; **II** *bw* for the time being: *hij zal het ~ accepteren* he will accept it provisionally; ~ *niet* not for the time being; ~ *voor een maand* for a month to begin with

voormalig former

voorman foreman

voormiddag 1 morning; **2** *(begin vd middag)* early afternoon

¹voornaam first name: *iem bij zijn ~ noemen* call s.o. by his first name

²voornaam 1 distinguished, prominent: *een ~ voorkomen* a dignified *(of:* distinguished) appearance; **2** *(belangrijk)* main, important: *de ~ste dagbladen* the leading dailies; *de ~ste feiten* the main facts

voornaamwoord pronoun: *aanwijzend ~* demonstrative pronoun; *bezittelijk ~* possessive pronoun; *betrekkelijk ~* relative pronoun; *persoonlijk ~* personal pronoun

voornamelijk mainly, chiefly

voornemen I *het* intention, *(nieuwjaar ook)* resolution: *zij is vol goede ~s* she is full of good intentions; *het vaste ~ iets te bereiken* the determination to achieve sth; **II** *zich ~* resolve: *hij had het zich heilig voorgenomen* he had firmly resolved to do so; *zij bereikte wat ze zich voorgenomen had* she achieved what she had set out *(of:* planned) to do

vooronderzoek preliminary investigation: *gerechtelijk ~* hearing

vooroordeel prejudice: *een ~ hebben over* be prejudiced against; *zonder vooroordelen* unbiased, unprejudiced

vooroorlogs pre-war

voorop in front, in the lead, first: *het nummer staat ~ het bankbiljet* the number is on the front of the banknote; ~ *staat, dat ...* the main thing is that ...

vooropleiding (preliminary, preparatory) training

vooroplopen 1 walk *(of:* run) in front; **2** *(het voorbeeld geven)* lead (the way): ~ *in de modewereld* be a trendsetter in the fashion world

vooropstellen 1 assume: *laten we dit ~: ...* let's get one thing straight right away: ...; *ik stel voorop dat hij altijd eerlijk is geweest* to begin with, I maintain that he has always been honest; **2** *(als belangrijkste beschouwen)* put first (and foremost): *de volksgezondheid ~* put public health first (and foremost)

voorouders ancestors, forefathers

voorover headfirst, face down: *met het gezicht ~ liggen* lie face down(ward); ~ *tuimelen* tumble headfirst *(of:* forward)

voorpagina front page: *de ~'s halen* make the front pages

voorpaginanieuws front-page news

voorpoot foreleg, forepaw

voorpret pleasurable anticipation

voorproefje (fore)taste

voorprogramma *(theater)* curtain-raiser, supporting programme, *(bioscoop)* shorts: *een concert van Doe Maar met Frans Bauer in het ~* a Doe Maar concert with Frans Bauer as supporting act

voorraad 1 stock, supply: *de ~ goud* the gold reserve(s); *de ~ opnemen* take stock; *zo lang de ~ strekt* as long as *(of:* while) supplies/stocks last; *niet meer in ~ zijn* not be in stock anymore; *uit ~ leverbaar* available from stock; **2** *(levensmiddelen, provisie)* supplies, stock(s): ~ *inslaan voor de winter* lay in supplies for the winter; *we zijn door onze ~ heen* we have gone through our supplies

voorraadkast store cupboard, *(Am)* supply closet

voorradig in stock *(of:* store), on hand: *in alle kleuren ~* available in all colours

voorrang right of way, priority: ~ *hebben op* have (the) right of way over; *verkeer van rechts heeft ~* traffic from the right has (the) right of way; *geen ~ verlenen* fail to yield, fail to give (right of) way; ~ *verlenen aan verkeer van rechts* give way *(of:* yield) to the right; *(de) ~ hebben (boven)* have *(of:* take) priority (over); *met ~ behandelen* give preferential treatment

voorrangsweg major road

voorrecht privilege: *ik had het ~ hem te verwelkomen* I had the honour *(of:* privilege) of welcoming him

voorrekenen figure out, work out

voorrijden drive up to the front *(of:* entrance, door)

voorrijkosten call-out charge

voorronde qualifying round, preliminary round

voorruit windscreen, *(Am)* windshield

voorschieten advance, lend: *ik zal het even ~* I'll lend you the money

voorschijn: te ~ komen appear, come out *(sterren)*; *te ~ brengen* produce; *zijn zakdoek te ~ halen* take out one's handkerchief

voorschoot apron, pinafore

voorschot advance, loan

voorschotelen dish up, serve up

voorschrift 1 prescription, order: *op ~ van de dokter* on doctor's orders; **2** *(regels)* regulation, rule: *aan de ~en voldoen* satisfy *(of:* meet) the requirements; *volgens ~* as prescribed *(of:* directed)

voorschrijven prescribe: *rust ~* prescribe rest; *op de voorgeschreven tijd* at the appointed time

voorseizoen pre-season

voorselectie pre-selection

voorsorteren get in lane: *rechts ~* get in the right-hand lane

voorspel 1 prelude; prologue: *het ~ van de oorlog* the prelude to the war; **3** *(inleiding tot liefdesspel)* foreplay

voorspelbaar predictable

voorspelbaarheid predictability
voorspelen play
voorspellen 1 predict, forecast: *iem een gouden toekomst ~* predict a rosy future for s.o.; *ik heb het u wel voorspeld* I told you so; **2** *(beloven)* promise: *dat voorspelt niet veel goeds* that doesn't bode well
voorspelling 1 prophecy; **2** *(prognose)* prediction: *de ~en voor morgen* the (weather) forecast for tomorrow
voorspoed prosperity: *in voor- en tegenspoed* for better or for worse; *voor- en tegenspoed* ups and downs
voorspoedig successful, prosperous: *alles verliep ~* it all went off well
voorsprong (head) start, lead: *hij won met grote ~* he won by a large margin; *iem een ~ geven* give s.o. a head start; *een ~ hebben op iem* have the jump (*of:* lead) on s.o.
voorst first, front: *op de ~e bank zitten* be (*of:* sit) in the front row
voorstaan stand (*of:* be) in front: *de auto staat voor* the car is (out) at the front
voorstad suburb
voorstander supporter, advocate: *ik ben er een groot ~ van* I'm all for it
voorsteken overtake, pass
voorstel proposal, suggestion: *iem een ~ doen* make s.o. a proposal (*of:* proposition)
voorstelbaar imaginable, conceivable
voorstellen I *tr* **1** introduce: *zich ~ aan* introduce oneself to; **2** *(opperen)* suggest, propose; **3** *(de rol spelen van)* represent, play; **4** *(een beeld geven van)* represent, depict: *het schilderij stelt een huis voor* the painting depicts a house; *dat stelt niets voor* that doesn't amount to anything; **II** *zich ~* imagine, conceive: *ik kan mij zijn gezicht niet meer ~* I can't recall his face; *dat kan ik me best ~* I can imagine (that); *stel je voor!* just imagine!
voorstelling 1 show(ing), performance: *doorlopende ~* non-stop (*of:* continuous) performance; **2** *(afbeelding)* representation, depiction; **3** *(denkbeeld)* impression, idea: *dat is een verkeerde ~ van zaken* that is a misrepresentation; *zich een ~ van iets maken* picture sth, form an idea of sth
voorstellingsvermogen (power(s) of) imagination
voorstemmen vote for
voorsteven stem, prow
voorstopper centre back
voortaan from now on
voortand front tooth
voortbestaan continued existence (*of:* life), survival
voortbewegen I *tr* drive, move on (*of:* forward): *het karretje werd door stroom voortbewogen* the buggy was driven by electricity; **II** *zich ~ (voortgaan)* move on (*of:* forward)
voortborduren embroider, elaborate: *op een thema ~* elaborate (*of:* embroider) on a theme

voortbrengen produce, create, bring forth: *kinderen ~* produce children
voortbrengsel product
voortduren continue, go on, wear on
voortdurend constant, continual; *(onafgebroken)* continuous: *een ~e dreiging* a constant threat (*of:* menace); *haar naam duikt ~ op in de krant* her name keeps cropping up in the (news)papers
voorteken omen, sign
voortent front bell (end), (front) extension; *(voor caravan)* awning
voortgang progress
voortgezet continued, further: *~ onderwijs* secondary education
voortijdig premature, untimely: *de les werd ~ afgebroken* the lesson was cut short; *~ klaar zijn* be finished ahead of time
voortkomen *(met uit)* stem (from), flow (from): *de daaruit ~de misstanden* the resulting (*of:* consequent) abuses
voortleven live on: *zij leeft voort in onze herinnering* she lives on in our memory
voortouw: *het ~ nemen* take the lead
voortplanten, zich 1 reproduce, multiply; **2** *(zich verbreiden)* propagate, be transmitted: *geluid plant zich voort in golven* sound is transmitted (*of:* travels) in waves
voortplanting reproduction, multiplication, breeding: *geslachtelijke ~* sexual reproduction
voortplantingsorgaan reproductive organ
voortreffelijk excellent, superb: *hij danst ~* he dances superbly (*of:* exquisitely)
voortrekken favour, give preference to: *de een boven de ander ~* favour one person above another
voortrekker 1 pioneer; **2** Venture Scout, *(Am)* Explorer
voortuin front garden (*Am:* yard)
voortvarend energetic, dynamic
voortzetten continue, carry on (*of:* forward): *de kennismaking ~* pursue the acquaintance; *iemands werk ~* carry on s.o.'s work
vooruit I *bw* **1** ahead, further: *hiermee kan ik weer een tijdje ~* this will keep me going for a while; **2** *(van tevoren)* before(hand), in advance: *zijn tijd ~ zijn* be ahead of one's time; *ver ~* well in advance; **II** *tw* get going, let's go, come on, go on: *~! aan je werk* come on, time for work
vooruitbetalen prepay, pay in advance
vooruitblik preview, look ahead: *een ~ op het volgende seizoen* a preview of (*of:* look ahead at) the coming season
vooruitdenken think ahead
vooruitgaan progress, improve: *zijn gezondheid gaat vooruit* his health is improving; *er financieel op ~* be better off (financially), profit (financially)
vooruitgang progress, *(verbetering ook)* improvement
vooruitkijken look ahead
vooruitkomen get on (*of:* ahead), get somewhere,

make headway: *moeizaam* ~ progress with difficulty

vooruitlopen anticipate, be ahead (of): *~d op in advance of*; *op de gebeurtenissen* ~ anticipate events

vooruitstrevend progressive

vooruitzicht prospect, outlook: *goede ~en hebben* have good prospects

vooruitzien look ahead (*of*: forward): *regeren is* ~ foresight is the essence of government

vooruitziend far-sighted, *(met visie)* visionary

voorvader ancestor, forefather

voorval incident, event

voorvallen occur, happen

voorverkiezing preliminary election, *(Am; mbt het presidentschap)* primary (election)

voorverkoop advance booking (*of*: sale(s)): *de kaarten in de ~ zijn goedkoper* the tickets are cheaper if you buy them in advance

voorverpakt pre-packed

voorverwarmen preheat

voorvoegsel prefix

voorwaarde 1 condition, provision: *onder ~ dat ...* provided that ..., on condition that ...; *onder geen enkele* ~ on no account, under no circumstances; *iets als ~ stellen* state (*of*: stipulate) sth as a condition; **2** *(handel)* condition, *(mv ook)* terms: *wat zijn uw ~n?* what are your terms?

voorwaardelijk conditional, provisional: *~e invrijheidstelling* (release on) parole; *hij is ~ overgegaan* he has been put in the next class (*Am*: grade) on probation; *~ veroordelen* give a suspended sentence, *(met proeftijd)* put on probation

voorwaarts I *bn, bw* forward(s), onward(s): *een stap ~* a step forward(s); **II** *tw* forward: *~ mars!* forward march!

voorwas pre-wash

voorwasmiddel pre-washer (and soaker)

voorwedstrijd preliminary competition (*of*: game)

voorwenden pretend, feign

voorwendsel pretext, pretence: *onder valse ~s* under false pretences; *onder ~ van* under the pretext of

voorwerk preliminary work

voorwerp object: *het lijdend ~* the direct object; *meewerkend ~* indirect object; *gevonden ~en* lost property

voorwetenschap foreknowledge, *(mbt misbruik)* inside knowledge

voorwiel front wheel

voorwielaandrijving front-wheel drive

voorwoord foreword, preface

voorzeggen prompt: *het antwoord ~* whisper the answer; *niet ~!* no prompting!

voorzet cross, centre; *(door het midden)* ball into the area: *een goede ~ geven* cross the ball well, send in a good cross

voorzetsel preposition

voorzetten 1 put (*of*: place) in front (of); **2** *(voor la-*

ten lopen) put forward, set forward, *(klok ook)* put ahead; **3** *(een voorzet geven) (vanaf de zijkant)* cross; *(door het midden)* hit the ball into the area

voorzichtig 1 careful, cautious: *~! breekbaar!* fragile! handle with care!; *iem het nieuws ~ vertellen* break the news gently to s.o.; ~ *te werk gaan* proceed cautiously (*of*: with caution); **2** *(omzichtig)* cautious, *(tactvol)* discreet: ~ *naar iets informeren* make discreet inquiries (about sth)

voorzichtigheid caution, care

voorzien I *tr***1** foresee, anticipate: *dat was te ~* that was to be expected; **2** (met *in*) *(zorgen)* provide (for), see to: *in een behoefte ~* fill a need; *in zijn onderhoud kunnen* ~ be able to support oneself (*of*: to provide for oneself); **3** (met *van*) *(verschaffen)* provide (with), equip (with): *het huis is ~ van centrale verwarming* the house has central heating; **II** *bn* provided: *wij zijn al ~* we have been taken care of (*of*: seen to); *het gebouw is ~ van videobewaking* the buildiing is equipped with CCTV; *de deur is ~ van een slot* the door is fitted with a lock

voorzienigheid providence: *Gods* ~ divine providence

voorziening provision, service: *sociale ~en* social services; *sanitaire ~en* sanitary facilities; *~en treffen* make arrangements

voorzijde front (side)

voorzitster chairwoman

voorzitten chair

voorzitter chairman: *mijnheer* (of: *mevrouw*) *de* ~ Mr Chairman, Madam Chairman (*of*: Chairwoman); ~ *zijn* chair a (*of*: the) meeting

voorzorg precaution: *uit ~ iets doen* do sth as a precaution(ary measure)

voorzorgsmaatregel precaution, precautionary measure: *~en nemen (treffen) tegen* take precautions against

voos 1 dried-out; **2** hollow; **3** rotten

vorderen I *intr* (make) progress, move forward, make headway: *naarmate de dag vorderde* as the day progressed (*of*: wore on); **II** *tr***1** demand, claim: *het te ~ bedrag is ...* the amount due is ...; *geld ~ van iem* demand money from s.o.; **2** *(opeisen)* requisition

vordering 1 progress, headway: *~en maken* (make) progress, make headway; **2** *(eis)* demand, claim: *een ~ instellen tegen iem* put in (*of*: submit) a claim against s.o.; *~ op iem* claim against s.o.

voren: *kom wat naar* ~ come closer (*of*: up here) a bit; *naar ~ komen: a)* come forward; *b) (fig)* come up, come to the fore; *van* ~ from (*of*: on) the front (side); *van ~ af aan* from the beginning

vorig 1 last, previous: *de ~e avond* the night before, the previous night; *in het ~e hoofdstuk* in the preceding (*of*: last) chapter; *de ~e keer* (the) last time; **2** *(vroeger)* earlier, former: *haar ~e man* her former husband

vork fork

vorkheftruck forklift (truck)

vo

vorm 1 form, shape, outline: *naar ~ en inhoud* in form and content; *de lijdende ~ van een werkwoord* the passive voice (*of:* form) of a verb; **2** *(mal)* mould, form; **3** (proper) form, *(fysiek)* shape, *(fysiek)* build: *in goede ~ zijn* be in good shape (*of:* condition)

vormen 1 shape, form, mould; **2** *(doen ontstaan)* form, make (up), build (up): *die delen ~ een geheel* those parts make up a whole; *zich een oordeel ~* form an opinion

vormend formative: *algemeen ~ onderwijs* general (*of:* non-vocational) education

vormgever designer, stylist

vormgeving design, style, styling: *een heel eigen ~* a very personal (*of:* individual) style

vorming 1 formation; **2** *(geestelijke ontwikkeling)* education, training

vormingswerk work in socio-cultural (*Am:* sociological) training/education, *(mbt partiële leerplicht)* work in day-release courses (*Am:* job corps program)

vorst 1 frost, freeze: *vier graden ~* four degrees below freezing; *strenge ~* hard (*of:* sharp) frost; *we krijgen ~* there's (a) frost coming; *bij ~* in frosty weather, in case of frost; **2** *(koning)* sovereign, monarch: *iem als een ~ onthalen* entertain s.o. like a prince

vorstelijk princely, royal, regal, lordly: *een ~ salaris* a princely salary; *iem ~ belonen* reward s.o. generously

vorstenhuis dynasty, royal house

vorstin queen, princess, sovereign's wife, ruler's wife

vos fox: *een troep ~sen* a pack of foxes; *een sluwe ~* a sly old fox; *een ~ verliest wel zijn haren, maar niet zijn streken* the leopard cannot change his spots

vossenjacht 1 *(spel)* treasure hunt; **2** *(jacht op een vos)* fox hunt: *op ~ gaan (zijn)* go foxhunting, ride to (*of:* follow) the hounds

vouw crease, fold: *een scherpe ~* a sharp crease; *zo gaat je broek uit de ~* that will take the crease out of your trousers

vouwbaar foldable

vouwdeur folding door

vouwen fold: *de handen ~* fold one's hands (in prayer); *naar binnen ~* fold in(wards), turn in *(zoom)*

vouwfiets folding bike, collapsible bike

voyeur voyeur, peeping Tom

vraag 1 question, *(verzoek)* request: *een pijnlijke ~ stellen* ask an embarrassing (*of:* a delicate) question; *de ~ brandde mij op de lippen* the question was on the tip of my tongue; *vragen stellen* (of: beantwoorden) ask (*of:* answer) questions; **2** *(behoefte)* demand, call: *~ en aanbod* supply and demand; *niet aan de ~ kunnen voldoen* be unable to meet the demand; *er is veel ~ naar tulpen* there's great demand (*of:* call) for tulips; **3** *(opgave)* question, problem, assignment; **4** *(vraagstuk)* question, is-

sue, problem, topic: *dat is zeer de ~* that is highly debatable (*of:* questionable); *het is nog de ~, of ...* it remains to be seen whether ...

vraaggesprek interview

vraagprijs asking price

vraagstuk problem, question

vraagteken question mark; *(fig ook)* mystery: *de toekomst is een groot ~* the future is one big question mark

vraagzin interrogative sentence

vraatzucht gluttony

vraatzuchtig gluttonous, greedy

vracht 1 freight(age), cargo, *(wagen, trein)* load: *~ innemen* take in cargo (*of:* freight(age)); **2** *(last)* load, burden, weight: *onder de ~ bezwijken* succumb under the burden; **3** *(hoeveelheid)* load, shipment; **4** *(groot aantal)* (cart)load, ton(s)

vrachtbrief waybill, *(schip, trein, vliegtuig)* consignment note, *(bij bestelling)* delivery note, forwarding note

vrachtdienst freight service, cargo service

vrachtprijs freightage, *(schip, vliegtuig)* freight (rate), *(land)* carriage (rate), haulage (rate)

vrachtschip freighter, cargo ship

vrachtverkeer *(vrachtvervoer)* cargo trade, goods transport(ation); *(verkeer van vrachtauto's)* lorry (*Am:* truck) traffic

vrachtvliegtuig cargo plane (*of:* aircraft)

vrachtwagen lorry, *(Am)* truck, *(gesloten)* van

vrachtwagenchauffeur lorry driver, *(Am)* truck driver, *(Am)* trucker

vragen I *intr, tr* **1** ask (for): *een politieagent de weg ~* ask a policeman for (*of:* to show one) the way; *zou ik u iets mogen ~?* would you mind if I asked you a question?, can I ask you sth?; *~ hoe laat het is* ask (for) the time; **2** *(verzoeken)* ask, demand, request: *de rekening ~* ask (*of:* call) for the bill; **II** *tr* **1** *(uitnodigen)* ask, invite; **2** *(verlangen)* ask, request: *hoeveel vraagt hij voor zijn huis?* how much does he want for his house?; *gevraagd: typiste* wanted: typist; *je vraagt te veel van jezelf* you're asking (*of:* demanding) too much of yourself; *veel aandacht ~* demand a great deal of attention; **III** *intr* **1** *(informeren)* ask (after, about), inquire (after, about): *daar wordt niet naar gevraagd* that's beside the point; **2** *(het onvermijdelijk maken)* ask (for), call (for): *erom ~* ask for it; *dat is om moeilijkheden ~* that's asking for trouble

vragend I *bn, bw* questioning; **II** *bn* interrogative: *een ~ voornaamwoord* an interrogative (pronoun)

vragenlijst list of questions, *(formulier)* questionnaire, inquiry form

vragensteller questioner, inquirer, interviewer

vrede 1 peace: *~ sluiten met* conclude the peace with; *~ stichten* make peace; **2** *(toestand van rust)* peace, quiet(ude): *~ met iets hebben* be resigned (*of:* reconciled) to sth, accept sth

vredesactivist peace activist

vredesakkoord peace agreement (*of:* treaty)

vredesbesprekingen peace talks (*of:* negotiations)
vredesbeweging peace movement
vredesconferentie peace conference
vredesdemonstratie peace demonstration
vredesduif dove of peace
vredesmacht peacekeeping force
vredesmissie peace mission
vredesoffensief peace offensive (*of:* initiative)
vredesonderhandelingen peace negotiations (*of:* talks)
vredesoverleg peace talks
Vredespaleis Peace Palace
vredespijp pipe of peace: *de ~ roken* smoke the pipe of peace, keep the (*of:* make) peace
vredestijd peacetime
vredesverdrag peace treaty
vredig peaceful, quiet
vreedzaam peaceful, non-violent
vreemd I *bn* 1 strange, odd, unfamiliar, unusual: *een ~e gewoonte* an odd (*of:* a strange) habit; *het ~e is, dat …* the odd (*of:* strange, funny) thing is that …; 2 (*van elders gekomen*) foreign, strange, imported: *zij is hier ~* she is a stranger here; 3 (*uitheems*) foreign, exotic: *~ geld* foreign currency; *~e talen* foreign languages; 4 (*niet van eigen familie*) strange, outside: *~ gaan* have an (extramarital) affair; **II** *bw* (*ongewoon*) strangely, oddly, unusually: *~ doen* behave in an unusual way; *~ genoeg* strangely enough, strange to say
vreemde 1 foreigner, stranger; 2 (*geen familielid*) stranger, outsider: *dat hebben ze van geen ~* it's obvious who they got that from (*of:* where they learnt that)
vreemdeling foreigner, stranger: *ongewenste ~en* undesirable aliens; *hij is een ~ in zijn eigen land* he is a stranger in his own country
vreemdelingendienst aliens (registration) office
vreemdelingenlegioen foreign legion
vreemdelingenpolitie aliens police, aliens (registration) office
vrees fear, fright: *hij greep haar vast uit ~ dat hij zou vallen* he grabbed hold of her for fear he should fall
vreetpartij blow-out
vreetzak glutton, pig
vrek miser, skinflint, Scrooge
vreselijk I *bn, bw* 1 terrible, awful: *~e honger hebben* have a ravenous appetite; *we hebben ~ gelachen* we nearly died (of) laughing; 2 (*afschrikwekkend*) terrifying, horrible: *een ~e moord* a shocking (*of:* horrible) murder; **II** *bw* terribly, awfully, frightfully: *~ gezellig* awfully nice
vreten I *tr* 1 (*mbt personen, eten*) feed: *dat is niet te ~!* that's not fit for pigs!; 2 (*gulzig eten*) stuff (*of:* cram, gorge) (oneself): *zich te barsten ~* stuff oneself to the gullet (*of:* sick); 3 (*mbt dieren*) feed, eat; 4 (*verslinden*) eat (up), devour: *kilometers ~* burn up the road; *dat toestel vréét stroom* this apparatus simply eats up electricity; **II** *intr* (*knagen*) eat (away), gnaw (at), prey (on): *het schuldbesef vrat*

aan haar the sense of guilt gnawed at her (heart); **III** *zn* 1 fodder (*voor vee e.d.*); food (*voor huisdieren, wilde dieren*); forage (*voor paarden, koeien e.d.*); (*van afval*) slops; 2 (*eten*) grub, nosh
vreter glutton, pig
vreugde joy, delight, pleasure: *tot mijn ~ hoor ik* I am delighted to hear
vreugdekreet cry (*of:* shout) of joy
vreugdevuur bonfire
vrezen fear, dread, be afraid (of, that): *ik vrees het ergste* I fear the worst; *God ~* fear God; *ik vrees van niet* (of: *wel*) I'm afraid not (*of:* so); *ik vrees dat hij niet komt* I'm afraid he won't come (*of:* show up)
vriend 1 friend: *~en en vriendinnen!* friends!; *dikke ~en zijn* be (very) close friends; *even goede ~en* no hard feelings, no offence; *van je ~en moet je het maar hebben* with friends like that who needs enemies; 2 (*geliefde*) (boy)friend: *ze heeft een ~(je)* she has a boyfriend; *iem te ~ houden* remain on good terms with s.o.
vriendelijk 1 friendly, kind, amiable: *~ lachen* give a friendly smile; *zou u zo ~ willen zijn om …* would you be kind enough (*of:* so kind) as to …; *dat is erg ~ van u* that's very (*of:* most) kind of you; 2 (*aangenaam*) pleasant
vriendelijkheid friendliness, kindness, amiability
vriendendienst friendly turn, kind turn, act of friendship
vriendenkring circle of friends
vriendenprijsje give-away: *voor een ~* for next to nothing
vriendin 1 (girl)friend, (lady) friend: *zij zijn dikke ~nen* they're the best of friends; 2 (*geliefde*) girl(friend): *een vaste ~ hebben* have a steady girl(friend), go steady
vriendjespolitiek favouritism, nepotism
vriendschap friendship: *~ sluiten* make (*of:* become) friends, strike up a friendship; *uit ~ iets doen* do sth out of friendship
vriendschappelijk friendly, amicable; in a friendly way: *~e wedstrijd* friendly match; *~ met elkaar omgaan* be on friendly terms
vriescel cold-storage room (*of:* chamber), freezer, deep-freeze
vrieskast (cabinet-type) freezer, deep-freeze
vrieskist (chest-type) freezer, deep-freeze
vriespunt freezing (point): *temperaturen boven* (of: *onder, rond*) *het ~* temperatures above (*of:* below, about) freezing (point)
vriesvak freezing compartment, freezer
vriezen freeze: *het vriest vijf graden* it's five (degrees) below freezing
vriezer freezer, deep-freeze
vrij I *bn* 1 free, open, unrestricted: *~e handel* free trade; (*zwemmen*) *de ~e slag* freestyle; *een ~ uitzicht hebben* have a clear (*of:* an open) view; *de weg is ~* the road is clear; *weer op ~e voeten zijn* be outside again; 2 (*gratis*) free, complimentary; 3 (*nog beschikbaar*) free, vacant: *die wc is ~* that lavatory

is free (of: vacant, unoccupied); *de handen ~ hebben* have a free hand, have one's hands free; *een stoel ~ houden* reserve a seat; **II** *bw (tamelijk)* quite, fairly, rather, pretty: *het komt ~ vaak voor* it occurs quite (of: fairly) often

vrijaf off: *een halve dag ~* a half-holiday, half a day off; *~ nemen* take a holiday (of: some time off)

vrijblijvend without (of: free of) obligations

vrijbuiter freebooter

vrijdag Friday: *Goede Vrijdag* Good Friday

vrijdags I *bn* Friday; **II** *bw (op vrijdag)* on Fridays

vrijen 1 neck, pet: *die twee zitten lekker te ~* those two are having a nice cuddle; **2** *(geslachtsgemeenschap hebben)* make love, go to bed

vrijer boyfriend, lover, sweetheart, (young) man

vrijetijdsbesteding leisure activities, recreation

vrijetijdskleding casual clothes (of: wear)

vrijgeleide (letter of) safe-conduct, safeguard, pass(port), permit

vrijgeven I *intr* give time off, give a holiday; **II** *tr (vrijlaten, het gebruik toestaan)* release: *de handel ~ decontrol* the trade; *iets voor publicatie ~* release sth for publication

vrijgevig generous, free with, liberal with

vrijgevigheid generosity, liberality

vrijgezel bachelor, single: *een verstokte ~* a confirmed bachelor

vrijgezellenavond 1 *(mannen)* stag-night; *(vrouwen)* hen-party; **2** *(voor alleenstaanden georganiseerde avond)* singles night

vrijhandel free trade

vrijhandelsgebied free-trade zone (of: area)

vrijhaven free port

vrijheid *(het vrij zijn)* freedom, liberty: *het is hier ~, blijheid* it's Liberty Hall here; *~ van godsdienst* (of: *meningsuiting)* freedom of religion (of: speech); *persoonlijke ~* personal freedom (of: liberty); *kinderen veel ~ geven* give (of: allow) children a lot of freedom; *iem in ~ stellen* set s.o. free (of: at liberty), free/release s.o.

vrijheidsbeeld: *het Vrijheidsbeeld* the Statue of Liberty

vrijheidsberoving deprivation of liberty (of: freedom)

vrijheidsstrijder freedom fighter

vrijhouden 1 keep (free), reserve, *(mbt dag, tijd, geld ook)* set aside: *een plaats ~* keep a place (of: seat) free; *de weg ~* keep the road open (of: clear); **2** *(betalen voor iem)* pay (for), stand (s.o. sth)

vrijkaart free (of: complimentary) ticket

vrijkomen 1 come out, be set free, be released *(uit gevangenis)*; **2** *(loskomen)* be released *(ook chem)*, be set free; **3** *(beschikbaar komen)* become free (of: available): *zodra er een plaats vrijkomt* as soon as there is a vacancy (of: place)

vrijlaten 1 release, set free (of: at liberty), *(mbt slaven ook)* liberate, *(mbt slaven ook)* emancipate; **2** *(openlaten)* leave free (of: vacant), leave clear *(mbt open ruimte)*: *deze ruimte ~ s.v.p.* please leave this space clear

vrijmaken reserve, keep (free): *tijd ~* make time (for)

vrijmarkt unregulated street market

vrijmetselaar freemason, Mason

vrijmetselarij Freemasonry, Masonry

vrijmoedig frank, outspoken

vrijplaats refuge

vrijpleiten clear (of), exonerate (from)

vrijpostig impertinent, impudent, saucy

vrijspraak acquittal

vrijspreken acquit (from), clear: *vrijgesproken worden van een beschuldiging* be cleared of (of: be acquitted on) a charge

vrijstaan be free (to), be allowed (to), be permitted (to), be at liberty (to)

vrijstaand apart, free, detached *(huis)*: *een ~ huis* a detached house

vrijstellen exempt *(van belasting, dienst enz.)*, excuse *(van lessen)*, release *(ve plicht)*: *vrijgesteld van militaire dienst* exempt from military service

vrijstelling exemption, release, freedom: *~ verlenen van* exempt from; *een ~ hebben voor wiskunde* be exempted from the maths exam

vrijster spinster: *een oude ~* an old maid

vrijuit freely: *u kunt ~ spreken* you can speak freely; *~ gaan: a) (schuldeloos zijn)* not be to blame; *b) (ongestraft blijven)* get off (of: go) scot-free, go clear/free

vrijwel nearly, almost, practically: *dat is ~ hetzelfde* that's nearly (of: almost) the same; *~ niets* hardly anything, next to nothing; *~ tegelijk aankomen* arrive almost simultaneously (of: at the same time); *het komt ~ op hetzelfde neer* it boils down to pretty well the same thing

vrijwillig voluntary, *(uit vrijwilligers bestaand, ook)* volunteer, of one's own free will, of one's own volition: *~ iets op zich nemen* volunteer to do sth, take on sth voluntarily

vrijwilliger volunteer: *er hebben zich nog geen ~s gemeld* so far nobody has volunteered

vrijwilligerswerk voluntary work, volunteer work

vroedvrouw midwife

vroeg 1 early: *van ~ tot laat* from dawn till dusk (of: dark); *je moet er ~ bij zijn* you've got to get in quickly; *hij toonde al ~ tekentalent* he showed artistic talent at an early age; *volgende week is ~ genoeg* next week is soon enough; *niet ~er dan ...* not before ..., ... at the earliest; *het is nog ~: a) (mbt dag)* the day is still young; *b) (mbt avond)* the night is still young; *'s morgens ~* early in the morning; **2** *(eerder dan verwacht)* early, *(mbt mensen ook)* young, *(vnl. mbt geboorte en dood)* premature: *een te ~ geboren kind* a premature baby

vroeger I *bw* formerly, before, previously: *~ heb ik ook wel gerookt* I used to smoke; *~ stond hier een kerk* there used to be a church here; *het Londen van ~* London as it used to be (of: once was); **II** *bn (voormalig)* previous, former: *zijn ~e verloofde* his former (of: ex-fiancée)

vroegrijp precocious, forward (kind, meisje), early-ripening (vrucht): ~e kinderen precocious (of: forward) children

vroegte: in alle ~ at (the) crack of dawn, bright and early

vroegtijdig early, premature

vrolijk cheerful, merry: ~ behang cheerful (of: bright) wallpaper; het was er een ~e boel they were a merry crowd; ~ worden get (a bit, rather) merry; een ~ leventje leiden lead a merry life

vroom pious, devout

vrouw 1 woman: een alleenstaande ~ a single (of: an unattached) woman; achter de ~en aanzitten chase (after) women, womanize; de werkende ~ working women, career women; een ~ achter het stuur a woman driver; Vrouw Holle Mother Carey; **2** (echtgenote) wife: man en ~ husband (of: man) and wife; hoe gaat het met je ~? how's your wife?; een dochter van zijn eerste ~ a daughter by his first wife; **3** (speelkaart) queen; **4** (bazin) mistress, lady: de ~ des huizes lady (of: mistress) of the house

vrouwelijk 1 female, (mbt beroep ook) woman: een ~e arts a woman doctor; de ~e hoofdrol the leading lady role (of: part); **2** (passend en kenmerkend) feminine, womanly: ~e charme feminine charm; de ~e intuïtie woman's intuition

vrouwenafdeling women's section (of: branch), (in ziekenhuis) women's ward, female ward

vrouwenarts gynaecologist

vrouwenbeweging feminist movement, women's (rights) movement

vrouwenblad women's magazine

vrouwenhandel trade (of: traffic) in women, (blanke vrouwen) white slave trade

vrouwenjager womanizer, ladykiller

vrouwenliteratuur women's literature

vrouwenpraatgroep women's circle, ladies' circle

vrouwenrol female part

vrouwtje 1 woman, (mbt echtgenote) wife(y): hij kijkt te veel naar de ~s he's too keen on women (of: the ladies); **2** (bazin) mistress; **3** (vrouwelijk dier) female

vrouwvijandig anti-female, hostile to(wards) women

vrouwvriendelijk women-friendly

vrucht 1 fruit: ~en op sap fruit in syrup; verboden ~en forbidden fruit; **2** (ongeboren jong, kind) foetus, embryo: een onvoldragen ~ a foetus that has not been carried to term; **3** (fig) fruit(s), reward(s): zijn werk heeft weinig ~en afgeworpen he has little to show for his work; ~en afwerpen bear fruit; de ~en van iets plukken reap the fruit(s) (of: rewards) of sth

vruchtbaar 1 fruitful, productive; **2** (groeizaam) fertile (ook mbt voortplanting), fruitful: de vruchtbare periode van de vrouw a woman's fertile period; een vruchtbare bodem vinden find fertile soil

vruchtbaarheid fertility, fruitfulness

vruchteloos fruitless, futile

vruchtenpers fruit press

vruchtensap fruit juice

vruchtentaart fruit tart

vruchtvlees flesh (of a, the fruit), (fruit) pulp

vruchtwater amniotic fluid, water(s)

vruchtwateronderzoek amniocentesis

V-snaar V-belt

vso afk van voortgezet speciaal onderwijs comprehensive school system

V-teken V-sign

vuil I bn, bw **1** dirty, filthy, (vervuild ook) polluted: de ~e kopjes the dirty (of: used) cups; een ~e rivier a dirty (of: polluted) river; **2** (oneerlijk, onaangenaam) dirty, foul: iem een ~e streek leveren play a dirty (of: nasty trick) on s.o.; ~e viezerik (of: leugenaar) dirty (of: filthy) swine/liar; **3** (nijdig) dirty, nasty: iem ~ aankijken give s.o. a dirty (of: filthy, nasty) look; **II** zn **1** refuse, rubbish, (Am vnl.) garbage: iem behandelen als een stuk ~ treat s.o. like dirt; grof ~ (collection of) bulky refuse; ~ storten tip (of: dump, shoot) rubbish; verboden ~ te storten dumping prohibited, no tipping (of: dumping); **2** (viezigheid) dirt, filth

vuiligheid dirt, filth

vuilmaken make dirty, dirty, soil

vuilnis refuse, rubbish, (Am vnl.) garbage

vuilnisauto dustcart, (Am) garbage truck, trash truck

vuilnisbak dustbin, rubbish bin, (Am) garbage can, trash can

vuilnisbakkenras mongrel

vuilnisbelt rubbish dump

vuilnishoop rubbish dump, (Am) garbage heap

vuilniskoker rubbish chute

vuilnisman binman; (Am vnl.) garbage collector

vuilniszak rubbish bag, refuse bag

vuilophaaldienst refuse collection

vuilstortplaats rubbish dump

vuiltje smut, speck of dirt (of: dust, grit): een ~ in het oog hebben have sth (of: a smut) in one's eye; er is geen ~ aan de lucht everything is absolutely fine (Am: peachy keen)

vuilverbranding (waste, refuse, garbage) incinerator

vuist fist: met gebalde ~en with clenched fists; een ~ maken take a stand (of: hard line); met de ~ op tafel slaan bang one's fist on the table, take a hard line; op de ~ gaan come to blows; uit het ~je eten eat with one's fingers; voor de ~ (weg) off the cuff, ad lib

vuistregel rule of thumb

vuistslag punch

vuldop filler cap, (Am) fill cap

vulgair vulgar, common, rude (taal, gedrag)

vulkaan volcano

vulkaanuitbarsting volcanic eruption

vulkanisch volcanic: ~e stenen volcanic rocks

vullen 1 fill (up), (met lucht) inflate: het eten vult

vu

ontzettend the meal is very filling;**2** *(opvullen)* fill (up), stuff *(meubels, kussens e.d.)*, pad *(kleding): een gat ~* fill (up) a hole; *een kip met gehakt ~* stuff a chicken with mince

vulling 1 filling *(ook van gebit)*, stuffing *(van meubels, gerechten);***2** *(verwisselbare patroon)* cartridge, refill

vulpen fountain pen

vulpotlood propelling pencil, *(Am)* refillable lead pencil

vunzig dirty, filthy

vuren I *intr* fire: *staakt het ~* cease fire; **II** *bn* pine, deal

vurenhout pine(wood), deal

vurenhouten pine, deal

vurig 1 fiery, (red-)hot: *~e kolen* coals of fire;**3** *(hartstochtelijk)* fiery, ardent, fervent, devout *(vnl. mbt geloof)*, burning *(verlangen): ~e paarden* fiery *(of:* high-spirited) horses; *een ~ voorstander van iets* a strong *(of:* fervent) supporter of sth; *daarmee was zijn ~ste wens vervuld* it fulfilled his most ardent wish

VUT *afk van vervroegde uittreding* early retirement: *in de ~ gaan* retire early, take early retirement

vut-regeling *(ongev)* early-retirement scheme

vuur 1 fire: *voor iem door het ~ gaan* go through fire (and water) for s.o.; *het huis staat in ~ en vlam* the house is in flames; *ik zou er mijn hand voor in het ~ durven steken* I'd stake my life on it; *in ~ en vlam zetten* set ablaze *(of:* on fire); *met ~ spelen* play with fire; *een ~ aansteken* light a fire; *iem het ~ na aan de schenen leggen* make it *(of:* things) hot for s.o.; *een ~ uitdoven* put out *(of:* extinguish) a fire; *een pan op het ~ zetten* put a pan on the stove; *iem zwaar onder ~ nemen* let fly at s.o.; *tussen twee vuren zitten* get caught in the middle *(of:* in the firing line);**2** *(enthousiasme)* fire, ardour, fervour: *in het ~ van zijn betoog* in the heat of his argument

vuurbal fireball, ball of fire

vuurdoop baptism of fire

vuurgevecht gunfight

vuurhaard seat of the fire

Vuurland Tierra del Fuego

vuurlinie firing line, line of fire

vuurpeloton firing squad

vuurpijl rocket

vuurproef trial by fire; *(fig)* ordeal, acid test: *de ~ doorstaan* stand the test; *de ~ ondergaan* undergo a severe ordeal

vuurrood crimson, scarlet: *~ aanlopen* turn crimson *(of:* scarlet)

vuurspuwend erupting *(vulkaan);* fire-breathing; fire-spitting *(draak)*

vuursteen(tje) flint

vuurtje 1 (small) fire: *het nieuws ging als een lopend ~ door de stad* the news spread through the town like wildfire;**2** *(voor een sigaret enz.)* light: *iem een ~ geven* give s.o. a light

vuurtoren lighthouse

vuurvast fireproof, flame-resistant, heat-resistant: *een ~ schaaltje* an ovenproof *(of:* a heat-resistant) dish

vuurvliegje firefly

vuurvreter fire-eater

vuurwapen firearm, gun, *(meestal mv)* arm

vuurwerk 1 *(materiaal)* firework;**2** *(gelegenheid)* (display of) fireworks

vuurzee blaze, sea of fire *(of:* flame(s))

VVV *afk van Vereniging voor Vreemdelingenverkeer* Tourist Information Office

VVV-kantoor tourist (information) office

vwo *afk van voorbereidend wetenschappelijk onderwijs* pre-university education

W

waaien 1 blow; *(van wind)* be blown: *er woei een harde storm* a storm was blowing;**2** *(wapperen)* wave, fly: *laat maar ~* let it rip
waaier fan
waakhond watchdog
waaks watchful
waakvlam pilot light *(of:* flame)
waakzaam watchful
waakzaamheid watchfulness
Waal *(persoon)* Walloon
Waals Walloon
waan delusion: *iem in de ~ laten* not spoil s.o.'s illusions
waanzin madness: *dat is je reinste ~* that is pure nonsense *(of:* sheer madness)
waanzinnig mad: *~ populair zijn* be wildly popular
waanzinnige madman, maniac, *(vrl)* madwoman
waar I *bn***1** true, real, actual: *de ware oorzaak* the real *(of:* actual) cause; *'t is toch niet ~!* you don't say!, not really!; *het is te mooi om ~ te zijn* it's too good to be true; *echt ~?* is that really true?, really?; *eerlijk ~!* honest!;**2** *(echt)* true, *(voor zn)* actual, real: *een ~ genot* a regular *(of:* real) treat;**3** *(juist)* true, correct: *dat is je ware* it's the real thing; *dat is ~ ook ...* that reminds me ..., by the way ...; *hij moest om acht uur thuis zijn, niet ~?* he had to be home at eight o'clock, didn't he?; **II** *bw***1** where *(plaats);* what: *~ gaat het nu eigenlijk om?* what is it really all about?;**2** *(betrekkelijk)* where *(alleen mbt plaats);* that, which *(met voorzetsel): de boodschap ~ hij niet aan gedacht had* the message (that, which) he hadn't remembered; *het dorp ~ hij geboren is* the village where *(of:* in which) he was born;**3** wherever; *(overal)* everywhere; *(onverschillig waar)* anywhere: *meer welvaart dan ~ ook* more prosperity than anywhere else;**4** really, actually: *dat is ~ gebeurd* it really *(of:* actually) happened; **III** *zn, de* goods, ware(s): *iem ~ voor zijn geld geven* give value for money
waaraan 1 what ... to: *~ ligt dit?* what is the reason for it?; *~ heb ik dit te danken?* what do I owe this to?, to what do I owe this?;**2** *(betrekkelijk)* what *(of:* which) ... to/of: *het huis ~ ik dacht* the house (which) I was thinking of;**3** *(onbepaald)* whatever ... to *(of:* of): *~ je ook denkt* whatever you're thinking of *(of:* about)

waarachter 1 behind which;**2** *(vragend)* behind what *(of:* which)
waarachtig truly, really
waarbij at *(of:* by, near) ... which: *een ongeluk ~ veel gewonden vielen* an accident in which many people were injured
waarborg guarantee, *(onderpand)* security
waarborgen guarantee
waarborgsom deposit, *(jur)* bail
waard I *bn* worth; worthy (of sth, s.o.): *laten zien wat je ~ bent* show s.o. what you're made of; *hij is haar niet ~* he's not worthy of her; *na een dag werken ben ik 's avonds niets (meer) ~* after a day's work I'm no good for anything; *veel ~ zijn* be worth a lot; **II** *zn* landlord
waarde 1 value: *ter ~ van ...* at (the value of), worth ...; *voorwerpen van ~* objects of value, valuables; *iem niet op zijn juiste ~ schatten* underestimate s.o.; *(zeer) veel ~ aan iets hechten* value sth highly; *weinig ~ aan iets hechten* attach little value to sth; *van ~ zijn, ~ hebben* be valuable, be of value;**2** *(getal, bedrag dat een meter aanwijst)* value, reading: *de gemiddelde ~n van de zomertemperaturen* the average summer temperature
waardebon voucher, coupon, *(cadeaubon)* gift voucher *(of:* coupon)
waardeloos worthless: *dat is ~* that's useless *(of:* hopeless)
waarderen appreciate, value: *hij weet een goed glas wijn wel te ~* he likes *(of:* appreciates) a good glass of wine
waarderend appreciative: *zich (zeer) ~ over iem uitlaten* speak (very) highly of s.o.
waardering appreciation, esteem: *~ ondervinden (van)* win the esteem *(of:* regard) (of)
waardevol valuable, useful: *~le voorwerpen* valuables, objects of value
waardig dignified, worthy
waardigheid dignity, worth: *iets beneden zijn ~ achten* think sth beneath one's dignity *(of:* beneath one)
waardoor 1 (as a result of) what, how: *~ ben je van gedachten veranderd?* what made you change your mind?; *ik weet ~ het komt* I know how it happened, I know what caused it;**2** *(betrekkelijk)* through which, by which, (which, that) ... through *(of:* by), *(met zin als antecedent)* (as a result of) which: *de buis ~ het gas stroomt* the tube through which the gas flows; *het begon te regenen, ~ de weg nog gladder werd* it started to rain, which made the road even more slippery
waarheen 1 where, where ... to: *~ zullen wij vandaag gaan?* where shall we go today?;**2** *(betrekkelijk)* where, to which, (which, that) ... to: *de plaats ~ ze me stuurden* the place to which they directed me;**3** *(onbepaald)* wherever: *~ u ook gaat* wherever you (may) go
waarheid truth; fact: *de ~ achterhalen* get at *(of:* find out) the truth; *om (u) de ~ te zeggen* to be hon-

est (with you), to tell (you) the truth; *de ~ ligt in het midden* the truth lies (somewhere) in between; *een ~ als een koe* a truism

waarheidsgetrouw truthful, true

waarin 1 where, in what: *~ schuilt de fout?* where's the mistake?; 2 *(betrekkelijk)* in which, where, (which, that) … in: *de tijd ~ wij leven* the age (that, which) we live in; 3 *(onbepaald)* wherever, in whatever: *~ de fout ook gemaakt is* wherever the mistake was made

waarlangs 1 what … past *(of:* along); 2 *(betrekkelijk)* past which, along which; (which, that) … past *(of:* along): *de weg ~ hij gaat* the way he is going, the road along which he is going; 3 *(onbepaald)* past whatever, along whatever: *~ zij ook kwamen* whatever way they came along

waarmaken I *tr* 1 *(bewijzen)* prove; 2 *(realiseren)* fulfil: *de gewekte verwachtingen (niet) ~* (fail to) live up to expectations; II *zich ~* prove oneself

waarmee 1 what … with *(of:* by): *~ sloeg hij je?* what did he hit you with?; 2 *(betrekkelijk)* with which, by which, *(met zin als antecedent)* which, (which) … with *(of:* by): *de boot ~ ik vertrek* the boat on which I leave; 3 *(onbepaald)* (with, by) whatever: *~ hij ook dreigde, zij werd niet bang* whatever he threatened her with she didn't get scared

waarmerk stamp

waarmerken stamp: *een gewaarmerkt afschrift* a certified *(of:* an authenticated) copy

waarna after which: *~ Paul als spreker optrad* after which Paul spoke *(of:* took the floor)

waarnaar 1 what … at *(of:* of, for): *~ smaakt dat?* what does it taste of?; 2 *(plaats, richting)* to which; after *(of:* for, according to) which; (which, that) … to *(of:* after, for): *het hoofdstuk ~ ze verwees* the chapter (that, which) she referred to; 3 *(onbepaald)* whatever … to *(of:* at, for); wherever: *~ ik hier ook zoek, ik vind nooit wat* whatever I look for here, I never find anything

waarnaast 1 what … next to *(of:* beside); 2 *(betrekkelijk)* (which, that) … next to *(of:* beside); 3 *(onbepaald)* whatever … next to *(of:* beside): *~ je dit schilderij ook hangt* whatever you hang this picture next to

waarneembaar perceptible: *niet ~* imperceptible

waarnemen I *intr, tr (als vervanger)* replace (temporarily), fill in, take over (temporarily), act: *de zaken voor iem ~* fill in for *(of:* replace) s.o.; II *tr (observeren)* observe, perceive

waarnemend temporary, acting

waarnemer 1 *(iem die observeert)* observer; 2 *(iem die tijdelijk een betrekking vervult)* representative, deputy, substitute

waarneming 1 observation, perception; 2 *(het vervangen)* substitution

waarom 1 why, what … for: *~ denk je dat?* why do you *(of:* what makes you) think so?; *~ in vredesnaam?* why on earth?, why for goodness' sake?; 2 *(betrekkelijk)* why, (which, that) … for: *de reden ~*

hij het deed the reason (why, that) he did it; 3 *(onbepaald)* for whatever, whatever … for: *~ hij het ook doet, hij moet ermee ophouden!* whatever he does it for, he has to stop it!

waaromheen 1 what … (a)round; 2 *(betrekkelijk)* (a)round which: *het huis ~ een tuin lag* the house which was surrounded by a garden

waaronder 1 what … under *(of:* among); among what; 2 *(plaats)* under which; among which *(inform)*: *de boom ~ wij zaten* the tree under which we were sitting; *hij had een schat aan boeken, ~ heel zeldzame* he had a wealth of books, including some very rare ones; 3 *(onbepaald)* under whatever; whatever … under: *~ hij ook keek, hij vond het niet* whatever he looked under, he couldn't find it

waarop 1 what … on *(of:* for), where; 2 *(betrekkelijk)* (which, that) … on/in *(of:* by, to): *de dag ~ hij aankwam* the day (on which) he arrived; *de manier ~ beviel me niet* I didn't like the way (in which) it was done; *op het tijdstip ~* at the time that; 3 *(onbepaald)* whatever … on: *~ je nu ook staat, ik wil dat je naar beneden komt* whatever you are standing on now, I want you to get down

waarover 1 what … over *(of:* about, across): *~ gaat het?* what is it about?; 2 *(betrekkelijk)* (which, that) … over *(of:* about, across): *de auto ~ ik met je vader gesproken heb* the car of *(of:* about) which I've spoken with your dad; 3 *(onbepaald)* whatever … about: *~ de discussie dan ook gaat, …* whatever the discussion is about, …

waarschijnlijk probable, likely: *dat lijkt mij heel ~* that seems quite likely to me; *~ niet* I suppose not; *meer dan ~* more than likely

waarschijnlijkheid probability, likelihood, odds: *naar alle ~* in all probability *(of:* likelihood)

waarschuwen 1 warn, alert: *ik heb je gewaarschuwd* I gave you fair warning, I told you so; 2 *(op de hoogte brengen)* warn, notify: *een dokter laten ~* call a doctor; 3 *(dreigen)* warn, caution: *ik waarschuw je voor de laatste maal* I'm telling you for the last time; *wees gewaarschuwd* you've been warned

waarschuwing warning, caution *(ook sport)*; *(mbt betaling)* reminder, *(opschrift)* notice; *(sport) een officiële ~ krijgen* be booked *(of:* cautioned); *Waarschuwing! Zeer brandbaar!* Caution! Highly flammable!

waartegen 1 what … against *(of:* to): *~ helpt dit middel?* what is this medicine for?; 2 *(betrekkelijk)* against which, to which; (which, that) … against *(of:* to): *de muur ~ een ladder staat* the wall against which a ladder is standing; *een raad ~ niets in te brengen valt* a piece of advice to which no objections can be made; 3 *(onbepaald)* whatever … against *(of:* to)

waartoe 1 what … for *(of:* to); why; 2 *(betrekkelijk)* (which, that) … for *(of:* to); 3 *(onbepaald)* whatever … for *(of:* to): *~ dit ook moge leiden* whatever this may lead to

waartussen 1 what … between *(of:* among, from):

~ moeten wij kiezen?: a) (uit twee) what are we (supposed) to choose between; *b) (uit drie of meer)* what are the alternatives?; **2** *(betrekkelijk)* between *(of:* among, from) which; (which, that) ... between *(of:* among, from); **3** *(onbepaald)* whatever ... between *(of:* among, from)

waaruit 1 what from: *~ bestaat de opdracht?* what does the assignment consist of?; **2** *(betrekkelijk)* from which: *het boek ~ u ons net voorlas* the book from which you read to us just now

waarvan 1 what ... from *(of: of):* ~ *maakt hij dat?* what does he make that of? *(of:* from?), of *(of:* from) what does he make that?; **2** *(betrekkelijk)* (which, that) ... from; of whom *(mbt personen);* whose: *100 studenten, ~ ongeveer de helft chemici* 100 students, of whom about half are chemists; *op grond* ~ on the basis of which; *dat is een onderwerp ~ hij veel verstand heeft* that is a subject he knows a lot about; **3** *(onbepaald)* whatever ... from: *klei en hout, of ~ die hutten gemaakt zijn* clay and wood, or whatever those huts are made from

waarvandaan 1 where ... from; **2** *(betrekkelijk)* (which, that) ... from; **3** *(onbepaald)* wherever ... from: *~ je ook belt, draai altijd eerst een o* wherever you call from, always dial a o first

waarvoor 1 *(voor wat?)* what ... for *(of:* about): ~ *dient dat?* what's that for?; **2** *(waarom?)* what ... for: ~ *doe je dat?* what are you doing that for?; **3** *(betrekkelijk)* (which, that) ... for: *een gevaar ~ ik u gewaarschuwd heb* a danger I warned you about; **4** *(onbepaald)* whatever ... for: *~ hij het ook doet, het is in elk geval niet het geld* whatever he does it for, it's not the money, that's for sure

waarzegster fortune-teller

waas haze, *(fig)* air, aura, film: *een ~ van geheimzinnigheid* a shroud of secrecy; *een ~ voor de ogen krijgen* get a mist *(of:* haze) before one's eyes

wacht 1 watchman; **2** watch, *(van dief)* lookout: *(de)* ~ *houden* be on *(of:* stand) guard; *(Belg) van ~ zijn* be on night *(of:* weekend) duty, be on call; **3** *(personen)* watch, guard: *iets in de ~ slepen* carry off sth, pocket *(of:* bag) sth

wachten 1 wait, stay: *op de bus ~* wait for the bus; **2** *(afwachten)* wait, await: *iem laten ~* keep s.o. waiting; *waar wacht je nog op?* what are you waiting for?; *op zijn beurt ~* await one's turn; *(telefoon) er zijn nog drie ~den voor u* hold the line, there are three callers before you; *je moet er niet te lang mee ~* don't put it off too long; **3** *(in het vooruitzicht staan)* wait, await (s.o.), be in store for (s.o.): *er wachtte hem een onaangename verrassing* there was an unpleasant surprise in store for him; *er staan ons moeilijke tijden te ~* difficult times lie ahead of us

wachter guard(sman), watchman
wachtgeld reduced pay
wachtlijst waiting list
wachtlopen be on patrol, be on (guard) duty
wachtpost watch *(of:* sentry, guard) post

wachtstand suspension mode, suspended mode
wachttijd wait, waiting period
wachtwoord password
wad (mud) flat(s), shallow(s) ‖ *de Wadden* the (Dutch) Wadden
waden wade
waf woof
wafel waffle, *(knapperig)* wafer
¹wagen 1 wagon; *(door paard, hand getrokken)* cart, *(bestelauto)* van, *(poppen-, kinderwagen)* pram; **2** *(auto)* car: *met de ~ komen* come by car
²wagen 1 risk: *het erop ~* chance *(of:* risk) it; *wie niet waagt, die niet wint* nothing ventured, nothing gained; **2** *(durven te ondernemen)* venture, dare: *zijn kans ~* try one's luck; *waag het eens!* just you dare!
wagenpark fleet (of cars, vans, taxis, buses)
wagenwijd wide open
wagenziek carsick
waggelen totter, stagger, *(van eend, dikke mensen)* waddle, *(van klein kind)* toddle
wagon (railway) carriage, coach *(voor reizigers); (voor vracht)* wagon; *(voor vracht, gesloten)* van
wagonlading wagonload
wak hole: *hij zakte in een ~ en verdronk* he fell through the thin ice and (was) drowned
wake watch, wake *(bij dode)*
waken 1 watch, keep watch, stay awake: *bij een zieke ~* sit up with a sick person; **2** *(het oog houden op)* watch, guard
wakker awake: *daar lig ik niet van ~* I'm not going to lose any sleep over it; *~ schrikken* wake up with a start; *iem ~ schudden* shake s.o. awake
wal 1 bank, embankment, *(mbt vesting, meestal mv)* wall; **2** *(kade)* quay(side), waterside: *aan lager ~ geraken* come down in the world, go to seed; *aan de ~* on shore; *van ~ steken* push off, go ahead, proceed; **3** *(het vaste land)* shore: *aan ~ brengen* land, bring (sth, s.o.) ashore; **4** *(verdikking)* bag *(onder ogen): de ~letjes (in Amsterdam)* the red-light district (in Amsterdam)
walgelijk disgusting, revolting: *een ~e stank* a nauseating stench
walgen be nauseated, be disgusted, be revolted: *ik walg ervan* it turns my stomach
walging disgust, revulsion, nausea
walhalla Valhalla
walkie-talkie walkie-talkie
walkman walkman
Wallonië the Walloon provinces in Belgium
walm (thick, dense) smoke
walmen smoke
walnoot walnut
walrus walrus
wals 1 roller; **2** *(machine)* steamroller, roadroller; *(voor metalen, plastic, leer)* (rolling) mill; **3** *(dans)* waltz
walsen I *intr* waltz; **II** *tr (met een wals)* roll, steamroller; roll *(metaal, plastics, leer)*

wa

walvis whale

wanbedrijf *(Belg)* criminal offence

wanbegrip fallacy, misconception, wrong idea, false idea

wanbeheer mismanagement

wanbetaler defaulter

wanbetaling default, non-payment

wand wall, face *(van rots)*, side *(van schip, doos, vat enz.)*, skin *(van vliegtuig enz.)*: *een buis met dikke ~en* a thick-walled tube

wandel walk

wandelaar walker, hiker *(grote afstanden)*

wandelen walk, *(lang, vnl. buiten)* ramble, *(trekken)* hike: *met de kinderen gaan ~* take the children for a walk

wandelend walking

wandelgang: *ik hoorde het in de ~en* I just picked up some gossip

wandeling walk, *(uitstapje)* ramble, *(sport)* hike

wandelpad footpath

wandelstok walking stick

wandeltocht walking tour

wandelwagen buggy, pushchair, *(Am)* stroller

wandkleed tapestry, wall hanging(s)

wandmeubel wall unit

wandrek *(mv)* wall bars

wang cheek: *bolle ~en* round *(of:* chubby) cheeks

wangedrag misbehaviour, bad conduct

wanhoop despair, desperation: *de ~ nabij zijn* be on the verge of despair

wanhoopsdaad act of despair, desperate act

wanhopen despair

wanhopig desperate, despondent, despairing: *iem ~ maken* drive s.o. to despair; *zich ergens ~ aan vastklampen* hang on to sth like grim death

wankel shaky, unstable: *~ evenwicht* shaky balance; *~e stoelen* rickety chairs

wankelen stagger, wobble

wanneer I *bw* when: *~ dan ook* whenever; **II** *vw* **1** *(als)* when: *~ de zon ondergaat, wordt het koel* when the sun sets it gets cooler; **2** *(indien)* if: *hij zou beter opschieten, ~ hij meer zijn best deed* he would make more progress if he worked harder; **3** *(telkens als)* whenever, if: *(altijd) ~ ik oesters eet, word ik ziek* whenever I eat oysters I get ill

wanorde disorder, disarray: *de keuken was in de grootste ~* the kitchen was in a colossal mess

wanprestatie failure

wansmaak bad taste

want I *vw* because, as, for; **II** *zn* mitt(en)

wanten: *hij weet van ~* he knows the ropes *(of:* what's what)

wantoestand disgraceful state of affairs

wantrouwen I *tr* distrust, mistrust; **II** *zn* distrust, suspicion

wantrouwend suspicious (of), distrustful

wantrouwig suspicious: *~ van aard* have a suspicious nature

WAO *afk van Wet op de Arbeidsongeschiktheidsver-*

zekering disability insurance act

WAO'er recipient of disablement insurance benefits

wapen 1 weapon, *(mv vaak)* arms: *de ~s neerleggen* lay down arms; **2** *(familieteken)* (coat of) arms: *een leeuw in zijn ~ voeren* bear a lion in one's coat of arms

wapenbeperking arms limitation

wapenbezit possession of firearms *(of:* weapons)

wapenen arm, armour *(glas)*, reinforce *(beton)*

wapenkunde heraldry

wapenstilstand 1 armistice, *(vnl. tijdelijk)* suspension of arms *(of:* hostilities), ceasefire; **2** *(fig)* truce

wapenstok *(ongev)* baton

wapenvergunning firearms licence, gun licence

wapenwedloop arms race

wapperen blow, fly, stream, *(van zeilen, vlag)* flap, flutter: *laten ~* fly, blow, stream, wave

war tangle, muddle, confusion: *in de ~ zijn* be confused; *iem in de ~ brengen* confuse s.o.; *plannen in de ~ sturen* upset s.o.'s plans

warboel muddle, mess; tangle *(van draden, haar)*

waren goods, commodities

warenhuis (department) store

warhoofd scatterbrain

warm I *bn* **1** warm, hot: *het ~ hebben* be warm *(of:* hot); *het begon (lekker) ~ te worden in de kamer* the room was warming up; *iets ~s* sth warm *(of:* hot) (to eat, drink); **2** enthusiastically: *~ lopen voor iets* feel enthusiasm for sth; **3** warmly, pleasantly; **4** *(hartelijk, vurig)* warm, warm-hearted, ardent: *een ~ voorstander van iets zijn* be an ardent *(of:* a fervent) supporter of sth; **5** *(geestdriftig)* warmed up, enthusiastic; **6** *(aangenaam)* warm, pleasant: *je bent ~!* you are (getting) warm! *(of:* hot!); **II** *bw* warmly: *iem iets ~ aanbevelen* recommend sth warmly to s.o.

warmbloedig *(dierk)* warm-blooded

warmen warm (up), heat (up)

warming-up warm-up (exercise)

warmlopen 1 have warmed to, feel (great) enthusiasm for (s.o., sth): *hij loopt niet erg warm voor het plan* he has not really warmed to the plan; **2** *(sport)* warm up, limber up

warmte warmth, heat: *~ (af)geven* give off *(of:* emit) heat

warmtebron source of heat

warmwaterkraan hot(-water) tap

warrig knotty, tangled, *(fig)* confused, muddled

Warschau Warsaw

wartaal gibberish, nonsense: *(er) ~ uitslaan* talk double Dutch *(of:* gibberish)

warwinkel mess, muddle

¹was wash, washing, *(wasgoed ook)* laundry, linen: *de fijne ~* the fine *(of:* delicate) fabrics; *de vuile ~ buiten hangen* wash one's dirty linen in public; *iets in de ~ doen* put sth in the wash

²was *(vettige stof)* wax: *meubels in de ~ zetten* wax furniture; *goed in de slappe ~ zitten* have plenty of dough

wasautomaat (automatic) washing machine

wasbaar washable

wasbak washbasin, sink

wasbeer racoon

wasbenzine benzine

wasdag wash(ing)-day

wasdroger (tumble-)dryer

wasem steam, vapour

wasgoed wash, laundry, linen

wasknijper clothes-peg

waskrijt grease pencil

waslijn clothes line

waslijst shopping list, catalogue

wasmachine (automatic) washing machine

wasmand (dirty) clothes basket

wasmiddel detergent

waspoeder washing-powder, soap powder

¹**wassen** wax: *een ~ beeld* a wax figure

²**wassen** *(waste, gewassen)* 1 wash, *(wassen en strij-ken ook)* launder, clean *(ramen): waar kan ik hier mijn handen ~?* where can I wash my hands?; *zich ~: a)* wash, have a wash, *(in bad ook)* have *(of:* take) a bath; *b) (vnl. dieren, met name kat)* wash oneself; *iets op de hand ~* wash sth by hand; 2 *(de was doen)* wash, do the wash(ing)

wassenbeeldenmuseum waxworks

wasserette launderette

wasserij laundry

wastafel washbasin

wasverzachter fabric softener

wat I *bw* 1 somewhat, rather, *(een beetje)* a little, a bit: *hij is ~ traag* he is a little slow, he is on the slow side; 2 *(zeer, erg)* very, extremely: *hij is er ~ blij mee (of: trots op)* he is extremely pleased with it *(of:* proud of it); 3 *(mbt verbazing)* isn't it *(of:* that, he) …, …, aren't they *(of:* those) …: *~ mooi hè, die bloemen* aren't they beautiful, those flowers; *~ lief van je!* how nice of you!; *(iron) ~ ben je weer vrien-delijk* I see you're your usual friendly self again; *~ ze niet verzinnen tegenwoordig* the things they come up with these days; *~ wil je nog meer?* what more do you *(of:* can) you want?; *~ zal hij blij zijn!* how happy *(of:* pleased) he will be!; **II** *betr vnw* that; *(na iets, dat(gene))* which: *geef hem ~ hij nodig heeft* give him what he needs; *alles ~ je zegt, klopt* every-thing you say is true; *en ~ nog belangrijker is* and what's (even) more (important); *doe nou maar ~ ik zeg* just do as I say; *je kunt doen en laten ~ je wilt* you can do what *(of:* as you) please; *ze zag eruit als een verpleegster, ~ ze ook was* she looked like a nurse, which in fact she was (too); **III** *vr vnw* what, *(bij beperkte keuze)* which, *(verbazing uitdruk-kend)* whatever: *~ bedoel je daar nou mee?* just what do you mean by that?, *(sterker)* just what is that supposed to mean?; *wát ga je doen?* you are go-ing to do what?; *~ heb je 't liefste, koffie of thee?* which do you prefer, coffee or tea?; *~ zeg je?* (I beg your) pardon?; *~ is het voor iem?* what's he *(of:* she) like?; **IV** *onbep vnw* 1 something, *(om het even wat)*

anything, *(met ook)* whatever: *ze heeft wel ~* she has got a certain something; *wil je ~ drinken?* would you like something to drink?; *zie jij ~?* do *(of:* can) you see anything?; *het is altijd ~ met hem* there is always something up with him; 2 some, a bit (of), a little *(met ev)*, a few *(met mv): geef me ~ suiker (of: geld)* give me some sugar *(of:* money); *geef mij ook ~* let me have some too; *~ meer* a bit *(of:* little) more; *~ minder* a bit *(of:* little) less; *heel ~ boeken* quite a few books, a whole lot of books; *dat scheelt nogal ~* that makes quite a (bit of a) differ-ence; *~ kun jij mooi tekenen* how well you draw!; *~ een onzin* what (absolute) nonsense; *~! komt hij niet?* what! isn't he coming?

water 1 water: *de bloemen ~ geven* water the flowers; *bij laag ~* at low water *(of:* tide); *stromend ~* run-ning water; *een schip te ~ laten* launch a ship; 2 *(vaarwater)* water; *(waterweg)* waterway

waterafstotend water-repellent, *(waterdicht)* wa-terproof

waterafvoer drainage (of water), *(rioolwaterver-werking)* sewage disposal

waterbed waterbed

waterbouwkunde hydraulic engineering: *weg- en ~* civil engineering

waterbron spring

waterdamp (water) vapour

waterdicht waterproof *(kleding(stuk))*, watertight *(schoeisel, ruimte): een ~ alibi* a watertight alibi

waterdoorlatend porous

wateren urinate

waterfiets pedalo, pedal boat

waterfietsen cycle (along) on a pedal boat

watergladheid *(Belg)* aquaplaning

watergolf 1 wave; 2 *(in het haar)* set

watergolven set: *zijn haar laten ~* have one's hair set

waterhoofd hydrocephalus

waterig 1 watery, slushy *(sneeuw): ~e soep* thin soup; 2 *(krachteloos)* watery, *(fig)* wishy-washy

waterijsje ice lolly, *(Am)* popsicle

waterkans *(Belg)* remote chance

waterkant waterside, waterfront: *aan de ~* on the waterfront

waterketel kettle

waterkoker electric kettle

waterlanders waterworks

waterleiding 1 water pipe *(of:* supply): *een huis op de ~ aansluiten* to connect a house to the water mains(s); 2 waterworks; water pipes: *een bevroren ~* a frozen water pipe

waterleidingbedrijf waterworks

waterlelie water lily

Waterman *(astrol)* Aquarius

watermeloen watermelon

watermerk watermark

watermolen watermill

waterpas I *bn* level; **II** *zn* spirit level, *(Am)* level

waterpeil water level

waterpijp *(om te roken)* water pipe, hookah
waterpokken *(med)* chickenpox
waterpolitie river police; *(havens)* harbour police
waterpolo water polo
waterpomp water pump
waterpomptang adjustable-joint pliers; *(groot)* (adjustable) pipe wrench
waterput well
waterrijk watery, full of water
waterschade water damage
waterski water-ski
waterskiër water-skier
waterslang hose(pipe)
watersnood flood(ing)
watersnoodramp flood (disaster)
watersport water sport, aquatic sport
waterstaat *zie* minister
waterstand water level: *bij hoge* (of: *lage*) ~ at high (of: low) water
waterstof hydrogen
waterstofbom hydrogen bomb, fusion bomb, H-bomb
waterstofperoxide hydrogen peroxide
waterstraal jet of water
watertanden: *deze chocolaatjes doen mij* ~ these chocolates make my mouth water
watertoren water tower
watertrappen tread water
waterval waterfall, fall *(vnl. mv)*: *de Niagara ~len* Niagara Falls
waterverf watercolour
waterverfschilderij painting in watercolour, aquarelle
waterverontreiniging water pollution
watervliegtuig seaplane, water plane
watervogel waterbird
watervrees hydrophobia: ~ *hebben* be hydrophobic
waterweg waterway
waterzuivering water treatment
waterzuiveringsinstallatie *(mbt rioolwater)* sewage treatment plant
watje 1 wad of cotton wool *(Am:* absorbent cotton); 2 *(doetje)* wally
watt watt
watten cotton wadding, cotton wool, *(Am)* absorbent cotton: *een prop (dot)* ~ a plug (of: wad) of cottonwool; *iem in de* ~ *leggen* pamper (of: mollycoddle) s.o.
wattenstaafje cotton bud *(Am:* swab)
wauwelen chatter, jabber *(onzin)*, drone (on) *(vervelend)*
WA-verzekering third-party insurance
waxinelichtje tealight
wazig 1 hazy, blurred *(beeld)*: *alles* ~ *zien* see everything (as if) through a haze (of: in a blur); 2 *(suf)* muzzy, drowsy: *met een* ~*e blik in de ogen* with a dazed look in the eyes
wc 1 *afk van watercloset* WC, toilet, lavatory: *ik moet naar de* ~ I have to go to the toilet; 2 *(closetpot)* toilet(bowl)
wc-bril toilet seat
we we, us: *laten* ~ *gaan* (of: *ophouden)* let's go (of: stop)
web web
website website
websurfen surf (the web)
wecken can, preserve
wedden bet (on): *met iem* ~ *om een tientje dat* bet s.o. ten euros that; *denk jij dat Ron vandaag komt? - ik wed van wel* you think Ron will come today? - I bet he will
weddenschap bet: *een* ~ *verliezen* lose a bet
wedergeboorte rebirth
wederkerend reflexive
wederkerig mutual, reciprocal
wederzijds I *bn (mbt ieder van beide)* mutual, reciprocal: *de liefde was* ~ their love was mutual; II *bw* mutually
wedijveren strive (for)
wedloop race
wedren race
wedstrijd match, competition, game: *een* ~ *bijwonen* attend a match; *met nog drie* ~*en te spelen* with three games (still) to go
wedstrijdbeker (sports) cup
weduwe widow: *groene* ~ housebound wife
*weduwenpensioen *(Wdl: weduwepensioen)* widows' benefit *(of:* pension)
weduwnaar widower
wee I *zn* labour pain, contraction: *de* ~*ën zijn begonnen* labour has started; II *bn* sickly; III *tw* woe: *o* ~ *als je het nog eens doet* woe betide you if you do it again
weeffout flaw, weaving fault
weefsel 1 fabric, textile, *(wijze van weven)* weave; 2 *(biol)* tissue, web
weegbrug weighbridge
weegschaal (pair of) scales, balance: *twee weegschalen* two pairs of scales, two balances
Weegschaal *(astrol)* Libra
¹week week: *een* ~ *rust* a week's rest; *volgende* ~ *dinsdag* next Tuesday; *een* ~ *weggaan* go away for a week; *door de* ~ on weekdays; *over een* ~ in a week from now; *dinsdag over een* ~ Tuesday week, a week from Tuesday; *morgen over twee weken* two weeks from tomorrow; *vandaag een* ~ *geleden* a week ago today
²week I *zn (het weken)* soak: *de was in de* ~ *zetten* put the laundry in (to) soak; II *bn* 1 soft: ~ *worden* soften; *een* ~ *gestel* a weak constitution; 2 *(teerhartig)* weak, soft-hearted
weekblad weekly, (news) magazine
weekdier mollusc
weekeinde weekend: *in het* ~ at *(Am:* on) the weekend
weekenddienst weekend duty
weekloon weekly wage

weelde luxury; over-abundance, wealth

weelderig luxuriant, lush *(plantengroei)*, sumptuous *(maaltijd)*

weemoed melancholy, sadness

Weens Viennese

weer I *zn* **1** weather: *mooi ~ spelen (tegen iem)* put on a show of friendliness; *~ of geen ~* come rain or shine; **2** *(aantasting)* weathering: *het ~ zit in het tentdoek* the tent is weather-stained; *hij is altijd in de ~* he is always on the go; **II** *bw* **1** again: *morgen komt er ~ een dag* tomorrow is another day; *het komt wel ~ goed* it will all turn out all right; *nu ik ~* now it's my turn; *wat moest hij nu ~?* what did he want now?; *wat nu ~?* now what?; **2** *(terug)* back: *heen en ~ gaan (of: reizen)* go *(of:* travel) back and forth; *heen en ~ lopen* pace up and down; *zo moeilijk is het nou ook ~ niet* it's not all that hard

weerbarstig stubborn, unruly

weerbericht weather forecast *(of:* report)

weergalmen echo, resound: *de straten weergalmden van het gejuich* the streets resounded with the cheers

weergaloos unequalled, unparalleled

weergave reproduction, *(van gebeurtenis)* account

weergeven 1 reproduce, render, represent, recite *(gedicht)*, convey *(betekenis, gevoel)*; **2** *(reproduceren)* reproduce, repeat, report: *dit onderzoek geeft de feiten juist weer* this study presents the facts accurately; **3** *(weerspiegelen)* reflect

weerhaak barb, beard

weerhaan weathercock, weathervane

weerhouden 1 hold back, restrain: *iem ervan ~ om iets te doen* stop *(of:* keep) s.o. from doing sth; **2** *(Belg)* retain, keep: *de beslissing is ~* the decision is upheld

weerkaart weather chart, weather map

weerkaatsen reflect *(licht, beeld)*; reverberate, (re-)echo *(geluid)*: *de muur weerkaatst het geluid* the wall echoes the sound; *het geluid weerkaatst tegen de muur* the sound reflects off *(of:* from) the wall

weerklinken 1 resound, ring out: *een schot weerklonk* a shot rang out; **2** *(weergalm geven)* resound, reverberate

weerleggen refute

weerlicht (heat, sheet) lightning

weerlichten lighten

weerloos defenceless

weerman weatherman

weeroverzicht weather survey: *en nu het ~* and now for a look at the weather

weerpraatje (the) weather in brief, weather report

weerskanten: *aan ~ van de tafel (of:* het raam)* on both sides of the table *(of:* window); *van (of:* aan) ~* from *(of:* on) both sides

weersomstandigheden weather conditions

weerspiegelen reflect

weerspiegeling reflection: *een getrouwe ~ van iets* a true reflection *(of:* mirror) of sth

weerstaan resist, stand up to

weerstand 1 resistance, opposition: *~ bieden* offer resistance; **2** *(aversie)* aversion

weerstation weather station

weersverwachting weather forecast

weerwoord answer, reply

weerzien I *zn* reunion, *(na korte tijd)* meeting: *tot ~s* goodbye, until the next time; **II** *tr* meet again, see again

weerzin disgust, reluctance, aversion, distaste: *iets met ~ doen* do sth with great reluctance

weerzinwekkend disgusting, revolting

wees orphan

weesgegroetje Hail Mary: *tien ~s bidden* say ten Hail Marys

weeshuis orphanage

weeskind orphan (child)

weetgierig inquisitive

weetje: *allerlei ~s* all kinds of trivia

weg I *zn* **1** road, way, track: *zich een ~ banen* work *(of:* edge) one's way through; *(iem) in de ~ staan* stand in s.o.'s *(of:* the) way; *(voor) iem uit de ~ gaan* keep *(of:* get) out of s.o.'s way, avoid s.o.; *een misverstand uit de ~ helpen* clear up a misunderstanding; *een kortere ~ nemen* take a short cut; *op de goede (of:* verkeerde) ~ zijn* be on the right *(of:* wrong) track; *op ~ gaan* set off (on a trip), set out (for), go; *iem op ~ helpen* set s.o. up; **2** *(middel, manier)* way, channel, means: *de ~ van de minste weerstand* the line *(of:* road) of least resistance; **3** *(afstand)* way, journey: *nog een lange ~ voor zich hebben* have a long way to go; **II** *bw* **1** gone: *een mooie pen is nooit ~* a nice pen always comes in useful; *~ wezen!* (let's) get away from here!, (let's) get out of here!; *~ met ... away (of:* down) with ...*; **2** *(verrukt)* crazy; **3** *(verwijderd)* away: *ze heeft veel ~ van haar zus* she takes after her sister, she is very like her sister

wegbergen stow away, put away

wegblazen blow away, blow off

wegblijven stay away

wegbranden: *die man is niet weg te bránden* there's no getting rid of that man

wegbrengen 1 take (away), deliver; **2** *(vergezellen)* see (off)

wegcode *(Belg)* traffic regulations; *(ongev)* Highway Code

wegdek road (surface)

wegdenken think away: *de computer is niet meer uit onze maatschappij weg te denken* it's impossible to imagine life today without the computer

wegdoen 1 dispose of, part with, get rid of; **2** *(opbergen)* put away

wegdragen carry away, carry off

wegdrijven float away, drift away

wegduiken duck (away), *(in water)* dive away

wegen weigh: *zwaarder ~ dan* outweigh; *zich laten ~* have oneself weighed, be weighed

wegenbelasting road tax

wegenbouw road building *(of:* construction)

we

wegenkaart road map

wegennet road network (*of:* system)

wegens because of, on account of, due to: *terechtstaan* ~ ... be tried on a charge of ...

wegenwacht AA patrol, RAC patrol; *(Am)* AAA road service

weggaan 1 go away, leave: *Joe is bij zijn vrouw weggegaan* Joe has left his wife; ~ *zonder te betalen* leave without paying; *ga weg!* go away!, get lost!, *(verbaasd)* get away!, you're kidding!;**2** *(verdwijnen)* go away: *de pijn gaat al weg* the pain is already getting less

weggebruiker road user

weggedrag *(verkeer)* driving (behaviour, manners), standards of driving

weggeven give away

weggevertje giveaway, *(eenvoudige vraag)* dead giveaway

wegglijden slip (away): *de auto gleed weg in de modder* the car slipped in the mud

weggooien throw away, throw out, discard: *dat is weggegooid geld* that is money down the drain

weggooiverpakking disposable container (*of:* packaging, package)

weghalen remove *(ook stelen)*, take away: *alle huisraad werd uit het huis weggehaald* the house was stripped (bare)

weghelft side of the road

weghollen run away, run off, dash away, dash off

wegjagen chase away: *klanten* ~ *door de hoge prijzen* frighten customers off by high prices

wegkijken frown away: *hij werd weggekeken* they stared at him coldly until he left

wegkomen get away: *de meeste favorieten zijn goed weggekomen bij de start* the favourites got (off to) a good start; *slecht* (of: *goed*) ~ *bij iets* come off badly (*of:* well) with sth; *ik maakte dat ik wegkwam* I got out of there

wegkruipen crawl away, creep away

wegkwijnen pine away, waste away

weglaten leave out, omit

wegleggen 1 put aside; put away;**2** *(sparen)* lay aside, set aside, save

wegligging road-holding

weglopen 1 walk away, walk off: *dat loopt niet weg* that can wait; ~ *voor een hond* run away from a dog; **2** *(niet terugkomen, deserteren)* run away, walk out, run off *(met een andere man, vrouw): een weggelopen kind* a runaway (child);**3** *(wegvloeien)* run off, run out

wegmaken lose

wegmarkering road marking

wegnemen remove, take away, dispel *(angst, argwaan)* || *dat neemt niet weg, dat ik hem aardig vind* all the same I like him; *dat neemt niet weg, dat het geld verdwenen is* that doesn't alter the fact that the money has disappeared

wegomlegging diversion, *(Am)* detour

wegparcours road-racing circuit

wegpesten harass (*of:* pester) (s.o.) until he leaves

wegpiraat road hog

wegraken 1 faint;**2** get lost

wegrennen run off (*of:* away)

wegrestaurant transport cafe, wayside restaurant

wegrijden drive off (*of:* away), *(fiets, paard)* ride off (*of:* away): *de auto reed met grote vaart weg* the car drove off at high speed

wegroepen call off (*of:* away)

wegschoppen kick away

wegslaan knock off (*of:* away): *weggeslagen worden (door wind, golven, bij overstroming)* be swept away

wegslepen tow away *(auto, boot)*, drag away *(iets zwaars)*

wegslikken swallow (down): *ik moest even iets* ~ I had to swallow hard

wegsmelten melt away

wegspoelen I *tr***1** wash away, carry away, *(in de wc)* flush down;**2** *(door spoelen)* wash down; **II** *intr (door het water meegevoerd worden)* be washed (*of:* carried, swept) away

wegstemmen vote out (of office), vote down

wegsterven die away (*of:* down), fade away

wegstoppen hide away, stash away: *weggestopt zitten* be hidden (*of:* tucked) away

wegstrepen cross off, cross out, delete

wegsturen send away

wegtrappen kick away

wegtrekken draw off, move away, withdraw: *mijn hoofdpijn trekt weg* my headache is going (*of:* disappearing)

wegvallen 1 be omitted (*of:* dropped): *er is een regel* (of: *letter*) *weggevallen* a line (*of:* letter) has been left out;**2** *(van radiozender enz.)* fall away

wegvegen wipe (*of:* sweep, brush) away

wegverkeer road traffic

wegversmalling narrowing of the road, *(op verkeersbord)* road narrows

wegversperring roadblock

wegvervoer road transport

wegvliegen 1 fly away (*of:* off, out);**2** *(snel verkocht worden)* sell like hot cakes

wegvoeren carry away, carry off

wegwaaien be blown away, fly away, fly off

wegwerken get rid of, *(verorberen)* polish off, put away *(eten, drank)*, smoothe away *(oneffenheden): iets op een foto* ~ block out sth on a photo

wegwerker roadmender, *(Am)* road worker

wegwerpartikel disposable article, *(mv ook)* disposables

wegwerpbeker disposable cup

wegwerpmaatschappij consumer society

wegwezen clear off, clear out, push off, buzz off, scram: *jongens,* ~*!* let's get out of here!; *hé, jij daar,* ~*!* buzz off!, scram!

wegwijs familiar, informed

wegwijzer signpost

wegzakken sink

wegzetten set aside, put aside; put away (*of:* aside):

ik kon mijn auto nergens ~ I couldn't find anywhere to park

wegzinken sink, go under, subside

wei(de) 1 meadow; *(grasland)* pasture, grasslands; **2** *(speelweide)* playground, playing field

weids grand

weifelachtig wavering, hesitant

weifelen waver, hesitate, be undecided: *na enig ~ koos ik het groene jasje* after some hesitation I opted for the green jacket

weigeraar refuser

weigeren I *tr* refuse, reject, turn down *(aanbod, kandidaat)*: *een visum ~* withhold a visa; *iem iets ~* deny s.o. sth; **II** *intr* fail *(remmen)*; *(vastzitten)* jam, be jammed: *de motor weigert* the engine won't start

weigering refusal, *(afwijzing)* denial

weiland pasture (land), grazing (land), meadow

weinig I *bw* **1** little: *~ bekende feiten* little-known facts; *er ~ om geven* care little about it; *dat scheelt maar ~* it's a close thing; **2** *(mbt tijd)* hardly ever: *~ thuis zijn* not be in often; **II** *onbep vnw, bn* **1** little, not much, not a lot: *~ Engels kennen* not know much English; *~ of (tot) geen geld* little or no money; *er ~ van weten* not know a lot about it; *dat is veel te ~* that's insufficient *(of:* quite inadequate); *twintig pond te ~ hebben* be twenty pounds short; **2** few, not many: *slechts ~ huizen staan leeg* there are only a few unoccupied houses; *~ of (tot) geen mensen* few if any people

wekelijks I *bn* weekly: *onze ~e vergadering* our weekly meeting; **II** *bw* **1** *(eens per week)* weekly, once a week, every week: *~ samenkomen* meet once a week; **2** *(per week)* a week, per week: *hij verdient ~ 500 euro* he earns 500 euros a week

weken soak

wekenlang I *bn, bw* lasting several weeks; **II** *bw* for weeks (on end)

wekken 1 wake (up), call *(op afspraak)*: *tot leven ~* bring into being; **2** *(opwekken)* awaken, arouse, stir, excite, create *(indruk)*

wekker alarm (clock): *de ~ op zes uur zetten* set the alarm for six o'clock

wekkerradio radio alarm (clock), clock radio

wel I *bw* **1** well: *en (dat) nog ~ op zondag* and on a Sunday, too!; **2** *(nogal)* rather, quite: *het was ~ aardig* it was all right; *'hoe is het ermee?' 'het gaat ~'* 'how are you?' 'all right'; *ik mag dat ~* I quite like that; *het kan er ~ mee door* it'll do; **3** *(vermoedelijk)* probably: *het zal ~ lukken* it'll work out (all right); *dat zal ~ niet* I suppose not; *je zult ~ denken* what will you think?; *hij zal het ~ niet geweest zijn* I don't think it was him; *dat kan ~ (zijn)* that may be (so); *hij zal nu ~ in bed liggen* he'll be in bed by now; **4** *(met ev)* as much as; *(met mv)* as many as; *(met aantal)* as often as: *dat kost ~ 100 euro* it'll cost as much as 100 euro; *wat moet dat ~ niet kosten* I hate to think (of) what that costs; **5** *(minstens)* at least, just as: *dat is ~ zo makkelijk* it would be a lot easier that way; *het lijkt me ~ zo verstandig* it seems sensi-

ble to me; **6** *(helemaal)* completely, all: *we zijn gezond en ~ aangekomen* we arrived safe and sound; *och, ik mag hem ~* oh, I think he's all right; *dat dacht ik ~* I thought as much; *wat zullen de mensen er ~ van zeggen?* what'll people say?; *heeft hij het ~ gedaan?* did he really do it?; *hij komt ~* he will come (all right); *kom jij? misschien ~!* will you come?, I might!; *het is wél waar* but it ís true; *'ik doe het niet', 'je doet het ~!'* 'I won't do it', 'oh yes you will!'; *jij wil niet? ik ~!* you don't want to? well I do!; *liever ~ dan niet* as soon as not; *nietes! wélles! a)* 'tisn't! 'tis!, *(Am)* it isn't, it is so! *(of:* too!); *b)* *(afhankelijk van ww in voorafgaande zin)* didn't! did!; *~ eens* once in a while, *(vragend)* ever; *dat komt ~ eens voor* it happens at times; *heb je ~ eens Japans gegeten?* have you ever eaten Japanese food?; *dát ~* granted, agreed; *hij wou ~ he* was all for it; *wil je ~ eens luisteren!* will you just listen (to me)!; **II** *tw* well; why: *~? wat zeg je daarvan?* well? what do you say to that?; *~ allemachtig!* well I'll be damned!; *~ nee!* of course not!; **III** *zn* welfare, well-being: *zijn ~ en wee* his fortunes

welbekend well-known, famous, *(vertrouwd)* familiar

welbespraakt eloquent

welbewust deliberate, well-considered

weldaad benefaction, charity

weldadig benevolent

weldoener benefactor

weldra presently

weleer olden days *(of:* times)

welgemanierd well-mannered

welgemeend well-meaning, well-meant

welgesteld well-to-do, well-off

welgeteld all-in-all, all told

welig luxuriant, abundant

welingelicht well-informed

weliswaar it's true, to be sure: *ik heb het ~ beloofd, maar ik kan het nu niet doen* I did promise (, it's true), but I cannot do it now

welk I *vr vnw* which, what, *(zelfst)* which one: *om ~e reden?, met ~e bedoeling?* what for?; *~e van die twee is van jou?* which of those two is yours?; **II** *betr vnw* **1** *(personen)* who, whom; *(zaken, dieren)* which: *de man ~e u gezien hebt, is hier* the man (whom) you saw is here; **2** *(bijvoeglijk)* which: *wij verkopen koffie en thee, ~e artikelen veel aftrek vinden* we sell coffee and tea, (articles) which are much in demand; *... vanuit ~e overtuiging hij ertoe overging om ... ...* from which conviction he proceeded to ...; **III** *onbep vnw* (vaak met *ook)* whatever, any (... what(so)ever); *(iets uit een beperkt aantal)* whichever, any: *~e kleur je ook (maar) wilt, om het even ~e kleur je wilt* take any colour whatsoever; *om ~e reden ook* for any reason whatsoever; *~e van de twee je ook kiest* whichever of the two you choose; *(geef me er maar een,)* het geeft niet *~e* any (of them) will do, *(van 2)* either (of them) will do

welkom welcome: *je bent altijd ~* you're always welcome; *iem hartelijk ~ heten* give s.o. a hearty (*of:* cordial) welcome; *~ thuis* welcome home

welles yes, it is (*of:* does): *nietes! ~!* it isn't! it is!

welletjes quite enough: *'t is zo ~* that will do

wellicht perhaps, possibly

wellustig sensual, voluptuous

welnu well then: *~, laat eens horen* well then, tell me (your story)

welopgevoed well-bred: *~e kinderen* well brought up children

weloverwogen 1 (well-)considered: *in ~ woorden* in measured words; **2** *(doelbewust)* deliberate: *iets ~ doen* do sth deliberately

welp 1 cub; **2** *(padvinder)* Cub Scout

welstand 1 good health; **2** well-being

welste: *een succes van je ~ a* howling success

welterusten goodnight, sleep well

welvaart prosperity

welvaartsmaatschappij affluent society

welvaartsstaat welfare state

welvarend thriving; *(mbt personen ook)* well-to-do

welverdiend well-deserved *(lof);* well-earned *(salaris, rust);* just

welwillend kind, sympathetic, favourable *(kijk):* ~ *staan tegenover iets* be favourably disposed towards sth

welwillendheid benevolence, kindness: *dank zij de ~ van (of:* through) the courtesy of

welzijn welfare, well-being

welzijnssector (field of) welfare

welzijnswerk welfare work, social work

wemelen teem (with), swarm (with): *zijn opstel wemelt van de fouten* his essay is full of mistakes

wenden I *tr* turn (about): *hoe je het ook wendt of keert* whichever way you look at it; **II** *zich ~ tot* turn (to), apply (to)

wending turn: *het verhaal een andere ~ geven* give the story a twist

wenen weep

Wenen Vienna

wenk sign, wink, nod

wenkbrauw (eye)brow: *de ~en fronsen* frown

wenkbrauwpotlood eyebrow pencil

wenken beckon, signal, motion

wennen 1 get (*of:* become) used (to), get (*of:* become) accustomed (to): *dat zal wel ~* you'll get used to it; **2** *(aarden)* adjust, settle in (*of:* down)

wens 1 wish, desire: *zijn laatste ~* his dying wish; *mijn ~ is vervuld* my wish has come true; *het gaat naar ~* it is going as we hoped it would; *is alles naar ~?* is everything to your liking?; **2** *(wat men iem toewenst)* wish, greeting: *de beste ~en voor het nieuwe jaar* best wishes for the new year

wenselijk desirable; *(raadzaam)* advisable: *ik vind het ~ dat …* I find it advisable to …

wensen wish, desire: *dat laat aan duidelijkheid niets te ~ over* that is perfectly clear; *nog veel te ~ overlaten* leave a lot to be desired; *ik wens met rust gelaten te worden* I want to be left alone; *iem goede*

morgen (of: *een prettige vakantie) ~* wish s.o. good morning (*of:* a nice holiday)

wenskaart greetings card

wentelen roll, turn (round), revolve

wenteltrap spiral staircase, winding stairs (*of:* staircase)

wereld world, earth: *zij komen uit alle delen van de ~* they come from the four corners (*of:* from every corner) of the world; *aan het andere eind van de ~* on the other side of the world; *wat is de ~ toch klein!* isn't it a small world!; *de ~ staat op zijn kop* it's a mad (*of:* topsy-turvy) world; *een kind ter ~ brengen (helpen)* bring a child into the world; *de rijkste man ter ~* the richest man in the world; *er ging een ~ voor hem open* a new world opened up for him; *de derde ~* the Third World

Wereldbank World Bank

wereldbeeld world-view

wereldbeker *(sport)* World Cup

wereldberoemd world-famous

wereldbevolking world population

wereldbol (terrestrial) globe

werelddeel continent

werelddierendag World Animal Day

wereldgeschiedenis world history

wereldhandel world trade, international trade

wereldhandelscentrum world trade centre

wereldkampioen world champion

wereldkampioenschap world championship, *(Am)* world's championship

wereldleider world leader

Wereldnatuurfonds World Wildlife Fund

wereldomroep world service

wereldontvanger world(-band) receiver, short wave receiver

wereldoorlog world war: *de Tweede Wereldoorlog* the second World War, World War II

wereldpremière world première

wereldranglijst world rankings

wereldrecord world record

wereldrecordhouder world record holder

wereldreis journey around the world, world tour

wereldstad metropolis

wereldtentoonstelling world fair

wereldvreemd unworldly; *(onrealistisch)* other-worldly

wereldwijd worldwide

wereldwinkel third-world (aid) shop

wereldwonder: *de zeven ~en* the Seven Wonders of the World

weren avert, prevent, keep out

werf 1 shipyard; dockyard *(ook marinewerf): een schip van de ~ laten lopen* launch a ship; **2** *(opslagplaats)* yard; **3** *(Belg)* (building) site

werk work, job, task: *het verzamelde ~ van W.F. Hermans* W.F. Hermans' (collected) works; *ze houden hier niet van half ~* they don't do things by halves here; *dat is een heel ~* it's quite a job; *het is onbegonnen ~* it's a hopeless task; *aangenomen ~*

contract work; *(vast)* ~ *hebben* have a regular job; *aan het* ~ *gaan* set to work; *aan het* ~ *houden* keep going; *iedereen aan het* ~*!* everybody to their work!; *iem aan het* ~ *zetten* put *(of:* set) s.o. to work; *er is* ~ *aan de winkel* there is work to be done; ~ *in uitvoering* roadworks; *ieder ging op zijn eigen manier te* ~ everyone set about it in their own way; *ze wilden er geen* ~ *van maken* they didn't want to take the matter in hand; *alles in het* ~ *stellen* make every effort to

werkbaar workable, feasible

werkbalk *(comp)* tool bar

werkbank bench, (work)bench *(voor houtbewerken e.d.)*

werkbespreking *(ongev)* discussion of progress

werkbezoek working visit

werkbij worker (bee)

werkdag working day, workday, weekday

werkdruk pressure of work

werkelijk real; *(waar)* true

werkelijkheid reality: *de alledaagse* ~ everyday reality; ~ *worden* come true; *in* ~ actually; *dat is in strijd met de* ~ that conflicts with the facts

werkeloos 1 idle; 2 *(zonder baan)* unemployed

werken 1 work, *(techn ook)* operate: *de tijd werkt in ons voordeel* time is on our side; *iem hard laten* ~ work s.o. hard; *hard* ~ work hard; *aan iets* ~ work at *(of:* on) sth; ~ *op het land* work the soil *(of:* land); 2 *(van apparaten)* work, function: *dit apparaat werkt heel eenvoudig* this apparatus is simple to operate; *zo werkt dat niet* that's not the way it works; 3 *(uitwerking hebben)* work, take effect: *de pillen begonnen te* ~ the pills began to take effect; *zich kapot* ~ work one's fingers to the bone; *een ongewenst persoon eruit* ~ get rid of an unwanted person

werkend working; *(als werknemer ook)* employed: *snel* ~*e medicijnen* fast-acting medicines

werker worker

werkervaring work experience

werkgeheugen *(comp)* main memory

werkgelegenheid employment

werkgever employer

werkgeversorganisatie employers' organization *(of:* federation)

werkgroep study group, working party

werking 1 working, action, functioning: *buiten* ~ out of order; *de wet treedt 1 januari in* ~ the law will come into force *(of:* effect) on January 1st; 2 *(uitwerking)* effect(s)

werkje *(patroon)* pattern

werkkamer study

werkkast broom cupboard

werkkleding workclothes, working clothes

werkklimaat *zie* werksfeer

werkkracht worker, employee

werkkring post, job, *(werkomgeving)* working environment

werkloos unemployed, out of work *(of:* a job)

werkloosheid unemployment

werkloze unemployed person

werknemer employee

werknemersorganisatie (trade) union

werkonderbreking (work) stoppage, walkout

werkplaats workshop, workplace

werkruimte workroom

werksituatie work situation

werkstation *(comp)* workstation

werkster 1 (woman, female) worker; 2 *(schoonmaakster)* cleaning lady

werkstraf community service

werkstudent student working his way through college with a (part-time) job

werkstuk 1 piece of work; 2 *(ond)* paper; project

werktafel work table, desk

werkterrein working space, work area

werktijd working hours, *(op kantoor)* office hours: *na* ~ after hours

werktuig tool *(ook fig)*, piece of equipment, machine

werktuigbouwkunde mechanical engineering

werkuur working hour, hour of work

werkvergunning work permit

werkvloer shop floor

werkweek 1 (working) week; 2 *(mbt school)* study week, project week: *op* ~ *zijn* have a study week *(of:* project week)

werkwijze method (of working), procedure *(van personen, commissies);* (manufacturing) process *(bij fabricage);* routine: *dit is de normale* ~ this is (the) standard (operating) procedure

werkwillige non-striker

werkwoord verb: *onregelmatig* ~ irregular verb

werkzaam 1 working, active; *(in dienst)* employed, engaged; 2 *(actief)* active, industrious: *hij blijft als adviseur* ~ he will continue to act as (an) adviser

werkzaamheden activities, *(verplichtingen, taken)* duties, operations *(mbt bedrijf)*, proceedings, business: ~ *aan de metro* work on the underground

werkzoekende job-seeker, person in search of employment

werpen *(baren)* have puppies *(of:* kittens): *onze hond heeft (drie jongen) geworpen* our dog has had (three) pups

werper pitcher

werphengel casting rod

wervel vertebra

wervelend sparkling

wervelkolom vertebral column, spinal column, spine, backbone

wervelstorm cyclone, tornado, hurricane

wervelwind whirlwind, tornado: *als een* ~ like a whirlwind

werven 1 recruit; 2 *(Belg)* appoint

werving recruitment, *(soldaten ook)* enlistment, *(inschrijving)* enrolment: ~ *en selectie* recruitment and selection

wesp wasp

wespennest wasps' nest

west 1 west(erly), westward, *(bw ook)* to the west; **2** *(uit het westen)* west(erly), *(bw ook)* from the west

westelijk west, westerly, western, westward: ~ *van* (to the) west of

westen west: *het ~ van Nederland* the west(ern part) of the Netherlands; *het wilde Westen* the (Wild) West, the Frontier; *buiten ~ raken* pass out; *iem buiten ~ slaan* knock s.o. out (cold); *buiten ~ zijn (bewusteloos)* be out (cold)

westenwind west(erly) wind

westerlengte longitude west: *op 15 °~* at 15° longitude west

westerling Westerner; *(mbt een land)* westerner

westers I *bn ((als) in het westen)* western; **II** *bw* in a western fashion *(of:* manner)

West-Europa Western Europe

West-Europees West(ern) European

West-Indië (the) West Indies

westkust west coast

wet 1 law; statute: *een ongeschreven ~* an unwritten rule; *de ~ naleven* (of: *overtreden)* abide by *(of:* break) the law; *de ~ schrijft voor dat …* the law prescribes that …; *de ~ toepassen* enforce the law; *volgens de ~ is het een misdaad* it's a crime before the law; *volgens de Engelse ~* under English law; *bij de ~ bepaald* regulated by law; *in strijd met de ~* unlawful, against the law; *voor de ~ trouwen* marry at a registry office; *de ~ van Archimedes* Archimedes' principle; **2** *(gezaghebbende gewoonte)* law; rule: *iem de ~ voorschrijven* lay down the law to s.o.

wetboek code, lawbook

weten I *tr* know; manage: *dat weet zelfs een kind!* even a fool knows that!; *ik had het kunnen ~* I might have known; *ik zal het u laten ~* I'll let you know; *~ te ontkomen* manage to escape; *ik zou wel eens willen ~ waarom hij dat zei* I'd like to know why he said that; *daar weet ik alles van* I know all about it; *ik weet het!* I've got it!; *voor je het weet, ben je er* you're there before you know it; *ze hebben het geweten* they found out (to their cost); *hij wou er niets van ~* he wouldn't hear of it; *nu weet ik nóg niets!* I'm no wiser than I was (before)!; *je weet wie het zegt* look who is talking; *je moet het zelf (maar) ~* it's your decision; *je zou beter moeten ~* you should know better (than that); *hij wist niet hoe gauw hij weg moest komen* he couldn't get away fast enough; *als dat geen zwendel is dan weet ik het niet (meer)* if that isn't a fraud I don't know what is; *ik zou niet ~ waarom (niet)* I don't see why (not); *weet je wel, je weet wel* you know; *iets zeker ~* be sure about sth; *voor zover ik weet* as far as I know; *iets te ~ komen* find out sth; *als je dat maar weet!* keep it in mind!; *niet dat ik weet* not that I know; *weet je nog?* (do you) remember?; *weet ik veel!* search me!; *ik wist niet wat ik zag!* I couldn't believe my eyes!; *je weet ('t) maar nooit* you never know; **II** *zn* knowledge: *buiten mijn ~* without my knowledge; *naar mijn beste ~* to the best of my knowledge

wetenschap 1 *(het weten)* knowledge; **2** *(studie)* learning; *(exacte vakken)* science; *(letteren, filosofie)* scholarship, learning

wetenschappelijk scholarly; *(exact)* scientific: *voorbereidend ~ onderwijs* pre-university education; *~ personeel* academic staff, *(Am)* faculty

wetenschapper scholar; *(exacte vakken)* scientist; academic

wetgevend legislative

wetgever legislator

wetgeving legislation

wethouder alderman, (city, town) councillor: *de ~ van volkshuisvesting* the alderman for housing

wetsartikel section of a *(of:* the) law

wetsdienaar police officer

wetsontwerp bill: *een ~ aannemen* pass *(of:* adopt) a bill

wetsovertreding violation of a *(of:* the) law

wetswinkel law centre

wettelijk legal, statutory: *~e aansprakelijkheid* legal liability; *wettelijke-aansprakelijkheidsverzekering* third-party insurance

wettig legal, *(erkend, rechtmatig)* legitimate, valid: *de ~e eigenaar* the rightful owner

weven weave

wever weaver

wezel weasel: *zo bang als een ~* as timid as a hare

wezen I *zn* **1** being, creature: *geen levend ~ te bespeuren* not a living soul in sight; **2** *(essentie)* being, nature, *(substantie)* essence, *(substantie)* substance: *haar hele ~ kwam ertegen in opstand* her whole soul rose against it; **II** *intr; koppelww* be: *dat zal wel waar ~!* I bet!; *kan ~, maar ik mag hem niet* be that as it may, I don't like him; *wij zijn daar ~ kijken* we've been there to have a look; *laten we wel ~* (let's) be fair *(of:* honest) (now); *een studie die er ~ mag* a substantial study; *weg ~!* off with you!

wezenlijk essential; *van ~ belang* essential, of vital importance; *een ~ verschil* a substantial difference

wezenloos vacant: *zich ~ schrijven* write oneself silly; *zich ~ schrikken* be scared out of one's wits

whisky whisky: *Amerikaanse ~* bourbon; *Ierse ~* Irish whiskey; *Schotse ~* Scotch (whisky); *~ puur* a straight *(of:* neat) whisky

wichelroede divining rod, dowsing rod

wicht child

wie 1 *(vragend)* who; *(wiens)* whose; *(bij keuze uit twee of meer)* which: *van ~ is dit boek?* whose book is this?; *~ heb je gezien?* who have you seen?; *met ~ (spreek ik)?* who is this? *(of:* that?); *~ van jullie?* which of you?; *~ er ook komt, zeg maar dat ik niet thuis ben* whoever comes, tell them I'm out; **2** who; *(wiens)* whose: *de man ~ns dood door ieder betreurd wordt* the man whose death is generally mourned; *het meisje (aan) ~ ik het boek gaf* the girl to whom I gave the book; **3** *(welke persoon dan ook)* whoever: *~ anders dan Jan?* who (else) but John?; *~ dan ook* anybody, anyone, whoever; *~ niet akkoord gaat …* anyone who disagrees …

wiebelen 1 *(onvast staan)* wobble; **2** *(schommelen,* *wippen) rock: ze zat te ~ op haar stoel* she was wiggling about on her chair

wieden weed

wieg cradle: *van de ~ tot het graf verzorgd* looked after from the cradle to the grave

wiegen rock

wiek 1 *(van molen)* sail, vane; **2** *(vleugel)* wing

wiel wheel: *het ~ weer uitvinden* re-invent the wheel; *iem in de ~en rijden* put a spoke in s.o.'s wheel

wieldop hubcap

wielerbaan bicycle track, cycling track

wielersport (bi)cycling

wielklem wheel clamp

wielrennen (bi)cycle racing

wielrenner (racing) cyclist, bicyclist, cycler

wieltje (little) wheel; *(zwenkwieltje)* castor: *dat loopt op ~s* that's running smoothly

wienerschnitzel Wiener schnitzel

wiens whose

wier 1 alga; **2** *(zeegras)* seaweed

wierook incense: *~ branden* burn incense

wiet weed, grass

wig wedge

wigwam wigwam

wij we: *(beter) dan ~* (better) than we are; *~ allemaal* all of us, we all

wijd 1 wide: *een ~e blik* a broad view; *met ~ open ogen* wide-eyed; **2** *(ruim)* wide, loose: *~er maken* let out, enlarge *(kleren);* **3** *(van oppervlak)* wide, broad: *de ~e zee* the open sea

wijdbeens with legs wide apart

wijden 1 devote; **2** *(godsd)* consecrate, *(een priester)* ordain: *gewijde muziek* sacred music

wijdte breadth, distance: *de ~ tussen de banken* the space between the benches

wijdverspreid widespread, *(min ook)* rife, rampant

wijf bitch: *een oud ~* an old bag

wijfje female

wijk district, area: *de deftige ~en* the fashionable areas

wijkagent policeman on the beat; local bobby

wijkcentrum community centre

wijken give in (to), give way (to), yield (to): *hij weet van geen ~* he sticks to his guns

wijkverpleegkundige district nurse

wijlen late, deceased: *~ de heer Smit* the late Mr Smit

wijn wine: *oude ~ in nieuwe zakken* old wine in new bottles

wijnfles wine bottle

wijngaard vineyard

wijnhandelaar wine merchant

wijnkaart wine list

wijnkenner connoisseur of wine

wijnstok (grape)vine

wijnstreek wine(-growing) region

wijnvlek birthmark

wijs I *zn* **1** way, manner: *bij wijze van spreken* so to speak, as it were; *bij wijze van uitzondering* as an

exception; **2** *(melodie)* tune: *hij kan geen ~ houden* he sings *(of:* plays) out of tune; *van de ~ raken* get in a muddle; *iem van de ~ brengen* put s.o. out *(of:* off) his stroke; *hij liet zich niet van de ~ brengen* he kept a level head *(of:* his cool); *onbepaalde ~* infinitive; **II** *bn, bw* wise: *ben je niet (goed) ~?* are you mad? *(of:* crazy?); *ik werd er niet wijzer van* I was none the wiser for it; *ik kan er niet ~ uit worden* I can't make head or tail of it

wijsbegeerte philosophy

wijsgeer philosopher

wijsheid wisdom; *(uitspraak)* piece of wisdom: *hij meent de ~ in pacht te hebben* he thinks he knows it all

wijsheidstand *(Belg)* wisdom tooth

wijsje tune

wijsmaken fool, kid: *laat je niks ~!* don't buy that nonsense!

wijsneus know(-it)-all

wijsvinger forefinger

wijten blame (s.o. for sth)

wijwater holy water

wijze 1 manner, way; **2** wise man *(of:* woman); *(geleerde)* learned man *(of:* woman)

wijzen I *intr* **1** point: *naar een punt ~* point to a spot; *(fig) met de vinger naar iem ~* point the finger at s.o.; *er moet op worden gewezen dat …* it should be pointed out that …; **2** *(aanduiden)* indicate: *alles wijst erop dat …* everything seems to indicate that …; **II** *tr* show, point out: *de weg ~* lead *(of:* show) the way; **III** *zich ~* show: *dat wijst zich vanzelf* that is self-evident

wijzer indicator; *(van klok)* hand; pointer: *met de ~s van de klok mee* clockwise

wijzerplaat dial

wijzigen alter, change

wijziging alteration, change: *~en aanbrengen in* make changes in

wikkel wrapper

wikkelen wind; *(inpakken)* wrap (up), enfold

wil will, *(wens)* wish: *geen eigen ~ hebben* have no mind of one's own; *met een beetje goeie ~ gaat het best* with a little good will it'll all work out; *een sterke ~ hebben* be strong-willed; *zijn ~ is wet* his word is law; *ter ~le van* for the sake of

wild I *bn, bw* wild: *~e dieren* wild animals; *~ enthousiast zijn over iets* go overboard about sth; *in het ~e (weg)* at random; **II** *zn* **1** game: *~, vis en gevogelte* fish, flesh and fowl; **2** *(wilde staat)* wild: *in het ~ leven* (of: *groeien)* live *(of:* grow) (in the) wild

wilde savage

wildernis wilderness

wildgroei proliferation

wildkamperen camp wild

wildpark wildlife park, *(voor de jacht)* game park *(of:* reserve)

wildplassen urinate in public

wildvreemd completely strange, utterly strange: *een ~ iemand* a perfect stranger

wi

wildwestfilm western
wilg willow (tree)
wilgen willow
wilgenhout willow (wood)
Wilhelmus Wilhelmus, Dutch national anthem
willekeur 1 will, *(vrijheid van handelen)* discretion: *naar ~* at will, at one's (own) discretion;**2** *(onrechtvaardige, grillige handelwijze)* arbitrariness, unfairness, *(grillig)* capriciousness
willekeurig 1 arbitrary, *(toevallig, op goed geluk)* random, *(lukraak)* indiscriminate: *neem een ~e steen* take any stone (you like);**2** *(eigenmachtig)* arbitrary, high-handed, *(grillig)* capricious
willen I *intr, tr* want, wish, desire: *het is (maar) een kwestie van ~* it's (only) a matter of will; *ik wil wel een pilsje* I wouldn't mind a beer; *wil je wat pinda's?* would you like some peanuts?; *ik wil het niet hebben (verbod)* I won't have *(of:* allow) it; *niet ~ luisteren* refuse to listen; *ik wil niets meer met hem te maken hebben* I've done with him; *ik wil wel toegeven dat …* I'm willing to admit that …; *ik wou net vertrekken toen …* I was just about *(of:* going) to leave when …; *dat had ik best eens ~ zien!* I would have liked to have seen it!; *ja, wat wil je?* what else can you expect?; *wat wil je nog meer?* what more do you want?; *wilt u dat ik het raam openzet?* shall I open the window (for you)?; *ik wou dat ik een fiets had* I wish I had a bike; *of je wilt of niet* whether you want to or not; *we moesten wel glimlachen, of we wilden of niet* we could not help but smile *(of:* help smiling); *dat ding wil niet* the thing won't *(of:* refuses) to) go; *de motor wil niet starten* the engine won't start; *men wil er niet aan* people are not buying (it), nobody is interested; **II** *hulpww (mbt een gebod, verzoek)* will, would: *wil je me de melk even (aan)geven?* could *(of:* would) you pass me the milk please?; *wil je me even helpen?* would you mind helping me?
wilskracht will-power, will, backbone
wimpel pennon, pennant
wimper (eye)lash
wind wind, *(bries)* breeze, *(harde wind)* gale: *bestand zijn tegen weer en ~* be wind and weatherproof; *geen zuchtje ~* not a breath of wind, dead calm; *een harde* (of: *krachtige) ~* a high *(of:* strong) wind; *de ~ gaat liggen* the wind is dropping; *de ~ van voren krijgen* get lectured at; *kijken uit welke hoek de ~ waait* see which way the wind blows; *de ~ mee hebben: a)* have the wind behind one; *b) (fig)* have everything going for one; *(fig) een waarschuwing in de ~ slaan* disregard a warning; *tegen de ~ in* against the wind, into the teeth of the wind; *het gaat hem voor de ~* he is doing well, he is flying high; *~en laten* break wind
windbuks air rifle, airgun
windei: *dat zal hem geen ~eren leggen* he'll do well out of it
winden wind, twist, entwine, *(een sjaal)* wrap
windenergie wind energy

winderig 1 windy, blowy, *(niet sterk)* breezy, *(sterk)* stormy, *(ve streek)* windswept;**2** *(winden latend)* windy, flatulent
windhaan weathercock
windhond greyhound, *(kleine)* whippet
windhoos whirlwind
windjack windcheater
windjak windcheater
windkracht wind-force: *wind met ~ 7* force 7 wind(s)
windmolen windmill: *tegen ~s vechten* tilt at windmills, fight windmills
windmolenpark wind park (*of:* farm)
windrichting wind direction, *(mv ook)* points of the compass
windroos compass card
windscherm windbreak
windsnelheid wind speed
windstil calm, windless, still
windstoot gust (of wind), *(met regen)* squall
windstreek quarter, point of the compass
windsurfen go windsurfing
windsurfer windsurfer
windvlaag gust (of wind), *(plotseling en hevig)* blast, *(met regen)* squall
windwijzer weathercock, weathervane
wingerd (grape)vine
winkel shop, store: *een ~ in modeartikelen* a boutique, a fashion store; *~s kijken* go window-shopping
winkelbediende shop-assistant, counter-assistant, salesman, saleswoman
winkelcentrum shopping centre (*of:* precinct)
winkeldief shoplifter
winkelen shop, go shopping, do some *(of:* the) shopping
winkelgalerij (shopping-)arcade
winkelhaak 1 *(in kleding)* three-cornered tear, right-angled tear;**2** *(gereedschap)* (carpenter's) square
winkelier shopkeeper, retailer, tradesman
winkelketen chain of shops (*of:* stores), store chain
winkelpersoneel shopworkers, shop staff (*of:* personnel)
winkelstraat shopping street
winkelwagen (shopping) trolley
winnaar winner, victor, *(mv; van team ook)* winning team
winnen I *intr, tr* win: *het ~de doelpunt* the winning goal; *je kan niet altijd ~* you can't win them all; *~ bij het kaarten* win at cards; *~ met 7-2* win 7-2, win by 7 goals (*of:* points) to 2; *(het) ~ van iem* beat s.o., have the better of s.o.; **II** *tr***1** *(door inspanning verkrijgen)* win, gain, *(erts)* mine, *(erts)* extract: *zout uit zeewater ~* obtain salt from sea water;**2** *(tot voordeel verkrijgen)* win, gain, *(steun)* enlist, secure: *iem voor zich ~* win s.o. over
winning winning, extraction, *(herwinning)* reclamation

winst 1 profit, *(vaak mv, rendement)* return, *(van bedrijf, ook)* earning(s), *(mv; speel-, gokwinst)* winning: *netto* ~ net returns *(of:* gain, profit); ~ *behalen* (of: *opleveren)* gain *(of:* make, yield) a profit; *tel uit je* ~ it can't go wrong; *op* ~ *spelen* play to win; 2 *(voordeel)* gain, benefit, advantage: *een* ~ *van drie zetels in de Kamer behalen* gain three seats in Parliament

winstdeling profit-sharing, participation

winstgevend profitable, lucrative, *(belonend)* remunerative, *(fig)* fruitful, *(rendabel)* economic

winstmarge profit margin, margin of profit

winstpunt point (scored)

winstrekening statement of profits, profit account

winter winter: *hartje* ~ the dead *(of:* depths) of winter; *we hebben nog niet veel* ~ *gehad* we haven't had much wintry weather *(of:* much of a winter) yet; *'s* ~*s* in (the) winter, in (the) wintertime

winteravond winter evening

winterdag winter('s) day

winterhanden chilblained hands

winterjas winter coat

winterkoninkje wren

wintermaanden winter months

winterpeen winter carrot

winters wintery: *zich* ~ *aankleden* dress for winter

winterslaap hibernation, winter sleep: *een* ~ *houden* hibernate

winterspelen winter Olympics

wintersport winter sports: *met* ~ *gaan* go skiing, go on a winter sports holiday

wintertijd wintertime, winter season

win-winsituatie win-win situation

wip 1 seesaw: *op de* ~ *zitten* have one's job on the line; 2 *(sprong)* skip; hop: *met een* ~ *was hij bij de deur* he was at the door in one bound; 3 *(plat)* lay, screw

wipneus turned-up nose, snub nose

wippen I *intr* 1 hop, bound, *(huppelen)* skip; 2 *(zich snel bewegen)* whip, pop: *er even tussenuit* ~ *nip (of:* pop) out for a while; *zij zat met haar stoel te* ~ *van ongeduld* she sat tilting her chair with impatience; 3 *(op een wip)* play on a seesaw; II *tr (verwijderen)* topple, overthrow, unseat

wirwar criss-cross, jumble, tangle, snarl *(draden, struiken)*, maze *(straten): een* ~ *van steegjes* a rabbit warren

wiskunde mathematics

wiskundeknobbel gift *(of:* head) for mathematics

wiskundig mathematic(al)

wispelturig inconstant, fickle, capricious

wissel I *de* 1 *(wisselspeler)* substitute; sub: *een* ~ *inzetten* put in a substitute; 2 *(verandering)* change, switch; II *het, de (spoorw)* points, switch: *een* ~ *overhalen* (of: *verzetten)* change *(of:* shift) the points

wisselautomaat (automatic) money changer, change machine

wisselbeker challenge cup

wisselen I *intr, tr* 1 change, exchange: *van plaats* ~ change places; 2 *(fin)* change, give change: *kunt u* ~? can you change this?; 3 *(uitwisselen)* exchange, bandy *(woorden, complimenten): van gedachten* ~ *over* exchange views *(of:* ideas) about; II *intr (afwisselen)* change, vary

wisselgeld *(kleingeld)* change; (small, loose) change: *te weinig* ~ *terugkrijgen* be short-changed

wisseling 1 change, exchange; 2 *(verandering)* change, changing, turn(ing)

wisselkoers exchange-rate, rate of exchange

wisselslag (individual) medley

wisselspeler substitute, reserve; sub

wisselstroom alternating current, AC

wisseltrofee challenge trophy

wisselvallig changeable, unstable, uncertain *(bestaan)*, precarious *(bestaan)*

wisselwachter pointsman, signalman

wisselwerking interaction, interplay

wissen 1 wipe; 2 *(video, audio)* erase, *(comp)* delete

wit 1 white; 2 *(verkocht beneden de vastgestelde prijs)* cut-price

witjes pale, white: ~ *om de neus zien* look white about the gills

witlof chicory

witregel extra space (between the lines)

Wit-Rus White Russian, Belorussian

Wit-Rusland White Russia, Belorussia

witteboordencriminaliteit white-collar crime

wittebrood white bread

wittebroodsweken honeymoon

wittekool white cabbage

witten whitewash

witwassen launder *(zwart geld)*

wodka vodka

woede 1 rage, fury, anger: *buiten zichzelf van* ~ *zijn* be beside oneself with rage *(of:* anger); 2 *(manie)* mania

woedeaanval tantrum, fit (of anger)

woeden rage, rave

woedend furious, infuriated

woef bow-wow, woof

woekeraar usurer, *(zwarthandelaar)* profiteer

woekeren 1 practise usury, *(mbt zwarte handel)* profiteer; 2 *(het uiterste voordeel trekken van)* make the most (of): *met de ruimte* ~ use *(of:* utilize) every inch of space; 3 *(groeien ten koste van iets anders) (onkruid)* grow rank *(of:* rampant)

woekering uncontrolled growth, *(planten)* rampant growth

woekerprijs usurious price, exorbitant price

woelen I *intr* 1 toss about: *zij lag maar te* ~ she was tossing and turning; 2 *(zich druk door elkaar bewegen)* churn (about, around); II *tr* 1 *(grond dooreen mengen)* turn up (the soil); 2 *(wroeten)* grub (up), root (out): *de varkens* ~ *de wortels bloot* the pigs are grubbing up the roots

woelig restless: ~*e tijden* turbulent times

woensdag Wednesday: *'s* ~*s* Wednesday, *(iedere*

woensdag) on Wednesdays
woensdags I *bn* Wednesday; **II** *bw (op woensdag)* on Wednesdays
woerd drake
woest 1 savage, wild: *een ~ voorkomen hebben* have a fierce countenance; **2** *(ruw)* rude, rough; **3** furious, infuriated: *in een ~e bui* in a fit of rage; **4** *(mbt land) (braak)* waste; *(onbewoond)* desolate
woestijn desert
wok wok
wol wool: *zuiver ~* 100 % *(of:* pure) wool
wolf wolf
wolfraam tungsten
Wolga Volga
wolindustrie wool industry
wolk cloud ‖ *een ~ van een baby* a bouncing baby
wolkbreuk cloudburst
wolkenkrabber skyscraper
wolkje cloudlet, little cloud, small cloud: *er is geen ~ aan de lucht* there isn't a cloud in the sky
wollen woollen, wool
wollig woolly: *~ taalgebruik* woolly language
wolmerk wool mark
wolvin she-wolf
wond wound, *(in ongeluk enz.)* injury: *een gapende ~* a gaping wound, a gash; *Joris had een ~je aan zijn vinger* Joris had a cut (*of:* scratch) on his finger
wonder 1 wonder, miracle: *het is een ~ dat …* it is a miracle that …; *geen ~* no (*of:* small) wonder, not surprising; **2** *(wonderbaarlijke zaak, persoon)* wonder, marvel: *de ~en van de natuur* the wonders (*of:* marvels) of nature; *~ boven ~* by amazing good fortune
wonderbaarlijk miraculous, *(vreemd)* strange, curious
wonderkind (child) prodigy
wonderlijk strange, surprising
wonderolie castor oil
wonen live: *op zichzelf gaan ~* set up house, go and live on one's own
woning house, *(thuis)* home: *iem uit zijn ~ zetten* evict s.o.
woningbouw house-building; house-construction: *sociale ~* council housing, *(Am)* public housing
woningbouwvereniging housing association (*of:* corporation)
woningbureau housing agent's (*of:* agency)
woninginrichting home furnishing(s)
woningmarkt housing market
woningnood housing shortage
woonachtig: *hij is ~ in Leiden* he is a resident of Leiden
woonboot houseboat
woonerf residential area (with restrictions to slow down traffic)
woongroep commune
woonhuis (private) house, *(thuis)* home
woonkamer living room

woonkeuken open kitchen, kitchen-dining room
woonomgeving environment
woonplaats (place of) residence, address, *(op formulieren)* city, *(op formulieren)* town
woonruimte (housing, living) accommodation
woonst *(Belg)* **1** house; **2** *(woonplaats)* (place of) residence
woonwagen caravan, *(Am)* (house) trailer
woonwagenbewoner caravan dweller, *(Am)* trailer park resident
woonwagenkamp caravan camp, *(Am)* trailer camp
woon-werkverkeer commuter traffic
woonwijk residential area; *(vnl. sociale woningbouw)* housing estate; *(wijk ve stad)* district, quarter
woord word: *in ~ en beeld* in pictures and text; *met andere ~en* in other words; *geen goed ~ voor iets over hebben* not have a good word to say about sth; *het hoogste ~ voeren* do most of the talking; *hij moet altijd het laatste ~ hebben* he always has to have the last word; *iem aan zijn ~ houden* keep (*of:* hold) s.o. to his promise; *het ~ geven aan* give the floor to; *zijn ~ geven* give one's word; *het ~ tot iem richten* address (*of:* speak to) s.o.; *iem aan het ~ laten* allow s.o. to finish (speaking); *in één ~* in a word, in sum (*of:* short); *op zijn ~en letten* be careful about what one says; *iem te ~ staan* speak to (*of:* see) s.o.; *niet uit zijn ~en kunnen komen* not be able to express oneself, fumble for words; *met twee ~en spreken (ongev)* be polite
woordblind dyslexic
woordblindheid dyslexia
woordelijk word for word, *(letterlijk)* literal(ly)
woordenboek dictionary: *een ~ raadplegen* consult a dictionary, refer to a dictionary
woordenlijst list of words, vocabulary *(vnl. in studieboeken)*
woordenschat 1 lexicon; **2** *(van een persoon)* vocabulary
woordenwisseling 1 exchange of words, discussion; **2** *(twistgesprek)* argument
woordgebruik use of words
woordje word: *een hartig ~ met iem spreken* give s.o. a (good) talking-to; *ook een ~ meespreken* say one's piece
woordkeus choice of words, wording
woordsoort part of speech
woordspeling pun, play on words
woordvoerder 1 speaker; **2** *(namens anderen)* spokesman
woordvolgorde word order
worden I *koppelww* **1** be, get: *het wordt laat* (of: *kouder)* it is getting late (*of:* colder); *hij wordt morgen vijftig* he'll be fifty tomorrow; **2** become: *dat wordt niets* it won't work, it'll come to nothing; *wat is er van hem geworden?* whatever became of him?; **II** *hulpww (met lijdende vorm)* be: *er werd gedanst* there was dancing; *de bus wordt om zes uur gelicht*

the post will be collected at six o'clock; **III** *intr (gaan kosten)* will be, come to, amount to: *dat wordt dan* €2,00 *per vel* that will be 2.00 euro per sheet

worm worm

worp throw(ing), *(sport ook)* shot

worst sausage: *dat zal mij ~ wezen* I couldn't care less

worstelaar wrestler

worstelen struggle; wrestle *(sport)*: *zich door een lijvig rapport heen ~* struggle *(of:* plough) (one's way) through a bulky report

worsteling struggle, wrestle

worstenbroodje *(ongev)* sausage roll

wortel root; *(groente)* carrot: *3 is de ~ van 9* 3 is the square root of 9

wortelteken radical sign

worteltje carrot

worteltrekken extraction of the root(s)

woud forest

woudloper trapper

wraak revenge, vengeance: *~ nemen op iem* take revenge on s.o.

wraakactie act of revenge *(of:* vengeance, retaliation)

wrak wreck: *zich een ~ voelen* feel a wreck

wrakhout (pieces of) wreckage, *(aangespoeld ook)* driftwood

wrakstuk piece of wreckage, *(mv ook)* wreckage

wrang 1 sour, acid; **2** *(onaangenaam)* unpleasant, nasty, wry *(glimlach)*

wrat wart

wreed cruel

wreedheid cruelty

wreef instep

wreken revenge; *(vergelding)* avenge: *zich voor iets op iem ~* revenge oneself on s.o. for sth

wreker avenger, revenger

wrevel resentment, *(sterker)* rancour

wrevelig 1 peevish, tetchy, grumpy; **2** *(prikkelbaar)* resentful

wriemelen fiddle (with)

wrijven 1 rub: *neuzen tegen elkaar ~* rub noses; **2** *(poetsen)* polish: *de meubels ~* polish the furniture

wrijving friction

wrikken lever, prize

wringen I *intr, tr* **1** wring: *zich in allerlei bochten ~* wriggle, squirm; **2** *(door draaien verplaatsen)* wring, press *(kaas)*; **II** *intr (knellen)* pinch

wringer wringer; mangle

wroeging remorse

wroeten I *intr* root, rout: *in iemands verleden ~* pry into s.o.'s past; **II** *tr* burrow; root (up): *de grond ondersteboven ~* root up the earth

wrok resentment, grudge, *(sterker)* rancour

wrong roll, wreath, *(krans)* chignon, bun

wuiven wave

wurgen strangle

wurgslang constrictor (snake)

wurm I *de* worm; **II** *het* mite: *het ~ kan nog niet praten* the poor mite can't talk yet

wurmen squeeze, worm

WVC *afk van (ministerie van) Welzijn, Volksgezondheid en Cultuur* (Ministry of) Welfare, Health and Cultural Affairs

WW *afk van Werkloosheidswet* Unemployment Insurance Act: *in de ~ lopen (zitten)* be on unemployment (benefit), be on the dole

WW-uitkering unemployment benefit(s)

WW

X

xantippe Xanthippe
x-as x-axis
x-benen knock knees: ~ *hebben* be knock-kneed,
  have knock knees
X-chromosoom X chromosome
xylofoon xylophone

y

yang yang
y-as y-axis
Y-chromosoom Y chromosome
yen yen
yes: *reken maar van ~!* you bet!
yeti yeti
yin yin
yoga yoga
yoghurt yogurt

Z

zaad 1 seed; 2 *(sperma)* sperm, semen
zaadcel germ cell; *(dier, mens)* sperm cell
zaaddodend spermicidal
zaaddonor sperm donor
zaaddoos seedbox, capsule
zaadlozing seminal discharge, ejaculation
zaag saw
zaagmachine saw
zaagsel sawdust
zaagvormig *(plantk)* serrate
zaaien sow: *onrust ~ create unrest; interessante ba-nen zijn dun gezaaid* interesting jobs are few and far between
zaaier sower
zaaigoed sowing seed
zaak 1 thing, *(voorwerp)* object; 2 *(aangelegenheid)* matter, affair, business: *de normale gang van zaken* the normal course of events; *zich met zijn eigen za-ken bemoeien* mind one's own business; *dat is jouw ~* that is your concern; *de ~ in kwestie* the matter in hand; 3 *(transactie)* business, deal: *goede zaken doen (met iem* do good business (with s.o.); *er worden goede zaken gedaan in …* trade is good in …; *zaken zijn zaken* business is business; *hij is hier voor zaken* he is here on business; 4 *(bedrijf)* busi-ness, *(winkel)* shop: *op kosten van de ~* on the house; *een ~ hebben* run a business; *een auto van de ~* a company car; 5 *(wat gebeurd is)* case, things: *weten hoe de zaken ervoor staan* know how things stand, know what the score is; 6 *(onderwerp)* point, issue: *dat doet hier niet(s) ter zake* that is irrelevant, that is beside the point; *kennis van zaken hebben* know one's facts, be well-informed (on the matter); 7 *(gerechtszaak)* case, lawsuit: *Maria's ~ komt van-middag voor* Maria's case comes up this afternoon; 8 affair: *Binnenlandse Zaken* Home *(of:* Internal) Affairs; *Buitenlandse Zaken* Foreign Affairs; 9 *(be-lang)* cause
zaakje little matter/business *(of:* affair, thing); *(transactie)* small deal; *(karwei)* job: *ik vertrouw het ~ niet* I don't trust the set-up
zaakvoerder *(Belg)* manager
zaal 1 room, *(zeer groot)* hall; 2 *(sportzaal; zieken-huiszaal)* hall, ward *(ve ziekenhuis)*, auditorium *(ve schouwburg)*; 3 *(gebouw voor bijeenkomsten, uit-voeringen)* hall, house: *een stampvolle ~* a crowded

(of: packed) hall, a full house; *de ~ lag plat* it brought the house down
zaalsport indoor sport
zaalvoetbal indoor football
zacht 1 soft, *(glad)* smooth: *een ~e landing* a smooth landing; *~e sector* social sector; 2 *(mbt het weer)* mild; 3 *(niet grof)* kind, gentle: *op zijn ~st ge-zegd* to put it mildly; 4 *(niet luid)* quiet, soft: *met ~e stem* in a quiet voice
zachtboard softboard
zachtjes softly, *(stil)* quietly, *(bedaard)* gently: *~ doen* be quiet; *~ rijden* drive slowly; *~ aan!* easy does it!, take it easy!; *~!* hush!, quiet!
zachtzinnig 1 *(van karakter)* good-natured, mild(-mannered); 2 *(niet ruw)* gentle, kind(ly), *(te-der)* tender
zadel saddle
zadelen saddle (up)
zagemeel sawdust
zagen 1 saw (up); 2 *(vormen)* saw, cut: *planken (of: figuren) ~* saw into planks *(of:* shapes)
zagerij sawmill
zak 1 bag, *(groot)* sack: *een ~ patat* a bag *(of:* packet) of chips; *(fig) iem de ~ geven* give s.o. the sack, sack s.o.; 2 *(van kledingstuk)* pocket: *geld op ~ hebben* have some money in one's pockets *(of:* on one); 3 *(bergplaats voor geld)* purse: *uit eigen ~ betalen* pay out of one's own purse; 4 *(inform) (scheldwoord)* bore, jerk; *(sterker)* bastard
zakagenda pocket diary, *(Am)* (small) agenda
zakboekje (pocket) notebook
zakcentje pocket money
zakdoek handkerchief
zakelijk 1 business(like), commercial; 2 *(niet per-soonlijk)* business(like), objective; 3 *(bondig, nuch-ter)* compact, concise: *een ~e stijl van schrijven* a terse style of writing; 4 *(praktisch)* practical, re-al(istic); down-to-earth
zakenbrief business letter
zakencentrum business centre
zakenleven business (life), commerce
zakenman businessman: *een gewiekst ~* a shrewd *(of:* an astute) businessman
zakenreis business trip
zakenrelatie business relation
zakformaat pocket size
zakgeld pocket money, spending money, allowance
zakken 1 fall, drop, *(zinken)* sink: *in elkaar ~* col-lapse; 2 *(lager van niveau)* fall (off), drop, come down, go down, *(verzakken)* sink: *de hoofdpijn is gezakt* the headache has eased; *het water is gezakt* the water has gone down *(of:* subsided); 3 *(niet sla-gen)* fail, go down
zakkenrollen pick pockets
zakkenroller pickpocket: *pas op voor ~s!* beware of pickpockets!
zaklamp (pocket) torch, *(Am)* flashlight
zaklantaarn (pocket) torch, flashlight
zakloep pocket magnifying glass

zaklopen (run a) sack race
zakmes pocket knife
zakrekenmachientje pocket calculator
zaktelefoon mobile phone, portable phone, cellphone
zalf ointment, salve: *met ~ insmeren* rub ointment (*of:* salve) on
zalig gorgeous, glorious, divine
zalm salmon
zalven put (*of:* rub) ointment on
zalving anointment (with)
zand sand: *~ erover* let's forget it, let bygones be bygones
zandbak sandbox
zandbank sandbank
zanderig sandy
zandkasteel sandcastle
zandkorrel grain of sand
zandloper hourglass, *(mbt eieren koken)* egg-timer
zandpad sandy path
zandsteen sandstone
zandstorm sandstorm
zandstralen sandblast
zandvlakte sand flat, sand(y) plain
zandweg sand track (*of:* road), dirt track
zandzak sandbag
zang song, singing, warbling *(van vogels)*
zanger(es) singer, *(vnl. jazz en pop)* vocalist
zangerig melodious, *(mbt intonatie)* sing-song
zangkoor choir
zangleraar singing teacher
zangvereniging choir, choral society
zangvogel songbird
zaniken nag, *(klagen)* moan, whine
zappen zap
zat I *bn* 1 *(voor zn)* drunken; *(na ww)* drunk; 2 *(moe, beu)* fed up: *'t ~ zijn* be fed up (with it); II *bw (in overvloed) (voor zn)* plenty; *(na zn)* to spare: *zij hebben geld ~* they have plenty (*of:* oodles) of money; *tijd ~* time to spare, plenty of time
zaterdag Saturday
zaterdags I *bn* Saturday; II *bw (op zaterdag)* on Saturdays
zatlap boozer
ze 1 she; her: *~ komt zo* she is just coming; 2 *(mv)* they; them: *roep ~ eens* just call them; *daar moesten ~ eens iets aan doen* they ought to do sth about that
zebra zebra
zebrapad pedestrian crossing, zebra crossing
zede 1 custom, *(gebruik)* usage: *~n en gewoonten* customs and traditions; 2 *(mv) (ethische norm)* morals, manners
zedelijk moral
zedenleer *(Belg./ ond.)* ethics
zedenpolitie vice squad
zedig modest
zee sea: *een ~ van tijd* oceans (*of:* heaps) of time; *aan ~* by the sea, on the coast; *met iem in ~ gaan*

join in with s.o., throw in one's lot with s.o.
zeebanket seafood
zeebeving seaquake
zeebodem ocean floor, seabed, bottom of the sea
zeef sieve, *(vloeistoffen)* strainer: *zo lek als een ~ zijn* leak like a sieve
zeefdruk silk-screen (print)
zeegat tidal inlet (*of:* outlet)
zeehaven harbour, seaport
zeehond seal
zeekaart sea chart, nautical chart
zeeklimaat maritime climate, oceanic climate
zeekoe sea cow
Zeeland Zeeland
zeeleeuw sea lion
zeelieden seamen, sailors
zeelucht sea air
zeem shammy, chamois
zeemacht navy, *(mv)* naval forces
zeeman sailor
zeemeermin mermaid
zeemeeuw (sea)gull
zeemijl nautical mile
zeemleer chamois (*of:* shammy) leather, washleather
zeemleren chamois, shammy
zeep 1 soap; 2 *(schuim)* (soap)suds ‖ *iemand om ~ brengen* kill s.o., do s.o. in
zeepaard(je) sea horse
zeepbel (soap) bubble
zeepost overseas surface mail
zeeppoeder washing powder, detergent
zeepsop (soap)suds
zeer I *bn* sore, painful, aching: *een ~ hoofd* an aching head; II *zn* pain, ache; sore: *dat doet ~* that hurts; III *bw (in hoge mate)* very, extremely, greatly: *~ tot mijn verbazing* (very) much to my amazement
zeereis (sea) voyage, *(overtocht)* passage
zeerover pirate
zeeschip seagoing vessel, ocean-going vessel
zeeslag sea battle, naval battle; *(spel)* battleships
zeespiegel sea level
Zeeuws Zeeland *(voor zn)*
Zeeuws-Vlaanderen Zeeland Flanders
zeevaart seagoing; *(als branche)* shipping
zeevaartschool nautical college
zeevis saltwater fish, sea fish
zeewaardig seaworthy
zeewater seawater, salt water
zeewier seaweed
zeeziek seasick
zege victory, triumph, *(vnl. sport)* win
zegel I *de (op brieven)* stamp; II *het (zegelafdruk)* seal: *zijn ~ ergens op drukken, zijn ~ hechten aan iets* set one's seal on sth, give one's blessing to sth
zegelring signet ring
zegen 1 blessing, *(kerk ook)* benediction: *(iron) mijn ~ heb je (voor wat het waard is)* you've got my

blessing(, for what it's worth); 2 *(iets heilzaams)* blessing, boon: *dat is een ~ voor de mensheid* that is a blessing *(of:* boon) to mankind

zegenen bless

zegevieren triumph

zeggen 1 say, tell: *wat wil je daarmee ~?* what are you trying to say?, what are you driving at?; *wat ik ~ wou* by the way; *wat zegt u?* (I beg your) pardon?, sorry?; *wie zal het ~?* who can say? *(of:* tell?); *(in winkel) zegt u het maar* yes, please?; *zeg dat wel* you can say that again; *men zegt dat hij heel rijk is* he is said *(of:* reputed) to be very rich; *wat zeg je me daarvan!* how about that!, well I never!; *dat is toch zo, zeg nou zelf* it is true, admit it; *hoe zal ik het ~?* how shall I put it?; *nou je het zegt* now (that) you mention it; *zo gezegd, zo gedaan* no sooner said than done; *zonder iets te ~* without (saying) a word; *zeg maar 'Tom'* call me 'Tom'; *niets te ~ hebben* have no authority, have no say; 2 *(betekenen)* say, mean: *dat wil ~* that means, i.e., that is (to say); 3 *(bewijzen)* say, prove; 4 *(schriftelijk)* say, state: *laten we ~ dat ...* let's say that ...

zegje: *ieder wil zijn ~ doen* everyone wants to have their say

zegswijze phrase, saying

zeik *(inform)* piss

zeiken *(inform)* 1 *(plassen)* piss; 2 *(zeuren)* go on, harp *(of:* carry) on

zeikerd *(inform)* bugger

zeikerig *(inform)* fretful, whiny

zeiknat *(inform)* sopping (wet)

zeil 1 sail: *alle ~en bijzetten* employ full sail, pull out all the stops; *onder ~ gaan: a)* set sail; *b) (fig)* doze off; 2 *(vloerbedekking)* floor covering; 3 canvas, sailcloth, *(dekzeil)* tarpaulin

zeilboot sailing boat

zeilen sail

zeiler yachtsman, yachtswoman, sailor

zeiljacht yacht

zeilplank *(sport)* sailboard

zeilsport sailing

zeis scythe

zeker 1 safe: *(op) ~ spelen* play safe; *hij heeft het ~e voor het onzekere genomen* he did it to be on the safe side; 2 *(overtuigd, betrouwbaar)* sure, certain: *iets ~ weten* know sth for sure; *om ~ te zijn* to be sure; *vast en ~!, (Belg) ~ en vast!* definitely; 3 *(waarschijnlijk) (bw)* probably; *je wou haar ~ verrassen* I suppose you wanted to surprise her; *je hebt het ~ al af* you must have finished it by now; *~ niet* certainly not; *op ~e dag* one day; *een ~e meneer Pietersen* a (certain) Mr Pietersen

zekerheid 1 safety, *(bewaring)* safe keeping: *iem een gevoel van ~ geven* give s.o. a sense of security; *voor alle ~* for safety's sake, to make quite sure; 2 *(stelligheid)* certainty, *(overtuiging)* confidence: *sociale ~* social security

zekering (safety) fuse: *de ~en zijn doorgeslagen* the fuses have blown

zelden rarely, seldom: *~ of nooit* rarely if ever

zeldzaam rare

zeldzaamheid rarity

zelf zelf; myself, yourself, himself, herself, itself, ourselves, yourselves, themselves, oneself: *~ een zaak beginnen* start one's own business; *~ gebakken brood* home-made bread; *ik kook ~* I do my own cooking; *al zeg ik het ~* although I say it myself; *het huis ~ is onbeschadigd* the house itself is undamaged

zelfbediening self-service

zelfbedieningsrestaurant self-service restaurant

zelfbeheersing self-control: *zijn ~ verliezen* lose control of oneself

zelfbewust self-confident; self-assured

zelfbewustheid self-confidence; self-assurance

zelfde similar; very (same): *in deze ~ kamer* in this very room

zelfdiscipline self-discipline

zelfdoding suicide

zelfmedelijden self-pity

zelfmoord suicide: *~ plegen* commit suicide

zelfontplooiing self-development, *(zelfverwerkelijking)* self-realization

zelfontspanner self-timer

zelfportret self-portrait

zelfrespect self-respect

zelfrijzend self-raising

zelfs even: *~ zijn vrienden vertrouwde hij niet* he did not even trust his friends; *~ in dat geval* even then so

zelfstandig independent, *(in eigen zaak)* self-employed: *een kleine ~e* a self-employed person

zelfstandigheid independence

zelfstudie private study, home study

zelfverdediging self-defence: *uit ~ handelen* act in self-defence

zelfvertrouwen (self-)confidence

zelfverzekerd (self-)assured

zelfwerkzaamheid self-activation; *(mbt leerlingen)* self-motivation, independence

zemelen bran *(geen mv)*

zemen leather

zenboeddhisme Zen (Buddhism)

zendamateur (radio) ham, amateur radio operator, *(MC'er)* CB-er

zendeling missionary

zenden I *intr* broadcast, transmit; **II** *tr (sturen)* send: *iem om de dokter ~* send for the doctor

zender 1 broadcasting station, transmitting station; 2 *(persoon)* sender; 3 *(zendapparaat)* emitter, transmitter

zending supply, *(per post)* parcel, *(per post)* package

zendingswerk missionary work

zendinstallatie transmitting station *(of:* equipment)

zendmast (radio, TV) mast; *(heel hoog)* radio tower, TV tower

zendstation *(radio, tv)* broadcasting station, transmitting station

zendtijd broadcast(ing) time

zenuw nerve; *(mv)* nerves: *stalen ~en* nerves of steel; *de ~en hebben* have the jitters; *ze was óp van de ~en* she was a nervous wreck

zenuwachtig nervous: *~ zijn voor het examen* be jittery before the exam

zenuwachtigheid nervousness

zenuwcel neuron

zenuwgestel nervous system

zenuwslopend nerve-racking

zenuwstelsel nervous system

zenuwtrek(king) tic: *een ~ in het ooglid* a twitch of the eyelid

zeppelin Zeppelin

zerk tombstone

zes six; *(in data)* sixth: *hoofdstuk ~* chapter six; *iets in ~sen delen* divide sth into six (parts); *wij zijn met z'n ~sen* there are six of us; *met ~ tegelijk* in sixes; *~ min* barely a six; *voor dat proefwerk kreeg hij een ~* he got six for that test; *een zesje* six (out of ten), a mere pass mark

zesde sixth

zeshoek hexagon

zeshoekig hexagonal

zestal six

zestien sixteen; *(data)* sixteenth

zestiende sixteenth

zestig sixty: *in de jaren ~* in the sixties; *voor in de ~ zijn* be just over sixty; *hij loopt tegen de ~* he is close on sixty, he is pushing sixty

zestigplusser over-60, senior citizen

zet 1 move: *een ~ doen* make a move; *jij bent aan ~* (it's) your move; 2 *(duw)* push: *geef me eens een ~je* give me a boost, will you

zetbaas manager

zetel seat; *(Belg)* armchair

zetelen be established, have one's seat; reside

zetfout misprint

zetmeel starch

zetpil suppository

zetten 1 set, put, *(een zet doen)* move: *enkele stappen ~* take a few steps; *iem eruit ~* eject, evict s.o., throw s.o. out; *opzij ~* put *(of:* set*)* aside, table, discard, scrap; *een apparaat in elkaar ~* fit together, assemble a machine, *(plannetje)* contrive, think up; 2 *(koffie, thee)* make: *zet de muziek harder (of: zachter)* turn up *(of:* down*)* the music

zetter compositor

zetting setting

zetwerk typesetting

zeug sow

zeulen lug, drag

zeuren nag, harp; whine: *wil je niet zo aan mijn kop ~* stop badgering me; *iem aan het hoofd ~ (om, over)* nag s.o. (into, about)

zeven I *tr* sieve, sift, strain *(vloeistof);* II *telw* seven; *(data)* seventh: *morgen wordt ze ~* tomorrow she'll

be seven; *een ~ voor Nederlands* (a) seven for Dutch

zevende seventh

zeventien seventeen; *(in data)* seventeenth

zeventiende seventeenth

zeventig seventy

zever drivel

zeveren 1 slobber, slaver; 2 *(kwijlen)* drivel

zgn. *afk van zogenaamd* so-called

zich 1 *(3e persoon)* himself, herself, itself, oneself, themselves; *(na vz)* him(self), her(self), it(self), one(self), them(selves): *geld bij ~ hebben* have money on one; *iem bij ~ hebben* have s.o. with one; 2 yourself, yourselves: *vergist u ~ niet?* aren't you mistaken?

zicht 1 sight, view: *iem het ~ belemmeren* block s.o.'s view; *uit het ~ verdwijnen* disappear from view; 2 *(inzicht)* insight

zichtbaar visible: *~ opgelucht* visibly relieved; *niet ~ met het blote oog* not visible to the naked eye

zichtbaarheid visibility, visibleness

zichtrekening *(Belg)* current account

zichzelf himself, herself, itself, oneself, themselves, self: *niet ~ zijn* not be oneself; *op ~ wonen* live on one's own; *tot ~ komen* come to oneself; *uit ~ of* one's own accord; *voor ~ beginnen* start a business of one's own

ziedend seething, furious, livid

ziek ill, sick: *~ van iemands gezeur worden* get sick of s.o.'s moaning; *~ worden* fall ill *(of:* sick*)*

ziekbriefje sick note

zieke patient, sick person

ziekelijk 1 sickly; 2 *(onnatuurlijk)* morbid, sick

ziekenauto ambulance

ziekenbezoek visit to a *(of:* the*)* patient

ziekenbroeder male nurse

ziekenfonds *(ongev)* (Dutch) National Health Service: *ik zit in het ~* I'm covered by the National Health Service

ziekenfondskaart *(ongev)* medical insurance card

ziekenhuis hospital

ziekenhuisopname hospitalization

ziekenverpleger nurse

ziekenzaal ward

ziekte 1 illness, sickness; 2 *(een vorm van ziekte)* disease, illness: *de ~ van Weil* Weil's disease; *een ernstige ~* a serious disease *(of:* illness*)*; *een ~ oplopen* develop a disease *(of:* an illness*)*

ziektekiem germ (of a, the disease)

ziektekosten medical expenses

ziekteverlof sick leave

ziektewet (Dutch) Health Law: *in de ~ lopen* be on sickness benefit *(of:* sick pay*)*, *(Am)* be (out) on sick leave

ziel soul: *zijn ~ en zaligheid voor iets over hebben* sell one's soul for sth; *zijn ~ ergens in leggen* put one's heart and soul into sth; *hoe meer ~en, hoe meer vreugd* the more the merrier

*zielepiet *(Wdl: zielenpiet)* poor soul

zielig 1 pitiful, pathetic: *ik vind hem echt ~* I think

zi

he's really pathetic; *wat ~!* how sad!; 2 *(bekrompen)* petty

zielsgelukkig ecstatic, blissfully happy

zielsveel deeply, dearly: *~ van iem houden* love s.o. (with) heart and soul

zien I *intr* 1 see; 2 *(kijken, er uitzien)* look: *Bernard zag zo bleek als een doek* Bernard was (*of:* looked) as white as a sheet; 3 *(uitzicht geven)* look (out); **II** *tr* 1 *(waarnemen, overwegen)* see: *(fig) iem niet kunnen ~* not be able to stand (the sight of) s.o.; *zich ergens laten ~* show one's face somewhere; *waar zie je dat aan?* how can you tell?; *ik zie aan je gezicht dat je liegt* I can tell by the look on your face that you are lying; *tot ~s* goodbye; *het niet meer ~ zitten* have had enough (of it), not be able to see one's way out (of a situation); *zie je, ziet u?* you see?, see?; 2 *(proberen)* see (to it): *je moet maar ~ hoe je het doet* you'll just have to manage; *dat ~ we dán wel weer* we'll cross that bridge when we come to it

ziener seer

zier the least bit

ziezo there (we, you are)

zigeuner(in) Gypsy

zigzag zigzag

zigzaggen zigzag

¹**zij** side: *~ aan ~* side by side

²**zij** *(zijde)* silk

³**zij** 1 she *(ev)*; 2 they *(mv)*

zijde 1 side: *op zijn andere ~ gaan liggen* turn over; *van vaders ~* from one's father's side; 2 *(spinsel van de zijderups)* silk

zijdeachtig silky

zijdelings indirect

zijden silk

zijderups silkworm

zijdeur side door

zijkant side

zijlijn 1 *(afsplitsing)* branch (line); 2 sideline, *(mbt voetbal, rugby e.d. ook)* touchline

zijn I *intr* be: *er ~ mensen die …* there are people who …; *wat is er?* what's the matter?, what is it?; *we ~ er* here we are; *dat ~ mijn ouders* those are my parents; *dát is nog eens lopen* (now) that's what I call walking; *die beker is van tin* that cup is made of pewter; *als ik jou was, zou ik …* if I were you, I would …; *er was eens een koning …* once (upon a time) there was a king …; *Piet is voetballen* Piet is (out) playing football; **II** *hulpww* 1 have: *er waren gunstige berichten binnengekomen* favourable reports had come in; 2 be: *hij is ontslagen* he has been fired; **III** *zn* being, existence; **IV** *bez vnw* his, its, one's: *vader ~ hoed* father's hat; *dit is ~ huis* this is his house; *ieder het ~e geven* give every man his due

zijpad side path

zijrivier tributary

zijspan *(van motorfiets)* sidecar

zijspiegel wing mirror

zijspoor siding: *iem op een ~ brengen (zetten)* put s.o. on the sidelines, sideline s.o.

zijtak 1 side branch; 2 *(aftakking)* branch

zijwaarts sideward, sideways

zijweg side road

zijwind side wind, crosswind

zilver silver

zilveren 1 silver; 2 *(zilverkleurig)* silver(y)

zilveruitje pearl onion, cocktail onion

zin 1 *(taalk)* sentence; 2 *(mv) (verstand)* senses: *bij ~nen komen* come to, come to one's senses; 3 *(wil, mening)* mind: *zijn eigen ~ doen* do as one pleases; *zijn ~nen op iets zetten* set one's heart on sth; 4 *(lust, wens)* liking: *ergens (geen) ~ in hebben* (not) feel like sth; *het naar de ~ hebben* find sth to one's liking; *~ of geen ~* whether you like it or not; 5 *(betekenis)* sense, meaning: *in de letterlijke ~ van het woord* in the literal sense of the word; 6 *(nut)* sense, point

zindelijk toilet-trained, *(dier)* clean, house-trained

zingen sing: *zuiver (of: vals) ~* sing in (*of:* out) of tune

zink zinc

zinken I *intr* sink: *diep gezonken zijn* have fallen low; **II** *bn (van zink)* zinc

zinloos 1 meaningless; 2 *(nutteloos)* useless, futile: *het is ~ om …* there's no sense (*of:* point) (in) …(-ing)

zinloosheid 1 meaninglessness; 2 *(nutteloosheid)* uselessness

zinnen: *dat zinde haar helemaal niet* she did not like that at all

zinnig sensible: *het is moeilijk daar iets ~s over te zeggen* it's hard to say anything meaningful about that

zinsbouw sentence structure

zinsdeel part (of a, the sentence); *(vragend)* tag

zinsverband context

zintuig sense

zintuiglijk sensual, sensory

zinvol significant, *(redelijk)* advisable, a good idea

zionisme Zionism

zippen *(comp)* zip, pack, compress

zit sit

zitbank *(canapé)* sofa, settee

zithoek sitting area

zitje 1 sit(-down), *(concreet)* seat *(op fiets e.d.)*; 2 *(tafeltje met stoelen)* table and chairs

zitkamer living room

zitplaats seat

zitten 1 sit: *blijf ~: a)* stay sitting (down); *b) (form)* remain seated; *(school) ~ blijven* repeat a year; *gaan ~: a)* sit down; *b) (form)* take a seat; *zit je goed? (lekker?)* are you comfortable?; *aan de koffie ~* be having coffee; *waar zit hij toch?* where can he be?; *ernaast ~* be wrong, be off (target); *wij ~ nog midden in de examens* we are still in the middle of the exams; *zonder benzine ~* be out of petrol; *(bijna) zonder geld ~* have run short of money; 2 *(een functie bekleden)* be: *op een kantoor ~* be (*of:*

work) in an office; **3** *(mbt kleding)* fit: *goed ~* be a good fit; **4** *(bezig zijn met)* be (… -ing), sit (… -ing): *we ~ te eten* we are having dinner (*of:* lunch); *in zijn eentje ~ zingen* sit singing to oneself; *met iets blijven ~* be left (*of:* stuck) with sth; *laat maar ~ (geen dank)* that's all right, (let's) forget it; *hij heeft zijn vrouw laten ~* he has left his wife (in the lurch); *met iets ~* be at a loss (what to do) about sth; *hoe zit het (dan) met …?* what about … (then)?; *(sport) de bal zit* it's a goal!, it has (gone) in!, it's in the back of the net!; *het blijft niet ~* it won't stay put; *hoe zit dat in elkaar?* how does it (all) fit together?, how does that work?; *daar zit wat in* you (may) have sth there, there's sth in that; *onder de modder ~* be covered with mud; *het zit er (dik) in* there's a good chance (of that (happening)); *eruit halen wat erin zit* make the most (out) of sth; *dat zit wel goed (snor)* that will be all right; *alles zit hem mee* (of: *tegen*) everything is going his way (*of:* against him); *hij zit overal aan* he cannot leave anything alone; *achter de meisjes aan ~* chase ((around) after) girls; *mijn taak zit er weer op* that's my job out of the way

zittenblijver repeater, pupil who stays down a class

zittend 1 sitting, seated; **2** *(waarbij men veel zit)* sedentary; **3** *(in functie zijnd)* incumbent

zitting 1 seat; **2** *(vergadering)* session, meeting

zitvlak seat, bottom

zmlk-school *afk van school voor zeer moeilijk lerende kinderen* special school (for children with serious learning problems)

zmok-school *afk van school voor zeer moeilijk opvoedbare kinderen* special school (for children with serious behaviour problems)

zo I *bw* **1** so, like this (*of:* that), this way, that way: *zó doe je dat!* that's the way you do it!; *zó is het!* that's the way it is!; *als dat ~ is …* if that's the case …; *~ zijn er niet veel* there aren't many like that; *~ iets geks heb ik nog nooit gezien* I've never seen anything so crazy; *een jaar of ~* a year or so; **2** *(mbt maat, graad)* as, so: *het is allemaal niet ~ eenvoudig* it's not as simple as it seems (*of:* as all that); *half ~ lang* (of: *groot*) half as long (*of:* big); *hij is niet ~ oud als ik* he is not as old as I am; *~ goed als ie kon* as well as he could; *~ maar* just like that, *(zonder toestemming te vragen)* without so much as a by-your-leave; *~ nu en dan* every now and then; **3** *(zo meteen)* right away: *ik ben ~ terug* I'll be back right away; *~ juist* just now; *het was maar ~ ~* it was just so-so; **II** *vw* if: *~ ja, waarom; ~ nee, waarom niet* if so, why; if not, why not; *je zult je huiswerk maken, ~ niet, dan krijg je een aantekening* you must do your homework, otherwise you'll get a bad mark; **III** *tw* well, so: *zij heeft er toch ~ een hekel aan* she really hates it; *goed ~, Jan!* well done, John!; *o ~!* so there; *~, dat is dat* well (then), that's that; *mijn vrouw heeft zich een nieuwe computer aangeschaft! ~!* my wife has bought herself a new computer. Really?

zoab *afk van zeer open asfaltbeton* porous asphalt

zoals 1 like: *~ gewoonlijk* as usual; **2** as: *~ je wilt* as (*of:* whatever) you like

zodat so (that), (so as) to: *ik zal het eens tekenen, ~ je kunt zien wat ik bedoel* I'll draw it so (that) you can see what I mean

zode turf: *dat zet geen ~n aan de dijk* that's no use, that won't get us anywhere

zodoende (in) this, (in) that way, *(daarom)* that's why, that's the reason

zodra as soon as: *~ ik geld heb, betaal ik u* I'll pay you as soon as I have the money; *~ hij opdaagt* the moment he shows up

zoek missing, gone: *~ raken* get lost; *op ~ gaan (zijn) naar iets* look for sth; *op ~ naar het geluk* in pursuit of happiness

zoekactie search (operation)

zoeken 1 look for, search for: *we moeten een uitweg ~* we've got to find a way out; *zoek je iets?* have you lost sth?; *hij wordt gezocht (wegens diefstal)* he is wanted (for theft); **2** *(trachten te verkrijgen, uit zijn op)* look for, search for, be after: *jij hebt hier niets te ~* you have no business (being) here; *zoiets had ik achter haar niet gezocht* I hadn't expected that of her

zoeklicht searchlight, spotlight

zoekmachine *(comp)* search engine

zoekmaken 1 mislay, lose; **2** *(nutteloos besteden)* waste (on)

zoekplaatje *(ongev)* (picture) puzzle

zoekprogramma *(comp)* search engine

zoekraken get mislaid, be misplaced

zoektocht search (for), quest (for)

Zoeloe Zulu

zoemen buzz

zoemer buzzer

zoemtoon buzz, *(voortdurend)* hum, *(telefoon enz.)* tone, *(telefoon enz.)* signal

zoen kiss

zoenen kiss

zoet 1 sweet: *lekker ~* nice and sweet; **2** *(braaf)* sweet, good: *iem ~ houden* keep s.o. happy (*of:* quiet)

zoethoudertje sop

zoethout liquorice

zoetigheid sweet(s)

zoetje sweetener

zoetsappig namby-pamby, sugary

zoetwatervis freshwater fish

zoetzuur I *bn* **1** slightly sour (*of:* sharp); **2** *(ingemaakt)* pickled, *(saus)* sweet-and-sour; **II** *zn* (sweet) pickles

*zoëven *(Wdl: zo-even) zie* zojuist

zogen breastfeed

zogenaamd so-called, would-be: *ze was ~ verhinderd* something supposedly came up (to prevent her from coming)

zojuist just (now)

zolang I *bw* meanwhile, meantime; **II** *vw* as long as: *(voor) ~ het duurt (iron)* as long as it lasts

zo

zolder attic, loft
zolderkamer attic room, room in the loft
zoldertrap attic stairs (*of:* ladder)
zomaar just (like that), without (any) warning: ~ *ineens* suddenly
zombie zombie
zomer summer: *van (in) de* ~ in the summer
zomeravond summer('s) evening
zomerdag summer('s) day
zomers summery
zomerspelen summer games, Summer Olympics
zomertijd summer(time); *(tijdregeling)* summer time
zomervakantie summer holiday
zon sun: *de* ~ *gaat op* (of: *gaat onder)* the sun is rising (*of:* setting); *er is niets nieuws onder de* ~ there is nothing new under the sun; *af en toe* ~ sunny periods
zo'n 1 such (a): *in* ~ *geval zou ik niet gaan* I wouldn't go if that were the case; 2 such (a): *ik heb* ~ *slaap* I am so sleepy; 3 *(soortgelijk)* just like; 4 *(zo ongeveer)* about; 5 *(willekeurig)* one of those: ~ *beetje* more or less; *ik vind haar* ~ *meid* I think she's a terrific girl
zondaar sinner
zondag Sunday
zondags I *bn* Sunday; II *bw* on Sundays
zondagskind Sunday's child
zonde 1 sin; 2 *(jammer)* shame: *het zou* ~ *van je tijd zijn* it would be a waste of time
zondebok scapegoat, whipping boy
zonder without || ~ *meer* just like that, of course, without delay
zonderling strange character, odd character
zondig sinful
zondigen sin
zondvloed Flood
zone zone, *(vnl. mbt gewassen)* belt
zoneclips solar eclipse
zonenummer *(Belg)* area code
zonkracht sunpower
zonlicht sunlight
zonnebaden sunbathe
zonnebank sunbed, solarium
zonnebloem sunflower
zonnebrand sunburn
zonnebrandolie sun(tan) oil
zonnebril sunglasses
zonnecel solar cell
zonne-energie solar energy
zonnehemel sunbed
zonneklep (sun) visor
zonnen sunbathe
zonnepaneel solar panel
zonnescherm *(voor een venster)* (sun)blind; parasol
zonneschijn sunshine
zonneslag sunstroke
zonnesteek sunstroke: *een* ~ *krijgen* get sunstroke

zonnestelsel solar system
zonnestraal ray of sun(shine)
zonnetje 1 little sun, *(fig)* little sunshine; 2 *(zonneschijn)* sun(shine): *iem in het* ~ *zetten (iem prijzen)* make s.o. the centre of attention
zonnewende solstice
zonnewijzer sundial
zonnig sunny: *een* ~*e toekomst* a bright future
zonsondergang sunset
zonsopgang sunrise
zonsverduistering eclipse of the sun
zonwering awning, sunblind, *(jaloezie)* (venetian) blind
zoogdier mammal
zooi 1 mess; 2 *(hoeveelheid)* heap, load
zool 1 sole; 2 *(inlegstuk)* insole
zoölogie zoology
zoölogisch zoological
zoom 1 hem; 2 *(buitenrand)* edge: *aan de* ~ *van de stad* at the edge (*of:* on the outskirts) of the city
zoomlens zoom lens
zoon son: *Angelo is de jongste* ~ Angelo is the youngest (*of:* younger) son; *de oudste* ~: *a)* the oldest son; *b) (van 2)* the elder son; *c) (van 3 of meer)* the eldest son
zootje 1 *(hoeveelheid)* heap, load: *het hele* ~ the whole lot; 2 *(rommeltje)* mess
zorg 1 care, concern: *iets met* ~ *behandelen* handle sth carefully; 2 *((voorwerp van) ongerustheid)* concern, worry: *geen* ~*en hebben* have no worries; *dat is een (hele)* ~ *minder* that's (quite) a relief; *zich* ~*en maken over* worry about; *'t zal mij een* ~ *wezen, mij een* ~ I couldn't care less
zorgelijk worrisome, alarming
zorgeloos carefree
zorgeloosheid *(het zonder zorgen zijn)* freedom from care (*of:* worry)
zorgen 1 see to, take care of, *(verschaffen)* provide, *(verschaffen)* supply: *voor het eten* ~ see to the food; *daar moet jij voor* ~ that's your job; 2 *(verzorging geven)* care for, look after, take care of; 3 *(opletten)* see (to), take care (to)
zorgverlof care leave
zorgverzekeraar health insurer, health insurance company
zorgvuldig careful, meticulous, painstaking: *een* ~ *onderzoek* a careful (*of:* thorough) examination
zorgvuldigheid care, carefulness, precision
zorgzaam careful, considerate: *een* ~ *huisvader* a caring father
zot I *bn, bw* crazy, idiotic, *(mal)* silly; II *zn* fool, idiot
zout I *zn* (common) salt; II *bn* 1 salty; 2 *(gezouten)* salted
zoutarm low-salt
zoutje salt(y) biscuit, cocktail biscuit
zoutloos salt-free
zoutzak salt-bag: *hij zakte als een* ~ *in elkaar* he collapsed (like a burst balloon)
zoveel 1 as much, as many: *net* ~ just as much (*of:*

many); *dat is tweemaal* ~ that's twice as much *(of:* many); 2 *(onbepaald)* so, that much *(of:* many): *om de ~ dagen* every so many days; *niet zóveel* not (as much as) that

zoveelste such-and-such, *(geïrriteerd)* umpteenth

zover I *bw* so far, this far, that far: *ben je ~?* (are you) ready?; *het is ~* the time has come, here we go!; II *vw* as far: *voor ~ ik weet niet* not to my knowledge, not that I know of

zowat almost: *ze zijn ~ even groot* they're about the same height

zowel both, as well as: *~ de mannen als de vrouwen* both the men and the women, the men as well as the women

z.o.z. *afk van zie ommezijde* p.t.o., please turn over

zozo so-so

z.s.m. *afk van zo spoedig mogelijk* asap, as soon as possible

zucht 1 *(verlangen)* desire, longing, craving; 2 *(diepe uitademing)* sigh: *een diepe ~ slaken* heave a deep sigh

zuchten sigh

zuid south; south(ern), *(mbt wind ook)* southerly

Zuid-Afrika South Africa

Zuid-Afrikaan South African

Zuid-Amerika South America

Zuid-Amerikaan South American

zuidelijk I *bn* 1 southern; 2 *(naar, uit het zuiden)* south(ern), *(wind ook)* southerly; II *bw* (to the) south, southerly, southwards

zuiden south: *ten ~ (van)* (to the) south (of)

zuidenwind south *(of:* southern, southerly) wind

zuiderbreedte southern latitude: *op 4 ° ~* at a latitude of 4° South

zuiderkeerkring tropic of Capricorn

Zuid-Europa Southern Europe

Zuid-Europees Southern European

Zuid-Holland South Holland

Zuid-Hollands South Holland

Zuid-Korea South Korea

Zuid-Koreaans South Korean

zuidkust south(ern) coast

zuidoost I *bw* south-east(wards), to the south-east; II *bn* south-east(ern), *(wind ook)* south-easterly

Zuidoost-Azië South-East Asia

zuidoostelijk I *bw* (to the) south-east, south-easterly; II *bn* south-east(ern), *(wind ook)* south-easterly

zuidoosten south-east; *(streek)* South-East

zuidooster southeaster

zuidpool Antarctic, South Pole

zuidpoolcirkel Antarctic Circle

zuidpoolgebied Antarctic, South Pole

zuidvrucht subtropical fruit

zuidwaarts I *bn* southward, southerly; II *bw* south(wards)

zuidwest I *bw* south-west(wards), to the south-west; II *bn* *(uit het zuidwesten)* south-west(ern), *(wind ook)* south-westerly

zuidwestelijk I *bw* (to the) south-west, south-westerly, south-westwards; II *bn* *(uit, in het zuidwesten)* south-west(ern), *(wind ook)* south-westerly

zuidwesten south-west; *(streek)* South-West

zuidwester 1 southwester; 2 *(hoed)* sou'wester

zuigen I *intr, tr* 1 suck, *(van baby)* nurse; 2 *(stofzuigen)* vacuum, hoover; II *intr (sabbelen)* suck (on, away at)

zuiger piston

zuigfles feeding bottle

zuigtablet lozenge

zuil pillar, column, pile

zuinig 1 economical, frugal, thrifty, *(karig)* sparing: *~ op iets zijn* be careful about sth; 2 *(voordelig)* economical, *(vaak in sam)* efficient: *een motor ~ afstellen* tune (up) an engine to run efficiently

zuinigheid economy, frugality, thrift(iness)

zuipen I *tr* drink: *die auto zuipt benzine* that car just eats up petrol; II *intr (mbt teveel alcohol)* booze ‖ *zich zat ~* get sloshed *(of:* plastered)

zuiplap boozer, drunk(ard)

zuippartij drinking bout *(of:* spree)

zuivel dairy produce, dairy products

zuivelbedrijf dairy farm

zuivelfabriek dairy factory, creamery

zuivelproduct dairy product

zuiver I *bn* 1 pure: *van ~ leer* genuine leather; 2 *(helder)* clear, clean, pure; 3 correct, true, accurate: *een ~ schot* an accurate shot; II *bw* 1 purely; 2 *(muz)* in tune

zuiveren clean, purify, *(onzuiverheden)* clear, *(wond)* cleanse: *de lucht ~* clear the air; *zich ~ van een verdenking* clear oneself of a suspicion

zuiverheid purity, *(correctheid)* soundness, *(nauwkeurigheid)* accuracy

zuivering purification

zuiveringsinstallatie purification plant, *(voor afvalwater)* sewage-treatment plant

zulk I *bw* such: *het zijn ~e lieve mensen* they're such nice people; II *aanw vnw* such: *~e zijn er ook* that kind also exists

zullen 1 *(1e persoon mv)* shall; will; *(voorwaardelijk)* should, would: *maar het zou nog erger worden* but worse was yet to come; *dat zul je nu altijd zien!* isn't that (just) typical!; *wat zou dat?* so what?, what's that to you?; 2 will; would, be going *(of:* about) to: *zou je denken?* do you think (so)?; *als ik het kon, zou ik het doen* I would (do it) if I could; *hij zou fraude gepleegd hebben* he is said to have committed fraud; *dat zal vorig jaar geweest zijn* that would be *(of:* must have been) last year; *wie zal het zeggen?* who's to say?, who can say?; *zou hij ziek zijn?* can he be ill? *(of:* sick?); *dat zal wel* I bet it is, I suppose it will, I dare say

zult brawn, *(Am)* headcheese

zuring sorrel

zus I *zn* sister; *(inform)* sis; II *bw* so: *mijnheer ~ of zo* Mr so-and-so, Mr something-or-other

zuster 1 sister; **2** *(verpleegster)* nurse

zuur I *zn* **1** acid; **2** *(in het zuur gelegd) (ongev)* pickles, pickled vegetables *(of:* onions) *(enz.);* **3** *(mbt maagsap)* heartburn, acidity (of the stomach); **II** *bn, bw* **1** sour: *de melk is ~* the milk has turned sour; **2** *(chem)* acid

zuurkool sauerkraut

zuurstof oxygen

zuurstofmasker oxygen mask

zuurstok stick of rock

zuurtje acid drop

zuurverdiend hard-earned

zwaai swing, sweep, *(slingering)* sway, wave *(met arm)*

zwaaideur swing-door

zwaaien swing, sway, *(wuiven)* wave, flourish, brandish *(wapen)*, wield *(scepter):* met zijn armen ~ wave one's arms; *er zal wat ~* there'll be the devil to pay

zwaailicht flashing light

zwaan swan

zwaantje *(Belg)* motorcycle policeman

zwaar I *bn, bw* **1** heavy; rough, full-bodied *(wijn),* strong *(wijn): dat is tien kilo ~* that weighs ten kilos; *~der worden* put on *(of:* gain) weight; *twee pond te ~* two pounds overweight *(of:* too heavy); **2** *(moeizaam)* difficult, hard: *zware ademhaling* hard breathing, wheezing; *een zware bevalling* a difficult delivery; *een ~ examen* a stiff *(of:* difficult) exam; *hij heeft het ~* he is having a hard time of it; **3** *(groot, aanzienlijk)* heavy, serious: *~ verlies* a heavy loss; **4** *(mbt geluiden)* heavy, deep *(stem);* **II** *bw (zeer, erg)* heavily, heavy, hard, seriously, badly: *~ gewond* badly *(of:* seriously, severely) wounded

zwaarbeladen heavy laden, heavily laden

zwaarbewolkt overcast

zwaard sword

zwaardvis swordfish

zwaargebouwd heavily built, *(mensen en dieren ook)* heavy-set, large-boned, thickset

zwaargewapend heavily armed

zwaargewicht heavyweight

zwaargewond badly, seriously wounded *(of:* injured)

zwaarmoedig melancholy, depressed: *~ kijken* look melancholy *(of:* depressed)

zwaarmoedigheid 1 depressiveness, melancholy; **2** *(ziekte)* melancholia, depression *(tijdelijk);* **3** *(tijdelijke stemming)* melancholy, gloom, dejection

zwaarte 1 heaviness, weight; **2** *(afmeting, omvang)* weight, size, strength

zwaartekracht gravity, gravitation

zwaartepunt centre, central point, main point

zwaarwegend weighty, important

zwaarwichtig weighty, ponderous

zwabber mop

zwabberen mop

zwachtel bandage

zwager brother-in-law

zwak 1 weak, feeble: *de zieke is nog ~ op zijn benen* the patient is still shaky on his legs; **2** *(met weinig weerstand)* weak, *(mbt gezondheid)* delicate: *een ~ke gezondheid hebben* be in poor health; **3** *(niet veel presterend)* weak, poor, bad: *~ zijn in iets* be bad *(of:* poor) at sth, be weak in sth; **4** *(kwetsbaar)* weak, vulnerable; **5** *(aanvechtbaar)* weak, insubstantial, poor *(bijv. excuus);* **6** *(nauwelijks waarneembaar)* weak, faint

zwakbegaafd retarded

zwakheid weakness, failing

zwakkeling weakling

zwakstroom low-voltage current, weak current

zwakzinnig mentally handicapped

zwakzinnigheid mental defectiveness *(of:* deficiency)

zwalken drift about, wander

zwaluw swallow: *één ~ maakt nog geen zomer* one swallow does not make a summer

zwam fungus

zwanenhals *(buis)* U-trap, gooseneck

zwang: *in ~ zijn* be in vogue, be fashionable, be in fashion

zwanger pregnant, expecting

zwangerschap pregnancy

zwangerschapstest pregnancy test

zwangerschapsverlof maternity leave

zwart 1 black, dark: *een ~e bladzijde in de geschiedenis* a black page in history; *~e goederen* black-market goods; **2** *(vuil)* black, dirty: *iem ~ maken* blacken s.o.'s reputation; *~ op wit* in writing, in black and white

zwartboek black book

zwartepiet knave *(of:* jack) of spades

zwarthandelaar black marketeer, profiteer

zwartkijker 1 pessimist, worrywart; **2** *(iem die geen kijkgeld betaalt)* TV licence dodger

zwartmaken: *iem ~* blacken s.o.'s good name *(of:* s.o.'s character)

zwartrijden 1 *(mbt autoverzekering, wegenbelasting)* evade paying road *(Am:* highway) tax; **2** *(in bus, trein)* dodge paying the fare

zwartrijder 1 *(mbt wegenbelasting)* road-tax dodger; **2** *(mbt tram, bus, trein)* fare-dodger

zwartwerk moonlighting

zwartwerken moonlight, work on the side

zwart-wit black-and-white

zwavel sulphur

zwaveldioxide sulphur dioxide

zwavelzuur sulphuric acid

Zweden Sweden

Zweed Swede, Swedish woman

Zweeds Swedish

zweefduik *(sport)* swallow dive, *(Am)* swan dive

zweefmolen whirligig

zweefvliegen glide

zweefvliegtuig glider

zweem trace, hint: *zonder een ~ van twijfel* without a shadow of a doubt

zweep whip, lash, *(rijzweep)* crop

zweepslag 1 lash, whip(lash); **2** *(spierverrekking)* whiplash (injury)

zweer ulcer, *(ettergezwel)* abscess, boil

zweet sweat: *het ~ breekt hem uit* he's in a (cold) sweat

zweetband sweatband

zweetdruppel drop *(of:* bead) of sweat

zweethanden sweaty hands

zweetvoeten sweaty feet

zwellen swell: *doen ~: a)* swell; *b) (doen bollen)* belly, billow; *c) (doen opbollen)* bulge

zwelling swell(ing)

zwembad (swimming) pool

zwemband water ring

zwembroek *(mv)* bathing trunks, swimming trunks

zwemdiploma swimming certificate

zwemles swimming lesson: *op ~ zitten* take swimming lessons

zwemmen swim: *verboden te ~* no swimming allowed; *gaan ~* go for a swim

zwemmer swimmer

zwempak swimming suit, swimsuit

zwemtas swimming bag

zwemvest life jacket *(of:* vest)

zwemvlies 1 *(mbt dieren)* web; **2** *(mbt mensen)* flipper

zwemvogel web-footed bird

zwemwedstrijd swimming competition *(of:* contest)

zwendel swindle, fraud

zwendelaar swindler, fraud

zwendelen swindle

zwengel handle, *(draaikruk)* crank

zwenken swerve, *(scheepv)* sheer: *naar rechts ~* swerve to the right

zwenkwiel castor, roller

zweren 1 swear, *(gelofte afleggen)* vow: *ik zou er niet op durven ~* I wouldn't take an oath on it; *ik zweer het (je)* I swear (to you); **2** *(van gezwel)* ulcerate; *(van wond, zweer)* fester

zwerfkat stray cat

zwerfkind young vagrant, vagrant child, runaway

zwerftocht ramble, *(grote wandeling)* wandering

zwerfvuil (street) litter

zwerm swarm, flock *(troep)*

zwerven 1 wander, roam, rove; **2** *(landlopen)* tramp (about), knock about; **3** *(rondslingeren)* lie about

zwerver 1 wanderer, drifter; **2** *(landloper)* tramp, vagabond

zweten sweat

zwetsen blather; *(opscheppen)* boast, brag: *hij kan enorm ~* he talks a lot of hot air

zwetser boaster, bragger

zweven 1 *(hangen)* be suspended: *boven een afgrond ~* hang over an abyss; **2** *(in de lucht)* float, *(glijden, zweven)* glide; **3** *(heen en weer gaan)* hover

zweverig 1 woolly, free-floating; **2** *(in het hoofd)* dizzy

zwichten yield, submit, *(toegeven)* give in: *voor de verleiding ~* yield to the temptation

zwiepen bend: *de takken zwiepten in de wind* the branches swayed in the wind

zwier: *aan de ~ gaan* go on a spree

zwieren sway, reel; whirl

zwierig elegant, graceful, *(opzichtig)* dashing, flamboyant

zwijgen I *intr* be silent: *zwijg!* hold your tongue!, be quiet!; **II** *zn* silence: *het ~ verbreken* break the silence

zwijger silent person: *Willem de Zwijger* William the Silent

zwijggeld hush money

zwijgplicht oath of secrecy

zwijgzaam silent, incommunicative, reticent

zwijmelen swoon

zwijn swine: *een wild ~* a wild boar

zwijnenstal pigsty

zwikken sprain, wrench

Zwitser Swiss

Zwitserland Switzerland

Zwitsers Swiss

zwoegen 1 *(ploeteren)* plod, drudge, slave (away); *(zwaar werk doen)* toil, labour; **2** *(hijgen)* heave; pant

zwoel sultry, *(benauwd)* muggy

zwoerd rind

Inhoudsopgave supplement

Thematische woordgroepen

De Tijd
Time

De jaargetijden
The seasons

lente *spring*
zomer *summer*

herfst *autumn*
winter *winter*

De dagen van de week
The days of the week

zondag *Sunday*
maandag *Monday*
dinsdag *Tuesday*
woensdag *Wednesday*

donderdag *Thursday*
vrijdag *Friday*
zaterdag *Saturday*

De maanden van het jaar
The months of the year

januari *January*
februari *February*
maart *March*
april *April*
mei *May*
juni *June*

juli *July*
augustus *August*
september *September*
oktober *October*
november *November*
december *December*

Hoe laat is het?
What is the time?

one o'clock

a quarter past one

half past one

a quarter to two

twenty-five past one

twenty-five to two

De belangrijkste tijdsaanduidingen
The most important indications of time

seconde *second*
minuut *minute*
kwartier *(a) quarter (of an hour)*
uur *hour*

dag *day*
week *week*
maand *month*
jaar *year*
eeuw *century*

dag *day*
nacht *night*
morgen *morning*
middag *afternoon*
avond *evening*

's morgens *in the morning*
's middags *in the afternoon*
's avonds *in the evening, at night*
's nachts *at night*

om twaalf uur 's middags *at noon*
om twaalf uur 's nachts *at midnight*
voormiddags *a.m. (ante meridiem)*

namiddags *p.m. (post meridiem)*
om de andere dag *every other day*
dagelijks *daily*
wekelijks *weekly*
maandelijks *monthly*
jaarlijks *annually*

eergisteren *the day before yesterday*
gisteren *yesterday*
vandaag *today*
morgen *tomorrow*
overmorgen *the day after tomorrow*
verleden week *last week*
volgende maand *next month*
vóór morgen *before tomorrow*
over tien minuten *in ten minutes*
om twee uur *at two o'clock*
gedurende vier maanden *for four months*
tijdens de wedstrijd *during the match*
tegen vijven *by five o'clock*
binnen een week *within a week*
vandaag over een week *today week*
vandaag over veertien dagen *today fortnight*
2 april 2003 *April 2nd, 2003*

Feestdagen
Holidays

nieuwjaar *New Year*
Pasen *Easter*
eerste paasdag *Easter Sunday*
tweede paasdag *Easter Monday*
hemelvaartsdag *Ascension Day*
Pinksteren *Whitsun(tide)*

Kerstmis *Christmas*
kerstavond *Christmas Eve*
eerste kerstdag *Christmas Day*
tweede kerstdag *Boxing Day*
oudejaarsavond *New Year's Eve*

Hoeveelheden

Hoeveelheden
Quantities

Hoofdtelwoorden
Cardinal numbers

1	*one*	21	*twenty-one*
2	*two*	22	*twenty-two*
3	*three*	30	*thirty*
4	*four*	40	*forty*
5	*five*	50	*fifty*
6	*six*	60	*sixty*
7	*seven*	70	*seventy*
8	*eight*	71	*seventy-one*
9	*nine*	72	*seventy-two*
10	*ten*	80	*eighty*
11	*eleven*	90	*ninety*
12	*twelve*	91	*ninety-one*
13	*thirteen*	92	*ninety-two*
14	*fourteen*	100	*a (one) hundred*
15	*fifteen*	200	*two hundred*
16	*sixteen*	300	*three hundred*
17	*seventeen*	1.000	*a (one) thousand*
18	*eighteen*	100.000	*a (one) hundred thousand*
19	*nineteen*	1.000.000	*a (one) million*
20	*twenty*		

Rangtelwoorden
Ordinal numbers

eerste *first 1st*
tweede *second 2nd*
derde *third 3rd*
vierde *fourth 4th*
vijfde *fifth 5th*
zesde *sixth 6th*
zevende *seventh 7th*
achtste *eighth 8th*
negende *ninth 9th*
tiende *tenth 10th*
elfde *eleventh 11th*

twaalfde *twelfth 12th*
dertiende *thirteenth 13th*
veertiende *fourteenth 14th*
twintigste *twentieth 20th*
eenentwintigste *twenty-first 21st*
dertigste *thirtieth 30th*
veertigste *fortieth 40th*
tweeënveertigste *forty-second 42nd*
vijftigste *fiftieth 50th*
zestigste *sixtieth 60th*
honderdste *hundredth 100th*

De voornaamste maten en gewichten
The most important weights and measures

1 inch = *2,54 cm*
1 foot = *0,3048 m = 12 inches*
1 yard = *0,9144 m = 3 feet*
1 mile = *1,609 km*

1 pint = *0,5683 dm³ (liter)*
1 quart = *1,137 dm³ = 2 pints*

1 ounce = *28,35 gram*
1 pound = *0,4536 kg = 16 ounces*
1 stone = *6,350 kg = 14 pounds*

1 gallon (UK) = *4,546 dm³ = 4 quarts*
▶ Amerikaanse gallon = *3,785 dm³*

Grammaticale hoofdlijnen

Zelfstandige naamwoorden

Vorming van het meervoud
Algemene regel: zet een *s* achter het zelfstandig naamwoord.

hand	hands	month	months
minute	minutes	day	days

▶ Uitzonderingen
1 Eindigt een z.nw. op een medeklinker +*y* dan wordt de *y* vervangen door *ies*.

story	stories	lady	ladies	▶ boy boys

2 Bij sommige woorden die eindigen op *f* of *fe* wordt *f* of *fe* vervangen door *ves*.

knife	knives	wife	wives	▶ safe safes
thief	thieves	life	lives	
half	halves	shelf	shelves	

3 Woorden die eindigen op een *sis*klank krijgen de meervoudsuitgang *es*.

glass	glasses	box	boxes	church	churches

4 Onregelmatige meervoudsvormen.

child	children	mouse	mice	foot	feet
ox	oxen	louse	lice	tooth	teeth
man	men			goose	geese
woman	women				

5 Sommige woorden die eindigen op *o* hebben als meervoudsvorm *oes*.

negro	negroes	potato	potatoes

Bezitsvorm
1 Namen van *mensen en dieren* krijgen *'s* om bezit aan te geven.
   *That car belongs **to John**.* Die auto is *van John*.
   *It's **John's** car.* Het is de auto van John.
   *My **friend's** car.* De auto van mijn vriend.
   *Those **men's** wives.* De vrouwen van die mannen.
   *The **cat's** tail.* De staart van de kat.
2 De bezitsvorm van *dingen* wordt gevormd met behulp van *of*.
   *This key belongs **to that room**. It's **the key of that room**.*
   *The door **of the living room**.* De deur van de huiskamer.
   *The pages **of your book**.* De bladzijden van jouw boek.
   *The days **of the week**.* De dagen van de week.
▶ In het meervoud komt in plaats van *'s* alleen een *'* (als het meervoud eindigt op *s*).
   *My **parents'** car.* De auto van mijn ouders.
   *A seven **days'** journey.* Een reis van zeven dagen.

De bezitsvormen *'s* en *-'* komen ook voor zonder hoofdwoord:
   Is this your book? No, it is John's book. It is John's.
   Is this your book? No, it is my father's book. It is my father's.
   Is this your book? No, it is his parents' book. It is his parents'.

Persoonlijke en bezittelijke voornaamwoorden

*I am in **my** house.*	*It belongs to **me**.*	*It's **mine**.*
*You are in **your** house.*	*It belongs to **you**.*	*It's **yours**.*
*He is in **his** house.*	*It belongs to **him**.*	*It's **his**.*
*She is in **her** house.*	*It belongs to **her**.*	*It's **hers**.*
*We are in **our** house.*	*It belongs to **us**.*	*It's **ours**.*
*They are in **their** house.*	*It belongs to **them**.*	*It's **theirs**.*

   *This book isn't **mine**.* Dit boek is niet *van mij*.
   *Is it **yours**?* Is het *van jou*?
   *Is this coat **mine** or **yours**?* Is deze jas *van mij* of *van jou*?
   *He is an old friend of **mine**.* Hij is een oude vriend *van mij*.

We gebruiken het woord *it* als we het niet over personen hebben.

Where is the bird? **It** *is in* **its** *cage.* Waar is de vogel? Hij zit in zijn kooi.
The space craft and **its** *crew.* Het ruimtevaartuig en zijn bemanning.
It's cold. Het is koud.
The town and **its** *old houses.* De stad en haar oude huizen.
Have you seen this film? No, I haven't seen **it.** Heb je deze film gezien? Nee, ik heb hem niet gezien.

Aanwijzende voornaamwoorden

Enkelvoud	Meervoud
this dit, deze	*these* deze
that dat, die	*those* die

Vragende voornaamwoorden

Who

Who is that? It is John Smith (persoon).

What

What is that? It's a cat. (dier) *It's a book* (ding).

Which

Which of these boys is John? The one in the middle. Wie van deze jongens is John? Die in het midden.
Which of those dogs is yours? The one with the long tail. Welke van die honden is van jou? Die met de lange staart.
Which of these biros shall I give to dad? The thin one on the left. Welke van deze pennen zal ik aan pappa geven? Die dunne aan de linkerkant.
Which wordt gebruikt als je uit een *groep* moet kiezen (je weet uit hoeveel je moet kiezen).

Whose

Whose pencils are those? Van wie zijn die potloden?
Whose car is this? Van wie is deze auto?

Werkwoorden en hulpwerkwoorden

Vervoeging

be zijn

	o.t.t.	o.v.t.	v.t.t.	v.v.t.
I	*am*	*was*	*have been*	*had been*
you	*are*	*were*	*have been*	*had been*
he	*is*	*was*	*has been*	*had been*
we	*are*	*were*	*have been*	*had been*
you	*are*	*were*	*have been*	*had been*
they	*are*	*were*	*have been*	*had been*

have hebben

	o.t.t.	o.v.t.	v.t.t.	v.v.t.
I	*have*	*had*	*have had*	*had had*
you	*have*	*had*	*have had*	*had had*
he	*has*	*had*	*has had*	*had had*
we	*have*	*had*	*have had*	*had had*
you	*have*	*had*	*have had*	*had had*
they	*have*	*had*	*have had*	*had had*

work werken

	o.t.t.	o.v.t.	v.t.t.	v.v.t.
I	work	worked	have worked	had worked
you	work	worked	have worked	had worked
he	works	worked	has worked	had worked
we	work	worked	have worked	had worked
you	work	worked	have worked	had worked
they	work	worked	have worked	had worked

De spelling van de derde persoon enkelvoud in de onvoltooid tegenwoordige tijd (o.t.t.)
In de 3e persoon enkelvoud komt achter het werkwoord een *s*. Na een *s-klank* komt *es* en als het werkwoord eindigt op een medeklinker + *y* wordt de uitgang: medeklinker + *ies*.

I live, he lives	*I come, he comes*
you dress, he dresses	*we close, he closes*
I stay, he stays	*I study, he studies*

De spelling van de onvoltooid verleden tijd (o.t.t.) *en het voltooid deelwoord*
De onvoltooid verleden tijd en het volt. deelwoord worden gevormd door *ed* te plaatsen achter de grondvorm van het werkwoord.

*work, work**ed***	*look, look**ed***	*wait, wait**ed***

De slotmedeklinker wordt *verdubbeld* als de laatste lettergreep één klinkerteken bevat en de klemtoon heeft.

*stop, stop**ped***	*admit, admit**ted***	*prefer, prefer**red***

In het Engels wordt de *l* altijd verdubbeld: *travelled* (in het Amerikaans *niet*: *traveled*).

Een *y* voorafgegaan door een medeklinker wordt *ie*:
try, trie   *cry, cried*

Stomme *e* valt weg:
precede, preceded   *smoke, smoked*

Het gebruik van de tijden

1   De *o.t.t.* wordt in het Engels op nagenoeg dezelfde wijze gebruikt als in het Nederlands.

2   De *o.v.t.* wordt gebruikt wanneer je *alleen maar* aan het *verleden* denkt (er is *geen* verbinding met het heden).
*I **lived** there for four years.* Ik heb daar vier jaar gewoond. (Ik woon er nu niet meer.)
*Yesterday he **came** to see me.* Gisteren kwam hij me opzoeken.
Vaak staat in de zin een tijdsbepaling zoals: *yesterday, a week ago, in 2003.*

3   De voltooid tegenwoordige tijd (*v.t.t.*) wordt in het Engels gevormd door *have +volt. deelw.* en wordt gebruikt in de volgende gevallen:
Wanneer iets *in het verleden begonnen is en nog steeds voortduurt.*
*I've **lived** here since 1999.* Ik woon hier sinds 1999. (Ik woon er nog steeds.)
*He **has been** ill very long.* Hij is al lang ziek. (Hij is nog steeds ziek.)

►   *He **was** ill last year.* Vorig jaar was hij ziek. (Hij is nu beter.)

Schematisch:

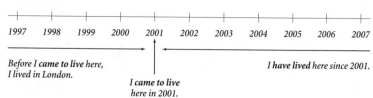

Before I **came to live** here,
I lived in London.

I **came to live**
here in 2001.

I **have lived** here since 2001.

Wanneer iets gebeurt *in een periode die nog niet voorbij is* (bijv. deze week, vandaag).
*I've been to the disco twice **this week**.* Ik ben deze week (al) twee keer naar de disco geweest. (De week is nog niet om.)
*I haven't seen much of him **this month**.* Ik heb hem deze maand haast niet gezien.
▶ *I **went** to the cinema twice **last week**. (o.v.t.!)* Ik ben vorige week twee keer naar de bioscoop geweest.

Wanneer we denken aan *het resultaat van iets dat in het verleden is gebeurd*.
*It **has rained*** (alles is nu buiten nat).
*I've **lost** my watch* (mijn horloge is weg).
*I've already **read** that book* (ik heb het uit).
▶ *I **read** it **last week**. I **lost** my watch **last week**.* (Er staat een tijdsbepaling bij.)

4 *Toekomst* wordt in het Engels aangegeven met de hulpwerkwoorden *will* en *would*, vaak afgekort tot respectievelijk *'ll* en *'d*.
I'll see you tomorrow.   *He said he'd see me next month.*
He will be home at six.   *He promised he would be home at six.*

Hulpwerkwoorden

Can/could worden gebruikt om aan te geven
– dat iemand *in staat is* iets te doen:
I can swim. Ik kan zwemmen.
He said he could swim. Hij zei dat hij kon zwemmen.
– dat iets *niet mogelijk* is:
I can't keep any money in my pocket. Ik kan geen geld in mijn zak houden.
We concluded that the story couldn't be true. We kwamen tot de conclusie dat het verhaal niet waar kon zijn.

May/might worden gebruikt om aan te geven
– dat iets *mogelijk* is:
He may be ill. Hij is misschien wel ziek.
You might think I'm crazy but I'm not. Je zou kunnen denken dat ik gek ben, maar dat ben ik niet.
– dat *toestemming* wordt/werd gegeven:
You may go to the disco tonight. Je mag vanavond naar de disco.
Father said that I might go to the disco. Vader zei dat ik naar de disco mocht.

Must geeft aan
– een *bevel* of *opdracht*:
You must not smoke in this compartment. Je mag niet roken in deze coupé.
– een *logische gevolgtrekking*:
If he isn't here, he must be still at home. Als hij niet hier is, moet hij nog thuis zijn.
He must be eighty by now. Hij moet nu wel tachtig zijn.

Should/ought to geven aan wat *raadzaam* is:
I should go to the doctor at once, if I were you. Ik zou meteen naar de dokter gaan als ik jou was.
Let's hurry! We ought to be home at six! Laten we opschieten! We moeten om zes uur thuis zijn.

Speciale werkwoordsvormen
Een vorm van *be + voltooid deelwoord* wordt gebruikt om de lijdende vorm te maken.

	Bedrijvende vorm	Lijdende vorm
o.t.t.	*The postman delivers the post.* De postbode bezorgt de post.	*The post **is delivered** by the postman.* De post wordt door de postbode bezorgd.
o.v.t.	*The postman delivered the post.* De postbode bezorgde de post.	*The post **was delivered** by the postman.* De post werd door de postbode bezorgd.
v.t.t.	*The postman has delivered the post.* De postbode heeft de post bezorgd.	*The post **has been delivered** by the postman.* De post is door de postbode bezorgd.
v.v.t.	*The postman had delivered the post.* De postbode had de post bezorgd.	*The post **had been delivered** by the postman.* De post was door de postbode bezorgd.
toekomst	*The postman will deliver the post.* De postbode zal de post bezorgen.	*The post **will be delivered** by the postman.* De post zal door de postbode bezorgd worden.

Dikwijls wordt in het Nederlands de constructie met *er* of *men* gebruikt.
It is said that the president will resign. Men zegt dat de president zal aftreden.
The thief was seen running away. Men zag de dief wegrennen.
A lot of time is being devoted to this project. Er wordt veel tijd aan dit project gewijd.

Een vorm van *be+ing*-vorm wordt gebruikt:
1 wanneer iets *gedurende een bepaalde tijd aan de gang is* (in het Nederlands vinden wij dan vaak constructies als: bezig met…, aan het …, zit/ligt enz. te…).
I'm reading a book at the moment. Ik ben nu een boek aan het lezen.
He's not doing anything now. Hij zit nu niets te doen.
He's playing the piano. Hij zit piano te spelen.
She's staying at that hotel. Zij verblijft in dat hotel.

2 om *nabije toekomst* aan te geven.
I'm leaving for the airport at six. Ik ga om zes uur naar het vliegveld.
Are you coming tonight? Kom je vanavond?

3 *Be going to* geeft toekomst aan.
They are going to send him to prison. Hij gaat de gevangenis in.
They are going to build an office block here in 2010. Ze gaan hier in 2010 een kantoorgebouw neerzetten.
Andere constructies eindigend op *ing* ('gerund') worden:
1 gebruikt als *onderwerp van een zin*.
Swimming is great fun. Zwemmen is erg leuk.
Reading many books can improve your English. Als je veel boeken leest, leer je goed Engels.

2 gebruikt *na een aantal werkwoorden* o.a. *like, enjoy, hate, keep (on), avoid, finish, stop, go on, start.*
We consider going abroad this summer. We overwegen om dit jaar naar het buitenland te gaan.
They stopped talking when you came in. Ze hielden op met praten toen jij binnenkwam.
I enjoy sailing during my holidays. Ik ga graag zeilen in mijn vakanties.

3 gebruikt *na voorzetsels.*
After cleaning his teeth he went downstairs. Toen hij zijn tanden had gepoetst ging hij naar beneden.
I'm interested in buying a boat. Ik denk erover een boot te kopen.

Constructies met *werkwoord – zelfstandig naamwoord of voornaamwoord – onbepaalde wijs* komen voor na werkwoorden als: *hear, see, feel, find, watch* en na *let, have, make* (in de betekenis van *laten*).

*The waiter would like to **see us go**.* De kelner zag ons graag gaan.
*I **saw my friend come** downstairs.* Ik zag mijn vriend de trap af komen.
*I **had him clean** my car.* Ik liet hem mijn auto wassen.
*I **made John repeat** his words.* Ik liet John zijn woorden herhalen.

▶ Na *hear, see* enz. komt ook de constructie met een *ing-vorm* voor. Deze is meer beschrijvend dan die met een onbepaalde wijs.
*I **heard him coming** back last night.* Gisteravond hoorde ik hem terugkomen.
*I **saw the car driving** up the lane.* Ik zag de auto aan komen rijden.

Constructies met *werkwoord – zelfstandig naamwoord of voornaamwoord – voltooid deelwoord.*
Deze constructies komen voor na werkwoorden die een *wil* of *wens* aangeven en na *to see, hear, feel* enz.
*He **had a new house built**.* Hij liet een nieuw huis bouwen.
*Father **wants it done** immediately.* Vader wil dat het meteen gedaan wordt.
*I'll **get my car washed** tomorrow.* Ik zal morgen mijn auto laten wassen.
*He **saw the plane shot** down.* Hij zag dat het vliegtuig neergeschoten werd.
*I **heard the opera performed** on the wireless.* Ik heb de uitvoering van de opera gehoord op de radio.

Bijwoorden

De meeste bijwoorden worden gevormd door *ly* achter een bijvoeglijk naamwoord, een deelwoord of een zelfstandig naamwoord te plaatsen.

pleasant – pleasantly
excited – excitedly
week – weekly

Hierbij kan de spelling veranderen:
-y wordt *i: speedy – speedily*
Maar: *gay – gayly* of *gaily, shy – shyly, dry – dryly* of *drily*
Maar: *day – daily*
-le wordt *-ly* na een medeklinker: *terrible – terribly*
-e verdwijnt soms: *whole – wholly, due – duly, true – truly*
-llly bestaat niet!, dus je schrijft: *full – fully*

Soms verandert de betekenis:
close – close (nabij) of *closely* (nauwlettend)
hard – hardly (bijna niet)
late – late (laat) of *lately* (de laatste tijd)
near – near (nabij) of *nearly* (bijna)

Het bijwoord van *good* is *well*.

Voegwoorden en enkele andere verbindingswoorden

en *	*and* *	*Here's your dictionary **and** there's mine.*
		Hier is uw woordenboek **en** daar is 't mijne.
dat	*that*	*She said **that** it didn't make any difference.* (5)
		Ze zei **dat** het geen verschil maakte.
want *	*for* *	*He's going by boat, **for** he doesn't like flying.*
		Hij gaat met de boot, **want** hij houdt niet van vliegen.
maar *	*but* *	*John is here, **but** where's Mary?*
		Jan is hier, **maar** waar is Mary?
dus	*so*	*It was a very long walk, **so** we were very tired.* (4)
		Het was een lange wandeling,**dus** waren we erg moe.
of *	*or* *	*Do you prefer coffee **or** tea?*
		Heb je liever koffie **of** thee?
omdat	*because*	*I went shopping, **because** I needed some milk.* (4)
		Ik ging boodschappen doen, **omdat** ik melk nodig had.

wanneer	*when*	*I don't know when the train leaves.* (1)
		Ik weet niet **wanneer** de trein vertrekt.
voor(dat)	*before*	*Wash your hands before you start eating.* (1)
		Was je handen **voordat** je gaat eten.
nadat	*after*	*After I've got dressed, I'll have breakfeast.* (1)
		Nadat ik me heb aangekleed, ga ik ontbijten.
sinds/sedert	*since*	*Since when have you lived here?* (1)
		Sinds/sedert wanneer woon je al hier?
waar	*where*	*Do you know where the nearest bus stop is?* (2)
		Weet u **waar** de dichtstbijzijnde bushalte is?
of	*if*	*I'm not sure if he can come.* (5)
		Ik weet niet zeker **of** hij kan komen.
of … of	*whether … or*	*I don't know whether I'll send a letter or not.* (5)
		Ik weet niet **of** ik een brief zal sturen **of** niet.
als/indien	*if*	*If that's a real leather jacket, I'll eat my hat.* (3)
		Als dat een echt leren jack is, ben ik een boon.
anders	*otherwise*	*Please phone before nine, otherwise I'll be out.*
		Bel vóór negenen op, **anders** ben ik weg.
hoewel/ofschoon	*(al)though*	*I'm going there anyway, although I know it's dangerous.*
		Ik ga er hoe dan ook heen, **hoewel** ik weet dat het gevaarlijk is.

De met een sterretje gemerkte voegwoorden verbinden elementen van gelijk belang (d.w.z. zijn nevenschikkend). De andere verbinden elementen van ongelijk belang, meestal hoofd- en bijzinnen. Er zijn bijzinnen van tijd (1), plaats (2), voorwaarde (3), reden of oorzaak (4), lijdende voorwerpszinnen (5) e.d.

Trappen van vergelijking

Bijvoeglijke naamwoorden van één lettergreep en tweelettergrepige bijv. naamw. die eindigen op *-le, -er, -ow, medeklinker +y* en *-some* vormen hun trappen van vergelijking door achtervoeging van *er*, respectievelijk *est*. Alle andere vormen hun trappen van vergelijking door het woord *more*, respectievelijk *most* voor het bijvoeglijk naamwoord te plaatsen:

Een lettergreep

new	*newer*	*newest*	nieuw
big	*bigger*	*biggest*	groot
nice	*nicer*	*nicest*	aardig

Twee lettergrepen

able	*abler*	*ablest*	bekwaam
easy	*easier*	*easiest*	gemakkelijk
certain	*more certain*	*most certain*	zeker

Meer dan twee lettergrepen

beautiful	*more beautiful*	*most beautiful*	mooi

Onregelmatige trappen van vergelijking

good	*better*	*best*	goed
bad	*worse*	*worst*	slecht
little	*less*	*least*	weinig
much	*more*	*most*	meer (bij enkelv.)
many	*more*	*most*	meer (bij meerv.)

▶ even … als *as … as* He is *as tall as* his father.
niet zo … als *not so … as* He is *not so tall as* his father.
Hij lijkt sprekend op z'n moeder. He's *just like* his mother.

Zinspatronen

Ontkennende zinnen
Met het werkwoord *be*.
> *His name is Peter. His name **is not** Peter. His name **isn't** Peter.*
> *They are here. They **are not** here. They **aren't** here.*

Met de werkwoorden:
can, could, may, might, will (en *be going to*), *should* en *ought to, must* en *have to, need to, want to, 'd better, 'd rather, 'd like to.*
> *I can swim. I **cannot** swim. I **can't** swim.*
> *He ought to go so late. He **ought not** to go so late. He **oughtn't** to go so late.*
> *You **had better not** do that again.*
> *I**'d rather not** go now.*
> *They **don't want** to help their parents.*
> *You **don't have** to wait for me.*
> *I **wouldn't like** to live in that country.*

Met het werkwoord *do*:
> *I speak English. I **do not** speak English. I **don't** speak English.*
> *Peter saw him in London yesterday. Peter **did not** see him in London yesterday.*
> *John knows German. John **does not** know German.*

Met het werkwoord *have*:
> *I **have not** any money.*
> *They **hadn't** listened to their teacher.*
> *They **didn't have** trouble with their spelling.*

Vraagzinnen
Met het werkwoord *be*:
> *His name is Peter. **Is** his name Peter?*
> *They were here. **Were** they here?*
> *It was cold. **Was** it cold?*

Met de werkwoorden: *can, could, may, might* enz.
> *John can swim. **Can** John swim?*
> *Do we **have to** be there at 10?*
> *Do you **want to** go there alone?*
> *Do we **need to** wait very long?*
> *Would you **rather** go at once?*
> *Would you **like to** stop the lesson now?*

Met het werkwoord *do:*
> *They **know** German. **Do** they **know** German?*
> *They **knew** German. **Did** they **know** German?*
> *Peter **goes** home at eight. **Does** Peter **go** home at eight?*
> *Peter **went** home at eight. **Did** Peter **go** home at eight?*

Woordvolgorde

De plaats van bijwoorden:
> ***Yesterday*** *the two astronauts landed **on the Moon**.*
> *The two astronauts landed **on the Moon yesterday**.*

De plaats van bijwoorden die een niet-bepaalde tijd aanduiden (bijwoorden als: *always, never, sometimes, frequently, generally,* enz.):
> *I go home at six. I **always** go home at six.*
> *I am happy. I'**m always** happy.*

*I can ask him for help. I can **always** ask him for help.*
*We have helped them. We've **always** helped them.*

Let op dit verschil in woordvolgorde:
*There's the dog. There **it** is.*
*Where's John? There **he** is.*
*Where are John's parents? There **they** are.*

Let op de volgorde in de volgende uitdrukkingen:
*What a beautiful lady **she is**.*
*What high trees **those are**.*

Woordvolgorde in korte antwoorden:
*Is he a student? Yes, **he is**. No, he isn't.*
*Did he meet many friends? Yes, **he did**. No, he didn't.*

De plaats van woorden als *perhaps, possibly, maybe.*
***Perhaps** they're farmers.*
***Maybe** we can all go with them.*
***Possibly** he's a teacher.*

Nog wat lastige gevallen

1 *one/ones*
One en *ones* kunnen de plaats innemen van zelfstandige naamwoorden in het enkelvoud, respectievelijk het meervoud:
*Which **book** would you like, this **one** or that **one**? I'd like the green **one**.*
One komt hier dus in de plaats van *book*.

2 *each, every, all*
Wanneer we aan de gehele groep denken:
every + een enkelvoudig zelfst. nw.
all + een meervoudig zelfst. nw.
Nemen we de begrippen één voor één, individueel:
each + een enkelvoudig zelfst. nw.
each of + een meervoudig zelfst. nw.

▶ *every* day: yesterday and today and tomorrow, etc.
all day: from early morning till late at night.

3 *a little, little, some* (+ enkelvoud)
a few, few, some (+ meervoud)
*I want a **little** milk in my tea, but not too much.* Ik wil een beetje melk in mijn thee, maar niet te veel.
*There's **little** money in my purse, so I can't even buy an ice-cream.* Ik heb weinig geld in mijn portemonnee, dus ik kan zelfs geen ijsje kopen.
▶ *a **little** milk = some milk.* Tegengestelde: *no milk.*
__little__ milk = not much milk. Tegengestelde: *much milk.*

*A **few** of his friends helped him to redecorate the house.* (Enkele van zijn vrienden ...)
*He borrowed **some** books from me.* (... enkele boeken)
__Few__ friends were there to help. Most of them were too busy with themselves. (Weinig vrienden ...)
*A **few** friends* en *some friends = meer dan twee, niet veel.* Tegengestelde: *geen* vrienden (*no friends*)
__Few__ friends = niet veel (not many). Tegengestelde: *veel* vrienden (*many friends*)

4 *much, many, a lot of, lots of* (veel)
much, a lot of, lots of + enkelvoud
*Young children should drink **much** milk (**a lot of** milk, **lots of** milk).* Jonge kinderen moeten veel melk drinken.

many, a lot of, lots of + meervoud

Many *(a lot of, lots of) people were present at the opening of the new swimming pool.* Er waren veel mensen bij de opening van het nieuwe zwembad.

a lot of en *lots of* worden gewoonlijk niet gebruikt in vragen en ontkenningen; *much* of *many* worden in plaats daarvan gebruikt.

*Did he have **much** trouble with grammar?* Had hij *veel* moeite met grammatica?

Lijst van onregelmatige werkwoorden

onbepaalde wijs	verleden tijd	voltooid deelw.	
arise	arose	arisen	ontstaan, verrijzen
awake	awoke	awoken	ontwaken, wekken
be (am/are)	was/were	been	zijn
bear	bore	borne/to be born	(ver)dragen/geboren worden
beat	beat	beaten	(ver)slaan
become	became	become	worden
begin	began	begun	beginnen
bend	bent	bent	buigen
bet	bet(ted)	bet(ted)	wedden
bind	bound	bound	binden
bite	bit	bitten	bijten
bleed	bled	bled	bloeden
blow	blew	blown	blazen, waaien
break	broke	broken	breken
breed	bred	bred	kweken, fokken
bring	brought	brought	brengen
build	built	built	bouwen
burst	burst	burst	barsten
buy	bought	bought	kopen
cast	cast	cast	werpen
catch	caught	caught	vangen
choose	chose	chosen	kiezen
cling	clung	clung	zich vastklemmen
come	came	come	komen
cost	cost	cost	kosten
creep	crept	crept	kruipen
cut	cut	cut	snijden
deal	dealt	dealt	handelen
dig	dug	dug	graven
do	did	done	doen
draw	drew	drawn	trekken, tekenen
drink	drank	drunk	drinken
drive	drove	driven	rijden, drijven
eat	ate	eaten	eten
fall	fell	fell	vallen
feed	fed	fed	(zich) voeden
feel	felt	felt	(zich) voelen
fight	fought	fought	vechten
find	found	found	vinden
fly	fled	fled	vluchten
fly	flew	flown	vliegen
forbid	forbade	forbidden	verbieden
forget	forgot	forgotten	vergeten
forgive	forgave	forgiven	vergeven
forsake	forsook	forsaken	in de steek laten
freeze	froze	frozen	vriezen
get	got	got	krijgen
give	gave	given	geven
go	went	gone	gaan
grind	ground	ground	malen, slijpen
grow	grew	grown	groeien, verbouwen, worden
hang	hung	hung	hangen
have	had	had	hebben
hear	heard	heard	horen

hide	hid	hidden	verbergen
hit	hit	hit	treffen
hold	held	held	houden
hurt	hurt	hurt	bezeren
keep	kept	kept	houden
know	knew	known	weten, kennen
lay	laid	laid	leggen
lead	led	led	leiden
leave	left	left	verlaten, laten
lend	lent	lent	(uit)lenen
let	let	let	laten, verhuren
lie	lay	lain	liggen
lose	lost	lost	verliezen
make	made	made	maken
mean	meant	meant	bedoelen, betekenen
meet	met	met	ontmoeten
mow	mowed	mown	maaien
pay	paid	paid	betalen
put	put	put	leggen, zetten
read	read	read	lezen
rend	rent	rent	(ver)scheuren
ride	rode	ridden	rijden
ring	rang	rung	bellen, klinken
rise	rose	risen	opstaan, opgaan, opstijgen
run	ran	run	hardlopen
saw	sawed	sawn	zagen
say	said	said	zeggen
see	saw	seen	zien
seek	sought	sought	zoeken
sell	sold	sold	verkopen
send	sent	sent	zenden
set	set	set	zetten
sew	sewed	sewn	naaien
shake	shook	shaken	schudden
shed	shed	shed	storten (tranen, bloed)
shine	shone	shone	schijnen (licht, zon)
shoot	shot	shot	schieten
show	showed	shown	latenzien, tonen
shrink	shrank	shrunk	krimpen, terugdeinzen
shut	shut	shut	sluiten
sing	sang	sung	zingen
sink	sank	sunk	zinken
sit	sat	sat	zitten
sleep	slept	slept	slapen
slink	slunk	slunk	sluipen
sow	sowed	sown	zaaien
speak	spoke	spoken	spreken
spend	spent	spent	uitgeven, doorbrengen
spit	spat	spat	spuwen
spread	spread	spread	zich verspreiden
spring	sprang	sprung	springen
stand	stood	stood	staan
steal	stole	stolen	stelen
stick	stuck	stuck	steken, kleven, plakken
sting	stung	stung	steken, prikken
stink	stank	stunk	stinken
strike	struck	struck	slaan, staken
string	strung	strung	rijgen, bespannen, besnaren
strive	strove	striven	streven

swear	swore	sworn	zweren, plechtig beloven
sweep	swept	swept	vegen
swim	swam	swum	zwemmen
swing	swung	swung	zwaaien
take	took	taken	nemen
teach	taught	taught	onderwijzen
tear	tore	torn	scheuren
tell	told	told	vertellen, zeggen
think	thought	thought	denken
throw	threw	thrown	gooien, werpen
thrust	thrust	thrust	stoten
tread	trod	trodden	(be)treden
understand	understood	understood	begrijpen, verstaan
wear	wore	worn	dragen (aan het lichaam)
weave	wove	woven	weven
weep	wept	wept	huilen, wenen
win	win	win	winnen
wind	wound	wound	winden
wring	wrung	wrung	wringen
write	wrote	written	schrijven